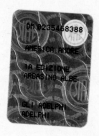

Nato a Voghera nel 1930, Alberto Arbasino pubblica il suo primo racconto, *Distesa estate*, nel 1955 su «Paragone», e da allora collabora con importanti riviste, fra cui «Il Mondo», «Tempo presente», «Nuovi argomenti», «il verri». Nel 1957 esce *Le piccole vacanze*, cui seguiranno *L'Anonimo lombardo* (1959) e *Parigi o cara* (1960). Nel '63 appare *Fratelli d'Italia*, nel '64 *Certi romanzi*, e poi *Grazie per le magnifiche rose* (1965), *Super-Eliogabalo* (1969), *Sessanta posizioni* (1971). Del 1972 sono *La bella di Lodi* e *Il principe costante*, mentre si intensificano gli interventi di carattere politico: *Fantasmi italiani* (1977), *In questo Stato* (1978), *Un Paese senza* (1980) e *La caduta dei tiranni* (1990). Viaggi e mostre: *I Turchi* (1972), *Trans-Pacific Express* (1981), *Il Meraviglioso, anzi* (1985). Tre libri di poesia: *Matinée* (1983), *Rap!* (2001), *Rap 2* (2002). Fra i titoli pubblicati da Adelphi, l'edizione definitiva di *Fratelli d'Italia* (1993), *Mekong* (1994), *Specchio delle mie brame* (1995), *Parigi o cara* (1995), *L'Anonimo lombardo* (1996), *Lettere da Londra* (1997), *Le Muse a Los Angeles* (2000), *Super-Eliogabalo* (2001), *La bella di Lodi* (2002), *Marescialle e libertini* (2004), *Dall'Ellade a Bisanzio* (2006), *Le piccole vacanze* (2007), *La vita bassa* (2008) e *L'Ingegnere in blu* (2008). Due Meridiani Mondadori riuniscono ora l'intera opera narrativa di Arbasino (*Romanzi e racconti*, 2009-2010).

Alberto Arbasino

America amore

ADELPHI EDIZIONI

INDICE

HARVARD '59

BROADWAY & SUBURBIA

WEST COAST

OFF-OFF

TRENTA POSIZIONI

ALTI LUOGHI

AMERICA AMORE

HARVARD '59

EASY...

Basic. Gli orari delle linee marittime sono combinati in maniera di far arrivare le navi davanti a Manhattan di prima mattina. Ci si butta fuori sul ponte, mentre si sta già passando tra forme indistinte e nebbiose, a destra e a sinistra – Staten Island, il New Jersey, la parte bassa di Brooklyn, la statua della Libertà color verderame –, e il braccio di mare intorno è pieno di piroscafi minori, di traghetti e chiatte che si incrociano. Poi ci si trova di fronte al muso dell'isola; e il profilo dei grattacieli, così familiare dopo tante cartoline, si illumina adagio ai raggi del sole che s'alza; eccoli sempre meno grigi e più vicini.

La nave piega a sinistra, perché si approda sul fianco dell'isola, e dietro i primi si vede tutta la folla degli altri grattacieli, belli, bizzarri, incantevoli, meravigliosi: tantissimi; da gridare dall'entusiasmo! Però quando finalmente si scende, e li abbiamo a portata di mano, ci si comincia a render conto fino a che punto uno possa arrivare con la testa piena di miti e di pregiudizi, la prima volta che sbarca in un paese dove praticamente tutti sono già stati, hanno già detto e raccontato tutto. A partire dalle similitudini dantesche di prammatica, circa i vapori dagli asfalti e selciati.

Un europeo di media cultura avrà letto parecchi libri e articoli di giornale sull'America; avrà visto tanti film di Hollywood; avrà magari anche dato ascolto alle chiacchiere di uno che siccome ha trovato brutto tempo a Filadelfia, oppure non ha trovato i biglietti per *My Fair Lady* un sabato sera, allora torna indietro generalizzando e dichiara che in Pennsylvania piove tutto l'anno, e che non è possibile andare a teatro perché sono sempre tutti esauriti. Tanto, la distanza è grande: come si fa a controllare se è vero o no...

Questo europeo che arriva bruciando dall'impazienza, e non riesce a star fermo dall'eccitazione se alla stazione marittima fanno aspettare un po' di tempo per le formalità doganali, si troverà, nonostante tutto, inevitabilmente carico di luoghi comuni vecchi almeno come Dickens, che è stato uno dei primi a raccontare cosa ha visto là: paese vastissimo, tutto nuovo, dunque, terra (naturalmente) di pionieri, fin troppo efficienti nelle città, rozzi, rozzissimi nelle campagne; comandano le donne; viziano i bambini; vita politica violenta e sentimentale; vita sentimentale tormentata dai ricordi puritani da un lato, e dall'altro anche da passioni poco decenti che vengono su tutte dal Vecchio Sud; gente volitiva, *però* senza disciplina; dotata di istinto gregario, *ma* solitaria nell'intimo; pacifica, *eppure* soggetta a esplosioni di violenza paurose; tutti ossessionati dalla mania di far soldi; e adesso, poi, pensano solo alle automobili, alla Russia, al sesso, agli oggettini ingegnosi chiamati *gadgets*, macchinette che cavano tappi o sbucciano verdure, tutti i giorni se ne inventa una nuova, e chi non l'ha si sente più infelice degli altri.

Tanti europei si saranno magari anche chiesti più di una volta qual è allora la verità su questo paese, se è America Amara o America Amore, se non è tutte e due insieme, e da che lato possono finire per pendere questi sentimenti in equilibrio tanto indeciso tra il fascino e la ripugnanza. Qui bisognerebbe decidere, a un certo punto: la ammiriamo, questa gente, o ci fanno un po' compassione? Ma come è difficile risolversi...

I miti, certamente, rispecchiano una larga parte delle realtà americane. E la ragione vera per cui tutto il paese è così interessante in ogni momento, attraverso tutti i cambiamenti possibili, e provocherà continuamente emozioni fortissime, dall'irrefrenabile entusiasmo iniziale alle punte più acute della disperazione o del rigetto, poi, è che si finisce per trovare a ogni passo una soddisfazione profonda, ogni volta che i fatti confermano i miti che ci si porta dietro, e d'altra parte ogni contraddizione del mito che si verifica finisce per sembrare una scoperta eccitante: allora la diversità è possibile! Esiste dunque un'altra eccezione che prova come nessuna regola sia davvero assoluta...

Sì, sono gente rozza, tonta, lenta nei ragionamenti, nelle reazioni – *però* che fior di intelligenze acute si trovano lì ogni tanto!

Il paese scoppia di ricchezza, è pieno di risorse e grattacieli,
ma il paesaggio urbano più comune – le prime strade che si incontrano appena fuori della stazione marittima – è una doppia fila di case vecchie e grigie, mal tenute, divise in tanti appartamentini angusti, con la facciata che casca a pezzi attraversata dalle scalette nere e rugginose, di ferro: loro hanno questo terrore degli incendi. Scalette, corde, uscite di sicurezza sono le prime cose che si vedono in ogni edificio; tante tabelle
dappertutto con le istruzioni in caso di fuoco; leggi severissime
per non lasciar entrare più di un dato numero di persone in
cinema, teatri, bar, sale da ballo; e più inquietante ancora, indicazioni precise in ogni locale sui rifugi più vicini in caso di in-
cursione aerea, a cura del «Servizio di difesa civile».

Sarà poi anche il paese più preoccupato dai princìpi igieni-
ci, ossessionato da docce, saponi, disinfettanti, vitamine, ormoni: *però* non ho mai visto strade così indecenti, coperte di rifiuti che si riversano fuori dai bidoni della spazzatura sui marciapiedi dei quartieri poveri; e per le vie del centro tutti gettano
per terra giornali stracciati, bicchieri di carta, bucce di frutta,
carte di caramelle e croccanti distribuiti dalle macchinette a
gettone. La sporcizia e i cattivi odori della Metropolitana, nelle grosse città, sono del resto una specie di vergogna nazionale, invano combattuta con cartelli del Municipio che si appel-
lano al senso di decoro dei cittadini. Per fortuna i tassì non costano cari, e si trovano sempre, tranne alle ore dell'andata o
del ritorno dal lavoro e dagli spettacoli: ma prendere la Metropolitana è sempre una esperienza delle più spiacevoli. È già
difficile trovare le stazioni, tutte diverse una dall'altra, e somiglianti a vecchie edicole, chioschi cadenti, gabinetti guasti; le
scale sono scrostate, i corridoi interminabili, non c'è nessuna
indicazione, calore insopportabile, treni luridi e poco frequenti. A New York funziona però per tutta la notte, per chi ha stomaco. Si viene anche affrontati da mendicanti che non sono
troppi, ma prepotentissimi: si avvicinano chiedendo addirittura la somma stabilita da loro: dieci, venti, addirittura trentacinque centesimi (più di duecento lire).

È verissimo poi che basta chiamare da qualunque telefono
qualunque numero di ogni città degli Stati Uniti per avere la
comunicazione immediatamente: *però* ogni volta che si imposta una lettera ci sono molte probabilità che sparisca per sempre, oppure impieghi una settimana a fare cinquanta chilome-

tri, come se la portassero a piedi. È un'altra vergogna nazionale: solo gli autobus funzionano peggio. La ragione, dicono, è che generalmente le imprese pubbliche, come appunto le poste e i trasporti urbani, funzionano assai male, perché sono in mano di gente incompetente e corrotta. E non si parli della polizia, delle dogane, di tanti uffici pubblici, che sono poi i primi dove approda lo straniero, per ragioni di passaporti, di visti, di altri pasticci. Si troverà tante volte di fronte a mostri di flemma, inefficienza, pedanteria, se non addirittura distrazione e ostruzionismo.

Pare che vadano nettamente meglio, tradizionalmente, le imprese private: ma se si entra in un grande negozio un quarto d'ora prima della chiusura, cioè alle quattro e tre quarti del pomeriggio, il commesso avvertirà seccamente che è inutile, è troppo tardi, devono prepararsi ad andar via; e se si domanda un oggetto, e loro non l'hanno, si guardano bene dal suggerirne uno simile o consigliare dove potrei procurarmi quello che mi interessa. (Non succede mai come quando entriamo in una di quelle botteghe, da noi, dove si chiede, mettiamo, una camicia, e non ci lasciano più andare finché non ci hanno venduto almeno un paio di calze, magari non della nostra misura). *Però* ho preso parecchi aeroplani e qualche treno, appartenenti a diverse società con nomi che dànno un'idea un po' poetica e un po' esotica della vastità del paese (New Haven & Hartford, Hudson & Delaware, Chesapeake & Ohio, Richmond & Potomac), e in complesso era un vero piacere, per quanto non sia vero che i treni arrivino *sempre* in perfetto orario. E i telefoni, si capisce, sono l'esempio tipico di grossa impresa privata condotta con efficienza. Ho visto anche qualche grande fabbrica d'automobili: tutto funzionava: orari rigidissimi, regolamenti di ferro, polizia ai cancelli.

Era la prima volta che venivo in questo paese: e bastava già fare qualche giro per New York – questa città che ha qualche strada molto elegante, qualche parco molto bello, ma è in gran parte vecchissima, decrepita, cadente, piena per tanti chilometri di abitazioni miserabili, di gente che non ha abbastanza da mangiare – per disperare di poter risolvere qualcuno dei misteri e delle contraddizioni degli Stati Uniti, attraverso le negazioni e le conferme dei miti che ci si trascinano dietro. Del resto, la ricerca di una identità prima individuale e poi nazionale (o forse il contrario), la ricerca di fini, di scopi, di ideali, finisce per essere il grande tema della vita americana di questi anni, forse proprio a cominciare dalla vita pubblica. «Chi siamo?», «Cosa dobbiamo volere?», «Dove possiamo andare a finire?», sembra che si stiano chiedendo tutti loro in ogni momento, da Eisenhower al morettino che lucida le scarpe sulla piazza del suo villaggio; e anche tutto il traffico degli intellettuali liberali finisce per aver più una funzione di analisi che non scopi immediatamente politici.

È stata, del resto, una curiosa estate, questa del grande caldo e del vacillamento di quasi tutte le certezze, della revisione dei programmi economici e di politica estera, e delle manie per il buddhismo Zen, del viaggio di Kruscev che ha sbalordito tutti non tanto perché gli hanno lanciato insieme il Lunik (un successo di natura tecnica e scientifica è ancora logicamente spiegabile), ma perché gli americani impazziscono all'idea che dal fondo di un paese psicologicamente arretrato riesca a venir fuori a un tratto questo straordinario campione di abilità nelle «public relations» e nelle tecniche pubblicitarie di cui credevano di essere i maestri indiscussi. Se una società si basa con tanta fiducia sulla propria capacità di vender bene i propri prodotti, sarà un colpo abbastanza grave il giorno che vien fuori un ometto che vende la sua mercanzia meglio di loro. È stata, fra l'altro, anche l'estate dell'inizio della campagna pre-elettorale che deciderà i destini di tutta la nazione per dieci anni buoni.

E così ho finito per passare alcuni mesi nella zona ancora più europea di tutte, fra Boston, Harvard, New York, Washington, le spiagge del New England, dove sembra che la civiltà del Vecchio Continente possa dopo tutto portare avanti le sue tradizioni migliori, sia pure con nuovi e diversi metodi, e non si ha l'impressione, come spesso in altre parti del paese, che la civiltà europea sia approdata a quelle rive solo per morire più in fretta. Stando in mezzo alla gente, ho provato come tutti entusiasmi e angosce, indifferenza mai; e senza nessuna pretesa di fare quindi delle scoperte (che gli americani stessi paiono inutilmente ansiosi di fare nei propri riguardi), proverò a raccontare...

La prima impressione è che si tratti veramente di una Lolita invecchiata. È lei, non ci sono perplessità: basta scendere dalla nave a Manhattan, passare dall'aria condizionata al calore umido della stazione marittima, orrendo, vedere che i grattacieli stanno tutti attaccati l'uno all'altro, attraversare gli squallidi isolati fra Riverside Drive e il lato west del Parco – la degradazione del falso-Tudor che si slabbra e crolla, dentro le maglie delle scalette nere di ferro –, uscire dalla città finalmente, e imboccare la Turnpike del Connecticut, alla massima velocità consentita dai cartelli lungo la grande autostrada, per non soffocare – e per accorgersi subito che dire «paradiso e inferno» non è poi la solita sciocchezza, ma la definizione più vicina a questa realtà: l'autostrada a larghe carreggiate, frequentemente interrotta dagli elaborati quadrifogli di raccordo ad altre vie in tutte le direzioni, da caselli a pertugi strettissimi dove ci si infila a versare la piccola somma necessaria per fare il prossimo tratto di qualche miglio; e poi i bar dove ci si ferma lungo queste autostrade. Qui si cominciano a vedere davvero le cose «dell'altro mondo». Basic?

La prima cosa che ti infilano davanti è una tovaglietta di carta che invita a ringraziare, prima di mangiare, per le tante grazie da cui si è benedetti, in quanto americani, nelle seguenti tre versioni: per il cliente cattolico «Benedici, o Signore, noi e questi tuoi doni che stiamo per ricevere attraverso la tua bontà e per mezzo di Cristo nostro Signore, Amen»; per l'ebreo «Alzate le mani verso il tabernacolo e benedite il Signore, sia tu benedetto o nostro Dio, Re dell'universo, che fai sorgere il pane dalla terra»; per il protestante «Benedici, o Signore, questo cibo per il nostro uso, e noi che siamo qui per il tuo servizio, e fa' che ci ricordiamo sempre anche dei bisogni degli altri, in nome di Gesù, Amen». (Se non si paga prima, ovviamente, né bontà divina, né pane, né coperto).

Ma a questo punto arriva tutto: le centinaia di acque diversamente colorate, e tutte con tanto ghiaccio tritato, che vengono fuori dai loro rubinetti nella coppa di carta infilata dentro il sottocoppa cromato; le centinaia di tortini nella loro busta di cellophane, tutti diversi e tutti ugualmente vaghi di sapore ma coi loro ingredienti giusti (viene in mente il disegno di Chas Addams dei bambini smarriti nel bosco che si avvicinano alla casetta di marzapane della fatina per mangiarla, ma prima guardano l'etichetta di garanzia che dice «farina, tanto %, zucchero tanto, burro genuino, vaniglia artificiale»); poi le creme e le spume; il dipartimento delle carni arrostite o fritte (ma già un po' digerite), tutto metallo, biancheria, fumi, senapi; la sezione dei frutti e delle verdure già tritate sotto i loro sughi, in fondo ai ricettacoli quadrati di dove le tirano su col mestolo; i depositi di sandwiches già confezionati sotto carta, con pani di tutti i colori fra il bianchissimo e il ripugnante, e tutte le possibili carni e uova di bestie, formaggi, pesci, verdure; e le file delle scatole da cui sembra difficile in principio fare la scelta decisiva tra l'aragosta viva sotto ghiaccio o le cinquecento qualità di pralines, le duecento lozioni per rasoio elettrico o i fazzoletti di dacron da un dollaro che non si stirano o il fumetto *Ho sposato un virus* o la polpa di avocado all'arancia.

Le emozioni più forti, in questo paese meraviglioso, credo che si provino davanti alla bellezza della gente, dei vestiti, della musica, commedie musicali e riviste, anche se sono canzoni che si conoscono già, perché a questo punto si tratta veramente di respirarle, queste musiche, vivendoci in mezzo, versate gentilmente da altoparlanti dissimulati come un filo sommesso e continuo di aria condizionata freschissima, per le strade, dentro i negozi, nei cinema cavernosi e sporchissimi come cattedrali fine-Ottocento sconsacrate, nei grandi magazzini dove si trova tutto, dal fruttivendolo dove si vanno a comprare le riviste e i libri (o forse è dal giornalaio che si compra la frutta), nella farmacia dove si entra a prendere biscotti e carta da lettera, e ci si siede alla *fountain* a bere un *lemon lime* tra la ragazzina in calzoni a strisce che succhia la sua *coke* e l'omone di meno di trent'anni sposato che è già al sesto frappè alla fragola, e va ancora avanti. Il tempo si è fermato e non conosce mode per gli abiti delle donne e per le musiche; e ogni volta è la stessa impressione, sentendo le incantevoli canzoni degli anni '30 e '40, che qui dovessero tutti averle dimenticate, o superate. Macché. I film naturalmente si sono sempre visti volentieri: e sarà piacevole vederne tanti qui per rendersi conto in che misura siano sociologicamente e linguisticamente vicini alla realtà che possiamo controllare appena si esce fuori; ma uno dei piaceri più forti sarà l'acquisto a bracciate, a mucchi, ogni giorno, di tanti chili di riviste, che qui costano al massimo da 15 a 60 cents ciascuna, e quindi è possibile ottenerne in quantità mai viste, da portare a casa e passarci ogni giorno sopra parecchie ore, buttate là, sul letto, sulle poltrone, sui tavoli, sui pavimenti; e naturalmente non saranno soltanto quelle che più o meno si vedono sempre, «The New Yorker», «The Reporter», la «Partisan Review», ma proprio quelle come «Playboy», «Esquire», «Mad», tutti i moltissimi «mensili per giovanotti» prodotti con un gusto e una abilità straordinari, dosando insieme il «portfolio» con la donna nuda e l'umorismo raffinato, i bei mocassini con la buona letteratura, l'indagine di sociologia industriale con le belle arti e le vacanze grandi e piccole. I libri, invece, nella maggioranza, si fa una certa fatica a leggerli.

Le prime impressioni riguarderanno dunque, come è giusto, specialmente gli aspetti più banali e superficiali: l'aspetto della gente per le strade in città sorprendentemente «casual», vestita peggio del «male» che ci si aspetta, con una semplicità che a Roma o a Milano, nella stessa stagione e con la stessa temperatura, sarebbe difficile immaginare: gli uomini con i soliti pantaloni chiari uguali per tutti, e una camicia qualunque con le maniche corte, che quando vuol essere ricercata è di una batista scura, marrone o verde, con i disegnini minuti delle cravatte di foulard; rarissimi sono invece i blue jeans, e si vedono in strada non più spesso che da noi un operaio in tuta da lavoro o un cameriere in giacca bianca. Delle donne, molte sono in calzoni corti, e le ragazze comuni quasi sempre. Dire di queste che non sanno vestirsi, che sono senza *coquetterie*, e che la maggior parte delle volte sembra che abbiano pescato fuori degli stracci in un gran mucchio di rifiuti indecenti, e se li siano messi addosso come viene viene, e senza guardarsi nello specchio, forse è dire ancora poco: le nostre, neanche nelle intimità più indecorose si presentano così malmesse. Le vecchie hanno tutte vestiti larghi e ondeggianti, trasparentissimi, con la cintura; portano occhiali, cappellini di paglia leggera. Le vecchie chic vestono come dappertutto; la loro seta stampata, le perle di look meraviglioso. Di donne di mezza età non ne ho ancora viste: saranno pochissime?

Deve essere proprio una razza di doti fisiche eccezionali (anche se paiono tutti orbi, uomini e donne, ma del resto anche l'altra razza favolosa del pianeta, gli olandesi, ha i denti totalmente guasti), se le braccia, le gambe, le mani, i colli, le facce, gli occhi, le pelli, le pettinature, vengono fuori con una bellezza mai vista – noi di solito vediamo quelli da esportazione, che non valgono niente rispetto alla media – da questi stracci che si mettono addosso, e dagli shorts che portano tutti, ragazzi e ragazze, i bermudas uguali, a colori vivaci e generalmente a quadrettini di madras, e hanno la forma delle brutte braghe dei boy-scouts («short shorts» sono invece quelli da spiaggia che noi chiamavamo semplicemente *shorts*: un po' la stessa differenza che c'è tra «short stories» e «long short stories»). E tanto più viva riesce l'impressione quando si vedono, addosso a una razza stupenda, ma in mezzo a una massa sciatta, i loro vestiti quando sono belli. E sono già incantevoli nei negozi. Della roba da uomo bellissima: impermeabili bianchi, mocassini con la pianta larga; grandi scarpe di cordovano quasi viola; blazers leggerissimi e morbidi; altre giacche di seta soffice a righe rossicce; abiti completi in *wash-and-wear*, dacron e cotone o dacron e lana, di tinte unite brillanti e severe, dal marrone bruciato al verde oliva, o sul blu carbone, grigio antracite; lini ingualcibili color della panna, per i doppi petti; giacche o abiti completi a righine fittissime, celesti o marroncine. *Anyway,* è inutile comprare tanta roba: basterebbe una uniforme bianca della marina per il giorno, un *clergyman* di nylon lavabile per la sera, e uno è sempre a posto, in qualunque occasione. Poi soffici maglioni, di shetland enorme e leggero, inglese, ma in colori compositi visti solo qui, col collo alto del tipo *shaggy dog,* da mettere coi calzoni da tre dollari, di tipo militare. E poi le più belle cravatte del mondo, reggimentali o di foulard, bei fazzoletti, camicie da smoking con pieghe indovinatissime, tanti cappelli di paglia di tutti i tipi, con i nastri a vivi colori, calzetti bianchi grossi di lana, e quelli colorati di cotone lavorato a cashmere, di una sola misura che va bene per tutti i piedi, e va bene davvero.

Fuori dai negozi (e dover uscire da quelli di dolci è un distacco anche più straziante, altro che un'America *Amara* per vecchietti), le altre prime impressioni potranno riguardare le solite esagerate paure degli incendi, con precauzioni sotto tutte le forme, tutte queste scalette, le corde arrotolate in camera per scappare dalle finestre; e la mania didascalica per cui al cittadino viene spiegato in ogni luogo e in ogni momento, con particolari minuziosi, cosa deve fare e cosa gli è proibito, come a un bambino piccolo: «Questo senso è permesso, il senso opposto è proibito», «Non fumate qui dentro, fumerete fuori dopo» dicono i cartelli, oppure «Introdurre una moneta da 5 cents per avere la caramella: se si introducono due, una delle due verrà restituita», o «I nomi delle stazioni sono elencati dall'alto in basso, nell'ordine, da Cambridge a Dorchester; per sapere le fermate da Dorchester a Cambridge, leggere dal basso in alto». E poi i giochetti che si permettono di fare con la lingua inglese, scrivendola come si pronuncia, la maggior parte delle volte con intenti spiritosi: *nite* invece di *night, nabor* per *neighbour, kwick* per *quick,* e addirittura *u* per *you,* e *takacheck* che sta per «prendete lo scontrino».

Quante volte, a casa nostra, entriamo in una pasticceria soltanto per mangiare tutti i dolci che possiamo? Sarà capitato di rado, per lo più in Francia davanti a una vetrina della Marquise de Sévigné molto attraente. E nei bar, piuttosto, le file di Amari e Bitter aperitivi o digestivi. Ma cosa vorrà dire che qui invece ci si sente talmente esposti alle tentazioni più eccitanti, si entra in uno dei grandi magazzini a prendere qualunque cosa, e subito ci si sente attratti dal dipartimento delle chicche – che sono poi modesti cioccolati, mandorline economiche per la dattilografa... eppure dev'essere un segno, come la tentazione di indossare un paio di calzoni da tre dollari e novantacinque, una maglietta a T, e stare in mezzo alla gente, vestito come loro: aumenterò di peso, ingrasserò come un porcello, non importa niente, butterò via gli abiti vecchi e ne comprerò di nuovi cento volte migliori, di quelli che si lavano e non si stirano, taglia *Large*; fra un paio di settimane, la prima volta che dovrò andare dal barbiere, avrò anche il loro taglio di capelli, il loro stesso accento fra sei mesi, con tutta la pronuncia sbagliata; e i giornali europei, che costano un quarto di dollaro, non li prenderò più. Come la si capisce, questa tentazione: non tornar mai più indietro; tanto, quello che lasciamo, lo conosciamo bene; e non ci dice più niente; basta. E poi, fra un mese, o fra un anno, fra queste case bianche senza un nome, i prati verdissimi, i grandi alberi del New England, capisco bene come improvvisamente ci si possa sentir rovesciare a terra da una nostalgia sconosciuta e aspra, mordere da questa emozione irragionevole, senza preavviso e senza motivo, anche morire pur di tornare indietro un momento, tornare indietro per niente, poi.

E sì che questo è ancora l'angolo più europeizzato dell'intero paese, dove sto riparato a riprendermi: verissimo che Boston è come Londra o Amsterdam, la campagna intorno potrebbe anche essere il Piemonte, la Cambridge di qui ricorda molto la Cambridge inglese, i collegi di Harvard somigliano a Keble o a Balliol, se non ad All Souls e a Peterhouse. L'erba dello Yard, che Santayana giustamente ha ricordato per sempre come il luogo decisivo per la sua formazione, cresce leggera e tenera all'ombra dei rami larghissimi e ombrosi, fra i muri di mattoni rossicci delle (o degli?) *halls* per le matricole e delle biblioteche, coperte d'edera, coi serramenti a riquadri e i portali bianchissimi; e gli scoiattoli vengono giù confidenti a mangiare sul prato, con un sorriso domestico, in mezzo ai piccioni e a qualche enorme motocicletta tedesca nera buttata là, appoggiata ai tronchi. Verso sera, arriva sempre da qualche scantinato il suono di oratori di Händel provati dalle corali; e nel crepuscolo i cappuccetti d'argento delle bocche d'acqua per gli incendi spuntano come grossi funghi nei viali. La vastissima pace adatta a studi meravigliosi, nei collegi pieni di poltrone, di camini, di docce, di tappeti, nelle biblioteche ad aria condizionata dove ciascuno si serve da sé di tutti i libri, dischi, o annate di riviste che si possano desiderare, fino alle dieci di sera, si estende verso il lato del fiume Charles, oltre il club sportivo e i circoli di Facoltà e le filiali dei negozi di abbigliamento maschile chic di New York, oltre le case per gli studenti dell'ultimo anno coi loro ricchi cuoi, i legni dorati e neri, gli stucchi, i candidi campanili.

Ma forse è molto più drammatica di come ci si aspetta l'impressione della solitudine, della disperazione, della paura di tutto, che c'è dentro l'indifferenza di questi ragazzi che si sdraiano nelle biblioteche o sul prato, le manone piene di libri di testo che riguardano materie più numerose delle pagine di una enciclopedia.

Non è soltanto la solita impossibilità di comunicare con chiunque: qui, anche i più grandi e i più belli sembrano a pezzi, non sanno niente, hanno i terrori per qualunque cosa, non si conoscono, e soffrono. È straziante vedere come si buttano sul lavoro dalla mattina alla sera per dimenticare tutto, come cerchino di non guardare mai in faccia nessuno, di combattere la tendenza alla solitudine con la ricerca affannosa di «popolarità», e siano esitanti nel parlare anche con i loro amici; come si muovano ciecamente in cerca di calore umano che non sanno come trovare; e sconcerterà anche la diversità dell'atteggiamento delle ragazzine; loro, anche se non sono ancora matrone imperiose e detestabili, anche nella ipotesi migliore della ragazzina serena e sicura di sé, ancora piccole sanno invece già tutto (magari non sanno niente, ma si comportano come se avessero tutta la saggezza del mondo); sanno sempre, in ogni circostanza, cosa fare, anche se non sono capaci di vestirsi.

Ma la diffusa disperazione che c'è dentro tanti di loro colpisce qualunque curioso straniero. Si vedono, ciascuno isolato dentro nebbie o vapori, in stanze vicinissime l'una all'altra, e divise, come nel *Sang d'un poète* di Cocteau o nel *Balcon* di Genet, dove si rappresenta in ciascuna un dramma diverso, esalare le proprie angosce private. Si sentono mormorare i desideri: «vorrei essere uno schiavo, un ebreo, una bambina, una dattilografa, un nero con i tacchi alti, una indossatrice con le calze rosse, il presidente della Remington Rand, Shirley MacLaine, il papa, Paul Newman, il comandante dei marines, Mae West, un can barbone, una mosca, un virus». Da un gruppo di articoli molto interessanti di Arthur Schlesinger jr, di Vance Packard, di parecchi sociologi e psicologi interessanti, persino di Nigel Dennis, c'è da ricavare uno studio sulla non-conoscenza di se stesso dell'uomo americano, sulla sua ricerca della propria identità, del proprio «status». Ma in queste mattine un sole brillante dissipa la nebbia leggera e i fantasmi della notte: gli uomini di fatica raccolgono le cartestracce della sera prima con un bastone che ha un chiodo sulla punta, i ragazzi e le ragazze vanno in calzoni bermudas ai corsi della Summer School; e gli scoiattoli scendono lungo i tronchi. Ma non come in una copertina del «New Yorker» dove si vede un bosco tagliato da una autostrada, un cartello «attenzione, daini che attraversano», e gruppi di daini che aspettano sui bordi per potere attraversare l'ininterrotta fila di automobili: gli scoiattoli scendono sull'erba tenera fra le persone, con le loro code spelate (forse qualcuno gliele tira), e fanno colazione tenendo la nocciola fra i loro manini giunti.

... Anything You Can Do... Doin' What Comes Natur'lly... I Get A Kick Out Of You... I'm An Indian Too...

... There's No Business Like Show Business?

CAMPUS

Il nome di Harvard, una delle Università più importanti e famose del mondo, incute reverenza a tutti gli americani, ma non certamente alle ragazzine che sbarcano lì ai primi di luglio, per passarci i due mesi della Summer School, e scaricano bauli, casse, ferri da stiro, asciuga-capelli e racchette da tennis dalle giardinette guidate dai padri e dai fratelli. Cariche di tutti i loro arnesi e di borse di tutte le forme, prendono possesso dei dormitori che hanno ospitato soltanto maschi per secoli; di solito vengono installate nelle case delle matricole, abbastanza rozze e sotto sorveglianza più diretta: quelle degli studenti anziani, più chic, sono quasi sempre chiuse d'estate, e quindi nessuna avrà la soddisfazione di dormire nel letto dell'Aga Khan.

Le case delle matricole sono tutte intorno a uno dei posti più belli che esistano, lo Harvard Yard, il vasto prato verdissimo e ombroso, pieno di vecchi alberi folti, carichi di scoiattoli che vanno su e giù per i tronchi, attraversano l'erba e si fermano a mangiare vicino alle persone distese, senza nessuna paura, con le loro manine e codone sempre in moto. Gli edifici intorno o dentro allo Yard sono generalmente di mattoni rosso-scuri, con portichetti e serramenti verniciati di bianco, a due piani, se si tratta di dormitori; le biblioteche e gli uffici delle Facoltà hanno invece volentieri facciate quasi imponenti, colonnati, scalinate, campanili con guglie e cupolette bianche e blu. Raggi di una luce incantevole filtrano dai rami spessi, come se si fosse nel bosco di Biancaneve, a illuminare i colori verde e fulvo dominanti; nelle ombre del crepuscolo diventano vividi e cupi.

Ciascuna delle case che accolgono più di tremila ragazzi e ragazze per la scuola estiva non ne contiene mai più di una cinquantina. C'è un ingressino, una scala di faccia, e da una parte e dall'altra, al pianterreno, le *common rooms*, con qualche poltrona, un televisore, un frigorifero, un'asse per stirare, un fornello, e il lavabiancheria nel seminterrato. Le stanze sono distribuite in appartamentini: e ciascuno ha a sua volta una piccola *common room*, o sala di studio, con le scrivanie, le lampade, le poltrone, il camino; e due camere da letto, con una o due brande, affiancate o sovrapposte, un armadio a muro, e pochi altri mobili. Non esistono serrature alle porte interne. Le docce sono meravigliose. I saponi, gialli accesi. E poi ciascuno porta quello che vuole, quadri, vasi, sedie a dondolo, statue, bandiere alle pareti, portabiti da appendere al muro. I ragazzi non possono entrare nelle case delle donne, e tanto meno queste possono ricambiare la visita, neanche col pretesto di aggiustare la biancheria. C'è una polizia molto severa che ha sede nello Yard (l'Università ha il suo proprio corpo di polizia, come il suo servizio postale, la sua impresa di costruzioni, e tutto), e sorveglia ogni movimento. Le case degli uomini stanno aperte, con porte spalancate, per tutta la notte; quelle delle donne chiudono all'una. Se una ragazza torna dopo quell'ora, non le fanno niente; ma dato che non esistono portieri o custodi, deve andare al comando di polizia, e un sergente con la Colt alla cintura e una lampadina tascabile la accompagna fino alla sua porta, le strappa via il maschio se ne ha uno insieme, e la richiude dentro fino alle otto della mattina. Se una sta male, deve telefonare che la vengano a prendere.

Una ragazza che arriva a Harvard per la prima volta approda in un posto che è stato a lungo una università esclusivamente maschile, anche se a un certo punto è stata affiancata dalle istituzioni di Radcliffe, facoltà e dormitori riservati alle donne. È un posto che ha sempre avuto uno straordinario prestigio, e questo si riflette su tutti quelli che ci sono passati: gli scienziati, gli storici, gli amministratori più importanti hanno studiato e insegnato qui; i personaggi più notevoli della nazione, compresi parecchi presidenti degli Stati Uniti, ci hanno passato anni di studio; e i visitatori stranieri più illustri ci sono capitati tutti, prima o poi. Di qui vengono fuori i consiglieri politici ed economici del governo, i dirigenti delle grosse industrie, gli autori di libri che vengono subito discussi in tutto il mondo. E inoltre è un posto che ha una forte fama di severità scientifica, di non-conformismo politico, di orgoglio intellettuale, di una moralità personale che va da eccessi di puritanesimo a punte di diabolismo... Ce n'è abbastanza da mettere paura, o soggezione, a tutti quelli che arrivano, generalmente da remoti paesi dell'interno, soprattutto per poter dire «sono stato a Harvard» dopo aver fatto i due mesi della scuola estiva. Le tasse altissime, infatti, le iscrizioni ristrette, e la severità degli esami, rendono abbastanza difficile a uno studente ordinario di fare qui tutto il suo corso di studi. Ma la scuola d'estate non è molto stretta; e non è riservata ai più ricchi o ai più bravi.

Quando questi tremila ragazzi e ragazze, generalmente molto giovani, arrivano ai primi di luglio, si sono già iscritti a qualcuno dei corsi seguenti: antropologia, astronomia, biologia, chimica, lingua cinese, letterature classiche, economia politica, magistero, fisica, matematica, inglese, francese, storia e lingue orientali, belle arti, geografia, geologia, tedesco, pubblica amministrazione, relazioni internazionali, storia, linguistica, italiano, giapponese, spagnolo, scienze mediche, mineralogia, musica, filologia, ingegneria, scienze politiche, psicologia, lingue slave o semitiche, relazioni sociali, sociologia, statistica, zoologia; e ciascuno di questi corsi è poi diviso in infinite classi e specializzazioni.

È incredibile come tutti prendano lo studio con impegno; è verissimo però che viene favorito da condizioni d'ambiente meravigliose. Il «campus», cioè il terreno alberato vasto e sereno su cui tutte le università americane stabiliscono i loro edifici, si trova nel mezzo della città di Cambridge, alla periferia di Boston, circondato da case e negozi che vivono tutti in qualche modo sulle necessità del mondo degli studenti. Fra le pochissime cose che quindi si richiedono a questi la principale è di vestirsi in maniere non indecenti, perché lo Yard è aperto, e parecchia gente di Cambridge deve attraversarlo per andare da una parte all'altra della città. Durante l'anno accademico non c'è bisogno certo di avvertimenti simili: l'abbigliamento degli harvardiani è tradizionalmente molto chic: bei vestiti scuri, belle camicie di oxford, button down, cravatte di foulard, scarpe inglesi. Ma nel corso estivo le regole di eleganza sembrano scomparse. Il caldo e la presenza femminile cambiano ogni aspetto severo dell'Università, e fra i banchi, gli scaffali, le rilegature, non si vedono più giacche di tweed o pantaloni di vigogna, ma gambe abbronzate, braghette corte, camicette di nylon verdi o rosa.

Abbastanza inverosimile, per noi, è la mancanza di civetteria in queste ragazze. Una fanciullina italiana, portata qui, prova uno shock improvviso a vedere le sue coetanee, ed è una cosa che ho visto capitare più di una volta. Quale delle nostre fanciulline andrebbe intanto a passare i due mesi di vacanza tra le aule scolastiche e le biblioteche di Facoltà, sia pure col deliberato proposito di trovarsi un fidanzato « definitivo »; e poi, una volta fatta questa scelta che implica la rinuncia al mare (perché qui le vacanze sono molto più corte delle nostre, e la scuola estiva le riempie tutte), andrebbe caso mai portandosi dietro non più di un paio di abiti belli, da mettere pochissime volte, e riempiendo invece le valigie di calzoncini e di camicette? Qui uomini e donne sono vestiti nello stesso modo, in calzoncini, appunto; e dal momento che i veri *shorts* non sono ammessi se non alla spiaggia, portano quelli cosiddetti bermudas, cioè le braghe lunghe che siamo abituati a prendere in giro quando le vediamo addosso ai boy-scouts; e naturalmente queste americane sono fatte di bellissime stoffe, tinte unite pastello, quadretti chiari e scuri di «Indian madras», fiori rabescati tipo cashmere, righe un po' somiglianti a quelle dei tessuti per arredamento; ma non c'è niente che mortifichi di più la gamba, e trasformi la figura più svelta in una mezza burattina, tanto più se queste braghe sono accompagnate da camicette uso liquidazioni nei grandi magazzini, e peggio ancora dalle scarpe da tennis o da pallacanestro, col loro calzettone di lana bianca a metà polpaccio. Anche parecchie donne vecchie e grosse in città vanno in giro con sederi enormi che scoppiano dentro i bermudas. Il normale abito estivo, di tipo *princesse,* con le maniche o senza, si vede praticamente solo alle festine del venerdì sera; ed è già tanto se si arriva qualche volta alla gonna e camicetta; ma calze di seta, scarpe col tacco, borsette, foulards, bei golfini, niente.

Per donne e uomini, poi, come scarpe non esistono altro che i mocassini marron, al di fuori delle scarpe bianche di gomma: ma sempre coi calzettoni alti; e neanche nell'uomo fanno un bel vedere, con le braghe al ginocchio e il cappello di paglia che qui si porta molto frequentemente; eppure questo è uno stile d'abbigliamento così diffuso e normale che ben presto cessa di sembrare ridicolo anche a noi che veniamo da altri paesi. Continuerà a colpirci semmai la serietà esagerata che si accompagna a questi vestiti buffi.

La vita in comune al campus comincia abbastanza presto alla mattina, perché la mensa della Harvard Union chiude alle nove, e chi non ha fatto colazione a quell'ora deve andare ai corsi a pancia vuota. Le case degli studenti non sono attrezzate per cucinare; e tutti in principio ricevono una carta per mangiare alla Union, che è un bel posto, a saloni e verande, pareti di legno, ampi tavoli scuri, ampi ritratti di benefattori in cornici dorate, trofei di caccia sui muri e coppe vinte nelle gare di canottaggio. La cucina funziona piuttosto bene, col sistema del *self-service*: i clienti si mettono in fila, prendono lungo la strada le loro posate con un vassoio tondo diviso in parecchi scomparti- menti, e passano davanti a uno schieramento di vecchie sorri- denti vestite di verde, che versano mestolate di pappa in ciascu- no di questi. Sono sempre cibi già un po' digeriti: composte di verdura, carne accomodata, gelatine colorate, frittatine con le- gumi, densi brodi, dolci farinosi; e si beve tè ghiacciato o latte o caffè. Il vino e la birra sono peccato: quindi niente.

Ai tre pasti si va vestiti nello stesso modo, e ci si sbriga in un quarto d'ora, venti minuti: non di più. Poi si riprende il vasso- io, con i bicchieri e le posate, e si riportano allo sportello dei piatti sporchi. E poi, indietro a studiare, anche di sera: prima delle sette la mensa è già chiusa, il sole è ancora alto sul cam- pus, e le biblioteche rimangono aperte fino alle dieci, come oa- si meravigliose d'aria condizionata, piene di tutti i libri e gior- nali e riviste che si possano desiderare, e che si vanno a prende- re negli scaffali tutti aperti al pubblico. Due chiacchiere sulla porta, e poi dentro tutti: ma di sera si va spesso all'ultimo pia- no della Lamont Library, nelle Stanze della Poesia, arredate come salottini, con eleganti abat-jours, poltrone di cuoio ros- so, riproduzioni di bei quadri, e tanti grammofoni collegati a cuffie: così ciascuno può sentire le sue opere e le sue letture di versi senza disturbare il vicino. La discoteca è ricchissima. Tut- ti per prima cosa si tolgono le scarpe, e mettono i piedi sulle poltrone accanto. Nei gabinetti, ci si struscia e sfoga abbondan- temente ma piuttosto automaticamente.

È per noi abbastanza incredibile la familiarità dei rapporti fra i professori e gli studenti: le classi non sono che raramente vere «lezioni», ma più spesso gruppi di lavoro che discutono intorno a un tavolo; e gli insegnanti non sono dei tipi pompo- si che hanno fretta di scappar via appena finita l'ora: passano al campus tutto il giorno, sempre disponibili dato che sono pa- gati per quello, si stendono anche loro all'ombra dei grandi alberi, vanno a mangiare qualche volta alla Union, o invitano i loro studenti al Faculty Club, al caffè, al cinema. Però si finisce per uscire poco dal recinto dell'Università: è tutta qui dentro che la vacanza si svolge. C'è naturalmente, per il pomeriggio, il fiume a due passi, con belle rive erbose, e due stabilimenti sulle due rive, per le barche e i bagni: ed è il posto migliore per prendere il sole. C'è una bella piscina chiusa, circondata da palestre, dove si va di solito verso le cinque, appena prima di cena. Ci sono i cinema, vicinissimi, appena fuori dello Yard; e bei caffè, ristorantini preziosi, birrerie che servono piatti squisiti e liquori europei. I negozi d'abbigliamento, spesso filiali di case chic come Saks, sono raffinatissimi; la maggioranza finisce per andare però alla Harvard Coop, di cui tutti gli studenti sono soci (per un dollaro di quota), ed è un grande magazzino che vende di tutto, dai vestiti alla profumeria alla cartoleria: hanno anche una libreria ricchissima, un servizio di lavanderia che funziona bene, e alla fine dell'anno rimborsano il dieci per cento sugli acquisti fatti.

Su questi fondamenti la vita del campus va avanti per i due mesi della scuola estiva. Chiunque è libero di cambiare i corsi scelti, dopo un po' – darà gli esami che vuole, alla fine –, e si passa la maggior parte del tempo coricati sull'erba del prato, o nel fresco delle biblioteche, con tanti bei libri difficilissimi a portata di mano. Ho imparato ad ammirarli, ragazzi e ragazze, per questo impegno costante di passare tutta l'estate studiando in maniera abbastanza seria, anche i belli e le belle li ho sempre visti alle prese con Russell, Kierkegaard, Wittgenstein, Max Weber, Galbraith, Leavis, Richards, Fromm. La scuola estiva, è vero, offre ancora una quantità straordinaria di attrattive, tutti i giorni: conferenze di tutte le specie, concerti all'aperto, serate di discussioni politiche, notti all'osservatorio astronomico, pomeriggi all'orto botanico, proiezioni di documentari artistici, sermoni religiosi, tornei di tennis, audizioni di musiche rare. Non so da noi quanta gente ci andrebbe: qui c'è sempre pieno. Attraversando poi la grande pace del campus, di sera, si sentono da uno scantinato arrivare le voci di quelli che provano *The Man Who Came To Dinner*, da rappresentare negli ultimi giorni, brani di Händel giungono per l'aria scura, ed è la società corale che fa le prove in una delle aule maggiori; e in occasioni più festive suoni di strumenti a fiato portano fuori dal Memorial Hall musiche d'ogni specie, dai motivi di *Gigi* e *My Fair Lady* ai concerti per piano e orchestra di Grieg e Rachmaninov, trascritti per banda.

Ma poi ci sono le occasioni «sociali»: specialmente per queste le ragazzine calano a Harvard. C'è l'ora del punch ogni mercoledì pomeriggio nello Yard; e qualche bell'abitino leggero, qualche nastrino fra i capelli vien fuori e circola fra la folla che beve in piedi le piccole coppe di succhi di frutta e vino offerte dall'Università su una lunga tavola bianca. Ci sono le *square dances* un martedì sì e uno no, con un *caller* spiritoso che manovra queste specie di quadriglie proprio come si vede nei film western, e tutti si buttano dentro sudando con un gusto entusiastico. E ci sono soprattutto i balli del venerdì sera, alla Harvard Union affrettatamente sgombrata dei tavoli. A queste feste bisogna arrivare presto, prima delle otto, perché appena la sala è piena i pompieri sbarrano gli ingressi giacché ci sono delle disposizioni assai rigide sugli affollamenti, e le coppie in ritardo possono entrare nella sala solo man mano che altrettanti escono. Finalmente, a questo punto le ragazzine si liberano dei loro fagotti, delle braghe orrende, e arrivano vestite in una maniera decente; anche dai maschi ci si aspetta che mettano giacca e cravatta. Fino a mezzanotte si va avanti con la musica, le aranciate, le angurie; poi, c'è qualche giro in macchina sulla riva del fiume; e ci sono soprattutto le lunghe chiacchierate sui gradini delle case femminili, in una stradetta oscura piena di rampicanti, dietro la maestosa Widener Library.

Il nome che si dà a questa stradetta è ahimè Pigs' Alley, che viene dal termine comunemente usato per definire quelle che si chiamavano un tempo da noi «le racchie» e in seguito «gli scorfani»: i ragazzi americani dicono semplicemente «le porcelle»; e la stradina è il sentiero delle porcelle. Ma le interessate lo sanno benissimo, e a loro non importa niente. Sanno bene di essere le più forti. Le donne americane, si sa, sono spesso autoritarie e invadenti, da adulte; ma è già straordinaria la sicurezza di sé che dimostrano quando sono ancora piccole, tanto più se paragonata alla tradizionale timidezza dei loro coetanei, incerti, infantili, pieni di indecisioni, e bisognosi sempre di qualcuno «che spieghi tutto». Le ragazzine queste cose le sanno benissimo, hanno visto al cinema tante volte che è la donna che deve fare il primo passo: fermano il ragazzo scelto, in biblioteca o alla mensa, e con tranquilla autorità gli dicono quello che deve fare, a che ora andarle a prendere, fino a che punto arrivare, niente di più, niente di meno.

Il ragazzo da parte sua sa bene che così si finisce marito e moglie al più presto, e che la ragazza proprio per questo è venuta a Harvard: d'altra parte in questo paese, se si passano di poco i vent'anni senza sposarsi, tutti lo considerano un fatto un po' strano; e quindi ogni sera affollano i gradini della Pigs' Alley, prima che la polizia faccia il giro dell'una di notte, e chiuda tutte le porte. A due a due seggono all'ombra, e la ragazzina spiega al maschio cosa deve fare nella vita: lui dice e accenna sempre di sì.

E poi, improvvisamente, un mercoledì più fresco degli altri, quando le coppe di punch sono vuote, e la musica finisce e il crepuscolo viene sul prato, ci si accorge che l'estate è finita e domani ci sono gli esami. Passano questi due o tre giorni di ansie, di trambusto: si è fatta anche la recita, e sul giornalino settimanale della Summer School si è letto che l'oratorio di Händel è stato ottimamente eseguito: i voti finali sono fuori negli atri delle Facoltà. Ecco che ritornano i grossi padri e fratelli sulle giardinette con targhe del Middle West; e si ricaricano le valigie, le racchette, i ferri da stiro. Ma stavolta nella borsetta a mano c'è un indirizzo da tenere stretto.

IL BARDO SOTTO UN TETTO DI NYLON

Questa primavera le autorità del Massachusetts – Parlamento, Governatore, Sindaco, Commissione edilizia – si mettono d'accordo con i funzionari del Metropolitan Boston Arts Center e con una quantità di ricchi cittadini amanti dell'arte e disposti a sborsare delle somme cospicue, per costruire un nuovo e grandioso Centro Artistico che serva non soltanto la città ma i sobborghi e i centri minori dei dintorni che si stanno espandendo con una rapidità velocissima. Trovano un bel posto in un'ansa del fiume Charles, a pochi chilometri dal centro di Boston, tra Brighton e Cambridge, e servito da strade comodissime; gli «architetti del paesaggio» cambiano la forma a questo luogo, e si cominciano a gettare le fondamenta di sale da concerto, gallerie d'arte, un teatro d'Opera. La prima costruzione finita, su una collinetta artificiale circondata da allori in riva al fiume, è stata appunto il teatro all'aperto.

Tutto fatto in maniera che pare semplicissima: una struttura di piloni regge una cornice metallica rotonda di una quarantina di metri di diametro. Dentro questa cornice è sospeso un tetto di nylon impermeabilizzato con delle resine, a forma di lente, e diviso in tanti compartimenti gonfi d'aria, come un dirigibile. Di lontano, pare inevitabilmente un disco volante. Alla cornice rotonda sono poi appesi tutto intorno dei tendoni di tela da circo equestre, verdi e blu, che si aprono e chiudono a seconda che ci sia troppa luce, tiri vento, o piova.

Ci si siede su poltroncine da giardino, di ferro e tela, disposte a semicerchio come in un teatro greco o romano: ce ne sono 1800; e la scena è elisabettiana, a due piani; si spinge fino in mezzo al semicerchio formato dalla platea, così ha il pubblico da tre lati, però può anche essere arretrata su un fronte solo, come in un teatro regolare. In questo caso ha il sipario: altrimenti non c'è. L'acustica dovrebbe essere abbastanza buona, perché avevano calcolato che la parte inferiore del tetto, convessa, dovesse disperdere gli echi; ma adoperano quasi sempre i microfoni. I riflettori sono sospesi a un'altra cornice metallica, più bassa, a forma di U sopra la testa del pubblico, e purtroppo non sono riusciti a trovare un modo di nasconderli: si vedono tutti e stanno malissimo.

L'organizzazione degli spettacoli è poi affidata a una proba istituzione, il Cambridge Drama Festival, che ha esperienza e ha soldi.

La sera dell'inaugurazione, verso la metà di luglio, questo teatro era l'unica cosa finita del complesso. Il terreno tutto intorno era ben lontano dalla sistemazione: c'era pieno di pozzanghere, mucchi di ghiaia, badili lasciati lì dagli operai; e due scavatrici unite per il becco davanti alla biglietteria formavano una specie di arco trionfale con un rozzo cartello di «Welcome» sotto cui passavano gli ospiti. Le autorità e i mecenati erano arrivati da Boston risalendo il fiume su una specie di bucintoro seguito da una fila di barche private, con fuochi artificiali, salve di cannoni, squilli di trombe, valletti in costume, discorsi di circostanza, e falò accesi in mezzo al terreno da costruzione per cuocere hot dogs sul barbecue per tutti.

Purtroppo lo spettacolo inaugurale è stato un pasticcio. Voler cominciare la prima stagione tutta dedicata a Shakespeare con una *Twelfth Night* trasformata in «musical extravaganza» può anche parere, a dirla così, una idea seducente; ma poi bisogna trovare le persone capaci di fare della stravaganza con abilità e con gusto. Altrimenti è meglio andar via lisci. Basterà ricordare che cosa era di incantevole la stessa commedia nella edizione dell'Old Vic che è venuta in Italia nel dopoguerra, con Celia Johnson protagonista, una semplice tenda di broccato come sfondo, e i versi di Shakespeare recitati come si deve. Nient'altro. La poesia parlava da sola, e andava bene. Poi si potrebbe fare un paragone con la *Dodicesima notte* rappresentata da una compagnia italiana diretta da Renato Castellani: un'orgia di scene meravigliose e costruitissime che cambiavano ogni due minuti, andavano su e giù, entravano da tutte le parti, e ciascuna mostrava i milioni spesi. Soprattutto indimenticabili, al Manzoni milanese, i cilindretti-sedili che salivano dal pavimento per accogliere i sederi già anticipatamente protesi da Laura Adani e da altre dame rinascimentali. Ma non era necessario essere il tipo di critico parruccone per domandarsi «e la poesia dove è andata?».

Questa versione *made in Boston* era affidata a uno di quei registi-attori austriaci che hanno forse fatto un po' da aiuto a Reinhardt, poi si sono stabiliti qui da una ventina d'anni, e insegnano arte drammatica in qualche università. Il nome è Herbert Berghof: si vede che ha chiamato parecchi attori di buona fama, e poi ha cercato di abbandonarsi alle «invenzioni» senza dimostrare di avere quel minimo di misura e di gusto senza i quali si fa in fretta a scivolare nel gratuito, nell'assurdo, nel ridicolo. I costumi sembravano presi a caso da un magazzino teatrale fornito di tutto quello che può servire, da Plauto e Terenzio in poi, per metter su una recita studentesca improvvisata. Erano invece, naturalmente, nuovi, firmati, e saranno costati un sacco di soldi, ma l'impressione complessiva era in ogni momento quella di un carnevale di poveretti, senza coerenza.

Questa *Twelfth Night* pareva, irresistibilmente, una finta commedia della Restaurazione rappresentata da un teatrino universitario dell'Europa centrale nel 1935; ma quando entrava Olivia col suo gruppo, inevitabilmente sembrava che avessero appena finito di provare De Musset in una stanza vicina, e fossero capitati lì per sbaglio vestiti ancora per i *Capricci di Marianna*. Appena poi capitava Sir Toby, era il marinaio guercio e cattivo dell'*Isola del tesoro*; e tanto più ci si confondeva, perché le principali regole per rendere chiaro uno spettacolo al pubblico non erano rispettate dalla regìa; e per esempio, quando la scena è divisa in due sezioni, una più bassa e una più alta, tutte le scene che si svolgono su una spiaggia, come imbarchi, sbarchi, naufragi, approdi, si suppone che debbano essere collocate nel livello inferiore. Qui no, invece: naufragavano sempre in alto, sulle cime delle montagne; per cui, quando poi si vedevano altre persone chiacchierare nel giardino, parecchi metri sotto, tutti giustamente si domandavano «ma cosa fanno adesso quelli in cantina?».

Ancora: quando si rappresenta una commedia in tanti quadri, con una sola scena fissa e senza sipario, è indispensabile mettere dei segni tutte le volte che si suppone che la scena cambi (basta pochissimo, si sa, un albero, un arbusto, uno sgabello), altrimenti si perde il filo, e bisogna sempre domandarsi «adesso dove sono? alla Corte del principe o nella catapecchia del boscaiolo? nel palazzo di Olivia? sulla piazza principale? in aperta campagna? verranno fuori i nemici dalle grotte, o la cuoca dalla cucina?». Questo, appunto, succedeva; e, più grave di tutto, per confondere ancora di più le idee sui luoghi, c'era una conchiglia a rotelle, che pareva di gesso e serviva da trono, e andava e veniva in tutte le scene, indifferentemente, nonché un sedile da altalena a braccioli, che andava su e giù, anche quello indifferentemente, a Corte o da Olivia, nelle spiagge e nelle piazze, per vicoli e cortili. Bruttissimo da vedere, poi, perché non potendo farlo sparire quando non serviva, anche se lo alzavano rimaneva sempre lì, illuminatissimo, a dondolarsi due metri sopra la testa degli attori; e anche quando stava giù, avevano tutti paura a usarlo, e si vedeva, perché scivolava via di sotto al sedere come fanno tutte le altalene.

I sedili, nella *Dodicesima notte*, ci vogliono: ci vorrebbe tanto poco a farli portar dentro, diversi per ogni luogo della azione, da qualche comparsa... Le comparse le avevano: tantissime; ma erano fin troppo occupate a lanciarsi palloni, agitar fronde, manovrar pappagalli: e non si ha niente contro pappagalli e palloni; ma cosa c'entravano? Domani uno ci mette corvi, falchetti, aquile, dromedari: ma cosa crede di aver fatto rispetto a Shakespeare che ci ha messo, lui, la poesia? Perché, come se non bastasse, questi sciagurati dovevano essersi detti: «Qui ne tagliamo un cinquecento versi, che tanto sono brutti, qui un duecento, qui una decina». E cosa ci hanno messo dentro, al posto dei versi? Finte romanze elisabettiane, cantate da uno «zany-soprano», scritturato apposta, che andava avanti per mezz'ore intere, noiosissimo, antipatico. C'era anche Geoffrey Holder, quel ballerino nero di Trinidad alto due metri, che l'anno scorso a Spoleto faceva le entrate sensazionali nei teatri con un mantello di raso nero e il cilindro in testa; qui si contentava di andare e venire con una penna di fagiano lunghissima. E neanche nel dietro.

Gli attori, uno per uno, erano anche persone competenti, a partire da Zachary Scott, protagonista di parecchi film, che era Orsino, e da Siobhán McKenna, che in pochi anni, con una impetuosa interpretazione della *Santa Giovanna* di Shaw (dicono, la migliore di tutte), si è lasciata alle spalle Belfast e Dublino, e si è conquistata una fama mondiale. Qui però pareva un po' la Merlini e un po' la Magni. Il guaio con la ragazza che faceva Olivia era che avrebbe dovuto interpretare una Ricca Contessa ma veniva fuori invece una di quelle gentildonne che saranno bravissime, però uno le scambia sempre per la cameriera, e dà la mancia.

Anche gli altri attori avevano fatto tutti delle cose notevoli in teatro o nel cinema, e hanno carriere dove in un modo o nell'altro c'entrano gli spettacoli più importanti di questi anni. Ma è difficile, quando si vedono tutti coinvolti in una sciocchezza: qui Malvolio è un attor giovane, e questo mi sembra già un errore, perché lo scherzo che gli fanno della falsa lettera d'amore indirizzata a lui è un po' il tipico scherzo che si fa a un uomo di una certa età. Memo Benassi, sbagliando, però genialmente, faceva questa parte come se fosse Tartufo; altri ne fanno un personaggio quasi comico. Ma quando si vede nella produzione di Boston questo maggiordomo essenzialmente narcisista trasformato in un burattino da baraccone, e tutta la lettura della lettera svolgersi non davanti a un paio d'amici nascosti dietro un cespuglio qualunque, ma sotto il tiro di una decina di mascalzoni con maschere e nasi finti, arrampicati su alberi espressionistici, che fanno versacci grotteschi e scurrili, suonano trombette, gettano noccioline, come scimmie di Walt Disney, allora no.

E non c'è niente da ridere neanche nel finale (quando i due gemelli, Viola e Sebastiano, vestiti ancora degli abiti e delle parrucche uguali che hanno prodotto tutti gli equivoci, si sposano finalmente, lei con Orsino, e lui con Olivia). Qui il regista, per fare lo spiritoso alle spalle dell'Autore, fa fare una giravolta ai due, per cui a un certo punto, davanti all'altare, dove li aspetta un vecchio frate scalzo, ubriaco, e pieno di sonno, si trovano per un momento Orsino con Sebastiano, e Olivia con Viola. Se ne accorgono subito, naturalmente, con un piccolo strillo, e tutti riprendono i loro posti. Che dritto, quel regista! Il povero Shakespeare, si sa, non poteva pensare a tutto: ma dove non arriva lui, c'è sempre un allievo di Reinhardt che ci pensa...

Il secondo spettacolo di questa stagione shakespeariana tra Boston e Cambridge è stato un *Macbeth* che non è andato troppo bene e perciò non sarà portato a Broadway come era in programma (questa doveva essere, come qui si usa, una specie di anteprima o rodaggio); però è stato nobilissimo, come fallimento.

Le ragioni di maggiore interesse per questa produzione stavano principalmente nel fatto che si trattava del primo saggio shakespeariano di José Quintero: un regista giovane, bravissimo, che si è fatto una solida fama in pochi anni nei teatrini del

Greenwich Village, poi in posti più importanti, e ha meritato un grande successo insieme a praticamente tutti i premi teatrali che contano a New York, mettendo in scena i drammi postumi di O'Neill. Lo si è visto l'anno scorso a Spoleto, appunto con *A Moon for the Misbegotten*. Il suo *Macbeth* sarebbe stato interpretato da Jason Robards jr, suo stretto collaboratore in questa opera di esecutore testamentario di O'Neill, e premiatissimo anche per la sua interpretazione di Scott Fitzgerald nella commedia *The Disenchanted*. La protagonista, ancora Siobhán McKenna, come nella *Twelfth Night*: ed è veramente l'attrice di cui si parla meglio, in questo momento, a Broadway e fuori.

Però la debolezza di tutto questo *Macbeth* è stata proprio che Quintero aveva impostato vigorosamente lo spettacolo, vedendo giusto tutto, ma gli sono venuti meno i due protagonisti: il punto fiacco è stato veramente lì.

Il palco è un baraccone elisabettiano a due piani, di legno nero, un po' affumicato e patibolare, e aperto sui quattro lati, cioè anche dietro. Le streghe arrivano precedute da rumori d'aeroplano, da trombe laceranti: corrono e saltano come tante Giuliette Masine in parrucca di rafia e stracci chiarissimi; non hanno pentola ma il fumo esce da buchi del pavimento, e le luci tempestose del cielo vero aiutano apparendo dalle aperture del telone (erano giorni di temporali). Le rane, anche quelle, non si capisce bene se siano vere o no, e se i grilli e i rumori della notte vengano dalle scatolette dei macchinisti o dalle sponde del Charles River; ma va tutto bene, comunque. A un certo punto si alza in secondo piano una tenda rossa illuminata, e il banchetto per il Re Duncano si vede soltanto di scorcio, dietro certe colonne. E poi le mani insanguinate orribilmente di lui e di lei fanno un buon effetto.

Il portiere gigione fa invece un monologo spropositato perché è uno di quegli attori straripanti che non si riesce a controllare. È anche giusto che Macduff, appena scoperto il delitto, vomiti; e che l'incoronazione sia eseguita fra le solite cornamuse, i soliti trofei barbarici, e qualche seggiola da giardino fatta di rami secchi verniciati in rosso; e lei, che prima era in abito verde smeraldo e parrucca di fiamma, sia ora vestita color vinaccia, mentre lui porta un mucchio di volpi disordinatamente sulle spalle, buttate là come pelli di coniglio o di gatto. Vanno bene gli assassini, con facce tormentate come ritratti del Greco, e un vento continuo che fa lo stesso rumore del frigorifero quando si rimette in moto, la scena aperta verso lontananze tenebrose, cani e gatti che si lamentano minacciosamente, mentre soffi d'aria vera, gelida, scuotono il telone del teatro, e seduti nel pubblico John Gielgud si tira su il bavero della giacca, Margaret Leighton rabbrividisce sotto la cuffietta di perle, affonda in una candida stola schiumosa.

Il banchetto con le apparizioni è stupendo. Sarà una impressione mia, ma lì a Quintero è rimasto in mente quello organizzato da Visconti l'anno scorso a Spoleto per il *Macbeth* di Verdi. E le apparizioni stesse, che sono sempre un gramo affare, vengono risolte in maniera giustissima: semplicemente si accende un riflettore, e si vede un cono di luce qui o là. Come per Jean Vilar alla Scala. Un grande momento è quando lui e lei, sopra la tavola apparecchiata e disertata che ricorda ancora inevitabilmente Visconti (il primo atto della sua *Traviata* alla Scala), si stringono le mani, se le guardano, e si separano senza dirsi una parola.

Le streghe ritornano subito con una apparizione anche più spaventosa: stracciatissime, coperte di lividi enormi, portano in scena tanti oggetti schifosi e indistinguibili, che però fanno paura; riempiono di fumo tutto il teatro, un odore di zampironi da morire; urla di gatti arrabbiati, sempre più forti; appaiono grossi scarafaggi uso Kafka, insettacci con le corazze e le elitre, bambini insanguinati, le ombre degli assassinati in una profondità verde sottomarina; c'è una avanzata di grossi personaggi in veli viola e rossi, su trampoli alti tre metri, come se volessero marciare sul pubblico, tra urli disumani e luci accecanti proiettate sugli spettatori: l'effetto totale è grandioso, meglio del Cinemascope.

Da un bravo regista si accetta qualunque sopraffazione; e dopo questa specie di carnevale degli animali, anche la sfacciata ruffianeria di passare di colpo al più soave degli «interni» familiari: i bambini di Macduff con i loro sgabellini e i loro giocattolini, belli, graziosi, simpatici, come i piccolini di Edoardo IV (sempre in Shakespeare), presentati con una tenerezza esagerata, un po' da scatola di cioccolatini preraffaelliti, e subito dopo strangolati in scena, anche la bambina di cinque anni, con un realismo impressionante. La scena seguente, poi, fatta «per spezzare il cuore», è quando dicono a Macduff che glieli hanno ammazzati tutti: lui rimane per qualche momento immobile; lo scuotono, e non reagisce. Poi comincia a urlare.

Effettivamente, si vede chiaro qui come sotto un buon regista tutti gli attori rendano in un modo diverso, e funzionino bene. Ma poi si arriva alla scena del sonnambulismo, e tutti i dubbi che avevano cominciato a presentarsi sulla capacità dei protagonisti qui si confermano insieme: dove si vede che il bravo regista potrà fare di tutto, ma non dare il fiato a un attore troppo piccolo per una grande parte. (Alla Scala, si era abituati con la Callas e poi la Nilsson).

Semplicemente, loro due non ce la fanno. È vero, non ho mai sentito «declamare» con una retorica tanto appassionata come fa la McKenna, che è sempre piena di impeti, di una sicurezza fin troppo autoritaria; ma appunto perché tende a strafare e agitarsi troppo, la sua Lady Macbeth risulta una *suburban housewife*, vivacissima e agitatissima, completamente priva della maestà un po' terribile, della dimensione abbastanza tragica che si è abituati ad associare con questo personaggio. Finisce per sembrare più una Sonnambula di Bellini che non la Lady Macbeth tradizionale: si strofina le manine affannosamente, urlando, camminando velocemente dappertutto, piccolina, mobilissima, coi suoi veli bianchi e a piedi nudi, sotto gli occhi di una specie di Sergio Tofano piccino piccino, che è il medico, e sta in un angolo acquattato; ma se invece che «Tutti i profumi d'Arabia» le parole che lei dice fossero «Ancora, ancora quel gattaccio maledetto è riuscito a entrare in salotto e a sporcarmi il mio bel tappeto», non farebbe differenza e non sarebbe una sorpresa per nessuno, ho paura.

Tutto il rapporto fra la moglie e il marito è poi un po' immiserito, come se si trattasse di un *salesman* di Arthur Miller, un povero *commuter* che arriva a casa stanco, e trova la mogliettina tutta-pepe che gli dice che in ufficio lui non sa farsi valere. Probabilmente Robards, che come attore sembra un po' fiacco, e ha sguardi docili e acquosi da buon cagnone San Bernardo (lo avrò incontrato per strada cento volte), sentendo di non aver fiato abbastanza per sostenere la grande parte, si sarà accordato col regista per impostarla tutta sull'affranto, sullo sfinito, come se le cose succedessero sempre malgrado lui. (E poi, come interpretazione, non è delle più stupide). È anche significativo che porti sempre spade troppo grosse e troppo pesanti, e così deve trascinarsele dietro come una vanga o una scopa. Quando si batte, cerca solo di ripararsi, guardandosi attorno come per chiedere «ma da che parte arrivano questi colpi?»; e quando la va a prendere, morta, e la porta fuori per fare sopra il cadavere tutto il discorso del «domani e poi domani», ha dei piedi piatti da far compassione, un modo di esprimersi da poveretto.

Eppure anche le ultime scene andrebbero così bene, quando mancano loro due; trombe stonate e sfasate suonano, appaiono dei vecchi magri, spettrali, curvi, negli angoli. E il bosco di Birnam fa una grande entrata attraverso le porte del pubblico, perché gli armati di Malcolm entrano coi loro rami secchi e inariditi (contro il testo) alle spalle della platea, avanzano tra i corridoi e le poltrone, e salgono sul palco in tempo per incontrarsi sotto le luci dei riflettori coi soldati di Macbeth, che invece arrivano da dietro il palcoscenico (Dunsinane quindi deve essere dalle parti dei camerini).

Si interrompe il suono delle cornamuse, e la battaglia comincia improvvisa, magnifica. La grande scena è tutta occupata, le lotte sono furiose, gli scudi si piegano e si incurvano sotto i colpi, e la vernicetta d'argento salta via a scaglie.

Anche qui, è soltanto la disperazione della stanchezza che sostiene Macbeth: è già finito prima di battersi, gira su se stesso con la spada fra le gambe, senza veder niente, combatte a caso, contro fantasmi. E alla fine Macduff, tossendo e sputando, lo strangola torvamente, miserabilmente, per terra, lo prende in braccio, e lo butta davanti a Malcolm mentre si muove e respira ancora un po'. (Rimarrà così definitiva quella famosa Lady di Birgit Nilsson alla Scala, monumentale fra lame di luci radenti come battenti che la cancellano, nell'edizione di Hermann Scherchen e Jean Vilar).

Sir John Gielgud, sul conto del quale si nutre il dubbio che si tratti del più grande attore vivente, è stato ingaggiato da questo festival drammatico di Boston e Cambridge per riprendere la sua produzione di *Much Ado About Nothing* che aveva avuto un grosso trionfo anni fa a Stratford, e ha finito per farne la più perfetta, forse, delle rappresentazioni shakespeariane di questi anni.

Il grand'uomo è comparso verso la metà d'agosto, mentre andavano ancora avanti le repliche del *Macbeth,* e non si vedevano in giro altro che barbe lunghe, perché per disposizione del regista Quintero tutti gli attori e le comparse coinvolti nel suo lavoro se le erano dovute lasciar crescere; e così non si poteva entrare in un bar o in un ristorante senza trovarci un gruppo che pareva portato lì di peso dai Deux Magots di tanti anni fa.

La prima apparizione del gruppo del *Much Ado* è stata sensazionale; e quantunque gli americani non badino mai alle persone e a come sono vestite, loro hanno fatto voltare parecchia gente quella sera di vento freddo che sono venuti al *Macbeth* e me li sono trovati vicini, perché (ci tornavo per la terza volta) mi ero messo in prima fila per controllare le espressioni delle facce.

Tutti vestiti con una eleganza molto inglese ed eccessiva rispetto all'occasione: in mezzo a un normale pubblico americano molto più scamiciato che in qualunque arena d'Europa, o
tutt'al più in giacchettine chiare, un gruppo di signori in blu e
nero fa sempre una certa impressione: ma quantunque poi di
donne ben vestite se ne siano viste parecchie, a cominciare da
quelle che vengono messe tutti gli anni nelle classifiche delle
più chic del mondo, Margaret Leighton, che era la Divina del
gruppo, mi è parsa senza paragone la più chic di tutte. Magris-
sima, biondissima, sofisticata: nient'altro che una tunica bianca ricamata d'oro, fuori del tempo e fuori della moda, come
avrebbe potuto portarne la Laura del Petrarca, o Anna Bolena,
o Isadora Duncan da giovane, con una borsetta di perle e una
cuffietta di perle, guantini candidi, e una stola ugualmente
bianca e oro: ma paiono incomparabili la grazia e la bellezza
di questa attrice che è brava sul serio, è stata la stella dell'Old
Vic in Shakespeare, Sheridan, Shaw, Cechov, Ibsen, ha portato
al successo le cose migliori di Eliot e Rattigan, con lo stesso gusto, e ha fatto ogni tanto delle belle apparizioni al cinema, come in *The Sound and the Fury*.

Con Michael McLiammoir, che è uno dei più bravi attori irlandesi, nonché critico teatrale brillante, e con lo scenografo
Mariano Andreu, vecchio collaboratore di Sir John anche al
Covent Garden, hanno cominciato subito le prove in un vecchio teatrino di stucchi e peluches polverose, usato un tempo
per operette e vaudevilles, e ridotto ora a sala di esercizi per la
sezione drammatica della Boston University, sulla Huntington
Avenue, tra negozi di frutta, giochi di bocce, nobili magioni
dell'Ottocento in rovina e abitate da neri. La banda del *Much
Ado* ha cominciato a vedersi spesso in giro: ogni tanto, nei prati, nei giardini, davanti ai locali notturni, arrivava una macchina e venivano fuori in sei o sette, generalmente pittoreschi,
uno zoppicante, uno ossigenato, uno con la camicia aperta fino alla pancia, una nera, uno con tante macchine fotografiche,
uno con una enorme scatola di fazzoletti di carta, altri con bottiglie, piume, ramoscelli, cassette. Ma il grande attore, che non
aveva troppo tempo di andare in giro, e lavorava con un certo
impegno, perché lo spettacolo in ottobre passa in uno dei più
bei teatri di Broadway, ha cominciato a fare delle dichiarazioni
interessanti, a tavolino e anche a tu per tu.

«Tutti gli attori e i registi oggi parlano volentieri di *motiva-
tion*» dice «e certamente quando si comincia a provare una
commedia tutti cercano di capire il più possibile di che cosa

tratta. Ma supponiamo che non ci siano didascalie nel testo. Supponiamo che l'autore sia un poeta, che la commedia sia di idee e non di azione; oppure supponiamo che sia scritta in tutt'altro stile da quello che va di moda attualmente, e tenendo presente una scala di valori tutta diversa, peculiare del periodo in cui è stata scritta e della società a cui era destinata. Supponiamo che l'autore sia morto. A questo punto si è liberi di interpretare il testo come si vuole: una possibilità che sarà affascinante, ma che disastri possono anche venirne fuori!

«Con Shakespeare càpita che qualunque dramma ha per fortuna una forza talmente straordinaria da sopravvivere agli oltraggi più infami. La storia sarà pazzesca, i giochi di parole arcaici e incomprensibili senza note o glossari; gli eroi potranno sembrare assurdi, e i personaggi comici dei perfetti cretini. Attori e registi conoscono bene queste difficoltà, e cercano di aggirarle ricorrendo a ogni tipo di trucchi: spiegazioni psicanalitiche, meraviglie di scenografia, colori, balletti, musica concreta.

«Secondo me, perdono il loro tempo. Certo: non si rendono conto che il dramma sopravviverebbe lo stesso, proprio perché ha abbastanza forza in sé per resistere. Loro possono fare delle cose anche graziosissime, ma diventa un'altra roba: allo spettacolo originario si sostituisce un divertimento di tutt'altra specie, che non c'entra più niente con le intenzioni dell'autore.

«D'altra parte ricordo però che una volta, parecchi anni fa, ho chiesto a dei professori di letteratura inglese, fra i più importanti di Oxford e Cambridge, di venire a fare delle regìe per me, in *Hamlet* e in *A Midsummer Night's Dream*, nel modo più vicino al testo che fosse possibile. Non ha funzionato. Abbiamo imparato sì parecchie cose utilissime sulla lettura del testo, per tutto quello che riguarda il senso e il ritmo dei versi; ma gli attori non sono riusciti ad abituarsi al punto di vista "accademico"; d'altra parte i professori si sentivano perduti di fronte a tutte le domande che riguardavano le posizioni e i movimenti; e a me toccava la fatica più grande perché praticamente dovevo fare l'ufficiale di collegamento fra i due gruppi.

«È pericoloso anche andare a sofisticare troppo nel testo».

«Tanti anni fa, a New York, in seguito a una produzione di *Othello*, ci sono stati dei critici che osservavano certe "assurdità" del dramma: per esempio che mancava, proprio materialmente, il tempo necessario per il supposto adulterio di Desdemona con Cassio; e quindi trovavano che la storia era priva di una logica, come se Shakespeare avesse dovuto scrivere con l'orologio e la sveglia a portata di mano. Però anch'io, una volta, provando il *King Lear* sotto la direzione di Granville-Barker, gli ho chiesto come si spiega che Lear, un minuto dopo essere uscito maledicendo la figlia Gonerilla, rientra lamentandosi perché cinquanta dei suoi cortigiani sono stati licenziati. Chi glielo ha detto? Non c'è stato veramente il tempo... E allora Barker mi ha spiegato che prima di Ibsen nessun drammaturgo si era mai veramente curato di quello cha avviene fuori scena: il tempo non contava niente; e per esempio in quella scena di *King Lear*, Shakespeare sapeva bene che il suo pubblico avrebbe accettato quella convenzione: come Amleto che parte per l'Inghilterra e ritorna, e Macbeth che invecchia di parecchi anni; e così nel caso di Lear quello che interessa al poeta è di far vedere il vecchio re che esce di scena dopo la grande maledizione a Gonerilla, con una statura straordinariamente maestosa, e dopo un minuto torna indietro ridotto un ometto piangente, che si lamenta come un bambino perché non ci sono più i suoi cortigiani. Che importanza ha quindi sapere chi glielo ha detto? Se uno comincia a farsi queste domande, non si finisce più. Perché per esempio Orazio non dice ad Amleto che Ofelia è impazzita quando lui torna dall'Inghilterra? Si può andare avanti per ore...

«La realtà è che Shakespeare è un narratore nato, ed è ben difficile che un suo personaggio dica o faccia delle cose incoerenti col resto del dramma dove appare. Certo, se si osservano i drammi col microscopio, saltano fuori continuamente gli anacronismi e le contraddizioni; ma è proprio quello che non si deve fare: è provato – no? – che se sono ben recitati e diretti, uno non li nota, perché ci si lascia trasportare dalla sveltezza dell'azione, dalla viva originalità dei personaggi, e si sospende il giudizio analitico.

«Gli attori avranno anche qualche ragione quando si lamentano che è un affare serio mettere qualche "intenzione" in certe parti notoriamente difficili, come per esempio Rosencrantz e Guildenstern, così subordinati al personaggio di Amleto che non si sa bene in realtà come siano, e quindi bisogna "metterci dentro qualche cosa". Però provate a sopprimerli, come ha fatto Olivier nel film, e vedete subito che disastro: non solo ne soffrono la linea e l'economia del dramma, ma addirittura il protagonista stesso. E la medesima cosa càpita con Solanio e Salarino nel *Merchant of Venice*: sono messi nella commedia proprio per dare una idea della grandiosità e del *panache* della ricca società veneziana del tempo, e tutto quello che dicono serve precisamente a questo scopo, di aggiungere una nota di colore, come del resto lo squisito discorso di Lorenzo nell'ultimo atto.

«Insomma, se gli attori usano l'immaginazione, e recitano le loro parti con un ritmo vero, con comprensione e rispetto, questo basta per far venir fuori le intenzioni del poeta. Non provino a "inventare" niente. È meglio che non stiano lì a cercare motivi troppo sottili, né che si affatichino a lavorare troppo i loro personaggi dall'interno. La maggior parte delle volte, il loro istinto e il senso musicale servono molto meglio del loro cervello. Shakespeare scrive per una grande orchestra, non per solisti, e richiede suonatori dotati di un alto grado di efficienza tecnica e di controllo, perché usino i loro strumenti tutti insieme al servizio dell'intero dramma».

Vedendo poi qualche prova, si capiva subito che applicando queste idee con limpido rigore si preparava un risultato straordinario: e ammetto che sono arrivato alla «prima» eccitato come un bambino, anche se praticamente lo spettacolo l'avevo già visto tutto più di una volta.

Il pubblico chic arriva risalendo il fiume sulle solite barche illuminate; si sentono squilli di trombe dall'alto della collinetta, ma non si tratta di araldi in costume. Sono semplicemente suonatori in borghese, seduti su sedie di ferro con i loro leggii davanti, in numero di tre.

Sir John ha lavorato specialmente con gente della produzione di Stratford; oltre allo scenografo, che gli ha fatto delle cose importanti, quasi tutte bellissime, aveva come collaboratori il vecchio musicista Leslie Bridgewater, che è molto bravo e altrettanto vissuto (sere e sere offrendo da bere, nei pubs presso il vecchio mercato di Covent Garden, frutta, verdura, e *My Fair Lady*), e la coreografa Pauline Grant, per arrangiare quei pochi passi di danza.

Per prima cosa, ha fatto buttar giù il palco greco-elisabettiano, e ha fatto costruire una scena regolare («convenzionale», diceva qualcuno con smorfia), col suo sipario: due tende ricamate a monogrammi e a leoni. E appena si apre, al suono di un finto Vivaldi magro e allegro, in una luce verdina, la scenografia in un primo tempo sembra misera: un giardino con statue, alberi, grottesche semoventi che si aprono a libro, un paio di panchettini. Tutta cartapesta. Pare una di quelle baracconate che servivano al compianto Ruggero Ruggeri per fare i suoi Enrichi Quarti e Luigi Undicesimi. Ma bastano pochi minuti, che i personaggi entrino, e comincino a parlare e a muoversi, per apprezzare l'eleganza di una scena non troppo appariscente e vistosa; e anche i costumi sono pensati con la stessa funzione: ricchi, piuttosto vividi, ma di due o tre colori semplici ciascuno (apparentemente stupidi, e in realtà assai efficaci), senza troppe decorazioni o nappette, perché stiano al loro posto in un grande quadro che si compone in ogni momento equilibratamente di parecchi costumi, di parecchi colori. Ci deve essere quasi sempre molta gente in scena: ma si ammira continuamente l'incantevole armonia delle loro posizioni, quasi simmetrica.

L'autore, certamente, ha costruito un inizio abilissimo: i pochi minuti dell'arrivo di Don Pedro, Principe d'Aragona, nella casa del Governatore di Messina, Leonato, bastano a presentare con perfetta chiarezza almeno dieci grossi personaggi, e parecchie situazioni narrativamente e psicologicamente complesse: i gentiluomini del seguito, le gentildonne di casa, le complesse trame amorose che si intrecciano subito, i torvi intrighi di Don John, fratello bastardo e invidioso del Principe, e dei mascalzoni che gli tengono mano. Bisogna però poi subito ammirare il gusto sottile e sicuro di Gielgud regista nell'impostare e articolare i rapporti fra questi diversi personaggi, stabilire i temperamenti, costruendoli uno per uno a tutto tondo, definendone la personalità, gli organi vocali, le intonazioni, le tinte. Girano attorno come in una giostra i gialli dorati, i celesti ghiacciati, i rossi, i turchesi, i cenerini, i lilla, i senape, i verdi marci, i viola cupi e spenti, ma con quale precisione vengono equilibrati in ogni momento, e che gioia sentire i diversi accenti comporsi nella esecuzione della piena orchestra.

Si sa che la commedia va avanti giuocando su parecchi piani insieme: tutte storie di amori contrastati dall'intrigo. Apparentemente la storia numero uno sarebbe la trama abbastanza convenzionale dell'idillio di Claudio, gentiluomo di Don Pedro, con la bella ragazzina Hero, figlia di Leonato: si arriverebbe addirittura al matrimonio nel primo atto, se non fosse per la cattiveria di Don John, il fratello bastardo, che per nera invidia riesce a far credere a tutti che la sposina sia in realtà una ragazza allegra e di buona compagnia che tutte le notti si riempie la stanza di omacci: matrimonio funestato, scena delle rivelazioni, morte apparente di lei. Ma l'autore ha una predilezione sfacciata per due personaggi di contorno, Benedick e Beatrice, due chiacchieroni che finiscono per diventare i veri protagonisti, e rubano tutto l'interesse alla prima storia.

Gielgud e la Leighton fanno due creazioni superbe di queste due parti che hanno sempre attratto gli attori più grandi. Lui, trasformato incredibilmente, e fin troppo somigliante a Danny Kaye, si muove con agilità elegantissima e pronuncia le linee del testo con sonorità incomparabili, giuocando su tutte le sfaccettature; e lei, che da principio sfoggia un *Oxford accent* quasi caricaturale, come se volesse fare del Noël Coward per scherzo (oppure quell'ottimo Rattigan di *Variation on a Theme*, in cui la ricordo eccellente a Londra), danza, salta tutto intorno, e gorgheggia piena di brio, con tanti begli abiti bianchi, gialli, dorati, salmone, arancione, tutti con la vita altissima e con ali dentellate di pizzo d'oro, con elaborati ornamenti anche d'oro sui capelli, come se fosse una brutta ragazza desiderosa di farsi notare. La meraviglia è che lei è bella, spiritosa, chic, e fa appunto la parte di una donna bella, spiritosa, chic: questa nipote di Leonato che non si sposa mai e passa il tempo a dire delle boutades (quando il Principe chiede la sua mano, gli fa «volentieri, ma poi avrò pure bisogno di un altro marito per i giorni feriali: voi siete troppo impegnativo da indossare tutti i giorni»).

Diventa una pura gioia, di sapore mozartiano, la scena delle siepi recitata da loro: prima Benedick e poi Beatrice, nascosti dietro i cespugli, si illudono di origliare senza essere visti; ma gli altri se ne sono benissimo accorti, stanno allo stesso scherzo, e inventano per ciascuno dei due la storia di un amore improvviso e sfrenato da parte dell'altro, che alla fine sorgerà davvero. Le controscene di Gielgud e della Leighton, ciascuno appiattato dietro il suo alloro, le smorfie, le apprensioni, i sorrisi, paiono davvero un pezzo di *Così fan tutte*. E intanto si infittiscono gli intrighi, buffi o tragici, semplici scherzi «da ridere» o macchinazioni infami dettate dalla perfidia per rovinare le persone, farle morire. Entrano nel concerto dei personaggi, associandosi alla dizione preziosa e raffinata del cast inglese, McLiammoir, che parla apparentemente come un nero, o un meridionale astuto, e disegna un Principe che si diverte più di tutti gli altri, pieno di ammicchi, di sbirciatine, cenni di complicità; Hurd Hatfield, un Don John macabro, sinistro, con un inverosimile robone nero e oro; Malcolm Keen, padre nobile tradizionale carico di dignità; la coppia degli amanti giovani, freschi, graziosi, simpatici; tutta la compagnia dei gentiluomini, dei frati, delle dame di compagnia, dei bravacci, tanti paggi in calze rosa e mantelletto giallo che risolvono semplicemente i cambiamenti di scena aprendo qualche quinta mobile e portando avanti e indietro sedili e torciere. Si ha l'impressione di un'aria di civiltà, allegria, tolleranza, saggezza, raffinatezza, comprensione, spirito, divertimento; un teatro antichissimo e modernissimo, fuori del tempo e al corrente con la cultura.

La galleria iniziale si apre semplicemente su una chiesa fra gli alberi, abbastanza romanica, che si spalanca a sua volta. L'interno della chiesa potrebbe andar bene per un *Romeo e Giulietta*; e funziona qui per una straordinaria serie di scene: le entrate di tutti, con inchini, segni di croce, strofinio di vesti, suoni d'organo; il matrimonio interrotto, le accuse, i moti d'orrore, i gruppi che si formano, le emozioni manifestate, con un senso di pesante cattolicesimo rinascimentale dove si fiutano tanti tradizionali ingredienti – la lussuria, la dissimulazione, il sospetto, la vergine ingiustamente oltraggiata, il perfido intrigo, e poi il consiglio di famiglia per mettere in chiaro il mistero con l'ausilio del frate.

Nel secondo atto, che è un colonnato a due piani con prospettive sfuggenti, come nei quadri del Quattrocento, Sir John ha una grande entrata, senza barba e con un enorme cappello di pizzi (sembra diventato Malvolio, da quando è convinto che lei lo ami); e una grande scena del raffreddore, divertentissima in mezzo al cinguettio delle damigelle intorno, disposte su due piani con copricapi fiamminghi di lino inamidato. (Che gran risorsa drammaturgica, le cavernosità bronchiali e tracheali: lo si imparò catarralmente da Robert Hirsch, atroce Bouzin in *Un fil à la patte*, e da François Périer in un *Tartuffe* diretto da Jean Anouilh come un incubo notturno e borghese di berrette e candelotti e vestaglie e orinali).

Ma più sorprendenti ancora per la comicità bizzarra e felice sono parse a tutti le scene decisamente buffe: le pagliacciate, le pance finte, i frati ubriachi e le guardie vigliacche, avevano un sapore arcaico di grande ilarità, come un Boccaccio non ritoccato; e soprattutto c'era un grande attore comico con una voce e un portamento pazzeschi, George Rose, subito definito da tutti il più grande Dogberry del nostro secolo.

Nel terzo atto, per il processo ai mascalzoni, George Rose torna con immenso successo e un *aplomb* che starebbe bene a Falstaff, in mezzo a gruppi di infelici crollanti, picareschi, pieni di sonno e di cispe. Tra le scene delle rivelazioni, ogni tanto ricompare Benedick: innamorato, impazzito, frenetico, oramai talmente avanti nella strada della frivolezza che nessuno lo tiene più: con un cappello assurdo a forma di canne d'organo, Gielgud recita come se avesse diciotto anni, ma con la saggezza dei secoli; riescono a trattenerlo a stento anche durante il servizio funebre, che è nello stesso tempo lugubre e coloratissimo. Ed è stato impressionante, in quel medesimo momento, sentir fuori sulla strada una disperata frenata, una macchina che si capovolge, e rotola per un pezzo, gli urli dei feriti, la gente che correva, l'arrivo dei soccorsi.

Sulla scena, per un ultimo trucco dei vecchi, lutti, statue velate, mantelli neri; ma poi la finta morta riappare, pretendendo dapprima di essere un'altra donna, ed è un bel tocco di invenzione fantastica che l'innamorato la cerchi in mezzo alle altre donne, tutte mascherate, seguendone con ansia la voce. Il matrimonio dei due che avevano giurato di non sposarsi mai, Benedick e Beatrice, segue subito dopo, come un capolavoro di ironia.

La commedia finisce con una breve danza di Corte, proprio due passi, diretti dalla coreografa di Stratford. Ma si riflette quasi subito che in fondo è stato tutto un balletto di parole: i versi venivano pronunciati sempre con una certa solennità, in maniera nobile e nitida; però muovendosi tutti con grande disinvoltura; e l'impressione della «commedia brillante» era perfetta. Nel finale, Gielgud, già uscito dalla parte, balla e saltella come un folletto di dieci anni a un ballo mascherato.

Subito dopo si scende a cena sul pontile, con un apparato curiosamente veneziano. Fiaccole piantate sull'imbarcadero, sull'orlo dell'acqua, e parecchie tavole preparate con belle argenterie: caffè, liquori, sandwiches, candele, gorgheggi. Tutti molto felici, ma la divina Meg questa volta mi delude un po': viene fuori con un abitino bianco a pois rossi, si ferma poco, stanchissima, e va a dormire.

Lui sta molto meglio; mangia, gira a parlare con tutti, viene vicino a chiedere «e allora, come è andata?». Non si fa fatica a rispondergli che è lo Shakespeare più bello che si sia mai visto, perché è la verità; ma se si prova ad aggiungere qualche complimento, e gli si dice «e poi, come pronunciavano bene i versi», il grande attore fa presto a rispondere: «il difficile è tutto lì».

Professore a Harvard, consigliere di Nelson Rockefeller, re-
dattore di «Foreign Affairs» (la rivista di politica estera più importante al mondo), Henry Kissinger è un esperto di affari internazionali fra i più autorevoli in America, e certamente il più
ascoltato, con George Kennan, in materia di strategia nucleare. Il volume che gli ha dato fama, *Nuclear Weapons and Foreign
Policy,* ha sollevato uno straordinario interesse verso la fine della Guerra Fredda perché polemizzava da un lato contro i propositi neutralistici di Kennan, e dall'altro, con grande vigore,
contro la teoria della «rappresaglia massiccia» ideata da Dulles e dal Pentagono in seguito alla guerra di Corea, avanzando
l'ipotesi di una «guerra nucleare limitata». Oltre il «momento di parità», cioè una volta sorpassato il punto in cui ognuno
dei contendenti ha in mano il potere di distruggere completamente l'altro, Kissinger riteneva allora che qualunque scoperta scientifica importasse relativamente, quando si possiedono
già questi mezzi di distruzione totale; e sosteneva che il «big
deterrent», cioè la possibilità di un attacco nucleare «totale»
in grado di distruggere l'avversario entro ventiquattr'ore, non
serve addirittura a niente: è come avere una grande flotta composta solo di corazzate. Per appoggiare ogni azione diplomati-
ca americana proponeva invece di adottare il concetto strategico delle «forze mobili fornite di armi nucleari tattiche», cioè

minori, adatte a combattere guerre atomiche « limitate », perché flessibili secondo ogni necessità locale.

Più di recente è tornato a insistere sulla necessità di tenere sempre i missili pronti « perché può andare a finir male se si continua a confondere la libertà con la passività e la pace con la vigliaccheria »; e non ha mai perso un'occasione per dichiarare che i missili saranno certamente necessari per mettere paura all'avversario: però la cosa veramente indispensabile è il cominciare al più presto delle trattative *serie* con la Russia; e più Kruscev si fa vedere intransigente, più converrà precisare con fermezza quali sono le proprie intenzioni, fare delle proposte comunque *concrete*, per evitare « l'erosione psicologica delle alleanze », e non proporre nulla che veramente non si desideri di vedere accettato.

Anticomunista risoluto com'è, non iscritto ad alcun partito, però certamente democratico di sentimenti (sebbene fra i suoi migliori amici conti parecchi di quei Repubblicani « liberali » che cercano di battere i Democratici sulla sinistra, nel loro stesso terreno delle riforme sociali di tipo newdealista), sarà soprattutto interessante farci raccontare anche le sue idee sulla lotta per la presidenza 1960 degli Stati Uniti; e senza entrare in troppi particolari indiscreti, data la delicatezza della sua posizione – oltre tutto, dirige l'International Seminar che qui a Harvard ci ospita –, sentire un punto di vista autorevole e responsabile di uno che sta « dentro i fatti » sulle diverse prospettive che da parecchie parti vengono suggerite intorno ai nomi di Kennedy e di Nixon.

A noi, che viviamo in un ambiente dove la classe politica ha tutti i caratteri della vecchiaia, fanno innegabilmente una certa impressione queste battaglie di candidati giovani, e le loro vittorie. In più, la faccenda del cattolicesimo di Kennedy ci intriga indubbiamente, dopo le interpretazioni abbastanza sinistre che si sono sentite. Altri particolari lasciano un po' sospesi i giudizi e le previsioni: né Kennedy né Nixon hanno mai avuto una esperienza diretta di governo, neanche locale, perché hanno fatto tutta la loro carriera nel Congresso: che amministratori potranno essere? Freddi, ambiziosissimi, calcolatori, tutt'e due, e non tanto simpatici: fa una certa impressione, per esempio, vedere Kennedy che si appoggia anche agli operai e ai neri durante la sua campagna, e poi, appena avuta la nomina, per avere l'appoggio del Sud conservatore sceglie come suo vice il loro nemico Lyndon Johnson, uno degli uomini più a destra del paese (più a destra di almeno metà dei Repubblicani), contando abbastanza cinicamente sul fatto che (quantunque delusi) gli operai voteranno comunque democratico, perché non è che abbiano altre scelte, dopo tutto...

Kennedy, secondo le opinioni generali, dovrebbe in ogni caso vincere le elezioni a novembre, perché pare proprio che così abbia risolto il problema che tradizionalmente il Partito Democratico deve affrontare ogni quattro anni: cioè mettere d'accordo l'ala destra e l'ala sinistra, sempre lontanissime in ogni questione e atteggiamento (mentre non sembra che il Partito Repubblicano, sempre in minoranza nel paese, sia riuscito a risolvere il proprio problema, non meno tradizionale: e cioè presentare un candidato o un programma talmente attraenti da convincere un grandissimo numero di indipendenti e di indifferenti).

«I princìpi, politici e morali, hanno la loro importanza, ed è grandissima, anche proprio sul piano pratico,» dice Kissinger, con una certa gravità «e invece non importa niente se non si ottiene subito un grosso successo. È tutto sbagliato pretenderlo immediatamente, a ogni costo, mostrandosi disposti a transigere sui punti essenziali. Bisogna avere il coraggio di saper stare fedeli alle proprie idee, perché è questo che conta, anche se si tratta di rinunciare al successo per qualche mese o qualche anno. E naturalmente ci vuole coraggio per questo: un bel po' di forza morale. Il gioco democratico non si limita agli esercizi di destrezza o alle prove di furberia basate sui sondaggi Gallup: sennò finisce per esaurirsi nei trucchi per mobilitare demagogicamente le forze della pubblica opinione, e si fa presto ad arrivare al cesarismo. Anzi, la maggior parte delle democrazie occidentali vediamo che si avviano purtroppo per questa strada, sinché il successo va a chi sa sfruttare gli slogan più attraenti. E invece» dice «sarò un ingenuo, o un idealista, ma credo ancora che la vittoria elettorale a ogni costo non sia tutto, e forse è ancora preferibile esser disposti a perdere oggi per vincere meglio domani.

«Certo, non posso ammettere l'ossessione di vedere ogni questione politica posta nei termini di una soluzione di problemi tecnici, come se i giudizi di valore che vi sono implicati andassero subordinati a quelli, sistematicamente. Una crisi, per esempio, prende normalmente l'aspetto di un problema tecnico da risolvere: guardiamo i casi di Cuba e del Congo, o la questione del disarmo. Ma come si fa ad affrontare un problema senza un presupposto morale? Ci si può concentrare principalmente sull'economia, certo, ma con quale risultato? Una dittatura, si capisce, sarà sempre più efficiente di una democrazia, da principio. Ma non sono certo i "primi risultati", quelli che interessano...

«Siamo seri» fa. «Guardiamo più in fondo alle cose. Proviamo a pensare cosa potrà diventare l'America fra dieci anni, se si va avanti così; e prima di tutto mettiamo avanti bene, chiaramente, quali sono i princìpi morali a cui si intende attenersi; e quando per esempio si agisce per ragioni di convenienza, come pure può capitare, per esempio dovendo trattare con la Spagna di Franco, facciamolo pure, se è necessario (non c'è niente di male), ma facendo notare chiaramente che è solo per questa necessità del momento, e che i nostri princìpi rimangono intatti, e non si modificano per questo».

Negoziare con i russi? Fare la pace?

«Sono domande stupide. La vera domanda è: Che tipo di pace? Quali negoziati? Guardiamo un momento la situazione politica del mondo: vediamo che tipo di pace convenga meglio, e facciamo costanti proposte, e soprattutto teniamo noi in mano l'iniziativa. Altrimenti si fa la figura di Eisenhower a Ginevra. "Il negoziato per il negoziato". Naturalmente è una sciocchezza; e il peggior errore è non avere nessuna idea su quello che si vuole. Sapere questo, *che cosa si vuole*, prima di tutto; e poi trascinare *noi* i russi davanti al tavolo della conferenza, invece di subire le loro iniziative, con l'aria di andar lì di malavoglia, e solo per parare la botta.

«Il coraggio di star soli, e di non cercare popolarità ad ogni costo e in ogni momento, è un principio che può applicarsi benissimo anche alle nazioni; e in questo momento farebbe tutt'altro che male agli Stati Uniti. È inutile sforzarsi: non è possibile essere coraggiosi e simpatici a tutti nello stesso tempo. Il vero leader deve anche sapersi tenere appartato, lontano. E soprattutto bisogna che gli altri sappiano sempre *non* che uno è disponibile, *ma* a *quali* condizioni è disponibile. Purtroppo però nelle democrazie occidentali sono pochissimi oggi gli uomini che possiedono queste qualità. La fermezza è una virtù rara...».

E allora, De Gaulle?

«Sia ben chiaro» risponde «che non ho niente contro l'uomo. Ma deploro vivamente che in uno Stato si producano le condizioni che rendono indispensabile il ricorso a un De Gaulle; e trovo che è un disastro per la democrazia».

Che cosa succederà alle elezioni presidenziali? Vince Kennedy?

«Quasi certamente, si sa. I vantaggi che ha Kennedy si vedono subito. Intanto basta pensare che i voti anticattolici sono concentrati specialmente nel Sud; quindi il fatto che Johnson sia dalla parte di Kennedy rappresenta per lui un grosso vantaggio. E poi si fa presto a fare il calcolo: Johnson è sudista, conservatore, protestante. Quindi potrà far perdere qualche voto nero (ma non poi tanti: l'ottanta per cento dei neri vota tradizionalmente democratico, per gratitudine alla memoria di Roosevelt; e non per niente Kennedy ha affidato la propaganda in queste zone a un figlio del grande presidente, che si chiama Franklin Delano come lui). La perdita di quei voti neri, però, viene più che compensata dall'acquisto dei voti cattolici, che andavano sempre ai Repubblicani; *e nello stesso tempo* Johnson come vice-presidente è una garanzia per i protestanti, come del resto per la destra sudista, e per tutti quelli che si preoccupano per la giovinezza di Kennedy. (Per le stesse ragioni Johnson è la bestia nera dei sindacati operai, che in questi giorni sono irritatissimi contro Kennedy perché lo ha scelto). E qui si vede bene come anche nel Sud la questione razziale può passare in secondo piano rispetto al fattore religioso».

Ma questi cattolici...
«Si diceva che di solito votano per il Partito Repubblicano; ma la situazione è precisamente questa. I cattolici sono stati a lungo, si sa bene, un gruppo di minoranza: notevolmente poveri, appena arrivati, e guardati dall'alto al basso dai protestanti, che avevano in mano tutto. Fino a poche decine d'anni fa erano veramente «gli ultimi venuti», come più tardi i cinesi o gli ebrei dell'Europa orientale, e oggi i portoricani. Negli ultimi trent'anni però hanno cominciato a diventare borghesi della middle class, con tendenze quindi conservatrici. Si dice comunemente che "quando un cattolico va a stare nei quartieri signorili, comincia a votare repubblicano"; e Nixon può essere certo di prendere comunque parecchi voti da questi cattolici arricchiti, i cosiddetti *non-slum catholics* (che poi, anche se sono ricchissimi, sono pur sempre dei *nouveaux riches*...)».

Ma che influenza politica hanno i preti?
«Pochissima,» risponde Kissinger «anzi direi nessuna: proprio perché non usa, non si è mai fatto; il cittadino americano non è disposto a ricevere consigli dalla Chiesa in questo campo; e gli europei che sostengono questo evidentemente hanno un'immagine assurda del cattolicesimo americano, o delle nostre condizioni sociali. Sui giornali continentali in questi gior-

ni si sono viste delle cose pazzesche a questo proposito. Ma in realtà il risentimento sociale verso i protestanti che li hanno sempre snobbati è per i nostri cattolici una molla molto più potente che non gli ordini di qualunque cardinale. E poi credo di non essere lontano dalla verità se ritengo che i preti cattolici americani non amino troppo Kennedy, che non è affatto un tipo "clericale", e anzi è fin troppo "mondano" per i loro gusti. Sono sicuro che il Vaticano avrebbe meno influenze alla Casa Bianca con Kennedy che con qualunque altro candidato, per la semplice ragione che sono tutti lì a sorvegliarlo. Immaginarsi: è fin troppo logico che tutta l'opinione pubblica tenga gli occhi addosso al primo presidente cattolico che le càpita, per vedere se non si sbilancia un po' a favore dei suoi correligionari. E l'uomo ha troppo buon senso per non capire che la minima parzialità lo metterebbe in gravi pasticci, molto più che uno dei soliti presidenti protestanti.

«Kennedy poi è di famiglia irlandese; e per tutti gli irlandesi cattolici immigrati la religione è soprattutto un fattore coesivo, per distinguersi e mantenersi solidali come gruppo etnico. Per questi, oltre che il fattore religioso, esistono altri elementi che hanno maggiore importanza: per esempio, i legami familiari contano molto di più. Una famiglia irlandese è sempre una specie di clan patriarcale, dove vivono tutti insieme, strettamente uniti, si parlano e si telefonano per i motivi anche più banali, e quindi sono portati a influenzarsi fortemente. Oltre all'importanza di essere cattolico, anzi, prima ancora, questo è un elemento che va messo in primo piano nel giudicare la personalità di Kennedy: e il problema è che si tratta di un tipo umano abbastanza diverso dai soliti candidati, proprio per tutte queste ragioni. Il padre, per esempio, è uno dei personaggi più impopolari del mondo politico americano; e fra l'altro è stato amico e sostenitore del defunto McCarthy (ed è un fatto notissimo). Fino a che punto è d'accordo con i figli? John Kennedy ha spesso ripetuto di agire in perfetta indipendenza da lui, ma dopo tutto abitano insieme e, se c'è da preoccuparsi per una possibile influenza, si tratta proprio di questa, molto più che non di quella dei cardinali».

E Stevenson?

«Un uomo di grande probità, di alta responsabilità morale; però non soltanto ha dato continue prove di indecisione di fronte a una scelta, ma di solito è addirittura incapace di formulare chiaramente *quali* sono in realtà i due termini della scelta; ed è sempre stato così. Intelligentissimo: ma è un istin-

tivo, tutto emotivo, mai razionale; e basta vedere come si a-
spettava la nomina, senza però volerla chiedere, proprio per
evitare di dover prendere delle decisioni. Tutto sommato è
un bene che non sia stato scelto: in fondo è un narcisista, un
duca inglese dei primi dell'Ottocento, un Peel, e il suo vero
mondo sarebbe stato un ambiente politico dove i primi mini-
stri vengono designati automaticamente, in virtù del loro ran-
go, e basta rispondere qualche sì o qualche no al momento
giusto...».

Si dice che Kennedy lo nominerà segretario di Stato...
«Non dirà mai il contrario durante la campagna elettorale;
e naturalmente un po' di voti stevensoniani non si rifiutano.
Ma poi è probabile che non lo tenga. Stevenson quasi certamente sarà messo a capo della National Peace Authority, un
ente per favorire il disarmo, che i Democratici hanno promesso
di istituire se vincono; e il segretario sarà probabilmente Ches-
ter Bowles, o magari il vecchio Harriman, che ha settantadue
anni ma è ancora straordinariamente in gamba».

Ma insomma questo Kennedy le vince davvero le elezioni?
«È intelligente, intellettuale, distaccato, disinteressato, ambizioso, freddo. Finora per lui è stato facile farsi eleggere nel
Massachusetts, che è la sua regione, e facile anche nelle primarie, dove in pratica non esisteva un'opposizione. Nessuno poi
ha il coraggio di dire a voce alta: no, non lo vogliamo per la sua
religione (però bisognerà vedere "nel segreto dell'urna"...). E
poi finora era una faccia nuova alla televisione, quindi sarà popolare e simpatico: ma gli idoli televisivi stancano presto... Re-
sisterà fino al prossimo novembre? Senza contare che un tipo
può piacere in astratto, come faccia, a vederlo, ma eleggerlo
presidente è un altro affare... In sostanza, però, credo di sì, sarà eletto senz'altro».

E che cosa farà poi?
«Chi lo sa... È indubbio che intende essere un "grande presidente"; e d'altra parte *deve* pure esserlo, per forza: essendo
giovane, irlandese, e cattolico, non può decentemente farne a
meno. Quindi aspettiamoci uno shock appena entrerà in carica. Vorrà fare una grande impressione, quindi i primi cento
giorni saranno *à sensation*, con programmi rivoluzionari, forse
drammatici, e certo un'imitazione dell'inizio dell'Amministrazione Roosevelt».

E il programma?

«Questo non si sa proprio. Ma proprio ancora niente. Per adesso tutte le energie sono state concentrate sulla vittoria elettorale, non sul programma di governo, che verrà. I suoi consiglieri sono eccellenti, perché ha avuto l'accortezza di chiamare i migliori intellettuali liberali della nazione, da Schlesinger a Galbraith, a far parte del suo "trust di cervelli" (e per esempio Nixon, che non ci aveva pensato, sta cercando adesso di correre ai ripari ingaggiandone qualcuno anche lui). Questi naturalmente gli staranno intorno anche dopo, alla Casa Bianca, come con Roosevelt; e si sa già quindi che il programma economico sarà impostato da Galbraith secondo le linee del suo notissimo libro sulla "società affluente": aumentare il reddito nazionale, aumentare le spese pubbliche, se possibile spostando in questo settore una parte notevole dei soldi "buttati via" nelle spese private "superflue"; altrimenti, se necessario, aumentare la tassazione. Grandi spese, quindi, specialmente per la pubblica istruzione e per le strade, i due settori che attualmente ne hanno più bisogno».

E per la politica estera?

«Tre princìpi. Uno: programma di aiuto per i paesi sottosviluppati, prima di tutti l'India. Nelson Rockefeller ha appena pubblicato un suo piano (su cui anche Kissinger ha lavorato), e questo tende all'istituzione di confederazioni di Stati nell'ambito di ciascun continente "povero". Già qui si vede la differenza di temperamento fra i due uomini: Rockefeller è soprattutto una mente politica, mentre Kennedy, pragmaticamente, guarda prima di tutto al lato economico dei problemi.

«Due e tre: trattare per il disarmo, e nello stesso tempo aumentare il bilancio della Difesa; e non sembri una contraddizione. La vera idea pericolosa sarebbe di fare l'una cosa o l'altra; ma il primo passo per il disarmo (e qui le idee di Kennan avranno un po' più di influenza nella politica americana futura, e andrà benissimo) è proprio quello di diminuire i rischi delle armi moderne mantenendosi sempre sul piano della parità militare. Dato che la forza russa aumenta più rapidamente, non saranno certo loro i più disposti a disarmare. Tocca a noi raggiungerli, e discutere» afferma oggi Kissinger. «Anzi, per me il meglio sarebbe cominciare a trattare subito, anche senza parità, però facendo notare che si va avanti a riarmare comunque. Questo perché lo sviluppo della tecnica è diventato la maggior causa di instabilità; e ogni nazione vive con lo spavento che anche facendo del proprio meglio tutti gli sforzi possono venire annullati da una nuova scoperta tecnica da parte dell'avversario. Senza contare che il maggior pericolo è sempre rappresentato dagli attacchi di sorpresa (e dalla preoccupazione di prevenirli; e di conseguenza dalle ispezioni aeree su territori altrui). La soluzione ideale, cioè eliminare insieme le armi nucleari e i mezzi di rappresaglia, è naturalmente utopistica (e se l'altra parte bara?...). Ma lasciando da parte i sentimentalismi, è chiaro che le ragioni di un attacco di sorpresa possono essere essenzialmente due: o perché una potenza si rende abbastanza forte da imporre sicuramente la propria volontà con questo mezzo, oppure al contrario perché, sentendosi troppo più debole, cerca di diminuire in qualche modo lo squilibrio di armamenti.

«La stabilità deriverebbe dunque dalla parità. E sarà maggiore se gli avversari posseggono ciascuno, poniamo, cinquecento missili, che non se ne avessero solo una decina; più la possibilità della rappresaglia è grande, più agirà nel senso di frenare le velleità di aggressione. E a questo punto anche un aumento unilaterale delle riserve d'armi non può più influire gran che.

«Ma qui diventa indispensabile un sistema di controlli messo in piedi di comune accordo, per eliminare i rischi delle ispezioni a carattere più o meno spionistico; e se Kruscev è in buona fede quando parla di disarmo, bisognerà che prima o poi si decida a dimostrarlo accettando una proposta di questo tipo. Altrimenti sarà definitivamente chiaro che la Russia non vuole altre alternative che la "corsa alle armi", cioè la più instabile fra tutte le forme di sicurezza».

Come erano gradevoli, quelle colazioni informali del sabato sul pratino dietro il cottage di Kissinger, a Harvard, allora con una moglie dai capelli neri. E con qualche ospite spesso importante: addirittura Eleanor Roosevelt, con la sua borsona da spesa al mercato; o il poeta Allen Tate, nei suoi lini bianchi stazzonati da Deep South, e il vezzo di tracciare sulle lavagne mappe di influenze critiche significative, con una quantità di arabeschi e freccette fra decine di nomi.

E come si rivelò savia la strategia di Kissinger. Ogni anno, in primavera, la sua segretaria inviava le date delle sue visite annuali nelle capitali europee. Così noi ex-studenti suoi, per ricambiare quelle sue colazioni, gli preparavamo pranzi nelle migliori salette di ristoranti, con ospiti quali Pannunzio, Benedetti, Gorresio, più qualche politico in auge. E così, una volta Segretario di Stato, lui aveva una quantità di conoscenze personali ovunque.

SCHLESINGER

Nel vocabolario politico americano, si sa, la parola « liberale» ha un senso notevolmente diverso da quello attribuitole in Europa e in Italia durante le involuzioni recenti; sta a significare atteggiamenti moderni, stevensoniani, aperti. E si sa bene come un personaggio fra i più rappresentativi, in questo mondo liberale spregiudicato, sia Arthur Schlesinger jr, professore di Storia moderna a Harvard, autore di studi monumentali sulla età di Roosevelt, e collaboratore di Stevenson e Kennedy.

Appena lo si incontra, piccino, la prima tentazione è di classificarlo come «esemplare tipico» dell'intellettuale americano sui quarant'anni: ma ci si accorge presto che fra i «tipici» questo è uno dei più fini. Ha i suoi occhiali di tartaruga rotondi, i capelli corti, una faccia liscia e sorridente, la camicia a righe col cravattino scuro a farfalla, l'abito grigio un po' lucido, le scarpe inglesi, notevoli doti di comunicativa e di simpatia umana. Siede a tavola, si intreccia le mani dietro la testa, mangia il suo melone con gusto, divertente, tollerante, tranquillo, allegro, in compagnia di signore molto belle e molto chic; e con la stessa serenità ottimistica scrive testi di storia fondamentali e memorandum sulla situazione per il Congresso (che li prende molto sul serio), collabora ai periodici accademici più severi, a grosse ricche pubblicazioni illustrate come «Life», «Harper's Magazine», «Fortune», a riviste di grande sofisticazione, a quotidiani volgari e diffusi, a settimanali europei notevolmente *slicky*, occupandosi di sociologia, psicologia, sesso, politica, tecnica, letteratura, costume, col medesimo agio e buonumore.

«Vedete,» fa «sono estremamente diverse le facce che il nostro paese presenta ai visitatori occasionali in epoche diverse; e loro ogni volta ripartono affermando in buona fede che l'America è diventata così o così. Ma intanto si va avanti con le generalizzazioni, inconcludenti, insignificanti, false. Non si domanderà mai abbastanza di guardarsi dall'attribuire una importanza eccessiva a singoli aspetti o a fasi particolari della nostra vita: andrebbero sempre considerati facendo riferimento alla costante che è la caratteristica più notevole dopo la fine dell'isolazionismo, cioè il regolare alternarsi delle tendenze liberali e conservatrici al governo.

«Nel decennio che sta finendo adesso si è assistito per esempio all'allontanarsi e allo svanire di ogni specie di "governo positivo", sostituito da una compiacente indulgenza per le condizioni della vita americana così come sono. Abbiamo visto passività, torpore, mancanza di pensiero, di ideologia, di iniziativa. Ma non vuol dire certo che si tratti di una nuova involuzione conservatrice irrimediabile. Uno dei fattori positivi degli anni '50 è proprio che la parabola dell'apatia, dopo aver fatto il suo corso, si stia avviando verso la sua fine naturale. Era certamente naturale, del resto, anche la stanchezza dell'intera nazione in seguito alle tensioni dei due decenni precedenti, i '30 e i '40: Depressione, guerra, Guerra Fredda, tutte le crisi peggiori della vita nazionale erano venute una dopo l'altra, praticamente in fila. Ed era giusto che in quegli anni di grandi sforzi comuni la nazione avesse capi che impegnassero tutti i cittadini in un medesimo processo di educazione, di edificazione: Roosevelt, Truman, gli amministratori democratici.

«Ma è anche umano che alla fine degli anni '30 e '40 tutti finissero per ritrovarsi esauriti, sfiniti, privi anche di capacità di reagire agli stimoli: a terra, emozionalmente e psicologicamente, senza nessun altro desiderio che quello di raccogliersi in se stessi, concentrarsi sulla casa, sulla famiglia, sulla carriera. Tutto naturale e prevedibile, considerando le fatiche passate: giusto, che il cittadino desiderasse riposo e tranquillità, per recuperare le energie. Come dicevano? "Finalmente la vita torna normale...".

«E naturalmente Eisenhower è stato il beneficiario di questo stato di cose: un atteggiamento politico, il suo, che legittima e assolve qualunque indifferenza. Il pubblico vuole rilassarsi, chiede meno impegni per tutti? E giù, da parte della Presidenza, torrenti di *platitudes*, di *piety*, giù banalità, sentimentalismi, tenerezze... Tutti contenti, certo, di questa "figura di padre", che pensa a tutto, o almeno dà l'impressione di farlo, per conto di tutti, con quel sorriso aperto e simpatico, da Papà Natale, tanto contagioso alla televisione, come per raccomandare ai cittadini di lasciar fare, non pensare a niente, si occuperà di tutto l'Amministrazione... Questo, di riuscire a rendere noiosa la politica, è certo il maggior contributo di Eisenhower alla politica. La stessa cosa era già capitata dopo il ventennio di Theodore Roosevelt e di Wilson, con Harding... le promesse di "tranquillità e basta" nel 1920...

« È un ricorso storico significativo. Il governo che promette la tranquillità si presenta come governo "efficiente", che fa tante cose ma ne lascia fuori i cittadini, non domanda il loro intervento, non li disturba; e così si va avanti in pace fino all'accumulo di nuovi problemi importanti, e nello stesso tempo si sono rigenerate le energie. Questo segna la fine naturale della *lassitude*.

« Il paragone storico fra gli anni '20 e i '50 sta in piedi in ogni aspetto (e anche D.W. Brogan se ne è occupato, or ora). Sono due decenni che cominciano con la medesima ansia di ritorno alla normalità, dopo due ventenni molto impegnati; tutti sono stanchi di pubbliche decisioni e aspirano soltanto alla prosperità materiale. Ma a questa fase fa presto a seguire un periodo di scontentezza psicologica e spirituale, sempre in aumento; e l'ordine sociale, come diceva Josiah Royce con una espressione di Hegel, comincia a "estraniarsi da se stesso". La "dottrina" proposta dal governo comincia a incontrare scetticismo, opposizione, ridicolo; nel mondo degli affari parecchia gente ritiene che il sistema di accentramento di Wall Street strangoli la possibilità di iniziativa sul piano locale; gli agricoltori si sentono tagliati fuori dalla prosperità di tutti; gli operai finiscono invece per sentirsi "cittadini di seconda classe", e così gli immigrati recenti; soprattutto, fra i giovani, la scontentezza nasce sia dalla accettazione sia dal rifiuto dei mediocri ideali che vengono proposti. Più sintomatica di tutto è la defezione dei "trasmettitori di idee": nella loro opera si articola e nello stesso tempo si coordina l'inquietudine generale – si trattasse poi di scrittori satirici come Mencken o Sinclair Lewis, oppure di profeti come Dewey, Lippmann, Parrington, che cercavano di identificare i nuovi problemi, gli scopi, le possibilità, di una America più responsabile ».

« La differenza tra questo "ritratto della nuova America" e la realtà quotidiana aiuta naturalmente a preparare la rivolta politica alla fine di quel decennio; e si vede bene come a quell'opera di critica culturale corrisponda nel decennio attuale un aumento perfettamente analogo di critiche, satire, analisi, che si fanno sempre più profonde e consapevoli. Basta osservare l'interesse che suscitano uomini come Galbraith o Riesman o W.H. Whyte, che non risparmiano certo censure anche aspre alla società americana d'oggi. Il fatto che libri come *The Affluent Society*, *The Lonely Crowd*, *Individualism Reconsidered*, *The Organization Man*, si vendano a centinaia di migliaia di copie è una buona testimonianza della preoccupazione crescente degli americani per la società dove vivono, e per le *platitudes* della *self-congratulation* dei leader attuali. E del resto che cosa sono, se non manifestazioni di inquietudine e di scontentezza, il *boom* religioso di Billy Graham, la rinascita recentissima della satira sotto forma di *sick humor*, il successo di un libro come il *Dottor Živago*, e nello stesso tempo del movimento *beat* di cui tutti parlano proprio perché apparentemente manca un altro ideale, un ideale vero, da fornire alla gioventù?

«Il movimento culturale naturalmente troverà espressione nell'azione politica, come sempre: sorgerà una nuova politica nazionale, come è già successo due volte con i due Roosevelt, e provvederà ad articolare su un piano nazionale un programma che risponda allo scontento generico e ai desideri fluidi, vaghi, delle nostre masse. Questo lo si vedrà presto, nei prossimi due anni. Credo che però gli umori politici degli anni '60 saranno più simili a quelli dell'epoca di Theodore Roosevelt che non a quella di Franklin Delano, per la semplice ragione che il New Deal è stato essenzialmente una risposta alla Depressione: determinato da una grande crisi, doveva quindi avere particolari caratteri di "riscossa". È finito per diventare un po' l'archetipo della riforma possibile in America, come se fosse inconcepibile una riforma senza crisi. Ma in realtà la Grande Depressione è stata un fenomeno unico nella nostra storia nazionale. Basta guardare i grandi movimenti progressivi dell'800: nessuno viene fuori da una crisi. Sono stati semmai movimenti di riforma politica, e basta: in fondo, il "movimento progressivo" si può considerare una costante abbastanza tipica della vita americana, non già la crisi, che è capitata una volta in tutto.

«Quindi gli anni '60 saranno certo un periodo progressivo, ma come conseguenza di un accumulo di grandi risorse spirituali e psicologiche, non come una reazione a miserie, disoccupazione, deflazione.

«Poi, è bene ricordare che Theodore Roosevelt è stato il primo teorico della dottrina della preminenza del pubblico interesse, al quale si deve subordinare l'interesse privato. Gli americani recentemente hanno un po' perduto questo senso. Negli ultimi anni sembravano credere volentieri che gli interessi nazionali siano meglio serviti se sono soddisfatti gli interessi particolari e di gruppo; come quando si dice "quello che va bene per la General Motors va bene anche per l'America" (e se non è la General Motors, saranno le Trade Unions, o le ferrovie, o i telefoni...). Ma da un po' di tempo si ha l'impressione di una scontentezza diffusa anche per questo ordine di idee, e di una coscienza sociale più elevata: ci sono milioni di persone che cominciano a rendersi conto che non è spingendo all'estremo le proprie richieste e rivendicazioni che si arriva alla prosperità nazionale. Agli agricoltori non piace la politica agraria del governo, anche se li favorisce; i lavoratori dell'industria pesante non sono contenti di una certa politica economica, eppure prevede aumenti per loro; e anche molti uomini d'affari si rendono conto che si può agire contro il proprio interesse immediato».

« E l'interesse pubblico è urgente in questo momento. L'aumento della popolazione si fa sempre più sensibile. Strade, scuole, case, ospedali, vengono invece piuttosto lasciati andare, invece di svilupparli secondo i bisogni. D'altra parte, si ha l'impressione che le risorse nazionali siano dilapidate in sciocchezze, se appena ci guardiamo in giro. È francamente assurdo, per esempio, che si continuino a produrre nuovi *gadgets*, come ripete Galbraith, quando poi sembra che il paese più ricco del mondo non riesca mai a trovare i soldi non solo per educare i propri figli, ma neanche per rimettere in ordine il servizio postale, che è un caos vergognoso.

« I valori si sovvertono, e l'ordine delle precedenze si sconvolge, se i nostri princìpi etici fondamentali continuano a basarsi sul presupposto che funzione della società americana e suo fine supremo su questa terra sia essenzialmente la produzione di beni di consumo, e che a questa dovrebbe venir tutto subordinato». (Il nostro amico Kissinger, a questo punto, interviene gravemente, e raucamente: «Così, il giorno che la produzione in Russia arrivasse a superare la nostra, il sistema comunista dovrebbe necessariamente essere migliore, per questo?»).

« I beni di consumo » riprende Schlesinger « andranno benissimo, faranno piacere, sarà comodo averli finché volete; ma non si può permettere che i fini essenziali della società vengano aggirati o distorti in favore di nuovi *gadgets* o di frivolezze da bambini. Occorre una direzione, che sappia instradare le risorse nazionali verso fini di interesse generale, non a vantaggio di gruppi *self-indulgent*...

«Di solito non mi occupo tanto di politica internazionale» dice, alzandosi da tavola «perché certo è più importante che non la distribuzione razionale delle risorse – però si vede che l'impulso in politica estera deriva sempre dalla condizione della nazione, è l'espressione della identità nazionale. Nei momenti in cui la leadership americana si è dimostrata più effettiva, e come tale veniva avvertita dal resto del mondo, sono state indubbiamente le posizioni di Wilson e di Roosevelt che esprimevano emozioni sincere, e lo si sentiva bene, del resto. L'impulso formativo della nostra politica estera sarà una espressione concorrente dell'impulso morale che darà vita alla politica interna, una spinta non confinata nell'ambito della nazione, ma estesa a farne beneficiare tutti i popoli.

«Sono convinto che davvero siamo alla fine di un periodo, e nei prossimi due anni questo si vedrà. Il potenziale è ancora carico, e l'America è pronta per muovere avanti in un nuovo periodo, in patria e fuori, come nelle epoche dei due Roosevelt. Quello che importa a noi liberali è di offrire a tutti *uguaglianza di opportunità*, piuttosto che non uguaglianza di *stato*, di *condizione*. E "occasioni per tutti" significa togliere ogni ostacolo alle possibilità di chi ha talento e buona volontà di lavorare. In un clima nazionale più sano, sarà anche più facile aiutare le persone a trovare se stesse, a identificare la propria coscienza. Siamo pieni di gente priva di una identità propria, ci si vede circondati da esempi di persone "eterodirette" e cioè "dirette dall'esterno" – esclusivamente da quello che dicono "gli altri", dalla pubblicità, dai giornali – e che non agiscono per un impulso interiore, ragionato o istintivo, perché sono prive di certezze o di convinzioni: semplicemente reagiscono agli stimoli del mondo esterno, di volta in volta, senza una coerenza (e lo si vede anche nelle più alte cariche politiche)».

GALBRAITH

Il professor John Kenneth Galbraith, autore del bestseller *The Affluent Society* e ispiratore del programma economico del Partito Democratico, è appena tornato da un viaggio in Russia, dove ha passato più di un mese interessandosi soprattutto di problemi agricoli. Ha visto parecchi dei suoi colleghi economisti sovietici, e, durante la colazione, si dichiara convinto che il sostanziale aumento della produzione previsto nel loro piano di sviluppo non sia un calcolo sbagliato, e che ci riusciranno nei termini quinquennali stabiliti. Alla frutta, dice che soltanto al Grand Hôtel di Varsavia il servizio è peggiore che negli alberghi di Mosca: mai visto niente di simile. Si prende un caffè, ed è sempre lui che parla: racconta dei quindici studenti di Yale che stanno a Mosca per un programma di scambio con altrettanti russi che sono venuti negli Stati Uniti; e preparano tesi che qualche volta possono riuscire imbarazzanti. Uno di questi studenti americani, per esempio, faceva ricerche « sulla repressione dei russi bianchi da parte dell'esercito comunista », e tutte le volte che cercava i materiali di consultazione si trovava di fronte gente preoccupata e poco contenta. Finalmente, sentite le autorità accademiche di Mosca, hanno convenuto di lasciargli fare la sua tesi come voleva, però cambiando il titolo in « Contrasti tra forze rivoluzionarie e controrivoluzionarie nel contesto storico e sociologico degli anni post-rivoluzionari ».

L'economista di punta nell'America d'oggi è sulla cinquantina benportante, fisicamente del tipo Gary Cooper o Rock Hudson, alto due metri, molto magro, con la faccia stretta, la riga e il ciuffo, le tempie grigie, l'abito chiaro, il cravattino scuro. Scrive un buonissimo inglese, limpido, leggibile, arguto; però si esprime con una certa fatica: parla continuamente, ma impacciato, con tanti «aaaaah...» di sospensione, che appartengono forse a Oxford più che qui a Harvard, dove insegna attualmente. Dopo il caffè, consente a una gentile chiacchieratina su argomenti elementari e generali. Questa riesce abbastanza interessante, perché la posizione del professor Galbraith, nei suoi giusti termini, è quella di «Presidente della Commissione per la Politica Economica nel Consiglio Direttivo del Partito Democratico»; e anche perché è forse il più rilevante, ma non il solo, fra gli studiosi americani disposti in questo momento a criticare Keynes e la sua Teoria Generale che da venticinque anni almeno domina qualunque filosofia economica nel mondo occidentale, e fa sentire la sua influenza specialmente a Washington.

«Se si prova a considerare, nel più semplice dei modi, lo stato attuale della economia americana, la sua natura, i suoi problemi principali,» dice Galbraith «si vede subito che non esiste nessun altro ambiente dove la teoria e la pratica sono tanto divise; e ogni teoria è presentata in due versioni, quella domestica e quella tipo esportazione. Tutte le volte che si va all'estero si rimane sorpresi dall'influenza esercitata da queste concezioni – rigoroso *laissez-faire*, assoluta libertà di iniziativa, nessun controllo, né interventi sui prezzi, nessuna *public ownership* di imprese, i sindacati esistono sì, ma senza troppa importanza – quando nessuno penserebbe mai nell'interno del paese di applicare simili princìpi con un minimo di rigore ideologico. Basta riflettere per un momento sulla straordinaria complicazione della determinazione dei prezzi dei prodotti agricoli; o, nel campo industriale, alla tendenza sempre più forte a istituire un sistema di controllo del mercato e dei suoi sviluppi – per garantire la stabilità – e un controllo dei prezzi, per fondarne la sicurezza; la tendenza poi di mettere in piedi un sistema di sicurezza sociale come il nostro, che oramai dà le pensioni di vecchiaia a quasi tutti i cittadini. E naturalmente è un buon affare: basta pensare come il successo politico del New Deal sia stato influenzato enormemente dal successo del sistema di sicurezza sociale istituito dopo la disoccupazione dei primi anni '30; e in che larga misura sia stato agevolato anche dal decentramento, dalla diversificazione fra i singoli gruppi, nell'ambito dei grandi complessi produttivi.

«Certo, però, gli argomenti scottanti oggi sono tutti diversi. E riguardo alla proprietà pubblica, se da una parte sappiamo tutti che le tirate contro il socialismo vanno bene specialmente per chi vuol fare una carriera politica in fretta, d'altro lato guardate l'esempio di Kozlov: durante la sua visita in California, il governatore Brown lo porta in giro a vedere dei lavori pubblici, complessi di strade, dighe, un programma edilizio dei più grandiosi. Il "vice" di Kruscev, subito, fa: "Ma queste sono tutte idee che avete preso da noi". Naturalmente Brown ha fatto presto a rispondere che noi siamo in favore della proprietà pubblica, e non del socialismo: e per fare capire la differenza è bastato spiegare che la nostra è una tradizione di proprietà pubblica soprattutto municipale, molto più che non statale. Però c'è ancora tanto da aggiungere, a questo proposito, a quello che ho detto nel mio libro...».

«Vedete: l'economista del partito d'opposizione finisce per diventare un raccoglitore di fatti, ma specialmente di errori, che servono a dimostrare dove e come la politica governativa sbaglia; con la conseguenza che poi càpita di arrivare a Mosca o a Varsavia, e i miei colleghi economisti di là per prima cosa mi fanno: "Ma allora è proprio vero che da voi va tutto male"; e siccome naturalmente io dico di no, sono pronti a tirar fuori rapporti o studi *miei* recenti, che sono fatti per indicare le deficienze della Amministrazione Eisenhower. Senza contare che, onestamente, dobbiamo poi riconoscere che il nostro è un sistema economico senza caratteristiche definite e precise: è tutto una approssimazione. Ma in che punto è incompleto? Dove occorre correggerlo?».

Galbraith, nel suo libro, dice sostanzialmente questo: si è sempre affermato e ci hanno insegnato a scuola che il problema economico riguarda la distribuzione razionale dei mezzi per la soddisfazione di determinati bisogni, e che tutto il problema sorge in quanto tali mezzi sono limitati: infatti, come osservavano gli antichi economisti, e come scriveva ancora Tawney, l'aria è tantissima, e quindi non ha valore. Ma queste sono idee che andavano bene ai tempi di Ricardo. Quando i mezzi aumentano, anche se i bisogni aumentano proporzionalmente, e ne sorgono continuamente di nuovi, di cui la gente poteva benissimo fare a meno, il problema non si risolve, però si trasforma e si sposta: diventa il problema della produzione.

Tutte le tensioni e le preoccupazioni di natura economica che sono state sempre associate all'idea del bisogno – uguaglianza, sicurezza, la produttività, le privazioni – confluiscono oggi in questo problema, che nello stesso tempo è anche il paradosso più vistoso della vita americana: perché «l'aumento della produzione procede ora parallelamente alle preoccupazioni per la produzione». Malthus non ci aveva pensato. Nessun economista dell'Ottocento, generalmente preoccupato per la perdita di produzione durante le depressioni, viste come accidenti fatali, ha mai riflettuto sulla importanza che possono assumere le tecniche della ricerca e dello sviluppo in una industria moderna, sulle loro possibili dimensioni. Tutt'al più si saranno preoccupati di attaccare i monopoli, di diminuire le tariffe, di promuovere l'efficacia della collaborazione tra capitale e lavoro; col risultato che la «produzione», cioè il prodotto del sistema economico, intesa come massima preoccupazione e fine ultimo, ha finito per diventare un mito intoccabile, l'unica cosa che conta a questo mondo, per l'economista e per l'uomo comune, anche se «produzione» a un certo punto significa soprattutto «quattro o cinque spanne di lunghezza in più nelle automobili, a fini puramente decorativi», o «vestiti da uomo e da donna che non servono a riparare dal freddo, ma a fini meramente erotici».

Contro questo «assurdo feticcio» della Produzione, Galbraith – che è tutt'altro che un puritano in vena di tuonare contro il mondo e le sue pompe, ma anzi è persona estremamente «di mondo» e spiritosa, e ha prodotto libri che sono piacevolissimi da leggere – aveva già cominciato a prendersela, qualche anno fa, in *American Capitalism: The Concept of Countervailing Power* (quando Eisenhower parlava di *countervailing military power*); e lo ritiene, così come è correntemente considerato, un concetto tradizionale, irrazionale, e poco difendibile su qualunque terreno. Tutto il suo atteggiamento, in *The Affluent Society*, è stato poi non quello di chi predica i consigli non richiesti, ma di chi svolge una inchiesta sulla evoluzione dell'apparato produttivo messo in piedi dall'uomo per risolvere il problema della «povertà fondamentale». A un certo punto dice: nella nostra società questo problema è stato risolto, oramai; eppure l'apparato continua a funzionare, praticamente come fine a se stesso, producendo gli oggetti più inutili, i *gadgets* più insensati, di cui si potrebbe fare benissimo a meno, e impiegando a questo fine i mezzi che dovrebbero essere piuttosto indirizzati a scopi di utilità pubblica, con vantaggio infinitamente superiore per la collettività. Vediamo un po' quali sono gli interessi, le tecniche, i fattori storici e ideologici che hanno contribuito a tener su (come se niente fosse cambiato) le preoccupazioni per la massima produzione, che fanno girare tutta la giostra del Profitto.

«Sono tutte preoccupazioni» dice ora Galbraith «che vengono gonfiate da considerazioni magari anche legittime se prese da sole, ma estranee al problema della massima produttività, come il desiderio di uguaglianza sociale, di sicurezza economica, e come le necessità della difesa nazionale. E che siano fuori dal problema (se vi si trovano ancora implicate, è per una specie di equivoco storico), lo dimostra il fatto che proprio in questi ultimi anni il rapido aumento della produzione avrà anche soddisfatto il bisogno di uguaglianza sociale – il tenore di vita della classe operaia è adesso molto più comodo – ma dall'altra parte la rapida redistribuzione della ricchezza in gruppi sociali diversi dai "ricchi" d'un tempo ha prodotto effetti contrari alle intenzioni, perché alla "rapida redistribuzione", tutt'altro che omogenea, è seguito un assestamento di nuovi gruppi di ricchi e di poveri con impreviste caratteristiche di stabilità.

«Il mito dell'uguaglianza sociale, poi, certamente è andato a sfociare in quell'altro mito del pieno impiego. Tutti vogliono produrre tanto e vendere tutto (ed è bene che tutti abbiano un lavoro, perché sennò non possono essere acquirenti dei prodotti), naturalmente non tanto per "produrre per produrre", ma piuttosto per il guadagno che la produzione dà. Il nemico dei *gadgets* a questo punto osserva: vediamo chiaro che le nostre energie produttive sono impiegate per fabbricare assurdità, di cui nessuno ha bisogno, mentre però del processo produttivo si continua ad avere "bisogno", come fonte prima del guadagno. Ora, il guadagno che si ottiene producendo gli oggetti più stupidi, e meno rilevanti, ha dunque una grossa importanza. La produzione riflette la bassa utilità marginale dei prodotti per la società: ma il guadagno riflette la cospicua utilità totale delle entrate per l'individuo. Perciò, quantunque lo si ammetta difficilmente, la vera preoccupazione economica fondamentale non è più tanto per i "prodotti": diventa una questione di guadagno e di impiego; la prova migliore è che quando si pensa a una depressione viene naturale di farlo non tanto in termini di "meno merci prodotte", quanto di "disoccupazione e minor guadagno"; e reciprocamente è spontaneo identificare gli "anni belli" o la "congiuntura favorevole" con epoche di pieno impiego, piuttosto che non di alta produzione.

«Ma il pieno impiego è la diretta conseguenza di una società "affluente": quando il reddito del lavoratore è alto, come si
fa a permettere che esistano disoccupati... Che discriminazione odiosa... Quindi, la società "affluente" è tenuta a trovar lavoro per tutti. E la fabbrica dovrà lavorare a pieno regime non
perché ci sia una richiesta affannosa dei suoi prodotti – anzi,
bisognerà affannarsi per smerciarli – ma "per evitare che in
città stasera qualcuno non mangi"». Dunque una delle soluzioni proposte da Galbraith per spezzare i legami tra produzione e sicurezza degli impieghi, liberando la società dal rapporto di dipendenza con la produzione, sarà quella di attribuire uno stipendio «quasi pari» a quello dei lavoratori ai disoccupati «marginali», che in una società sana dovrebbero trovarsi nella misura dal tre al sei per cento.

La tesi principale avanzata nel libro è che i liberali d'America,
abbandonando la loro tradizionale opposizione alle imposte indirette, sostengano un sistema di pesanti tasse sulle vendite, per
acquistare automaticamente una larga disponibilità di fondi trasferiti dal consumo privato a quello pubblico, con un energico
riadattamento della bilancia delle spese: quello che conta essendo non tanto l'arresto della produzione, che ne seguirebbe, ma
il convogliare una parte molto maggiore delle risorse nazionali
alle cose che contano di più per la «salute» della società, l'igiene, la pubblica istruzione, l'edilizia popolare, l'ordine pubblico,
il miglioramento dei pubblici servizi, la difesa. Questa maggior
misura di pianificazione economica si risolve quindi non nell'organizzare una politica di pieno impiego, ma nell'indirizzare le risorse nazionali verso scopi più utili per il bene pubblico, spezzando per sempre quel circolo vizioso dell'«effetto di dipendenza», per cui la vendita di merci viene artificialmente stimolata
dai produttori e sovvenzionata in ultima istanza dagli stessi consumatori, che pagano per la pubblicità tendente a creare nuovi
bisogni mai esistiti e di cui si può fare benissimo a meno (ma che
le industrie della persuasione rendono indispensabili). E di conseguenza la vendita a rate tanto elogiata ha anche cattivi effetti,
sia in periodo di depressione, sia di pieno impiego: nel primo,
perché le rate continuano a scadere anche quando il consumatore non ha più soldi, e quindi la depressione si aggrava; nel secondo, perché quando tutte le possibilità produttive sono spinte
al massimo, l'euforia generale nello spendere aggrava la pressione inflazionaria, nonché lo squilibrio che ne deriva tra gruppi
sociali che dispongono di redditi differenti.

«Non esiste possibilità di controllare l'inflazione in un sistema economico operante al massimo delle proprie capacità» riconosce ancora. «Il personaggio più noto del dramma dell'inflazione» dice «è la nostra vecchia amica, la spirale prezzi-salari; e naturalmente non si può impedire l'aumento dei prezzi finché non si riesce a spezzarla. Dopo tutto, non è vero che l'aumento dei salari abbia tutta questa influenza sul costo del prodotto finito; o, almeno, l'ha dopo parecchio tempo (per esempio, nell'industria dell'acciaio). Di solito, se l'impresa aumenta il prezzo del prodotto subito dopo avere accordato l'aumento salariale, lo fa per non rinunciare a un vantaggio che può ottenere facilmente, in quel momento, senza incontrare troppi ostacoli da parte dei sindacati e del pubblico. Ma poi il costo della vita si adatta al nuovo livello, e si ricomincia. Come sono diversi, poi, gli effetti, nei diversi gruppi sociali: dove poche industrie dominano il mercato, queste naturalmente impongono i loro prezzi; non possono fare certamente la stessa cosa gli agricoltori, che sono troppi per potere influire su un mercato che non dipende da nessuno di loro individualmente; l'allevatore di bestiame, invece, si avvantaggia dell'aumento, perché la gente festeggia gli accresciuti guadagni mangiando carne. Chi ha larghe scorte, o impianti in via di ammortamento, nell'industria, ne beneficia senza rischiare niente. D'altra parte, chi ha stipendi fissi, o pensioni che ricompensano per passati servigi resi alla comunità, soffre severamente; e i pubblici servizi, la pubblica istruzione, soffrono danni non meno gravi.

«I Repubblicani non se ne preoccupano affatto, e si limitano a sperare che tutto si risolva attraverso la politica del tasso d'interesse della Central Bank; e onestamente bisogna riconoscere che ci sono anche parecchi Democratici inclinati all'idea che "l'America posponga, il Cielo aiuterà". Viceversa, una parte sempre più larga di Democratici responsabili si rende conto che è necessario raddrizzare l'equilibrio fra il settore pubblico e quello privato dell'economia, e che entro un sistema economico in progresso una parte crescente del consumo si deve spostare dalla parte del settore pubblico. Il problema vero è quello di sostenere i bisogni sempre maggiori delle attività socializzate: ma non viene risolto né in termini tecnici né psicologici, e si fatica ad accettare il principio che il vero problema non è "cosa si deve fare", ma "chi deve pagare", e "quanto".

«Le concezioni tradizionali di "fatica", "riposo", "lavoro", "svago", vediamo che ci si stanno evolvendo sotto gli occhi; ma perché la *New Class* dove tutti abbiano una parte di lavoro e una parte di svago possa sostituire definitivamente la *Leisure*

Class, estendendosi di lì a sezioni sempre più vaste della massa, ci si è preoccupati anche troppo poco, e si comincia a farlo solo adesso, dei bisogni, non tanto dei lavoratori, ma delle persone non inserite permanentemente nel sistema industriale; e sto pensando a tutti i possibili gruppi, dai piccoli agricoltori dei *rural slums* agli artisti, da tutti quelli che non sono capaci di lavorare e produrre normalmente, per deficienze fisiche o morali, agli abitanti delle *slum areas* delle metropoli, dove le condizioni più spaventevoli tendono a perpetuarsi, alle minoranze razziali, ai gruppi di immigrati recenti, privi di qualunque istruzione, handicappati dalle selvagge lingue che parlano, e incapaci di adattarsi alle condizioni di vita del nuovo ambiente.

«Un altro espediente che era stato sopravalutato, quello di favorire la distribuzione di azioni industriali fra i lavoratori e i piccoli risparmiatori, come è avvenuto largamente fra il '40 e il '55, si vede che non ha avuto una grande influenza sulla nuova redistribuzione dei redditi; la maggior parte delle azioni sono state presto cedute per aumentare lo standard di vita; solo un piccolo nucleo è rimasto ai piccoli risparmiatori.

«E certo, la deflazione è una manovra assai controproducente da un punto di vista politico. Ma il controllo dell'inflazione è possibile: il principio è "prima stabilizzare, e poi espandere"; ed è possibile solo attraverso qualche *slack* deliberato, che venga a impedire gli aumenti di salari e prezzi possibili in una economia che lavora in pieno. Si tratta proprio di tenere materialmente una quantità costante di risorse inutilizzate, e tanto meglio se questo significa immobilizzare la produzione, dal momento che la causa prima dell'inflazione è l'espansione dei bisogni individuali più cervellotici. In questo modo vari espedienti possono operare per restringere la possibilità di aumenti di prezzi e le richieste di aumenti salariali. È giusto agire, come si riteneva un tempo, per diminuire la domanda, ma anche influire sopra la interazione fra prezzi, salari... e profitti».

Come si è detto, uno dei punti principali della soluzione proposta da Galbraith consiste nel mantenere inutilizzata, come tutte le altre risorse, una certa quota di lavoro umano: gli *slacks* previsti comprendono questa percentuale costante di disoccupazione alleviata da sussidi «quasi pari» al salario del lavoratore impiegato. «Che dimensione assegnerebbe a questa quota, oggi?» gli si chiede. «Oh, dal tre al cinque o sei per cento farebbe all'incirca quattro milioni di disoccupati. Mi sembra la cifra più giusta, perché dà un sufficiente *bargaining power* alle Trade Unions».

E l'automazione? «Oh, non sarà certo una seconda rivoluzione industriale: tutt'al più un cambiamento, diciamo pure "un passo avanti", paragonabile come importanza all'introduzione della lavorazione a catena».

RIESMAN

David Riesman, autore di *The Lonely Crowd* e sociologo alla moda, è un anziano signore vestito quasi all'europea, con le spalle spioventi, e notevolmente sfiduciato. Riuscirebbe difficile indovinare a quale partito politico possano andare le sue simpatie. Parla molto meno brillantemente di quando scrive le incantevoli analisi degli ideali di classe individuati attraverso la narrativa dei settimanali volgari; e dice che in questo momento gli interessa soprattutto «il mito del *tycoon* malinconico»; cioè il tramonto della tradizionale concezione americana del grosso uomo d'affari.

La sua è una dimensione di grandezza, dice, che ha avuto sempre misure balzachiane, convenzionalmente; però in generale il *tycoon* mancava di *social acceptance*: e dopo *Babbitt* la sua inferiorità di fronte alla cultura, o all'eleganza, gli ha provocato spesso sofferenze crudeli. Nel *Great Gatsby* questo atteggiamento si vede benissimo: una coscienza vivissima, pungente, della propria «posizione» nella società, e rispetto ai gruppi in cui si aspira ad essere accettati. E si percepiva già distintamente più di trent'anni fa uno stato d'animo che si è venuto poi sviluppando in forme tali da rendere il povero *tycoon* infelice per sempre: la consapevolezza sempre più chiara, acuta, che gli affari e i soldi non sono tutto il mondo, tutta la vita, ma esiste un'altra parte della vita, la sfera della sensibilità, che poi comprende tutto insieme l'arte, la cultura, l'amore, il sesso, l'Italia, la

76

musica; ed è la parte migliore. Quindi, rivolta contro il puritanesimo, e nello stesso tempo contro gli ideali del lavoro e del profitto.

Il fascino che i puritani provano per gli anti-puritani è una vecchia costante, che si conosce bene: basta seguirla da Henry James a Sinclair Lewis. E naturalmente, come è giusto, l'«anti-puritanesimo» comprende insieme paganesimo e cattolicesimo, antichità classiche, visita al Papa, e giretto in gondola.

Riesman dice: «Lo si sentiva già quando ero ragazzo, e i miei compagni di collegio consideravano "volgare" la Harvard Business School; volevano tutti dedicarsi all'arte e alla poesia con lo stesso entusiasmo che hanno questi di oggi per la fisica e per le scienze sociali. Del resto era negli stessi anni che Sherwood Anderson dava le dimissioni dalla fabbrica dove era impiegato, e si disponeva a viaggiare e a scrivere.

«Il lato significativo dei cambiamenti attuali si vede nel fatto che il tipico personaggio contemporaneo, l'uomo in flanella grigia, non ama tanto *la vita,* ma *la buona vita* – che è più ristretta della vita tout court. Il sociologo preferirebbe considerare i buoni romanzi, invece che la letteratura popolare; ma l'eroe rappresentativo del tempo è questo dirigente industriale "moderno" com'è rappresentato nei bestsellers. Ed ecco come si evolvono i princìpi puritani convenzionali nella sua "domesticità suburbana": lui sarà sempre più alienato dalla famiglia perché gli impegni di lavoro lo tengono fisicamente staccato e lontano dalla casa; però il suo lavoro provvede comunque a una confortevole "vita in casa" per tutti. A un certo momento, sente questa frenesia, lo stimolo di evadere e di piantare tutto: quello che stupisce naturalmente è che adesso la famiglia da cui scappa via è formata di gente tutta normale e buona, anche simpatica, non più il genere odioso e noioso piccolo-borghese detestabile.

«L'atteggiamento dell'eroe contemporaneo può venire determinato anche dalla *cross-infiltration* e dalla omogeneizzazione delle carriere dell'uomo e della donna. Le relazioni sono più precoci e più serie: il *going steady* prima dei vent'anni sarà in principio una forma di assicurazione reciproca contro il pericolo più sinistro, quello di passare un weekend solitario; ma fa presto a trasformarsi nella specie di famigliola "regolare" con i primi due bambini, il maschio e la femmina (come in ogni avviso pubblicitario). L'influenza della donna si manifesta soprattutto nel fatto che lei spiega all'uomo cosa è la vita, cosa si deve fare, che strada prendere. Così lui impara adagio

77

a non avere ambizioni alte, ma il più ordinarie possibili, non aspirare a "carriere" (*careers*) ma a "impieghi" (*jobs*). E questa facoltà di adattarsi finisce per essere la qualità socialmente più apprezzata, mentre per esempio in Europa la nascita aristocratica di una persona può contare maggiormente, nella scala sociale, del fatto che professionalmente si tratti di un intellettuale piuttosto che di un uomo d'affari».

«L'antipatia per ogni *business* ha certamente anche ragioni morali: un tempo perché si riconosceva nella grande industria una mancanza assoluta di princìpi, e sistemi di sfruttamento bassissimi. Ma ora che la natura del *business* è così profondamente cambiata, le obiezioni non saranno più limitate a un terreno strettamente etico; si osserverà piuttosto che si tratta pur sempre di occupazioni banali, piatte, prive di fantasia, legate alla routine».

E il guadagno, allora? Il profitto? «Il fatto più sorprendente è che oggi il denaro non voglia dire più niente per i giovani americani. È incredibile come siano modeste le loro aspirazioni: la casetta, lo stipendio, l'automobile (perché sennò la moglie, nella casetta suburbana, si sente prigioniera), tre o quattro figli, vacanze piacevoli, l'*hi-fi set*. La vita, la vogliono semplice: la cupidigia per il denaro, la brama di salire, l'avidità balzachiana, non esistono più. Si cerca di fare bene il lavoro, ma in fretta, non con passione, non come un fine a se stesso – per il *tycoon* tradizionale invece lo era – anche se poi si finisce per passare davanti alla televisione il tempo così risparmiato. Come sapete, la televisione *non* è considerata un divertimento, dall'americano medio, perché la vede stando in casa. Per intendere il suo concetto di "divertimento" bisogna fissarne la caratteristica principale, che consiste nell'*uscire* dal posto dove ci si trova, per raggiungerne un altro, anche lontanissimo e scomodissimo. Se non c'è questo *spostamento fisico*, manca l'*entertainment*. La televisione è un passatempo che dura tutto il giorno: quindi non è "divertimento"».

«Nei primi anni d'università, oggi, un terzo dei giovani vuol fare il fisico, un terzo lo psichiatra, un terzo il sociologo. La politica poi viene tradizionalmente considerata a un livello più abietto ancora degli affari, che pure sono giudicati abbastanza in basso: come attività basate sul compromesso, e poi in quanto manipolano "cose". A meno che non si tratti di certe specializzazioni particolari: fare l'uomo politico no, per esempio, però sì l'esperto di questioni agricole in Indonesia, il dirigente di piani regolatori, di programmi di risanamento. Quindi non "attività politica" direttamente, ma piuttosto "attività di governo" nel campo della pubblica amministrazione, che può consentire una combinazione fra le attività tipiche della direzione d'industria con quelle della amministrazione *locale*. Trovo che generalmente infatti hanno un senso civico molto sviluppato, per quanto siano politicamente inattivi».

«Ma la maggior parte non sa mai bene cosa significa una "direttiva", come prendere una decisione "pianificata" intelligentemente. Non hanno molte idee "brillanti". E quelli di loro che poi scelgono la carriera degli affari, sanno più o meno cosa li aspetta: lavoro monotono, una divisa da indossare (non dico per scherzo, l'abito di flanella da ufficio lo vediamo addosso a tutti questi), e poi la vita privata, che sollievo, un rifugio da rendere sempre più ampio e più chiuso. Il primo anno di carriera conferma tutte le peggiori apprensioni nei riguardi della routine, dell'apparato burocratico. Si trovano a contatto con modelli di *organization men* anche più bassi di quelli che hanno incontrato per primi, quelli che girano per le scuole ad arruolare con promesse allettanti i futuri quadri delle aziende. Questi poveri *businessmen* futuri vengono quindi avviati a *business schools* tetre e degradanti, e cercano di consolarsi con un nuovo messaggio di cui non immaginano la limitatezza estrema: il *business* come sistema di relazioni umane. Che passo avanti, eh! Che teorie progredite, concilianti: la vita consiste in un sistema di pubbliche relazioni o di relazioni umane, fuori e dentro l'industria; e quindi, d'ora in poi, il *business* sarà una "estensione della vita" (se non viceversa, addirittura). In questo modo però si considera che solo le "persone" attigue contino, hic et nunc, e si perde tutto il resto: le "cose", la storia, il passato, il futuro. Senza contare che una concentrazione di relazioni umane potrà portare certo a eccessi di camaraderie nella cafeteria, ma a che rapporti volete che si arrivi, sul piano intellettuale?».

«Oggi il giovane americano guarda il suo paese: è una struttura esistente, dove ha da trovarsi un posto, come se fosse un paese già fatto, pronto, ma fatto da sé, senza l'intervento degli uomini. Un cambiamento dell'ordine politico è poco probabile proprio per le influenze che potrebbe avere sul *business*. E così le giovani coppie, giovani tutte, sempre, non aspettano di "fare fortuna", come un tempo (tanto, oggi ci sono le tasse, come ostacolo). Sono persone di una certa cultura, sanno che esistono le vendite a rate, quindi tutte le aspirazioni si riducono a trovare un buco, un posto, dove inserirsi nel sistema, adattarsi e non muoversi più. Una volta a posto, non intendono posporre niente: vivere prima, pagare poi.

«È stato interessante vedere come riprova di questo atteggiamento una serie di interviste di "Time": come immaginate la vita fra cinquant'anni? Nessuno si occupava di prevedere differenze nelle condizioni di lavoro, parlavano tutti della vita "fuori del lavoro"; tanto più "emotiva"! Questi qui, a vent'anni, quando si presentano per essere assunti in un posto, la prima domanda che si preoccupano di fare è: "E la pensione?"».

«E la razza dei *tycoons* si estingue: per lo meno nel loro campo tradizionale, quello dei grandi affari; non per niente, uno dei problemi più gravi è quello che riguarda la *top leadership*, anche perché ai posti più importanti accede adesso parecchia gente appartenente a gruppi sociali un tempo esclusi di lì, come gli immigrati recenti. Nello stesso tempo, la direzione delle grandi industrie è diventata sempre più un affare di burocrati. Oggi è molto maggiore la percentuale di gente con un po' di iniziativa nelle professioni liberali, nelle università, nell'esercito, nelle scienze.

«I veri *tycoons* oggi sono i presidenti delle università, degli ospedali, delle grandi *nonprofit organizations*: sono loro che creano gli imperi coloniali moderni. E sono loro infatti che non soltanto si stanno adoperando per elevare il tenore di vita nei nostri territori coloniali, gli Stati del Sud, ma per di più provvedono a fornire ai *top businessmen* un genere di alta educazione che allarghi i loro interessi, stimoli proprio la loro iniziativa "imprenditoriale", suggerendo che la vita può avere un senso più ricco e scopi più ampi.

«Questi programmi umanistici ad alto livello per i dirigenti industriali si stanno diffondendo molto rapidamente. La Compagnia Bell, che gestisce i telefoni degli Stati Uniti, sta educando i suoi direttori di quarant'anni e più, che non hanno mai avuto una educazione liberale. Li mandano in un posto piacevole della Pennsylvania, per una specie di vacanza pagata di dieci mesi, che è il "corso culturale". Là gli insegnanti cominciano subito a metterli in contatto con Proust, con Matisse, con Alban Berg. Tante volte l'inizio è duro, ma superato lo shock reagiscono bene, diventano persone nuove. Lo stesso, ancora a più alto livello, càpita ai seminari tenuti dall'Istituto di studi umanistici ad Aspen, Colorado. Lì vanno addirittura i presidenti delle grosse società – Standard Oil of California, Esso,

Sears, Roebuck and Co., International Business Machines – a studiare Platone, Arthur Miller, Marx, sotto la guida di eminenti professori di università. Recentemente sono rimasti abbastanza scossi scoprendo che in mezzo a loro si trovava Walter Reuther, il capo dei sindacati operai dell'industria automobilistica, che poi ha dato brillantemente i suoi esami insieme a tutti. Sono parecchie oramai le università che istituiscono questi corsi: e pare sempre più vicino alla realtà quel *cartoon* del "New Yorker" dove una signora chiama una coppia d'amici, a un ricevimento, e dice "Venite, voglio presentarvi ai Jones, dovete conoscervi: anche loro hanno pianto al primo atto del *Wozzeck*"».

«L'uomo d'affari moderno si muove in direzioni diverse, cangianti; ha scoperto che in ogni attività i prodotti sono due, non uno: e l'altro è la vita stessa delle persone che producono. Quindi diventa sempre più ansiosa la *motivational research*, la ricerca dei fini, dei moventi, che tende a scoprire il "motivo" di ogni azione umana. Lo spreco sfrenato che è una delle caratteristiche essenziali della vita americana (e anche la vita stessa si spreca) si deve veramente al fatto che tutta l'atmosfera è creata artificialmente per stimolare uno spirito di *business* sempre più intenso; e osservando i gruppi sociali "sottoprivilegiati", i giovani, i neri, i *teenagers*, i lavoratori, si vede chiaro come amino certamente le cose, abbiano passioni per le macchine, le case, gli oggetti; ma per capire come in fondo gli americani non se ne curino troppo basta fare un paragone con l'attaccamento alla *roba* che esiste in Europa, in Francia (e che esiste ancora fra gli immigrati più recenti: dove c'è terra, *locality*, troverete sempre gli irlandesi, si tratti poi di imprese di costruzioni o di pompe funebri, però legate comunque alla terra, alle famiglie, alle tante conoscenze personali).

«No, gli americani non trovano veramente importanti gli oggetti, perché è proprio il concetto di proprietà che non significa più tanto per i giovani. Considerano le *cose* meramente beni strumentali, e se ne liberano facilmente, traslocando senza rimpianti».

Quanto tempo è passato da quando si leggeva e si citava *La rivoluzione dei tecnici* ovvero *The Managerial Revolution*... Ormai James Burnham è un vecchio signore prospero che somiglia a Truman e dirige la «National Review», un settimanale politico e di varietà che rappresenta per la destra conservatrice ciò che «The Nation», «The New Republic» e «The New Leader» sono per le diverse correnti socialiste e radicali. La sua preoccupazione principale è di fare dell'anticomunismo risoluto e aperto. Parla con lo stesso tono di voce di Palazzeschi, anticamente, ma trova che i rapporti fra Stati Uniti e Spagna sono «interessantissimi» perché dimostrano «come si possano ottenere benefici materiali per le due parti senza compromessi morali o politici», e sostiene: «Come sappiamo bene, sono due le interpretazioni che si possono dare della Russia sovietica. Una, è che si tratti della continuazione storica dell'impero moscovita, che per parecchi secoli ha sempre mantenuto costanti le sue caratteristiche fondamentali di imperialismo e di espansione a ogni costo, con un potere largamente accentrato e fortemente autoritario. L'altra, considera l'Unione Sovietica come centro non di un impero ma di un movimento rivoluzionario mondiale, costruito sulla elaborazione di princìpi più ideologici che politici, in riferimento a fini e a mezzi non necessariamente in relazione con un particolare territorio. Non sarebbero diversi, per esempio, se la rivoluzione, invece che in

Russia, si fosse svolta, come aveva in mente Marx, in Inghilterra o in Germania».

«Ora, è più importante l'aspetto "imperiale" dell'impresa comunista, o quello "rivoluzionario"? George Kennan è per la prima ipotesi, per esempio; mentre gli ex-comunisti sono invece generalmente per la seconda. Un esame degli epifenomeni che possiamo controllare non è molto risolutivo. La questione rimane da decidere.

«Si osserverà che le operazioni dello Stato sovietico procedono come quelle degli altri Stati, oggi: appaiono simili la struttura, l'organizzazione, le funzioni. Ma, attenzione: è solo una facciata. Sotto, l'apparato rivoluzionario opera senza rapporti né somiglianze con l'organizzazione degli altri Stati democratici. L'attenzione del nemico viene sistematicamente ingannata dall'apparato tradizionale: si vedono ambasciatori, conferenze di plenipotenziari, normali relazioni diplomatiche. Ma, all'erta! Nelle ambasciate russe si organizzano spionaggi e rivoluzioni: vedete per esempio cosa sta succedendo nell'America latina.

«L'impresa comunista, è noto, si propone come fine la dominazione totale del mondo: e non hanno intenzione di fermarsi finché non ci arrivano. La loro condotta negli avvenimenti internazionali procede regolare, con continuità, senza far differenze tra la pace e la guerra, tra la verità e la menzogna, i convegni diplomatici e le rivoluzioni. Il nemico ripiega, si ritira, si riposa, è sconfitto? Loro avanzano. Ecco come è impossibile mantenere rapporti veramente normali. Avverto sempre tutti gli amici: tutte le volte che godete del pianista o del violinista russo, o ammirate la ballerina del Bolshoi, significa che state cedendo a una propaganda fatta con scopi precisi.

«Le armi della propaganda, la conferenza del romanziere, il saggio critico che impiega le risorse più fini della dialettica – come del resto i viaggi dei presidenti – sono sullo stesso piano e hanno lo stesso valore delle armi della minaccia, missili e bombe. Tendono ugualmente a rompere la resistenza dell'avversario destando volta a volta le nostre simpatie o le nostre paure. Non dovrebbe esser lecito tenere un contegno così ambivalente. I nostri concittadini, nella grandissima maggioranza, non potrebbero mai farlo: quando Eisenhower è contento, si vede benissimo; quando è seccato, si capisce bene lo stesso; e così anche gli altri. Sarebbe inconcepibile tenere un altro contegno, invitante e minaccioso, nello stesso tempo. È intollerabile, sconveniente, indecente. E in quanto poi alla storia della *brinkmanship*, sarebbe giusto, e nient'altro che giusto, far notare una volta per tutte che sono *loro* che vanno avanti nelle provocazioni fino all'orlo dell'abisso, fino al rischio di scatenare una guerra; non siamo noi. Guardate Formosa; guardate Berlino; cosa ne dite, eh?».

«E va bene, nel mondo oramai siamo rassegnati a questa divisione tra la zona della pace e la zona della guerra. Secondo quelli là, nella loro zona della pace sono tutti contenti, la pace è soprattutto sociale, i capitalisti non esistono, non esistono tensioni di nessuna specie, il socialismo va bene. Qui da noi, sempre secondo loro, invece si ha lo sfruttamento, si hanno le tensioni, le esasperazioni, le provocazioni, capitalismo, guerra. Le repressioni, i campi di lavoro forzato in casa loro, quelle sono illusioni borghesi. E i loro successi diplomatici procedono sempre dal punto di partenza che la Russia difende una situazione provocata da lei stessa, ledendo diritti e interessi altrui; così, se le due parti fanno ciascuna un po' di concessioni per arrivare a un compromesso, loro ci guadagnano sempre qualche cosa. Guardate Berlino, tutto il questionare indecente sulla legittimità dei diritti sacrosanti degli occidentali: è sconveniente, vergognoso, insopportabile.

«Poi c'è l'altro grosso problema di oggi, quello delle rivoluzioni di belle speranze. Tutte le terre sottosviluppate oggi fanno prove di forza, rivolte sociali, si aspettano la manna dal cielo. Ma tutta questa gente dimentica un po' troppo facilmente che una ascesa è possibile solo se molto lenta; e veramente si direbbe invece che la politica attuale dei leaders sottosviluppati faccia apposta e faccia di tutto per ostacolarla o bloccarla, questa ascesa.

«Apparentemente si direbbe che abbiano bisogno di aiuto; e invece no, il paradosso è che pare che facciano di tutto per farselo rifiutare da chi sarebbe in grado di darlo».

«Lasciamo da parte le questioni morali, per un momento. Sappiamo tutti benissimo che per alzare lo standard di vita fra le grandi masse ci vuole del gran tempo. Prendiamo pure la civiltà occidentale, nel suo complesso: ma ci sono voluti sei secoli, in fondo, è nel quattordicesimo che si è cominciata a sentire questa preoccupazione, e a fare degli sforzi in questa direzione; e solo la generazione scorsa ha cominciato ad arrivarci, a toccare qualche cosa, attraverso tutta una serie di conquiste, di scoperte, non tanto tecniche o scientifiche, ma anche e specialmente intellettuali, concetti giuridici, istituzioni politiche, che sovente sono stati difficili da elaborare e duri da mandar giù.

«È ridicolo, assurdo, che adesso i sottosviluppati arrivino qui e pretendano di mettersi in linea, e di avere in pochi anni tutto quello che gli altri hanno impiegato secoli per conquistare. Sarebbe troppo comodo! Facciano anche loro un po' di fatica, per piacere».

«Cosa dobbiamo fare, noi, d'altra parte? Qui, per progredire, si vede bene che quelli adoperano due sistemi: uno è quello del furto, del ricatto, dell'estorsione, come hanno fatto i russi nell'Europa orientale, dove hanno portato via tutto, e i cinesi pressapoco in casa propria. Ma non dura, non può durare, e bene non può andare a finire di certo. L'altro è il modo serio: si migliora aumentando la produttività del lavoro, proporzionalmente all'aumento della popolazione. Gli economisti le sanno bene, queste cose. Ma non esistono altre vie, non ci sono!

«Adesso, per alzare il tenore di vita, mi domanderete, come si fa? Due maniere, anche qui. Una è migliorare l'organizzazione delle forze del lavoro, curare le federazioni agricole, i sindacati operai, migliorare l'educazione, sviluppare la formazione professionale. L'altra è favorire l'accumulazione del capitale, migliorare le fabbriche, perfezionare le macchine, gli strumenti, i metodi di produzione, l'illuminazione, le condizioni igieniche. I paesi sottosviluppati come devono fare poveretti ad accumulare il capitale? Sono arance senza troppo sugo da spremere; e d'altra parte, o i soldi si prendono all'interno, o si vanno a cercare all'estero. Provino un po' a chiederli alla Russia! Per quanto, già Trotzkij diceva che le condizioni industriali in Russia erano ai suoi tempi tra le più progredite... se non altro perché c'erano delle grosse fabbriche, con un numero enorme di operai a disposizione. Poi, in cinquant'anni, sono andati avanti, si capisce».

«La morale però è che intanto gli aiuti devono venire dalle nazioni avanzate; e appena arrivano, tutti sono pronti a gridare che sono forme di sfruttamento. Questa politica dei leaders sottosviluppati rende proprio impossibile qualunque aiuto. Come si deve fare? Il capitale, non si riesce a produrlo tanto facilmente, cosa credono? E allora, come ottenerlo? Avanti coi ricatti. Guardate la Bolivia: per qualche generazione, con lo stagno, è andato avanti tutto bene: gran successo, niente da dire. Poi, movimento rivoluzionario, su base un po' trotzkista, rivendicazioni esagerate dei sindacati operai. Morale: rovinano tutto, e il pozzo si asciuga. Gli Stati Uniti, proprio per fini soltanto politici, mandano indubbiamente aiuti enormi; ma fino a un certo punto; poi ci si stanca, si dice di no.

« E Castro, non fa lo stesso? A Cuba quello che si distrugge è per prima la fiducia nelle basi stesse dell'economia del paese: con una politica demagogica e una distruzione "tecnica" del sistema economico si possono provocare per un po' di tempo dei magnifici titoli sulle prime pagine dei giornali; ma di utilità, poca. Il capitale, invece di essere attirato, scappa. Lo stesso càpita con le espropriazioni in Indonesia, che finiscono unicamente per smembrare le strutture produttive di ricchezza».

« Naturale; tutti i paesi che hanno avuto l'indipendenza vogliono essere subito autosufficienti, senza nessun legame economico: naturale. Ma il simbolo dell'indipendenza, per la maggior parte, è "il nostro acciaio lo produciamo da soli". E tutta questa brava gente dimentica che il mercato dell'acciaio è un mercato internazionale costituzionalmente legato a moltissimi fattori economici, sociali, produttivi, di condizioni tecniche, di abilità operaia, che non si improvvisano e non si cambiano facilmente, e meno che meno nell'ambito di un solo paese. Oppure, il prestigio dell'indipendenza recente si deve provare erigendo palazzi di governo enormi, università tutte "per figura". Ci sono enormi masse nel mondo che praticamente non migliorano in nessuna circostanza, ma con la politica sbagliata è anche meno probabile che ci possano riuscire.

« Una spiegazione ci dev'essere. Ce ne sono parecchie, anzi. Una è che i leaders di questi paesi sono tutti ignoranti di economia; sanno tutto di filosofia, diritto, religione, scienze politiche; di economia, zero. Lo vediamo tutti i giorni. Sono anche malati di demagogia; e tengono soprattutto a destare le emozioni delle masse. Possibile che non riescano a trovare altri indirizzi? È vero che in molti casi quelle emozioni, in parte spontanee, in parte sfruttate a fini di propaganda, arrivano a un certo momento a un grado tale di intensità che i leaders non possono più ritirarsi, se non per essere sostituiti da altri più demagoghi di loro... ».

Se si lascia cader lì a questo punto il nome del defunto senatore McCarthy, è facile oramai prevedere quale sarà la risposta di Burnham: è un uomo che ha fatto parecchie sciocchezze, *però* in fondo era lui che aveva ragione, non i suoi avversari liberali sempre disposti all'*appeasement*.

IL MONITORE DI BOSTON

La facciata a colonne imponentissima è quella consueta degli uffici governativi e delle banche – tempio greco tutto-granito – ma appena entrati si capisce che naturalmente è la cattedrale di Torcello, con le cripte, i mosaici, e tutto. Anche protiri, lesene, tabernacoli, tappeti veri e preziosi, arazzi tipo Aubusson, poltrone dogali, fini mobili d'antiquariato, tanti ascensori, tante vecchie, cristalli, e vetrine illuminate dove sono esposti bulbi, sementi, cioccolati, canditi, pastine glutinate, tapioche, fiocchi d'avena, biscotti per cani, tutti prodotti «non nocivi» di cui il «Christian Science Monitor» fa la pubblicità giorno per giorno. Della Scienza Cristiana ho paura che tutto ciò che sappiamo sia pressapoco la storia raccontata da Stefan Zweig nella biografia della Fondatrice Mary Baker Eddy, letta se va bene quando si avevano quattordici anni: ci sono i ritratti di lei in ogni stanza, di profilo, color seppia, dentro la cornice di legno. Ma viene subito lì una delle vecchie, ben pettinata, con gli occhiali d'oro e un abito di surah, a presentare l'album di cuoio fiorentino per la firma, e a guidare per il cammino prestabilito.

La salita alle stanze direttoriali bisogna meritarsela con la firma dell'album, e poi passando fra le bandiere, i ritratti, tanti ricordi storici, sempre su meravigliosi tappeti; si entra in un mappamondo di cristallo grossissimo, fatto come un planetario doppio, con i mari e i continenti disegnati sulla superficie interna, e illuminati da fuori, come erano nel 1935; lo si attraversa su una passerella sospesa, come una cascata, con tanti effetti di voci risonanti e di echi che si ripercuotono. Finalmente si arriva di sopra, in un paradiso di pulizia, freschezza, belle poltrone, colori tenui, bibite in ghiaccio, dolci, moltissimi libri, tutti quelli giusti: il dipartimento delle ricerche editoriali ha tutte le opere e i microfilm che si possa desiderare di consultare.

Dal momento che l'*editor-in-chief* è in viaggio per l'Europa, la più alta autorità sul posto è il *managing editor*, e si entra senz'altro da lui, in una stanza foderata di legni biondi e di tappeti spessi, le luci indirette, il ritratto della Fondatrice più grande, l'aria condizionata.

È un personaggio alto e stretto, ceruleo, limpidissimo, con i capelli chiari e la parola soffice. «Abbiamo una circolazione di 180.000 copie,» dice, sedendo, col suo cravattino nero, dentro il divano profondo «quindi non certo estesa rispetto alle 700.000 del "New York Times", ma è sempre stata una cifra assai stabile; e solo l'otto per cento va in mano ai lettori locali. Gli altri nostri lettori vedono il giornale parecchio tempo dopo, e pagano anche molto caro per poterlo ricevere con un ritardo che va da due giorni a un mese. Naturalmente il nostro è un giornale che ha caratteristiche piuttosto particolari: ma questa speciale struttura, la sua fisionomia "internazionale", vengono appunto condizionate dalla distribuzione dei lettori in tutto il mondo, tutta gente che lo legge in ritardo. Dal momento che è un quotidiano, non si ha la necessità di scegliere rigidamente l'essenziale, come fanno per esempio i "settimanali di notizie", "Time" o "Newsweek" – che sono fatti benissimo, servono ottimamente, io stesso non potrei fare a meno di leggerli, dal principio alla fine –, ma contengono relativamente poche notizie, per ragioni di spazio, e poi, data la loro periodicità; e sono anche pieni di rubriche, le cosiddette "sezioni speciali", di recensioni, curiosità, fin troppo "selettive", e che tolgono spazio alle vere notizie.

«Neanche noi dedichiamo molto spazio, certo, alle *hot news*, che deperiscono lo stesso giorno, prima di sera, e vedrete ben poche "notizie brevi" in tutte le nostre pagine. Quello che si cerca di fare è l'articolo di una certa ampiezza, analitico, interpretativo, che non si limiti a raccontare i nudi fatti, quello che è successo nelle 24 ore, ma sia un'esposizione completa di "tutta la storia", la precisi nel contesto di una determinata situazione, alla luce anche di altri avvenimenti, di tutte le altre notizie che possano avere un interesse in relazione al "fatto" più significativo.

«Proprio per questo il nostro è un giornale tipicamente "professionale", addirittura "di categoria": un cosiddetto "giornale per giornalisti", e siamo piuttosto orgogliosi di essere la pubblicazione americana più letta dai nostri colleghi. Abbiamo molti abbonamenti da parte di governi esteri, e parecchi dal Cremlino – tante volte ci si chiede se ci leggeranno davvero, poi, e ci terrei proprio a saperlo – ma ci fa soprattutto piacere sapere che tutti i direttori di giornale, tutti i redattori-capi di questo paese sono abbonati al "Monitor" e ci leggono con attenzione.

«È un giornale, come sapete, che non ha fini di profitto: è stato fondato come istituzione di pubblica utilità da Mrs Eddy nel 1908 – ma non, badate bene, come un organo religioso, sul tipo dell'"Osservatore Romano": noi non siamo l'organo della Christian Science Society. L'intenzione di Mrs Eddy è stata di mettere in piedi un normale "quotidiano internazionale di notizie", serio ed efficiente, in un periodo fra i più "gialli" del giornalismo americano, quando era assai difficile trovare pubblicazioni di cui fidarsi. C'è un articolo di carattere religioso tutti i giorni allo stesso posto; e una volta all'anno pubblichiamo il resoconto della riunione della Chiesa della Scienza Cristiana. L'aspetto religioso si ferma qui. Naturalmente i dirigenti della Chiesa si tengono in contatto con noi per quelle che sono le linee generali della politica del giornale, e la loro continuità nel tempo – così come c'è un Board of Trustees che sorveglia questo edificio dove siamo e tutte le attività che vi si svolgono, tutte opere connesse con la Chiesa – ma il direttore e il corpo dei redattori sono liberissimi per il resto di fare il giornale come preferiscono».

«Uno dei nostri aspetti più caratteristici è la composizione e la formazione dello staff dei reporters particolari, che fanno gran parte del lavoro.

«Sapete bene che, come in Inghilterra i *top men* in un giornale sono gli autori di editoriali, qui lo sono invece gli *staff reporters*, e quelli di Washington più di tutti. Le pagine di "fatti" sono sempre più vive di quelle di "opinioni", che di solito appaiono più grigie e noiose, tanto vero che i grossi giornali prendono tutti qualche bravo *columnist* per attrarre i lettori intelligenti, lasciandolo libero di scrivere tutto quello che vuole. E questo fa abbastanza bene perché in molte delle maggiori città degli Stati Uniti sapete bene che i giornali appartengono tutti a un solo proprietario, o tutt'al più a due. D'altro lato, gli articoli dei *columnists* più famosi appaiono contemporaneamente su parecchi giornali "consorziati"...

«Il giornalismo è sempre stato una comunicazione di notizie: tanto più efficace quanto più i fatti sono obiettivamente esposti, nudi, che parlino da sé. I commenti sono un'altra cosa, e vanno nella pagina editoriale che è fatta apposta, e tutti lo sanno. Ora, quando si tratta non più di esporre gli avvenimenti isolati, ma di delinearne la prospettiva, ricercarne il senso, ecco che il mestiere del giornalista diventa subito pericolosissimo. Il compito del giornale, abbiamo detto, è l'obiettività: però, quando si comincia ad analizzare e a interpretare, dove va a finire l'obiettività? Come si può rimanere imparziali? Dov'è la verità, in sostanza? E chi deve dirla, poi, a chi tocca? Come si fa a separarla dalle opinioni personali, a distinguere l'analisi da queste senza confondere il lettore, anche involontariamente? Come si fa a essere obiettivi parlando per esempio dei rapporti fra Eisenhower e il Congresso, quando si abita a Washington da parecchi anni?

«L'aspetto difficile di questo lavoro di formazione dei nostri corrispondenti è che qui si tratta di sviluppare una specie di coscienza; e non ci sono qui regole, o norme, che dicano di fare o non fare una data cosa; si tratta di qualità di intuizione: "quantunque io la pensi così, o li possa vedere così, bisogna lasciare che i fatti parlino da soli". Per questo, i nostri corrispondenti speciali, noi li alleviamo qui a Boston, e vengono addestrati per anni, prima di cominciare a mandarli in giro».

«Un'altra cosa che abbiamo di bello è che riconosciamo prontamente i nostri errori; non ci si ostina mai. Se nonostante tutta l'attenzione che ci si mette, una notizia risulta inesatta dopo qualche tempo, lo si dice, senza aspettare; e basta.

«E un'altra caratteristica: niente sensazionalismo. Saremo magari un po' *prude*, un po' troppo "morali", ma pubblichiamo solo pochissime notizie di cronaca nera, e quelle poche con grande sobrietà; fotografie meno che castigate, mai; simpatie per il sesso e per l'alcol, da noi non potete aspettarvene (non abbiamo mai pubblicità di liquori, infatti), e non è soltanto una questione di eredità puritana del New England: soprattutto sarebbe un po' troppo, non vi pare, da parte di un giornale che nel suo nome si richiama espressamente a una Scienza che è poi una fede religiosa ispirata al principio che la salute del corpo e dell'anima si ottiene attraverso mezzi metafisici...».

«Il giornalismo americano, sapete, ha sempre avuto la caratteristica di essere duro, crudo, indipendente; e poi, a differenza di quello europeo, sempre in lotta contro le autorità; il giornalista americano sta sempre attaccando il governo in difesa di qualche diritto conculcato... Senza contare che di solito è facilissimo che il reporter americano all'estero sia fortemente nazionalistico; tante volte non sa la lingua del posto dove si trova, e deve fidarsi di informazioni di seconda mano, tutt'altro che certe; e naturalmente anche noi ci serviamo quasi esclusivamente di reporters americani, benché in certi posti, specialmente in Asia, si cerchi di tirar su qualche corrispondente locale fidato, familiare con la lingua e la gente; ma vedete bene che la formazione di un nostro reporter non è un affare semplice. Cominciano tutti dai gradini più bassi, tradizionalmente, come ho fatto io stesso, e come tutti i dirigenti attuali delle sezioni: siamo stati tutti apprendisti qui. Poi fanno della gran cronaca, e poi finalmente vengono mandati fuori. Degli apprendisti, se ne promuovono corrispondenti uno o due all'anno. Non se ne prendono praticamente mai da altre parti, *freelance* o formati da giornali diversi. I nostri generalmente fanno tutta la loro carriera qui dentro: è un corpo di redattori molto costante. Abbiamo naturalmente, fuori dal nostro staff, parecchi collaboratori "speciali" per le pagine di varietà, soprattutto in Europa, e specialmente collaboratori di giornali inglesi seri; sono, anzi, molti; quattro volte lo staff regolare, come numero. Mandano articoli generalmente di viaggio, e di spettacoli nei loro paesi: genere *feuilleton*, insomma; ma anche con loro si stabiliscono solo rapporti lunghissimi. È un modo per conoscersi meglio. Poi tutti gli articoli, dei nostri corrispondenti e dei collaboratori "speciali", appaiono sempre firmati: è un servizio che si fa al lettore, in fondo, no?».

«Un'altra caratteristica del nostro giornalismo è che tante volte l'editore prende viva parte alla direzione del giornale, quasi più del direttore stesso: e l'inconveniente è che quando i giornali diventano grosse imprese, è fatale che i proprietari tendano a essere repubblicani... Per questo è nostro vivo desiderio che i quotidiani più importanti possano essere posseduti da fondazioni *nonprofit*, perché anche il sistema del Board of Trustees accanto al proprietario può andar bene sì e no, a seconda dei casi; anzi, meglio di tutto penserei che sarebbe opportuno appoggiarli alle grandi università, che hanno fondi enormi e amministratori capacissimi. Ma naturalmente è costante e marcata in ogni giornale la caratteristica della netta differenza fra le pagine delle notizie e la pagina editoriale, dove uno sa sempre che troverà le idee del proprietario.

«Nel caso nostro, il Board editoriale si compone di cinque direttori: due sono uomini d'affari, tre alti funzionari della Chiesa della Scienza Cristiana: e la parola più prossima che potreste usare è "ecclesiastici", ma naturalmente non sarebbe esatta. Tutti sono apolitici.

«Il giornale è "tecnicamente indipendente"; e, si sa bene, "indipendenza" è una parola soggetta a diverse interpretazioni. In una campagna elettorale non ci si dichiara apertamente per un candidato; tutt'al più, in qualche editoriale, con molte cautele e gran giri di frasi, si può trovare scritto che tutto considerato il tale o il talaltro offrono le migliori garanzie in un determinato senso. E durante le elezioni, di solito, la nostra pagina editoriale pende leggermente in favore del Partito Repubblicano. In tempi normali, invece, teniamo sempre per il partito d'opposizione. Ma senza una "linea" o una "posizione" determinata, una "causa" da sostenere a ogni costo; non c'è nessuno qui che intende "fare avanzare la bandiera degli Stati Uniti", e meno che meno quella di un partito politico. Preferiamo considerare i diritti di tutti.

«Nel nostro staff, del resto, abbiamo liberali e conservatori; e un terzo di loro non sono neanche membri della Chiesa Cristiana».

Rientriamo nelle stanze della redazione – il fresco incanto delle pareti chiare, delle poltrone comode, delle slot-machines che dànno cioccolatini, torroni, coca-cola, brodi, biscotti, a prezzi bassi speciali, e dei libri d'arte, delle enciclopedie, degli atlanti – e li vediamo lavorare nel paesaggio familiare di tutti i film sul giornalismo con Clark Gable: il grande tavolo a ferro di cavallo al centro, con più di cinquanta persone che passano i pezzi; i direttori delle rubriche, il cinema o la moda o lo sport o il giardino, che lavorano da soli nei box a vetri tutto intorno; le stanze delle sezioni degli affari nazionali, o esteri, o locali, donde le carte confluiscono al ferro di cavallo. Ecco la stanza delle telescriventi: «ma lavoriamo pochissimo sulle agenzie,» dice ancora il nostro uomo «e quasi tutto sui corrispondenti; quindi le telescriventi servono poco, e c'è invece molto lavoro per i *sub-editors*: ne abbiamo cinque per la politica estera, ciascuno specializzato in un settore geografico; e dipendono da un capo che non si chiama *foreign editor* come di solito in tutti i giornali; da noi, che siamo un quotidiano internazionale, lo si chiama *overseas editor*. Il *news editor* per gli interni si occupa delle due Americhe, tranne il Canada, che va nella sezione *overseas* in quanto fa parte del Commonwealth britannico. In Europa, i corrispondenti speciali che abbiamo adesso sono otto. Di edizioni, ne facciamo sei».

Si passa nelle stanze di composizione, dove i proti battono col martelletto sulle pagine dell'ultima edizione della giornata; e poi le mandano giù subito in tipografia. Scendiamo anche noi fra le macchine capaci di mandar fuori da 30 a 50 mila copie all'ora, ferme, in attesa, e il tapis-roulant che le porta all'ufficio postale interno.

«Delitti e violenze, vi ho già detto, pochi» dice ancora il nostro. «Le notizie del giorno vengono già fuori sui quotidiani di Washington e di New York, del resto; eppure quante cose ci sono sempre da pubblicare. Naturalmente la politica non è tutto: certo ci sono sempre tanti senatori che vogliono diventare presidente degli Stati Uniti; ma quanti problemi ci sono, più importanti: le questioni razziali, il declino delle città, lo spostarsi della vita sociale nei sobborghi, e soprattutto la lotta dell'intero popolo americano "dentro di sé" per riuscire a interessarsi al resto del mondo, dato che deve viverci in mezzo; e le tremende differenze individuali nell'adattarsi a questa situazione, mentre va avanti un esperimento economico senza precedenti nella storia dell'umanità, per produrre un sistema che funzioni per il beneficio di tutti, e non solo dei privilegiati...».

Le macchine si sono rimesse in moto, e non si sente più bene. «Le edizioni del "Monitor"» dice il cortese *managing editor*, alzando appena la voce «sono una per la costa del Pacifico, una per gli Stati del Centro, due per il New England, con la cronaca locale, una per la costa atlantica, e una per l'estero».

UNA RIVISTA CENTENARIA

Nel cuore di Boston, le vie che si affacciano sui giardini del Common, coi loro nomi nobilmente tradizionali, Beacon, Boylston, Arlington, Tremont, hanno lineamenti vittoriani perfettamente sepolcrali: colonnine, gradini, torrette, verande sporgenti; fregi intagliati nella pietra gialla sporca o nel granito rosa cupo; e appena dietro, mattoni rossastri, intonaco che si spella, serramenti corrosi dal fumo. Un'ora dopo il tramonto se ne sono andati tutti, verso le case periferiche in mezzo ai prati o nelle ville sontuose del North Shore; e alle spalle delle magioni cavernose del vecchio centro, con parecchie finestre sbarrate da assiti, e parecchi fabbricati in rovina occupati dai neri che li rosicchiano trasformandoli in *slums*, si accendono in alto le luci delle stazioni radio e dei giornali del pomeriggio infami, e del colossale Statler Hotel. A terra, dietro Boylston e Tremont, si riscalda il quartiere fantasma, i locali di flippers pieni di chiasso, le sale da ballo a poco prezzo, i cinematografi di *shorts* nudisti, le tavole calde con gli inservienti in berrettino candido che nutrono la folla solitaria con le polpettacce di filetto annegate sotto enormi spruzzi di salsa ketchup, i bar scintillanti e slabbrati per i giovanotti perduti, che si buttano dentro come buoi a quattro o cinquecento per volta (al Punch Bowl se vestiti leggeri, al Napoléon se con giacca e cravatta).

Dietro Arlington, si apre il largo silenzio della Commonwealth Avenue: tra gli alberi cupi brillano illuminate davanti ai marciapiedi deserti le vetrine di fiorai e librai, delle grandi sartorie e degli antiquari, come all'Aia o a Francoforte; e se qui tante creature passeggiano di fronte alle macchine che hanno fatto parecchie decine di miglia per tirarle su senza una parola, nelle periferie o sul North Shore occhio non vede e cuore non duole giammai. Vasti viluppi carnali collettivi tra gli arbusti dietro il muro dell'Isabella Stewart Gardner Museum, già allestito da Berenson. Macché Tea Party, però, localmente. «In a *back* alley!» si indignano semmai certi anziani sceriffi di colore, se taluni sconfinano dal mucchio. Gli unici neon accesi nel quartiere elegante disertato sono quelli modestissimi di un paio di cinema falso-gotici dove non dànno mai altro che film di Bergman, per dei solitari tristissimi.

Di fronte ai giardini del Common, al laghetto a ponticelli con le barchette a forma di cigno, salendo le minuscole scale inglesi dell'isolato attiguo al Ritz, si entra in certe piccole stanze georgiane agiatamente ammobiliate, fra dattilografe decorose, e siccome l'*editor* è assente in Europa, si può vedere un'altra figura paterna e pacata, il *publisher* dell'«Atlantic Monthly», e parlare insieme della continuità storica e della politica editoriale di una rivista che è stata fondata nel 1857 – quando le grandi famiglie bostoniane abitavano tutte in questo gruppo di case, nel cuore del New England puritano e illuminato – e va avanti ancora bene.

«Nessuna politica editoriale» dice. «Il programma dei fondatori, che si segue tuttora, è di non favorire nessun gruppo determinato, e di aprire le pagine a ogni argomento, e alle opinioni più reputate e autorevoli, anche se discordi. Nelle questioni controverse chiunque prenderà la posizione che crede, e i lettori se le vedranno tutte, una dopo l'altra. A proposito dell'uso delle armi atomiche, per esempio, si ospita una volta il critico militare del "New York Times", che illustra l'importanza del *deterrent* nucleare, ma non ritiene opportuno farlo sul suo giornale; nel numero successivo, Lewis Mumford sosterrà invece la tesi del disarmo unilaterale.

«I nostri protagonisti cambiano sempre: la continuità costituzionale della rivista si basa proprio su questo principio; e in fondo, chiamare a collaborare gente sempre diversa, esponenti di tesi anche incompatibili, o che affrontino lo stesso problema da punti di vista estremamente dissimili, è un programma editoriale che si dimostra indovinato. Si fa sempre in modo, certo, che ogni articolo pubblicato interessi la maggioranza dei nostri lettori; ma quello che si cerca è di evitare di identificarci con un punto di vista determinato. Se il pubblico sa già in anticipo, come avviene con la maggior parte dei giornali, quale sarà la tesi appoggiata da noi a un certo proposito, o quando i giudizi sono comunque prevedibili, fatalmente ci si limita in partenza, ci si legano le mani.

« I nostri lettori tipici sono gente che ha fatto gli studi superiori; professionisti; laureati, per il cinquanta per cento; e fra questi una percentuale sempre maggiore è data dai tecnici, per esempio ingegneri atomici o elettronici. È notevolissimo l'aumento di interessi da parte di questi lettori "scientifici": ma non riguarda gli articoli "specializzati" (e in fondo si tratterebbe poi di descrizioni puramente divulgative, che a loro direbbero ben poco di nuovo). No; loro tengono soprattutto ad assorbire idee nel campo della letteratura e delle arti, cioè in quel campo dove si sentono "profani", e non hanno il tempo di fare delle scoperte di prima mano, pur desiderando di conoscere i fatti più importanti, per "tenersi al corrente". Perciò è necessario che siano messi di fronte a scelte fatte da altri, con gusto aggiornato, informazioni svelte, e la sicurezza che il materiale presentato sia il migliore possibile ».

« L'inconveniente delle riviste che hanno una "linea" è proprio la loro eterna prevedibilità; e saranno ottime, come "The Reporter", "The New Republic", "The Nation", però dànno inevitabilmente l'impressione di volere imporre le proprie predilezioni, di voler influire sul modo di pensare e sui gusti del pubblico: e molti lettori non abbastanza sofisticati trovano questo fastidioso, come se si volesse tenerli all'oscuro di qualche cosa, solo perché non garba al direttore della rivista. La nostra "mancanza di linea" consiste invece proprio nell'offrire al lettore qualunque cosa, anche se non si è d'accordo, purché naturalmente sia di prim'ordine. Quindi finiamo per fare mensilmente una antologia di firme importanti (la parte redazionale è minima), e quando si apre un numero dell'"Atlantic" è vero che non si ha mai l'idea di cosa ci si troverà dentro...

« Questa impressione di spregiudicatezza si ottiene anche ricorrendo a espedienti come quello (che ha sempre un certo successo) di ospitare due punti di vista opposti sullo stesso argomento nel medesimo numero, oppure anche pubblicando il primo contributo in un numero, ma avvisando insieme che l'opinione del contraddittore comparirà nel prossimo (e questo va anche meglio, come espediente, perché così la gente si confonde meno). Per esempio, si sa bene che a nord della Virginia la segregazione razziale gode di ben poche simpatie. Però è anche vero che il punto di vista dei segregazionisti non ha mai occasione di esprimersi in maniera dignitosa; eppure è condiviso da parecchi milioni di cittadini... Si sa che anche Faulkner la pensa così? Benissimo: si domanderà allora proprio a lui di spiegarne le ragioni. E non è necessario condividerle, naturalmente; importa soprattutto far conoscere delle opinioni interessanti e poco note. A lungo andare, questi criteri editoriali spiegano come mai l'"Atlantic" continua a esistere dopo cent'anni.

«Abbiamo attualmente una tiratura di 210.000 copie vendute; e le cose che si sono cercate di fare negli ultimi tempi sono soprattutto una grande diversificazione dei contenuti e uno sviluppo sempre più intenso dei reportages alla portata della gente lontana dalle città maggiori, e quindi priva di buoni quotidiani; poi, una espansione nello "scrivere leggero" gradito ai lettori più giovani. Insomma, si cerca di espandersi per circoli tangenziali ai nuclei di lettori originari, e di rivolgersi a pubblici "multipli", sempre più differenziati. La scoperta di Harold Ross è stata appunto quella di offrire "cose diverse a gente diversa": basta vedere, nel "New Yorker", come quelle "lettere" dalle diverse capitali straniere, col loro aspetto di dispaccio vecchiotto, estendano poi astutamente l'area degli interessi provinciali; e come la rubrica cittadina iniziale, coi suoi blandi pettegolezzi newyorchesi, stimoli la curiosità del lettore periferico per tutto quello che si dice e si fa nella metropoli...».

«L'aspetto dell'"Atlantic" è sempre quello della "rivista letteraria", perché non si prospera se non lo si è; però si prospera anche meglio se la si provvede di "supplementi" in altri campi d'interesse. Basta guardare le nostre copertine: sono quasi sempre d'argomento letterario; e dentro ogni numero ci sono sempre parecchi articoli letterari importanti; ma quante altre cose ci sono... Pubblichiamo sempre moltissimo materiale inglese; e così abbiamo una larga diffusione anche nel Canada. Della televisione non ci importa nulla; non esistono praticamente forme di divertimento che possano sottrarci il nostro tipo di lettore. È tutta gente piuttosto preparata: basta paragonare le cifre dei nostri abbonati di oggi e di cinquant'anni fa con le percentuali dei laureati negli stessi periodi. Si vede subito che il livello sale: quindi bisogna anche stare attenti a fornire solo materiali di prima scelta. E gli estratti di libri che stanno per uscire sono tante volte una buona risorsa. In questo si fa come l'unica rivista che ci assomiglia, "Harper's Magazine", anche quella con una casa editrice importante dietro le spalle. Ci dividiamo

97

bene il campo, però, perché gli interessi di "Harper's" sono piuttosto sociologici ed economici, non così letterari come i nostri. Loro sono molto attenti ai fenomeni della crescita di questa società che sta cambiando; stanno dietro a tutti gli sviluppi del nostro paese, e avendo una redazione molto più numerosa della nostra, ne preparano dei sommari pieni di fatti e di dati, alla Frederick Allen; anche la loro sezione di rubriche editoriali è molto più nutrita e si occupa di tantissimi argomenti. Noi, invece, col nostro piccolo staff, al di fuori dello "scaffale" di recensioni di libri, praticamente non teniamo rubriche fisse, se non quella di attualità politiche, cominciata da poco e proprio avendo in mente il lettore provinciale che vede solo dei brutti giornali. E poi, non si fa certo fatica a riempire ogni numero di collaboratori illustri, stando a due passi da Harvard e dal Massachusetts Institute of Technology...».

«In fondo, le riviste sono come gli alberghi: appena ne aprono uno nuovo, il vecchio si trova eliminato, e recuperare la clientela perduta è un'impresa difficilissima; si è visto infatti con l'"American Mercury", con lo "Scribner's", col "Forum", e tutte le altre che sono andate a finir male durante gli anni Trenta. Il fatto eccezionale è che ne siano sopravvissute appunto due, l'"Atlantic" e "Harper's", e sarà anche per questo che la nostra influenza è grandissima. Ci siamo anche molto trasformati, però: non ci sono più dei bostoniani veri dietro la nostra direzione; anche la redazione è formata da tutt'altra gente, che viene un po' da tutte le parti; e nello stesso tempo si vede che la rivista non è più provinciale come un tempo. Abbiamo molti più abbonati a Washington, a New York, nell'Oregon, in California, che non nel New England. Però è anche un vantaggio continuare a tenere la sede a Boston; e non solo per la vicinanza delle grandi istituzioni culturali. A New York tutto si confonde e finisce per assomigliarsi: addirittura è meglio non andarci mai, per noi; e quando si ha bisogno di una cosa si telefona. Noi stiamo qui, in Arlington Street, facciamo i nostri numeri speciali dedicati a qualche argomento particolare, o a un determinato paese (che è anche un ottimo mezzo per allargare i nostri orizzonti, chiamando a collaborare autori di nazionalità diverse); critichiamo il governo, quando ci pare il caso; e per i numeri normali che mettiamo fuori ogni mese, teniamo presente che cinquant'anni fa i lettori dell'"Atlantic" leggevano tutta la rivista, dal principio alla fine, mentre oggi non c'è nessuno che se la legge tutta intera. Però, intanto, se uno la prende per un articolo, un altro per un altro, la clientela finisce comunque per allargarsi...».

L'ESPOSIZIONE DI «THE DIAL»

È notissimo che alla fine dell'altra guerra gli americani sembrarono uscire dal loro vecchio isolazionismo improvvisamente, e scoprire l'Europa tutti insieme. Bisogna almeno risalire alla gioventù di Henry James per trovare un simile scoppio di affetti per la cultura dell'antico continente, con la differenza che nel '19 era diventato molto più facile viaggiare avanti e indietro; e a un certo punto, col cambio favorevole, si sa che diventava perfino un affare conveniente. È per questo che il viaggio a Parigi, riservato un tempo ai ricchi giovanotti e alle fanciulline splenetiche del New England, si trovava oramai alla portata anche dei reduci più squattrinati; e naturalmente gli sfrenati anni Venti sono stati soprattutto «cosmopolitani», prima della grande crisi. Ma non è poi da tanto tempo che si sono cominciate a fare delle ricognizioni sul lavoro delle riviste che si incaricarono allora di convogliare la maggior parte del traffico intellettuale fra le due rive dell'Atlantico (eppure erano spesso loro a metter la voglia di partire ai ragazzetti di provincia ansiosi...). L'altr'anno, a Parigi, si sono finalmente raccolte varie testimonianze sul soggiorno degli artisti americani in Francia; ma solo da qualche mese in America, a Worcester, si è cominciato a mettere insieme in una esposizione definitiva i materiali di «The Dial».

Questa rivista, dedicata «soltanto al meglio in tutte le arti», era un mensile che si pubblicò a New York fra il '19 e il '29, proprio negli anni giusti; e in un mare di altre pubblicazioni più o meno avventurose e generalmente minuscole (come, fra le tantissime, «The Little Review», «Vanity Fair», «Art News», «Secession», «Broom», o addirittura «Camera Work», ovviamente assai diverse per periodicità e per interessi). Ebbe vita più regolare, diede grande importanza sia alla letteratura sia alle arti figurative (semmai, anzi, con una certa predilezione editoriale per queste), e soprattutto non andava in cerca del «nuovo» a ogni costo, ma intendendo valorizzare essenzialmente il «meglio», aveva come programma di pubblicare appunto «il nuovo e il vecchio creato in America a fianco del nuovo e del vecchio prodotto all'estero ... con grande ricchezza di riproduzioni di arti grafiche e plastiche in ogni numero». Quindi, criteri antologici e «di gusto»: Benedetto Croce a fianco di Bonnard e Vuillard, Santayana insieme a Picasso, Thomas Mann vicino a Brancusi e Anatole France con Matisse o Cézanne, Munch e Marianne Moore, Kokoschka e Chagall con Spengler e E.E. Cummings, e altri accoppiamenti non meno incredibili, oggi.

Il viaggio per andare a vedere questa raccolta ricchissima di ghiotti cimeli diventa già di per sé illuminante, sul conto di certe passate «cotte» americane per la cultura europea, perché la Collezione Dial non si trova già nella Boston tradizionalmente aperta alle idee in arrivo dall'Est (e con i musei pieni dei più begli impressionisti del mondo), e neppure nella New York del Greenwich Village in fermento per tutte le specie d'arte di avanguardia, dove Edmund Wilson passava gli Anni Ruggenti cercando di chiarire i concetti in testa ai suoi connazionali, senza mai perdere d'occhio intanto le attività degli amici emigrati nei dintorni di Montparnasse. Bisogna invece prendere un mezzo di trasporto, andare fino in fondo al Massachusetts, a Worcester, che è una piccola città industriale di provincia dove è nato Scofield Thayer (il direttore del «Dial»), e dove adesso i suoi tesori sono in mostra al Museo Civico che non li aveva mai voluti accettare prima, perché «scandalosi». È un posto di fabbriche e di stravaganti ville con torri e merli, costruite dai ricchi degli anni 1880 e '90, ciascuno sulla sua collinetta in periferia, preferibilmente con vista sul fiume; e naturalmente vivevano in case tante volte più assurde e folli dei Manet e Monet che si rifiutavano perfino di guardare, o del *Nudo che scende le scale* che avrebbero giudicato «indecentissimo»: però perdevano la testa per il Rinascimento italiano, ed erano disposti a pagare qualunque somma per un falso Botticelli.

Si passa entrando per una lunga strada di immigrati italiani, dove tutti i negozi di alimentari hanno insegne di De Feo e Di Leo; il centro è banale; finalmente si arriva al museo, e questo – è chiaro – risente di tutti i vantaggi di trovarsi in un posto dove la gente è piena di soldi.

Nelle prime sale si ha l'immagine di una America favolosa di boschi e praterie, corsi d'acqua, e cieli infiniti come sui paesaggi d'Olanda: un territorio nuovo e selvaggio, da cui gli indiani si stanno ritirando appena, visto con gli occhi incantati dei «naïfs» nei primi dell'Ottocento. Subito dopo, la magia finisce; e certi stupidi imitatori di Boldini o De Nittis fanno i ritratti a una nuova classe dirigente facoltosa e grossolana, sempre troppo ben vestita e impettita («mi raccomando, che le perle si vedano tutte!»), e con facce volgari. Sono però loro, dopo tutto, quelli che hanno tirato fuori i soldi, e sia pure in anni di guadagni fin troppo facili, per acquistare delle opere d'arte in quantità quasi sbalorditive, per una città relativamente piccola: affreschi di Spoleto, con Ultime Cene e Crocifissioni; crocifissi lignei gotici; anfore attiche di Vulci; un intero chiostro di un priorato di Poitiers; paesaggi e cortigiane giapponesi, su rotoli e su paraventi; statue indiane; mosaici di Antiochia; arazzi fiamminghi; armature del '500. Ci sono vetrine piene di agate, lapislazzuli, cristalli di rocca, giade, turchesi, coralli cinesi. È uno dei musei più ricchi degli Stati Uniti: hanno quadri del Greco, di Rubens, Murillo, Ribera; parecchi fiamminghi, specialmente del '400; parecchi fondi-oro italiani; i soliti Spinelli Aretini, Pesellini, allievi di Giovanni Bellini; copie di Veronese e Tiziano, però un Moroni, un Canaletto, sei Magnasco e parecchi Longhi, tutti autentici; una brutta Madonna caramellosa di Raffaello, e una molto migliore di Raffaellino del Garbo; due Diane di Poitiers, una di legno e una attribuita a Clouet; dei Gainsborough, degli Hubert Robert, dei Corot, dei Courbet, dei Turner, dei Whistler; e poi, girando un angolo, tutta una abbondante sezione d'arte precolombiana.

Questo è pressapoco l'ambiente culturale dove nel '19 quelli del «Dial» hanno cominciato a spiegare l'esistenza e l'importanza di Derain o addirittura Dunoyer de Segonzac...

Le sale dedicate alla esposizione sono di un interesse enorme, quasi commoventi. Nelle prime vetrine stanno i vecchi volumi del «Dial» trimestrale, pubblicato da Emerson a Boston dal 1° gennaio 1840, come organo dei Trascendentalisti; e poi il «Dial» di Chicago, una specie di «Nuova Antologia» della fine del secolo, con tutte le caratteristiche del mensile letterario severo ma aristocratico. Con l'inizio della Grande Guerra cambia tutto: diventa quindicinale, si trasferisce a New York, non bada più ai nobili lettori coi capelli bianchi seduti in poltrona davanti al camino, in una bella biblioteca chic; si rivolge invece al pubblico giovane, si occupa specialmente di politica, tiene come collaboratori di punta un filosofo, un sociologo, un economista, uno storico: Dewey, Veblen, Cole, Beard. E giustamente, nel '19, quando Scofield Thayer e Sibley Watson lo comprano, si trasforma ancora: il «quindicinale politico su sfondo letterario» abbandona «il fumoso palcoscenico della politica contemporanea», e si butta fra le Bellezze dell'Arte, cominciando dalle «bellezze del formato, della carta, dei caratteri»...

I due direttori avevano parecchi soldi, ed erano stati allievi di Santayana a Harvard. Sapevano tutto dell'Europa, e naturalmente non ebbero mai la tentazione di fare dei guadagni con la rivista; anzi, pagavano molto bene i collaboratori: venti dollari la pagina i poeti, venticinque i disegnatori (erano del resto gli anni in cui si pubblicavano assai frequentemente trattati di Estetica; i figli dei ricchi li leggevano tutti, e poi correvano a istituire Fondazioni per proteggere le Arti e le Lettere). Non solo: ma la rivista assegnava tutti gli anni un cospicuo «Premio Dial» di duemila dollari: il primo, nel 1920, andò a Sherwood Anderson; il secondo, l'anno dopo, a Eliot per *The Waste Land*; e anche in seguito fu attribuito molto bene: a Marianne Moore, a Cummings, a William Carlos Williams, a Pound, a Kenneth Burke. Sembra quasi straordinario oggi pensare a un direttore di periodico che prima di cominciare le pubblicazioni va in giro per molti mesi negli studi degli artisti più significativi a fare incetta di opere – pagandole il giusto – per costituirsi un «fondo» da cui scegliere poi di volta in volta le illustrazioni da riprodurre: eppure Thayer ha fatto proprio così; e vedendo questo suo «fondo» esposto a Worcester si capiscono subito parecchie cose sul suo acume e sui suoi pregiudizi.

Era molto amico, insieme al resto del «gruppo di Bloomsbury», di Roger Fry, che come critico d'arte «formalista» era piuttosto brillante, e non esitò un attimo a pubblicare un suo scatenato attacco a Sargent, allora all'apice della sua carriera di ritrattista mondano, a Londra come a Boston e a New York. «Questa è arte applicata» scriveva Fry «e rappresenta una transazione sociale, né più né meno come quei compromessi che si fanno tra l'avvocato e il cliente...». Tra i due punti ben fermi dell'affiatamento con Fry e con Clive Bell, e del disinteresse quasi assoluto per l'arte astratta o non-figurativa («rispetto

Braque, ma non lo pubblico, di Klee mi importa poco, e di Brancusi non so cosa farmene»), Thayer aveva però un campo abbastanza vasto di predilezioni; e qui si è molto adoperato per far conoscere una quantità di artisti agli americani della sua generazione: dai post-impressionisti, Gauguin e Van Gogh, a Picasso, considerato «il principale ornamento della nostra epoca, ma solo nei periodi blu, rosa e neoclassico». Il suo critico d'arte, McBride, scriveva da Parigi su Rousseau, Picabia, Matisse, De Chirico, Miró, e altri. Léger, però, sempre secondo Thayer, «sarà abile ma non interessa». Altri due critici, Paul Rosenfeld e Thomas Craven, si occupavano con grande zelo del Rinascimento fiorentino, di Rubens, di Goya, e degli americani contemporanei, specialmente John Marin, Charles Demuth, Georgia O'Keeffe. E arrivano al «Dial» delle affascinanti «lettere» da Londra o da Berlino o da Parigi, da corrispondenti che erano per esempio Sacheverell Sitwell sul Barocco, Thomas Mann che lodava Barlach, o Paul Morand che faceva il difficile con Monet. Thayer andava a Parigi e comprava da Matisse, Derain, Bonnard, Marie Laurencin, Vlaminck, e Maillol, che amava molto. Tra Vienna, dove gli veniva la passione dell'Espressionismo, e Berlino (lì venivano stampate le tavole a colori per la rivista con traffici complicatissimi per mandare avanti e indietro le opere da riprodurre, e poi le riproduzioni finite), raccolse parecchie cose di Munch, Chagall, Masereel, Klimt, Kokoschka, Delaunay, Marc, Corinth e Schiele. Come inglesi, aveva specialmente Duncan Grant e Wyndham Lewis. Si occupò anche molto di artisti stranieri venuti in America, come Lachaise, Faggi, Nadelman, Weber, Zorach, Kuniyoshi, Archipenko. E cominciò a darsi da fare con l'arte primitiva, scultura africana, idoli precolombiani, ritratti di americani «primitivi» o di indiani del «pueblo», o con certi pittori «da rivalutare» perché più vicini alla sensibilità moderna, come El Greco, Cranach, Grünewald.

Ma per Thayer, solo la pittura e la scultura erano «arte»: tutt'al più, arrivava a interessarsi di stampe. Dell'architettura non si parlava mai; odiava il cinema e la fotografia; e il suo assistente Gilbert Seldes, quando ha voluto occuparsi di Chaplin e del jazz, o di burlesque o di vaudeville, ha dovuto farsi una rivista da sé, che fu «The Seven Lively Arts».

Il panorama completo di queste sue preferenze si ha aprendo il *portfolio* intitolato «Living Art», che fu pubblicato nel '23 come numero speciale della rivista (doveva essere il primo, ma per le difficoltà incontrate non ne seguirono altri). Come raccolta di riproduzioni a colori staccate d'arte moderna, questo precede dunque di almeno venticinque anni gli album venuti di gran moda recentemente (prima, non si era vista che qualche pubblicazione tedesca di Marées-Gesellschaft, dedicata a Cézanne o a Delacroix). Fa quasi sorridere, perciò, trovare le testimonianze di questi enormi ostacoli incontrati da Thayer nella sua specie di impresa precorritrice in cui nessuno credeva, a partire dai librai che si rifiutavano di tenere le riproduzioni, giudicandole immorali: né Gris né Léger né Braque né Metzinger dovevano essere inclusi, per principio; Ezra Pound da Parigi mandava più critiche che consigli; William Carlos Williams non approvava Chagall, e Clive Bell protestava contro Munch, per portare le opere di Marin e Demuth dall'America alla litografia a Berlino bisognava aspettare che qualche amico facesse il viaggio, e dopo la sua partenza ci si accorse che «l'unico Pascin possibile» era rimasto a New York. Intanto il corso del marco fluttuava, i costi salivano e finivano per raddoppiare (ogni copia venne a costare sessanta dollari), Raymond Mortimer trovava un bel Laurencin e un bel Segonzac, ma sorgevano difficoltà tecniche insormontabili per riprodurre i colori di Matisse e Bonnard, e Picasso, richiesto di dare qualche notizia biografica, rispondeva di andarle a cercare nelle enciclopedie...

Però il *portfolio* finalmente usciva, e tenendolo fra le mani si può ammirare ancora la qualità delle riproduzioni, confrontandole con gli originali di sala in sala all'ultimo piano del museo di Worcester, pieno di grandi donne di Matisse e di enormi madri di Picasso, di tanti suoi arlecchini, ragazzi, pierrot, e un paio di Toulouse-Lautrec fra i più belli...

Anche se gli interessi di Thayer erano soprattutto per le arti figurative, fa una certa impressione davvero guardare poi le vetrine dei manoscritti e della corrispondenza della rivista (che, dopo tutto, pubblicò per prima *The Waste Land* di Eliot e il *Mauberley* di Pound...). Hanno lettere di Sherwood Anderson, Benda, Beerbohm, Van Wyck Brooks, Conrad, Croce, Giraudoux, Joyce, Lawrence, Wyndham Lewis, Vachel Lindsay, Amy Lowell, Thomas Mann (le più lunghe di tutte), di Ford Madox Ford, di George Moore, e di Marianne Moore, che fu molto valorizzata da «The Dial», e negli ultimi anni ne diventò redattore-capo, di Middleton Murry, Proust, Rolland, Bertrand Russell, Santayana, Schnitzler, Hofmannsthal, A. Symons, Yeats... e si vedono con una certa emozione la grossa calligrafia tutta inclinata a destra di D.H. Lawrence, e le tormentate correzioni di Sherwood Anderson, e i cartoncini grigi coi bordi sfrangiati di Marie Laurencin, il suo inchiostro blu brillante, e una scrittura puntuta, nervosa, nitida. Ci sono i volantini pubblicitari della rivista, con i ritratti di Pound e di Anatole France. C'è un dattiloscritto di *The Two Houses* di Thomas Hardy, con le correzioni del tipografo che tira via gli spazi troppo ampi da lui messi tra una strofa e l'altra. Le strofe del *Sunburnt West* di Carl Sandburg hanno invece versi talmente lunghi che non ci stanno mai in una riga sola, e allora il foglio è pieno di segni a matita per seguirli fin negli angoli della pagina. Wallace Stevens firmava sempre in fondo al «pezzo» e non sotto il titolo, e regolarmente veniva corretto...

C'è poi una lettera di Pound, del '22, che dice «vi renderete conto presto che la poesia di questo Eliot è importante, e fa venir voglia agli altri di piantar lì e chiudere bottega». E ci sono i dattiloscritti di Eliot stesso, ordinatissimi, senza uno sbaglio; però nella prima pagina di *The Burial of the Dead* ripete due volte, forse per errore, il verso che vuol dire «mio cugino, l'arciduca, mi portava fuori in slitta», e poi lo cancella a penna, non si sa se per un pentimento. Le sue «London Letters» sono invece scritte a mano, quasi senza correzioni, su carta protocollo a righe, una sì e una no.

ALLA GENERAL MOTORS

L'officina di montaggio della General Motors a Framingham appare bassa, larghissima, scura, un po' appiattata dietro i fili spinati e le siepi di rose, sotto il sole brillante, in una campagna aperta. I poliziotti al cancello lasciano passare le macchine, perché sono stati avvertiti. All'ingresso vengono incontro un paio di tipi con le facce decise e le spalle larghe, in camicia bianchissima e cravatta scura. Sono dirigenti della fabbrica, gentilissimi nelle accoglienze che fanno ai gruppi di visitatori: siamo una ventina di industriali, parlamentari, economisti, di diverse parti del mondo, e ci sono anche tre o quattro signore, di cui una giapponese in costume.

Dobbiamo riempire due scontrini blu, ciascuno, col nostro nome e indirizzo, e ce ne appuntiamo uno alla camicia. Le giacche rimarranno all'ingresso, perché dentro fa molto caldo. Ci dànno gli occhiali di mica, un pacco di dépliants lucidissimi, tante cartoline da impostare a loro spese (c'è una cassetta apposta); e si entra addirittura in un tunnel cavernoso dove si rifiniscono gli angoli di plastica sui sedili delle Buick.

Più in là, si passa nel capannone assordante che si impiega non meno di due ore e mezza a visitare tutto. Lì si vedono le automobili «diventar vere» a poco a poco. Un passo dopo l'altro, seguendo le rotaie che avanzano a tapis-roulant, circondate da tenaglie, anelli, uncini, a tutte le altezze, si procede fianco a fianco con gli uomini che fissano i bulloni, e applicano i

106

cristalli del parabrezza, di durissima plastica infrangibile, a due strati, servendosi apparentemente solo di qualche pezzo di «scotch tape». Vicino alle gallerie dove si fa sotto vetro la verniciatura a spruzzo, o vanno giù i pezzi a immergersi dentro un bagno di vernice scura, tra fischi e rumori assordanti, il calore diventa altissimo, interrotto da correnti d'aria improvvise. Passano, per avvicinarsi alle fontanelle, gli operai in maglietta a T e tatuaggi da marine; e fanno venir fuori lo spruzzo d'acqua dal rubinetto, o il bicchiere di coca-cola dal distributore automatico, sotto due cartelli: uno dice che chi perde tempo sarà severamente punito, l'altro domanda «un dollaro per l'azione sindacale». Subito dopo, tornano a spostare i pezzi pesantissimi, mossi e sollevati dalle tenaglie ad aria compressa che si manovrano premendo un bottoncino; e lavorano zufolando.

Le carrozzerie arrivano sullo châssis da più di dieci metri d'altezza, a forte velocità. Stanno sfilando sulla catena inferiore le parti basse di una Oldsmobile, di una Pontiac, di una Catalina, di una Bonneville, di una Le Sabre, di una Invicta; e là in alto, fra il buio dei ganci e dei cavi, tenuta su da due manone d'acciaio foderate di nero, appare a picco la carrozzeria luccicante che compete a ciascuna, color caramella, rossa, verdina, giallina, celeste. Scende, un colpo, tac!, è fatta, è già su; e la macchina continua ad andare avanti sul tapis-roulant. Un trattore, fuori della porta, che pare un insettone a pinze, prende su un nuovo châssis da un mucchio sotto un portico, lo infila su una pertica a forma di proboscide, lo piazza sulla catena che continua a scorrere. Dall'altra porta, all'uscita, un uomo non fa che salire sulle automobili che scendono finite dalla catena, metterle in moto, partire a forte velocità, filare in un capannone, lasciarle là, tornare indietro a prenderne un'altra.

Sono già passate le due ore e mezza; e le spiegazioni tecniche finiscono sulla porta dell'infermeria. Ce la fanno vedere, ordinatissima, attraversandola per avviarci alla colazione dove siamo invitati. La sala dei dirigenti è foderata di legni chiari, senza finestre, un calore eccessivo nonostante i ventilatori in moto, e un tavolo a U apparecchiato con grande decoro. Sfiliamo tutti insieme, in colonna, lungo i tavoli di servizio dove sono preparati i pasticci gelati per il nostro pasto, tutti molto schiumosi e simili fra di loro. Sono, in tutto, una dozzina: quello di roast-beef, quello di scampi, quello di patate, quello di barbabietole; e poi olive, piselli, altri pesci, carni, molluschi, altre verdure. Tutto tritato. Tutto apparentemente predigerito: i quadratini di carne e di verdura sono sempre legati dalle medesime salse per insalata russa, dal sapore tenue. Abbiamo sul tavolo, come al solito, il bicchierino di succo di pomodoro; e un paio di donne girano con i grossi bicchieri di tè e caffè gelato, pieni di ghiaccio. Lo chef, che in realtà fa da mangiare molto bene, e perciò viene congratulato, si fa sulla porta, e toglie il berretto bianco, per salutare da vicino la signora in chimono fiorito, già ammiratissima dagli operai alle catene, e ancora più dai dirigenti adesso. Loro stanno seduti sparsi in mezzo a noi, e rispondono a tutte le domande. Sono tutti in camicie bianchissime, maniche lunghe, belle cravatte, fermate dalla loro spilla, bei gemelli da polso larghissimi: tutti ben pettinati, ordinati, sposati, puliti.

Le prime cose che raccontano sono che la General Motors, la più grande fabbrica americana d'automobili, ha sette officine di montaggio come questa (che serve solo per la regione del New England), per la buona ragione che il decentramento conviene sempre, dal momento che le spese di trasporto sono altissime. In un vagone ferroviario ci stanno 4 macchine intere finite, e invece 12 a pezzi. E i pezzi vengono dall'Ohio, dal Michigan e da parecchi altri posti: da Detroit, naturalmente, la maggior parte.

Ne producono, per tutto l'anno, 26 all'ora, lavorando otto ore al giorno. Ma nei mesi autunnali, durante la «grande campagna», arrivano normalmente a 50. Fra 15 e 20 è il numero sotto il quale si lavorerebbe in perdita.

Gli operai prendono due dollari e mezzo all'ora; con 40 ore settimanali, fanno quindi un centinaio; pressapoco cinquemila all'anno. Possono essere pagati al mese o all'ora, e versano il due per cento per le assicurazioni. Sono circa duemila, e un quarto italiani (però della seconda o terza generazione). Fra i nomi dei capi-reparto si vedono infatti un Dangelo, un Degiovanni, un Antonelli. Pochissimi neri, invece.

La General Motors produce in tutto tre milioni di automobili all'anno, preferibilmente grosse e grossissime. Anche se parecchi clienti adesso le preferiscono piccole, dicono, ci sono sempre troppe buone ragioni per andare avanti con i vecchi tipi appena leggermente modificati. La Catalina, che vendono abbastanza, costa 3500 dollari. E dicono che l'industria va bene perché un decimo delle famiglie americane compra una nuova automobile ogni anno: le famiglie sono 60 milioni.

Il tempo per far colazione è di 30 minuti per i salariati, di 42 per i dirigenti; ma oggi lo prolungano. È una giornata eccezionale, un po' festiva come sempre quando ci sono ospiti. Si mandano via le cameriere, e gli industriali presenti parlano di scioperi, di tempi di produzione, di relazioni fra l'azienda e i dipendenti, della possibilità per questi di elevarsi nella gerarchia della fabbrica. Parecchi degli uomini che stanno a tavola con noi sono stati operai, e si fa una certa fatica a distinguerli da quelli che vengono da Harvard o Yale – forse una piccola differenza nella pettinatura, nella cravatta un po' più volgare, nel modo di parlare più cordiale – ma ammettono che oggi è abbastanza difficile salire nella gerarchia, partendo dalla posizione di operaio semplice. Il direttore è piuttosto bravo, abile, un po' duro. Parecchi sono un po' rossi in faccia: probabilmente bevono un po'. Cosa fanno per alleviare la noia del lavoro in officina, si finisce per chiedere; praticamente niente.

Incontriamo più tardi nel pomeriggio le loro mogli, passando per il «centro commerciale» della città, e ce n'è una che ha appena visto *Gigi* al cinema locale, e continua a dire a tutti: «Ma non vi sembra che faccia tremendamente *Lolita* quell'inizio con Chevalier che ringrazia il Cielo per aver creato le ragazzine giovani?». Il centro commerciale è uno di quei posti che possono sembrare indifferentemente paradiso o inferno (e si ha spesso questa sensazione di ambivalenza in America, come per esempio davanti a quelle sale da ballo popolari downtown dove orchestre di «rockabillies» fanno i rumori più incredibili in mezzo al solito apparato di birre, polpette, macchine a gettone, pista piccola, fumo denso, abbigliamenti fantasiosi, e marinai tatuati con le braccia grosse sollevate sopra la testa che vanno avanti per tutta la sera a fare con le ragazze in gonnellino con spacco quelle incantevoli danze, come il rock'n'roll e il cha-cha, che obbligano l'uomo e la donna a ballare staccati, l'uno di fronte all'altra, facendo ciascuno i gesti dell'orso ammaestrato o del falchetto). Così, un centro commerciale, rifinito, pulito, lucido, con l'aria condizionata dappertutto, può venire mostrato con orgoglio al visitatore straniero, oppure additato come uno degli orrori tipici della «civiltà suburbana».

In questo caso, la cittadina è vecchia, angusta, ristretta. L'officina è stata costruita parecchi chilometri fuori. Da un'altra parte ci sono i quartieri d'abitazione a villette più o meno modeste: quello degli operai, quello dei dirigenti, quello degli impiegati. Ma per i negozi? In città non sarebbe stato possibile: troppo piccola. Si sarebbe dovuto buttarla per aria tutta. E allora, dal momento che, tanto, la gente deve marciare in macchina lo stesso, andando e tornando dal lavoro, e per qualunque bisogno, i negozi nuovi si sono costruiti tutti insieme, in a-perta campagna. Questo è un centro commerciale.

I cittadini si sono quotati per acquistare il terreno e finan-ziare la costruzione degli edifici. Adesso, questo grosso barac-cone a due piani si innalza in mezzo ai campi, a forma di semi-cerchio come il più grosso padiglione della Fiera di Milano, e siamo a parecchi chilometri dalla casa più vicina. Lo spazio per il posteggio, tutto intorno, è infinito; e l'immenso baraccone offre in più di duecento negozi e magazzini tutti i prodotti in serie che la signora doveva prima andare a cercare nella gran-de città più prossima (tre ore di macchina), oppure ordinarli per posta, come al tempo dei pionieri.

Ecco, infatti, le macchine delle signore che affollano i vasti parcheggi, da tutte le parti. È anche un modo per non passare il pomeriggio in casa da sole. Sulla piattaforma più alta, in ci-ma a una collinetta pelata, ci sono sempre delle mostre ambu-lanti, esposizioni pubblicitarie con il concorso a premi, tendo-ni con un cinema a passo ridotto per i bambini, sfilate di mo-delli in serie con tre o quattro indossatrici che entrano in una roulotte a cambiarsi.

Andiamo a vedere tutto. Nel tendone dei bambini fanno un programma intitolato *Via sicura nei sobborghi*, per insegnare ad attraversare la strada guardandosi intorno: i personaggi sono animaletti della foresta. C'è anche un teatrino di marionette, automatiche, educative, con vocine radiofoniche e berretto al-la Davy Crockett, ripetuto uguale ogni venti minuti. Nella ten-da vicina, televisioni a colori e a schermo quadruplo presenta-no «forme e mode per vivere nei sobborghi con grazia», con-sigli di mobili, di tappeti, di salottini, abbinati a una lotteria per vincere una giardinetta.

La sfilata di moda offre suggerimenti per diversi tipi di don-na: la bambina, la ragazzina, la ragazzaccia, la giovane signora, la nonnina con gli occhiali, la bella vecchia col cappellino di paglia rossa. Fanno vedere tutto: il pigiamino, il bolerino, il pa-gliaccetto, il grembiulino con su scritto «al diavolo i piatti da lavare» oppure «entrate e servitevi da soli». Un'orchestrina di quattro suonatori in frac suona sul prato per accompagnare l'esibizione, e le spettatrici siedono, osservano, commentano, prendendo il tè. Più in là, davanti al cinema dove dànno *Gigi*, le signore e signorine dilettanti del West Indoor Club fanno vedere i giochi che sono riuscite a insegnare ai loro cani. La più brava riceve una coppa e un certificato.

Cinque minuti per visitare i negozi del «centro». Tutti prodotti uguali per tutti: il mobilio da campagna inglese fatto in Svezia, il fornello portatile col suo carbone «speciale», i grembiuli «speciali», i guantoni «speciali», tutti per fare la bistecca in giardino; la piscinetta di plastica smontabile di metri 3 x 4; i costumi dei pellirosse e dei messicani, per i bambini; e cataste, cataste, di camicie, mutande, cravatte, calzette, sottovesti, sempre uguali. Ci sono perfino un paio di boutiques parigine con cappelli di garza tutti uguali; e un ristorante Bella Venezia che prepara le bistecche all'aperto, identiche, sul fornello portatile.

UNA GIORNATA AL JAZZ FESTIVAL

Alla vigilia della Festa dell'Indipendenza, sul terreno della battaglia di Lexington, ora parco pubblico e giardino di delizie, sembrava di essere dentro il film *Picnic*: le famiglie venivano avanti in camicia, le bambine con i palloncini, le coppie nell'ombra dei cespugli, le baracche per vendere aranciate e popcorn, sulla riva del fiume Charles; e fra i cannoni storici, tra le memorie di George Washington e di Paul Revere, fra i camion dei pompieri carichi di bambini con i berretti di tela cerata in testa, facevano partire modesti fuochi artificiali che sono durati per più di un'ora, con grida di ammirazione e di gioia. L'ultimo razzo lascia cadere una bandiera appesa a un paracadute, la illumina mentre scende adagio. E vanno a casa tutti, col loro gelato in mano. Sono appena le dieci passate: ma il giorno dopo è il 4 luglio, una delle più grandi feste dell'anno. Stavolta poi viene di sabato: così la vacanza sarà di due giorni e mezzo; metà della gente è già partita fin dal venerdì a mezzogiorno.

La mattina dopo, ci si sveglia abbastanza presto. C'è un bel sole, fa fresco; e si decide di partire subito per Newport (neanche cento miglia di strada), dove si fa il più importante Jazz Festival degli Stati Uniti. Si attraversa Boston verso le nove: è deserta, non c'è in giro nessuno, neanche una macchina. Dormiranno ancora. La stazione è piena di marines, con la loro divisa verde oliva, il berretto col visierino, gli stivaletti alti con tanti bottoni. Ci sono solo loro: con le armi, gli zaini; bevono tè e caffè intorno agli spacci e ai carrettini, tutti alti non meno di un metro e novanta.

Sul treno ci sono non meno di trenta Paul Newman, che dormono abbandonati sulle poltrone di pelle delle carrozze per fumatori, i piedi sui portacenere, con mocassini lunghi trenta centimetri e calzetti bianchi di lana. Hanno camicie sportive, giacchette di cotone chiaro a righe celesti. L'unica persona con giacca e cravatta nello scompartimento è un *salesman* vestito di scuro, che ha anche gli occhiali, e parecchie belle valigie di cuoio grasso, nuovissime. Dopo cinque minuti gli si viene a sedere vicino una peccatrice delle ferrovie, bruna, senza trucco, sui trentacinque anni, con la sua gonna vaporosa a fiori, tanti anelloni alle braccia, e una catenella alla caviglia, con la targhetta e il nome e il motto. Lei attacca subito un discorso sull'Indipendenza. Lui, molto imbarazzato, si aggrappa a un mucchio di giornali cristiani. In poco più di un'ora, con aria condizionata e limonate in ghiaccio, si arriva a Providence.

Qui c'è un pullman da prendere, senza aria condizionata; e questo è pieno di vecchie. Hanno preso tutti i posti, avranno novant'anni per gamba, con vestiti chiarissimi, cappellini di fiori e di paglia, occhiali e dentiere che luccicano, borse dove c'è dentro di tutto, non si privano di nulla, e non tacciono un momento. Si parte sulla vettura «bis», dove ne salgono anche una dozzina che non erano entrate nell'altra, e continuano tutti i loro discorsi sull'Indipendenza, con tre marinai col sacco che cercano di dormire, dei neri carichi di giacche nel cellophane, e pantaloni appesi alle loro stampelle, e un paio di famigliole con le bambine piccole tutte biondissime e inamidate, pettinate alla Shirley Temple, gonnellini cortissimi a pieghe, calzine candide, e sopracciglia tanto chiare che non si vedono e sembrano albine.

A Newport è appena passato mezzogiorno. Ci si arriva, passato il gran ponte di Mount Hope, attraverso un paesaggio che pare lombardo e piemontese; ma le casette coloniali col piccolo portico davanti, di legno, sembrano un po' spettrali oggi, con la loro bandiera che pende sull'entrata: non si vede gente, e sono rari i padri di famiglia che siedono fuori dalla porta a leggere il giornale in gilet. La città è molto graziosa, estesissima in larghezza; e curiosamente patetica come ogni Montecarlo o Sanremo, che hanno preso una volta per sempre quel tono fastoso e cadaverico à la mode qualche decina d'anni fa, e sono state travolte in seguito dal turismo di massa. La parte alta, per cui si entra, ha stradette vecchie più di due secoli e cariche di ricordi storici e patriottici legati a ogni sasso e ogni finestra; cappelle che hanno visto riunioni e giuramenti memorabili; letti ove dormivano personaggi da libri di scuola; piccoli antiquari preziosi, con tante opaline, e tanti scaldini di rame; nomi francesi delle vie, come Laforgue, La Fayette, Bellechasse, Bellevue; ma in mezzo ai cimiterini di pochi metri quadrati d'erba verdissima, con poche lapidi di pietra grigia e muscosa, fra le casette bianche di legno a due piani, fanno presto ad arrivare suoni di trombe e pianole.

Dalla porta spalancata del Museo Storico Municipale, verniciata di fresco, si vedono prove sfrenate di complessi colorati e bianchi, con strumenti ammaccati, pianini da saloon, fra i cannoni e le drappelle e le divise ad alamari della Guerra di Secessione, mentre bambini neri di cinque o sei anni saltano in strada come grilli, buttano furiosamente lattine di birra vuote contro i muri.

Giù per viali e giardini si arriva alla spiaggia, che è staccata dalla città, a forma di semicerchio come Nizza o San Sebastián, con qualche lago o stagno alle spalle come certi paesi a nord di Napoli, Baia o Pozzuoli, due punte allungate alle estremità, due colline erbose coperte di baite alpine uguali a quelle della Val Gardena o della Val di Fassa. Dietro queste punte stanno le spiagge private dei milionari, le ville e i castelli, le cavernose magioni costruite per i Vanderbilt degli anni '90, e uno dei Country Club più chic del mondo, con tornei di golf, esposizioni di fiori, feste mascherate, crociere di yachts, balli di carità.

Si è passati da quelle parti subito dopo colazione, perché ci prendono su e ci trasportano a un collegio fuori città, dove alle due e mezza c'è la «prima assoluta» del primo balletto nella storia del jazz. Si passa quindi fra cancelli altissimi, fra questi parchi assurdamente inglesi che prendono subito un aspetto allucinato sotto questo sole brillante, e con tante aiuole coloratissime: ci sono, e passando le vediamo tutte, ville palladiane del Brenta e del Warwickshire, chalets svizzeri, castelli della Baviera, della Loira, dei Pirenei, di Cornigliano, la villa Rufolo di Ravello, dell'Aga Khan a Golfe-Juan, di Malaparte a Capri, il Casino di Deauville, il Patio dell'Alhambra, il Petit Trianon di Maria Antonietta, la casetta dei Sette Nani, il mausoleo di Tutankhamon, il Partenone, Miramare, Elsinore, Duino, San Rossore.

La scuola, invece, modernissima, è tutta diversa: articolata in lunghi padiglioni di vetro e di pannelli a colori vivaci che seguono i rilievi del terreno, con classi di ragioneria e merceologia che paiono disegni di Gropius pubblicati su «Domus» o padiglioni della Montecatini alla Fiera di Milano, e vanno a finire tutti in una specie di immenso Cinema Dal Verme: è l'aula magna, e qui fanno lo spettacolo. Il pubblico è colorato e scamiciato, ma non indecente.

La prima parte del programma è la migliore, anche se si tratta semplicemente di due ballerini neri molto bravi che fanno vedere tutti i passi dell'«alfabeto del jazz», facendo la donna a turno, con tanti commenti di un conferenziere un po' pedante, che spiega tutte le dimostrazioni. È lo stesso che dirige i lavori dei seminari che si tengono a fianco dei concerti, tutte le mattine, e dove gruppi di studiosi discutono a lungo la storia del jazz e i suoi stili, con gravità da riunione accademica.

Questa mezz'ora di «esempi musicali» è piuttosto affascinante: sono più di trenta le figure che ci fanno vedere, ciascuna con diversi tipi di variazioni possibili, e le forme di «varianti» adottate in momenti successivi e in ambienti diversi. E ogni passo ha connotati precisi e inconfondibili: come una volta abbiamo imparato a conoscere l'attitude, l'arabesque, l'entrechat, le differenti specie di pirouettes nella danza classica, qui, a partire dai primi cake-walks degli anni '90, fino al cha-cha e al rock'n'roll, ci passano davanti agli occhi, con estrema, rigorosa, chiarezza, non solo i passi di shimmy o di charleston o di boogie-woogie che conosciamo tutti benissimo, ma le figure più rare – l'eagle-rock, il dust, lo shag, l'apple-jack, per esempio – che si sono forse intravviste non più di una volta o due in qualche vecchio film musicale degli anni '30; e di solito corrispondono letteralmente al significato del loro nome: il camel walk è veramente un «passo di cammello», nel black-bottom c'è un nero che si batte il dietro con una mano, tutto qui, e nello snake-ribs il ballerino non fa altro che scuotersi.

Mi è piaciuto meno il vero balletto per cui si era venuti fin lì, *Jazz ballet No. 1*; in fondo, perfino nelle riviste di Rascel e di Taranto queste cose, a parte la musica, le abbiamo già viste tante volte. E nelle riviste di Garinei & Giovannini, già sentiti anche certi pezzi di musica. Invece, partendo dal proposito di voler fare una cosa genuinamente americana, così come genuinamente italiana era stata la Commedia dell'Arte, e convinti però che tutta la Commedia dell'Arte si riducesse a una «situazione fondamentale» (Colombina fa la civetta, Arlecchino la conquista con i suoi lazzi, Pantalone viene ingannato, e Pierrot sta a guardare incantato), gli autori di questo balletto hanno preso un pezzo di John Lewis, *Fontessa*, eseguito dal Modern Jazz Quartet con la purezza limpida e impassibile dell'Arte della Fuga, e registrato su nastro; e hanno messo in scena quattro poveri che fanno l'autostop a un crocevia, come una Colombina, un Arlecchino, un Pantalone e un Pierrot «moderni e americani», che si esprimono ciascuno con le forme peculiari di un linguaggio diverso: be-bop, blues, rock'n'roll, ritmi latino-americani. Lei è molto brava, con tacchi alti o a piedi nudi; e fanno del loro meglio anche i due bravi interpreti degli «esempi musicali», sia pure con futili accessori come valigie e pompe da bicicletta. Ma in complesso riesce una cosa assai modesta.

Subito dopo, in mezzo alla città, in un campo sportivo che sembra quello di Voghera, cinque o seimila persone, di cui tre quarti in costume da bagno, sbragate al sole su panchetti di legno, fra mucchi di carta straccia altissimi e banchi che vendono di tutto, popcorn, coche-cole di tante qualità diverse, macchine fotografiche, cannocchiali, salsicce, polpette, bandiere, sotto tendoni da circo a righe blu e bianche stanno a sentire i complessi jazz più famosi del mondo suonare cose che sembrano ora Bartók o Webern, ora Chopin, o «la sirena del laghetto / ha incantato i marinai / e le navi stanno ferme / tutto il giorno ad aspettar».

Il festival era cominciato il giovedì prima con esibizioni piuttosto deludenti dei Four Freshmen e di George Shearing, ma il tono era stato tirato su in fine di serata da Count Basie, e le cose erano andate ancora meglio il giorno dopo col Modern Jazz Quartet, e Oscar Peterson, Phil Napoleon, Dizzy Gillespie, Dakota Staton.

Questo sabato pomeriggio siamo arrivati al Freebody Park, il campo sportivo dove si tengono tutti questi eventi, per sentire il concerto di «gospel music» di Mahalia Jackson; ma l'abbiamo trovato sostituito da uno spettacolo di giovani complessi: tutta la costellazione di quelli che vengono fuori adesso, oltre alla buonissima Newport Youth, si esibivano per far sentire il meglio che sapevano fare, in tutte le specialità, dixie, swing, progressive, cool. Ogni tanto, una nuova banda di ragazzi bravissimi in giacchettini blu da collegio salta sul palco; cominciano a battere e a pestare i piedi tutti insieme, come cavallini impazienti; poi il loro capo fa in fretta «one... two... three... four...», e al *four* si scatena una foga esplosiva; cominciano sempre con un brano fragoroso, assordante, ridendo selvaggi, mentre il pubblico urla di gioia. Ma poi fanno in fretta a passare ai ritmi più sommessi e più teneri, dolcissimi, quelli delle festine «non-formali» della scuola, il venerdì sera, con le luci basse, l'abito leggero e i nastrini chiari della ragazzina amica, il profumo delle prime bottigliette di Old Spice e del melone tenuto in ghiaccio dalla mamma.

Subito dopo il concerto, senza neanche lasciar uscire la gente, ecco una parata di moda, «Newport is a Lark 1959», per far pubblicità insieme a una nuova marca di automobile, a una compagnia di linee aeree, a una ventina di sartorie di lusso locali; tutta la rassegna è impostata su temi della storia del jazz. Delle donne tremende, con le voci più insinuanti e pericolose, salgono sul palco, e ripetono con fermezza gli slogan pubblicitari in mezzo ai complimenti carezzevoli per il signore e per la signora: vengono fuori hostesses in uniforme con modellini d'automobili e d'aeroplani, d'argento, che luccicano al sole; e poi comincia una di quelle sfilate.

Passano i costumi da bagno e gli abiti lunghi, bianco rosso e blu, delle spettatrici delle regate dell'inizio del secolo; le gonne cortissime, i bocchini, le collane, le frange, le cloches, le pelliccette di lince e di scimmia delle bellezze degli anni '20, con tanto charleston. Poi, l'età dei grandi complessi orchestrali e del bianco-e-nero: le Jean Harlow, le Joan Crawford, i tailleurs con la gonna lunga e il feltro con tanti fiori, la dattilografa che torna a casa stanca nei film di Capra carica di pacchetti e chiude la porta col piede, ma anche i ventagli, i poodles, le volpi bianche e rosa. Arrivano poi i colori proposti per la moda d'oggi; rosa, arancio, blu cobalto e verde smeraldo; e alla fine, come tributo all'età d'oro del jazz, tutti abiti d'oro, tantissimi vestiti, tailleurs, soprabiti, costumi da bagno, cappe, pellicce, e anche parrucche, stole, tiare, tutti d'oro, con tanti giovanotti in smoking sotto il sole bruciante delle sei (io sono diventato nero in due ore) e cani enormi, bianchi, a pelo lungo, con gualdrappe verdi che portavano scritto «Baron Wolfschweitzer» e «Lady Wolfschweitzer».

Ma è il pubblico la cosa più strepitosa a questi concerti. Queste migliaia di ragazzi, in buona parte sotto i vent'anni, arrivano da tutte le parti per i due o tre giorni di vacanza, e dormono sulla spiaggia (specialmente il giorno, cuocendosi al sole, e facendo qualche doccia all'YMCA), o nei giardini, o nella lounge di qualche albergo finché non viene qualcuno a gettarli fuori, veramente bardati nelle maniere più incredibili. I calzoni di solito sono bermudas sino al ginocchio tipo boy-scout, o che arrivano subito sotto il ginocchio, di tessuti leggerissimi e coloratissimi, a scacchi indiani o scozzesi; oppure i calzoni bianchi lunghi. Le camicie, quando ci sono, hanno i colori e i disegni più sfrenati: rigoni, pois, fiorellini, paillettes lucide. Ce ne sono in braghe scarlatte e magiostrina candida; o tutti in nero o a righe bianche e nere, camicie, braghe, calzetti. Generalmente le ragazzine sono vestite come i maschi: stessi calzoncini, stesse scarpe da pallacanestro o grossi mocassini sformati, stesse camiciacce, stessi cappelli, ma ci sono delle nere in slacks bianchi e rossi, pagodine di paglia, e il foulard sotto annodato. È specialmente sull'*en tête* che si sbizzarriscono; hanno più di tutti cappelli di paglia degli anni '20, con nastri vivacissimi, e poi vecchi feltri, berrette scozzesi col fiocco, cappucci da sciatore tirati giù, fez di plastica nera con su scritto «Miss Jazz», sacchetti di carta; e quando comincia a far freddo, magliette e giacconi con le insegne di scuole e collegi della Pennsylvania, del Delaware, del Vermont, di New York City.

La folla che esce dal concerto del pomeriggio si scontra con quelli che arrivano per lo spettacolo serale, che costa molto di più; si mescolano col fiume di macchine che risalgono dalla spiaggia, con bande di marinai in permesso dal centro di addestramento poco lontano; e i poliziotti che staccano i biglietti al posto delle maschere sono tutti armati di manganelli e di Colt, hanno le facce scure e guardano dentro tutte le borse per vedere se non ci sono armi o bottiglie. Il ritorno dalla spiaggia è un grande spettacolo: queste migliaia di macchine immense cariche di ragazzi mezzi nudi con le mani piene di lattine di birra, se le tirano addosso, bevono ininterrottamente perché è una delle più grandi vacanze dell'anno. Macchine piene di abiti gettati là, cesti di roba da mangiare, radio portatili, salviette, tende, sfilano lentissime lungo gli sterminati viali che riportano in città, fra siepi di altri ragazzacci coricati sui muri e sulle aiuole, nei Parchi della Rimembranza; e si urtano, si tamponano, si incastrano coi parafanghi una dentro l'altra, e dall'una all'altra si gridano cose e si passano le bottiglie. Adagio, lentamente, siccome tutti gli alberghi erano pieni, siamo andati anche noi a fare una doccia a un YMCA militare, in mezzo a cinquanta marinai seduti sui gabinetti senza porte coi loro fumetti in mano. Poi, a cena in uno di quei ristoranti di specialità marine con fuori un cartello di «Benvenuti, gente del Jazz Festival», dove credo che ci abbiano dato da mangiare polipi, piovre, manguste, pangolini, con un mucchio di suonatori che parlano in gerghi divertenti, e idiomi incomprensibili.

Poi al concerto della sera. Fra la gente sdraiata e sbragata si cominciava a vedere qualche stola uso visone – l'aria si era fatta improvvisamente fresca – ma delle due che mi sono capitate a sedere vicino, una portava un cappello da cowboy con frange messicane, del diametro di un metro e mezzo, l'altra aveva in testa una penna di struzzo bianca più alta di lei. Erroll Garner siede al piano, accompagnato da Edward Calhoun al basso e da Kelly Martin alla percussione, e comincia con *My Funny Valentine* e *I Get no Kick from Champagne* un programma di improvvisazioni che va avanti per più di due ore: tante canzoni da night-club dolcissime, tipo *I'll Remember April*, luce soffusa, cocktails sul tavolo, baci sul collo; e anche tutte le ariette di *My Fair Lady*.

Intanto viene buio, la notte si fa quasi fredda, con tante stelle e gli aeroplani che passano, lo sventolio adagio delle bandiere e dei rami dei tigli, e le lattine di birra circolano di mano in mano. Il pubblico continua ad andare e venire per il campo sportivo; tutti quanti camminano avanti e indietro, si alzano, si siedono, parlano, chiacchierano forte, continuano a mangiare e a bere, tirano petardi, muggono come vitelli, i marinai si fanno lucidare le scarpe dai ragazzini, qualche volta girano a piedi nudi. Quando va su l'orchestra di Ellington, e il vecchio viene avanti sempre allegro col suo giacchetto di broccato verde, cominciano anche a ballare, in parecchi, lì sull'erba; coppie dove c'è lui in calzoni verdi fluorescenti e la lingua fuori, lei con tanti braccialetti, una paglietta da uomo, e perdendo patate fritte da tutte le tasche, con tre o quattro piccoli intorno che battono il tempo piegati in terra come scimmiette. Ellington ha continuato a suonare dei rock'n'roll, ma fa sempre l'impressione di sentirgli suonare le stesse cose. Come già a Milano.

Finisce che è quasi l'una: in giro per i viali di Newport ci saranno ventimila persone, la maggior parte coricate per terra, sulle aiuole e sui marciapiedi, nelle giostrine di barche per i bambini, e non riescono più a muoversi: staranno lì fino al giorno dopo. Le luci rosse delle macchine della polizia girano dappertutto. Le automobili continuano a sfilare, adagio, sempre più cariche di ragazzi, di ragazzine, di marinai, di birre, e schiacciano continuamente con tanti piccoli flop-flop le lattine che ora coprono tutto l'asfalto. Ce ne sono delle file nelle strade buie trasversali, con dentro gente che fa l'amore o vomita quietamente fuori dalla portiera semiaperta. Parecchi sembrano morti.

Se si fosse rimasti lì un altro giorno, si potevano sentire ancora Stan Kenton, Dave Brubeck, Jack Teagarden, tutto un concerto in onore di Armstrong: tutte cose, in fondo, già sentite in Europa. A Milano, comodamente, all'Odeon. Ma non c'era un posto dove dormire; tutto prenotato da mesi, anche l'YMCA della marina. Allora sono andato a riposare nell'aria condizionata allo Sheraton di Providence, distante una trentina di miglia.

Mentre si arriva là sorge il sole sul fiume, e l'autista del tassì mi invita ad ammirare il bel panorama e le luci dell'alba. È ancora il primo che trovo con questi stati d'animo, a quest'ora della mattina. Di solito gli altri mi domandano bruscamente «Ti piace bianca o la vuoi nera?» – «Ma che cosa?» – «Come, che cosa? La ragazza!» – e mi spaventano.

IL CIRCUITO DELLE PAGLIETTE

Quando finisce un'epoca, sono tutti pronti a intenerirsi facilmente. E proprio in questi giorni sembra che l'America intera, addirittura, stia commuovendosi perché un vecchio malandato battello che perde i pezzi rimarrà attraccato per tutta l'estate a un molo, col suo rimorchiatore, nel villaggio di Point Pleasant, sul fiume Ohio. È l'ultimo degli *showboats* che una volta scendevano e risalivano adagio la corrente dei grandi placidi fiumi, il Mississippi, l'Ohio, il Tennessee, il Monongahela, il Kanawha, a decine, carichi di lumi accesi che si vedevano dalle due rive, di folle bizzarre di turisti variopinti e personaggi di Mark Twain, e allegri suoni che bastava un filo di vento a portare lontano. Li abbiamo visti tante volte al cinema; però gli intenditori sostengono che quelli con le due grandi ruote a palette sui fianchi, come nei romanzi di Edna Ferber, non sono i più autentici: il vero *showboat* deve avere la forma di uno zatterone tirato da un rimorchiatore. E il vecchio *Majestic* era appunto uno di questi: aveva un rimorchiatore chiamato *Attaboy*.

Fino all'estate scorsa, verso sera suonava il suo organetto da giostra a trentadue canne: tutti a bordo, si parte, e giù spettacoli di varietà per tutta la notte, musica, danze, melodrammi intitolati *Santi ipocriti e onesti peccatori*, e ottima cucina, con grandi applausi alle eroine e fischi terribili ai «cattivi». Ma da dieci anni ormai il vecchio decrepito *Majestic* andava su e giù per l'Ohio da solo. Nel 1923, quando aveva fatto il suo primo viaggio, era l'ultimo arrivato in una flottiglia di quattordici. Poi, a uno a uno, gli altri si erano ritirati, erano stati demoliti su qualche riva, quando l'autunno veniva; e il povero vecchio *Majestic*, tirato dal suo rimorchiatore, faceva viaggi sempre più malinconici. Negli ultimi tempi veniva addirittura preso in affitto da collegi o da compagnie di dilettanti; a bordo non si presentavano più se non spettacoli studenteschi; e al capitano, Thomas Jefferson Reynolds, la barba diventava sempre più bianca.

Questa estate il capitano ha compiuto gli ottant'anni; e ha deciso di ritirarsi, dicendo però che anche in questi ultimi tempi l'impresa era sempre stata in attivo, e che se qualcuno volesse rilanciarla farebbe di certo un buon affare. Ma nessuno si è ancora fatto avanti. Il *Majestic*, con sopra un cartello di «Vendesi – 425 posti a sedere – 30.000 dollari», aspetta un compratore che non si vede, oppure una fondazione che lo rilevi per conservarlo come monumento storico, in memoria dei «vecchi bei tempi». Ma ormai qui i mesi caldi sono pieni di altri spettacoli d'ogni specie.

Ultimamente anche in questo paese i divertimenti estivi stanno trasformandosi profondamente, come forma e come organizzazione, imitando l'Europa, dove praticamente ogni città cerca di metter su un suo festival, e parecchie volte riescono tutt'altro che male. Per chi arriva convinto che nei mesi più caldi i teatri di Broadway chiudano tutti, e fuori di lì non ci sia niente da vedere in giro – come del resto capitava veramente fino a neanche tanti anni fa – sarà una sorpresa aprire i giornali e trovare ogni giorno da scegliere fra una cinquantina di spettacoli abbastanza buoni nel solo pezzo di costa orientale da New York in su, cioè in uno spazio non più ampio della zona fra Milano e Roma.

Tralasciando New York, dove nonostante il calore orrendo di Manhattan una buona parte dei teatri soliti rimane aperta dentro e fuori Broadway anche per tutto luglio e agosto, se in una di queste domeniche si apre a caso la «sezione due» del «New York Times» (quarantotto pagine dedicate ai divertimenti, alle villeggiature, al giardinaggio, in tutto un sesto dell'intero giornale), si trova per esempio che a Westport, Susan Strasberg e Franchot Tone stanno facendo il *Caesar and Cleopatra* di Shaw; in un posto chiamato Tappan Zee c'è Shelley Winters che interpreta una nuova commedia, *Un po' di cielo*, diretta da Frank Corsaro (il regista dell'*Angelo di fuoco* a Spoleto); su una spiaggia appare Gloria Swanson, in un dancing si esibisce Julie

London, in una piscina i due vecchi comici Olsen e Johnson fanno una parodia acquatica di *Hellzapoppin'*, che era già una parodia in partenza. E si vede che oltre a concerti bellissimi di ogni genere, a opere di Gilbert & Sullivan, agli spettacoli shakespeariani dei due Stratford americani (quello del Connecticut e quello dell'Ontario), basterebbe andare un po' in giro per ripescare la maggior parte delle commedie musicali che hanno avuto successo in questi anni, *Guys and Dolls, Brigadoon, Pal Joey, Show Boat, Li'l Abner, The King and I, Du Barry Was a Lady, Oklahoma!, Can-Can*, qualche volta con ancora qualcuno del cast originale; ed è frequentissimo trovare le riprese di illustri commedie più o meno recenti, *Un tram chiamato desiderio, La famiglia Antropus, Il diario di Anna Frank, Come sposare una figlia, Anastasia, Vita col padre, Lo zoo di vetro, La vergine sotto il tetto, La ragazza di campagna, La casa da tè alla luna d'agosto, Auntie Mame, Il tunnel dell'amore, Gli eredi del vento, Quel signore che venne a pranzo, Hotel Paradiso, La famiglia Barrett*, severi drammi di Eliot, di Fry, di Anouilh, di Cechov, o addirittura *La vedova allegra* o *Rose Marie*. Spesso sono spettacoli tutt'altro che da buttar via; e senza contare i veri e propri festival, che sono ugualmente parecchi.

Questa estate, soltanto sulla costa orientale, ci sono più di trenta teatri (da 600 a 1200 posti ciascuno), più una dozzina di tendoni tipo circo (3000 seggiole in media), che ospitano almeno trentacinque spettacoli viaggianti. Hanno successo, e il loro numero aumenta. Si sviluppa il sistema delle compagnie di giro per stagioni limitate, piuttosto nuovo per gli Stati Uniti; e la rete dei posti di villeggiatura che le ospita per i tre mesi delle vacanze viene chiamata «il circuito dei cappelli di paglia». *Straw Hat*: un termine già usato familiarmente. Allo spettacolo messo su a New York, e portato in tournée, proprio come si confeziona e si mette in scatola la verdura e la carne, per distribuirla al consumatore periferico, si dà il nome di *package*, o «pacchetto»: proprio come il «pacchetto» della merenda, o il *package* che americani e russi portano alle conferenze di Ginevra, ma poi nessuno vuole aprirlo per primo.

E ci si può trovare di tutto, Groucho Marx o Eli Wallach, Bert Lahr o Jo Van Fleet, Celeste Holm o Anna Maria Alberghetti, il coniglio Harvey o *Waiting for Godot*.

Una volta, fino alla vigilia della guerra, quando le *star* erano *star*, non venivano mai fuori da Broadway, e tutt'al più per vederle bisognava andare al cinema, pare che gli spettacoli estivi somigliassero molto a recite di studenti filodrammatici.

123

C'era una specie di granaio, o una stalla, un gruppo di appassionati semi-dilettanti che non prendevano spesso neanche un soldo, e facevano tutto il lavoro: recitare, mettere su le scene, dipingerle, cucire i costumi, vendere i biglietti, annaffiare il pavimento. Si divertivano abbastanza, se c'era dell'entusiasmo: stavano insieme tutto il tempo, mangiavano accampati, facevano tutte le parti, protagonisti o comparse; qualche volta si trattava di un gruppo di gente in villeggiatura che chiamava dentro anche gli attori delle piccole compagnie locali abituati a rappresentare qualunque cosa, dal *Principe studente* a Clifford Odets; e alla fine dell'estate tutto finiva. Così è andato avanti anche per tutti gli anni '40 e '50, e così continua ancora in parecchi posti.

Qualche volta invitavano lì qualche stella di Hollywood o di Broadway un po' in decadenza. La celebrità arrivava, magari pagata somme che a loro parevano favolose e oggi sembrano ridicole, cinquecento dollari alla settimana; e subito gli attori dilettanti tutti intorno, a spiare la sua recitazione, cercare di imparare qualche trucco del mestiere, farsi raccontare storie e pettegolezzi, ridere dietro ai suoi affari di cuore e alle sue parrucche, ma insomma qualche cosa la imparavano pure.

E qualche volta passava di lì il famoso regista, entrava per caso, sentiva due o tre battute, capiva subito il genio di domani, e lo ingaggiava per il suo prossimo grande spettacolo, un successo, un trionfo. C'è ancora parecchia gente che guarda indietro con nostalgia a quei garage e granai dove in mezzo a dilettanti di cui non si è mai saputo più niente si davano da fare i giovani José Ferrer e José Quintero, Barbara Bel Geddes e Christopher Plummer, in quegli anni un po' eroici e un po' allegri, e dicono che allora, insomma, dopo tutto uno era libero di esprimersi come voleva, e le cose che rappresentavano le facevano più per se stessi che per il pubblico. E sostengono che il sistema di oggi è un compromesso continuo che rovina i talenti.

Col sistema di oggi, il padrone o l'impresario del teatro provinciale lungo il «circuito dei cappelli di paglia» – le «Playhouses» di Mount Gretna, Pennsylvania, di Falmouth, Massachusetts, di Weston, Vermont, il «Casino» di Warwick, Rhode Island, i «circhi» o le «arene sul verde» di Wellesley, di Yarmouth, di Edgartown – invece di organizzare ogni spettacolo nuovo da solo, come in passato, si limita ad affittare la sala alla compagnia di giro che arriva da New York con la pappa pronta. La maggior parte delle volte l'impresario ha imparato negli ultimi anni a tenere solo un gruppetto di falegnami e di elettricisti, più qualche comparsa. È tutto quello che rimane del personale di un tempo; e su parecchi giornali provinciali trovo in questi giorni degli annunci di «Playhouses» che dicono «cercansi giovanotti sportivi alti almeno un metro e ottanta e con le gambe lunghe, per fare i guerrieri nel *Macbeth*», oppure vogliono delle ragazzine per *Gentlemen Prefer Blondes*.

Da noi si è sempre fatto così: i teatri di provincia si affittano. Ma in questi piccoli centri è quasi una novità; e il direttore del teatro, quasi sempre anche «produttore», spesso un vecchio appassionato che ci teneva molto a montare i «suoi» spettacoli, non di rado si trova perplesso di fronte a questa prospettiva di non fare più niente, e prendere il «pacchetto» così come arriva da Manhattan, con tutto quello che c'è dentro.

Ciò che c'è dentro può non essere tutto buono, però.

Ci sarà di solito, per prima cosa, una «stella»; poi un giovane regista, parecchia gente mai sentita nominare, e tanti bauli. La «stella» può essere chiunque: bravissimo attore nuovo o vecchia gloria, può essere cantante, venire dalla prosa, arrivare da Hollywood, magari dalla televisione – non importa –, quello che conta è la sua celebrità, è il desiderio del pubblico di poter vedere da vicino, in carne e ossa, Joan Fontaine o Virginia Mayo o Betsy von Fürstenberg.

Ma la «stella», essendo la cosa più importante del «pacchetto», avrà sempre tantissime pretese: dalla scelta dei compagni di lavoro o addirittura del regista, al numero delle prove. Di solito, dirà che una è fin troppo. Durante la tournée, in mezzo a pubblici pieni di felicità e di ammirazione, la «stella» domanderà alloggi con requisiti speciali, vorrà portarsi dietro bambini, amici, servitori, animali, vorrà mangiare piatti incredibili, bere solo champagne.

Perciò le «Playhouses» dovranno essere in molte a dividere le spese per ciascun «pacchetto»; se metter su uno spettacolo medio da portare in giro costa sette o ottomila dollari, per poter realizzare un certo guadagno bisogna che i teatri siano almeno sei o sette: otto o dieci giorni in ciascuno, e la stagione è già fatta, con un certo successo assicurato in partenza, data la presenza della *star*, e sempre qualche lamentela da parte di chi rimpiange i tempi delle piccole compagnie locali.

Come sembra lontana, dicono i nostalgici, l'estate del 1931, quando l'impresario della «Playhouse» di Ivoryton, nel Connecticut, aveva messo su una commedia che si chiamava qualcosa come *I piatti rotti*, spendendo ottocento dollari; ma non era riuscito a riguadagnarne più di trecentocinquanta. Allora ha caricato tutte le ragazze della compagnia su un camion, in

costume da bagno, e le ha mandate in giro a distribuire mani-
festini, cantando *Happy Days Are Here Again*; e siccome non si
era mai vista una cosa simile, la gente si era tanto incuriosita
che aveva cominciato a venire a teatro; lo ha affollato per tante sere; i *Piatti rotti* sono diventati un gran successo: una delle
ragazze era Katharine Hepburn. Mentre da noi la «paglietta»
caratterizzava sia gli avvocaticchi sia i comici (alla Nino Taranto) della scuola napoletana, che la sfoggiavano sfrangettata.
Ed ecco a voi: Ninì Tirabusciò.

L'AEROPLANINO PER IL CAPE COD

> La scena è a Boston e ne' dintorni. Liete musi-
> che preludiano alle danze; e già all'aprirsi delle
> cortine una moltitudine d'invitati empie la sce-
> na. Il maggior numero è in maschera, alcuni in
> domino, altri in costume di gala a viso scoperto;
> fra le coppie danzanti alcune giovani creole.
> Chi va in traccia, chi evita, chi ossequia e chi
> persegue. Il servizio è fatto dai neri, e tutto spi-
> ra magnificenza ed ilarità.
>
> E tu m'appronta un abito
> Da pescator.
>
> (A. SOMMA E G. VERDI, *Un ballo in maschera*)

L'aeroporto intercontinentale di Logan, a Boston, ha la forma di una croce di Malta paludosa attaccata per un lembo solo alla terraferma, alle spalle di posti che finché ero là magari
non mi facevano effetto, ma oramai mi emozionano a nomi-
narli, Scollay Square, Maverick, la spiaggia pubblica di Revere,
Atlantic e Commercial Street di sera, i parchi sotto l'Isabella
Stewart Gardner Museum di notte. Le piste d'asfalto passano
fra le erbe alte e gli acquitrini e le colonie d'anatre e gabbiani,
su vaste lingue sabbiose affondate nella laguna, finiscono in mare; e quando l'aeroplano è grosso, un attimo prima di arrivare
alla fine, si stacca e va su. È estate, ed è la vigilia di un weekend
che porta tutti sempre lontani da casa, divide le famiglie o le
riunisce, sfolla i collegi, gli uffici, le caserme: uno dei weekends
lunghi. Ma nella notte il tempo è cambiato. Non fa più caldo.
L'aria è nebbiosa, la luce pallida. Sembra cessata l'afa che aveva fatto desiderare i bagni fra le dune al Cape Cod, e la linea
dell'orizzonte cade perfettamente piatta davanti al campo, grigio e infinito come un paesaggio d'Olanda.

Ieri sera si è fatto molto tardi, dopo la prima del pageant
shakespeariano, sulla riva del fiume a Cambridge. Dopo tre ore
di colluttazione fra comparse che si pigliavano per il collo e in-
crociavano gli sciaboloni di stagno al suono della cornamusa e
del piffero, tutti avevamo avuto aranciate e popcorn nel padiglione di tela a fianco dei camerini, tra gli elmi deposti e le ar-

mi abbandonate, sulla torbida sponda del Charles; e il cielo era brillante e stellato. Si era poi finita la sera a guardare delle fotografie e dei cartoons clandestini, in una sepolcrale villa di legno degli anni 1880, vastissima, un po' macabra, dove del resto quasi tutti dormivano. Il biglietto per l'aeroplano lo avevo preso nel pomeriggio tardi, tutto sereno; quindi tutto a posto.

Adesso intanto sono le undici della mattina, il sole non esce, e sembra che la foschia addirittura aumenti. Perdere i nove dollari del biglietto, però, mai. Ma l'aeroplanino della linea Boston-Provincetown è ancora più piccolo della macchina che ci porta davanti allo sportello, ci sta dentro anche meno gente che in una millecento-giardinetta: un giovanotto a fianco del pilota, e tre dietro, ciascuno con la propria borsina. Basta così. È tutto, e si parte.

Si vola sulla nebbia subito, e per così poco tanto valeva prendere il piroscafo che ci impiega più di tre ore invece di venticinque minuti, carico di famiglie che giuocano sul ponte. Leggiamo i nostri giornaletti, e intanto il pilota chiacchiera per radio. Si tratta in fondo di traversare la baia in linea retta, dalla base alla punta del Capo che ha la forma di un uncino, e così molti fanno il tragitto per mare o per aria, e non lungo la strada di terra.

A metà percorso c'è una schiarita improvvisa, un momento di sole; e il mare sotto di noi prende un bel colore cupo. Poi il cielo si richiude subito, i colori verdi intorno si fanno più tetri, e atterriamo ai margini di un bosco.

Il pilota stava chiedendo dei tassì per noi all'aeroporto, e sono lì che aspettano. C'è una pista, una baracchina, e un posteggio; nient'altro. Si traversa il bosco, e la prima cosa che si vede dall'altra parte è una finta Torre del Mangia di pietra grigia, un po' più grossa di quella vera di Siena. La si vede da tutte le parti. Dice l'autista che è il monumento commemorativo dello sbarco dei Padri Pellegrini, e infatti è proprio questo il posto dov'è approdato il *Mayflower*, cioè la punta più orientale del territorio americano (ma ogni sasso in paese dovrebbe ricordarcelo). L'autista indica alcuni posti notevoli, fa pagare soltanto un dollaro; e dà il cartellino del suo indirizzo.

In paese c'è il sole. Si fa in fretta a riconoscere, come facendo una magia per tornare al nostro mare del dopoguerra, i braccialettoni con la targhetta placcati, le scarpe di corda, i pantaloni alla marinara rimboccati tre o quattro volte, tenuti su coi cordoni invece che con la cintura, le fusciacche, le collane coi medaglioni d'argento brunito, tipo maschera della Scala, le camicie hawaiane a fiori, i gioielli disegnati dagli scultori, le clips di ceramica (nulla più delle clips di ceramica *fa* 1947); ecco le automobili foderate di spugna bianca, e le barche malandate tirate in secco, riempite di terra a un passo dalla porta di casa, e piantate di gerani e petunie; i cappelli di paglia più incredibili, con i fiocchi e le frange, le marchette minorenni ricattatorie vestite da marchette (altro particolare da dopoguerra), quindi sempre con le magliettine inverosimili. Ecco naturalmente le boutiques piene di mani di velluto blu notte, che tengono gioielli precolombiani, aztechi, «rozzi come disegno ma di materiale prezioso», nello stile Yma Sumac, e i bagnini in slip che gestiscono negozi di slip, si è quasi commossi vedendo che ci sono ancora tanti caffè tipo Rive Gauche, con i loro clienti barbuti e zitti, tutti sull'aggrondato, con le loro pipe, giuste, l'*Être et le Néant* al cabaret, perfettamente 1946; le candele colorate dappertutto; anche i calzoni al polpaccio, qualcuno perfino di velluto a coste, con i due spacchettini di lato, le camicie col loro taschino per le sigarette sulla manica sinistra, in alto... Tutto... tutto, c'è... che tenerezza, che commozione: non manca proprio niente – ci sono perfino i camaleonti al guinzaglio – e si trova anche qualche cosa più del giusto: i manifesti delle commedie di John Osborne, la *Turandot* dalle finestre aperte, in inglese. Manca solo Juliette Gréco.

È l'ora di colazione, e il sole scotta. Si continua il giro. Vediamo tutto. Tocchiamo tutto. Mangiamo pochissimo. Ci sono anche molti negozi di materiali per pittori, e mostre di pittura che si inaugurano la sera tardi, alle undici, a mezzanotte, in gallerie tipo Topazia Alliata. Tutti, tutti, ci sono, anche qui: gli astrattisti, i surrealisti, i pompieri, i pittori della realtà, quelli della domenica, gli action painters che gettano il colore sulla tela e lo lasciano colare; quelli che invece lo raccolgono e lo tirano su; quelli che cuciono il pezzo di sacco, e fanno i buchi, i tagli, le fessure, le tasche, i risvolti, le federe; o gettano sulla pittura la sabbia, la legna, il carbone, la cacca, il guscio d'uovo, appiccicano il francobollo, incollano il vecchio giornale, la lettera, la carta d'identità, l'etichetta dello spedizioniere, il rogito notarile; gli imitatori di Rouault, di Léger, di Matisse, di Sciltian, di tutti: ho visto anche un finto Enrico d'Assia. C'è proprio tutto. Alla prima scimmietta sulla spalla (che *è* veramente *il* '47), mi è venuto praticamente da piangere, come se una cara parente scomparsa mi fosse venuta incontro in vestiti «new look», e mi trovassi anch'io con una dozzina d'anni di meno.

Il paese pare diverso dal resto dell'America: negozi che rimangono aperti fino alle dieci di sera, anche la domenica, vetture da piazza che si pagano non a tassametro ma a occhio; si tengono il loro banditore in costume che va in giro con la sua campanella a fare delle grida pubblicitarie, e cominciano sempre con «Hear ye... Hear ye...». Le case sono minuscole, bianche, di tavole di legno, costruite nel Sette e nell'Ottocento da capitani di baleniere in ritiro che non avevano dato retta a Melville. Per più di due secoli Provincetown è stato un villaggio di pescatori, modesti e longevi, e infatti è carico di memorie, con piccoli musei di una stanza o due pieni di modellini di velieri, severe chiese unitariane che vanno benissimo per invocare la benevolenza dell'Onnipotente arrabbiato prima dell'imbarco, piccole darsene, baracche di calafati. A un certo punto sono arrivati i pittori. Poi, dietro, tutti gli altri.

È chiaro che i diversi arrivi tipo Positano non hanno fatto tanto piacere alla gente del luogo, anche se finiscono per portare dei soldi. Ancora oggi sono davvero troppo differenti i vestiti modesti e le facce degli abitanti originari, quando li si vedono camminare tra la folla variopinta che cinguetta, e tirano avanti, oltre i negozi che si sono stabiliti nelle loro vecchie strade, e invece di cordami e pesce secco vendono ricordini, conchiglie, foulards colorati, gelati, album di muscolature, alberi marini, cuoi fiorentini lavorati, grembiuli per bambole, calzetti per cani, lumi a petrolio vittoriani, opaline molto nuove. Ci sono botteghe chiamate Shirts, Etc., Paraphernalia et Alia, un Noël Shop con carillon e carole, fondachi portoghesi e cinesi con tintinnaboli e arpe eolie, una libreria metà seria e metà sconveniente che espone venerandi limericks e cartelli buffi – uno che dice «spedizione gratis, l'unica cosa gratis che si possa avere qui intorno», un altro partecipa la costituzione di una società per la protezione di «queer birds & old ducks». Si passa da un posto di «regali per i papà» a un altro di «cappelli insensati a prezzi ragionevoli». Si possono trovare, insieme, aragoste vive e stanze matrimoniali o singole, film sul terzo sesso tedeschi e gelatina di mirtilli fatta in casa, le «buone tortine di Mrs Graham» e gli «en tête di Mr Kenneth», utilissimi questi per andare alle manifestazioni che si vedono annunciate nei locali: una «Notte dei Roaring Twenties», e questo sarà fin troppo naturale; poi il «Party del Cappellaio Pazzo», lo «Zombies Jamboree», il «Ballo dei Ventagli di Lady Windermere», il «Coloratura Contest». Nel corso dell'estate si celebrano anche un Natale, una Pasqua, due Capodanni, tre martedì grassi, un 14 luglio vero, e uno finto subito dopo Ferragosto.

Si vedono annunciati anche parecchi drammi marini di O'Neill, tra sabbia e conchiglie, in mezzo ai mocassini di spago, i calzoni rigati verdi e gialli, i maglioni di mohair zafferano portati come stole, davanti a un negozio di uova di Pasqua russe dipinte a mano dalle monache cattoliche palestinesi, damine di maiolica un po' dorate, teiere a forma di tacchino, ed è lì che i pesanti marinai coperti di tatuaggi, col nome «Doris» trafitto da un missile *Polaris* sull'avambraccio, imparano la difficile arte di maneggiare le porcellane, che vendono. Si vedono passare anche parecchie bande di donne sole, certe con i polpacciotti tozzi fuori dagli shorts, numerose molto vecchie, tutte pronte all'attacco, e qualcuna in casco di sughero e veli, come una dipendente di Lady Diana Cooper che debba traversare l'Arabia Deserta a dorso di cammello dietro Freya Stark.

A Boston, il padrone degli organi (ne ha tantissimi, perché li costruisce, e li fornisce a tutte le chiese del New England, ne cura la manutenzione, dirige le società corali, e ha la casa incredibile e la carta da lettera tutte decorate con motivi di canne marron e tastiere in rilievo) mi ha dato gli indirizzi di tanti alloggi, ma come sempre si trova tutto pieno, se non si è prenotato con tante settimane d'anticipo. Càpito in una tampa messicana dove una meticcia impolverata mi affida a un barbuto muto, che mi porta in macchina, una vecchissima macchina Buick, da una vedova nera: è cupa, maniaca-depressiva, puritana, ossessionante, e prude, tiene un negozio di coralli benedetti, e non si va d'accordo fin dal primo momento. Verrò via dopo pochissimo, tanto più che si è liberata intanto, improvvisamente, una stanza in uno dei posti incredibili sulla Commercial Street, visitati prima e tutti circondati da pratini dove si lavano cani e automobili in slip.

Bar e locali sono tutti bassi, cavernosi, bui, ammobiliati come stive, inverosimilmente colmi di lanterne, schioppi, cannocchiali, stelle marine, sassi politi, gomene, ancore, fiocine, trinchetti, e altri attrezzi da veliero. I più notevoli si chiamano Town House, Atlantic House, Fisherman's Wharf, Weathering Heights. Sono parecchio lontani l'uno dall'altro, e si vede molta gente che va in bicicletta. Dunque per prima cosa se ne prende a nolo una, anche se costa quasi come comprarla nuova, e anche se non ci si andava più sopra, perché si era buttata via l'ultima, almeno dal tempo dell'invenzione delle Vespe e di «Sola me ne vo per la città / passo tra la folla che lo sa / che non vede il mio dolore / cercando te, sognando te, che più non ho» alla radio. Ma qui gli scooter sono impossibili da noleggiare, per la severità delle leggi sulle patenti e sulle assicurazioni nello Stato del Massachusetts. Calzoni bianchi, cintura indiana, la sua maglietta di spugna di Saks, un paio di fazzolettoni capresi rossi, costume da bagno sotto, e via!

Il sole scotta sempre di più. Le onde hanno i colori drammatici del rame e dello stagno, un buonissimo odore; e non ci si mette molto a trovare la spiaggia allegra, a pochi chilometri fuori del paese. Somiglia abbastanza a Torvaianica, però è più grossa, con dune più alte e più estese; una sabbia di grana enorme, ghiaiosa, di quarzo, con canneti, acquitrini, ninfee, bisce. L'acqua del Nordatlantico non è poi troppo fredda. Nascosta la bicicletta sotto delle erbe, fatta la passeggiata attraverso le dune e i cespugli di lauro, fra urla di «attenzione all'edera velenosa!» (una specie di ortica a tre lobi), e qualche costumino bianco che fa il vagheggino fra duna e duna, si arriva su questa sabbia quarzosa e scottante, coperta di lattine rosse di birra: tanta gente, e le ciniglie, le creme, i panierini, le radioline, gli occhiali neri, i giornali di muscoli. Il calore è altissimo. Ogni tanto i gruppi di giovanotti si scambiano frizzi, motti, rispetti, strambotti, coi gruppi delle signorine, giocano al pallone, e perdono. Non c'è una nuvola in cielo.

Alle quattro e mezza, venendo via tutti, ancora prima di andare a farsi una doccia, il posto dove fermarsi è per tutti i Moors, un vasto ristorante foderato di vecchi tronchi e stagnole, con tovaglie consunte e candele di cera colorata in ogni angolo, dentro abbondanti colaticci. Servono elaboratissimi tortellini fritti al cartoccio; e dietro c'è tutta una zona di motel molto solitari, i villini d'una sola stanza col loro recinto e il pratino privato, l'alberello, l'anfratto, l'antenna, battuti dal vento e dal sole, nascosti da montagnole e cespugli, aperti alle diverse manifestazioni della personalità, alla distensione della vacanza, al sonno della ragione, a quello degli amanti, ai riti della patologia sociale, a tutto. Prima del *must* successivo: questa doccia, finalmente.

Non esistono alberghi veri: generalmente, baracche. Sono tutti posti fortemente tendenti al pittoresco, gestiti da vecchie matte, vedove spente, cavallone, petulanti bambinacce. Apparentemente sono casette «caratteristiche», chiamate il Patio, lo Sportello, la Fossa, la Cassa, la Tana, il Mandrillo; di poche stanze; di legni curvi; di soffitti crollanti: ma con un loro ingombro di suppellettili abbondanti e vetuste, un ammasso di tappeti stinti uno sopra l'altro, perline sfilate, ventagli appassiti, paralumi a brandelli, pianini verticali coperti di collages impresentabili, divanini di peluche rosso-su-rosso. Dànno a queste specie di cunicoli non abitabili (tra il baraccone e la trappola e il circo equestre e il bagno a vapore) un aspetto di decadenza talmente degradante da renderli concupiti da folle di migliaia di giovanotti che magari non hanno mai sentito nominare Tennessee Williams, perché fanno i panettieri nel Maine, i ferrovieri nel New Hampshire, gli elettricisti o i garagisti nel Connecticut, ma sentono però tutto il peso di vivere per tutto l'anno in una piccola città americana di non più di quaranta o cinquantamila abitanti senza *frissons* né *frills*.

Questi locali mettono fuori dei prezzi altissimi, che neanche a un Grand Hôtel si pagherebbero; e non hanno mai un posto libero, nel weekend. Clienti nuovi vengono dentro a tutte le ore, e le persone dormono spesso in tante dentro una stanza, in prossimità sconvenienti. O addirittura, come si fa spesso dappertutto, dormono sulla spiaggia o dentro la macchina.

Il posto dove sono capitato si chiama The Galley, cioè La Galera: una baracca a forma di naso o di piede che si allunga dietro una bottega di cartoline «decadenti» o «divertenti» fino al mare, in cui si immerge parzialmente, ogni giorno un pezzetto di più; ma tanto, quella che una volta era la cucina (spostata ogni anno di qualche metro verso l'interno) serve adesso come trampolino per i tuffi, o per gorgheggiare in bermudas di madras, con un cocktail e una ciliegina. La stanza di sotto è come l'interno di un barcone sul Tevere, riempito di tutti gli oggetti più assurdi e più rotti che si possano ammassare in una intera vita ben spesa al Marché aux Puces. Attraverso acquari affollati di pesciolini con la faccia maligna poca luce filtra, gialla, a illuminare libri dimenticati che non valgon niente, memorie di carriere teatrali nell'Ottocento, messaggi e fotografie con dediche sorprendenti di «personalità», cuscini lucidi, il piano dove suonano sempre *I Hate Manhattan* e *It's the Wrong Time*, soprammobili di epoche e paesi diversi. C'è il bar in un angolo, dove ciascun ospite tiene le proprie bottiglie di whisky, con su il nome, e dove tutti possono prendere i soft drinks compresi nel prezzo, trentacinque dollari al giorno. Scala di legno, primo piano; questo si chiama «quartiere degli schiavi»; le stanze sono specie di armadi a muro, con abbaini da baita valdostana, e graticci da cabina, scorrevoli come porte senza serrature e con dei buchi tanto grossi che ci passa un braccio. Ognuno di questi scompartimenti ha un suo nomino allusivo oppure insensato, come «Tom and Jerry», «Pete and Repete», «Peter Pan», «Faerie Queene», oppure «Posto del secchio», «Buco della corda», «Deposito dell'acqua». Nella «Cabina del capitano» tengono una vecchia folle che non è più capace di niente, e la fanno cucire a macchina tutto il tempo: non dovrei stupirmi vedendo andare avanti e indietro continuamente dei cestoni da spazzatura colmi di pizzi neri, codine di visone, busti da can-can, penne di struzzo scarlatte o lilla, frange d'oro, sciarpe di lamé. Certo fanno delle feste. I camerieri, che sono due, non si vedono mai; si trovano ogni tanto, per caso, dietro qualche angolo, che fanno dei piccoli brindisi e si scambiano bacini.

Le docce, invece della solita tenda di plastica, hanno uno sportello di vetro da finestre: così va sempre bene la solita similitudine dell'acquario, o anche quella della vasca della sirena nei baracconi alle fiere. Da basso, si suona il piano, si danzano le ariette di *My Fair Lady*, tutto un fruscio e un frullo di elettricisti e meccanici. Il pomeriggio in casa è tutto un rito di grandi cocktails e di grandi chiacchiere col padrone, che è un attaccabottoni mitomane, un po' volpino, e comunque interminabile, dietro il banco delle cartoline. Fuori subito, alle Weathering Heights.

Qui c'è spettacolo, dalle cinque e mezza in poi; e si direbbe che ci siano tutti, è una specie di rifugio alpino e dopolavoro, in alto, su un cocuzzolo pelato a pendici di canne e d'erica, che guarda su un cimitero, alle spalle del paese, con bandierine che sventolano e gli altoparlanti fuori collegati col palchetto delle esibizioni. Il cimitero è piccolo, vecchio, abbandonato; a malapena recinto da uno steccato che cade a pezzi, separandolo da un gioco di bocce e terreni vaghi ingombri, con lo scheletro di legno di una chiesa metodista in costruzione. E pare che il tempo stia già cambiando, l'orizzonte è fosco. L'entertainer è di mezza età, enorme, proprio disfatto dalla pinguedine, di quelli che aggrediscono il cliente con le oscenità battagliere, che piacciono. In Europa, neanche a Cannes o ai mercati generali di Nizza potrebbe certamente esercitare su questi toni, una cialtroneria tanto inverosimile è possibile solo in una comunità straordinariamente rozza che pretende tutte le sfrontatezze in una botta, e se le inventa magari da sé. Questo tipo ha una specialità di jokes sessuali basati sulla solita tecnica dell'«animatore» che finge di attaccare una canzone, ma non la andrà mai avanti, e continua invece a gridare le sue cosacce alle persone che entrano o si muovono. Il pianista accenna certe romanze dell'altra guerra, genere Zelda Fitzgerald al Ballo dell'Armistizio, e fa eccezione solo per qualche «classico moderno», Marilyn Monroe, Jule Styne, *Bye Bye Baby*, la canzone dei diamanti: qualche arpeggio, qualche nota stonata, mezza frase, e poi le domande buttate ai gruppi di persone al tavolo: chi è il marito dei due, lui o lei? chi lavora meglio dei tre o dei quattro? vi siete conosciuti appena adesso? dove, sulle dune? ditemelo, domani ci vengo anch'io... avete già dormito? mi volete o no, insomma?... E tutti rispondono ben contenti; rimbeccano, urlando, con incoraggiamenti di tipo sportivo. I gabinetti del locale sono disposti in maniera che la gente, per andarci, e devono farlo per forza, bevendo tutta questa birra continuamente, sia costretta a passare per forza davanti all'entertainer, poi girare dietro il piano; e lui controlla, gestisce, gesticola, fa a tutti domande precise: perché ci andate in tre? aspettate, voi, ce ne sono già dentro quattro, tutti occupati; cosa è questa storia delle due mogli dentro insieme da una parte, e i due mariti insieme dall'altra? Si spinge fino a una delle porte, la socchiude, guarda dentro con un occhio, e torna indietro a informare il pubblico: quello con la maglietta rossa è il meglio!

Arrivano poi tanti cappellini da cerimonia nuziale, e mettendoli su uno dopo l'altro, lo stesso impersonatore ricostruisce attraverso i monologhi della sposa, di sua madre, della sorella, della madre dello sposo, delle damigelle, tutto un suo torvo romance dove c'entra molto il fratello della sposa, che naturalmente ha fatto delle cose con lo sposo. Poi arriva anche una vera donna, che però fa la finta signora, la finta Mary Martin, la ghiottona, l'intervistatrice, e un bellissimo Amleto televisivo e pubblicitario con Liberace protagonista, la sua mamma come Regina, il presidente Eisenhower che fa il Re dicendo le solite cose che ripete ogni mese alla nazione, ed Esther Williams che nuota nella parte di Ofelia, cantando le melodie hawaiane dei tempi di Dorothy Lamour.

Si può tornar lì subito dopo la cena. Questa ha luogo a una specie di table d'hôte di pirati, che però potrebbe sembrare anche l'Albergo dei Poveri o un'Osteria da Fratelli Grimm, nella stanzaccia semiaffondata della Galera, a lume di candela, fra peluches lise e credenze slabbrate e le facciacce dei pesci, con la padrona mezza ubriaca che vaneggia a capotavola, i due camerieri che volteggiano bisbigliando, vestiti solo di una salvietta intorno alle cosce, e spariscono per delle mezz'ore, a carezzarsi sopra i fornelli. Nella semioscurità gli occhietti brillano, ma il comportamento e i discorsi paiono straordinari: così convenzionali a ogni costo, e puntigliosamente perbenino, che si capisce subito dove siamo, a Varazze nel '28, ad Arenzano nel '35, in una pensione di famiglia, con l'avvocato e la sua signora, il notaio e la sua signora, l'ingegnere e la sua signora, il colonnello con la sua signora anche lui, che si scambiano convenevoli garbati sotto l'ombrellone e ai tavolini col garofanino in vaso e «formaggio o frutta»; e in parecchi momenti della giornata si vedono certamente i mariti tutti insieme che fumano il sigaro e leggono la «Gazzetta del Popolo», e da un'altra parte le mogli che sferruzzano la loro liseuse e spettegolano di «ancelle», ma non capiterà mai uno scambio di mogli e mariti. Sono già tutti a due a due: l'allegria del Vermont, i frizzi del Connecticut vengono incoraggiati, ma solo entro i limiti concessi – siccome è estate e vacanza – a ogni ménage borghese, se non dal vecchio senso del decoro, almeno dal dimenticato puritanesimo di cui è rimasto in piedi, e inconsciamente, soltanto il principio monogamico. Chiunque si presenti da solo prende inevitabilmente l'aria della dattilografona trentacinquenne un po' troppo truccata che legge Pitigrilli nella pensioncina di Bordighera trent'anni fa, e non si capisce bene cosa vuole. La cena termina fra suoni d'organo altissimi da una stanza vicina, dove ci volevano far sentire a ogni costo i nastri di certe esecuzioni canadesi di Buxtehude e Scarlatti. Senza neanche la salvietta, la cuoca zufola *I Hate Manhattan* facendo saltare alti nel tegame sopra la cucina a gas i suoi pancakes al mirtillo, da servire caldissimi, soffici, con sciroppo d'orzo e burro freschissimo. Il crepuscolo è sempre più fosco.

Presto, indietro al posto di prima, per una gara di cappelli presentati stavolta dal pubblico; e portano delle cose enormi, pavoni fatti di rami secchi e paillettes, un Saint-Honoré di velo, un 14 luglio bianco rosso e blu che si può mangiare in parte, un pezzo di giapponeseria 1920; e adesso le canzoni suonano tutte rimproveri a ragazzine giovani che si comportano da vecchie, o comunque male, «Remember that your mama was a lady», ricordati che tua madre non solo era una brava signora, ma ha speso tanta fatica per insegnarti le belle maniere, però si cala presto in «Remember that your grandma was a... woman», e si finisce per cascare in «Remember that your grandma had a big fat sister...». Ma si esce presto; e intanto il tempo è tutto cambiato. Una nebbia fredda veniva dal mare a bagnare ogni cosa. La torre spariva a tratti fra le nuvole basse in movimento, come in una Scozia da *Macbeth*; e solo qualche lanterna rossa là in alto rifletteva un po' di lume. Sugli spiazzi d'erica, battuti dal vento, la voce dell'entertainer grasso arrivava ancora a lontananze impensate, a ventate, con l'altoparlante. Sembrava che rabbrividisse anche il cimitero, come quando si ha sempre paura che qualcuno cominci a citare la *Piccola città*; ma erano soltanto le bandierine del giuoco di bocce, e del distributore di benzina, che vibravano sotto il vento. Compaiono soprabiti e maglioni. Il freddo aumenta e la torre sparisce illuminata nei vapori. Riparano tutti in un posto che si chiama Hunch'in, una baracca bassa di cemento con dei tavoli di faesite a zig-zag: sulla porta, a ricevere, c'è una creatura di dimensioni larghissime, in costume di mandarino cinese, raso bianco a dragoni con i suoi veli gialli, un cerone pesantissimo, cadaverico, ciglia finte lunghe due dita, labbra blu, parrucca di seta blu, tanti fili di jais nero alle braccia e al collo. Fa tanti urli indistinti, non si capisce niente. Tre o quattrocento persone in calzoni bianchi e camicia di madras si affollano per entrare e gridano tutte insieme che vogliono cappuccini e muffins, perché fa freddo. Non ce ne sta dentro neanche la metà, dopo pochi minuti non è più possibile muoversi. Tutti quelli rimasti fuori, su tante enormi macchine in fila, si buttano attraverso la nebbia ai piedi della torre, per rifluire al molo dei pescatori, in un altro posto di dolci caldi e caffè, il Town Hall, che è già pieno anche quello; non solo; ma improvvisamente chiude, e mette fuori tutti. Sono le due, e la piazza è un trionfo.

C'è tutto. Centinaia di macchine sono ferme su ogni lato, piene di gente; altre centinaia continuano a sfilare lungo i sensi unici, chiamando le persone. Sono lì in giro tutti gli stessi già visti nei diversi luoghi durante il giorno, i maglioni, i calzoni a righe, i golfini, le clips, i braccialetti, la Folle de Chaillot, quella della Concorde, con le altre loro complici del Vaugirard, di Sèvres-Babylone, di Denfert-Rochereau, di Levallois-Perret, complete di parrucche, strascichi, perle, penne, bocchini e caschimpetto, fanno caroselli sul sellino dietro delle motociclette, intorno al monumento al *Mayflower* e a un Giulio Cesare che viene portato in trionfo da una banda di guerrieri scozzesi ubriachi e succinti. Tanti passano adesso carichi di bottiglie, e fanno tanto gli allegri, ma bisogna pur pensare che poveretti passano la vita nei borghi del New England e della *Lettera scarlatta,* e forse, ogni tanto, qualcuno ancora ne bruciano: si passa giusto davanti a Salem, per arrivar qui.

Si rasserena il cielo improvvisamente; e poi, subito, giù un rovescio di pioggia violenta, per più di mezz'ora. Le strade in un momento si allagano, e non c'è più neanche una macchina in giro. Hanno fatto in fretta a sparire, tutti, le porte delle case generalmente si aprono, e la gente entra nelle stanze e negli appartamenti, come viene viene, senza accendere la luce.

Dal posto dove sono capitato, e mi stanno piangendo addosso in due, si sente dire «è stata una cosa tremenda, fatta solo con la speranza che potesse tracciare l'inizio di qualche cosa di durevole e puro», e ascolto giù in un seminterrato rumor di risa, canzoni, bottiglie rotte. Poi raggiungo un letto, dormo un po', mi sveglio a un'altra voce che singhiozza: «Non mi perdonerò mai questo attimo di tradimento, e pensare che lui, laggiù, lontano lontano, non solo non lo avrebbe mai fatto, ma non sarebbe mai capace di pensarla, una cosa simile...». E giù lamenti, rumor di scarpe e gradini, schiaffi o massaggi, ancora delle musiche. Mi rivesto, e torno a uscire.

L'afa adesso è pesante. Un cielo basso, sciroccoso, umido. Bagnato dappertutto per terra. Le macchine hanno ripreso a girare, forse più adagio, ma tante come prima, chiamandosi, e i fari della torre hanno riflessi sanguigni. In mezzo ai giovanotti, alle bambinacce, alle pazze, si vedono parecchi gruppi di donne mature decise a qualunque aggressione, avanti e indietro, e vociano senza controllo. Una finta Mamie Eisenhower e una finta Shirley MacLaine si offendono orribilmente, accapigliandosi per terra, nel bagnato, fra le gambe di una vecchia cartilaginosa, che si muove come un ragno o una biscia. Le birre circolano di mano in mano, quantunque la legge del Massachusetts ne vieti lo spaccio dopo la mezzanotte. La polizia dà manate violente sulle scapole, e ne arresta molti, dopo colluttazioni feroci.

L'animazione continua vivissima, come di giorno, ma dopo le tre e mezza è cominciata a calare: c'è qualche vecchina che svicola, le persone sulle panchine sono chiaramente quelle che non hanno un posto da dormire. Poco più tardi, fra i primi spazzini, Mimì, Musetta, la Butterfly, la Tosca e la Iris, accompagnate da Paggio Fernando e da Andrea Chénier, passano cariche di bottiglie, con certi bei fagottini; ma non tornano da un party: ci stanno andando! Rumori di festa arrivano tra le nuove raffiche di vento gelido, umidissimo, come se stesse per piovere ancora; macchine che dormivano si svegliano, e si ributtano in strada, tutti si rimettono gli sweaters pesanti, rabbrividendo urlano «casa aperta!», «invitati tutti!», e un indirizzo molto complicato, dietro i Moors. Le macchine con qualche posto libero aprono gli sportelli e tirano su tutta la gente che possono lungo il percorso, io per esempio càpito con una mezza orchestra da ballo della Florida, così appena arrivati là troviamo che non manca niente: i cardigans, i maglioni, i golfini, i cagnolini, e tutto.

Questo baraccone, o gruppo di padiglioni, è costruito sui diversi livelli di una scogliera, presso la punta del Capo, dietro la zona dei motels, adoperando, è chiaro, i legni marci residuo di naufragi delle baleniere. Anche per l'arredamento sono serviti. Da principio si vedono solo bracieri accesi a ogni livello, con fiamme altissime fino al soffitto, finte zingare in calze rosse che ballano la *Danza del Fuoco* di De Falla, il *Baccanale* del *Sansone e Dalila*, e tutti si accalcano a portar via dei bicchieri di scotch da un bancone; ma poi si va avanti soprattutto con dischi di Jeanette MacDonald, *Sweetheart, Farewell to Dreams*, e altri favourites; allora ci si può muovere intorno al patio sabbioso, scendere nei sotterranei foderati di antiche assi marce e tappeti da vecchio bagno turco, ingombri di martelli, botticelle, gabbie da uccelli, brande, imbuti, cavatappi, carriole, altri oggetti arrugginiti e inservibili, oscuramente appesi ai soffitti, sopra le cucce da *Lord Jim* stracariche di maglioni, di impermeabili, persone sedute una sull'altra. Man mano che si alzano pare sempre che sia l'ultimo, ma ce n'è sempre uno sotto che stava lì e non si vedeva. C'è una meravigliosa vecchia grassa in abito nero, sdraiata su un mucchio di scarpe, con soffici boccoli e una bella collanona d'ambra, come se si trovasse in casa sua a Houston; e speriamo molto che sia lei la padrona di casa: pare una Frau Emmy Goering invecchiata fra placide pignatte. E invece no: che peccato. Ma di chi sarà allora il posto? Lo si è girato tutto, forse. I gabinetti sono chiusi da portelli di sottomarino; vengono di là dietro risate deliranti. Un vecchio alto in berretto da nostromo scende le scale attraverso gli strilli e i gorgheggi, se la prende subito con tre ochette sdraiate su ceste vecchie e cassoni indecenti, dice chiaro «e allora andatevene a casa vostra, per così poco». È questo il padrone. Un biondo bellissimo in raso bianco, giubbotto della Università di Miami, informa che si tratta di uno degli ultimi Barbablù di Boston: famiglia buonissima, tanti soldi, ma sempre in esilio, in città non è più tornato, la casa se la è costruita da solo, pezzo per pezzo, e non è mai finita. Spoon River, gentlemen.

Dalla scogliera stanno rotolando giù cassette vuote di bourbon in mare, e nel patio si cucinano tortelloni alla messicana. Tutti si conoscevano ormai, e cominciavano a partire insieme, a me tanti dicevano di salutare, mettiamo, un Giovanni a Parma o un Marcello a Firenze, con dei «ditegli che Laurence non ci va più, là, basta così», e arruffate storie di «ci siamo baciati nel Battistero per la prima volta». Sulla via delle dune i fari delle grandi macchine si incrociano nell'alba gelata.

Un vento freddissimo spazzava la costa, i canneti, i lauri, l'edera velenosa, l'erica, la grossa sabbia di quarzo coperta di lattine di birra, i cottages con le verande di fitta rete metallica. Le luci della torre lampeggiavano vive nel cielo limpido. Il vento gelato dell'Atlantico percorreva i corridoi della Galera, si infilava nelle fessure del «quartiere degli schiavi», per i buchi nel soffitto e nelle pareti di legno, grossi come mele, svelati dalla presenza di tenui veilleuses. I legni crepitavano a tutti i piani. Mi sembra di aver dormito un minuto quando mi sveglio nel mezzo di un pomeriggio alpino e invernale, come a Sankt Moritz, con la stanza piena di gente mai vista, che vien dietro per tutte le docce; e poco dopo stavo partendo stanchissimo, mi avviavo alla nave. Volevo prendere questa *Boston Belle* almeno al ritorno, e pregustavo la folla domenicale, i cappelli di paglia, le salsicce calde, i dischetti di Frankie Avalon...

«Non c'è», invece, mi fanno al molo. «Come, non c'è?». «Non è venuta per il brutto tempo». «Ma se c'è un sole bellissimo, il mare liscio». «Adesso; ma stamattina alle dieci, quando doveva partire da Boston, non ci si vedeva e c'era pericolo». E il mare adesso è bianco. Trovo in fondo a un taschino l'indirizzo del vecchio autista che mi aveva portato dall'aeroporto, telefono subito, eccolo che arriva, già carico d'altre persone. «Ah, riconosco i bagagli e la faccia» mi fa. «È andata bene?». «Certo». «Facciamo un viaggio tutti insieme, stavolta,» dice ancora «sono rimasto l'unico tassì qui in paese; tutti gli altri li hanno presi per andare a Boston, visto che non c'è la nave. Li caricano finché ce ne sta su, e fanno pagare sette dollari a testa a tutti, per due ore di percorso, che poi diventano tre. Ma io non ci sono voluto andare, anche se me l'hanno chiesto in tanti, perché sennò il paese rimane senza una macchina. Continuano a chiamarmi. E pensare che oggi era venuta a trovarmi la mia girl friend, ha guidato per più di quattro ore contro tutto questo flusso contrario di macchine, lungo il Capo; e non si riesce a stare insieme neanche un momento!».

Oggi non è necessario prenotare per l'aeroplano. Ce ne sono parecchi, allineati sulla pista, da dodici posti stavolta, con le loro tendine, i sedili imbottiti, e persino due signore eleganti in tiara e tacco alto che proseguono per Los Angeles. Appena c'è un numero sufficiente di persone, ne parte uno; non si aspetta neanche mezz'ora.

Il cielo è limpidissimo, il sole caldo, il mare calmo e del colore delle cartoline sotto di noi. Il panorama dei boschi e dei prati e della sabbia e dei villaggi bianchi del Capo è incantevole; sparisce per ultima la torre; lungo le isolette alberate e le lagune ci si riavvicina, passato il golfo, all'aeroporto di Logan. Si sta arrivando a Boston un'ora prima dell'orario segnato per la nave, e i voli di gabbiani si spostano davanti all'atterraggio.

VISITA A EDMUND WILSON

Il maggior critico vivente è una figura affascinante e formidabile: patrizio americano appassionatamente «patriota» e perpetuamente in esilio in patria, lavoratore di un'operosità e un accanimento ormai leggendari, mente d'una finezza e un eclettismo addirittura sconcertanti...

Ma a sessant'anni passati, la sdegnosa solitudine dei due maggiori scrittori americani viventi, Wilson e Faulkner, il loro rifiuto un po' misantropico e un po' snobistico di venire a patti con gli Stati Uniti come attualmente si trovano – in nome di una «tradizione americana perduta» e talmente idealizzata da rasentare il Mito – è un partito preso di tale imponenza da richiedere qualche indagine da vicino. E tanto più nel caso del solitario di Cape Cod. A differenza del solitario di quella contea del Sud col nome difficilissimo, Wilson ha indimenticabilmente lavorato nel cuore di tutti i fatti culturali significativi degli ultimi decenni; e quando accadeva qualcosa di importante, lui era sempre là, sul posto, a preparare ragguagli per i suoi contemporanei. Sempre così precisi, e così acuti, da funzionare come cronaca illuminante «a caldo», e (senza ritocchi) «far Storia» più tardi.

Venti libri almeno, monumentalmente, lo provano: dai grandi saggi proustiani e joyciani di *Axel's Castle* all'interpretazione ragionata del leninismo in *To the Finland Station*, dallo scintillante giornalismo letterario degli anni Venti newyorchesi agli svariatissimi interessi della maturità capricciosa e altera. Gli ultimi selvaggi. I manoscritti del Mar Morto. La grammatica russa. L'imposta sul reddito. Il *Dottor Živago*. Il Marchese de Sade. L'etnologia degli Irochesi. La Guerra Fredda. La letteratura popolare della Guerra di Secessione. La cultura canadese... Nonché un suo svago favorito: dileggi e vessazioni per T.S. Eliot.

Tanti anni fa Wilson si era proposto d'inventare un «genere» letterario indispensabile per la salute d'una società letteraria: la recensione «ad alto livello» ma di grande leggibilità. In America non esisteva. Subito il lavoro di Wilson ha superato ogni fastidiosa querelle (anche futura) tra critica recensoria o giornalistica e critica accademica o specializzata, respingendo come aperto nonsenso quella ripartizione in categorie, irrilevante rispetto alla Grande Critica fatta dai Grandi Scrittori.

Con quali mezzi? Sotto quali forme?... Un intenso interesse per i libri di cui si parla (e per i loro autori, per il loro tempo)... Una profonda scaltrezza nell'uso indipendente del mestiere giornalistico... Infine, la puntigliosa passione di «fare soprattutto degli articoli che possono diventare saggi, i quali, a loro volta, diventeranno libri».

Così Wilson dimostrava (intanto) che non c'è nulla che non si possa fare con lo strumento della recensione, «modo» polimorfo capace di tutto, «genere» goloso e invadente e disposto a tutto – perfino a usurpare mansioni e funzioni di qualunque altra forma letteraria...

... Ma così (inoltre), il Gran Critico – e Grande Scrittore – sa risultare ugualmente geniale e sottile e sofisticato e impegnatissimo, sia nei vasti saggi che richiedono dieci anni di schedature, sia nei pezzetti «d'attualità» estemporanei e brillanti e apparentemente «buttati giù in una sera». Wilson *recensisce tutto* con la stessa ilare alacrità di Chaplin imbianchino quando, con una pennellessa in mano, dipinge assolutamente ogni cosa che gli càpita sotto. E l'appetito sembra abbondante come nel '25. Né la volgarità né l'eccentricità né la scemenza né la rarefazione riescono ad arrestare la gran macchina della curiosità di questo illuminista dalla testa dura. Divora quietamente, per gli altri e per sé, una gran massa eterogenea di curiosità soprattutto locali: la saggistica di John Peale Bishop, la narrativa di James Branch Cabell, il giornalismo di H.L. Mencken, le memorie di Sheilah Graham (tardiva amante di Scott Fitzgerald), la favolistica in *slang*, i miti cavallereschi del Vecchio Sud, i fasti yankee del New England. Sogguarda con diffidenza i pallidi prodotti della «seccante» e «deludente» Inghilterra – il «fenomeno» Kingsley Amis, il proustismo di Durrell, le ricorrenti stravaganze dei *dons* di Oxford – occasionalmente lieto di riconoscere l'emergenza di Angus Wilson, la capacità di Auden, i limiti di Snow, le ire di Leavis, la monotonia di Powell, i pregiudizi di Nicolson... S'incuriosisce continuamente per gli epistolari e gli inediti di letterati recenti e defunti – Shaw, Beerbohm, Swinburne – e gli antichi interessi politici si ridestano a proposito di Laski, di Kennan, di Theodore Roosevelt. Mette qualche bastone fra le ruote a Malraux. Intervista volentieri se stesso, con verve amabilissima. E di tanto in tanto, serenamente, s'abbandona all'eccentricità lui medesimo: e allora, saggi sulle vespe, sui funghi, sulla sintassi ungherese, sui cartoons di Edward Gorey. Ma le sue «extravaganze» più accurate riguardano principalmente i luoghi comuni letterari contemporanei. E qui il capriccio funziona sovente come castigo.

Finalmente, negli anni Quaranta, si accinge a raccogliere i materiali per lo studio dei fondamenti della patria cultura, arrivando a riunire una quantità enorme di documenti quasi sconosciuti, con scrupolo d'archivista maniaco, e col fine di offrirli alla meditazione e all'ammirazione di un paese che rilutta a trovarsi faccia a faccia col proprio passato.

Se quindi, a un certo punto, quest'uomo volta silenziosamente le spalle a una nazione che non riesce più a riconoscere, e praticamente la rifiuta, e con la medesima alacrità intrepida passa a occuparsi successivamente degli aspetti etnologici delle civiltà primitive degli Zuñi, dei manoscritti del Mar Morto, della decadenza di T.S. Eliot, dei significati allegorici del *Dottor Živago*, delle traduzioni nabokoviane dell'*Evgenij Onegin*, della drammaturgia di Ferenc Molnár (letto nell'originale ungherese), e infine impiega parecchi anni studiando unicamente i costumi degli Irochesi, bisognerà pur cercare di intendere le ragioni per cui questo patrizio americano di origine inglese-olandese, amico-nemico di Hemingway e di Fitzgerald, arriva al termine della sua evoluzione intellettuale a trovarsi in una posizione morale molto simile a quella del nostro Lampedusa (che non per nulla – me l'ha detto lui – lo interessa straordinariamente).

Per capir meglio Wilson, si usa vederlo come «l'ultimo gentiluomo» che si sente d'essere, nella profonda convinzione di rappresentare l'estremo prodotto di una tradizione sociale e culturale, quella dell'aristocrazia puritana del New England, di cui Henry James è stato un frutto fra i più squisiti, e che si è dissolta almeno dai tempi di Theodore Roosevelt. A proposito della storia intellettuale dell'ultimo Ottocento americano, Norman Podhoretz osserva che la società chic della costa atlantica («the men in the clubs of social pretension and the men of cultivated taste and easy life») ha reagito in due maniere caratteristicamente dissimili, a seconda degli umori dominanti in due generazioni successive, alle straordinarie conseguenze dell'espansione economica che ha trasformato l'antica America a partire dal 1870.

Agli inizi della loro Età d'Oro, i giovani patrizi intellettuali laureati a Harvard e a Princeton e a Yale potevano provare tutt'al più risentimento e sgomento, di fronte a un gruppo di fenomeni che si presentavano per la prima volta, con un peso massiccio, a travolgere la «vecchia vita» e le sue «buone cose»: le invasioni di masse di immigranti dall'Europa orientale e meridionale, il predominio della «mentalità commerciale», la «bassezza di spirito» sempre più diffusa; e intanto l'attività politica cessava d'essere l'onorevole vocazione di una classe privilegiata, faceva presto a diventare uno sporco giuoco di *boss* corrotti. (Ancora oggi, attraverso certi isterismi di Faulkner, singolarmente analoghi ai bizzosi rimpianti di Blanche Du Bois nello *Streetcar Named Desire*, si sente bene lo sdegno impotente di una classe già dabbene che va in malora, di fronte alle «volgarità» imposte dall'invadenza degli ultimi venuti).

Ma una generazione dopo la situazione appariva ribaltata. Gli eccessi tipo Febbre dell'Oro andavano temperandosi da soli, e il «crogiuolo americano» aveva fatto il suo lavoro. Così i giovani intellettuali aristocratici, che intanto avevano letto Shaw, Wells, Nietzsche, Ruskin e Morris, avevano molta più fiducia nelle proprie capacità di dominare il «materialismo» della vita nazionale; e per di più sentivano finalmente il coraggio di rivoltarsi contro le repressioni imposte da quelle cupe virtù puritane che avevano reso infelice Twain e fatto scappare James. I meno ricchi e i più spregiudicati fra questi giovanotti si dichiarano addirittura «rivoluzionari»; e comincia a venir di moda il Greenwich Village.

A questo punto compare Wilson.

«La casa dove abito apparteneva alla mia famiglia e ora appartiene a me; è stata costruita con la pietra delle cave locali alla fine del diciottesimo secolo. Noi avevamo l'abitudine di passare l'estate qui a Talcottville. La riunione di famiglia nella vecchia casa, d'estate, era ancora a quei tempi una caratteristica della vita americana nell'Est, specialmente nello Stato di

New York. Man mano che il West si spalancava, le famiglie del nostro Stato cominciarono a disperdersi sempre più lontano, e questi posti diventarono *points de repère*: avevano una vera funzione unificatrice e stabilizzatrice. Come la mia generazione crebbe, e i più anziani morirono, noi non tornammo più a Talcottville così spesso. Lo trovavamo un posto noioso, e preferivamo andare in giro; eppure ogni tanto mi piaceva venire quassù da solo, quando non trovavo niente di meglio da fare, e passavo settimane ininterrotte di lettura, passeggiando o facendo dei lunghi bagni nel fiume ogni pomeriggio...».

Queste «riflessioni dell'autore a sessant'anni», al principio del decimo e ultimo saggio (dopo gli altri nove dedicati alla religione, agli Stati Uniti, alla guerra, all'Europa, alla Russia, agli ebrei, alla educazione, alla scienza, e al sesso) nel breve libro *A Piece of My Mind*, tra le cose migliori che Edmund Wilson abbia mai scritto, mostrano chiaramente la «specie di radicalismo stoico e pugnace, carico di una viva pietà emotiva per il passato» che Angus Wilson ha notato in tutta l'opera del vecchio savio; e certamente non mi sembra di conoscere un'altra autobiografia intellettuale moderna così semplice e alta, lucida e commovente, se non le pagine di Santayana sul «campus» di Harvard e il *Contributo alla critica di me stesso* di Croce. Le sue poche parole a proposito del mondo morale perduto del padre e degli zii, e del crepuscolo di tutta la loro generazione, sono impressionanti molto più che non le analisi dei giovani eruditi venuti dopo a studiare lo stesso periodo:

«Essi erano stati educati a Exeter e Andover e in una Princeton che era ancora la stessa del diciottesimo secolo. In seguito si erano preparati, come i loro padri, per quelle che una volta si chiamavano le professioni colte; ma poi avevano dovuto avere a che fare con un mondo in cui questo genere di educazione e il tipo di ideali che essa osservava non contavano in realtà quasi più nulla. Questi uomini, dal momento che avevano finito gli studi, venivano sottoposti a confuse tentazioni, pressioni formidabili, insidiose diversioni di propositi; e le disgrazie fra di loro furono terribili. Dei migliori compagni d'università di mio padre, non ne rimaneva più nessuno, quando arrivò sulla trentina: tutti gli altri erano morti, e alcuni si erano suicidati. Mio padre, quantunque avesse molto successo, non si curava di accumulare denaro o di tenersi alla pari con le abitudini di lusso, che dalle nostre parti arrivavano addirittura alla stravaganza. Come molti americani che avevano studiato Legge, in gioventù aveva pensato di dedicarsi alla politica; e c'è una lettera indirizzata a mia madre da Exeter – scritta nel 1880, quando lei studiava alla Abbot Academy – dove è incluso un ritaglio di giornale che parla della visita alla scuola di un candidato repubblicano per il posto di governatore: "Questi ragazzi della Phillips Academy" dice il giornale "sembrano proprio splendidi; ci devono essere parecchi futuri governatori in mezzo a loro, e certamente qualche prossimo presidente". A Princeton mio padre era diventato famoso come oratore; ma la carriera politica in cui aveva sperato era concepita nei classici termini repubblicani...».

Basta voltare una pagina, ed ecco il termine ultimo del dramma: «Alla fine sono arrivato alla conclusione che come americano io appartengo più o meno al diciottesimo secolo (o, tutt'al più, mi trovo non troppo dopo gli inizi del diciannovesimo). Non guido la macchina, e mi piace poco viaggiare in quel modo; non ho mai fatto progressi oltre la bicicletta. Non posso sopportare la radio; però suono spesso il grammofono, che mi dà, come non può darmi la radio, esattamente la musica che voglio, esattamente quando la voglio. Ho visto pochissimi programmi alla televisione, e non vado quasi mai al cinema (una parola che continuo a detestare come la prima volta che l'ho sentita). Ho smesso di cercare di vedere di prima mano quello che succede negli Stati Uniti; e i miei movimenti seguono tutti un ordine regolare, che mi permette di evitare le cose che mi annoiano e mi dànno fastidio. Vivo di solito in due case di campagna vecchio stile: Wellfleet in Massachusetts e Talcottville nello Stato di New York, con visite di qualche giorno, o settimana, o mese, a New York e a Boston, dove rivedo i miei vecchi amici e tratto i miei affari, e gite occasionali a Washington, Charlottesville e Princeton. Non voglio mai più essere seccato da quel genere di conflitti contemporanei che avevo l'abitudine di andare a esplorare. Non muovo neanche un dito per tenermi al corrente con i giovani scrittori americani; e spero solo di avere il tempo di arrivare alla fine di qualcuno dei classici che non ho mai letto...».

Eppure questa è la voce di un uomo sempre vissuto con la passione del vivere *dentro* i fatti della cultura, conoscerli di prima mano, capirli, spiegarli, e illuminare gli altri «notabili», col sentimento di consapevole americanismo di una vecchia élite anglosassone fiera di aver superato la crisi decisiva, e con la fiera baldanza congratulatoria degli autori degli anni Venti quando sentono di essersi messe sotto i piedi le forze maligne che hanno fatto a pezzi Twain e Melville. Né d'altronde saprebbero immaginare una prossima alterazione della Grande Atene Moderna, corrosa dai moti più oscuri di una sociologia catastrofica, oltre che dalla repressione dei propri spasmi più vitali e più inconfessabili...

Wilson tornerà sempre del resto, inevitabilmente, indietro a questa, che è la sua grande epoca: gli anni in cui lo scrittore era nuovamente pieno di fiducia nel valore delle idee, e il successo commerciale di libri e articoli di un indimenticabile gruppo di coetanei poteva ben dare a lui – come a Fitzgerald, a Dos Passos, a Hemingway, ad Anderson, a Lardner, alla Stein, e a tutto il resto del loro «All-Star Literary Vaudeville» – la sensazione precisa di stare lavorando ad arricchire la tradizione in mezzo all'attenzione affettuosa e alacre di una comunità socialmente e intellettualmente omogenea.

Mai dimenticare che Wilson è soprattutto uno straordinario giornalista – e ci tiene molto, l'ha sempre ripetuto lui stesso –, tanto vero che i suoi libri più riusciti sono raccolte di saggi già apparsi sotto forma di articoli nelle riviste più diverse (mentre non è il caso di ricordare le sue scarse opere narrative, che valgono poco, e i suoi versi, che sono addirittura orridi). La sua incredibile attività durante gli incomparabili anni Venti è quella di un uomo talmente entusiasta della vita culturale del proprio tempo da andarne a esplorare gli aspetti più diversi con lo stesso calore di intelligenza, e sapienza, e partecipazione, e simpatia, e con la stessa serietà intellettuale che gli viene dalla tranquilla certezza – ancora secondo Podhoretz – che la Repubblica delle Lettere abbia una esistenza non meno concreta e tangibile della Repubblica francese. Basta del resto osservare il mirabolante pot-pourri di *The Shores of Light* e *Classics and Commercials*, per vedere subito come i suoi interessi divorino assolutamente tutto, letteratura di tutti i tempi, arti figurative, musica, spettacoli d'ogni tipo, dal teatro al cinema al *café chantant*, e più d'un curioso *fait divers* di costume newyorchese, e lui veramente appaia sempre in moto da Dante a Cechov a John Barrymore a Dorothy Parker, da Jane Austen ai clowns e ai thrillers come a Catullo e a Proust: e la passione è veramente pari alla convinzione che tutto ha un senso e *tout se tient*.

L'orribile momento della Grande Crisi trova Wilson impegnatissimo in un lavoro tutto «specializzato», per una volta, e di dimensioni assai ampie. Si trattava adesso di spiegare criticamente a un vasto pubblico colto americano il senso dell'epifania dei simbolisti; e non sono certo ancora finite, specialmente da parte dei New Critics, le discussioni sul presupposto che esistesse davvero un pubblico americano così colto e vasto da seguire quelle sottili analisi testuali dell'opera di Proust, Joyce, Eliot, Valéry, Yeats... Non si sono mai più visti, intanto, libri di «divulgazione» a un livello così alto come *Axel's Castle*; e del resto una delle conseguenze del disastro economico del '29 fu probabilmente quel distrarre o disperdere tutto un possibile tipo di lettori «illuminati»... Già le sue considerazioni sulla rivoluzione simbolista terminavano con la curiosa riflessione che «ricomincia a farsi pressante il problema se è possibile riuscire a fare un successo pratico della società umana, e se, continuando noi a mancare a questo compito, bastino pochi capolavori, anche i più profondi e i più nobili, per rendere la vita degna d'essere vissuta anche per la poca gente in grado di apprezzarli». Maturo, dunque, per cadere nelle stesse trappole di Gide e di parecchi altri, anche Wilson parte per il suo viaggio in Russia nell'anno più giusto o più sbagliato, il '35, e ne ritorna con alcune osservazioni abbastanza singolari sulla somiglianza fra l'Unione Sovietica e gli Stati Uniti nell'eliminare le differenze di classe, sulle loro comuni divergenze con la vecchia Europa un po' amata e un po' respinta dall'orgoglioso yankee isolazionista, e sul bene che l'ideale socialista potrebbe sicuramente fare agli americani «molto più che non agli stessi russi».

Da questo momento, e per qualche anno, le straordinarie doti di intuizione e di lucida applicazione di Wilson vengono interamente dedicate a un lavoro che è insieme storico, biografico e ideologico: *To the Finland Station*, la storia degli sviluppi della dottrina socialista dalle prime origini utopistiche a Marx ed Engels fino a Lenin e Trotzkij. Il cammino dalle letterature classiche al simbolismo rivoluzionario e socialmente innovatore viene cioè ripetuto qui in termini politici, dal liberalismo tradizionale un po' *whig* a una specie di radicalismo umanitario, un mitico materialismo dialettico che si propone di cambiare il mondo però sbatte subito contro gli angoli di un individualismo fin troppo risoluto, inevitabili dato il carattere del personaggio Wilson.

Ecco quindi un equivoco che non poteva, anche nel suo caso, durare a lungo. È bastato che i giovani intellettuali americani di sinistra, alla vigilia della seconda guerra mondiale, esagerassero un po' con quelle fissazioni venute poi di moda anche da noi, di cercare subito in un libro il suo significato sociale, senza guardar troppo se sia bello o brutto, perché Wilson cominciasse a disgustarsi col pensiero marxista. Durante un esaurimento nervoso, verso la fine degli anni Trenta (se ne vedono tracce nelle meditazioni sulla neurosi e la malattia, nei saggi di *The Wound and the Bow*), ebbe modo di riflettere a lungo sulle cause, differentissime, del doppio fallimento degli anni Venti e degli anni Trenta nel suo paese; e ne venne fuori con un rifiuto doloroso e patetico del presente, e insieme del recente passato, sempre più convinto che nulla conti al di fuori della personalità individuale e delle forze dello spirito. A questo punto, alla vigilia della guerra, Wilson si ritira definitivamente nel passato di un'America puritana, rurale e frugale, elegantemente isolazionista, piuttosto libresca, fedele ai princìpi morali di Emerson e di Thoreau; e non arriva mai più al di qua della Amministrazione Theodore Roosevelt, con la sua «grande flotta bianca» che caccia la Spagna dal continente e difende gli ideali repubblicani «storici». I suoi incredibili furori contro l'Inghilterra – e più tardi contro il «traditore» Eliot – sembrano addirittura invettive di un ufficiale bostoniano ferito nella battaglia di Lexington...

Questo nazionalismo repubblicano non gli ha però impedito di imparare negli ultimi anni il russo e l'ebraico e l'ungherese per capire bene le finezze di Turgenev e della *Genesi* e addirittura di Ferenc Molnár, né di dedicare qualche settimana o qualche mese a un argomento «extravagante» che lo affascina di tanto in tanto nella cultura europea oramai messa al bando; ma la maggior parte del suo lavoro recente si è venuta svolgendo sui testi dei vecchi scrittori americani da raccogliere nei grossi volumi di *The Shock of Recognition*, per tracciare nella letteratura nazionale una certa linea «patriottica» e anche abbastanza conservatrice. E alla fine, apparentemente disgustato della civiltà *Wasp* di tutti i periodi, si è rivolto a uno studio lunghissimo e profondo dei costumi degli Irochesi, cercando di individuare presso di loro la «tradizione americana» più vera, e qualche auspicio di salvezza per un paese che giudica nelle condizioni più preoccupanti e sinistre.

Chiuso nell'amaro egoismo delle due case di pietra, uguale oramai a un rappresentante della tragica generazione di suo padre («troppi miei amici sono morti, o impazziti, o si sono convertiti al cattolicesimo, e fra questi alcuni dei più brillanti; e due si sono uccisi»), lasciando intendere che tutto quello che si fa in fondo non conta nulla, Wilson pare dunque attualmente scomparso; e gli scrittori più giovani, che ne parlano in termini di *post mortem*, assicurano che, con tutta la sua fede nell'importanza delle cose dello spirito e nella responsabilità degli scrittori per mantener viva questa fede nella civiltà, i soli due modi di trattare il suo caso sono di venerarlo, oppure di ignorarlo del tutto.

Allora ho chiesto di andarlo a trovare.

In estate ho cominciato a scrivergli per vederlo; stavo a Harvard, e le sue brevi letterine di risposta mi arrivavano da Talcottville su una meravigliosa carta di riso; ma partendo da Cambridge il viaggio lassù era troppo complicato. Il giorno dopo che avevo lasciato definitivamente Boston e il Massachusetts per New York, lui però passava nella casa di Wellfleet, in un'ansa appartata del Cape Cod che da Boston si raggiunge neanche in mezz'ora, con l'aeroplanino di linea che mi era già capitato di prendere più di una volta per passare i weekends a Provincetown. Allora, un paio di telefonate fra New York e Wellfleet – com'è vero che mai per incontrare un letterato europeo la trattativa è così complicata... – e finalmente un suo telegramma piuttosto brusco mi fissava un giorno e un'ora per arrivare con questo aeroplanino, aggiungendo che si sarebbe trovato all'atterraggio. Così, partendo da LaGuardia una mattina abbastanza tardi, si trova subito la coincidenza a Logan; ma è un giorno qualunque, e mancano i giovanotti gai con le loro borsine da weekend, nell'abitacolo solito. Ci sono invece una ragazza-gatto, in pelliccia di nylon, che fa le fusa accanto al pilota, un vecchio rubizzo in soprabito blu, altissimo, una grande sportiva arrossata col *Placido Don* in mano, e due vecchie signore chic, una in tailleur di shantung grigetto, l'altra in princesse cilestrina, una col cappellino di paglia, l'altra col turbantino di velluto, con la veletta tutte e due, a pastiglie, e vanno evidentemente a una cerimonia all'aperto.

Il tardo pomeriggio è stupendo sulla laguna, e si riverberano grandiosamente i raggi del sole che escono dalle nuvole e dalla nebbia, tra i fumi delle fabbriche altissimi. Passato il braccio di mare, l'aeroplano si abbassa, e ai margini del campo ho subito lo shock e l'impressione di vedere l'amico Pietrino Bianchi con un gran panama bianco in testa. La somiglianza fra i due è straordinaria: anche Wilson è piccolo, grosso, deciso, aggressivo, sicurissimo di sé, con la faccia rotonda e il colorito acceso, i capelli grigi tagliati molto corti, e una moglie alta e slanciata che guida la macchina. Tutti lo conoscono e lo salutano, e si ferma a parlare con parecchi. Subito si parte, però parliamo, e attacca subito a dare indicazioni circa certi studi dell'antropologo Lewis Morgan sulla società indiana primitiva. «Mi sento molto più ottimista di due anni fa, quando ho scritto quegli schizzi autobiografici» dice con calore; e osserva che il merito è in gran parte di queste ricerche sui costumi degli Irochesi: lo hanno riempito di speranza...

«Dopo la partenza dei missionari, una volta finito il loro la-

151

voro, è proprio sorprendente (ma càpita...) che nessuno si sia mai più occupato di studiare la struttura della loro società, o quel vero mistero che sono i loro rapporti col mondo attuale... Del resto anch'io fino a un paio d'anni fa non ne sapevo assolutamente nulla, e me ne sto interessando da un punto di vista storico, non critico... Le mie letture adesso sono specialmente di sociologia... Gli interessi, i più vari... Diciamo, più da illuminista che non da critico letterario... Insomma, tanto per semplificare: Diderot... *Toutes proportions gardées*, beninteso...

«Gli inglesi non hanno mai capito il senso della storia culturale del nostro paese» dice, mentre si arriva alla casa; entriamo. «Ma noi, come ci riempiamo di orgoglio ogni volta che si riconsidera quel meraviglioso periodo appena prima della Guerra Civile – i grandi anni 1850 – quando sono stati prodotti i più grandi libri della nostra letteratura, *Walden, Moby Dick, Leaves of Grass*, il meglio di Hawthorne, e magari uscivano quasi insieme *Hiawatha* e *Uncle Tom's Cabin*, ed erano al lavoro contemporaneamente Emily Dickinson e Oliver Wendell Holmes...». La casa è in realtà un complesso di minuscoli villini, con ali e dépendances costruite in successivi periodi, collegate da verande e corridoi dalle pareti chiarissime, con mobili e stoffe di pochi colori, dal marrone cupo al giallone al beige, tantissimi libri a ogni parete e tanti vecchi oggetti. «Poi la Guerra Civile ha interrotto tutto, si capisce; e la letteratura è andata a terra per parecchi decenni, squallidi e senza interesse... Bisognava aspettare almeno fino al 1910, e poi il vero Rinascimento americano non è arrivato che coi grandi anni Venti; e allora è stato splendido, incomparabile. Non potete avere una idea, voi, di cosa sia stata quella fioritura trionfale di tutte le arti, della filosofia, della letteratura, della critica, di tutto...».

Fra molte stanze non grandi, non saprei quale possa essere il suo studio: dati i tavoli, le scrivanie, i libri, i mucchi di riviste, almeno cinque o sei andrebbero benissimo. Sediamo, ed è quasi il tramonto, l'ora dei grandi bicchieri di whisky. «Cresciuti in quel periodo,» dice «come ci si sente diversi dalla gente venuta dopo... Che differenze enormi, intanto, al di qua e al di là di quella linea di demarcazione profonda che è stata la Grande Depressione... Addirittura, è necessario parlare in due modi tutti diversi, rivolgendosi a persone venute fuori durante l'uno o l'altro decennio... Non hanno mai più avuto una idea della nostra libertà, e della dissipazione immensa, di quello straordinario fermento intellettuale che è culminato nel New Deal... Però bisogna sempre tener presente che prima della Depressione c'erano anche molti più soldi in giro... e quindi una maggiore libertà... La *bourgeois gentility* aveva grandi possibilità di coltivare le arti, di viaggiare... E veramente la Depressione colpisce e ferma tutto... Bisogna improvvisamente che il lavoro diventi più pesante e più spiacevole... Un'intera generazione conosce per la prima volta che cosa sia la fatica... Uscivano dalle loro scuole, e non sapevano più cosa fare... Imparavano per la prima volta il valore dei soldi... E certo, adottavano il marxismo... E spesso, sempre non sapendo cosa fare, entravano nella vita accademica... Così, quasi indifferentemente... Si assomigliano tutti...».

Passiamo in un'altra stanza, più chiara, con le bottiglie e i bicchieri, ed è versato nuovo whisky. «Io sono molto tipico di quel periodo. I contatti li ho persi dopo; e i suicidi di parecchi amici cari hanno contribuito a tagliarmi fuori. Dopo la guerra, poi, tutto è ancora cambiato, e ora veramente il paese è una cosa diversa; e la letteratura, anche. È una illusione ottica europea il credere che abbia un senso attuale da noi la letteratura di ieri che voi amate, Dos Passos e Hemingway...».

«E Faulkner, allora?» chiede rientrando la signora Wilson. Ma lui risponde con un sospiro.

«Dos Passos e io abbiamo in fondo lo stesso tipo di rapporti coi giovani che gli scrittori della *fin-de-siècle* avevano con noi; ed è molto malinconico. La questione è poi che quelli sono morti; mentre noi siamo qui, ancora vivi... L'unico nella grande tradizione, quella degli anni Venti, mi pare Salinger...».

«E il nostro Updike?...» chiede la moglie.

«Sì, è bravo, viene su bene, anche lui un rampollo del "New Yorker", molto rarefatto... Dicono che ha scritto un bel romanzo breve, *The Poorhouse Fair*, molto scarno, molto insolito... Ma cosa c'entra? Io leggo Dante, leggo Puškin, e più si va avanti più preferisco questo tipo di grandissime personalità, che non hanno mai subìto influenze da altri... e tanto più grandi per questo... O sentire Verdi, grandissimo, vivissimo, romantico, vero... Puškin, certamente, che ha *fatto* Gogol, Turgenev, Lermontov, tutti insieme e prima di loro... E Dante, immenso per tutti, per tutti... anche per un vecchio scettico umanista protestante, che lo rilegge adesso, e trema... Ho letto la *Divina Commedia* nei miei giorni di scuola, verso il 1913-16, e in un lungo viaggio in Italia nel 1921 (Venezia, Pisa, Firenze...) la cosa che più mi colpì fu proprio una Lectura Dantis a Firenze: che bellissime declamazioni... Dos Passos l'ha letta, la prima volta, per merito mio! L'ho persuaso, non la conosceva... Ma l'ha trovata subito straordinaria... piena di suspense, poi, diceva... Vi si è but-

tato dentro, per una settimana non è più riuscito a far niente...
E anche se non pensava, come me, che l'ultimo canto è la cosa più grande in tutta la letteratura d'immaginazione... rimase
sconvolto dalla gran forza del pensiero politico di Dante... "Ma
allora noi abbiamo sbagliato tutto!" è venuto a dirmi. E non
voleva più scrivere... L'ha riletta tre volte, subito!».

Sembra il momento più giusto, quest'ora crepuscolare, per
chiedergli se magari anche Scott Fitzgerald leggeva Dante: questo Fitzgerald amico e piuttosto discepolo di Wilson a Princeton, lanciato e consigliato da lui con affetto, e nello stesso tempo sempre considerato niente più che uno sciocchino igno-
rantello e incapace, pieno per caso di incantevoli doti.
Ma Wilson, col suo bicchiere in mano, brontola, sbuffa: «Cosa volete mai che leggesse... quello... Brava persona... prodi-
giosamente dotato... ma non sapeva nulla...». «Come, non leggeva?». «Libri seri, mai». Eppure, nelle note postume del famoso volume *The Crack-up*, edito proprio da lui, Wilson, «*assign-
ing commas, setting accents right*», come dice in quella prefazione che è una delle sue cose più commoventi, si parla di Maupassant, di Flaubert, si dànno giudizi... Ma Wilson seccato borbotta ancora che «per carità di patria è meglio non andar tanto a
rivangare in quello che abbiamo dovuto metterci noi, in quelle note» (o forse, probabilmente, ma non credo, sono io che
capisco male: fa buio e si parla a voce bassa, bevendo...). «Ma
allora non li leggeva, Stendhal, Balzac?...». «In francese, certamente no, mai, neanche una riga; li avrà visti magari in qualche
pessima traduzione di terz'ordine. Per quanto... no: Stendhal,
mi pare proprio che non lo conoscesse».
Proviamo una domanda stupida: vuol bene ai romanzi? Ma
me lo risponde immediatamente, che è stupida: «Non ci penso mai; la *Divina Commedia* certo è un romanzo; e allora! *Ulysses*
cos'è?... Non ho mai pensato a un romanzo come "un romanzo"...». E accende la luce; e andiamo a mangiare.

La cena è semplice e breve (pesce, riso in salsa rossa, crema,
vino), con la moglie e la figlia, una grossa bambina di dodici
anni che ne dimostra sedici, e va a cavallo sulle dune, bionda,
con la sua stessa faccia, silenziosa.
«Però, l'umore va veramente molto meglio che non due anni
fa» insiste, davanti al suo tortino. «E sono stati i due anni passati a interpellare capi indiani!». Qui viene fuori tutta la straordinaria storia che ha assorbito i suoi interessi per tanto tempo, ed
è stata raccontata in parecchi articoli sul «New Yorker» e nel

volume *Apologies to the Iroquois,* pieno di quei suoi nuovi motivi di speranza che vengono proprio solo dagli indiani, in quanto testimoni di una tradizione americana più autentica delle altre, e prova evidente – secondo lui – della possibilità che una tale tradizione possa essere mantenuta.

È chiaro che l'argomento lo appassiona, e vorrebbe parlarne a lungo volentieri; ma la moglie, che non lo abbandona un attimo e frena le sue esclamazioni, suggerisce che non sarebbe corretto, perché è un momento difficile, il libro sta per uscire, e non sarebbe opportuno anticiparne brani lunghi o corti a chicchessia. Quindi lo induce con garbo a ripetere piuttosto notizie già apparse sul «New Yorker» e non soggette a copyright.

(Mi scriverà, poi: «Le mie inibizioni a discorrere sul libro indiano non c'entravano con questioni di copyright, erano dovute semplicemente al fatto che non volevo lasciar riferire di seconda mano le mie critiche al governo federale e statale per la loro conduzione dei casi indiani allora pendenti in giudizio prima che questi non fossero stati risolti, e prima che io stesso decidessi precisamente che cosa ne avrei scritto...»).

Dopo aver creduto per anni – come tutti, del resto – che gli indiani superstiti delle grandi stragi non fossero altro che attrattive patetiche e passive per i turisti, e non si occupassero altro che di finte danze rituali, bevute di pessimo whisky, e fabbricazione di pantofole, Wilson si è dunque reso conto a un tratto, e come per caso, del loro deciso risveglio nazionalistico, della loro identità altamente consapevole; e ha cominciato a interessarsene con passione, forse in seguito alle delusioni provate a contatto degli europei e degli americani bianchi (fra cui non trova proprio più nessuna differenza culturale), forse anche guidato dalla tendenza attuale di tutti i suoi connazionali verso film e spettacoli televisivi di carattere western, che può essere un segno sia di nostalgia per il buon tempo antico quando tutto nella vita era più semplice e sano, sia anche dell'ancestrale rimorso a causa dell'espansione ottenuta per mezzo del genocidio.

Gli indiani di cui si è occupato formano una comunità particolare di oltre ventimila persone, detta la Confederazione delle Sei Nazioni; e vivono a poca distanza da casa sua, nella parte settentrionale dello Stato di New York, e al di là del confine canadese, presso Montréal. Nessuno ne parla mai; ma il loro status è assai curioso: non sono cittadini americani, non votano, non pagano tasse, e i loro rapporti col governo degli Stati Uniti sono regolati da speciali trattati vecchi di due secoli; per trarre profitto dall'osservanza di queste antiche clausole, hanno sviluppato una sensibilità giuridica che ha del diabolico, e si attaccano a ogni pretesto per trascinare il governo di Washington davanti a tribunali di ogni ordine e grado. Nel 1916 hanno dichiarato guerra alla Germania; ma non nel '41; cercano di essere ammessi alle Nazioni Unite, come entità statuale distinta; sono perfettamente al corrente degli sviluppi dei nuovi Stati che emergono in Asia e in Africa, e sanno tutto delle lotte razziali nelle diverse parti del mondo; scambiano emissari e promesse con Fidel Castro; e naturalmente Kruscev sapeva bene che cosa stava dicendo, quando ribattendo a Dulles che lo accusava di opprimere l'Ungheria, gli ha risposto secco di pensare piuttosto ai poveri indiani conculcati di casa sua.

Uno studio di Joseph Mitchell, *The Mohawks in High Steel,* racconta la straordinaria storia del risorgere della loro coscienza nazionale, in circostanze incredibili. Da generazioni dunque gli indiani avevano assistito dalle valli dove erano stati cacciati al sorgere di immense imprese e all'accumularsi di immense fortune sulla loro antica terra: dighe, autostrade, fabbriche, grattacieli. Sempre più attaccati ai princìpi che non al denaro, avevano ceduto per poco o niente diverse zone delle loro terre, soddisfatti tutt'al più di venire trattati da pari a pari, quasi come una nazione sovrana. Ma negli anni recenti, osservando crescere le impalcature sempre più alte di tubolari d'acciaio che si usano ormai in tutte le imprese di costruzioni, molti di loro rimanevano tanto affascinati dallo spettacolo dei tubi che andavano su, che dopo qualche tempo di osservazione silenziosa e attentissima hanno cominciato a chiedere di salire, per la sola gioia di arrampicarsi, e a passeggiarvi sopra di notte, con entusiasmo da bambini. Naturalmente è andata a finire che le imprese hanno offerto grosse somme perché si fermassero a lavorare, in posizioni dove qualunque altro operaio rilutta a spingersi; e gli indiani hanno accettato subito. Sono felici di andare sempre più in alto, correndo sui tubi come quando mettevano un piede esattamente avanti l'altro per traversare i loro torrenti su un palo; non soffrono di vertigini, e non cascano mai.

Attualmente ce ne sono molti gruppi in giro per gli Stati Uniti (e parecchi sono impegnati nella costruzione del grande canale del Saint Lawrence), in cerca di lavoro da un posto all'altro, con la medesima intraprendenza dei loro antenati: con la differenza che questi tornano a casa carichi di dollari, televisori, automobili, invece che di pelli di animali uccisi. Dappertutto dove si trovano, si mantengono uniti e conservano tutte le tradizioni della vita di clan (pochi parlano inglese, e quei pochi con l'accento delle truppe britanniche del '700, detesta-

156

no specialmente i francesi, sempre per antichi rancori, qualcuno è cattolico, qualcuno protestante, la maggioranza è pagana); saltano sulle loro automobili ogni volta che c'è bisogno della loro opera, partono veramente come in spedizione, ma invece di correre dietro ai nemici, afferrarli per il ciuffetto di capelli sul cranio raso, e scotennarli, naturalmente aiutano a costruire una civiltà che hanno sempre sentito ostile o indifferente; però non se ne lasciano influenzare affatto, e appena finito tornano alle loro baracche, al regime di vita primordiale e matriarcale della loro tribù.

V.S. Pritchett avrà adesso ragione di osservare che in un momento pieno di curiosità per la rivolta «beat» contro il «modo di vivere americano» simboleggiato nei grandi organismi e nell'«uomo dell'organizzazione», allora *i veri Beats sono questi indiani...* Ma il lato più singolare della ribellione indiana è che si manifesta molto più sottilmente attraverso continue azioni giudiziarie: per esempio, attualmente il grande progetto della diga del Niagara, con lavori per l'ammontare di una incalcolabile cifra di milioni di dollari, è tenuto bloccato da una azione finora vittoriosa davanti alla Corte Suprema da parte di una tribù indiana che non vuol cedere un suo pezzetto di terreno, si oppone con la resistenza passiva a qualunque tentativo di espropriazione – trattati alla mano – e ride in faccia a tutte le offerte di colossali indennizzi che naturalmente le vengono fatte. Non solo: ma con la forza dell'esempio stanno contagiando buona parte della popolazione bianca, rimorchiata ad avanzare rivendicazioni a cui prima non aveva mai certo pensato: la difesa del paesaggio, tanto per cominciare.

«È gente che pensa continuamente alle proprie origini mongoliche,» spiega Wilson «e sono perfettamente al corrente di quello che sta succedendo in Cina. Sanno benissimo che l'India è riuscita a liberarsi, che il Ghana è ora uno Stato indipendente, e che l'Algeria sta lottando per diventarlo presto. Oramai hanno capito che i bianchi perdono terreno, e cominciano ad essere apertamente stufi, come del resto le altre masse colorate, della loro prepotenza. Dopo decenni di immobilità obbligata, ora trovano che è il momento favorevole per affermare la propria identità nazionale, perché si rendono conto lucidamente che dopo tutte le nostre chiacchiere contro i russi e i tedeschi, loro sono in grado di ricattarci, facendoci fare la figura degli oppressori, in nome degli antichi trattati... Cuba ha già promesso di appoggiare la loro richiesta di ammissione alle Nazioni Unite... È l'eterno gioco delle minoranze...

Come quando si diceva in Europa che le difficoltà dell'Inghilterra sono tante buone occasioni per l'Irlanda... E non senza ragione in una delle loro feste rituali più popolari si vede un serpente bianco che succhia il sangue al serpente rosso, ma poi arrivano un serpente giallo e un serpente nero...».

Nonostante un po' di gotta, Wilson è andato a vedere numerose cerimonie presso gli Irochesi, sempre benissimo accolto, specialmente dai più giovani; e ha cercato di vederne i significati antropologici e psicanalitici: però si fa tardi, e del resto queste descrizioni finiscono per costituire uno dei capitoli più interessanti di questo nuovo libro, che si chiama *Apologies to the Iroquois* (cioè «Scuse agli Irochesi»), proprio perché lui intende sinceramente scusarsi con loro per non essersene mai occupato prima, quale patriota americano pensoso delle sorti della nazione. È inutile aggiungere che li ama molto – si vede benissimo – e sta dalla loro parte fino al punto di dichiarare che gli americani, pazzi come sono ad affidare la società moderna nelle mani dei tecnici che stanno distruggendo la vera essenza del paese, avrebbero tutto da guadagnare ispirandosi alla serietà e alla consapevolezza degli indiani, nella loro difesa dei valori autentici e fondamentali e della «identità» profonda dell'antica America, che non vanno sacrificati o confusi con le dighe e coi grattacieli: «altrimenti ci si dimostra stupidi come chi lascia liberi i castori in un bosco...».

Dopo cena, si chiacchiera a lungo, davanti al camino acceso, di comuni amici, dei loro libri, delle loro mogli; e poi, sopra un po' di brandy, di quel viaggio in Italia nel '21, e dell'altro viaggio, quello da cui è nato *Europe Without Baedeker* (di cui non parla troppo volentieri), nel '45, con Alvaro, Morra, Moravia, Silone. E poi ancora Verdi, «autentico romantico», il *Macbeth* sentito adorandolo, col libretto alla mano; e Menotti, e Britten, «geni teatrali, ma la loro musica è graziosa anche al grammofono».

E il teatro? Male: Miller, rozzo; Beckett, va benissimo; il resto, non esiste.

E questi scrittori nuovi, insomma?

«Macché. Sto anche degli anni senza occuparmene, perché non mi interessano proprio niente. Ci sono tante cose che mi importano di più; per esempio, curare una edizione di Classici Americani, che incredibilmente manca. Esiste solo una piccola collana di classici del New England, ma è veramente troppo modesta. E invece bisognerebbe cominciare una grande collezione sul tipo dei Classici Laterza».

(Ancora una sua correzione: «Henry James non era un New Englander e non amava troppo il New England. In uno dei suoi volumi autobiografici dice qualcosa come "nessuno con un minimo senso delle differenze regionali americane avrebbe mai potuto scambiarci per dei New Englanders". I James erano una famiglia irlandese di Albany, New York, dove si era stabilito il nonno appena arrivato dall'Irlanda. E neanch'io sono un New Englander: la famiglia di mia madre emigrò dal New England allo Stato di New York alla fine del diciottesimo secolo, e gli antenati di mio padre furono tra i primi pionieri a stabilirsi nella parte centrale dello Stato»).

La moglie interviene ancora spesso, a suggerire che un argomento o l'altro può essere *off-the-record*, e così arriviamo presto alla fine. Cosa sta facendo? Prepara, da anni oramai (dal '54), una raccolta di documenti sulla letteratura della Guerra Civile, «fatta da chi vi ha partecipato»: è l'argomento del primo corso mai tenuto da lui, princetoniano, a Harvard, per questo anno accademico; e ne verrà fuori naturalmente un nuovo libro, sui materiali delle lezioni. Ma sono le dieci, e va a dormire. La signora Wilson mi guida a un alberghetto vicino, graziosamente coloniale, coi vecchi peltri e le antiche caraffe.

Torno a uscir subito, e la notte è buia, fredda: tira vento dal mare, e vien giù una pioggerella leggera, e bagna le canne ai bordi della strada di campagna. Suona un campanilino; non c'è in giro nessuno. La passeggiata e il molo sono deserti. C'è una osteria di falegnami, verniciatori di motoscafi, ma con poca gente: un juke-box spento, una donna anziana in calzoni, poche chiacchiere, birra, freddo. A letto subito.

La mattina dopo la signora Wilson passa con la macchina, per portare la figlia al galoppatoio e me all'aeroporto. Porta tanti saluti, ma lui sta lavorando alle lezioni per Harvard; e lei ne approfitta per cercare di togliere quelle impressioni di ostruzionismo della sera prima: «Lui parlerebbe sempre, di tutto, ma su molti argomenti trovo che non sia opportuno, quando certi giudizi possono poi venire divulgati, oppure se si anticipano delle riflessioni che sono *copyright* di qualche rivista... e allora non è corretto, non le pare?».

«In realtà, legge tutto,» dice poi, già davanti all'aeroplano «ma è naturale che gli interessino specialmente i giovani inglesi o francesi. Quali? Non credo che sarebbe molto corretto renderlo noto; però so che giudica Genet il migliore di tutti: e anch'io del resto penso così». (Lei appartiene a una distinta dinastia dello *champagne*, in Europa).

Così riparto per Boston e per New York. Stavolta c'è una sola passeggera, ma è molto vestita: colbacco di peluche verde, soprabito beige con una losanga marrone alta un metro sulla schiena, stola di visone chiaro, tacchi alti; e va direttamente a Los Angeles.

Un anno dopo, ricevendo questa intervista sulla «Illustrazione Italiana»: «Speravo che almeno stavolta un italiano mi chiamasse *il* Wilson, e invece è andata male: nessuno mi conferisce quel vostro articolo che mi piace tanto»...

Due anni dopo: «Era uno scherzo. Max Beerbohm una volta ha fatto una caricatura di Ezra Pound in Italia, e l'ha chiamata *il Pound*. EW».

Poco più tardi, visita dei due Wilson a Roma, e pranzo di quartiere: cioè, aperitivi da me in via del Consolato, pochi passi a un'effimera brasserie spagnola in via Giulia (suggerita da Paolo Milano, ma poco buono), e finalmente da Mario Praz nella «Casa della Vita».

Wilson, a tavola tra Giulia Massari e Franca Valeri, fa i complimenti alle belle manine bianche della Franca. Paolo gli chiede cosa gli faceva da mangiare Mary McCarthy quando erano sposati. Smorfia: un pentolone di *all purpose food* ogni lunedì, da riscaldare durante la settimana. Praz e Gabriele Baldini discorrono di ruoli e di cattedre, e non intrattengono troppo l'ospite.

Poi, chez l'Anglologo, un paio di marionette automatiche vengono tratte di sotto i divani, e danzano caricate a molla mentre siamo alle prese con liquori variopinti.

Ne uscirà un magnifico pezzo sul «New Yorker», intitolato *The genie of the Via Giulia* (ovvero, «genietto»): eccelso ritratto di Praz, «prima di tutto, artista» e «personalità unica che si esprime attraverso la propria arte in connessione con qualunque argomento di cui tratti», nonché inventore di una categoria, *il prazzesco*, «combinazione privata e irripetibile di macabro e stravagante e grottesco e incongruo e bizzarro»: «I suoi libri sono gabinetti di curiosità. Nulla Praz assapora meglio che un pezzo di mostruosità poco nota...».

BROADWAY & SUBURBIA

UNA STAGIONE A BROADWAY

Un europeo moderno arriva a New York ingordissimo di teatri, e sa già di fermarsi parecchio tempo. Per prima cosa apre i giornali alla pagina degli spettacoli, trova una trentina di titoli. E certamente conosce parecchi nomi: se vede scritto Arthur Miller o Helen Hayes o Tallulah Bankhead dovrebbe pur sapere cosa aspettarsi. Si sarà letto magari un po' di Harold Clurman o di Eric Bentley, di Francis Fergusson o di Mary McCarthy. Ma anche con dietro una larga conoscenza diretta dei palcoscenici italiani e inglesi e francesi, davanti alla maggior parte di questi annunci non riesce a orientarsi subito. E non lo aiutano poi tanto le pubblicità specializzate della rivista «Cue» («la guida completa ai divertimenti di New York e dintorni»), né le insegne luminose che si trova davanti, una appiccicata all'altra, appena fatto qualche passo intorno a Times Square. Questa «Theatreland» è in fondo un territorio abbondantemente sconosciuto, dove tocca sempre avventurarsi senza guide. Infatti, al di fuori delle riflessioni di qualche talento privato, la piattezza, la povertà di idee, l'inettitudine dei critici drammatici tenutari di rubriche a New York è un luogo comune ormai tanto proverbiale che non fa più neanche ridere; neanche scherzare con quel giochetto che si fa in provincia e consiste nel prevedere per una qualunque «prima» italiana ogni recensione del giorno dopo (non già giudizio ma riassuntino; mai un «benissimo» o un «malissimo» o comunque uno sbilanciarsi: sempre un mite, indifferenziato «benino»), ogni frase d'apertura e chiusura, e fin tutti i soliti aggettivi adoperati per le prestazioni d'ogni singolo attore dai banali cronisti tipo «La commedia è piaciuta». Qui, un solito «terrific!» per qualunque pubblicità giornaliera.

Una prova? Ecco un elenco di nomi: John Anderson, Howard Barnes, Arthur Pollock, William Winter, Frank Aston, Richard Lockridge, Alexander Woollcott, John Corbin, Burns Mantle, Alan Dale, Percy Hammond, Heywood Broun, John Mason Brown, Brooks Atkinson. Quanti ne conoscete? (È un *test* sottoposto dal «London Magazine» al Lettore Inglese Colto; e si tratta dei critici teatrali americani ritenuti di volta in volta i più importanti e autorevoli del mezzo secolo).

La carenza sarà curiosa, però appare normalmente accettata, come un dato ovvio e senza rimedio: tanto vero che quando «The New Yorker» ha avuto bisogno di un critico nuovo con un minimo di «linea» d'acutezza e di verve ha dovuto importare il giovane Kenneth Tynan dall'Inghilterra. Da parte nostra, con un mese a disposizione, poteva essere divertente dirsi: ecco, ci sono questi trenta spettacoli in giro? Bene, ci si butta, si va a tutti: i belli, i brutti, i mediocri, gli orribili. Baracconate, porcate: prima vedere, poi parlare. Alla fine, dopo aver sezionato nel senso dell'ampiezza una stagione presa a caso, avremo una quantità di nozioni e di conferme da fissare sulle idee generali preconcette: il panorama riassuntivo che pareva così indispensabile quando si predisponevano questi appunti «a caldo», nel '59...

Una scorreria «sistematica» riesce poi facile: tutti i teatri vicinissimi, come da nessun'altra parte; e divisioni di competenze ben delimitate. Il gruppo dei teatri grossi, riuniti fra la 42th Street e la 45th e la Broadway, a tre e quattro e cinque per ogni isolato (ed è importante: forse la somma degli spettatori riesce maggiore che se fossero lontani e sparsi), in mezzo alle altre attrazioni della grande strada: le luminarie da fiera, le tavole calde, le vetrine di libri finti-pornografici, i cinema di film nudisti, i negozi di oggetti «divertenti» per fare gli scherzi agli amici di paese, conversation-pieces da pochi soldi, spettrali predicatrici che strillano tutte le sere contro il peccato, e le due grandi réclames famose, la cascata d'acqua vera sul tetto di un casamento basso, gli anelli di fumo ritmicamente buttati in su da una boccaccia spalancata.

Un distretto affollato, notevolmente volgare e di giorno anche squallido, non troppo divertente, niente affatto ricco, e di carattere soprattutto commerciale. Perciò sembra anche naturale che questi teatri siano così sempre vecchiotti, maltenuti, con le poltrone un po' lise, stucchi dorati e sporchi, ridottini troppo stretti: però *teatri veri*, dunque, con tutti i connotati a posto, soprattutto l'indispensabile peluche rossa spelacchiata: non arene o cantine o ballatoi, né pareti ornate o smaccate a lato del boccascena, per creare separazioni telescopiche fra il pubblico e gli attori. Naturalmente anche tutti in mano a pochi impresari che fanno il loro mestiere solo per speculazione: van su soltanto le produzioni commerciali importanti, quelle che devono durare parecchi mesi per recuperare i capitali investiti: e siccome si tratta di un giro d'interessi piuttosto cospicui, è chiaro che la maggior parte delle esigenze andranno sacrificate a quelle del successo finanziario. Biglietti ancora facilmente disponibili, però.

Così è anche fin troppo naturale che vengano coltivati specialmente gli autori con tendenze e vizietti coincidenti con le ricette di successo del momento: hic et nunc si vede che vanno ancora molto i gravissimi problemi sessual-tormentosi di anime perse in un Vecchio Sud in cui ciascuno possa riconoscere agevolmente casa propria e se stesso. Poi, vanno quelle biografie romanzate o in musica di personaggi irrilevanti o triviali, di un interesse misterioso e incomprensibile, come la sordomuta-prodigio, l'ex-sindaco eupeptico, il complesso vocale che si distingue dal Quartetto Cetra in virtù di un repertorio più severo, e di passate persecuzioni naziste. Vanno anche molto le Imitazioni del Teatro: commedie che si occupano di altre commedie, musicals che trattano delle vicende di un musical, spettacoli dove gli attori raffigurano attori, con tutti i loro problemi più usuali: e in complesso provano che la realtà, definitivamente persa di vista, è stata sostituita nelle attenzioni dei produttori teatrali da una specie di narcisismo per il proprio mestiere, talmente «esclusivo» da dar l'impressione che tutto il mondo si limiti al mondo dello «show business», ombelicale e claustrofobico. Sarà una forma più spiritosa di «alienazione»?

Per ogni altro spettacolo – classici, traduzioni, cose sperimentali o non conformistiche fatte senza badare alle regole per tirare mille persone ogni sera finché non si siano ammortizzati i trecentomila dollari di costi – van bene invece i teatri più piccoli e poveri off-Broadway, tutti intorno a Washington Square, sbilenchi e sporchi come il resto del Village, pieno di barbe e sandali, di finto esistenzialismo *beat* e botteghine di porcherie pittoresche. Ce n'erano parecchi al tempo di O'Neill agli inizi; ma da poco hanno ripreso a fiorire, e anche senza fare dell'avanguardia «spinta» presentano dei commediografi europei significativi, regìe in qualche modo interessanti, e tirano fuori gente nuova: Geraldine Page, Kim Stanley, Ben Gazzara, Jason Robards jr.

Osservando poi Broadway e off-Broadway come complesso, si possono distinguere e seguire parecchi «generi»: e non sarà una sciocchezza fare attenzione soprattutto a questi archetipi, più che non agli autori, anche perché la personalità o lo stile di uno scrittore di teatro sono pressapoco l'ultima cosa che conta in uno spettacolo, e vengono sistematicamente subordinati alle esigenze della «produzione».

La scena americana, del resto, notoriamente ha così poco in comune con la letteratura che le va benissimo la definizione del teatro data secoli fa da Philip Sidney, «una figlia scostumata che si comporta così male da compromettere seriamente il buon nome di sua madre, la Poesia». E si sa bene che in pratica esistono soltanto tre autori, due vivi e uno morto. Arthur Miller, Tennessee Williams, Eugene O'Neill. Questo, dopo un'eclisse di qualche anno, riprende la sua fortunata carriera con parecchie opere tolte dai cassetti e messe in scena benissimo da José Quintero: così le furie ad alto voltaggio del tenebroso defunto ricominciano a percorrere Broadway, lasciandosi dietro, solida e ben formata, la reputazione di Quintero come bravo regista.

Degli altri due si parla fin troppo rozzamente come di gemelli rivali, qualche volta anche aspramente: però non è facile trovare della gente che provi uguale antipatia per tutt'e due. Uno ha questa sensibilità morbosa e fertile, carica d'ossessioni private violente e sceneggiabili, e secondo lui sono «urli di un prigioniero a un altro dalla cella d'isolamento dove ciascuno è rinchiuso a vita»; però con l'aiuto di Cechov e di New Orleans si trasformano in un garrulo commérage dove Strindberg non c'entra troppo, ma piuttosto «il colore, la grazia e la leggerezza, le forme e le strutture in moto e il veloce incontro di esseri viventi, sospesi come labili lampi nelle nuvole: queste cose sono la commedia, non le parole sulla carta, né i miei pensieri e idee come autore, magari fondi di bottega di rigattiere...». Sembra che (lui) stia descrivendo un Dufy; però intanto, sul solito sfondo sudista suggestivo e malsano ma longevo e prolifico, con un po' di frou-frou e senza pensarci su troppo, nasce la commedia di sensazioni crepuscolari; e ha molto da guadagnare ogni volta che pende sul baraccone e sul grottesco.

Il dramma che si battezza da sé «ideologico» appartiene invece tutto a Miller, quantunque sia imbarazzante cercare l'ideologia di drammi che invece di risolvere i dubbi del pubblico finiscono di solito sulla battuta «perché?» mentre non trattano affatto del Dubbio Sistematico come problema filosofico, affrontano temi molto più terra-terra; e si trovano quindi alla mercé delle intenzioni che ogni diverso regista può attaccare a interrogazioni sufficientemente angosciose, superficiali, vaghe. Miller è ritenuto molto serio, molto solitario e pensoso, perché riflette su Ibsen e scrive pochissimo. Il suo principio drammatico è che «l'uomo comune è un soggetto non meno adatto alla tragedia – nel suo più alto senso – che i re d'una volta», senza sospettare che per la malvagia ironia dell'epoca oggi la tragedia non può riuscir che ridicola, mentre è in fondo alla commedia più sdata che si potrebbe trovare qualche barlume tragico. Il suo concetto del pubblico, abbastanza brechtiano-ingenuo, è che «ogni spettatore si porta dietro una angoscia o una speranza o una preoccupazione che è soltanto sua e lo isola dal resto dell'umanità; e almeno per questo riguardo la funzione del dramma è di rivelarlo a se stesso cosicché egli possa toccare gli altri in virtù della rivelazione della sua *mutuality* con loro», dunque recidivo nel far passare i melodrammi entro quella macchina tritatutto di Broadway che può servirli essenzialmente a un invariabile pubblico di coniugi venuti da fuori, con la moglie che desidera la sua seratina chic, mentre il marito desidera solo il riposo senza scarpe.

Gli altri, cosa contano? Ogni elenco, anche lungo, riesce tristissimo: Sherwood, Odets, Rice, Anderson, la Hellman, MacLeish, Inge, Gibson, Laurents, tutti così tenui... Vecchi e nuovi, vivi e morti, poi, dànno questa impressione d'arresto dello sviluppo emotivo: come se avessero tutti fatto delle esperienze fino a una certa età adolescente, e alla vigilia della maturità avessero cessato di vivere per mettersi a scrivere. Si vede bene che da questo punto in poi tutto ciò che producono consisterà in una rielaborazione dei temi fissati durante gli anni giovani, altrimenti ricadono come obbligatoriamente nei materiali desunti dallo «show business»: falsi problemi di compagnie teatrali, oppure varianti su commedie pre-esistenti.

In nessun'altra civiltà – veramente – il teatro pare così lontano dalla vita letteraria. Alfieri, Musset, Hugo, Wilde, Shaw, Pirandello, Brecht, Eliot, hanno tutti i loro titoli per abitare al centro delle diverse letterature nazionali; e in differenti contesti culturali si vede bene la rilevanza della produzione teatrale di autori francesi come Claudel, Sartre, Mauriac, Camus, Giraudoux, Cocteau. O si nota come anche autori secondari inglesi producano lavori benissimo scritti: Barrie, Bridie, Fry, Rattigan. Ma se si considerano le avventure di Miller e di Williams nel campo della poesia o del romanzo, ci si trova di fronte a disastri paragonabili solo a *The Fifth Column* di Hemingway, *Mannerhouse* di Wolfe, *The Vegetable* di Fitzgerald. Faulkner non ha mai provato. E l'apparente eccezione è Thornton Wilder, il fantasista più cosmopolita di tutti loro.

Se poi si vanno a guardare i testi pubblicati delle migliori commedie di Broadway, ci si rende subito conto che le stesure finali, quelle che arrivano alla rappresentazione e dove tutti ormai hanno messo mano, cacciando via l'autore, dal produttore al regista agli attori alla donna dei gabinetti, sono un affare ben misero, anche mortificante; e spesso la baracca sta in piedi solo perché le luci e i rumori e i silenzi e i movimenti risolvono poi molto, e la maggior parte degli effetti non dipende dalla parola pronunciata.

Che ideologia sta dietro questi trattenimenti? Quella della commedia sentimentale settecentesca a lieto fine, che fa passare una serata piacevole e manda a casa il pubblico soddisfatto, con un sorriso e una lacrima. E risorge soprattutto in due forme: la minuscola vicenda domestica americana (con personaggi midwesterner, o neri, o ebrei di Brooklyn, tutti carini e simpatici come in *The Dark at the Top of the Stairs* o in *A Raisin in the Sun*). Oppure la biografia ottimistica-edificante, significativa perché, al dramma del personaggio «inventato» alle prese con le Circostanze Avverse, sostituisce la lotta di un individuo americano reale – «che potrebbe essere ciascuno di voi» – e trionferà a forza di fede e coraggio, speranza e buona volontà, presentando finalmente il proprio successo all'ammirazione dei connazionali. Ogni dieci o venti di questi, il dramma «pensoso» con funzioni catartiche: per assolvere cioè a botte di noiosità le coscienze colpevoli che si vergognano d'aver riso ai musicals. Preferitissime qui al tedio totale del teatro «di poesia» sono quelle sofferenze stuzzicanti e à la mode che vengono incontro all'inclinazione americana attuale verso la violenza morbosa, quel tipo d'irresponsabilità che libera l'uomo non già dalla Colpa (tutto non si può avere), ma almeno dalla Volontà: che è già tanto.

Come cultura, bene che vada, ci si siede quindi sul piano d'una psicanalisi da principianti ghiottoni o di un engagement da radicali incoscienti, dove la Ninfomania e la Guerra di Spagna, il Popolo, l'Uomo Medio, la Coprofagia, la Castrazione, la Depravazione, l'Impegno, l'Incesto, funzionano come balocchi colorati o sentimentali, irreali; altrimenti si torna a girare intorno al solito mulinello del Boy Meets Girl, le commedioline sull'Amore scritte pensando ai Soldi. E insomma, questi spettacoli sono proprio per natura così lontani sia dalla Cultura sia dalla Realtà, e nascono già talmente decrepiti, che quando Miller vuole accennare alle conseguenze del maccarthysmo finisce per produrre una trattazione slabbrata e confusa del processo alle Streghe di Salem (né più né meno come quando O'Neill attaccava il capitalismo di Wall Street in un pageant romantico-romanzesco su Marco Polo), e, tanto per limitarci a questa stagione, Williams passa vicino ai problemi della segregazione negli Stati del Sud, però nel corso di un incubo sessuale centrato sull'evirazione; e la volta che MacLeish decide di esprimere ciò che pensa della bomba a idrogeno, fa un salto indietro fino al Mito di Giobbe. Familiare quasi (a differenza del nostro pubblico) come le Mura di Gerico.

Cosa è il meglio, allora? Ma il musical, naturalmente: la forma di spettacolo che è solo americana, tipica, esemplare prodotto di collaborazione fra numerosi ingegni, di un divertimento enorme, di una vitalità pazzesca, di una bellezza da far urlare dall'entusiasmo come l'Opera italiana del primo Ottocento. Senza vendere merci ridicole sotto false etichette. Elegantissima e «senza pretese». E fortunatamente migliora sempre: da *Oklahoma!* attraverso quella fila di capolavori che sono *The King and I, Guys and Dolls, Pal Joey, South Pacific*, e il «top» di *My Fair Lady* che si rappresenterà certo per sempre... finché si arriva, al suono di musiche sempre più rumorose, scatenate, brassy, piene di perfida sapienza e di intelligenti citazioni dei decenni passati, all'efficienza perfetta degli esempi più recenti, *Gypsy, West Side Story*: questi sì, al corrente con la cultura e col gusto del *loro* tempo...

Tutt'e due, non forse a caso, messi in scena da Jerome Robbins; e *Gypsy* è senz'altro una delle cose più belle che abbia visto dell'America, l'unica impressione di una Broadway veramente favolosa. In un teatro nuovo, bello, grande, pulito, bianco e blu, con le poltrone blu e gialle, pieno di gente che sembra perfino elegante e fastosa, il grande musical è costruito con sfrenata sofisticheria su una figura reale, anche questa: ma si tratta di un Mostro Moderno, la «mamma dell'attrice», una mamma egoista, noiosa, bugiarda, cialtrona, mascalzone e megalomane, cioè la mamma di Gypsy Rose Lee, regina dello strip-tease, tale e quale viene descritta nelle memorie piuttosto divertenti della figlia. E la protagonista, la più gran donna musicale americana, Ethel Merman, con una personalità che non ha molti paragoni, al livello della Callas, di Marie Bell, e torrenti di voce inauditi, più forte che in ogni juke-box (e per sempre associata, da tutti i juke-box della costa atlantica, a tutta un'estate di calzoni bianchi e magliette di Saks, spiagge vetrose con le erbe alte dietro, *Some People* e *Rose's Turn* ininterrotti, e l'amore parecchie volte al giorno), in scena dal principio alla fine, come una forza naturale sfrontata, feroce, rabbiosa, urlante d'ambizione frustrata, di smania di possesso delusa, e stupenda musicalmente in un tour de force interpretativo dei più impressionanti.

Gypsy, Bildungsroman moderno esemplare per crudeltà e precisione, è la storia del viaggio attraverso un decennio di vita americana intorno al '30 di questa madre-mostro in sette-ottavi a quadrettini, feltro, cagnolino, e martora miserabile al collo, con le due figlie-vittime, una designata a diventare *star* – quindi sempre vestita alla Shirley Temple, con zazzeretta a riccioli platinati, gonnellino plissé, calzine di filo, scarpine di vernice, vocina leziosa, graziette d'uno schifo mai visto, paltoncini a volants rosa con le sue codine d'ermellino – e l'altra trascuratissima, tenuta come una stracciona, vestita con scampoli, calzoncini, stracci. I numeri musicali della bambina prodigio Baby June, messi su dalla mamma nel più orrido birignao dei film per l'infanzia rugiadosa, con l'inchino, la riverenza, la mossetta, il saltino mortale, il tip-tap, la pirouette classica, la spaccata, la canzoncina della piccola giornalaia o della piccola lattaia da scatola di fondants, della piccola drum-majorette con i marinaretti (la sorellina, sempre una di questi; oppure vestita da Zio Sam) e l'accompagnamento di un violinino squinzio disperatamente stonato, sono un capolavoro di cialtroneria *voulue*, insistita, da far vomitare, e nello stesso tempo il più convincente «giudizio» nell'ordine estetico. Il divertente è che la madre ambiziosa, volendo «costruire» la Diva, punta sulla figlia sbagliata e va avanti nello stile Margaret O'Brien anche quando i gusti sono tutti cambiati; e si meraviglia ancora per l'insuccesso. Baby June ha quasi vent'anni, e deve far sempre la ragazzina di nove; è stufa e non ne può più.

Robbins realizza molto bene questo passare del tempo: durante uno dei numeri musicali, i piccoli esecutori sono disposti di profilo, nell'atto di camminare fermi, come i mimi quando devono dare l'illusione della marcia, e i riflettori lampeggiano, mentre ad uno ad uno i bambini vengono sostituiti da figure sempre un pochino più grandi, con gli stessi costumi: finché, quando si riaccendono le luci, hanno tutti vent'anni. E una mattina Baby June non ne può più, pianta tutti senza dir niente, e va a far la commessa o la sarta, pur di smetterla con gli spettacoli e la madre. Questo, alla fine del primo tempo, è un momento teatrale grossissimo: sono tutti in una stazioncina ferroviaria di paese, aspettando il treno in un'alba fredda, seduti sulle panchine con le loro valigette; e gli altri sanno già che Baby June è scappata; ma nessuno ha avuto il coraggio di dirlo all'orribile Rose, per paura; e lei già si preoccupa... Poi portano la lettera: «non voglio mai più saperne di te». Qui anche Rose ha come un attimo di défaillance – vent'anni di cattiveria buttati via – ma solo un attimo: «come un drago», il suo sguardo si sposta lateralmente, trionfalmente, sull'altra figlia, Baby Louise, accucciata nel suo angolo, e fino a quel punto lasciata relativamente tranquilla. Lei si sente morire, ma già Rose grida, alto e chiaro: «Perdonami, Louise, se ti ho sempre sottovalutata; ma ora farò di te una *grandissima* stella!».

(Ecco lo scatto che manca all'*Arabella* di Strauss e Hofmannsthal: dopo avere allevato nel fetido alberguccio viennese la primogenita in vista di un Ballo dei Fiaccherai dove la poveraccia incontra il ricco Croato che la porterà in Croazia per sempre, i due stolti genitori che hanno tirato su la secondogenita come un frocetto contronatura neanche badano a rilanciare la disgraziata e pruriginosa ragazza come «beauty» galante o come «travesti» di carriera).

La carriera di Louise, però, nel secondo tempo, va avanti anche più disastrosa di quella dell'altra sorella; finché una certa sera la madre e la figlia arrivano stanche e sfinite, senza soldi, in un postaccio del Kansas dove il padrone dell'unica bettola dice subito che c'è poco da fare, come clientela ha solo dei mascalzoni che vogliono lo spogliarello: altrimenti, niente mangiare e niente dormire. Una delle ballerine è appunto uscita («a far commissioni?», «no, a battere»); e bisogna che Louise si decida. La dégringolade della madre è quasi monumentale: tre baraccone, vecchie sgangherate, a pezzi, con delle voci incredibili, vengono avanti nella scena più clamorosa di tutte, e rapidamente insegnano alla novizia che nel mestiere dello striptease «occorre avere un trucco», come per esempio spogliarsi suonando la tromba in sdatarie indecenti, aggiustarsi grandi ali di farfalla intorno alla vita mentre le mutande partono, far venir fuori delle scintille lunghe un metro dai capezzoli appena ci si tira via il reggipetto (tutti trucchi fatti vedere lì da «Miss Mazeppa»). E finalmente Rose dice «va', ma ricordati che sei sempre una signora». Successo straordinario, naturalmente: in pochissimo tempo Louise ha fama, soldi, tutto, trionfa in un «numero» che è una sottile profanazione della vecchia canzoncina di Baby June, e diventa la grande Gypsy Rose Lee. «L'ho sempre detto che avrei fatto una *star* di mia figlia!» grida Rose; ma viene messa da parte quasi brutalmente, perché pretende di continuare a dar ordini; e allora, in un'ultima scena assolutamente impressionante che dura più di un quarto d'ora, le furie della donna di cinquant'anni frustrata e cacciata via esplodono selvaggiamente sul palcoscenico ormai deserto ma enorme, titanico, alla Gordon Craig.

È un pezzo che dà i brividi ancora risentendolo per la millesima volta al grammofono: Rose comincia sforzandosi di dimostrare che la figlia che l'ha ripudiata è una povera cretina, le deve tutto e senza di lei non saprebbe muovere un passo; anzi, lei, Rose, è talmente più brava in tutto che non ci mette niente a batterla anche sul terreno dello strip-tease (e qui, solo accennando poche mosse, senza togliersi neanche un guanto, la Merman esegue in pratica uno strip-tease dei più forsennati e pazzeschi). Ma i demoni di Rose non tardano a venir fuori: ambizioni, delusioni, gelosie, cattiverie, malvagità, tutto, e feroci dileggi per i «mamma, ho male qui» delle figlie ancora bambine, in un crescendo d'odio così sinistro che lascia senza fiato; e non conta niente che un attimo prima della fine la figlia torni fuori dalle quinte con una finta riconciliazione convenzionale, per non mandare a casa la gente col sapore di fiele: quello che è detto è detto...

Lo spettacolo, si capisce, è stupendo: ricchissimo di cose, di ricostruzioni di costume affascinanti; con una partitura di Jule Styne meravigliosa e canzoni subito diventate popolarissime. Certe battute della Merman sono anche ormai proverbiali: «Le bambine sono diventate quasi donne...». «Non lo sono! e non lo saranno mai!». «Fuori di qui tutti quelli che non hanno ragioni di lavoro!». «Il mio lavoro sono le mie figlie!». «Scusa, mamma, credevo che lo avessi fatto per me...». «L'ho fatto solo perché sono nata troppo presto e ho cominciato troppo tardi!». Ma quello che impressiona subito è che apparentemente un'audacia di contenuti così nuda, una libertà crudele, un fiato assolutamente epico, e nello stesso tempo il grande successo popolare, sembrano possibili oggi soltanto nelle forme del musical. Per *West Side Story* si può fare un discorso assai simile?

Questo fa un grandissimo effetto in un primo momento, perché ha tutto in superficie: tali colpi gobbi «poetici»... Tutta una ricercata corrispondenza in ogni episodio col *Romeo e Giulietta* di Shakespeare; antropologia sociale à sensation per l'ambientazione fra gli slums dei portoricani immigrati a New York City; partitura musicale luccicantissima, perché Bernstein invece di limitarsi a lavorare giudiziosamente su materiali americani autonomi, come un Copland di città, ha saccheggiato i decenni più vistosi del verismo italiano e del cromatismo europeo, Puccini e Bartók, un dash di zarzuela e uno spruzzo di idiomi jazz correnti. Punto di partenza, naturalmente, sempre il sublime *Rake's Progress* di Stravinskij, che per i nuovi musicals è un capostipite molto più decisivo che non i vecchi *Oklahoma!* o *Show Boat*: basta del resto confrontarlo scena per scena col *Candide* di Bernstein medesimo, che lo ripeteva in maniera anche più abbandonata e scoperta – basta farlo una volta sui dischi, il paragone – e si capisce subito dov'è scattata la cerniera.

Lo spettacolo è certamente magnetico, molto attraente: case bluastre e scalette color minio, alla Ben Shahn, i tipici scontri fra le bande di Robbins, elettrici, scattanti: Jets contro Sharks, in giacconi fantasiosi, si sfiorano, s'azzuffano, poi la polizia, qualche ferito; e poco dopo, già pronti per il ballo della sera. Questo è importante come in casa Capuleti, pieno d'invenzioni e di rock'n'roll, nella palestra decorata di stelle filanti dove le due bande appaiono sempre ben divise in qualche modo; e Robbins descrive benissimo il primo incontro fra i due: dal momento che si vedono, loro soli rimangono illuminati, mentre gli altri perdono ogni rilievo, ogni dimensione, o la Grazia, paiono appiattirsi come decorazioni murali, e la musica fragorosa s'abbassa grandemente lasciando solo un passo-a-due fra Čajkovskij e Ponchielli. Un attimo; e poi, luci ancora, ballo, zuffa, la gran canzone *Maria Maria,* tutto un Mascagni; la scena del balcone in un cortilaccio, ma si accendono le stelle sullo sfondo delle scalette di ferro, sembra un *early* Visconti ma l'idillio va avanti secondo le dolci e rigide norme dei melodrammi di Jeanette MacDonald e Nelson Eddy. Ci sono delle scene sentimentali, molte: presentimenti amorosi del tenorino protagonista; mescolate coi finti cinismi «cool» e «sick» alla moda (il picnic degli Sharks molto nel gusto «I was a teenage hoodlum»), il drug-store, i cartoons, i poliziotti, il Kurt Weill, i fischi per strada, i silenzi «di morte», le illuminazioni e gl'insegnamenti di stile cinematografico, la sbirciatina patologica («dopo la lotta tuo fratello è sempre così caldo con me!» ma forse è solo del salutismo); e la grande scena d'insieme *Tonight,* quando ciascuno si prepara alla notte in cui tutto succederà cantando la propria canzone nel Luogo Deputato che gli compete in una gran predella del Trecento con tutti i momenti simultanei pittoricamente e musicalmente. L'insieme è fuso con grande scaltrezza, c'è proprio dentro tutto: nella camera da letto le due ragazze si spenzolano col valzerino *I Feel Pretty*, canonico come in *South Pacific* o in Gilbert & Sullivan; quando lui entra dopo averle ucciso il fratello, rapida parafrasi dell'incontro fra Riccardo III e Lady Anne; e la solita «sequenza del sogno» almeno non è il solito luogo comune un po' fastidioso di tutti i secondi tempi degli spettacoli con musica, ma proprio una necessità d'evasione verso cieli sereni e liberi dopo l'orrore, tanto vero che gli scenari si ribaltano e siamo nei Campi Elisi di Gluck, con la loro danza di spiriti beati che si porgono gentilmente le mani e assistono al can-can della *Boutique Fantasque* eseguito dai Jets.

Chiamarlo uno spettacolo composto è ancora il meno che si possa notare: il duetto «tragico» fra le due ragazze, dove scatta la bravissima Chita Rivera, è un Menotti dei più commoventi. E il finale, con i due gruppi che s'inginocchiano davanti ai corpi degli amanti uccisi, e gettano le armi col proponimento di non adoperarle mai più, almeno nella *Corona di ferro* lo si era visto proprio uguale, alle Gole di Natersa.

(Sia di *Gypsy* che di *West Side Story* sono poi venuti fuori i film: ridicoli. Un musical evidentemente è più difficile da trasferire al cinema che non l'opera. *Gypsy* aveva perso Ethel Merman, quindi non aveva più senso: mettere Rosalind Russell al suo posto è come sostituire Titina De Filippo con Sofia Loren. E in *West Side Story*, gli stessi balletti «astratti» di Robbins venivano eseguiti non contro i loro sfondi teatrali giustamente poco «figurativi», ma per le strade più «realistiche» di New York, con i loro autobus e i tassì gialli, in pieno mezzogiorno).

Gli altri musical attualmente in giro, per quanto ben fatti, sono abbastanza routine. Quello western di turno, *Destry Rides Again*, rimescolato su una vecchia storia che riappare spesso al cinema con James Stewart, è lustro, efficiente, falso-ingenuo e piacevolissimo, con un balletto sfacciato e perfettamente affiatato, diretto da Michael Kidd. Come protagonisti ha Andy Griffith e la brava Dolores Gray, presentata felicemente e convenzionalmente nel saloon, in mezzo alle bottiglie rotte e alle risate: il quadro «porcelento» dietro il bar s'abbassa, diventa passerella, esce lei in rasi rossi luccicanti da Fiamma di New Orleans, tutti di colpo zitti, entra uno a chiedere da bere, subito viene ucciso, e lei attacca, tra la Marlene Dietrich e la Laura Betti, il solito «Remember that your mother was a lady». Di prammatica? Insomma, le cose tanto spesso importate da Garinei & Giovannini, in Italia, dove un *song* di Broadway diventa magari «Da' due soldi di speranza ai parastatal!».

Le cosine giuste poi ci sono tutte; la frusta schiocca, ballerine in taffettà coloratissimi sventolando giarrettiere e sederi, grandi biondi abbronzati in foulard e gilet che buttan per aria il cappellone urlando, il solito vecchino buffo, i tre fratelli cattivi in camicia e cappello neri, l'elezione contrastata del nuovo sceriffo, il giudice corrotto, il processo truccato, le chiavi della cella, le risse dietro e sopra il bancone, il ballo al corral coi lazos che s'intrecciano per aria sullo sfondo del cielo giallo e infinito, con i suoi cactus, le contestazioni sul bestiame portato via dal ranch, le domeniche mattina con la Maison Tellier in chiesa, e il ritorno rispettabile e sentimentale delle ragazze dietro la capoturno per la serie del pomeriggio. Insomma, tutti i «westernemi» – elementi costanti riscontrabili alla base della storia, in numero estremamente ristretto, e non già «personaggi» o «azioni» ma *funzioni* – presenti in ogni racconto del West: pronti all'analisi (che si sente vicina, fuochino, fuoco!) di un eventuale strutturalista americano disposto a ripetere su questi materiali lo studio morfologico eseguito da Propp sulle fiabe popolari russe, e da Lévi-Strauss sui miti dei popoli primitivi, decomponendoli in «mitemi» da ordinare nello schema operativo dell'algebra di Boole.

Il protagonista, esemplare westernema, arriva in vesti di finto giardiniere, con giacca a quadretti, cappello bianco, carpet-bag fiorata, gabbia d'uccelli, ombrello arrotolato: così esemplare che Propp gli assegnerebbe subito la lettera «A», come solo al Re, alla Figlia del Re, al Buon Vecchio, alla Strega. Subito lui chiede una tazza di tè con accento bergamasco (A-1, quindi, per Propp). Naturalmente gli altri lo svillaneggiano, lo spogliano, gli tagliano la cravatta, gli calano il cappello fino alle orecchie: la permutabilità di contenuti non equivale infatti ad arbitrio, basta approfondire l'analisi per ritrovare dietro ogni diversità la Costanza. Altrettanto naturalmente il mite è invece il più dritto, e con una canzoncina alla Tognazzi semplicissima li fa a pezzi tutti (la struttura del plot si presenta infatti come una successione di funzioni qualitativamente distinte, e ciascuna costituisce un «genere» indipendente: ma le funzioni ricorrono – sono poche – e la loro apparente pluralità equivale infatti a un gruppo di trasformazioni d'una sola e unica funzione). Lo si vede timido e saggio, come Bing Crosby in veste di buon reverendo, sui divani delle stanze di sopra, con lei in vestaglia trasparente che cerca di sederglisi sopra («non credo che siate *veramente* cattiva, ma che *pretendiate* d'esserlo!» le fa lui; e Roman Jakobson: «ogni westernema è un fascio d'elementi differenziali, di variabilità solo apparente...»). La musica è piuttosto bella, un po' alla Kurt Weill, i colori sono incantevoli (di Oliver Smith), lui impara a sparare, raddrizza un po' di torti, e tutti alla fine diventano buoni: il modello strutturale si definisce dunque come un gruppo di trasformazione di pochissimi elementi (meno di trenta?), oppure la successione degli avvenimenti è allora una proprietà della struttura stessa? Ma quel che «allarga il cuore» è la vitalità straordinaria di tutti, animale: tutti cantano ballando con del gran fiato, e arrivano alla fine carichi ancora d'energia, saltando per aria, altissimi, come grandi cavalli felici con dei bei gamboni. In sostanza, direbbe Lévi-Strauss: costanza del contenuto, a dispetto della sua permutabilità; e permutabilità delle funzioni, a dispetto della loro costanza.

Un uso iper-strutturale di modi di linguaggio capace d'inventare meta-linguaggi dove la struttura è operante a tutti i livelli si vede invece in *The Music Man,* il successo più fragoroso di questi anni. Pare una *Our Town* messa in musica e dilatata in uno spettacolone che frulla la nostalgia americana per il paradiso rurale perduto, tutto Iowa, messi mature, solide virtù dei nonni, e i semplici piaceri dell'ice cream. Quindi rappresenta un ritorno magari pericoloso all'infantilismo dell'isolazionismo, quando bastava un ciarlatano simpatico, bravo come il protagonista Robert Preston, tra Dulcamara, Buffalmacco, il Piferaio di Hameln e Billy Graham, per riempire un intero villaggio di felicità irresponsabile, facendo ballare tutti come vuol lui, al suono della sua trombetta.

Naturalmente come elegia del passato questo spettacolo, ben diretto da Morton Da Costa, ha tutti i suoi sfondi e particolari ben giusti; e il centro della città è un attraente calendario color seppia, con le insegne dei negozi tracciate in stupendo lettering; le signore portano gonne lunghe e cappellini divertenti; e le bas-bleu locali danzano buffamente sulla soglia di una biblioteca pubblica piena di tutti i futuri Sherwood Anderson e Thomas Wolfe che nella loro cocciutaggine alfabetica affrontano la Letteratura Mondiale ordinatamente da Henry Adams a Stefan Zweig. I vestiti sono a fiori, e le romanze paiono di Puccini. Arriva la corriera della Wells Fargo, e il suo cavallo sarà bianco; e nella palestra si fanno delle feste coreograficamente raffinatissime, piene d'invenzioni di gusto, di spiritose grasse in gonna nera, cuffia celeste, scarpe da tennis e la loro scopa in mano... È un'America 1912 dove i commessi viaggiatori girano i villaggi sorridenti e senza problemi, i fratellini fuggono di casa senza «complessi» e per non più d'una mezza giornata, le sorelline suonano *Risveglio di primavera* al pianoforte, le nonne tengono sempre i loro buoni dolci in caldo nella stufa Franklin, e se non li hanno, possono sempre metterli, nessuna coprofagia alla moda. Ma non mi è piaciuto niente, quantunque sia poi la morale dello spettacolo, che il «professore» imbroglione (era un borseggiatore) tutte le volte che sta per essere smascherato faccia cantare gli inseguitori con un suo trucco – non siamo mica a *Mario e il Mago*, perbacco! – e li trasformi in graziosi complessi vocali che gorgheggiano secondo la *sua* musica, mentre tutto il pubblico si unisce felice al coro nell'enorme teatro fiorito e dorato, trascinato dalla marcia orecchiabilissima dei *Seventy-Six Trombones*; e come battono le mani a tempo, felici e irresponsabili, dalla galleria alla platea.

My Fair Lady è sempre lì, con le splendide canzoni, i costumi favolosi, e qualche grande momento ancora oggi, *The Rain in Spain, I Could Have Danced All Night*... Rivedendolo ci si accorge che la gavotta di Ascot è un coro di Donizetti rallentatino, il Professor Higgins (già nel *Pigmalione*) col suo taccuino in mano e le scorribande filologico-amorose nell'underworld in realtà è Pasolini, e la morale del musical è che la differenza tra la vera signora e la donna di strada non sta nel modo di comportarsi e non è nemmeno questione di carattere, ma dipende da come viene trattata: vedi le nostre scrittrici. Molta brillantezza dello spettacolo però se ne è andata in tanti anni, i protagonisti attuali non sono gran che: una «bella vocina», un Armando Fineschi, un Tommy Schippers. Soprattutto si nota oggi come sia vecchia e inconsistente la regìa di Moss Hart: sempre il bisogno di chiudere il sipario tra una scena e l'altra, e poi non sa rinunciare al difetto comune di Broadway (ci casca anche Kazan), gli eterni riflettori rozzamente puntati sui personaggi, e si spostano seguendone i movimenti, coi loro aloni intorno visibilissimi.

Redhead è un musical tardo-vittoriano costruito su misura per Gwen Verdon e pieno di tutti gli orrori e i raccapricci dei film su Jack lo Sventratore: sadici in pipistrello che battono la città assetati di vittime sentimentali e sventate, fanciulle semi-conventuali sempre sull'orlo dei più orrendi pericoli, sconvenienti vecchine organizzatrici di picnics sui luoghi d'assurdi delitti, un sinistro museo di figure di cera che s'animano per le merende dell'Ipocrita Felice, torve osterie portuali dove la

177

Lulu di Berg fa compagnia alla Jenny di Weill, spennate e «au grand coeur» nel loro boa destinato allo strangolamento, pensionanti enigmatici, jongleurs sordomuti, lord amici dei vagabondi, ombre di poliziotti sui muri, mani che si protendono dagli armadi, zingari, parrucche, nasi finti, bende, arti ortopedici, e sequenze del sogno piene anche quelle d'assassini. A raccontarlo così, non pare divertente, come spettacolo: e infatti non lo è.

Flower Drum Song, l'ultima sciocchezza di Rodgers & Hammerstein, invece è una vergogna: anche se diretto da Gene Kelly, disegnato da Oliver Smith e Irene Sharaff, e costa milioni. Una delle manie correnti del teatro americano è ancora quella delle giapponeserie e cineserie, si sa (ripiegando su Formosa per evitare Pechino); ma niente giustifica il tedio di questa goldonata nella Chinatown di San Francisco, con dei profughi coreani in più. Tutti qui pro quo e baruffe fra un Titta Nane formosano e una Lucietta di Grant Avenue, bizzosissimi; e il contrasto con la generazione anziana; e il conflitto tra l'abito tradizionale e quello occidentale; e le festicciole popolari durante le quali si fanno ripicchi e subito dopo si fa pace. Anche il testo è stupidissimo, con battute tipo «tutti i bianchi hanno gli occhi uguali, non si riesce a distinguerli», «i seni finti? tutte le americane li portano, sono un simbolo nazionale come l'aquila e il dollaro», «per diventare americani ci vogliono cinque anni, mentre per fare un cinese bastano nove mesi», canzoni false-ingenue intitolate «oh che bella cosa essere una ragazza» e «se mi vuoi bene non devi sposarmi» e giuochi di parole da far piangere chiusi nel cesso. Le donne sono prese da film come *Sayonara* e *South Pacific*; ma ahimè non ci sono marines; e dal momento che la trama è convenzionale fino all'inesistenza, bisognerebbe che i quadri coreografici fossero straordinari. Invece sono banali anche quelli, vecchi come le nostre riviste di Vera Rol e con l'immancabile sequenza del sogno che è puro *Anna e il re del Siam*.

La giapponeseria impazzava invece al vecchio Metropolitan, dove si esibiva il famoso balletto di donne Takarazuka, e faceva un curioso effetto trovarselo davanti in quella cavernosa basilica del bel canto ottocentesco, fra gli altari di Gluck e Gounod, e le cappelle di Titta Ruffo e della Galli Curci. Questo spettacolo comincia con l'inno nazionale, che è una caramella dolcissima eseguita con banalità orrenda. Poi appaiono le creature, vestite di rosa e di verde, col loro parasolino, il loro ventaglio, le loro belle vocine, e marciano graziosamente sventolandosi. Nient'altro. Ogni tanto s'alza un nuovo velario, e ne compaiono delle altre, sempre su sfondi d'alberi fioriti. Sono ciliegi simboli di fecondità? Peggio per loro. Sono meli che esercitano la transizione cielo-terra attraverso la potenza delle radici? Peggio per chi ha pagato il biglietto.

La scenografia, nel gusto del falso-Oriente visto nell'anteguerra a Milano o a Berlino, fa soprattutto Marisa Maresca; e del resto le musiche ricordano specialmente i duetti fra Guido Riccioli e Nanda Primavera. Non arretrano di fronte a niente, per mostrarsi occidentalizzate, le mascalzone: fanno tutto, compreso vestirsi da torero o da apache di Montmartre, parlare in slang, fare del jazz ritmosinfonico, dei numeri in onore del baseball, con la presentatrice che fa dello spirito sulla sconfitta dei Giants la sera prima, o dei bozzetti da Novellino col bandito cattivo che va a spasso per le rive di un fiume presentandosi («io sono un bandito cattivo») con forte accento californiano, passa la geisha, e lui le fa paura strillandole «c'mon, baby!».

Hanno maschere di stregoni, finti bambini sulla schiena, pepli scarlatti, stole rosa salmone, cuffiette olandesi, gondole amaranto, sonagli dorati, nastri di tutti i colori, archi decorati di pizzo come sottogonne, fiori di pesco gialli, lilla, viola e rosa, dalie rosse, crisantemi bianchi e neri, tende di nylon, le teppiste, le Forze del Male, grida di «olé», pagodine di margherite, scalinatelle di panno Lenci, la luna che ride di lassù, una solista che fa un suo passepied puro Clotilde Sakharoff, i trucioli argentati che pendono, l'Ouverture della *Cavalleria Leggera, Coppélia* e *Lakmé,* la *Carmen* con l'*Arlesiana,* il *Principe Igor* insieme alla *Csárdás* di Monti, «Talor dal mio forziere», fox-trot che sembrano di Cilea...

Vestono come le giapponesi delle cartoline dei Twenties, fanno venire in mente – male – Matisse, Bonnard, il corso dei fiori a Sanremo, e anche un po' di sbragamenti da Bateau Lavoir; portano uniformi militari, per certi esercizi fisici anche con dei bastoni, battuti l'uno contro l'altro e per terra, tipo saggio ginnico delle Piccole Italiane; fanno i soliti giuochi di virtuosismo coi ventagli, su e giù in nero, rosso, bianco e oro; fanno delle loro cose «tradizionali» con riti, maledizioni, templi di Kyoto, frati neri o argentati, e anche delle cose «moderne» con serramenti alla veneziana, lampade di Noguchi, tanghi di silhouettes bianche e nere. La musica, il ritmo, i movimenti, i microfoni, i lillà di merda, sono sempre uguali; e alla fine, tutte in fila, con la direttrice in berretta viola e tailleur di merda, cantano tutte insieme «Sayonara New York»: ma è molto difficile vedere uno spettacolo più cialtrone.

Tutte le volte che passavo per la 44th Street, e vedevo tante lampade giapponesi di merda fuori del teatro Shubert dove si dava *A Majority of One*, interpretato da Cedric Hardwicke e Gertrude Berg e ambientato a Tokyo, mi veniva un colpo di stanchezza e andavo da un'altra parte; invece un'altra baraccconata orientaleggiante che si dava al teatro next door, il Broadhurst, *The World of Suzie Wong*, per merito di Joshua Logan è lo spettacolo più bello nell'ambito della finta prosa fra quelli visti lì in parecchie settimane. Come autore di film, Logan faceva delle cose piuttosto panteistiche e luccicanti, ben riuscite dal côté dionisiaco e generalmente piene di nudità maschili buttate là con spirito, anche inquietanti, e grossi doppi sensi. In *Suzie Wong* avendo a disposizione questa stupenda France Nuyen ha un po' trascurato il fatto che l'Estremo Oriente, grazie agli alibi comodamente filosofici del buddhismo Zen e dell'amore sfrenato dei giovani giapponesi per i giovani occidentali, da qualche tempo sostituisce le stucchevoli rive mediterranee come paradiso di voluttà per i désabusés di massa anglosassoni; e ha puntato invece specialmente sullo charme dell'attrice e su un giuoco di valori figurativi meravigliosamente tardo-conradiani: facendo benissimo, perché il testo *per se* non è che un liso sottoprodotto di *Pioggia* e della *Grande Pioggia* (*Miss Sadie Thompson, The Rains Came...*).

Si vede chiaro che Logan cura specialmente due cose: che i colori siano bellissimi, delicati, e stiano bene insieme; e poi che appena possibile una quantità di comparse di bell'aspetto si muovano perfettamente in giro per il palcoscenico. Puro Bolognini.

... Adagio adagio, attraverso trasparenze azzurrine da Monet, si vede il ponte di una nave che arriva a Hong Kong, con tanta gente, e si capisce che il pittore americano incontra la bella misteriosa. (Situazione solita: mai una pittrice che scorge un bello). Subito dopo, cambiando a vista, una strada animatissima piena di gente, fiori, animali, marinai in bianco, turisti, carrettini, ricsciò, un'illuminazione geniale, insegne cinesi che si combinano e rivoltano formando un siparietto, «trasparenti» sempre più fantastici, e lei che arriva in raso verde e una rosa fra i capelli sciolti nella casa chiusa dove presta servizio. Fragorosa confutazione della regola di Gottfried Benn per cui più si parla di colori, più la Lirica si ritira e fugge: «l'autore evidentemente suppone di suscitare un'impressione di lussureggiante fantasia, ma non s'avvede che questi colori non sono altro che *clichés* di parole che troverebbero più opportuna ospitalità da un ottico o da un oculista». Macché. Lussureggiante fantasia di

Logan, interno di casino tutto-rosso col suo juke-box, le tende a perline gialle e verdi, e pieno di marinai bianchissimi fra le bottiglie – una cosa perfetta di luci e di movimenti – tutti belli, tutti sexy, tutti parlando di Suzie; è naturale che lui a un certo punto venga ad alloggiare lì, e la commedia va avanti con i difficili rapporti – molto fraterni – tra loro due (ma forse non ce la contano giusta sul fatto dei marinai): abbastanza incantevole da vedere, anche se la storia della buona prostituta, come trovata, ormai fa un po' schifo a tutti (forse meno che al nostro solito Propp: sarebbe molto contento di verificare ogni riapparizione d'una funzione, e ogni conferma della sua ipotesi fondamentale: non esiste che un solo racconto, e l'insieme di tutti i racconti conosciuti va trattato come una serie di varianti del «tipo unico»). Ma conta poco la trama: che non si sappia se lui come pittore è bravo o no, che arrivi la bella americana sprezzante (sempre più Propp, e *Madama Butterfly*) contendendolo a Suzie. Che lei intanto continui a fare il suo mestiere sotto gli occhi affascinati di lui (eppure, i marinai devono entrarci, in un certo senso), con un po' di strazio nell'anima mentre il carnevale impazza: ancora Propp. Ma anche Lévi-Strauss: questa storia sarebbe «nel tempo», in quanto si tratta d'una successione d'avvenimenti; ma anche «fuori del tempo», giacché potrebbe non importarcene niente. Sarà divertente semmai notare che questo pittore vive nell'interno di stupendi quadri alla Bonnard e alla Vuillard, e continua a dipingere come Amisani e Dall'Oca Bianca. Si visconteggia così serenamente sui colori delle opaline, del muro, della brocca, delle coperte, della pelle abbronzata.

Quegli spettacoli di prosa che non son solo belli da vedere o piacevoli ma tirano in qualche misura a essere «importanti» sembrano fatti apposta per illustrare la tesi di Angus Wilson: «il teatro americano è *ingrown*, si sviluppa entro il proprio ambito, con tanti interessi per la decorazione, la regìa, la recitazione, e nessun contatto con la vita reale, cioè con quella che dovrebbe essere la *fonte* dei lavori teatrali contemporanei seri». (Senza neanche il sospetto, se non il «contatto» – si potrebbe aggiungere a questa illusione –, che a questo punto l'Assurdo stava già minacciando la Realtà, come *fonte*). Se però si trova una Metropoli soprattutto materialistica invasa da favole e fantasie, bisogna davvero concludere che il pubblico non vuole altro: è il pubblico, dice Miller, che oggi scrive e dirige le commedie. Sempre il pubblico, aggiunge Tynan, tira a vedere sempre lo stesso spettacolo, ripetuto il più possibile identico

(Propp?...); e allora i produttori non rischieranno soldi per presentarne dei nuovi che forse non saranno graditi. Non per nulla fra i gran successi *Gypsy* è un esemplare proprio tipico, in quanto biografia romanzata che si svolge nel mondo del teatro; e nella capitale del realismo naturalistico, le due ultime cose di Elia Kazan sono due evasioni esotiche e bibliche: dimostrando la fondatezza dell'osservazione che questi teatranti più imparano il mestiere con tutti i suoi trucchi, più perdono di vista cosa sono gli uomini, le donne, le passioni, i sentimenti – la Realtà, che rimane pure il loro solo feticcio confessato. (Ma non è che a questo punto scoprano Beckett, o almeno Ionesco). E più navigano con successo fra i gossip di Manhattan, più si tagliano fuori dal corso della vita nazionale: O'Neill continuava a scrivere di gente conosciuta da ragazzo; Miller riesce a fare il *Death of a Salesman* quando le memorie di vita domestica a Brooklyn erano ancora vive; Inge va bene finché si limita a descrivere com'erano i suoi midwesterners, prima di venire in città; Williams è la prova di come allontanandosi dalle radici si prospera essenzialmente sul grottesco e sul falso. (Ma la Realtà rimane il Feticcio...).

Sweet Bird of Youth (Williams, Kazan...) ha questo bel titolo, e un bellissimo inizio, che però viene fuori dopo dieci minuti che la commedia è cominciata, fra va-e-vieni irrilevanti di camerieri e telefoniste che non devono poi far niente. In un albergo di cittadina del Sud, che scenograficamente è a metà strada fra realismo e stilizzazione, e con una mezza pedana centrale che non ha il coraggio di essere abbastanza brechtiana, si ha il gran risveglio di Geraldine Page, una delle più straordinarie presentazioni di mostro sacro mai viste: spettinata, drogata, discinta, piena di cispe, mezza morta, molto operistica, senza vederci s'alza brancolando sull'enorme letto disfatto, e chiede con la bocca impastata l'ossigeno – la bombola! la bombola! –, l'unica cosa che le fa bene. Arriva con la bombola Paul Newman, il marchettone di trent'anni passati che le sta insieme, coi suoi gilets a quadretti e i braccialettoni d'argento pesanti; e si è già dato da fare abbastanza a portarle via oggettini, a sistemare il magnetofono ricattatorio. «Chi sei?» grida lei, dissociata, «dove siamo?», «quanti anni hai?», «sei bello, almeno?», e lo tocca, lo palpa, mette gli occhiali, e conclude «ne ho fatti di peggio». In fondo, è una scena che volendo si potrebbe fare molto comica; non tanto dolorosa.

La tragedia di lei è quella della *star* di mezza età, nessun produttore la vuole, e lei gira per alberghi frananti con un enorme baule-armadio pieno di sportellini e medicinali, lasciandosi andare, brutta, volgare, chioccia, con dei giovanotti tipo «good looks» che sono il solito ragazzo mediocre gigolo e aspirante attore; e Newman, che è piccolino, zelante, pieno d'impegno ragionieresco nel «tentare d'esplodere attraverso le barriere del naturalismo», mediocre come attore ma con un certo charme fisico (meno, al cinema) e due bellissimi occhi texani chiari, lo fa piuttosto bene. Tutti gli sviluppi càpitano perché lui vuol tornare per sciocche manie di rispettabilità nella sua cittadina, dove già aveva attaccato una brutta malattia alla figlia minorenne del sinistro *boss* politico locale, durante – fra tanti pretesti – una Gita al Faro; si trascina dunque dietro l'ex-brava attrice crepuscolare; ma l'ultimo film di lei ha un grande inaspettato successo, la vogliono subito indietro a Hollywood, lei riacquista subito sicurezza e padronanza ma è solo indecisa se riportarsi indietro lui, o liquidarlo: abbandonandolo alla vendetta del *boss* razzista, che manda in giro le squadre d'azione con la valigetta dei bisturi per castrare i neri in campagna; e vuol fare lo stesso con lui, che quindi a questo punto diventa quasi un Crocifisso. (È anche Pasqua, oltre tutto). Ecco qui una storia piena di orrendi Segreti di Famiglia, di un passato che è meglio non rievocare perché Non Si Fruga Nella Polvere, e delle maschere tradizionali nel Meridione degli Stati Uniti: il Vecchio «forte come una quercia» e «arido come la pomice», anche un po' lurido; il Giovanotto Bello e Doloroso, perduto nei suoi eterni ricordi di un'innocenza mitica vagamente contaminata; la Ragazza Forte e Disperata che si tormenta e lotta; la Donna Matura Isterica e Sentimentale, mezza svanita e ninfomane, sempre sull'orlo del disfacimento definitivo nella follia più coprolalica.

È uno spettacolo apparentemente messo su con poco, scena a due livelli tipo *Anima nera,* un po' d'accessori, qualche rumore inciso, un fondalino colorato su cui viene anche proiettato il comizio politico per la difesa della vergine bianca contro la libidine dei neri, un po' di violenza, qualche pugno, delle belle telefonate, l'aborto, il raschiamento, luci rosse nel bar delle puttane, una regìa attenta ma *déjà vue* – *déjà vues* perfino parecchie imitazioni – e un finale tutto sbagliato con lui che viene piccolino in proscenio per invitare il pubblico a identificarsi col personaggio, scioccamente. E perché mai? «Uccelli vostri» si ribatterebbe al Quirino o all'Eliseo, fra le élites. Come quando Miller butta là agli spettatori il suo solito «siamo tutti *scum*» (cioè, stronzi). Ma che parlino per sé... Cosa interessa, allora? Una cosa sola: l'interpretazione favolosissima della Page. Il resto non è affatto silenzio: è *scum*.

J.B. di MacLeish è lo spettacolo più noioso che si sia mai visto. Niente sipario, e regìa ancora di Kazan, con una piattaforma un po' più espressionistica dell'altra, cioè più sbilenca, circondata da passerelle, gradini, passaggi, scalette. I macchinisti entrano a disporre oggetti simbolici a luci accese e pubblico che chiacchiera. Viene preparata una tavola asimmetrica, e suonata una musica di trombe, poi si sente un organetto, e un orrendo telone viene alzato sul fondo, come una cupola Fortuny sporca, perché si è in una specie di circo, nuova come metafora. Christopher Plummer e Basil Rathbone, due ottimi attori, sono cupamente forzati a declamare scioglilingua come «God is God, he's no good», facendo le parti di Dio e del Diavolo, con le loro maschere, e immedesimandosi anche: sono sicuro che erano così le rappresentazioni del GUF. Mentre loro due gridano scambiandosi versetti della Bibbia, entra la famiglia Antropus, ribattezzata ora J.B. in onore di Giobbe, perché dopo il loro pranzetto convenzionale e felice infatti subito le Disgrazie cominciano ad arrivare, e succede tutto, dalla *Piccola Città* ai *Sei Personaggi,* fra cantilene dei bambini, e parabole con Dio che premia e Dio che punisce. Si va molto avanti per esclamazioni; ma quando le sventure s'accumulano troppo, chi viene in mente subito sono quei poveretti dei *Miserabili*, dell'*Assommoir*, delle *Due Orfanelle*, a cui «non ne andava proprio bene una»; e anche se come regìa 1935 questa direzione di Kazan è efficiente e noiosa, le scene più strazianti fanno ridere come dei *Quo Vadis*. A un certo punto ci sono perfino dei piccoli cori di Regine Atosse sbattute per terra che in presenza di J.B. parlano di lui in terza persona con un'enfasi da finto-Milton. Poi diventa un affare cosmico: arrivano in cielo il Sociologo, lo Psicologo e un loro amico, e dichiarano severamente delle cose generiche sulle rispettive discipline, sul progresso scientifico, sulle illusioni della ragione, i paralogismi, le antinomie, l'inconscio, la pietà, la colpa, e mai sotto forma di domanda e risposta, oppure su uno schema di tesi-antitesi e sintesi, ma sempre per mezzo di intimazioni che si scontrano: «Dio è storia!», «Anche gli innocenti muoiono!», «Dio è giustizia!», «La storia è giustizia!», «Il tempo è la storia!». Pare la cucina di un ristorante dove arrivano le ordinazioni dei camerieri: «Una piccatina!», «Una Bologna e due Milano!», «Al sangue, quel filetto!», «Lunghi, i due caffè Hag!». E a un certo punto, vien fuori perfino la questione se bisogna pentirsi anche dei peccati non commessi; e si capisce che con queste storie si può andare avanti anche molto; e loro lo fanno, girando attorno con versicoli rimati che stanno fra le streghe del *Mac-*

beth, gli *Hollow Men* di Eliot, e «chi troppo in alto sal, cade sovente / precipitevolissimevolmente». Verso la fine, parlano tutti più in fretta e in distici e si capisce meno; ma tanto non interessa; si ha solo la fastidiosa impressione che fra tanti giambi dicano ogni tanto un sonetto. Ci sarà stato, magari, qualche ossimoro? E appena prima che tornino i facchini a portar via le robe, c'è comunque un'ultima battuta riassuntiva-indiscutibile sul tipo di «finché c'è fiato c'è vita» o «finché c'è vita c'è speranza».

Così pare abbastanza ovvio come mai tanta gente si sia entusiasmata per *A Raisin in the Sun,* commedia scritta e interpretata da neri, con propositi di realismo ottimistico e sentimentale. Ha preso l'importantissimo Premio dei Critici; e tanta gente avrà pensato d'acclamare un capolavoro. Applaudivano piuttosto un buon esemplare di quel teatro «carico d'umanità» (oltre che d'una osservazione affettuosa e pungente dei particolari), come da noi è caratteristico di Eduardo De Filippo; e infatti lo si riconosce subito, l'«Old-Vicolo», familiarissimo, appena si entra al teatro Ethel Barrymore. Quantunque la scenografia sia tutta di garza, le gioie e i dispiaceri sono quelli d'una famiglia naturalistica, sempre plausibili e riconoscibili, con le ironie sopra i patetismi, e tutto, siamo a *Napoli milionaria,* a *Natale in casa Cupiello,* dobbiamo rinnovare le commozioni? La casa è la stessa, i personaggi li sappiamo, sempre uguali i problemi nel «basso» di Forcella e nello «slum» di Chicago, identiche le ragioni di riso e di commozione, le aspirazioni, le delusioni, le speranze, le Tine Piche, l'intero cast magnificamente infallibile. La vecchia Claudia McNeil, perfino ex-cantante di blues, non è certo inferiore a Titina, con le sue scene stupende di finte collere, grandi perdoni, ammicchi, corrucci, selvaggio e divorante amor materno, e Che Gran Cuore! Ma Sidney Poitier, che è il protagonista, senz'altro mi pare il migliore attore americano fra quelli che ho visti, come Geraldine Page sembra la più grande attrice, e la Merman il genio scenico e il dono vocale più straordinari. Poitier è gigionissimo, agile, estremamente mobile e delicato, capace di sottigliezze fini fini, di risate e pianti indimenticabili: molto bello e molto consapevole, è capace di tirar su da solo un lavoretto così dialettale e di fiato corto fino a quei livelli di Ottimo Teatro che possono soddisfare anche i più esigenti.

È difficile trovare un «genere» teatrale più lontano da questo che la specie di commedia «chic» o «da salotto» come prospera specialmente a Londra, dove ce ne sono sempre su sette o otto contemporaneamente, per deliziare orridamente il più borghese dei pubblici. Ma anche New York non scherza: sono quelle tramine che si svolgono in case riccamente arredate, con abbondanza di tappeti e di soprammobili da asta in via del Babuino, signore anziane ingioiellate che gorgheggiano in stola o liseuse con giovanotti di mezza età, checche tremendissime sempre in smoking, oppure in soprabito di cammello con la sua cintura pendula, o in vestaglia di damasco con foulard e garofano; biondi, tinti, un po' stempiati, adorati dalle spettatrici loro coetanee perché sono i cosiddetti «matinée idols». Tutte le battute col loro paradossino dentro, come la praline fourrée: sceneggiature di Oscar Wilde eseguite da Henri Jeanson. Si beve solo champagne; oppure, in casi di grande spregiudicatezza, latte: però allora commentandolo; e gli altri accessori soliti sono pellicce, candelabri, caviale, diademi, marrons glacés, viaggi alle Bermude.

In *The Pleasure of His Company*, il più tipico di questi anni, ci sono Cyril Ritchard, Cornelia Otis Skinner, un maggiordomo filippino chiamato Pogo, una villa a San Francisco, musiche di Mozart e di Chopin, un siparietto a piccolo punto, una citazione di Anna Maria Cicogna, vedute di capitali europee in tinta seppia, Ritz, cristalli, argenterie, tanti telefoni che suonano insieme, giacche a due spacchi, idoli africani, massime francesi dell'Ottocento, ordinazioni di cinquanta casse di champagne per volta, un nonnino rubizzo che sta scrivendo un libro umoristico, una battuta di caccia in Kenya, da cui torna lui, il playboy sessantenne ancora pieno di charme, per riconquistare in un sol colpo l'amore della moglie, quello della figlia, e mandarle a monte un matrimonio sbagliato (secondo lui), ma in realtà ce ne fossero, con un giovanottone chiavone delle praterie. La scena dell'incontro fra i due coniugi che non si vedono da tanti anni, poi fra il primo e il secondo marito, sono sempre sullo spiritoso mondano e «casual», ci sono tre spuntini di mezzanotte, uno per atto, e tutti a lume di candela; e il pubblico allucinato da queste graziosità lunari sarà probabilmente ammesso a partecipare solo attraverso il personaggio giovane che prova tutti gli imbarazzi perché è un «plain boy» e non un playboy.

Altro godimento indimenticabile della stessa corrente è stato *The Marriage-Go-Round*, commedia sul matrimonio con Charles Boyer e Claudette Colbert, lui marito che difende il punto di vista maschile e lei che sostiene le ragioni della signora. Ci sono due tipi di programmi: «For Her» and «For Him», e questa pièce è lo stesso. Che delizia vedere lui con la sua giacca da camera di velluto amaranto coi suoi bei fiocchi, e il suo bel parrucchino color pâté maison, piegarsi teneramente a fare il guancia-contro-guancia con lei seduta in poltrona, sotto l'abatjour, e su il mento per distendere il collo, con la sua bella *princesse* di Lanvin-Castillo, al suono di *Mademoiselle de Paris*! È tutto un alzarsi di lei, ogni tre minuti, come una che corre al cesso una sera che non sta bene al ristorante; e invece è per cambiarsi e farle vedere tutte, le toilettes di Lanvin-Castillo, che sono forse quaranta. La storia si basa sull'assurdo presupposto che i francesi facciano bene l'amore: però l'adulterio viene sfiorato e mimato, mai consumato; la piattaforma è girevole, lei dimostra trent'anni e fa tutto graziosamente, lui pare Mario Riva e dice i luoghi comuni sull'uomo anziano; entra una cavallona bionda e dice le cose spregiudicate, si cita molto il Rapporto Kinsey, ma i mormorii d'ammirazione del pubblico sono soprattutto per la rapidità di lei nel cambiarsi continuamente d'abito.

Vanno piuttosto bene a Broadway anche certe riviste da camera vagamente «intellettuali» e importate: come la *Billy Barnes Revue*, prodotto di Los Angeles, con otto persone in scena, e *La Plume de ma tante*, con una dozzina, arrivata da Parigi con Robert Dhéry. La prima ricorda molto lo spirito Valeri-Caprioli, e comincia benissimo con un appello angoscioso alle mamme in sala: «dove avete lasciato i vostri bambini? sono in mani sicure? cosa staranno facendo? ci sono tanti pericoli... il gas... le finestre aperte...». E produce un attimo di vero panico, con tutti che corrono ai telefoni. Poi fanno Las Vegas, la diva ubriacona, il telefono di pelliccia, la solita buffa operazione chirurgica surreale, canzoni con la musica sentimentalissima e parole che esprimono preoccupazioni pratiche abbastanza banali; l'incontro di Arthur Miller con Ernest Hemingway a un safari nella giungla («Mr Hemingway, I presume»); le strazianti avventure del social climber del Connecticut che le sbaglia tutte; una parodia divertentissima dei Beats e di Tennessee Williams, piena di mostri deficienti, oggetti scriteriati e libidini mai viste. E una meravigliosa rievocazione degli anni Trenta, attraverso gli spettacoli: Fred Astaire e Ginger Rogers, il dramma sociale con la disoccupazione, la moglie incinta e lo sfratto, Shirley Temple e la storia del secondo matrimonio del papà di una bambina sensibile, con la matrigna che le dice «saremo grandi amiche», e infatti ballano il tip-tap della comprensione sui gradini di casa (ma lei vorrebbe continuare ad andare a letto col suo papà); i film sulle fidanzate di guerra, Judy Garland,

187

Follie di Broadway con struzzi rosa e malacche da passeggio...
È ricchissimo, lo spettacolino: c'è un discorso di direttrice di-
dattica appena rientrata da un'orgia a una classe di bambini
piccoli tutti con smanie torbidissime e sessualità disordinate e
bambinacce alla Elizabeth Taylor che mostrano surrettiziamen-
te il sedere nudo ai giardinetti. Ci sono le serate della coppia
suburbana; «la vamp e i suoi amici» si dicono le cose più sub-
dole: il più amico è il «camp»; la pagliacciata latino-americana
con i peones che cantano *My Fair Lady* in spagnolo; e parecchie parodie d'altri spettacoli correnti, del «New Yorker», della pubblicità, di Leonard Bernstein che spiega alla televisione
come tutta la musica si fondi in realtà su un sistema di tre note.
Come entertainment è piacevolissimo.

La *Plume* è invece un po' più facile e vieux jeu: molto festosa,
ma con musiche abbastanza volgari, da passerella, scene parigine convenzionali, il can-can, il marito e la moglie con l'amante nell'armadio, i gendarmi in bicicletta che presentano le
pompe, la gallina fa un enorme uovo che è poi una testa calva,
nel piccolo caffè di Montmartre il cameriere bisbetico cucina
disgustose frittelle ai clienti fuori orario, gli impiegati ministe-
riali si sa che sono fannulloni e pedanti, le donne fatali portano enormi cappelli di tutti i colori, le storie villerecce sono
grassocce, e il balletto classico è irrimediabilmente guastato da
tutte le parodie di René Clair. Così si ride abbastanza per i soliti gags da circo e da *Hellzapoppin'*, e soprattutto per una danza sfrenata di monaci tipo Compagnons de la Chanson che prima fanno un mattutino d'impeccabile cool jazz, poi, con gesti
sempre più d'umor gallico e un rock'n'roll efferato, s'attaccano alle corde delle campane, e vanno su e giù per un pezzo,
sempre attaccati, fra urla scomposte e peti scurrili. Insomma,
un successo parigino.

Prima di passare ai teatrini abbandonando Broadway non
bisogna dimenticare al principio della Second Avenue le delizie del Phoenix Theater in mezzo a negozietti di pepe-e-spe-
zie e di camicie di voile da giovanotto con dei volants incredibili. Sono bizzarre produzioni di Broadway in un territorio geograficamente off-Broadway: *Once Upon a Mattress* è una nuova
versione della fiaba della Principessa sul Pisello con una ecci-
tantissima aria d'originalità e stravaganza. In un Medio Evo di
trovatori e di fate che pare l'*Enrico V* di Olivier buttato in ridere, una famiglia reale deve dar moglie d'urgenza a un giovane
Principe che si esprime come un giocatore di baseball, e tutte

le principesse che rispondono all'annuncio vengono sottoposte dal Mago di Corte a un quiz di tipo televisivo: dire in trenta secondi i nomi di tutti gli antenati conquistatori con la barba; e quando perdono, la Regina offre polli e tacchini come premio di consolazione. Perdono tutte. La Regina è vanesia, maligna, invadente, di uno snobismo insopportabile; cambia continuamente l'arredamento e le tappezzerie della reggia; impone alle sue damigelle di imparare i più ridicoli passi di danza, come lo Spanish Panic, talmente complicato che nell'esecuzione le incinte abusive svengono e sono svergognate e scacciate. Il Re invece è un civettone alla Menjou, muto per un sortilegio, con la corona di traverso e le mani sotto qualche sottana; ogni tanto si sente uno strillo d'ancella, e dopo compare lui con aria furbetta.

Arriva finalmente la Principessa delle Paludi, Winnifred, detta Fred, e allora la situazione è la stessa di *Le mal court* di Audiberti, con la differenza che questa è proprio una mascalzona: volgare, sfrontata, ubriacona, civetta sfacciatamente con tutti, canta sguaiatamente «sono tanto timida», e si tuffa nei fossati nuda: è Carol Burnett, una nuova comica dotatissima alla Betty Hutton che viene dal Texas ed è diventata famosa di colpo per una sola canzone: *I Made a Fool of Myself Over John Foster Dulles*. Il principe la ama immediatamente perché si trovano molto d'accordo in tutto, adorano le stesse cose: barzellette cretine, smorfie da bambini, scherzi salaci, sculacciate di sorpresa, gavettini sulle porte e duettini galanti tipo «sei bella», «sì, ma tu sei più bello», «sei carina», «sì, ma tu sei più carino», «è vero, però tu nuoti meglio, e io non so nuotare». La regina e le gentildonne la boicottano malvagiamente, e tutto il musical è una storia di complotti e controcomplotti intorno al «royal test» per lei, con tanti ciambellani, buffoni, processioni a mezzanotte di serve cariche di materassi, lenzuoli, federe, cuscini, coperte, piumini, candele, il re che le tocca tutte, la regina col suo pisello in uno scatolino, e piccoli cori di «zitti zitti» su e giù per le scale; il bagno è una tinozza di plastica gotica, nera e oro coi gigli; padre e figlio fanno duetti sul matrimonio, muti, guitti, a gesti; i maghi si consultano con discorsi da riunione di ex-alunni di collegio; e il divertente, naturalmente, è che lei superi tutte le prove fatte per sconfiggerla proprio in quanto ha reazioni selvagge e impulsi da pazza, le cretinate più imprevedibili. Al «royal breakfast» della mattina dopo si presenta morta di stanchezza e dicendo una cifra altissima. «Di cosa?». «Di pecore: le contavo, non ho chiuso occhio», e s'addormenta sulla tavola (e sposerà il principe, il re riacquista la parola,

189

diventa muta la regina: ma sotto i materassi un'Azione Parallela aveva messo in realtà corazze, mandole, teste di cervo, mazze ferrate...).

Mi sembra di non aver visto niente off-Broadway sul piano di questa mattata tutta da godere. Nelle chiese sconsacrate e nei granai derelitti e nei magazzini ripuliti intorno a Washington Square si trovano quasi sempre dei dilettanti pieni di buona volontà; e del resto ci si va apprezzando soprattutto la «voglia di fare», ma uno sa già in partenza la discesa per pochi scalini rotti, l'arrivo in uno scantinato pieno di tubi e fili mal dipinti, in mezzo a spettatori sempre molto meno allegri che a Broadway; in fondo alla salaccia un lampione da solo deve rappresentare New York City, e gli attori hanno un make-up così così. La cosa migliore che ho visto lì era però la *Our Town* di Wilder nella magnifica edizione di José Quintero, al Circle in the Square: siamo già su un piano importante, teatro a scena centrale con rappresentazioni di classici moderni più o meno rari e sofisticati. I gesti dei personaggi che aprono porte inesistenti e maneggiano oggetti che non ci sono paiono certamente fastidiosi, ormai; ma quando la pièce viene data bene, con una certa atmosfera fuori del tempo giusta, delle facce giustamente qualunque, e una brava ragazza di non più di vent'anni nella parte di Emily, ci si sorprende di notare che i vecchi incantesimi della notte di luna funzionano ancora benissimo: col coro pacato nella chiesa congregazionista, le donne che rincasano nelle casette di legno, le due scalette per le tenerezze a distanza degli innamorati bambini, una immensa natura tutto intorno, virgiliana e ovattata; e il poemetto in prosa di Grover's Corner, New Hampshire, col suo lirismo delle cosine flebili però eterne, commuove ancora più innocentemente che le cittadine letterarie più semplici che si conoscano, quella del *Don Juan* di Azorín, e naturalmente Spoon River.

Era uno spettacolo perfetto, senza difetti e senza artifici, e riusciva a sembrare una di quelle favole dell'immaginazione che esprimono qualche verità dell'esistenza umana. Si capisce che questo paradiso rurale fuori della realtà sarà poi un quieto inferno da cui le ragazze scapperanno appena possibile prendendo il primo autobus della mattina con una valigia dove c'è dentro poco o niente; e gli Eugene Gant se ne andranno per «spaccare o essere spaccati» in un'esistenza realistica piena di trappole che si riprendono tutti i soldi dello stipendio, e le risorse del lirismo lì servono poco. E del resto il finale – «domani è un altro giorno» – naturalmente è la filosofia di *Via col ven-*

to. Però nelle ultime scene si finisce perfino a piangersi addosso scioccamente per almeno un quarto d'ora, al momento dell'irraggiungibilità dei personaggi morti da parte di quelli vivi, e si mescolano ma non si possono sentire (e pazienza, se, incomunicabilità per incomunicabilità, è più straziante quella delle figurine della McCullers, tutte vive, che si parlano, si sentono benissimo, e non si capiscono lo stesso).

Altre cose erano veramente dilettantesche, come le rappresentazioni di certi musicals da camera, che vanno avanti da tanti anni messe su con pochissimi soldi e con un cast cento volte sostituito: l'eterno *Boy Friend* con le collegiali «perfect young ladies» 1925 in Costa Azzurra, collane lunghe, paillettes, gonne a frangia, i ragazzi in giacca da yacht, le palme in vaso sulle colonnine dorate, tanghi e charleston sfrenati e dolcissimi valzer americani. Leggerezze anacronistiche e incantevoli... «Fancy Forgetting... Fancy Free»... Il delizioso *Leave it to Jane* di Bolton e Kern e Wodehouse, del 1917, tutto sulla rivalità fra due collegi per la gara di cricket annuale, con padiglioni, chioschetti, alberi dipinti, lampioncini sul «campus», l'entomologo con la rete per farfalle (prima di Nabokov), ragazzi in blazer a righe bianche e rosse, occhi celesti, ciuffo biondo sotto la magiostrina col nastro rosso, ragazze in camicetta, gonna lunga d'organdis, cintura alta di vernice nera, cappellino di paglia, ombrellino, i professori in redingote, e tanto banjo, banjo dappertutto. Niente sipario, non ci sono scene: semplicemente dipinte sui muri della sala, ci si siede su vecchie poltrone da cinematografo 1910, e gli attori passano in mezzo al pubblico, tra le vecchie canzoncine adorabili e il giovane George Segal debuttante. Malino invece l'*Opera da tre soldi*, nella produzione Blitzstein-Capalbo sponsorizzata da Lotte Lenya in Christopher Street: va avanti fiacca, cantata come viene viene in inglese da attori che cercano debolmente di imitare Laurence Olivier e Dorothy Tutin nel teatralissimo film *The Beggar's Opera*.

La vera esaltazione postuma di Weill a New York l'ho ritrovata invece all'antico City Center, dove Balanchine riprendeva i meravigliosi *Seven Deadly Sins*, col testo di Brecht tradotto da Auden e nello stile dei film UFA: i lampioni stilizzati, le finestre di stagnola, i mantelli neri foderati di raso bianco, il gobbo libidinoso come il Mandarino Meraviglioso, l'aguzzino con rivoltella e gelato, puttanone in frac e cilindro e cosce nude, o in giacca rossa e alamari da cavallerizza, o in reggipetto e cinturone e stivaletti alti; oppure maschere di porcellini e porcelloni. Quando però la gran vecchietta Lotte Lenya viene avanti piccolissima nella sua uniforme storica – gonnella lucida con spacco, scarpe col cinturino, camicetta di maglia arancione, e baschetto nero – e attacca le stupende arie composte da due europei esuli nostalgici d'una patria cattivissima perduta e di un'America mitizzata attraverso nomi-talismani sentimentali («Memphis», «Mississippi», «Tennessee», «Louisiana», «Alabama») che funzionano come suoni evocativi e magici, allora fuori i fazzoletti! Anche qui! L'emozione patetica che si prova risulta più forte e più viva, fra gli altri spettacoli americani già visti; e *Agon* di Stravinskij, nello stesso programma, quasi non lo si è notato e quasi non lo si ricorda.

In quel tempo, anche a Roma: eccellenti *Sette peccati capitali*, con Laura Betti e Carla Fracci, all'Eliseo, per l'Accademia Filarmonica.

Poi, Lotte Lenya venne assaporata soprattutto al cinema, in ruoli specialmente mefitici e teppistici. *The Roman Spring of Mrs Stone*, da Tennessee Williams, fu uno dei più sfrenati divertimenti di quelle annate. A Roma, la proiezione andava avanti tra boati di fou rire, anche nei cinema pariolini meno permeabili al sense of humour. Gente avvinghiata ai vicini perché non credeva ai propri sensi, rovesciata a terra sopraffatta dal godimento, quando Vivien Leigh si smarrisce a Villa Borghese come una Biancaneve in un labirinto di verzura, e non in una pista asfaltata dove si rischia di non attraversare mai tra le colonne d'autobus. Merito anche del regista José Quintero, che ha fatto tutti i primi festival di Spoleto. Ci vuole una profonda conoscenza d'ambiente, per far fare a Lotte Lenya una contessa mezzana impegnata in alterchi con un principe o barone, strillandosi «ma io sono un Di Leo!», «e io, una Terribili-Gonzales!», in una villa sull'Appia Antica talmente franante che quando si sente dire «la precedente proprietaria si è rovinata al gioco», localmente si pensa dovesse trattarsi almeno di Giulia Drusilla o Faustina Maggiore.

Merito anche del doppiaggio. Però, anche un negozio di Scarpa Bottega in Via Condotti, il sarto dalle forbici d'oro che con baffo untuoso declama «pura lana» sulle pezze, l'esplosione di un carretto di polli a un passo da Piazza di Spagna, una *Madonna della Seggiola* su finto-damasco nei caffè di Via Veneto... Così, anche molto prima del classico *Cabaret*, i piccoli fans dell'*Opera da tre soldi* (di Pabst) giubilavano rivedendo ormai Lotte Lenya nei film di 007 con una lama spietata nel tacchetto al servizio di qualche organizzazione paramilitare equidistante dai due blocchi, mentre la cisterna di Giustiniano viene usata per spiare col periscopio dentro le ambasciate a Bisanzio, e una fuga in chris-craft attraverso lagune in fiamme ha alle spalle un Orient Express deragliato e quale meta la Venezia delle cartoline coi piccioni.

Se si è poi curiosi di precisioni meccaniche, funziona al Radio City Music Hall il centogambe delle Rockettes. Ma in questo panettone cavo ad archi bassi da *Boris*, foderati di velluto blu cupo, la vera sorpresa viene alla fine, l'enorme organo impazza, sul palcoscenico sale un'immensa Piedigrotta coloratissima, lenta, carica di lampadine e festoni, e a tutte le altezze nella sala girano sportelli invisibili, e appaiono creature in veli azzurrini, elfi o ninfe o sirene, emettendo suoni celestiali e musiche dell'altro mondo. Al vecchio Madison Square Garden, poi, su una vastissima pista di ghiaccio verde smeraldo come il mare a Paraggi svolazzano scimmiottini, cinesini, elefantini di plastica rosa, Hänsel e Gretel incontrano gli animaletti della foresta di Biancaneve in un mercato persiano, ma anche Turandot e Shirley Temple, soldatini di stagno e di cioccolata, cowboys in raso bianco e paillettes argentate. Nel finale dedicato all'Opera italiana, quaranta Tosche e quaranta Cavaradossi s'avventano pattinando sulla pista in un immenso valzer viennese mentre viene eseguito il «E lucean le stelle», quaranta Aide piroettano fra le braccia di altrettanti Radamès intorno a una piramide di raso giallo mobilissima, sfingi di cartone, toreri rossi e dorati, tripodi di fumo rosa sui loro pattini; e un Duca di Mantova carico di lustrini canta «Questa o quella» in una girandola di duecento cortigiane di tutti i colori che gli sfarfallano intorno volteggiando senza fermarsi.

Di ritorno, ecco a Londra quelli che il Giovane Holden chiamava (odiandoli) i «favolosi Lunt», tutt'altro che facili da vedere fuori di Broadway ove regnano fin dai tempi di William Powell e Carole Lombard come coppia non meno celebre di Pierre Fresnay e Yvonne Printemps a Parigi: quarant'anni di light comedy portata alle squisitezze estreme, il gorgheggio da salotto che diventa armonia delle sfere... Ma come riescono anche a comunicare le emozioni più agghiaccianti, Alfred Lunt e Lynn Fontanne, le rare volte che pronunciano le parole di un testo drammatico...
Stavolta recitano *La visita della vecchia signora* di Friedrich Dürrenmatt: ed è provato che si tratta di un testo passabilmente rozzo che però può diventare uno spettacolo straordinariamente ricco e colorato nelle mani di un bravo regista disposto a confondere qualche carta in tavola caricando il suo finto-

Brecht di più di un effettaccio a sensazione. E qui Peter Brook approfitta della propria folle bravura per far sfilare suonatrici e jongleurs con ritmo perfetto intorno ai due inarrivabili maestri della recitazione rococò, acchiappa ogni pretesto per tirar qualche colpo gobbo di Grand Guignol al plesso solare dello spettatore digestivo.

La Fontanne, «signorile» e spaventosa nella sua marmorea decrepitudine, più rossa di Stalin quando entra in portantina, e più tardi semiviva in abito da sposa, col suo sigaro in bocca, è anche più impressionante di qualunque douairière romana nella parte della tremendissima vecchia che torna miliardaria a vendicarsi del paese dove da povera servetta l'avevano trattata ingiustamente tutti. Forse ammicca superiormente a Bette Davis: ma ciascuna delle cento parole che ha da dire in tutto è un «modo» indimenticabile di lavorare dall'interno con prodigi fonologici inauditi le sillabe più banali come «sì», «no», «grazie», «buonasera».

E lui, raffinatissimo habitué alla marsina o alla giacca di velluto col suo foulard di seta, dovendo fare stavolta il bottegaio poveraccio non toccato dalla Grazia economica di Adenauer, si costruisce una maschera tormentata fra Eisenhower e Calvero, gli abiti gli cascano addosso, e quando s'abbatte per terra sembra sciogliersi come un pupazzo di neve. Le rievocazioni con lei dell'incontro amoroso di tanti anni prima, con una discreta onda mandolinara sullo sfondo, può anche sembrare per un momento una gentile parodia di quella parodia di duetto, nel film *Gigi*, quando Hermione Gingold e Maurice Chevalier rammentano un idillio ugualmente lontano, però lui ricorda i particolari tutti sbagliati, lei invece non ne ha dimenticato uno («erano le sei...», «no, erano le sette!», «sono arrivato puntuale...», «no, eri in ritardo!»). Ma qui basta che si passi alla scena seguente, la tentata fuga alla stazione, quando tutto il paese impedisce all'infelice di salvarsi sul treno, perché il grande attore riesca a far sentire con un gesto o un urlo che gli resta in gola tutta l'angostura al fondo delle poetiche dell'uomo *traqué* contemporaneo, da Kafka a Camus.

Come impostazione: per dar l'idea dell'affondamento morale di questo paesello che si viene persuadendo della necessità sul piano economico-amministrativo dell'omicidio rituale preteso dalla vecchia implacabile, Brook fa delle cose espressionistiche-Jedermanniane, fra Toller e Piscator, con riflettori e proiezioni in un certo gusto pre-hitleriano dello Strehler d'una decina d'anni fa.

Quantunque le messinscene si potessero con indifferenza riferire a uno qualsiasi degli ultimi decenni teatrali, i testi portati nel '61 a Roma dal Theatre Guild di New York appaiono oggi così fermamente datati in un momento preciso della storia del gusto, da essere visti come «period pieces» col medesimo interesse di quando si razzola per le cineteche dietro un Willi Forst o un Jacques Feyder, per pura curiosità e senza star certo lì a pesare ciò che è vivo o ciò che è morto in produzioni così pateticamente indifese di fronte al Tempo.

Questo Theatre Guild è un gruppo cinquantenne di entusiasti amatori del palcoscenico, notissimo per l'abnegazione delle sue iniziative in epoche quando puntare su autori d'avanguardia come O'Neill e Shaw era un'impresa piena di rischi; col tempo ha acquistato professionalità e ufficialità; gli autori d'avanguardia lanciati (da Robert Sherwood a Maxwell Anderson, da Philip Barry a William Inge) si sono scoperti una predestinazione sempre più accentuata per un grande e pacifico successo a Broadway di lì a pochi mesi; e finalmente come Museo-custode d'una tradizione ormai arcaica di Drammaturgia americana del Novecento il Guild viene ora incaricato dai servizi culturali governativi di organizzare più d'una tournée all'estero nel quadro di quei vaghi programmi di Buoni Uffizi Intellettuali intesi a dare qualche periodico *face lifting* alla reputazione diplomatico-artistica degli Stati Uniti.

Non si pretenderà naturalmente che questa tournée attuale ci porti alcunché di nuovo, al di fuori della possibilità di studiare da vicino la leggendaria *first lady* del teatro americano di questo secolo, Helen Hayes, e di scoprire gli straordinari talenti della «bambinaccia» June Havoc. L'occasione però è stata utile per riesaminare tutti noi insieme il senso di due ex-bestseller intellettuali che al tempo loro sono stati presi assai sul serio da tutti quanti, e presentati al pubblico italiano da registi come Strehler e Visconti.

Il successo non era certamente mancato intorno al 1942 a *The Skin of Our Teeth* di Thornton Wilder, e meno che meno a *The Glass Menagerie* di Tennessee Williams verso il 1944: coi titoli di *La famiglia Antropus* e *Lo zoo di vetro* le troviamo ancor oggi citate con una certa frequenza... Ma come sono invecchiate malamente, tutt'e due le commedie... Come paiono scritte rozzamente, oggi, con tutta la loro abilità trafficona d'effetti scenici; e come si vede chiaro cosa sono in realtà, indizi estremamente significativi d'una situazione culturale col «complesso della biblioteca pubblica» (o anche della collezione universale), dove si parte veramente da zero, ogni volta, per conquistare con enorme fatica e poche gagliarde affannose sorsate addirittura l'intero patrimonio spirituale dell'umanità... senza mai fare una scelta... sempre col presupposto che la storia dell'intelletto umano sia null'altro che un elenco alfabetico di schede, dove ogni autore da Abelardo a Zwingli figuri col nome scritto in caratteri d'uguale grossezza.

Wilder col suo presentatore pirandelliano che illustra le scene citando massime di Spinoza e Aristotele ridotte a carte da cioccolatini, e Williams col suo presentatore anche pirandelliano che illustra le scene preoccupandosi di situarle nel contesto politico-sociologico degli avvenimenti contemporanei, dai postumi della Depressione a Guernica (e tutti e due, quando è il momento, avvertono che la commedia è finita, e augurano la buonanotte perché non rimangano dubbi), stanno scrivendo per un pubblico straordinariamente terra-terra, a cui bisogna spiegare proprio tutto, perché nella sua ingenuità si lasci trascinare a concepire un pensoso «That's something!» di tanto in tanto. E in fondo, che cosa fa di diverso Arthur Miller, quando dopo anni di titaniche gestazioni, fra tristezze e tormenti d'ogni genere, al di là d'ogni sopportazione, e migliaia di pagine divorate e distrutte, produce una nuova commedia dove tutto il «messaggio» è una riflessione sulla condizione umana talmente quotidiana e banale che tanto varrebbe affidarlo all'oratore sordomuto di Ionesco, perché così almeno si sarebbe liberi di supporvi dentro una qualche profondità misteriosa?...

Si capisce poi che queste commedie, racimolando (come fanno) tanta attrezzeria del decadentismo europeo (suggestiva di per sé), affastellando un'infinità di motivi su cui si può sempre giocare di pedale e di sordina alternativamente, e scritte in un «parlato» che funziona sempre perché l'orecchio è efficiente, finiscono senz'altro per costituire un veicolo ideale per le improvvisazioni di un bravo regista fantasioso che ne farà quello che vuole fino al limite di cambiare le carte in tavola. Ma proprio per questo, dopo averle viste tutte agghindate e prestigiose per virtù di regìa e d'interpreti, non è vano ritrovarsele davanti spogliate nude senza padrini né madrine, queste baraccone, in quel tono inconfondibile da playhouse estiva lungo il «circuito dei cappelli di paglia» (quei teatrini di villeggiatura da Long Island al North Shore di Boston) dove si cambia programma praticamente ogni lunedì, con sempre un'attrice rinomata come richiamo, un paio d'antiche celebrità dissepolte per la stagione calda e per farle guadagnare un pochino, un resto del *cast* volonteroso dove si può trovare di tutto, scenari «semplificati», costumi così così, e luci come vengono vengono... Allora, quello che c'è nel testo è tutto lì, e si sente, e si giudica.

La prima sera abbiamo avuto ancora una volta la vecchia *Skin of Our Teeth*; e si sa bene che ormai si son messi tutti d'accordo nel definire «alessandrina» la qualità più evidente di Wilder, per quel suo talento d'impossessarsi a prima vista degli elementi più *faisandés* delle antiche culture del Vecchio Mondo per metterli insieme in pasticciotti tutto sommato piacevoli. Quasi sempre infatti la combinazione riesce: l'espediente di *The Bridge of San Luis Rey* funzionava, eccome; *The Woman of Andros* ricordo che per un momento ci aveva addirittura incantati, a suo tempo, e conosco una ragazza che ancora poco tempo fa è andata diritta in Grecia subito dopo aver letto le sue descrizioni di tramonti egei.

La povera famiglia Antropus si arrabatta continuamente per fare tutte insieme delle cose tipicamente americane che prendano in giro senza scalfire troppo l'americanismo degli americani, e d'altra parte delle cose simboliche molto, molto eterne, fra ere glaciali e contrasti domestici, ripicchi e tentazioni e diluvi universali. Rappresentata così semplicemente, senza nessuna pretesa, è chiaro che una quantità di espedienti daranno oggi solamente fastidio: come gli interventi del personaggio-regista, le proiezioni cinematografiche di «attualità» all'inizio, e le discese in platea. Non si sopportano più. Però l'interpretazione delle due straordinarie attrici è molto illuminante per cogliere tanti significati minori della ridondante commedia, perduti di solito in ogni produzione europea che per forza va un po' a orecchio non riuscendo a riprodurre una quantità di idiotismi proprio addirittura vernacoli.

La Regina di Broadway è qui una deliziosa mamma scioccona che lascia distrattamente entrare i dinosauri in salotto e barrica invece le porte contro l'arrivo del marito: forse un po' saltellante per eccesso di zelo, ma comunque con prodigi vocali e fonici da far perdere la testa. Il suo «discorsino della moglie del presidente della convenzione» è uno dei più perfetti pezzi di teatro che mi siano mai capitati sotto: uno di quei rarissimi capolavori di sapienza e d'ironia e di misura e d'umori a cui non si vorrebbe aggiungere o togliere assolutamente niente. Ma le vere rivelazioni sono venute da parte di June Havoc. Che fosse brava sulle scene preferibilmente musicali, e poi tutt'altro che stupida, lo si sapeva già da qualche film dei Late Forties, e soprattutto dai libri di ricordi suoi e della sorella (che è poi la famosa Gypsy Rose Lee, e non per nulla il gran musical *Gypsy* è basato sulle loro autobiografie). Ma vederla muovere perfettamente attorno in costumino attillato con quelle irripetibili gambe che dalla coscia alla caviglia sono veramente «pezzi d'epoca» (le tipiche gambe 1940, che poi non si sono mai più viste uguali da nessuna parte), e un talento strepitoso che le permette di recitare decine di parti contemporaneamente, passando dal *tarty* al signorile, con una nuance d'accento o un ammicco ribaldo, è tutta una gioia sfrenata, e purtroppo rara: mai vista in Europa (se non Franca Valeri) una «comédienne cangiante» giocare con un simile virtuosismo su tante corde tutte insieme. Un po' cavernosa riusciva invece la riapparizione di Helen Menken, chiromante dai denti malfermi che dà l'impressione d'arrivare direttamente da un'altra epoca, da civiltà teatrali sepolte. E assolutamente insopportabile l'ultimo atto, dove il ritmo divertito dei primi due si perde, e l'ostinazione nello spiegar tutto e moraleggiare su tutto si spinge fino ai più neri eccessi nell'uggia.

Su Tennessee Williams, da parecchi anni, si sente ripetere qualunque cosa, e soprattutto dei giudizi critici variamente sfavorevoli. Spesso però con una limitazione: sarà quel che sarà, ma almeno una volta è riuscito a raggiungere la poesia, in *The Glass Menagerie*. Adesso la si vede, finalmente, nell'interpretazione autentica, questa commedia; e non rimane nulla. Raramente un mondo poetico appare così crollato e finito come questi fantasmi in polvere di zitelline appassite e di madri possessive, di fratelli sognatori propensi all'evasione e di giovani buoni che s'involano appena sfiorati, tra fiori finti e tarlatane a buchi, e bidoni di bucce di patata e illusioni nate-morte. Basta coi quieti deliri e con le aspettative fantasiose, coi poveri piccoli oggetti fastidiosamente simbolici e coi miti privati espressi poi in un linguaggio grossolanamente sentimentale. È incredibile come questo testo suoni mal scritto, pronto com'è poi a incoraggiare le interpretazioni più manierate. A cavallo fra la recitazione robustamente realistica della Hayes e le intenzioni levitanti di una rudimentale regìa tutta vaporosa (uno «spot» s'illumina di tanto in tanto sul ritratto del padre morto, un personaggio sfiora la parete nuda, e come se avesse toccato un interruttore s'accende la luce), lo spettacolo zoppicava da tutte le parti, non aiutato certo dalle musichine «evocatrici» di Paul Bowles, tutte trasalimenti e Fata Confetto, e si trascinava sottolineando un'infinità di vetusti manierismi (di preferenza quelli appena appena comici di lei), finché è del tutto franato in una ridicola «dormitio virginis» verso la fine. L'interpretazione di tutti gli altri era pessima. Perciò non si è neanche andati all'ultima delle tre rappresentazioni; e così, oltre a una commedia piuttosto banale di William Inge, ci siamo persi anche l'apparizione d'una nuova attrice giovane di cui si è poi sentito dire un gran bene il giorno dopo.

ORFEO NEL BRONX

Si sa anche troppo che Hollywood non è più da un pezzo quel piccolo mondo chiuso chiusissimo di magnati avidi e bestiali, padroni di fabbricare e distruggere i miti delle Divine per mezzo delle loro organizzazioni produttive potentissime. Anzi, si è visto bene in questi ultimi anni che sforzi abbiano fatto per mettersi al corrente con la buona cultura e con i veri problemi del nostro tempo. Ma a un certo punto ci si accorge che non è neanche più giusto continuare a parlare di «Hollywood» e basta. Perché di Hollywood oramai ne esistono parecchie – non solo per i sistemi di decentramento in uso presso le Case maggiori, con l'abitudine diffusissima di andare a girare tutto nelle parti più diverse del mondo, o per l'affermazione crescente dei produttori indipendenti, attori-produttori, o registi e scrittori-produttori – ma soprattutto per la straordinaria attività di una specie di succursale atlantica, una «Hollywood-on-Hudson». Non si sono mai fatti tanti film a New York come in questo momento.

Molte volte sembra che si tratti di un ritorno alle origini, a casa, cioè ai vecchi stabilimenti della Biograph dove praticamente il cinema muto è nato sessant'anni fa, e che hanno visto sorgere insieme il fenomeno del divismo e dell'affarismo su grossa scala, nella persona di Mary Pickford. Ma nello stesso tempo vecchie baracche già usate per fare i documentari, studi televisivi, garages, magazzini, dogane, stazioni della metropolitana, ex-caserme, vengono adoperati attivamente da questa nuova industria che si sviluppa localmente intorno a Manhattan. E neppure si contano più oramai le scene girate in esterno, in giro per la città, per le strade, parchi, negozi, giardini zoologici, uffici, vaporetti. Infatti le stiamo vedendo puntualmente nei nuovi film: l'alba stupenda a Wall Street in *Fascino del palcoscenico*, l'inizio dell'affascinante *Intrigo internazionale*, ripreso tutto alla Grand Central Station di Manhattan e nel pezzetto adiacente di Madison Avenue.

Basta poi il nome mitico di Vitagraph per evocare immediatamente memorie patetiche all'amatore delle ghiottonerie più prelibate del cinema preistorico. Sono teatri di posa slabbrati e cadenti, presso Flatbush, cioè in fondo a Brooklyn, passate le arterie principali, Atlantic e Franklin Avenue, sulla strada per Coney Island. Andavano benissimo per suggerire immagini di sfacelo – non si ha neanche una idea della decrepitudine desolata di quei luoghi – e quindi sono stati riaperti per girare *Baby Doll*; ma poi non li hanno mai più richiusi, e vanno avanti a lavorare. Andando oltre nella stessa direzione, ai Parsonnet Studios, quasi al mare, Franchot Tone ha girato un suo *Zio Vania*, ricalcato su una interpretazione che gli era andata bene in teatro. E nel cuore stesso di Manhattan, a meno di un miglio da Times Square, sulla 54th Street, in mezzo ai mercatini di verdura rionali e un po' levantini della 10th Avenue, negli stabilimenti Fox Movietone, quelli dei documentari d'attualità, è stato fatto *Twelve Angry Men* con Henry Fonda, poi *Edge of the City* con Sidney Poitier; e hanno appena finito *Happy Anniversary*, con David Niven e Mitzi Gaynor, diretto da David Miller. Per fare quell'incantevole *Stage Struck*, con Susan Strasberg e Henry Fonda, e poi *The World, the Flesh and the Devil* con Belafonte e Mel Ferrer, le troupes cinematografiche hanno invaso un edificio della 26th Street, non lontano dalla Pennsylvania Station, che per più di cent'anni era stato occupato dalla truppa, cioè il deposito di munizioni del 69° Reggimento d'Artiglieria. (Ovvero l'Armory, celebrata sede nel 1913 del famosissimo Armory Show, con Duchamp e Picabia).

Il più importante di tutti questi stabilimenti è però ancora la vecchia baracca di Mary Pickford, i Gold Medal Studios, in mezzo al Bronx, il quartiere popolare vastissimo alle spalle dell'isola di Manhattan. In pochi mesi lì hanno fatto: *A Face in the Crowd* di Kazan, *The Goddess* con Kim Stanley, *Middle of the Night* con Kim Novak e Fredric March, oltre a parecchie cose con James Cagney, Tab Hunter, E.G. Marshall, e la Loren.

Il posto è orrendo: una specie di casermaccia a quattro o cinque piani, in mezzo a chilometri e chilometri di casette basse e decrepite che quando va bene non sono troppo più allegre delle periferie milanesi, e quando va male sono desolate come ospizi derelitti, pieni di tubature rotte. Lì si vede la New York vecchia vecchissima al di fuori di quelle poche risapute vie brillanti nel centro, e si va avanti per ore e chilometri fra gli squallori e le decrepitudini. Il Crotona Park, a due passi dagli studios, pare il giardinetto di un cronicario; e dentro, gli studios stessi sono di una miseria da poveretti, privi di comodità, tipo una vecchia Casa del Fascio andata in malora per tanti anni, e riammobiliata in fretta con qualche tavolaccio e qualche sedia da commissariato. Il camerino di Anna Magnani, per quel poco che ne ho visto, era uno stanzone con qualche sofà, con tutti che le passavano sulla porta facendo rumore quando lei dormiva dopo colazione, benché un paio di omini girino facendo «pssst pssst, Miss Maghnani takes her nap, you know»... E il camerotto riservato a Kim Novak era stato ricavato addirittura dai locali della vecchia mensa di cinquant'anni fa, per guadagnare spazio. Per risparmiare, però, non hanno neanche abbattuto il bancone del bar, che quindi veniva a occupare tre quarti della stanza, sinistro come una tomba.

Si sa bene che quando una Divina si considera arrivata, non manifesta più direttamente le emozioni. Ha due o tre sicofanti che non la abbandonano un attimo, piangono per lei, ridono per lei (nel caso della Novak, bella bellissima ma non acuta, sovente parlano anche per lei), e fanno le scenate quando c'è da arrabbiarsi o da lamentarsi per qualche cosa. Quelli della Produzione però sono riusciti a tenerli lontani con un pretesto. Hanno preso l'interessata da sola, e le hanno presentato la tana direttamente, dicendole: «Divina, avrà qui da noi privilegi mai visti; il camerino con un bar antico autentico». E lei, incantata, sta ancora ripetendo adesso in giro che un trattamento così principesco non l'ha mai avuto da nessuna parte.

Quando del resto si chiede a lei e agli altri come mai lasciano la Hollywood vera per quella di New York, loro sono i primi a riconoscere che tutto costa talmente meno sulla costa atlantica, che gli attori hanno molto più tempo per studiare la parte con agio, settimane intere, senza l'incubo delle spese tecniche che salgono. «Per *Middle of the Night* ho potuto fare le mie prove per settimane,» dice lei «e alla fine avevo capito benissimo il carattere della ragazza che interpretavo. Sulle rive del Pacifico, questo non mi era mai capitato». E questo va d'accordo con ciò che sostiene da sempre il suo amico Hitchcock.

I costi a New York sono realmente più bassi di un terzo. Gli stabilimenti sono molto più piccoli; la gente da impiegare, molta meno; i sindacati fanno meno storie; tutti i magazzini e i laboratori per i materiali di scenografia e di sartoria sono concentrati a Manhattan, sottomano. A portata di mano, anche, tutti i talenti che si possano desiderare, attori e scrittori d'ogni tipo. Molti di questi non se la sentirebbero di trasferirsi a Hollywood, per non rinunciare a tutti gli impegni che hanno già con i teatri, la televisione, i night-clubs. Ma a New York si possono avere con poco, perché continuano ad abitare in casa loro, possono andare a letto tardi e alzarsi all'ultimo momento, e tutt'al più, come spese, dovranno prendere un paio di tassì per andare e tornare dagli studios. Però intanto hanno le sere sempre libere per il loro lavoro solito, e anche durante il giorno possono riuscire a fare tutta la radio e la televisione che vogliono. In questo modo, prendendo parecchi stipendi insieme, hanno anche pretese minori che non se si dovessero trasferire in California per mesi e mesi piantando lì tutto il resto.

Spendendo meno, si possono poi fare film più insoliti, più audaci e coraggiosi che non a Hollywood – come si constata continuamente –, e una certa intelligenza può farsi strada in maniere anche singolari, giacché i costi sono ridotti. Ed è per questo che al produttore diventa più facile trovare parecchi finanziatori locali. Parecchi di questi piccoli produttori lo fanno anche per ragioni di famiglia: quello di *Happy Anniversary* per esempio è un personaggio importante di Broadway, ma poco conosciuto fuori, quindi gli è facile sistemare il figlio esordiente come aiuto-regista e la figlia ancora studentessa come assistente dello scenografo nel film che viene girato in città: a Hollywood sarebbe stato più complicato, dicono.

Sono passato un paio di volte ai Gold Medal Studios per veder finire di girare *The Fugitive Kind,* con Brando e la Magnani; ma ho avuto l'impressione che non riuscisse bene: tutti nervosi, ansiosi, irritabili.

Il film è stato sceneggiato dallo stesso Tennessee Williams, da una delle sue commedie più torve, *Orpheus Descending,* a cui si è tenuto ahimè fedelissimo. Rappresentata a Broadway con Maureen Stapleton e Cliff Robertson, a Parigi con Arletty e Jean Babilée, e perfino a Londra con Isa Miranda; ma generalmente trovata orrenda. È una di quelle solite storie sue del ragazzo campagnolo un po' incantato ma di fondo buono, che arriva con una giacca di serpente in un paese dove succedono un mucchio di storie con una padrona di negozio anziana e poco contenta del marito, e con una ragazza scappa-da-casa un po' isterica, che nel film è Joanne Woodward. Alla fine, dopo tanti aneliti da tutte le parti, per una delle solite macchinose ragioni che nel teatro di Williams sempre portano rovina e orrore, ma se si comincia a vederle con calma – addio! –, il povero ragazzo viene divorato vivo da una muta di cani poliziotti cattivissimi, fra urla disumane e brandelli di carne insanguinata portati in giro. Cioè pressapoco quello che càpita agli altri protagonisti dello stesso autore che si vanno facendo strada adesso: un altro giovanotto, nel film di *Suddenly, Last Summer,* viene fatto a pezzi e divorato da una banda di famelici pescatorelli spagnoli, non tanto travolti dai brutti esempi dei film di vampiri, quanto piuttosto umiliati e offesi dal fatto di essere trattati come oggetti, e pagati poco. A Paul Newman, nella commedia *Sweet Bird of Youth,* uno dei successi correnti di Broadway, càpita anche di peggio, in un certo senso, perché nel finale, dopo che sono già successe parecchie orrende cose – e si è vista andare e venire per la scena una valigetta di bisturi affilatissimi che serve a una banda di bianchi fanatici del Vecchio Sud per fare ai neri che guardano troppo le loro donne la stessa operazione che si fa ai gatti in amore –, la banda lo viene a prendere, e fanno l'operazione anche al «dolce uccello» di lui, quantunque si appelli al pubblico, e sostenga che insomma, dopo tutto, chiunque, volendo, potrebbe riconoscersi in lui. (E più d'uno: ma quando mai? E gli italo-americani: ih, ih!).

Al vecchio Brando, naturalmente, si era voluto a suo tempo un gran bene, e tutti si sono aspettati a lungo che finisse per fare delle cose importanti. Ma adesso, francamente, si rimane un po' male a vederlo anziano e ingrassato, vestito da ragazzo giovane, con questi calzoni verdolini attillatissimi che mettono in evidenza senza nessuna pietà il sedere largo, le gambette corte, con questa schiena lardosa, enorme, la testa grossa, il collo che non esiste più. Scende giù con questa aria sempre uguale, la faccia ancora bella, ma imbronciata, arrogante, «delusional» e «flat» di maniera (ma bisognerebbe essere almeno una Garbo per poterselo permettere). Muove un mezzo ditino per chiamar lì il regista, che è Sidney Lumet, un omino piccolissimo con scarsa autorità, l'unico in blue jeans della compagnia (e gli stanno male perché peserà sì e no trenta chili), con maglietta bianca e foulard caprese rosso al collo, sempre affannato a muoversi, in mezzo a un assembramento di villanzoni senza «sensitivity» che non si vogliono né spostare né stancare, e girano a torso nudo con gli enormi stomaci in fuori dilatati dalle birre. Con la Magnani, ostentatamente non si guardano; e lei, confortata da Suso Cecchi d'Amico, appare affranta e pessimista.

Sedute a vedere, in mezzo a pochi amici, tutti teatranti, ci sono lì la Stapleton, che è una brava donnona bruna, tranquilla, con la pelle pesante, e fiumi di sudore da tutte le parti, con una ballerina piccina piccina di Robbins che viene tutti gli anni a Spoleto. La scena è un ufficio di polizia, e gli agenti devono prendere Brando, con la sua giacchettina di pelle di serpente, dalla cella dove sta seduto in mezzo a due generici vecchi, col cappello in testa e la camicia slacciata. Lo portano davanti al giudice, e questo gli chiede pressapoco perché ha combinato un certo pasticcio, la sera prima, in un bar, ove deve aver spaccato piatti e bicchieri. Le repliche di Brando non sono mai facili da sentire, perché sono tutte sul mugolio e sul rantolo; ma da quel poco che si intende, lì a un passo, il testo rimane molto nel vago: il peccato originale, l'innocenza corrotta, il paradiso perduto, e tutte quelle robe lì. Fa una certa malinconia vedergli ripetere tante volte, più di dieci, i medesimi piccoli gesti triviali che in principio avevano preso tutti in trappola con la sensiblerie: come stringe il cuore vedere uno che continua per dieci volte di seguito a borbottare delle stronzate grattandosi prima l'occhio destro, poi l'orecchio sinistro, poi il naso, con l'unghia, poi tutta la testa, e finendo sempre per prendersi fra due dita la pelle della guancia, con broncio... Ora, per «los Methodistas» (cioè gli adepti americani del «Method» alla Stanislavskij), la verità e l'onestà consistono in una immedesimazione risolta in una grammatica o terapia di bofonchi e farfugli e grattate sull'orlo dell'inarticolatezza e del rantolo. Da noi si discuterebbe subito se sono di destra o di sinistra: specialmente rispetto allo straniamento brechtiano, dove gli attori non vivono i ruoli ma li segnalano con alienazione. Qui, per Harold Clurman, i bruti prepotenti uso Kowalski nel *Tram chiamato Desiderio* («Stellaaa!!!») sono già potenziali fascisti.

Mai visto Brando con la Magnani: non si parlano. Preferibile Paul Newman: personalmente dà l'impressione di un coscienzioso impiegato: modesto, tranquillo, pieno di buon senso e voglia di lavorare. Ma con una delusione per i fans: è più piccolo di me.

Probabilmente questo *Fugitive Kind* riuscirà uno spettacolo singolare, curioso, forse non troppo nuovo, ma con un certo talento dentro. Forse anche finirà per somigliare a una certa parodia orrendissima di questo tipo di film, fatta già un anno fa dalla rivista «Mad», che è la pubblicazione umoristica di successo in questo momento, perché spara un fortunato genere di spirito sofisticato – però per le masse – sempre con prese in giro selvagge, da querela, di qualunque cosa, spettacoli, politica, giornalismo, pubblicità.

La storia pubblicata da «Mad» si intitola *Sin-Doll-Ella*; e già nel titolo ci sono tre o quattro giochi di parole, perché intanto suona quasi come Cinderella (Cenerentola), *Sin* naturalmente è «peccato», e *Doll*, cioè «bambola», fa venire in mente subito *Baby Doll*. Le illustrazioni sono tremende.

Atto primo. Scena prima. Il sipario s'alza su una stanza da letto schifosa e ripugnante in una baracca schifosa e ripugnante del Vecchio Sud ripugnante e schifoso. La protagonista, Ella (in sottoveste stracciata, lunghi capelli biondi, tra Eva Marie Saint e Carroll Baker, dollari che le vengon fuori dalle mutande, coperta di lividi e di cerotti), si succhia un dito, coricata nel letto, con un biberon di whisky al fianco. Le due sorellastre cattive, Blanche e Stella, si vestono per andare al ballo del Principe Kowalski, con abiti fantasiosi, mentre la povera Ella viene lasciata a casa, e mugola delle consonanti inarticolate, perché ha questo brutto vizio di succhiarsi il pollice.

Scena seconda. Effetti di luce per dar l'idea della sera d'estate: aroma di magnolia, ronzio d'insetti, gorgheggio d'uccelli, e cori campagnoli, tutti registrati su nastro. I maiali nel cortile cantano «arriva la nostra Ella, la cara amica dei disgustosi animali della schifosa fattoria del Vecchio Sud puzzolente»; e il maiale più vecchio dice che il vero realismo artistico è questo, e abbasso Walt Disney. Effetto speciale: la Fata Buona appare in una nuvola di fumo. Se la censura non permette, la nuvola di fumo verrà sostituita da una sottana. Questa Fata è una infame caricatura della Magnani: appare spettinatissima, in una sottoveste piena di buchi, come nella *Rosa tatuata*, pare un *travesti* orrendo, e chiede alla povera Ella: «cosa fai in mezzo ai maiali, invece di andare al ballo anche tu?». E subito, mentre Ella continua a emettere suoni scriteriati, pronuncia l'incantesimo: «Pasta fasula / mitcha cabula / bibbidi bobbidi boo». Immediatamente, trainato da un asinaccio, compare un vecchio tram, che naturalmente si chiama Desiderio. Ella parte per la festa, passando dal Camino Real, e accompagnata dalla Fata, che dice «sono stata vedova anche troppo: vengo anch'io!».

Atto secondo. Il Ballo. Luci colorate, sala piena di gente, fanciulle del Sud che arrossiscono dietro i ventagli, truppe confederate che conversano profanamente. Big Fat Daddy, il vecchio papà, si intrattiene con le fanciulle del Sud. Il Principe Kowalski, suo figlio (canottiera stracciata, pantaloni sbottonati, testone basso, perfida caricatura di Brando), invece sta benissimo con la truppa. Entrano Ella e la Fata. «Perché non la inviti a ballare?» chiede Big Fat Daddy al figlio. «È ora che tu pensi a sposarti». «Non ci penso davvero» risponde lui «perché mi sono fatto male al ginocchio giocando al pallone; e poi lei non mi piace, perché si succhia troppo il pollice, brutto segno». Il papà insiste, e allora lui fa per invitarla, però si sbaglia, e chiama «Stella!» invece di «Ella» con un urlo tale che la Fata rimane molto colpita. «Mama-mama-mia!» esclama «che maschiaccio!», e si tira su la sottana finché la censura permette. «Solido e caldo come un forno di pizzeria!» urla la Fata eccitatissima. «Proprio come il mio primo marito!». Gli salta addosso, e cerca di fargli tutto, col pretesto di vedere se non ha una rosa tatuata da qualche parte. Ma lui non è contento. «Per chi mi prendi?» fa. «Per la réclame delle sigarette Marlboro?» (cioè appunto un omaccio tatuato). Tutti gridano «giù le mani», ma la Fata è scatenata, oramai non la tiene più nessuno, fa un'altra magia alla povera Ella, e la fa sparire col vecchio pretesto che è già passata mezzanotte. Mentre lui continua a gridare «Stella!», la ragazzina scompare perdendo una ciabatta. Il Principe Kowalski la raccoglie, e dichiara che la metterà nella sua collezione: una raccolta di calzature, la chiama il suo Zoo di Ciabatte di Vetro. Ma la Fata lo riafferra e gli promette che se la sposerà, lei gli preparerà tutti i giorni ravioli, spaghetti, lasagne. Lui, niente: dichiara che secondo il Codice Napoleonico deve sposare per forza la creatura a cui va bene la ciabatta perduta. Allora la Fata, con un sorriso diabolico, torna a pronunciare l'incantesimo: «Pasta fasula / mitcha cabula / bibbidi bobbidi boo»; trasforma la ciabatta di vetro in uno scarpone da *marine*, enorme, che a lei va benissimo, e piace molto anche a lui. Lui rimane persuaso, soddisfatto, i due si sposano, abbracciando i loro scarponi, e vivranno felici, contenti, con tante asole e stringhe – benché si oda la voce di lui che geme «mi hanno tatuato!», travolto dall'amplesso della Fata.

Ma qualche flemmatico o smorfioso connaisseur di beaux-arts: nel *Tram* ecco uno stesso rapporto tra sorelle come nell'*Elektra*. Blanche nubile invasata come Elektra, Stella moglie normalizzatrice come Chrysothemis. Strauss non ha pensato di mettere un Brando al posto di Oreste. Ma un mezzosoprano in *Unterhose* magari era peggio.

SENZA QUERCE

Arrivando improvvisamente a Londra o a Parigi, si trova subito «la letteratura in città». I Grandi Vecchi sono sempre lì, appollaiati o rannicchiati fra le pile dei loro volumi; e non malcontenti di prodursi in pareri e memorie, o magari in bizze e follie – Cocteau, Jouhandeau, John Lehmann, Stephen Spender, i Sitwell, T.S. Eliot –, anche perché privi di «terze pagine» o televisioni ove esibirsi di tanto in tanto. Vecchi facoltosi e mondani come Mauriac e Nicolson o poveri e maledetti uso Céline o Genet, solitari elusivi tipo Ivy Compton-Burnett o William Golding o Julien Green, busti già da museo alla Montherlant, vivaci ottantenni come E.M. Forster o allegri quarantenni come Angus Wilson e Kingsley Amis... Anche spesso in giro. Come Moravia e Pasolini e Carlo Levi e Soldati e Patti e De Feo a Roma.

Basta invece arrivare negli Stati Uniti, fuori dai miti tradizionali che ci rendono un po' astratta la letteratura americana e chi la fa, e trovarsi alle prese con persone, indirizzi, situazioni, uffici, strade, per capir presto che specie di deserto culturale appaia oggi la vita urbana in questo paese affaccendato. Francamente: chi in Europa si sia normalmente divertito a girare tra romanzieri e poeti, da un teatro a una redazione di rivista a un party letterario, che cosa avrebbe potuto desiderare *veramente*, con una certa curiosità, sbarcando a Manhattan nell'anno 1959? Non già i cocktails degli editori...

Gli unici che interessano della grande generazione, Hemingway e Faulkner, paiono veramente inaccessibili come anacore-
ti murati vecchi, e non perché sia poi tanto complicato sor-
prenderli a casa loro a Cuba o nel Mississippi, ma proprio perché una volta trovati non parlano, si sa bene che non dicono
mai niente a nessuno; sono anni che non si aprono con un collega o amico; ed è chiaro che andranno avanti così, a interpretare fino alla fine i personaggi che si sono scelti, lo sportivo
spavaldo e il gentiluomo terriero del Vecchio Sud, sorseggian-
do bourbon o rum in silenzio. O si dovrebbero cercare forse
quei loro coetanei che vendono sempre tante migliaia di copie,
fanno ogni anno un nuovo libro uguale a quello precedente, e
forse l'unico posto dove sono stati presi abbastanza sul serio è
stata proprio l'Italia dell'ultima guerra? Ma neanche se vengono lì loro...

Allora proviamo anche qui a guardarci intorno per cercare
quei tipi di vecchie querce grandi e terribili che prima hanno
prodotto opere insigni, mettiamo *The Waste Land, La montagna
incantata, La storia dell'età barocca in Italia,* e poi vanno dicendo
in giro con solennità: «la Patria è in pericolo», «la Poesia è
morta», «il Romanzo non potrà seguire altre vie». Oppure vediamo un po' se ci sono dei giovani roveri o pioppi «che vengono su bene». E non soltanto «uno di noi».
Sinceramente, però, quantunque in un deserto di cinquan-
tenni noiosi, di quarantenni mal riusciti, di libri che mai si leggeranno, esistano almeno due o tre scrittori giovani capaci di
produrre delle cose interessanti – e Salinger sembra il più singolare –, non se ne vede neanche uno che faccia abbastanza
«personaggio» o che si possa desiderar di conoscere; e in quanto ai vecchi, non soltanto di figure maestose non se ne trovano
(lo stesso patriarca, Robert Frost, ha dei bei capelli bianchi, e
cosa di più?), ma l'unico scrittore che possedeva grande autorità e prestigio, Edmund Wilson, sembra che da parecchi anni
faccia apposta a isolarsi ai margini della vita nazionale, oppo-
nendo una amara serie di «no!» a tutti gli argomenti che aveva amato un tempo. In questo momento, poi, i personaggi più
vivi, più interessanti da interpellare, e con un peso specifico
più importante nella cultura del paese, non saranno già narratori o saggisti o poeti, ma economisti e giuristi come Galbraith
e Berle, storici come Schlesinger, sociologi come Riesman e
Whyte (tutti autori, fra l'altro, che scrivono un inglese piacevolissimo). L'illustre poeta Allen Tate ha passato l'estate a Harvard disegnando sulla lavagna una quantità di influssi e legami

fra tendenze e movimenti, per i nostri album di appunti. Si è parlato anche dei « bramini » di Boston. Cosa è dunque diventata la vita letteraria americana in questi ultimi anni?

Una volta, si sa, esistevano due letterature negli Stati Uniti; e probabilmente è stato Philip Rahv il primo a dividere gli scrittori dell'Ottocento nelle due classiche categorie dei Visi Pallidi e dei Pellirosse. Nobili, sofisticati, un po' simbolisti, affezionati a un ideale di eleganza estetica, i primi dalla riva atlantica e da Boston guardavano verso l'Europa per costruire una letteratura elaborata insieme dalle culture del Vecchio Mondo e dalla tradizione morale del New England: basta pensare alle tragiche fughe dalla realtà di Poe e di Melville, alla problematica religiosa di Hawthorne, oppure come il più cosmopolita, James, stia sempre descrivendo un salotto italiano o francese alle spalle dei suoi gentiluomini in viaggio.

D'altra parte (plebei contro patrizi), i Pellirosse naturalisti e rivolti al West, alla Frontiera, nel loro ruvido linguaggio cercavano di accettare «tutta la realtà americana» così com'è, e di raccontarla come viene viene. Sono quei tipi come Whitman e Twain, magari come Jack London, e giù giù fino ai Dreiser, Anderson, Wolfe, Sandburg, Farrell, che si sono «fatti da sé», hanno studi scarsi ma entusiastici, grande vitalità nativa, niente eredità culturale, scrupoli puritani meno che meno, e in tutto quello che producono si sente il trauma delle «scoperte» fatte dall'autodidatta di bocca buona nella biblioteca pubblica più vicina.

L'emotività confusionaria dei loro impulsi, l'ingenua festosità di chi legge Cervantes o Flaubert per la prima volta a trent'anni passati, ovviamente non è mai andata d'accordo con la sensibilità riflessiva dei Visi Pallidi, che avevano sempre fatto ottime scuole superiori, e ne erano venuti fuori tanto difficili di palato di fronte alla «realtà», da apparire non di rado snob e pedanti. Non per nulla, mentre un'intesa poteva sempre esser possibile, in fondo, tra un Tolstoj e un Gor'kij, perché lì il patrizio e il plebeo avevano almeno certi valori generali in comune, tra James e Whitman, per esempio, non sono invece esistite altro che antipatie e incomprensioni.

Si capisce che la distinzione fra le due categorie è venuta obliterandosi dopo l'Età del Jazz e la Grande Depressione e il New Deal, e tanto più dopo l'involontario decesso dell'Isolazionismo a Pearl Harbor; ma intanto, lo spirito puritano autentico era andato in rovina, svanita la superiorità culturale del New England, sopito perfino lo spirito di rivolta degli anni

Trenta: e l'Ultimo dei Visi Pallidi, T.S. Eliot, doveva sbrigarsi a fare le valigie per andare a stare a Londra.

Sembra dunque che lo spirito dei Pellirosse abbia finito col prevalere: ma *quantum mutatus*! Oramai, la ricchezza nazionale è nelle mani della nuova borghesia, discendente dei poveri e dei ribelli di ieri; i poveri di oggi tutto sommato hanno sempre torto, e per di più fanno la figura degli sciocchi (mentre i ribelli attuali, con le loro barbe e il loro cool jazz, hanno una funzione sociale precisa: quella di fornire, né più né meno come Pollock e Bernstein e Balanchine, un po' di «entertainment» non disgiunto dal suo alibi culturale a una comunità abbastanza ricca da potersi permettere più di un lusso superfluo). Una protesta contro il sistema sociale entro cui, volenti o no, dopo Roosevelt ci si trova inseriti tutti si presenterebbe oggi antipaticissima, verrebbe considerata non meno «anti-americana» che il desiderio di espatriare. E poi basta vedere un film qualunque per capire, con assoluta chiarezza, cosa sono diventati i connazionali di James e di Fitzgerald, a trent'anni dalla «generazione perduta»: l'americano tipico d'oggi non si lascia certo incantare dalle culture straniere, e all'estero avrà sempre una buona parola per il Louvre e per il Vesuvio, guarderà la gente del luogo con benevolenza, ma la civiltà altrui non lo tocca, persuaso com'è che il suo paese e il suo modo di vivere siano sempre i migliori possibili; dopo tutto, il resto del mondo interessa ben poco, e l'individuo è una casa senza porte e senza finestre, non si entra e non si esce. «Visto che il "sistema" non è andato male per noi,» secondo Leslie Fiedler «non può essere pessimo come si riteneva che fosse». E per più altri: abbiamo inghiottito comunismo, a suo tempo; e ora rigettiamo anticomunismo.

Su poche idee generali e pregiudizi elementari come questi si basa appunto il materialismo sentimentale della società di massa, eterodiretto e privo d'autocoscienza, incapace di definizioni logiche precise, capace tutt'al più di una sorda disperazione. È chiaro che una società simile dev'essere *naturaliter* conformista, e aggregarsi in un insieme. Ma dal momento che gli intellettuali – dopo il ritorno degli espatriati e l'assorbimento di radicali e socialisti nel New Deal e l'embrassons-nous dell'ultima guerra – ne fanno parte, e ci tengono, l'adesione politica implica a un certo punto l'accettazione dei valori del gruppo, e dei suoi tabù: quindi anche una certa infelicità. (Naturalmente: perché c'è sistema e sistema; e trovarsi inseriti nella struttura sociale dell'Atene di Pericle, o della Francia nel Grand Siècle o dell'Inghilterra della Reggenza, con tutta una gerarchia di valori fissata, e molti anni di potenza assicurata per l'avvenire, può fare ancora piacere; ma non lo fa altrettanto, forse, allo scrittore americano d'oggi, alle prese col problema di adattarsi a una collettività di specialisti settoriali fin troppo sviluppata tecnicamente, senza neanche le prospettive visionarie di un russo dell'Ottocento).

D'altra parte, l'intellettuale americano, se vuol mangiare, deve dipendere da questo tipo di società, basato su regole piuttosto rigide; e non ha poi tante scappatoie, come i suoi colleghi europei. In Francia e in Inghilterra, si sa, gli ambienti della cultura attiva sono molto più ristretti, tutti finiscono per conoscersi, e non si muore mai di fame perché rosicchiando qualche cosa da parecchie parti – giornali, editori, cinema, radio, uffici stampa di enti un po' vaghi – uno può tirare avanti mica male anche per tutta la vita; poi, per esempio, specialmente in Inghilterra, c'è proprio tutta una tradizione di fate benefiche, da Dickens e Trollope fino a Galsworthy e ai Sitwell, che in caso di bisogno sono spesso pronte a dare una mano ai colleghi meno fortunati.

Chi dà questa mano agli intellettuali americani sono naturalmente le università e le fondazioni culturali: tutto un apparato di cattedre, incarichi, assistentati, nelle materie più incredibili, una rete di giri di conferenze, borse di studio, premi letterari accordati sotto forma di stipendi mensili, concessioni di fondi speciali per fare lavori di ricerca. E praticamente i migliori talenti del paese vivono su queste risorse: quando si pensa ad autori come Lionel Trilling, Allen Tate, Mary McCarthy, Robert Penn Warren, John Crowe Ransom, Saul Bellow, Leon Edel, Alfred Kazin, Randall Jarrell, e così via, di solito siamo portati a considerarli come scrittori professionali; ma hanno tutti qualche onere di insegnamento, almeno per la durata dell'anno accademico. Forse è una conseguenza dello sviluppo di una società industriale progredita; forse è anche una garanzia di sicurezza; perché nessuno di questi scrittori «seri» guadagna poi molto. Vivono però in una discreta tranquillità materiale, anche se un po' gravata di doveri noiosi. In queste lezioni di Allen Tate a Harvard, durante la scuola estiva, lui pronuncia i nomi di Wallace Stevens, e di E.E. Cummings e di Cleanth Brooks di fronte a un pubblico di ragazzi del Middle West. Li scrive anche sulla lavagna. Ma a guardare i loro begli occhi celesti quieti e vuoti si capiva subito che li sentivano per la prima volta. Lui, d'altra parte, un signore anziano compìto e pieno di cortesie del Sud, non intende sottrarsi a uno degli obblighi più pesanti dei professori americani, cioè quello di stare a sentire qualunque rompi che vien lì a far perdere tempo con la scusa degli «schiarimenti», senza neanche il sollievo, come si ha da noi, dell'assistente che li manda via dicendo «il professore deve correre in ufficio» (perché qua le università sono in campagna, e quindi il professore, se vuol sottrarsi ai noiosi, tutt'al più può correre per i prati). Quindi si finiva a star lì per delle ore, magari, come quando lui aveva finito una lezione alle dieci e ne aveva un'altra alle undici, a chiacchierargli insieme sopra una cocacola o in un angolo della biblioteca, domandandosi come sarebbe riuscito a tirar fuori il tempo per il suo lavoro vero.

Le università, per quanto lontane dai grandi centri, sono però posti piacevoli e comodi; e uno scrittore che coi suoi libri non guadagna abbastanza per tirare avanti, può insegnare, di solito, un anno in una, l'anno dopo in un'altra, fa magari un corso estivo in un'altra ancora, e intanto qualche conferenza, qualche articolo: così, adagio adagio, può anche arrivare a una notorietà che gli apre le porte del giornalismo ben pagato con le riviste *slicky* come «Look», «Esquire», «Holiday», e insieme provoca il rimprovero aperto dei colleghi «accademici» che collaborano solo ai *quarterlies* eruditi, ed è già tanto se prendono qualche decina di dollari *extra* una volta all'anno mandando una recensione al supplemento domenicale del «New York Times» e dell'«Herald Tribune». Ancora a Harvard, ho in mente una volta che mi è capitato, chiacchierando con Schlesinger a un party di Facoltà, di ricordargli davanti ad altre persone un suo vecchio e ottimo articolo su «Esquire», a proposito della decadenza della maschilità in America. C'è stato un momento di gelo, e più tardi m'han fatto notare in parecchi che come gaffe era stata orrenda: parlare a un professore universitario delle sue collaborazioni ai periodici illustrati sarebbe insomma come citare davanti a una madre perbenissimo le scappate della figlia squillo.

Abitare in un college, con qualche lavoretto serio fra le mani, presenta certo parecchi vantaggi – vita ordinata, stipendio regolare, tanti strumenti a disposizione – senza contare che risparmia gli esiti di certe sortite funeste nell'industria culturale di massa: Nathanael West e Scott Fitzgerald che vanno a Hollywood, cercano di salvare l'anima scrivendo *The Day of the Locust* e *The Last Tycoon*, e alla fine si spaccano lo stesso, James Agee e Whittaker Chambers che lavorano a «Time» e «Life», Charles Van Doren che appare nei quiz televisivi, e tutti comunque finiscono male. Però l'assorbimento massiccio di tutti gli intellettuali nel mondo accademico arriva nello stesso tem-

213

po a diverse conseguenze: il clima delle università è sempre più erudito e critico che non creativo; poco libero e troppo solenne, nonostante tutto; e tende, per natura, a favorire, oltre che la riflessione (e non andrebbe male), anche la complessità delle idee e uno stile più ricercato, manierismi, simbolismi, ironie «tutte di testa». In breve, l'alessandrinismo.

Lavati, pettinati, nutriti regolarmente e igienicamente, legati a orari fissi nella biblioteca di Facoltà, con tutt'al più la libertà di una galoppatina sui prati intorno prima di colazione e dopo cena, i Pellirosse della letteratura appaiono oggi domati e irriconoscibili, ridotti a produrre con una certa regolarità paginette anche troppo prevedibili, perfino più ordinate e pedanti di quelle degli sconfitti Visi Pallidi. Contro la difficoltà di esprimersi, hanno sempre lottato; e infatti la loro battaglia contro la grammatica e la sintassi è tutta una storia di compromessi e di armistizi; ma quella energia robusta e rozza, l'epico respiro, vasto come un nuovo paese sconfinato da conquistare, pare che siano spariti di colpo. Oggi li si vede lì, generalmente curvi su se stessi, a tentare modeste introspezioni, interminabili; scrivono tutti convenzionalmente benino, con la piattezza del copywriter che si propone certi effetti sul pubblico più facile, o del novelliere rassegnato in partenza alla riscrittura di tutto quello che fa da parte degli *editors*. Prediligono, ed è significativo, il racconto non troppo lungo né breve, come forma caratteristica; e non si permettono neanche troppi ammicchi stilistici.

Cosa producono? Lo sconfinato paese è oramai tutto colonizzato e inventariato, anche troppo; e Huck Finn come farebbe a navigare con la stessa innocenza e la stessa zattera lungo un gran fiume, contro gli orizzonti maestosi di un gran mondo che sorge, già un po' Cinemascope?... D'altra parte non si esce neanche più tanto a caccia di balene... L'esotismo è poco simpatico... lasciare l'America, come ha sempre detto Edmund Wilson, è una colpevole fuga dalla realtà... e ciascuno si trova oramai alle prese con problemi più gravi; quelli dell'*io*... e bisogna risolverli come se fosse la prima volta, in un contesto sociale pieno di difficoltà, senza la prospettiva di un futuro pacificamente dominato dalla potenza degli Stati Uniti.

A questo punto, è chiaro che le suggestioni in arrivo dall'Europa saranno soprattutto malefiche, cariche di dubbi decadentistici e di problematiche velenose. Se il viaggio che conta è quello per trovare se stessi, e il territorio della esplorazione vera è nell'animo individuale, qui l'innocenza si perde per sempre;

Kafka e Joyce saranno autori di espedienti stilistici da copiare quando non ci si vuol lasciar capire dalla generazione dei padri, e i veri cattivi maestri appaiono Freud e Cechov: dopo averli incontrati, uno non sarà felice mai più... (le Tre Sorelle, quando si sfogavano a gridare «a Mosca! a Mosca!», almeno avevano in mente un posto dove andare; ma un giovane americano angosciato, dove potrebbe desiderare di dirigersi? non lo sa, non lo sa, e quel mostro di Tennessee Williams è lì pronto a dirgli delle cose tremende che lo turbano profondamente, perché vi si riconosce fin troppo. Thornton Wilder? Bene per la classe agiata).

Leslie Fiedler ha messo bene in chiaro alcune cause profonde di questi turbamenti attuali (ma D.H. Lawrence se ne era già accorto): la presenza dei neri mina uno dei capisaldi della democrazia americana, il principio d'uguaglianza; mentre la diffusione aperta dell'omosessualità compromette per sempre un altro dei miti fondamentali della vita americana, quello del cameratismo da piscina e da campo sportivo, del rude affetto tra soldati e marinai che si ubriacano insieme nei film di guerra o tra i cowboys nei film western; insomma la solidarietà maschile da spogliatoio – allegra, ma un po' puritana, ingenua, ma un po' complice – contro l'invadenza delle mogli prepotenti. I trucchi di Arcibaldo per andare a pescare o a giocare a poker con gli amici senza dir niente a Petronilla. Non dimentichiamo mai che questo è un ambiente dove gli uomini non sono mai troppo sicuri della propria identità e dei propri istinti; e non per nulla la letteratura che lo rispecchia non ha mai saputo produrre una *Anna Karenina* né una *Madame Bovary*, né comunque rappresentare convincentemente una storia d'amore «adulto». Si è sempre invece in una fase adolescente e prepubere, un po' agreste, tra *Verdi Pascoli* e Giovanni Pascoli: il fanciullino, l'uccellino, le onomatopee, cip-cip, din-don-dan, e una grande immaturità sentimentale. Si tratta sempre di libri di ragazzi, da Fenimore Cooper e Stephen Crane ai racconti di Hemingway; e basta del resto guardare Huck Finn sulla zattera insieme a Nigger Jim, o Ishmael fra le braccia di Queequeg in *Moby Dick*, per capir tutto. Quando poi le emozioni si articolano, si passa direttamente dalla innocenza dei bambinoni agli orrori decadentistici di Faulkner e di Williams, senza però soffermarsi mai su quelle passioni consapevoli fra uomo e donna adulti, che sono il clou di tutti i grandi romanzi europei. Ma l'innocenza infantile, l'affetto senza passione, la castità naturale dei ragazzi, una volta intorbidate o perdute, non si ritrovano mai più: si rimane con un pugno di cenere in mano, sapor di tossico in bocca, e l'intimità *pulita* non sarà mai più possibile, sotto le docce o bagnandosi nel fiume. E di chi è la colpa? Del sesso, naturalmente: ecco il grande nemico, di una dimensione addirittura miltoniana, se si pensa alla gravità irrimediabile della caduta dell'americano medio giù dal puro Eden della sua infanzia. È una caduta alla quale corrisponde, se si considera l'intera nazione, il precipitare dalla felice età infantile dell'isolazionismo irresponsabile e della Amministrazione Theodore Roosevelt – con la Spagna cacciata via dal continente e la «grande flotta bianca» che dimostra giusta la fiducia di Lincoln nel proverbio «l'unione fa la forza» – giù in un mondo infido di alleati ingrati ed egoisti, e di nemici carichi di missili che arrivano sempre più lontano.

Né bisogna trascurare lo shock di un'altra caduta: il cozzo contro la società di un protagonista «tipico» che la letteratura nazionale recente si ostina a presentare sistematicamente bambino, minorato, solo, incomunicabile, problematico (anzi, è più un «problema» che non un «personaggio»: Faulkner, la McCullers, Capote, Bowles...), e mai un adulto in relazione a un determinato contesto sociologico, come, bene o male, da Jane Austen a Zola, da Balzac a E.M. Forster, nel romanzo europeo si è pur sempre fatto.

E come – non per niente – vanno facendo gli scrittori ebrei e neri (e magari omosessuali, oltre tutto), già in posizioni decisamente marginali. E adesso, con Saul Bellow e James Baldwin e Bernard Malamud e Philip Roth e Ralph Ellison e Norman Podhoretz, e altri, muovendo verso le posizioni centrali del romanzo americano e della sua critica. Senza risparmiare la satira sull'imborghesimento suburbano e cafone delle minoranze già poverissime, e culturalmente periferiche.

È fin troppo chiaro, da Tocqueville in poi, come mai, in una comunità animata essenzialmente da una regressione invincibile verso la propria infanzia, gli scrittori continuino a ispirarsi alla nostalgia per il Paradiso perduto, e a ricamarvi intorno incessantemente nei loro raccontini pulitini e un po' anemici: qui, Proust ha solo dato un'ultima spinta di cui non si sentiva certo il bisogno. E il senso del libro più importante del dopoguerra, *The Catcher in the Rye* di Salinger, il breve romanzo in cui tutta una generazione si è riconosciuta subito non meno che quella del '30 in *Appointment in Samarra* e quella del '20 nel *Great Gatsby*, è appunto questo: che solo il sesso altera la naturale bontà dei ragazzi, il mondo degli adulti è stupido e sudicio, e solo i bambini morti si salvano, mentre anche i più limpidi si corrompono diventando grandi (è in fondo lo stesso tema di

216

Huck Finn e del *Great Gatsby,* altre elegie non meno straziantí...). E non per nulla i critici più svegli, quelli che studiano bene la sociologia e la psicologia, intitolano *La fine dell'innocenza* i loro saggi. Ma di fronte al dilagare dei romanzetti sentimentali-omosessuali (Capote, Vidal, Baldwin, e tanti altri), Alfred Kazin sostiene che oggi non se ne può proprio più di questa fastidiosa sensiblerie che «sarà brillante, però immobilizza la narrazione nei vapori di uno stile da modista così profumato da soffocare i personaggi». E dice in sostanza: basta con questi omini graziosi, tutti col loro gatto siamese, il loro vasetto di basilico, i loro noiosissimi problemini sentimentali, e viva la faccia di quei mascalzoni tremendi e grandiosi che sono Vautrin e Charlus! Più inquietante, Fiedler arriva a individuare nel subcosciente americano una tentazione più torbida e «più disperatamente repressa sotto il livello dei tabù coscienti»: l'attrazione reciproca tra bianchi e neri, composta insieme di rimorso colpevole, odio razziale, desiderio carnale, invidia sessuale, cupidigia di espiazione, e l'«ambivalente orrore per la commistione del sangue dei due colori»...

Proviamo ora a toglierci da questi terreni minati, dove la critica diventa un fatto emotivo e irrazionale, adorno di componenti sociologiche, psicanalitiche, stilistiche; e consideriamo invece la «critica letteraria» tout court. Osservando la tendenza dominante, che è sempre il cosiddetto «New Criticism», si vede subito che anche qui il mondo accademico ha perfettamente assimilato i tipi originali, i non-conformisti che facevano la guerra alle sopravvivenze georgiane più convenzionali negli anni '20 e '30, e sta digerendo ex-comunisti e cosmopoliti pentiti, ebrei progressisti e radicali di Manhattan, le loro idee, e tutto. Ma le scoperte critiche dei Blackmur e dei Trilling, dei Ransom e dei Burke sono diventate null'altro che minuscoli trucchi pedanti nelle mani dei loro allievi, gli assistenti «ortodossi», i «nuovi critici» della seconda e della terza generazione, preoccupati solo di «sistemare» nel canone ufficiale la produzione letteraria dell'ultimo mezzo secolo, in base a criteri esclusivamente di «stile», e usando un linguaggio tecnico fra i più aridi, strettamente per iniziati. Soprattutto per questo le riviste accademiche che pure una volta erano abbastanza piacevoli («The Hudson», «The Kenyon», «The Sewanee») oggi come oggi non si riesce proprio più a leggerle: la logica formale va bene, la filosofia del linguaggio e lo studio dei simboli alla Ogden-Richards anche meglio, Auerbach e Wellek-Warren non ne parliamo; però sono veramente la pedanteria e la noiosità che non si sopportano. La mania per «lo stile è l'uomo» arriva a eccessi tali che si deve vedere anche questa: perfino uno scrittore solitario e indifferente come Faulkner finisce per lasciarsi impaurire, e per battere Hemingway su tutte le tavole s'affanna a inventarsi uno «stile serio», complicato, polisillabico, che piaccia agli eruditi; e ormai lo adopera tutte le volte che non deve parlare di neri o di bambini.

Le nuove tendenze che stanno spuntando, i «linguisti strutturali» o quei filosofi dell'analogia e dell'allegoria che pretendono di studiare le «leggi» della letteratura con lo stesso metodo induttivo che si è sempre usato nelle scienze fisiche (Galileo, tanto per intenderci), non intaccano per ora neanche di lontano il predominio della critica universitaria ufficiale; e anche nelle discipline storiche il panorama non è molto diverso. La storia patria, si sa, è (insieme alla divulgazione sociologica alla Vance Packard) l'ultima moda intellettuale della società americana, né più né meno come pochi anni fa l'archeologia per le dame alla Ceram. Qui però non è successo, come nella narrativa, nella critica, nella poesia, che gli scrittori «liberi» vengano inglobati nel mondo accademico, assumendone adagio adagio i metodi, i valori, le gerarchie, i tic; qui la tradizione dei grandi divulgatori alla Henry Adams è stata spazzata via dall'invasione germanica. Da parecchi anni domina senza contrasti una storiografia professionale basata sulla specializzazione ristrettissima, sul culto della monografia, della comunicazione erudita e riservata agli «addetti ai lavori». Il risultato è naturalmente che il pubblico normale rimane del tutto tagliato fuori, e lo storico professionale che in questi anni gli si fosse indirizzato con opere di largo respiro, alla Croce o alla Toynbee, si sarebbe squalificato agli occhi dei colleghi: la volta che in un congresso William Langer li ha esortati a leggere Freud, è venuto un colpo a tutti, è stato uno scandalo mai visto. Senza contare che a questo punto rimane tagliata fuori anche la storia delle idee, e lo studio riesce tutt'al più una ricca raccolta di molti fatti minuscoli e sconnessi: tendenza piena di pericoli in un paese dove già anche i giornali più seri, davanti a un avvenimento storico, sono per natura portati (è la scuola di «Time» e «Newsweek») a notare soprattutto il colore della giacca di Eisenhower o che cosa ha mangiato Kruscev a colazione.

In mancanza dunque di storici aperti anche alla storia delle idee generali, come Berlin o Namier o Trevor-Roper o Taylor in Inghilterra, o come i nostri Salvatorelli e Omodeo o De Ruggiero, davanti a un panorama di specialisti murati vivi nelle loro biblioteche di Facoltà, ha ancora ragione Schlesinger (e infatti non è certo popolare fra i suoi colleghi, che lo trovano «troppo mondano») di osservare che per intendere la storia americana moderna gli storici «professionali» non servono a niente, e sono molto più utili invece quei *pundits* – critici letterari, economisti, sociologi, i Wilson, i Trilling, i Galbraith, i Riesman, i Whyte (i nomi sono sempre i soliti) – più aperti alle «scienze del comportamento», l'antropologia, la sociologia, la psicologia sociale, o addirittura vanno meglio i *columnists* politici seri, come Walter Lippmann, Joseph Alsop, James Reston, Richard Rovere, Marquis Childs, James Wechsler.

Ma che cosa è, poi, un *pundit*, questa parola che si sente dire solo in America, però lì la si sente così spesso?

Vuol dire, pressapoco, «luminare»; e si tratta cioè di personaggi che godono di un grande prestigio intellettuale; possono essere specialisti in una loro determinata materia, oppure no; ma soprattutto si esprimono sulle diverse questioni di attualità, politiche, sociali, artistiche, di costume, fuori del loro campo, per il tramite di mezzi diversi (radio, televisione, giornali, riviste, interviste, libri, conferenze), sempre con grande autorità: pressapoco come da noi, mettiamo che esca un film discusso o ci sia un manifesto da firmare, tutti per prima cosa pensano di rivolgersi a Moravia. Ma in Italia, come del resto negli altri paesi europei, non esistono veri *pundits* paragonabili a quelli americani: Croce era soprattutto un filosofo, Eliot è un grande poeta e basta, e quando Mann voleva dare giudizi o esprimere opinioni, non parlava *ex cathedra*, ma scriveva un bel saggio. E del resto, nelle nostre società, più vecchie e più scettiche, oltre che più ricche di sfumature, montare in cattedra e insegnare agli altri quello che devono pensare è sempre un affare serio, perché la gente vuol saperla più lunga. Coleridge, Carducci, Matthew Arnold, Sainte-Beuve, Renan, Stuart Mill, come autorità intellettuali indiscusse al loro tempo, potrebbero bene essere esempi di *pundits* europei dell'Ottocento: ma non lo sono certamente Sartre o Koestler (o forse Adorno?), né presumerebbero di esserlo, quantunque si esprimano correntemente su una quantità di argomenti, per un largo pubblico; né lo potrebbero Calogero o Jemolo o Aron o Connolly, nonostante l'autorità indiscutibile, proprio perché si rivolgono a gruppi di lettori scelti, in materie di un interesse circoscritto.

In un paese, invece, dove non soltanto nove luminari su dieci sanno parlare di un argomento solo, ma praticamente non esiste una élite intellettuale omogenea con uno standard di valori comuni, e la classe politica non ha mai avuto niente in comune con la cultura – tanto vero che Adlai Stevenson, per il solo fatto di leggere dei libri, sembra un fenomeno mai visto –, appena un critico o un economista si distingue nel parlare limpidamente di qualche argomento fuori della sua specialità, e la sua autorità comincia a estendersi oltre il giro dei colleghi, ecco che «è nato un *pundit*». Ci sono, naturalmente, *pundits* soprattutto letterari come Wilson, Trilling, Barzun; *pundits* eminentemente politici, come Lippmann e Alsop; *pundits* sociologici, come Riesman, Wylie, Whyte, Lerner; altri filosofici, come Sidney Hook; psicanalitici, come Erich Fromm e Theodor Reik; strategici, come Henry Kissinger; televisivi, come Ed Murrow; teologici, come Reinhold Niebuhr; ci sono anche «*pundits* importati», come W.H. Auden, che è un residente quasi stabile di New York da molti anni; ma l'importante è che siano disposti a occuparsi di tutto: l'arte astratta, il teatro di poesia, gli errori economici del marxismo, le inquietudini della gioventù, i veri scopi della Russia e di Hollywood. E normalmente lo fanno, ascoltatissimi da un pubblico ingenuo e ansioso di farsi spiegare «cosa pensare» su un problema o su un altro, perché da soli non ci riescono, e quindi lo si chiede agli altri, come del resto la gente compra un dato sapone soprattutto se è preferito da Elizabeth Taylor.

I *pundits* forniscono dunque idee, come oracoli (e così come si potrebbero fornire fazzoletti o salami), alla società di massa, di cui sono comunque i critici più amari; ed è anzi interessante vedere oggi quanti di loro siano residui della Sinistra americana lasciati indietro dal declino di questa, e ormai ritirati dal loro servizio attivo di crociati degli anni Trenta. Questi sono i «*pundits* dispersi», gli amici di Chiaromonte che scrissero su «Politics» e collaborano a «Encounter», e passando da Roma cenano con Paolo Milano in via della Croce. Il più bravo di loro, Dwight Macdonald, è un tipo enorme: grosso, rossastro, un po' grigio, sui cinquant'anni passati; straordinariamente simpatico, vestito come viene viene, senza troppi soldi; sa tutto, ha letto tutto, scrive su tutto e se la prende con tutti, con una verve sempre brillantissima; sta un po' in America e un po' in Europa, e infatti era tornato da poco dall'Inghilterra. L'ho trovato in una stanzetta al «New Yorker», da solo, con una finestrina e un po' di libri, ma non ho capito bene cosa gli stiano facendo fare. Siamo andati a far colazione in un ristorantino spagnolo vicino a Times Square, perché ha il gusto di mangiar delle cose curiose e doveva tornar presto in ufficio; e il locale è stato subito pieno della sua risata, che è immensa, a gola spiegata, meravigliosa, e delle cento cose non conformiste che dice. Ma i suoi anni Trenta sono defunti per sempre da quando Elia Kazan ha rinnegato tutto davanti alla Commissione per le attività antiamericane; la «Partisan Review» ha cambiato faccia più di una volta e non è poi molto meglio di «Tempo Presente». Mary McCarthy, attualmente, ricorda quegli anni eroici di cui è stata una specie di *tricoteuse* fervente soprattutto come un'epoca senza soldi, col telefono quasi sempre tagliato, la gente che faceva i mestieri più strani per tirare avanti, e tutti che domandavano continuamente «come è possibile metter d'accordo Marx con Freud». Il 1937? Oh, dice, il 1937 *è* una ragazza di Manhattan nostra amica, che parte per la guerra spagnola informandosi prima se è il caso di portarsi dietro a Barcellona i suoi begli abiti da sera di lamé d'oro...

Romanziera ironica e critica teatrale spietata, nonché ex-moglie di Edmund Wilson e famosa bellezza, la McCarthy è stata una delle prime persone che ho cercato arrivando nel New England, come Wilson stesso d'altronde; ma le risposte che si ricevono qui in estate dànno un'idea che sgomenta della vastità del paese, pressapoco come quei nomi poetici di ferrovie regionali che evocano lontananze indefinite, e gente isolata, dimenticata, perduta... Wilson in un'antica casa di pietra, remoto angolo della sua mitica America «ideale», semplice, isolata, rurale, arcaica, senza andare al cinema, né vedere la televisione, né legger libri nuovi, in compagnia soltanto dei suoi classici e delle memorie dei suoi leggendari anni Venti, estinti per sempre e traditi da chi non ha più fede nei valori puri dell'arte letteraria. In uno dei punti più solitari del Cape Cod dove sono andato a visitarlo, l'ho visto rinchiuso in questo grandioso rifiuto aristocratico di un'America in cui non crede e che non vuol più riconoscere, ormai volgarmente corrotta e perduta e alienata dalle virtù dei padri.

Anche i Trilling erano fuori, in fondo al Connecticut, fino alla fine di settembre; e la letterina di Mary McCarthy, dal Vermont, diceva: «Staremo qui ancora qualche mese, e saremmo felici se venisse a trovarci per qualche giorno: le montagne intorno sono belle. Ma arrivar qui è un problema. Non esistono più i treni nel New England rurale, perché tutte le ferrovie sono fallite da tanto tempo; e anche venire in autobus da est a ovest è difficilissimo. Non so se si riescano a trovare le coincidenze fra Boston e Manchester o Rutland, nel Vermont, le due città più vicine a casa nostra, una a un'ora di strada, l'altra a due. Potremmo magari venire a prenderla lì, con la macchina. Qui letteralmente nessuno sa come si può fare ad arrivare a

Boston, da quando sono scomparsi i treni; e il fatto che una volta fosse possibile andarci è diventato quasi un mito, una leggenda di civiltà sparite...».

Abbiamo finito, naturalmente, per incontrarci a New York, mesi dopo. L'autrice di *A Charmed Life* è una grande girl-scout, animosa e splendida, più dolce della sua tremenda reputazione di donna «tutta cervello e niente cuore», maliziosa ad ogni costo; ma ora sono arrivati i primi capelli grigi e il successo. Abita in un appartamentino abbastanza londinese, nelle vie quiete all'altezza dei grandi musei, sul lato orientale del Central Park, con un marito alto e biondo, insegnante, e, almeno come l'ho visto io, piuttosto seccato di dover andare per forza a continui parties di insegnanti. Sediamo in una sala verdolina, con la sua piccola cucina in un angolo, e dice subito che la letteratura americana è in una situazione infelicissima, molto peggio che in Italia, dove lei viene spesso, ha scritto i due famosi libri su Venezia e Firenze, girato per le città minori, amato il Bramante, trovato Mantova volgare, letto Pratolini e Moravia, di cui le interessa *Il disprezzo,* e poi quei due «capolavori affascinanti» che sono le *Sorelle Materassi* e *I Viceré* («molto meglio del *Gattopardo*»). E soprattutto ama Longhi, «anche se con mio marito abbiamo bisogno di quattro vocabolari per capirlo».
Ma non c'è niente di più noioso del conformismo attuale degli intellettuali americani, della loro rigida «etichetta» borghese, dice: anche gli scrittori bravi fanno presto a diventare i «personaggi di se stessi», figure o macchiette con tutti i loro gesti prevedibili, ad uso del pubblico; per loro la vita finisce per diventare una sottospecie della letteratura. E del resto, quando poi qualcuno non ne può più, e finalmente impazzisce, entra nel suo manicomio senza neanche ispirare quel senso d'orrore che la società borghese di un tempo aveva per gli alienati: tanto, si sa che oggi in manicomio ci si va anche per moda, per mania, magari per farsi solo l'operazione dell'appendicite. Però càpita per esempio, come è successo di recente: uno di quei poeti aristocratici che passano metà dell'anno in clinica psichiatrica, pubblica un bel libro nuovo, l'editore dà un cocktail-party, ma qui il festeggiato non compare, perché proprio la sera prima ha avuto una crisi furiosa, e sono venuti a portarlo via gli infermieri. Era troppo tardi per disdire il ricevimento; e la moglie poveretta si affanna a spiegare a tutti gli ospiti che lui non è venuto solo per un raffreddore improvviso... «E io, proprio ingenua, sono stata l'unica a crederci, a domandare notizie...».

Ma in questo panorama di monotonia non c'è proprio nessuno che si salverebbe? No. Neanche Salinger?... Ci pensa un momento, e dice ancora di no – anche se, dopo tutto, è il migliore. No: la vita intellettuale è troppo dominata dai conformismi più borghesi, con gli artisti tutti quanti inseriti nella società borghese né più né meno come impiegati; e anche quelli che parrebbero fuori, come i *beats*, sono un prodotto della stessa società, tenuti a comportarsi secondo determinate regole: la bizzarria, l'oltraggio, ecc. In questo modo anche loro guadagnano bene: la protesta fatta rispettando le regole del giuoco trasgressivo è sempre un buon affare pubblicitario, e i soldi arrivano in ogni caso, anche se loro non sembrano volerli realmente.

... Però i *beats* naturalmente «non esistono». È molto più autentico, per Mary McCarthy, semmai, quel tenebroso personaggio che è William Burroughs, uno dei loro maestri nascosti. Lui è un ribelle vero: di famiglia industriale, espatriato, di mezza età, vissuto spesso a Venezia in miseria, con *débauche*, droghe, omosessualità, estraniamento, e tutto; ma che questo non suggerisca per carità delle analogie col Baron Corvo e neanche accostamenti con quel «lirismo del fango» di Henry Miller e di Céline. Burroughs è nitido, invece, di una precisione clinica. Senza nessuna enfasi, ha ammazzato la moglie in Messico, giocando al Guglielmo Tell, con la sua mela in testa; e infatti è stato messo in prigione; poi è venuto fuori, non si è mai saputo come, e da allora gira l'America meridionale per procurarsi una certa droga, che si trova solo là; e descrive tutto, con una semplicità da giovane esploratore. Ma naturalmente le sue opere sono impubblicabili oscenità, e circolano solo dattiloscritte: il primo numero di una rivista di Chicago, «Big Table», che aveva osato stamparne qualche pagina, è stato subito sequestrato.

Questa «Big Table» l'ho poi trovata a Londra, dov'era liberamente in vendita a Charing Cross; e devo dire che il mito che se n'era fatto a New York non riesco a condividerlo. Ci sono dentro alcuni brani dell'opera principale di Burroughs, *The Naked Lunch*, che in fondo mi pare una faccenda abbastanza noiosa; poi delle prose di quell'Edward Dahlberg lodatissimo da Herbert Read come maggiore stilista inglese dopo John Donne: un alessandrino visionario che inventa delle mitologie folli un po' alla Borges. E inoltre delle poesie di Kerouac e Corso, due dei *beats* più vistosi, che attualmente si trovano rispetto a Burroughs nella stessa posizione di Pasolini rispetto a Gadda. *The Naked Lunch*, poi, l'ho comprato intero a Parigi, pubblicato in quella furtiva collezione verdolina dove è uscita per la prima volta *Lolita*, anni fa: e quindi tutto lascia prevedere che avrà la stessa sorte di tutti questi libri usciti prima clandestinamente, e poi adagio adagio penetrati in ogni paese e stampati dagli editori normali con un po' di successo di scandalo. Già la «Nouvelle Revue Française» ne ha pubblicato degli estratti che parlano di droghe, naturalmente, ma continuo a non trovarci niente di straordinario, e soprattutto non quella gran differenza coi *Tropici* di Miller: un'altra somiglianza curiosa gliela si può trovare con un'altra opera analogamente semiclandestina e semi-maledetta, i *Black Diaries* di Sir Roger Casement, in collane analoghe. (O forse è una conseguenza del fatto che anche quelli si occupano di droghe vegetali, e di indigeni lascivi nelle stesse regioni dell'America meridionale?).

La mania delle droghe è una caratteristica anche troppo frequente nella letteratura americana di oggi «non-conformista»; e a partire da quell'illustre precedente che sono le *Doors of Perception* di Aldous Huxley, non si contano più i resoconti delle esperienze di chi ha provato la mescalina o la marijuana o il «soma» o degli altri pasticci. Uno dei più insistenti in questo momento è Norman Mailer, cioè uno scrittore giovane di buon nome, e anzi uno dei pochissimi (gli altri sono Salinger e Saul Bellow) regolarmente citati dai migliori critici quando si tratta di salvare qualcuno dalla palude del dopoguerra. Generalmente Mailer è sostenuto da chi gradisce veder lo scrittore aperto alla realtà che gli sta intorno, impegnato nelle lotte e nelle sofferenze dei suoi contemporanei, in contrapposizione a chi ama piuttosto la sottile analisi introspettiva e le ricerche stilistiche alla Salinger. Non per nulla, questo è prediletto dai discendenti dei Visi Pallidi, patrizi, europeizzanti, attaccati ai valori formali; e lo stesso Edmund Wilson, quando, malvolentieri, ammette che i libri importanti d'oggi, dopo tutto, non se li lascia sfuggire, intanto mette *The Catcher in the Rye* più in alto di tutti, e in più mostra di apprezzare anche quel sottoprodotto di Salinger che è il giovane John Updike, autore di *The Poorhouse Fair* e appartenente alla medesima scuola di novellieri «esangui» del «New Yorker». (Però, provando a mia volta una mescalina di marca ottima e nelle condizioni migliori – pianterreno, inferriate, divani soft, niente balconi, savie compagnie, ecc. – il meglio che si riesca a ottenere sembra un'eccitante possibilità di trasformare una colata mobile e scura di arabeschi decorativi Art Nouveau in analoghe ornamentazioni Rococò; e viceversa. E basta. Posters delle più psichedeliche discoteche di massa, nel West. Nessuno stimolo alla leggerezza, al volo. Solo questi movimenti di tappezzerie. Senza figure umane, né erotismo, né altri piaceri. Dunque, un po' poco).

È stato illuminante discorrere anche con Diana Trilling, è un'altra Anna Banti! E siccome si tratta d'una donna di grande sensiblerie, con una forte personalità non certo messa in ombra da quella del marito importante, un'aria di sofisticazione altera, e una sollecitudine molto aperta per i problemi degli scrittori giovani, mi ha ricordato spesso la direttrice di «Paragone». Ha dato, fra l'altro, più d'una mano ai due critici trentenni oggi più interessanti, Norman Podhoretz e Steven Marcus. Difficile trovare due tipi più diversi: Marcus è una specie di Citati americano, sta sempre in casa, studia molto, scrive pochissimo (come del resto faceva Lionel Trilling alla sua età, intento a preparare il grande studio su Matthew Arnold: molto lavoro, uscir poco, guadagnar poco, e intanto pareva che gli altri andassero avanti; ma poi, è bastata la pubblicazione, a trentaquattro anni, del libro lungamente meditato, per diventare *tops* di colpo). È invece molto più facile, in Italia e altrove, trovare scrittori che hanno fatto come Podhoretz: bravo, brillantissimo, notato dal «New Yorker» dopo solo un paio di recensioni di libri fatte su «Commentary», e subito assunto come critico letterario, pagato per ogni «pezzo» con una somma che basta per viver bene un mese e più: da allora, un successo sempre in aumento, continue richieste di articoli da tutte le parti, e lui ne fa più che può; ma dove lo trova adesso il tempo per studiare? Pare quasi una leggenda il caso recente di Max Ascoli che offre centocinquanta o duecento dollari a Steven Marcus per *una* recensione cinematografica al mese sul «Reporter», e si sente rispondere di no, semplicemente perché lui non vuol perdere tempo, neanche una sera al mese.

È già significativo che Diana Trilling sostenga vigorosamente Mailer, proprio perché è uno che tenta di aggredire la realtà, di *capire*; ma lei fa di più: non ho mai visto un atteggiamento così ispirato da simpatia umana nei riguardi dei *beats*, dei quali ci si sbriga di solito con un'alzata di spalle, con l'ironica sufficienza per i «ribelli senza causa» di chi sa bene che le *vere* rivolte sono state ben altre, o tutt'al più con un tipo di compassione astemia da dama di carità. Al fondo dei tentativi di Mrs Trilling di *capire* le angosce dei Ginsberg e dei Corso dietro i loro versi barbuglianti, senza curarsi di tutte le sciocchezze che fanno (né tanto meno dell'irritazione degli anziani nella «Partisan Review»), si scorge la commozione forse un po' materna della moglie del titolare della cattedra di Letteratura inglese alla Columbia University per l'infelicità di un gruppo di ex-studenti di cui si sono anche troppo conosciuti gli smarrimenti e le miserie, e le patetiche storie di famiglie a pezzi e di mamme all'ospedale, anni addietro, nella stessa stanza al pianterreno dove stavamo prendendo il tè, piena di bei libri e di mobili europei, a pochi passi dalle aule della Columbia (e nella medesima Claremont Avenue, fra l'altro, dove Scott Fitzgerald scriveva febbrilmente i primi racconti, via l'uno l'altro, subito dopo la smobilitazione del '19).

«Eppure questi disgraziati hanno dei legami più stretti di quello che si pensa, con noi che eravamo giovani negli anni Trenta, e abbiamo fatto così presto a dimenticarcene» dice Mrs Trilling con calma ai colleghi del marito che arricciano il naso quando la vedono prendere sul serio Allen Ginsberg, ex-allievo di Lionel. «C'è un nesso di natura politica tra il fatto che oggi l'unica manifestazione aperta di protesta prenda la forma non-politica di un branco di ragazzetti spaventati in blue jeans, molti pubblicamente omosessuali, che prendono stupefacenti e vogliono farci credere d'essere tutti schizofrenici, irresponsabili – e la situazione dell'intellettuale liberale persuaso di non aver nessun potere per controllare l'avvenire politico, il futuro del mondo libero, e che quindi bisognerà sottomettersi a quella che viene definita "necessità politica" o Ragion di Stato. Il nesso tra i poveri *beats* e gli intellettuali "rispettabili" consiste proprio nel comune bisogno di rinnegare la propria libertà, spogliarsi delle responsabilità fondamentali, e con tutto ciò tirare avanti come se niente fosse...».

Un altro che sembra prendere molto sul serio le rivolte è Irving Kristol, condirettore fino a poco tempo fa di «Encounter», a Londra, con Stephen Spender, e adesso «vice» di Max Ascoli al «Reporter». Bassino, biondo, rotondo, sui trentacinque anni, Kristol è molto amico di Mailer, e dimentica la sua tranquillità solita per sostenerne calorosamente l'engagement; ma confesso che non si riesce a prenderla molto sul serio, questa faccenda. Intanto, dal momento che Mailer è autore finora di due romanzi, e generalmente ammettono tutti che *The Deer Park* non sia gran cosa, la sua reputazione di scrittore più significativo del dopoguerra si baserebbe ancora sul primo, *The Naked and the Dead*, che ovviamente andrebbe tradotto al plurale, *I nudi e i morti*. Però non riesco a vedere dove sia questa gran differenza con tutti quegli altri libri di guerra, tipo *From Here to Eternity*, che paiono sempre lì pronti per fare un film (non di rado migliore del romanzo). *The Catcher in the Rye*, scusate, dà ben altro...

A New York si sente apprezzare soprattutto la recente infatuazione di Mailer per il mondo *hip*, che è poi un entusiasmo abbastanza infantile per i «clandestini» ai margini della comunità, i neri, i mendicanti, i vagabondi, gli «irregolari» più liberi degli altri perché «fuorilegge», e tenuti in uno stato di esaltazione costante e di *beata* fuga dalla realtà con l'uso del cool jazz, della marijuana, dell'esistenzialismo mal digerito, del terrore atomico, e di una cultura messa insieme con tutti i «bigini» di marxismo, psicanalisi, Nietzsche, Henry Miller e D.H. Lawrence che si possono trovare nelle cantine del Greenwich Village. Pare tutta una faccenda un po' troppo pittoresca, tipo le «Follie di St-Germain-des-Prés 1947» o tipo Colin Wilson; e non per nulla i giornali illustrati vi si sono buttati addosso, gli *hipsters* sono sempre in posa per farsi fotografare dalla mattina alla sera, e tutte le espressioni del loro gergo (man, go, cat, hip, make, beat, cool, swing, dig, crazy), contrapposte al linguaggio *square* (che sarebbe quello normale di tutti i giorni), sono diventate presto di moda più ancora del giuoco del «dentro» e del «fuori», e servono già correntemente per fare pubblicità a frigoriferi («cool, man, cool») e materassi («sleep, man, sleep»). Finisce insomma per diventare la stessa cosa che fare una rivoluzione in Italia prendendo come portabandiera la nostra cara Camilla Cederna col suo «lato debole». E (ovviamente) se nessuno vuol più operare le ferrovie, buonanotte all'andata da Mary McCarthy nel Vermont.

Probabilmente, nel trovare queste faccende *hip* delle noiosità insopportabili o dei giochi da bambini, si viene influenzati dal fatto che negli stessi giorni c'era Kruscev in giro per la città: bastava uscire, e si trovavano i cordoni di polizia perché poco dopo doveva passare lui, e quindi il tassì deviava, si arrivava tardi agli appuntamenti... Proprio andando da Mary McCarthy, mi ero trovato a passare davanti alla casa di Averell Harriman, che dava quella sera un ricevimento per gli ospiti russi; e una folla di dimostranti ostili era già lì pronta sulla porta, con cartelli di «arriva il carnefice», «ecco il macellaio di Budapest», «torna a casa, maiale». E le strade erano piene di finte vedove nere, donne vestite a lutto, con veli sventolanti, perché era stata proclamata dalle organizzazioni cattoliche una specie di «giornata di cordoglio nazionale», e c'erano altoparlanti da tutte le parti che ricordavano eccidi e massacri. Naturale, in fondo,

che le poesie *hip* borbottate nel retro di un caffè a Bleecker
Street finissero per sembrare delle fatuità irrilevanti, e si man-
dassero facilmente in malora; e quando Kristol o qualcun altro offriva di andare a cena con Mailer, e d'altra parte un diverso gruppo d'amici (fra cui proprio la Camilla!) proponeva
di prendere invece l'aereo e di passare a Washington per vedere i due Presidenti da vicino, si sceglieva Washington senza esi-
tare. Nella stessa redazione del «Reporter», piena di quadri a-
stratti e di segretarie chic, andavo dentro in quei giorni piuttosto dal direttore.

Max Ascoli: oggi una specie di voce della coscienza dell'ala
progressiva del Partito Democratico. L'originaria Ferrara non
si sente quasi più, e siede con una certa solennità dietro la scrivania, in un bell'ufficio modernissimo dove l'efficienza di Madison Avenue arriva alle ricercatezze più sofisticate, con una
bella cravatta di Sulka da 12 dollari, come in Italia ne porta solo Mario Soldati. E una poltrona modernissima sofisticata su e
giù come i troni di Bisanzio. Sembrava colpito soprattutto dagli aspetti rituali e formalistici della visita di Kruscev, e osservava volentieri il lato magico, leggendario, della rappresentazione fantastica di gesti che simboleggiano una pace che non esiste. Faceva perfino i paragoni con l'*Iliade.* Trovava però che l'ansia di Kruscev nel voler essere presente dappertutto potrebbe finire per porre Eisenhower in posizione di vantaggio: non per
il successo in casa, ma proprio perché la sua semplicità onesta
può toccare il popolo russo nella fase che sta attraversando,
mentre la mania delle visite di Kruscev può mettere in moto nel
suo paese una corrente irreversibile che lui a un certo punto
potrebbe anche non riuscir più a controllare...
Anche senza Kruscev, però, le chiacchiere degli *hipsters* gli riescono fastidiose. Mailer, per esempio, invece di cercar di fare
dei bei romanzi nuovi, si perde a scrivere degli articoli lunghissimi e verbosissimi un po' dappertutto, da «Esquire» a «Dis-
sent», per spiegare minutamente la genesi di un suo libro,
l'angoscia della creazione, gli effetti delle droghe sui risultati
stilistici, i mal di fegato che vengono durante la stesura: ma cosa riguarda poi tutta questa descrizione così elaborata? La genesi del *Deer Park*... È come quando Arthur Miller concede, a-
varamente, una intervista in cui spiega come fa a produrre uno
dei suoi drammi: un anno di meditazione, un anno per raccogliere i materiali, molti mesi per la stesura, migliaia di pagine
distrutte, segretarie, consulenti, dittafoni... e poi, dopo questa
gestazione titanica, cosa vien fuori? *A View from the Bridge*! Vien

proprio da sorridere... oppure da ricordare in quanti giorni Stendhal scriveva di getto *La Chartreuse de Parme*.

Hipsters, beatniks, e i loro amici, potranno anche essere divertenti, qualche rara volta e *malgré eux*; ma se di solito sono tanto fastidiosi e monotoni lo si deve proprio alla prevedibilità di tutto quello che dicono e che fanno: tutto secondo le regole del non-conformismo commercializzato, comodissimo perché scandalizza la borghesia senza preoccuparla affatto. L'apparato di barbe, tuniche di sacco, sandali, piedi sporchi, c'è sempre, e va benissimo per i servizi fotografici; ma siccome la provocazione del *beatnik* e la sua ricerca di «beatitudine» (da cui la parola) sono silenziose e si svolgono al caffè, davanti a un espresso e a una pasta, è chiaro che non c'è da inquietarsi. Tutt'al più, ci sarà in giro qualche *beatnik* falso, che di giorno fa un mestiere normale, e di sera si traveste per correre dietro alle donne e rimorchiarle; ma il vero *beatnik*, quello che venera Burroughs come un papa in esilio (a Tangeri, adesso), e Kenneth Rexroth, Kenneth Patchen e Lawrence Lipton almeno come dei Gran Lama, normalmente tace, è casto, non fa l'amore, non legge, sente del jazz molto *cool*, tutt'al più ripete le solite storie sul buddhismo Zen, recita dei versi un po' a caso su Jung, Joyce, e san Francesco d'Assisi; di giorno dorme, su un materasso per terra, in mezzo a piatti e pentole da lavare; e quando s'alza, si installa in un caffè *beatnik*, dove siedono anche delle donne *beatnik*, in calze nere, cerone bianco sulla faccia, e grandi occhiaie disegnate a matita; lì vendono poesie *beatnik*, tuniche *beatnik*, ruvidissime, gioiellini *beatnik* di latta, statuette *beatnik* di ceramica, tipo quelle di pretini rossi e neri che si trovano a Roma intorno a via del Babuino. Kenneth Tynan, per dimostrare che almeno a San Francisco fanno delle cose più esilaranti, racconta che là ce ne sono moltissimi, e organizzano trasmissioni-radio bizzarre, si riuniscono nelle pagode per sognare insieme di impiccare il Presidente Eisenhower, allearsi con la Cina comunista, riformare il sistema monetario, costruire alloggi a basso prezzo per gli omosessuali, proibire la vendita del latte, abolire i debiti...

Per cascare in simili galere, bisogna proprio pensare che il mondo «regolare», cioè quello degli *squares*, sia di una insopportabilità soffocante. Ma in quest'altro mondo i conformismi sono poi due: quello delle masse, che esiste dappertutto, per natura; e quello degli intellettuali, che per definizione si autogiudicherebbero invece, di solito, anticonformisti, spregiudicati, dissenzienti, larghi di idee. E però, moralisti. Vanno sempre tenute presenti le ristrettezze incredibili di questo ambiente intellettuale, le rigidezze del conformismo di quei cosiddetti anticonformisti pieni delle stesse colpe e dei medesimi torti che essi attribuiscono alle maggioranze quando le accusano di «pensare e reagire in massa». Anche loro sono semplicemente terrorizzati dall'idea di pensare in maniera diversa dai loro colleghi di gruppo: e mai si permetterebbero di avanzare una opinione contraria a quella di un *pundit*. Se ne hanno continuamente le prove: basta, per esempio, tentare in qualunque ambiente «intellettuale» americano di esprimere un giudizio favorevole a Dulles, Nixon, Lyndon Johnson, James Gould Cozzens, o alle democrazie popolari, alla diplomazia occidentale, alla televisione; o permettersi di parlar male di Henry James, Adlai Stevenson, Leonard Bernstein, Alec Guinness, Mozart, Freud, o dei film europei e asiatici; preferire le automobili americane a quelle straniere; invitare gente a cena senza candele sulla tavola e senza musica da camera del Settecento nell'hi-fi... Vengono fuori subito tutte le intolleranze e le antipatie che ci si possono tirare addosso nei nostri salotti, solo che uno ami le canzoni di Sanremo e detesti quelle della malavita, preferisca le domeniche d'estate a Ostia alla lettura di Pasternak, l'aranciata al whisky, i grandi magazzini alle boutiques...

Ma la cattiva coscienza puritana vigila, e quando il senso di colpevolezza è abbastanza aumentato, ecco i «processi di una intera generazione». I casi possono essere diversi – Leopold e Loeb, Alger Hiss, le inchieste del defunto senatore McCarthy – ma le autoaccuse piovono comunque. L'ultimo pretesto, proprio l'estate scorsa, è stato l'affare di Charles Van Doren, che ha messo in crisi interi circoli accademici: il figlio di Mark Van Doren, appartenente quindi a una dinastia di grande prestigio universitario, nei programmi di quiz alla televisione era arrivato a vincere delle somme incredibili nella trasmissione *Twenty One*. Ma poi si è scoperto che era tutto un trucco, e le risposte erano già note in anticipo. È stato uno scandalo paragonabile a quello che potrebbe succedere da noi se si venisse a sapere che in una famiglia intellettuale non meno distinta, mettiamo i Cecchi o i Debenedetti, uno dei figli vince mezzo miliardo presentandosi a *Lascia o raddoppia* con le soluzioni pronte in tasca. Tutta l'America «colta» si era identificata, per mesi in Charles Van Doren, il «tipico americano colto» che mimava le finte incertezze di un Amleto televisivo accompagnato da un paio di Ofelie-vallette. In mezzo alle lavandaie che sapevano tutto sulle Crociate, e ai paracadutisti espertissimi di funghi vele-

nosi, lui era il perfetto simbolo dell'intellettuale al lavoro, o-
norato per la vastità della cultura e finalmente compensato con
una somma tanto favolosa che nessun altro dei suoi colleghi insegnanti avrebbe mai sperato di toccare da vicino: l'evento poteva però rallegrarli come omaggio reso alla Scienza, all'Università; e poteva nello stesso tempo consolare come un alibi la
coscienza inquieta di tutti quelli che sanno di aver tradito in
qualche modo gli stessi valori, consegnandosi mani e piedi legati all'industria della cultura di massa. Ma il giorno che Van
Doren è riapparso sul video per la scena della grande confessione, e spiegava a milioni di spettatori che certamente le
domande e risposte erano preparate in anticipo, però in fondo
« si tratta di uno spettacolo, e gli spettacoli si preparano sempre
prima... », che cos'era questo rito se non una cerimonia di resa
ai valori della cultura di massa, una capitolazione di vasi d'argilla davanti a chissà quali vasi da notte?...

Se abbandonando finalmente queste contrade vogliamo concludere con una parola per la poesia, basterà dire che in mezzo
a tante voci romantiche e visionarie di temperamento e ironi-
che per riflessione, il più bravo appare sempre Robert Lowell.

UN TELEMACO MODERNO

Anni e anni dopo la prima pubblicazione negli Stati Uniti, esce nei Penguin Books inglesi il miglior romanzo americano del dopoguerra: una felice occasione che sia ora facilmente disponibile anche per noi, al prezzo di trecento lire, un libro tanto notevole e perfettamente intraducibile, a cominciare dal titolo; ma come si potrebbe, del resto, rendere bene in italiano *The Catcher in the Rye*? E come si fa a dare un suono nella nostra lingua a tutti i *sort of, kind of,* ai *(pretty) goddam* e ai *my ass,* all'aggettivo *old* attribuito a qualunque cosa, a tutti i *crazy, phoney, stinky, lousy, corny,* ai continui *that killed* (o *kills) me* alternati agli *hell out of me,* a tutta la rete di idiomi colloquiali che tiene in piedi come una nervatura o una impalcatura la storia, e riesce a realizzare un effetto di «parlato» non meno importante, come risultato stilistico, dei migliori lavori di Hemingway trent'anni fa...

Questo *Catcher in the Rye* è l'unico romanzo di J.D. Salinger, autore nato nel 1919, molto celebre per una decina di racconti, usciti quasi sempre sul «New Yorker» – e non arriva a duecento pagine. Privo, praticamente, di trama. È un libro di abilità tecnica straordinaria: su presupposti apertamente intellettualistici, raccontato in prima persona da un ragazzo che ha una visione adulta dell'adolescenza, in un gergo infinitamente più sofisticato e moderno delle cadenze di Hemingway o di Runyon. Ma è fatto con un mestiere tanto sicuro, che i suoi destinatari non si limitano ai lettori iniziati (il caso di Joyce o della Woolf), e si estendono a un larghissimo pubblico, che lo può leggere anche con occhio assai differente (come càpita ai libri di E.M. Forster e di Faulkner): si sa bene che non è senza significato oggi questa riconsacrazione dell'*highbrow* davanti alle masse, officiata attraverso le ampie tirature.

Privo di trama: questo Holden Caulfield, di sedici anni, ricco, piacevole, con parecchie buone qualità e tutt'altro che intellettuale (riesce malissimo a scuola, tiene un atteggiamento fin troppo saggio riguardo al sesso, detesta il cinematografo), si trova male in collegio, dove secondo lui sono tutti *morons*, degli insopportabili cretini, si spazientisce, litiga e se ne va, passa un week-end a New York (e sta in un brutto albergo, che potrebbe essere anche un simbolo comico e sinistro della società contemporanea, passa del tempo in bar e night-club con due ragazze, telefona ad altre ragazze, va a teatro con una stupida a vedere i Lunt, chiacchiera con autisti, bambini e monache questuanti, litiga con una prostituta e il suo ruffiano, prende un po' di botte, guarda le anatre del Central Park e le mummie del Museo di Storia Naturale, va a trovare un suo ex-professore che lo accarezza nel sonno, indulge a svariate fantasie, visita di nascosto la sorellina Phoebe a casa, passa con lei ore di tenerezza), e arriva quasi al punto di soccombere al sentimentalismo; ma si ferma prima.

Quante sono le storie, generalmente uniche e irripetibili per ciascun autore, dall'*Odissea* in poi, sul tema dell'addio all'infanzia, distacco spesso straziante: a una a una ci sono porte che si chiudono dietro le spalle, si comincia a capire che se torniamo in un posto, quel posto può non essere cambiato, ma siamo cambiati noi; e che i giorni appena passati già si colorano di tinte favolose nella memoria. Benché soggetto all'obiezione di esagerata scaltrezza nell'offrire al consumatore di oggi ingredienti e sapori talmente condizionati al suo gusto, da temere che domani potranno «datare» anche terribilmente (come certe carrozzerie di automobili che ci sembrarono meravigliose soltanto l'anno della loro presentazione), Salinger proietta il suo ragazzo nel mondo adulto accompagnandolo con un apparato di totem e simboli troppo significativo perché non si cada tutti volentieri nelle sue *old* trappole.

Holden Caulfield è un Huckleberry Finn che non naviga lungo un gran fiume, contro i vasti orizzonti di un gran mondo che sorge, solitamente già un po' Cinemascope. Meno innocente, alle prese con problemi più gravi, curvato su se stesso, perché ciascuno deve risolverli come se fosse la prima volta:

l'affetto, la carità, la compassione, l'amore sessuale, la gelosia, il coraggio, la tolleranza, l'orrore della morte, il compromesso. E non importa niente se i pretesti sono lievi – dono di un regalo natalizio, di un disco, tradimento di una vocazione, o di un amico, rivelazione di un istinto, un incontro fortuito, un assalto senza speranza, un suicidio per disperazione – quando è in gioco la natura stessa della pietà o dell'amore.

Il viaggio in treno da Pencey College a New York City è assai breve: ma anche questo ragazzo ha già capito che il territorio dell'esplorazione vera è nell'animo individuale, e anche se si è passati attraverso le vicende meno importanti, il viaggio che conta è quello per trovare se stessi. «Bildungsroman», ragazzi: la «formazione» si fa una volta per tutte.

Il mondo degli adulti, pieno di gente o idiota o sudicia, che usa continuamente parole come «magnifico» e «splendido», legge e scrive storie dove si parla sempre di stupidi che si chiamano David, e di stupide che si chiamano Marcia, sempre lì pronte ad accendere sigarette per i maledetti cretini David, è una società certamente corrotta, ma nella maniera convenzionale, come nei più stupidi film; e i suoi inferni sono stupidamente alla moda, aggiornati secondo il gusto dell'epoca, un po' come i libri che attribuiscono a un ragazzo di sedici anni quelle idee sull'arte, sul sesso, sulla religione o sull'amicizia, che il lettore scaltrito (già troppo scaltrito per averle egli stesso) ritiene che il ragazzo debba avere (di qui la sua soddisfazione, per la riuscita intesa fra autore e pubblico, che avrebbe fatto inorridire Joyce, e che provoca l'ambivalenza di questi nostri giudizi). Ma il mondo dell'adolescenza non è meno tormentoso; e i bravi ragazzi fanno presto a diventare stupidi o sporcaccioni: così sono tutti i compagni di collegio, e le ragazze che Holden incontra sono delle povere sceme. Tranne, forse, Jane Gallagher: ma si sa presto che anche Jane è andata col primo bruto coi denti bianchi che le ha fatto segno. «Due minuti dopo, mi torcevo come un pazzo. Continuavo a stare coricato al buio, e cercavo di non pensare alla *vecchia* Jane e a Stradlater in quella maledetta macchina. Ma non era possibile. Era anche più brutto. Una volta eravamo usciti in quattro, su quella macchina, e Stradlater stava con la sua sul sedile di dietro, io stavo con la mia su quello davanti. Che tecnica, aveva lui. Faceva così: cominciava a soffocare la morosa con una voce tranquilla, brava, come se non solo lui fosse così bello, ma anche tanto bravo e sincero. Mi veniva da vomitare, a sentirlo. Lei continuava a dire "No, lascia stare; no, fammi il piacere; fam-

234

mi il piacere". Ma il vecchio Stradlater continuava a soffocarla con quella voce sincera, da Abramo Lincoln, e alla fine c'è stato un tremendo silenzio, sul sedile di dietro. Era molto imbarazzante. Non so se le ha fatto tutto quella volta, però quasi...».

Così è il sesso che altera la naturale bontà dei ragazzi (mentre l'origine di tutta la stupidità è il cinema, e come insegna a comportarsi); e non si può evitare che sotto gli occhi di Phoebe, la creatura più limpida che Holden conosca, cadano le porcherie scritte su ogni muro della scuola, e perfino nella stanza delle mummie indiane ed eschimesi, che alludono a un rifugio immutabile dalla sporcizia e dalla stupidità della vita – come la parola *vecchio*, che suggerisce il passato, la stabilità; come l'uso del *kills me* a proposito di ogni cosa che entusiasma Holden, lo avvicina al buon fratellino Allie, rosso di capelli, morto di leucemia il 18 luglio 1946, nel Maine, mentre l'altro fratello, chiamato D.B., aveva cominciato a scrivere dei racconti che erano belli, ma poi è andato a Hollywood, e là fa il prostituto, scrivendo soggetti per film.

Allora solo i bambini sono liberi dalla stupidità e dalle sudicerie (se ci si avvicina a un maestro, quello risponde sciocchezze – come all'inizio del libro – o fa delle *avances* – come alla fine – e l'unica volta che i genitori si presentano, Holden è obbligato a nascondersi al buio con la sorellina che trattiene il respiro); e solo i bambini morti si sono salvati. (Lasciamo perdere i piccini delle epoche televisive?).

Le problematiche espresse nei temi di cupidigia mortuaria e sensuale, abilmente intrecciate agli altri motivi non meno complessi, di cui si è tentato di far cenno, e che mettono davvero in gioco i più acuti problemi della vita di relazione contemporanea, appena sotto la superficie di un monologo sceneggiato e «chiacchierato» con disinvoltura tanto efficace, superano in ogni caso le prove di una dicitura, sollecitata dalla ristampa del libro. È in questa occasione che sono proposte limitazioni agli iniziali giudizi entusiastici; e per parte mia devo dire, di *The Catcher in the Rye*, che la prima volta quasi *killed me*. Mi dava indietro un'aria di parecchi anni prima, le letture durante la guerra di un *Télémaque* di Fénelon, grande, rilegato, con le incisioni, trovato nella biblioteca di una casa sulle colline. Ma poi ho visto una parodia, piuttosto ben riuscita, dei risultati stilistici di Salinger, fatta da John Wain, e subito sono stato meno sicuro di quell'incanto.

LA NINFA E IL LIBERTINO

Dopo una fanciullezza del tipo cosmopolitico passata negli alberghi della Riviera; dopo un incontro a dodici anni col proprio archetipo amoroso, Annabel Leigh, morta subito poi; dopo una carriera universitaria e il fallimento del matrimonio con una Valeria che fugge insieme a un autista-zarista parigino (e muore poco dopo in California «essendosi sottoposta, dietro eccellente retribuzione, a un esperimento della durata di un anno, praticato da un autorevole etnologo statunitense, per saggiare le reazioni umane e sociali a una dieta di banane e datteri assimilati mantenendo la posizione a quattro zampe»); dopo esser giunto anch'egli in America, il professor Humbert Humbert affitta una stanza in una cittadina del New England e ne sposa la proprietaria, una vedova di cui non gli importa nulla, col solo scopo di farla morire e ottenere la tutela legale sulla figliola dodicenne di lei, Lolita. I fantasmi che hanno *hanté* la sua intera esistenza, e l'ossessione della perduta Annabel, qui prendono corpo. Non ha rilevanza che Lolita, posseduta da Humbert la prima notte che passano insieme, risulti già perfettamente corrotta (debellando Laclos sul suo stesso terreno).

«Entro quei limiti di età tutte le ragazzine sono *nymphets*? Certamente no. Oppure, noi che sappiamo, noi viaggiatori soli, noi *nympholepts*, saremmo da tempo impazziti. Né il bell'aspetto offre sufficienti criteri di giudizio; e la volgarità, o almeno ciò che una determinata comunità definisce tale, non diminuisce necessariamente certe misteriose caratteristiche, la grazia fatale, il fascino elusivo, ingannevole, che distingue la *nymphet* dalle sue coetanee, dipendenti incomparabilmente più dal mondo spaziale dei fenomeni sincroni che da quell'intangibile isola di tempo incantato dove Lolita giuoca con le sue simili». La febbrile corsa in macchina a due da una città all'altra, da un letto e da un motel a un altro, che ne segue, termina con un grottesco omicidio, asilo psichiatrico, carcere, decadenza e caduta.

Ma l'episodio più straordinario dell'intero affare è l'intervento del governo britannico.

L'autore di questo romanzo *Lolita*, Vladimir Nabokov, nato a Pietroburgo nel 1899, figlio di un facoltoso parlamentare liberale, poi assassinato, ha descritto la propria deliziosa infanzia in *Speak, Memory* (Gollancz, Londra, 1951), è fuggito in tempo dalla Rivoluzione, ed è stato studente al Trinity College, Cambridge, dal 1919 al 1922. Poi visse tra Parigi e Berlino, scrivendo romanzi russi e una vita di Gogol; nel 1940 passò in America, e pubblicò libri in inglese – fra cui *The Real Life of Sebastian Knight*, tradotta anche in italiano – e insegna Letteratura russa alla Cornell University di Ithaca. Ha tradotto in russo *Alice nel Paese delle Meraviglie*. Gode di stima altissima come scrittore distinto e originale, collabora frequentemente al «New Yorker» con rarefatti bozzettini, squisiti, raccolti in volume (*Pnin*, Doubleday, New York, 1957), che parlano tutti di una specie di sant'uomo donchisciottesco, vero *étourdi* moderno, il professore universitario Timofej Pavlovič Pnin, emigrato russo, che insegna al Waindell (*pron.* Vandal) College, con una bella dentiera nuova, un figlio non del tutto suo, e una camera ammobiliata; che si lascia affascinare da Cronin, Van Loon, e dal lavabiancheria in moto, non sa distinguere la pubblicità dalla Verità, siede felice sul treno sbagliato, oppure parte col treno giusto ma per tenere la conferenza sbagliata, dice immortali cose sulle pompe della psichiatria contemporanea (inventando incredibili generi di Parentado Pianificato, e il *Test* delle Coppe Lavadita per Bambini), ma non sbaglia *mai* nel citare Puškin e Lermontov. Suo cugino, Nicholas Nabokov, è segretario generale del Congresso per la Libertà della Cultura.

Su *Lolita* (che potrebbe anche essere una allegoria dell'America, infantile e corrotta com'è, avida di gelati e di fumetti), la prima cosa da osservare è che viene pubblicata nella collezione di quei Traveller's Companion, simili a Penguin verdolini – è difficile trovare alcunché di più pornografico in lingua inglese, però sono generalmente molto ben scritti – stampati a Parigi dalla Olympia Press (8, rue de Nesle) e impediti di entrare in quasi tutti i paesi del mondo, per esplicite disposizioni di una Convenzione di Ginevra sui materiali indecenti. Tanto che i primi recensori americani lepidamente finsero di averlo letto fuori delle acque territoriali (limite di tre miglia marittime, secondo la prassi degli Stati Uniti), grazie alla compiacenza di capitani di nave. Poi bisogna ricordare i giudizi concordemente pieni d'ammirazione dei critici e lettori qualificati: da Graham Greene, il primo a lodarlo, collocandolo ben alto nella classifica natalizia dei libri migliori del 1955, nel «Sunday Times», a Maurice Nadeau che ne ha parlato benissimo in parecchie sedi, e ne caldeggia la traduzione presso Gallimard; a Maurice Cranston, che scrive sul «Manchester Guardian»: «non c'è un solo brano indelicato, non una parola che non si possa pronunciare davanti a una zia vergine; ma è un libro forte, inquietante...». E John Hollander, sulla «Partisan Review»: «qui ammiccano le ombre di Stavrogin, Lewis Carroll, Tiberio, Popeye... una parodia semiseria della *Manon Lescaut* fatta da Thurber... un genio comico che alterna una presa in giro di Turgenev al pastiche proustiano, alla rigorosa *analyse de l'amour* alla maniera di Constant». Dopo averlo lodato in francese («loin de solliciter les esprits animaux par ses charmes, ce livre agit sur eux comme un cautère, les stérilise avec son humeur corrosif»), il Professor F.W. Dupee riconosce che *Lolita* è in parte un capolavoro di commedia grottesca, ma in parte un selvaggio deserto dove ulula il lupo *vero* – riparlandone sul numero 2 della «Anchor Review», in gran parte dedicato al libro di Nabokov: e giudica «un interminabile spasimo d'orror comico» (peggio di Charlus flagellato dai giovinastri) le scene all'Enchanted Hunters, l'albergo suburbano pieno di paralumi, sofà, tavolini, riviste, riproduzioni di Van Gogh, carta da gabinetto rosa; dove inquietanti bambine piccole in blue jeans entrano leggendo sui loro giornalini che «Mr Uterus comincia a costruire un materasso spesso e soffice per il caso che un probabile bambino vi debba essere adagiato un giorno», e dove finalmente Lolita, ben sveglia nonostante le pillole che Humbert «credeva» sonnifere, conduce praticamente a termine la seduzione da lui appena cominciata.

«Questo è un paese libero!» grida Lolita quando sua madre, specie di finta Marlene Dietrich, vuole mandarla a letto.

Ma, finalmente intervenuto di persona in un saggio apparso nella medesima «Anchor Review», l'autore di *Lolita* onestamente osserva che anticamente in Europa (e fino al diciottesimo se-

colo ovvi esempi vengono dalla Francia) la letteratura deliberatamente lasciva e scollacciata non era incompatibile con spun-
ti di commedia, satire vigorose, lampi capricciosi di finissima
poesia; è solo nei tempi moderni che il genere «pornografico» implica mediocrità, commerciabilità, e rigorose regole tecniche. L'oscenità, dice Nabokov, deve attualmente essere dilui-
ta con la banalità, perché ogni tipo di godimento estetico ha
da essere interamente rimpiazzato da semplici stimoli sensuali, di natura meccanica, che richiedono l'uso di vocaboli tradizionali per agire direttamente sul paziente. Vecchie ferree prescrizioni devono essere osservate dal pornografo perché il paziente provi il suo solito senso di soddisfazione sicura, come del
resto l'amante delle storie poliziesche si aspetta e pretende tanti dialoghi; e così, nelle storie indecenti, l'azione deve essere limitata a una «copulazione di *clichés*». Lo stile, la struttura, immagini e metafore, artifizi grammaticali o sintattici, e tutto, non
devono mai distrarre il lettore dalle sue ebbrezze. La storia deve consistere in una alternanza di scene sensuali. I passaggi fra
queste vanno ridotti a suture di semplicissimo disegno, meri
collegamenti, che si possano anche saltare alla lettura, ma che
diano però tutte le spiegazioni, altrimenti il cliente si sente de-
fraudato, come i bambini quando sentono una fiaba che non
presenta lo svolgimento solito. E poi, le scene di libidine devono seguire una linea di «crescendo», con nuove variazioni, nuove combinazioni, nuovi sessi, e un graduale aumento del numero dei partecipanti (come in Sade, dove a un certo punto si fa
sempre entrare il giardiniere). La fine del libro deve essere molto più piena di cose oscene che non i primi capitoli; e questo
spiega le difficoltà incontrate da *Lolita* (dove succede il contrario), presso gli editori americani.

Uno suggerì di cambiare Lolita in un ragazzo, farlo possedere da un proprietario terriero dentro un granaio, fra i topi, in
un paesaggio desolato e assolato, e di riscriverlo tutto usando
quelle frasi secche e forti, «realistiche», come «Lui fa il matto.
Facciamo tutti i matti, però. Anche Dio fa il matto, chissà. Siamo tutti matti, ecc.». Un altro ha detto che questo libro non
insegna niente; altri che è anti-americano (chi perché simbo-
lizza la vecchia Europa corrotta dalla giovane America, chi per
la corruzione opposta, chi ancora perché il libro non tiene
conto di uno dei tre tabù americani fondamentali, gli altri due
essendo l'ateo che vive bene e muore serenamente, e il successo del matrimonio misto tra bianchi e neri, con tanti figli e nipoti tutti felici). Ma c'è anche chi ha osservato che il simbolo è

semmai di un affare amoroso tra l'autore e la lingua inglese (o con il romanzo «romantico»).

Siamo seri, dice Nabokov, rovinando tutto; ed espone le sue teorie estetiche. Insomma, conclude, dopo tutto non siamo poi bambini, né delinquenti minorenni analfabeti, né collegiali inglesi che dopo una notte di orge devono paradossalmente leggere i classici in edizioni espurgate. Io non mi sento né didascalico né moraleggiante. A me piace raccontare.

Gli interventi del governo inglese, che fanno diventare curiosa la storia, sono stati ripetuti presso il ministero francese dell'Interno, con richiami agli accordi internazionali e con pressioni fortissime, perché le leggi sulle pubblicazioni oscene fossero applicate al romanzo di Nabokov anche su territorio francese, invocando la ragione che – quantunque già proibito nel Regno Unito – poteva suggerire cattive idee ai turisti britannici in giro per il Continente; ma il fatto straordinario è che veramente il ministro francese decretò il sequestro di *Lolita*. E la scrittrice Gerda Cohen ha raccontato recentemente su «Twentieth Century» cosa le è capitato all'aeroporto di Croydon, dove scendendo dall'aeroplano con un *Lolita* regalato sotto il braccio, si è vista fermare dai doganieri, sottoposta a domande sconvenienti, e pressoché additata agli altri viaggiatori come partigiana del libertinaggio, durante un lungo interrogatorio che le ha poi fatto anche perdere l'autobus per Londra.

La situazione paradossale adesso è questa: che il libro non si può più vendere in inglese in Francia, ma vi sarà presto in vendita nella traduzione francese; non è mai stato formalmente dichiarato osceno da un tribunale inglese, però non può essere introdotto nelle isole britanniche; non potrebbe neppure essere legittimamente esportato dalla Francia, ma la dogana americana, che l'ha esaminato, ha ritenuto che non vi si trovi nulla di riprovevole, permettendone da allora in poi l'importazione. In Italia, mi pare di averlo visto, in qualche città. Il proprietario della Olympia Press si sente vittima di una infame ingiustizia, e così finalmente si è saputo chi pubblica quei libri verdolini che hanno fatto ritirare la licenza a tanti poveri tenutari di bancarelle: si chiama Maurice Girodias, e confortato dalla solidarietà di finissimi uomini di lettere, ha espresso la sua indignazione per la vicenda dando alle stampe una plaquette di 105 pagine intitolata *L'affaire «Lolita»: Défense de l'écrivain*. La Cohen, che è andata a trovarlo, ormai apertamente incuriosita, nel suo bell'ufficio parigino foderato di candidi marmi, a pochi passi dal boulevard Saint-Michel, racconta di aver trovato un signore pettinato col *crew cut*, con un bel vestito ben tagliato, molto stretto, e un'aria di cinica tolleranza. Girodias le ha detto: «Io pubblico due tipi di libri: pornografia facile, che si vende da sé, e la cosiddetta letteratura indecente di valore, come per esempio Henry Miller. Questa non si vende molto. Ma una categoria guadagna per l'altra. Abbiamo lo smercio più forte nel Medio Oriente, dove la gente fa quello che può per consolarsi dalle forzate astinenze del Ramadan; in nessun altro paese va tanto Miller come nel Libano». Ma una cosa dà noia soprattutto al brav'uomo: solo la sua casa editrice viene bersagliata di persecuzioni, che lo danneggiano economicamente, mentre nessuno disturba la casa editrice rivale, l'Obelisk Press, più cheap ma specializzata esattamente nel medesimo campo. Questo perché la rivale è controllata dalle potentissime Messaggerie Hachette, che sono in ottimi rapporti con le autorità, e possono così diffondere tutti i libri erotici che vogliono, senza ostacoli.

Qualche anno dopo, Girodias mi viene a trovare a Roma perché sta organizzando a Francoforte un festivalino di film osé come i romanzetti dell'Olympia Press. Lì ne vediamo parecchi in pochi giorni, e cultural-pretenziosetti, in compagnia anche di George Melly, cantante fantasista da piano-bar ed esperto di vini oltre che giornalista eccentrico per l'«Observer». Il mio rapporto su quei filmini uscì sull'«Espresso» intitolato *Sull'Honda del piacer.*

LA BELLA FUORI USO

Quando la favolosa Belle Livingstone è morta nell'inverno 1957, in un seminterrato di New York, che lei chiamava «una stamberga da topi», era oramai una vecchia di ottantadue anni, grassissima, sfasciata, carica di ricciolini bianchi e di ricordi tragici o allegri, in miseria quantunque le fossero sempre passate fra le mani somme enormi, e ancora con un po' della vitalità di un tempo. Si sapeva che negli ultimi anni aveva provato a pasticciare un libro di memorie al quale nessuno credeva; ma adesso che il libro è fuori (e forse gireranno un film a Hollywood), con un successo enorme che non può più giovare alla «vecchia ragazza», ci si accorge che non si era solamente accontentata di passare come protagonista attraverso i decenni più incredibili dei tempi moderni – la New York degli sfrenati anni 1890, pazza per il vaudeville, la Londra del principe Edoardo, l'epoca d'oro di Montecarlo, le prime crociere in Oriente, e tutta l'èra del proibizionismo – ma li ha attraversati con gli occhi bene aperti; e soprattutto li sa raccontare con una verve indiavolata.

Queste memorie, intitolate *Belle Out of Order*, sono scritte con un gusto troppo vero per sospettare che qualcuno le abbia dato una mano: tutt'al più si sa che negli ultimi tempi un'amica le aveva chiesto: «Belle, ci metti dentro tante porcherie?», «Sta' a sentire, tu,» aveva risposto lei «io scrivo per gente che le sa, le cose, e non ha bisogno che gliele insegni io». E così è andata a finire che dalle mani di una «vecchia cattiva ragazza» con una carriera davvero straordinaria, prima come «bellezza professionale», e più tardi come tenutaria di *speakeasies*, è venuto fuori un libro di grande divertimento, di grande interesse per la storia sociale di un cinquantennio, e non un libro indecente.

Belle aveva sempre detto di se stessa: «Io sono come Mosè; non sono nata; mi hanno salvata dalle acque». Ha sei mesi quando infatti un brav'uomo del Kansas la trova abbandonata sulla riva di un fosso, se la porta a casa, la alleva con una certa cura; e ha diciassette anni quando scappa dalla casa di questi genitori adottivi, per andare a fare la ballerina con una compagnia di guitti. Il padre adottivo, che era proprio un brav'uomo, le corre dietro per fiere e mercati del Michigan; e quando finalmente la trova, sulle scale di un albergo un po' lercio, la prima cosa che lei fa è di correre vicino al primo tipo che passa di lì (era un viaggiatore di commercio, e si chiamava Richard Wherry) e gli chiede «mi offre una aranciata?»; lui gliela offre; e la seconda cosa che gli chiede, un minuto dopo (neanche finita l'aranciata), è «ci sposiamo stasera?». Il viaggiatore dice di sì anche stavolta, il padre non può più dir niente: loro due effettivamente si sposano la sera stessa, e subito dopo lei riparte da sola e non si vedono più.

Non era gran che bella in volto; però aveva un corpo magnifico, e una vivacità straordinaria. Passa poco tempo, e già tutti parlano delle sue «gambe poetiche» in calze rosa, l'impresario Barnum le offre un contratto per mille dollari alla settimana; appena arriva a New York per fare del vaudeville è un grande successo, la chiamano «la Bella di Manhattan», «il più bel corpo della sua generazione», diventa popolarissima, e continua ad andare molto in giro.

Negli anni più brillanti della vita notturna di New York, quando veramente le ragazzine saltavano fuori in reggipetto e puntino da grosse torte portate in tavola alla fine dei pranzi per signori soli, Belle diventa la regina di tutte le feste dove gli uomini politici importanti, i grandi avvocati, i più grossi industriali, arrivano in frac lasciando regolarmente a casa le mogli (perché, come diceva lei con comprensione, potranno avere tutte le perle vere che vogliono, però non sanno né pettinarsi né amare). Theodore Roosevelt, che era un ricco giovanotto appena rientrato dalla campagna, le capitava in casa molto volentieri, e si sdebitava regalandole porcellane meravigliose. Il ricchissimo «Diamond» Jim Brady le faceva organizzare cene di mezzanotte dove lo champagne doveva scorrere. E lei, molto saggiamente, ragionava: «Viviamo in un'epoca di matrimoni combinati e di convenienza. Questi poveri mariti stanno in casa come in una caserma e non vedono l'ora di prendere una boccata d'aria fuori. Ma la cortigiana e l'amante sono due tipi lontani fra di loro come il Polo Nord e il Polo Sud. Qualunque donna riesce a fare l'amante, con poca fatica; non ci vuol niente. Però cortigiana si nasce: ci vuole vocazione, eleganza, spirito; bisogna saper trattare con l'uomo e col soldo. E poi la vera differenza è che la cortigiana vive sul suo, non diventa mai un oggetto di possesso personale: gli uomini che la mantengono si sentiranno sempre ospiti quando sono da lei, mai padroni di casa».

Ma il vero paradiso della cortigiana negli ultimi anni del secolo era naturalmente Parigi. Basta aver visto *Gigi* al cinema per sapere tutto. Oppure Londra, dove il principe di Galles, agitando la barba fra champagne e sottane, dava per sempre il nome di «età edoardiana» al lato inglese della «Belle Époque». Le ragazze americane piovevano in Europa a centinaia, tutte un po' folli. E a questo punto anche a Belle viene una gran voglia di fare un giro in Europa, dove i lord e i principi stanno sposando a tutto spiano le ballerine californiane in tournée e i nobilastri senza un soldo sposano invece le ereditiere di Boston e Baltimora. «Capitava a tutte le ballerine,» racconta Belle «e per capire quando arrivava il momento, bastava osservare quando veniva fuori il manuale di belle maniere; appena si vedeva una ragazza della compagnia darsi da fare con le posate per imparare a stare a tavola, era fatta: c'era un lord dietro la porta».

Ma a Manhattan lei era una regina; e anche senza aver mai letto Henry James sapeva bene che nel Vecchio Continente la ragazza americana che vuol far colpo deve sbarcare con una certa grandiosità. Non ha ancora finito di esprimere il desiderio, e le arriva la lettera di un notaio: il buon Richard Wherry, il marito di cui non aveva saputo più niente dopo la sera del matrimonio, è morto lasciandole centocinquantamila dollari netti. Poche settimane più tardi, dopo un ricevimento indimenticabile d'addio offerto da «Diamond» Jim Brady, e dove vengono per salutarla mezzo Congresso e quasi tutta la Borsa Valori di New York, la Bella di Manhattan parte, con tutta la grandiosità che ci vuole. Arriva a Parigi: «Lungo gli Champs-Élysées, sulle loro splendenti vittorie, passavano queste affascinanti bellezze, coperte di pizzi e di piume, muovendo nuvole di profumo» dice lei; ma capisce subito la lezione: «Il giorno dopo, avevo più pizzi e più piume e più profumi di tutte loro». Le signore parigine la battezzano subito «la donna più pericolosa della città», assegni e gioielli piovono da tutte le parti, Belle stravince, e a questo punto è matura per Londra.

Vedersi e capirsi subito, per lei e il principe di Galles, è la stessa cosa: diventano inseparabili, si raccontano tante storie, vanno insieme dappertutto, lei sa bene come farlo ridere. Poi la regina Vittoria muore, e il principe le succede sul trono. Lui le aveva sempre detto: «Belle, tu non hai bisogno di una corona, perché cammini a testa alta anche senza»; la vigilia dell'incoronazione, le manda una squadra di addobbatori a coprirle di fiori la facciata della casa, e ricorderà per sempre lo scherzo che lei aveva l'abitudine di fargli: il principe prendeva in mano una coppa di champagne, la sollevava in alto, più in alto che poteva, magari sollevandosi in punta di piedi, ma non era mai abbastanza in alto per lei, che riusciva in ogni caso, alzando la gamba come se facesse una spaccata, a portargliela via di mano con un colpo di tacco. «Il vero spirito americano!» gridavano tutti. Reggimenti di gentiluomini la inseguivano, isolati o in gruppi, le facevano la corte, la invitavano nei loro castelli, tanto che a un certo punto, da americana con la testa sulle spalle, lei si domandava: «Ma cosa succede? Sono poi io che sto salendo, o sono loro che vengono giù?».

E poi ricomincia a viaggiare e a sposarsi. Per parecchi anni non aveva più pensato al matrimonio «perché tanto mi divertivo lo stesso, e ricevevo tanti regali senza sciupare energie». Arrivavano sempre più abbondanti gioielli, abiti di Parigi, assegni di migliaia di dollari da gettare in qualche casinò della Riviera: era una pessima giocatrice, ha sempre perso tutto, mai vinto una volta, ma lei ai soldi non ci pensava: la prima cosa era divertirsi. Una delle sue scommesse più celebri è stata del resto quella di fare il giro del mondo con solo cinque dollari, e sempre nel lusso.

Scommessa vinta: un grosso industriale di conserve comincia a portarla a cercare turchesi nell'Arabia Deserta «con 85 magnifici cappellini e una cameriera sola»; in Egitto, il suo vecchio amico (però solo platonico, fa notare lei) Lord Kitchener la porta in gita a Khartoum e le fornisce uno yacht per andare avanti; poi va a caccia di elefanti nelle foreste di Ceylon; e quando arriva in Giappone, trova un giovane conte italiano che le propone di sposarlo (lei lo chiama Florentino Ghiberti Laltazzi, ma è sempre molto imprecisa con tutti i nomi che cita). Belle telegrafa subito a Londra: «Non solo ho i soldi per finire il viaggio, ma anche una proposta di matrimonio». Risposta immediata: «Hai vinto. Prendi i soldi e l'uomo». Ma lei fa appena in tempo a passare una breve luna di miele a Yokohama, tornare a Londra, mettere al mondo una figlia, e le muore subito anche questo marito.

Il terzo è stato un banchiere di Cleveland, mezzo tedesco, da cui non ha avuto altro che un figlio e un divorzio; e il quarto, un altro banchiere, però inglese stavolta. Va benissimo per qualche anno, finché un bel giorno molto quietamente lui le dice: «Belle, non abbiamo più un soldo: li hai spesi tutti». E altrettanto quietamente, lei lo pianta.

Ma intanto erano passati parecchi anni. La parola «cortigiana» sembrava oramai non meno anacronistica che «etèra» o «cercatore d'oro»: Belle aveva una cinquantina d'anni, era ingrassata, le tasche erano vuote, e gli uomini non lasciavano più cadere il monocolo quando la vedevano. Dopo essere arrivata a dormire sotto i ponti del Tamigi con i vagabondi, che, dice lei, sono bravissima gente, prende finalmente una nave e torna in patria. Quando arriva è la fine del 1927, e le rimangono in tutto due dollari nella borsetta.

«Non avevo più la mia bella figura, non avevo la protezione di un marito ricco» dice. «Non avevo più niente; ma c'era sempre il vecchio spiritaccio».

La grande trovata che rimette Belle Livingstone a galla, e per la quarta o quinta volta le rimette in mano una fortuna non meno cospicua delle precedenti (e liquidata altrettanto in fretta), è stata quella di aprire gli *speakeasies chic*. Sono gli anni più duri del proibizionismo; la gente è pronta a tutto, a spendere somme enormi pur di procurarsi una bottiglia di orribile whisky di contrabbando fatto probabilmente col petrolio. «Perché, poveretti, dopo aver speso tanto per un bicchierino, devono per forza berselo in una cantina lurida, in un seminterrato schifoso pieno di topi e di cimici, invece che in un localino grazioso e accogliente?» si chiede Belle; e in poche settimane trova i capitali, e comincia ad aprirne quattro (che poi aumentano).

Li gestisce sempre lei, direttamente, con risultati disastrosi perché come amministratrice è una pazza; ma non si può dire che la gente non si diverta. Le sue intenzioni sono proprio queste: «Rendere graziosa e civile come in Europa l'arte del bere, che in America è solo grossolana e volgare», e avere come clientela «il meglio della città, perché dopo mezzanotte facciano il peggio». E tutta la gente migliore della città affolla i suoi locali, arredati con «bizzarrie del Vecchio Continente», ottima musica, e lei sempre in moto con file di perle, stole di pelliccia, sciarpe, veli. Non di rado le càpita di avere, fra i suoi distinti ospiti, un Rockefeller in una stanza e Al Capone nella stanza vicina; e in questo caso, invece dei soliti venticinque o trenta dollari per bottiglia, mette fuori dei conti di mille dollari per volta, serenamente e imparzialmente, a tutti e due. Tutte le volte che la polizia càpita dentro a fare una retata, gli agenti si mettono un garofano rosso all'occhiello della divisa prima di entrare.

Una sera però deve essere successo qualche cosa di grave, perché portano via tutti, compresa lei che scappava per i tetti con un pigiama di raso scarlatto, e la tengono per un mese in galera a Harlem, mettendola assieme alle prostitute «perché pensavano che mi sarei trovata meglio». Sono stati necessari comunque una legge fatta apposta per lei (il Volstead Act) e l'inizio del New Deal, con un generale cambiamento di umori, per frenare tutte le sue attività e i suoi entusiasmi.

Quando viene fuori, sta finendo tutto. Le restano più di venticinque anni da campare ancora, ma dei quattro mariti, dei due figli, dei «tanti amici interessanti», del mare di soldi buttato via, non le rimane più niente. Belle Livingstone invecchia ripensando agli anni favolosi, ma nessuno vuol sentir parlare dei suoi ricordi, perché i tempi sono cambiati, per qualche anno il proibizionismo non interessa più, e non è più neanche come all'epoca di Mamita e di Tante Alicia, la nonna e la zia di *Gigi*; la sua esperienza non può servire a nessuno, e nessuno crede che la «vecchia cattiva ragazza» sia capace di tenere la penna in mano.

Nel suo seminterrato di Manhattan, la vecchia pasticciona rimasta sola si dà da fare per anni davanti ai fogli di carta, e un giorno comincia a scrivere: «Dai tempi della lampada a petrolio a quelli delle luci al neon, posso dire di aver avuto l'onore – o, se preferite, il disonore – di conoscere e trattare intimamente quasi tutte le più famose cortigiane mie coetanee. Sono ancora una delle poche in grado di esprimere ammirazione per i drammi vissuti da quelle donne eleganti e spiritose perché racconto una esperienza che è stata anche la mia; ma oggi, quando vedo queste tribù di Circi dilettanti e stupidine in tutte le città d'America, pronte a fare di tutto per un paio di calze di nylon o per un pasto da tre dollari, mi viene la malinconia e vorrei morire: che queste poverette non si mettano in mente per carità di sapere che cosa è una "vera" cortigiana. Ma purtroppo la vera cortigiana è una specie estinta, come il bufalo delle praterie...».

IL GOVERNATORE IMPAZZITO

Altro che fiction. Su parecchi dei giornali più diffusi degli Stati Uniti ecco stampata in prima pagina una brutta faccia con due occhi da pazzo, un naso schiacciato, una boccaccia col labbro di sopra strettissimo, quasi invisibile, e quello inferiore enorme, carnoso e molle. Sotto titoli come «Diagnosi del Governatore Matto», si può leggere per esempio: «Prima il paziente borbotta e fa capricci per motivi insensati; poi diventa sempre più pericoloso, e comincia a fare degli urli; e finalmente, in seguito a qualche delusione, perde ogni capacità di controllo, diventa cattivo e si scatena. In altre circostanze, la malattia mentale si manifesta con improvvisi attacchi di depressione suicida e di esibizionismo frenetico, insieme a momenti di estasi stuporosa e insensibile; ma in ogni caso il povero schizoide perde ogni senso di rispetto umano o di pudore, e gli vengono manie di grandezza e di persecuzione così violente da fargli tentare di uccidere chiunque gli càpita vicino».

Questa straordinaria storia, di cui tutta l'America parla, sembra tutt'altro che finita. Il povero schizoide di cui gli psichiatri più reputati stanno dando una diagnosi così preoccupante è il governatore in carica (e finché è in carica non c'è proprio niente da fare) della Louisiana, Earl Kemp Long, membro di una delle dinastie politiche più selvagge e sfrenate degli Stati Uniti del Sud, e fratello minore di quell'altro governatore, Huey Long, che venticinque anni fa era arrivato a dominare lo stes-

so Stato, con quei metodi dittatoriali, demagogici e terroristi-
ci, che si sono visti in *All the King's Men* – praticamente la sua
biografia filmata –, ma che alla fine aveva trovato uno capace
di scaricargli una mitragliatrice nella pancia.

Earl è uguale a suo fratello: grosso, prepotente, megalomane, goloso, avido, crudele, spietato, con amici e nemici, e anche con quelli della sua stessa famiglia, che hanno questo stesso sangue pesante e caldo, e non di rado si combattono fra di
loro con le stesse armi. I suoi guai attuali sono cominciati verso la metà di giugno, quando sua moglie, Blanche, che ha 51
anni, 12 meno di lui, è riuscita a farlo ricoverare in manicomio, pare di sorpresa, firmando il mandato di internamento
necessario per autorizzare i medici a tenerlo chiuso, in quanto
persona pericolosa agli altri e a se stesso.

Negli ultimi tempi sembrava proprio che Long perdesse la testa continuamente. Preoccupato sul modo di farsi rieleggere
per la quarta volta, malgrado le disposizioni legislative che proi-
biscono tassativamente al governatore di ripresentarsi candidato allo scadere del suo mandato quadriennale, stava già facendo tutti i passi necessari per eludere la legge: dare cioè delle
dimissioni pro forma in giugno o in luglio, lasciare tutta l'amministrazione dello Stato in mano ai suoi scherani, dedicarsi
per tutta l'estate alla campagna elettorale secondo il solito sistema della casa, che è quello di fondare la propria potenza sui
contatti e le complicità personali, piuttosto che non sulla «macchina» dei partiti, o passando comunque attraverso le organizzazioni politiche; e finalmente ripresentarsi alle elezioni in autunno, da privato cittadino.

Nello stesso tempo, per far paura a qualunque possibile op-
positore, si era messo a fare cose da pazzi nel parlamento di
Baton Rouge, la capitale della Louisiana. In questo edificio, che
sorge proprio di fronte alla gigantesca statua del grosso fratello Huey, sempre illuminata dai riflettori dei grattacieli, sembra proprio che in queste settimane passate Earl si scatenasse
in maniera mai vista: saliva al suo posto mezzo ubriaco trasci-
nando su per la scaletta questo corpaccio sudato pesante più di
cento chili, appena arrivato in alto apriva la bottiglia del whisky e se ne versava in gola dei mezzi litri, si apriva la camicia, si
toglieva la dentiera, raccontava storie indecenti, insultava l'opposizione e minacciava di farli fuori tutti, raccontando come a
suo zio avevano tagliato la gola mentre stava a letto con una
nera, e come suo fratello dicesse sempre che «pur di fare il governatore, bisogna dimostrare di avere del gran pelo sullo sto-

maco, ed essere disposti a farne di tutti i colori». I suoi assistenti, strappandosi i capelli e tirandolo giù da una parte e dall'altra, cercavano continuamente di farlo tacere e di metterlo tranquillo; ma inutilmente. Perciò, quando una ventina di giorni fa sua moglie l'ha fatto caricare dagli infermieri su una giardinetta bianca, e lo ha spedito di corsa in un manicomio del Texas (perché, essendo lui governatore, sarebbe stato contro la legge internarlo in qualunque istituto della Louisiana), mentre suo nipote Russell Long, figlio di Huey e senatore della Louisiana, cercava di tener quieto il parlamento locale a Baton Rouge raccontando a tutti che si trattava di un malessere passeggero da niente – sembrava a tutti che si trattasse di una faccenda organizzata in famiglia, per salvare il salvabile e conservare comunque il potere nelle mani dei Long. La moglie, infatti, si faceva fotografare da «Life» col fazzoletto in mano, vicina al ritratto di lui, e diceva a tutti, come nei film patetici: «Sarà un omaccio, sarà un turbolento, ma è pur sempre mio marito, siamo uniti per sempre, e gli vorrò sempre bene». E intanto, uno dei luogotenenti di Long, Lether Frazar, si faceva avanti, con la complicità del suo amico procuratore generale Jack Gremillion, per tenergli caldo il posto, assumendo la carica di vice-governatore ad interim.

Ma che l'affare fosse più complicato e più torbido, lo si è visto subito. Il segretario di Stato della Louisiana, Wade O. Martin, si è opposto immediatamente alla mossa di Frazar e Gremillion, e ha minacciato di non firmare più nessun documento ufficiale (e se non li firma lui, non acquistano validità) finché la situazione non si chiarisse. La lotta per la successione era già così aperta e selvaggia, poche ore dopo che Long era dietro le sbarre, urlando e maledicendo, classificato come «schizofrenico paranoide pericoloso» – come se lui fosse già morto –, quando eccolo tornar fuori improvvisamente, ma non si è capito come, più cattivo e più sfrenato di prima: grida che vuol tornare a comandare, ordina a una squadra di guardie in motocicletta di venirlo a prendere, e ritorna con loro a Baton Rouge. La moglie, avvisata, chiama la polizia. Una macchina carica di sceriffi e vice-sceriffi gli corre dietro, lo raggiunge mentre stanno entrando in città; lo fermano, lo prendono, lo disarmano, fra orrende bestemmie, lo caricano a forza su una ambulanza, mentre grida come un forsennato «non ci voglio andare là dentro! voglio andar subito in parlamento a comandare! aiuto! mi ammazzano, questi maledetti!». Ma loro lo impacchettano, e lo vanno a rinchiudere in un altro manicomio.

Dopo qualche giorno, mentre i medici lo visitano e lo trovano peggiorato, sempre più pericoloso, gli viene dato il permesso di far venire degli avvocati di fiducia, per promuovere un giudizio di tribunale che dimostri la sua eventuale sanità di mente, e metta in chiaro la situazione. Gli avvocati arrivano. La macchina si mette in moto. Tutti i funzionari dell'Igiene e della Sanità, tutti i direttori e vice-direttori dei manicomi della Louisiana, vengono licenziati per ordine del presidente del Senato, che dichiara di agire temporaneamente in nome del governatore e del vice-governatore; e vengono sostituiti con i peggiori mascalzoni del paese. Una commissione di medici nominata apposta visita Long, lo trova sanissimo, e lo autorizza a presentarsi a un tribunale appositamente costituito. La moglie spaventata fugge di casa senza lasciar detto dove va.

Il tribunale si riunisce quasi subito, nella palestra delle scuole elementari di Covington, una cittadina di cinquemila abitanti. È uno dei giorni più bollenti di questa estate: non si respira, non si riesce a dormire, non c'è una nuvola in cielo, l'aria è ferma, pesante, umida. Alle cinque della mattina sudano già tutti, i giornalisti e i curiosi che aspettano mezzi spogliati davanti alla palestra; e le bidelle della scuola mettono su uno spaccio di gasose. Alle dieci, quando arrivano i giudici, ne hanno già vendute cinquanta cassette, lasciano l'impiego, e vanno a fare le signore in città. Alle dieci e mezza arriva Long: licenziati i medici, scappata la moglie, davanti a un pacco di certificati che giurano che non è mai stato così bene in vita sua, cosa rimane al tribunale da fare se non dichiararlo liberissimo di tornare a esercitare i poteri di governatore? Gli urli di entusiasmo dei fedeli salgono al cielo, Long tripudia e riparte in Cadillac ad aria condizionata, mentre la gente si domanda: «Chi saranno adesso i primi a farne le spese?». Non passa neanche un'ora, e si vede. Le vendette cominciano: licenziamenti, minacce, gente che lascia in fretta le case e sparisce dalla circolazione...

Sempre urlando che all'ospedale lo trattavano malissimo, tutti villani, tutte bestie, troppe iniezioni, per di più gli facevano patire la fame, e così ha perso almeno venti dei suoi cento chili, Long mangia per tre ore di seguito, si fa venir lì al ristorante un battaglione di medici, che lo trovano sanissimo, e parte per la sua fattoria a Winnfield Parish. Per la strada fa fermare il corteo, scende a un negozio, compra vanghe, badili, finimenti per i cavalli, e ripartono.

Appena arrivato in campagna, comincia a dichiarare le cose più incredibili sul conto di «quel mostro di mia moglie», e ne vengono fuori parecchie, non si ferma tanto presto. E poi ricomincia a preparare la sua campagna elettorale. Dice: «Amo questa terra, amo questo popolo, e non voglio lasciarli senza il mio aiuto». E aggiunge che prima aveva intenzione di fare trecento comizi, ma adesso invece ne farà solo cento.

Il giorno dopo convoca una quantità di giornalisti, che lo trovano nudo sotto un lenzuolo, su una branda, con soltanto i piedi fuori, e la polizia dello Stato che gli porta delle bombole di ossigeno fresco ogni ora. Aveva mangiato pesce per tre ore di seguito col suo amico senatore B.B. Rayburn, e poi si era sentito male. Sotto il lenzuolo, senza dentiera, e col tubo dell'ossigeno in bocca, Long urla che le prime cose che vuol fare sono divorziare da sua moglie e costruire una nuova autostrada appena sarà rieletto governatore. Anzi, due autostrade, una per gli astemi e l'altra per gli ubriachi. Circondato da tutti i suoi luogotenenti, e dai medici che lo dichiarano sempre più sano, racconta di avere in mano le prove che sua moglie paga dei sicari professionali perché lo ammazzino, e recentemente ha comprato una mitragliatrice per farlo fuori più in fretta. Poi annuncia che sta per cominciare questa campagna elettorale, e che farà quattro discorsi al giorno.

Nello stesso tempo, il 1° luglio, sua moglie incaricava un avvocato di cominciare per suo conto le pratiche per il divorzio, chiedendo 2500 dollari al mese di alimenti, e rivelando che il 28 maggio lui ha cercato di buttarla giù da un terrazzo (ma anche prima, dice l'esposto presentato dal magistrato, le aveva fatto «molteplici atti di crudeltà e di cattiveria»). La polizia federale intanto apriva tutte le cassette di sicurezza di Long e delle sue segretarie; ma, pare, senza trovare niente, né documenti né soldi. Long, dalla sua branda, appena lo viene a sapere, tira via la bocca dalla canna dell'ossigeno, e fa: «Non c'è niente da trovare. Di soldi non ne ho. Di amanti, neanche, sono troppo vecchio. Mia moglie invece ha dodici anni meno di me. Perché non si mette a lavorare, quella porca, invece di domandarmi dei soldi? Si arrangi, come fanno tutti. Da me non avrà neanche un bottone».

Poi li ha citati tutti in tribunale per danni: la moglie, il nipote senatore, un cugino medico che aveva firmato l'ordine di internamento, tutta la famiglia. Le due autostrade, ha aggiunto, non sono uno scherzo; anzi, gli astemi andranno su una, e avranno la benzina gratis; ubriachi e cretini, invece, sull'altra, la pagheranno il doppio.

Le cose sono a questo punto. E andranno avanti per un pezzo, chissà ancora per quanto: si sa bene che in questi casi il governo centrale non può far niente. Quindi Long rimane legalmente al potere, al suo posto di governatore, come vi era rimasto per tanto tempo suo fratello. Povera Louisiana, che brutti giorni, dicono tutti e scrivono sui giornali, mentre gli psichiatri più seri di New Orleans si sono riuniti «per salvare il decoro dell'ordine dei medici», e hanno dichiarato pubblicamente e concordemente che il governatore non è mai stato tanto pazzo e pericoloso come in questi momenti. Parecchi però se ne erano già accorti.

In seguito, il senatore fa tre o quattro comizi al giorno nelle cittadine del suo Stato, con quaranta gradi di calore e contro altri cinque candidati, fra cui il sindaco di New Orleans, che lo trattano apertamente da pazzo; viaggia dalla mattina alla sera per farsi vedere vivo e sano, presiede concorsi di bellezza ed elezioni di Miss, parla contro la moglie, dicendo adesso che in fondo non è una cattiva diavola, però ha un carattere d'inferno; non si è ancora fatto una dentiera nuova, e la perde un paio di volte durante ogni discorso; e ha anche qualche fastidio col nipote senatore, perché dopo le iniziative prese da questo per metterlo in manicomio e tenercelo, sembra rimesso in causa tutto l'accordo fra loro due – cioè il nipote sempre a Washington, e lo zio libero di spadroneggiare a casa, senza che nessuno metta il naso negli affari dell'altro. Ma l'organizzazione elettorale Long è ancora talmente forte, e in trent'anni è passata attraverso burrasche tali, che sembra difficile prevedere adesso come andrà a finire tutta la storia, e certamente se ne devono vedere ancora delle belle. Altro che Deep South a teatro.

Cleopatra, nella sua bruttezza, è talmente più incredibile d'ogni previsione che diventa una féerie di nonsensi, un divertimento paradossale, di una ambiguità continua, perché di fronte a ogni sciocchezza e follia non è mai chiaro se va presa sul serio o se intende far ridere. La maledizione dei Tolomei è tremenda, non si è salvato neanche Corneille:

CÉSAR – Antoine, avez-vous vu cette reine adorable?
ANTOINE – Oui, Seigneur, je l'ai vue: elle est incomparable.

(*La Mort de Pompée*, III, III)

Ma per fare questi film, cioè abbrancarsi a più mani a una storia fornita d'ogni ghiottoneria che volendo si può (e non si dovrebbe) desiderare, è chiaro che le soluzioni non sono molte più di due. O prendere la Storia di petto, in buona fede, magari con del vecchio panache alla DeMille. O aggirarla – potendo – con un'ironia alla Shaw. La via scelta parrebbe invece qui la «via di mezzo» di Dryden, nella prefazione ad *All for Love* (che non per nulla comincia con un compleanno di Antonio assediato nel tempio di Iside). Sarà cioè *doveroso* migliorare la *rozzeria* di Shakespeare, senza però arrivare al *cicisbeismo* di Racine: quindi Ippolito non sia un gioviale cacciatore di «irsutaggine amazzonica», ma neanche «un Monsieur Hippolyte che ha imparato le belle maniere a Parigi»; e Antonio «non può essere un personaggio di perfetta virtù, perché altrimenti sarebbe ingiusto renderlo infelice»; né Cleopatra «deve apparire solo malvagia, o diventerebbe impossibile compiangerla».

Il risultato è di un ridicolo involontario ed enorme. Basta cominciare dalla netta divisione del film in due parti: l'episodio di Cesare tutto risolto in «ora del cocktail», e quello di Antonio impostato invece sul breakfast. Non c'è scena di Cesare in cui Rex Harrison non trovi bottiglie pronte e servizi di bicchieri, non si versi da bere, non prenda il ghiaccio dal secchiello, e non giri per la stanza con il suo drink in mano. Sempre i suoi tavolinetti con su i rinfreschi, fin dal primo incontro; e sempre dei gran piatti di frutta, anche, con la loro uva in cima. L'episodio Cesare-Cleopatra dura molti anni, tanto vero che il figlio Cesarione cresce fino all'età pubere e fa in tempo a ricevere gustose lezioni di buongoverno. In quell'idillio è sempre vendemmia, l'uva non manca mai. Ma viene poi mangiata in due modi ben distinti. Durante conversazioni pacate, trattative politiche, intimità domestiche, riposi, ironie e sieste, piluccando normalmente e ironicamente i chicchi con due o tre dita. In circostanze di passione, invece, alzando il grappolo sopra la testa arrovesciata, labbra socchiuse, tutto un addentare dal basso bagnandosi quindi il mento. E morsicando gli acini impetuosamente, come in ogni rispettabile «peplum». (A Milano si è visto anche a mostre eccellenti, da parte di insigni primedonne, con «fabulous entrées» da Iolas, morsicando con passione il grappolo portato in tassì).

Cesare normalmente veste «in lungo», come una duchessa di Niccodemi che riceve in casa: un peplo scarlatto da pomeriggio, interamente plissé, accollatissimo, manica lunga, orlo alla caviglia. Nulla lo distingue da Alda Borelli nella *Nemica* di Niccodemi, come è anche giusto. (Manca però purtroppo un giovane Gassman che come ai bei tempi le si avventa contro urlando «babba! babba!» a quattro zampe, con finte reciproche molto calcistiche davanti a un canapè). La sua incoronazione invece è tutto un Messico, un Montezuma, con musiche però da Chinatown, a campanellini. Ma almeno Rex Harrison infila qualche ammicco nelle sue formule di politesse da café society. Dà l'impressione di star cantando Cole Porter? Quindi bene. Ma la Taylor gli tiene testa come una Shirley Temple che tenti Noël Coward da vecchia, tipo un'anziana Deanna Durbin che provi a indovinare una Lady Windermere.

Con Antonio siamo invece sempre all'ora del breakfast. È l'antica trovata, sfruttata da *Citizen Kane* in poi da una quantità di film belli e brutti, di utilizzare una serie di prime colazioni successive per indicare il graduale deteriorarsi di un rapporto maritale. Prima bacini, insomma, poi giornali sempre più invadenti fra i corn-flakes e le caffettiere, finché si arriva all'insulto aperto, allo schiaffo, al divorzio. Adorabile da questo punto di vista è l'intera parte Antonio-Ottavia: tutto un «bacon and eggs» a Manchester o a Liverpool, con i due coniugi seduti ai due lati estremi d'una lunga tavola col loro succo di grapefruit davanti, candelieri e marmellate in mezzo; e si scambiano «nasty remarks» e frecciate fra le teiere, interrompendosi di colpo («not in front of the servants») ogni volta che entra la cameriera col porridge, per fare delle osservazioni disinvolte sul tempo.

Come film americano è piuttosto orribile perché risulta mal girato, mal montato, con una musica sciocchissima tipo *Grand Canyon*, tuffi inconsulti negli *Ercoli* e nei *Macisti*, e salti logici dissennati perché molte scene importanti sono state estromesse dalla versione finale. Così parecchi personaggi notevoli spariscono a un tratto senza motivazione, e ne imperversano improvvisamente altri di cui non si sa nulla perché è saltata l'inquadratura che spiegava chi sono. Scompare fra l'altro la morte di Cesarione, rendendo incomprensibile una disperazione finale di lei. Perciò non piace al pubblico. Oltre tutto, sembra un film economicissimo, i soldi spesi non si vedono mai, pare girato quasi tutto in interni, in primi piani, con modellini artigianali, e scene arrangiate all'ultimo momento portando via i regali della Prima Comunione alla figlia del portiere di Cinecittà.

Tutti i materiali usati provengono evidentemente dall'industria in serie; e praticamente di ogni oggetto chi vive a Roma è in grado di indicare il prezzo, e il negozio dove è stato acquistato: dalle triremi di celluloide con cui gioca lei nella vasca, agli attrezzi per il massaggio, alle inaudite passamanerie e chincaglierie, alla biancheria da bagno e da letto: federe, lenzuola e salviette della Rinascente, e quelle ciniglie bordate di rose rosse che riappaiono a ogni Fiera del Bianco sotto l'insegna di «La lunga estate calda» (non per nulla esibite nel film nelle tre misure: bagno, faccia, bidet). Le corazze di Antonio sono invece appese a un portabiti dell'Upim, con sopra appicciate due aquile dorate comprate nel negozio di bronzi e maniglie in via Quattro Fontane, angolo via degli Avignonesi (ed è un portabiti che avrebbe una parte importante; in assenza di Antonio lei gli rivolge lunghi discorsi alla Oh-my-God, e una volta perfino lo colpisce con un gladio).

Non a caso: uno degli imbarazzi involontari del film è che tentando una rappresentazione di fasto regale proietta invece nell'antichità faraonica i paradigmi locali della «signorilità» secondo le immagini della piccola borghesia ebrea di Brooklyn.

Qui non si sa mai come spiegarsi basicamente. (Chi per esempio ci spiega la gran differenza fra i musicisti d'origine ashkenazita come Gershwin e Bernstein e gli autori dei migliori musicals di Broadway, e invece i compositori cresciuti fra la Sinagoga romana e Santa Cecilia, non già in uno «shtetl» dell'Europa orientale?). Da noi pare assai poco sviluppato il gusto alla Philip Roth per la descrizione sociologica e di costume dei gruppi etnici e degli strati sociali, che analizzando con qualche rigore le «medie» e i comportamenti (che so, il «salotto bono» della famiglia impiegatizia «bene», il pranzo d'affari del commendatore milanese, il matrimonio nel generone romano), si rischia facilmente di franare nel macchiettismo o nel razzismo. Senza contare che la borghesia ebrea da noi frequentata in città e in campagna ha uno stile piuttosto alto-borghese, con case tradizionali, bei mobili antichi, quadri di valore, assiduità ai concerti, biblioteche ereditate, ecc. Hanno invece modelli precisi e meno facoltosi (e lo intende benissimo il pubblico americano) per esempio i critici della «Partisan Review» quando giudicano la narrativa di Malamud e Bellow e Rosenfeld e Roth in termini di «local happenings of American-Jewish urban life»; e gli autori di commedie casalinghe (tipicamente ebree, così come quelle di Eduardo sono tipicamente napoletane) tipo *The Goldberg Family* con la vecchia mamma Molly Picon, o di sketches colmi di «typical Jewish wit» per i cabarets satirici. E Vance Packard impiega pagine e pagine del basico *The Status Seekers* per spiegare le differenze di pregiudizi nell'arredamento fra gli ebrei d'origine italiana e quelli d'origine polacca.

La «signorilità» che si riflette in *Cleopatra* sembra appunto quella della droghiera polacca o del lavandaio rumeno al primo scalino della prosperità: il luccichio nuovo, le cornici spesse, le tendine a volants, la tappezzeria di carta che simula un pesante damasco, le stoffe ostentatamente ricamate, il finto-Luigi XV comprato ai grandi magazzini, gli stili fastosi imitati con materiali economici, i soffitti bizantini dei cinema di trent'anni fa, il gesso e lo stucco dorati con la porporina, dietro cui si vede fisicamente il banco di delikatessen kosher, il cinesino col ferro da stiro a vapore. E lo stile dei convenevoli è il medesimo, in tutto il film. Come se in una *Lucrezia Borgia* si facesse dire al Valentino: «Scusate il disturbo, non mi siedo neanche, ma passavo di qui e ho pensato di fare un salto di sopra per farvi un salutino».

257

I luoghi sono divisi molto semplicemente: le scene egiziane si svolgono in décors latini, e viceversa. I palazzi reali dei Tolomei rappresentano di solito la Stazione Ostiense o la piazza principale di Sabaudia, con anche un po' di Latina e Pomezia. Di là dalle finestre, il Rockefeller Center. Ma normalmente siamo in una hall di Hotel Hilton, con quella mescolanza tipica di marmi grigi, mogani scuri, e ciuffi di kentie e ficus da un quadrato nel pavimento, che sono il penultimo «cri» nel fasto alberghiero americano del dopoguerra. In queste sterminate distese di marmi lucidati a piombo, deserte se non fosse per qualche branda viola e poche palme in vaso, Cleopatra pare sempre una vecchia viaggiatrice grassa che urla al facchino di portarle giù le valige, con il suo tassì lì pronto. Altro che qualche Rothschild in villeggiatura. O i sontuosi divanetti in stile «Christian-Bérard-Machine-Infernale» di Lily Volpi a Sabaudia, coi letti di Tomaso Buzzi in travertino.

Bisogna però notare che in queste stazioni di pullman non manca mai il suo angolino «cosy»: un bel salottino con divanino a due posti Louis-Philippe, due poltroncine dorate simmetriche, un tavolino rotondo col suo vaso di fiori sopra, il suo portacenere di cristallo, le bomboniere di nozze, e non di rado qualche pouf di raso e un servizietto di liquori: la bottiglia di cristallo quadrata con i suoi sei bicchierini, tre da una parte e tre dall'altra.

Ma anche gli altri ambienti non scherzano. L'ufficio di Cleopatra è l'antro dello scienziato pazzo, con globi surrealisti, pozioni che bollono, mappamondi del Dugento, anelli di Saturno da luna-park e librerie svedesi verniciate con la cementite. Mobili invece semplicissimi: armadi finto-Quattrocento, lucerne fiorentine, pochissimi ferri battuti, seggioloni da notaio nel quartiere Prati. Il resto non va guardato: sono tutti mobilacci di compensato e di faesite, buttati lì come viene viene. Neanche una bella *dormeuse*. Nemmeno un buon Piranesi alle pareti. Ma sullo yacht c'è una gran bella savonarola da *Cena delle beffe*.

La parte latina è tutt'altro che male. C'è un Foro Romano delirante, rifatto in forma di piazza San Pietro, con obelischi Piacentini e lettighe Busiri-Vici e folle di *dons* di Cambridge che si scambiano dei *bons mots* strettamente accademici: tutto un *understatement* alla Compton-Burnett e un nascondere il sorrisetto nella toga. Non fanno vedere neanche un colonnello tipo un'India da viceré, col suo baffo rosso e la risata militare da «jolly good chap», magari come Filippo d'Edimburgo sul campo di polo. Non si è neanche riflettuto che in casi di espansionismi, nazionalismi, colonialismi, avevano ancora lì Kipling pieno di esempi a disposizione. Si sono fermati a Rattigan.

La villa di Cesare sull'Appia Antica è soprattutto Beverly Hills: con la sua piscina, la sua biblioteca in finto-legno, i suoi armadi a muro spaziosi. Forse, come nella realtà, boiseries colme dell'Opera Omnia del generale Perón. La gens Julia gira in toghe da giardino, praetextae da orto, pepli da patio e tiare da trampolino. Ma Cleopatra, sempre pronta per andare alla Casina delle Rose: con cuffie di petali di nylon, per cui le si immagina sempre una doccia sopra la testa. E c'è un gran bel commiato di senatori dopo un barbecue-party, con dei « grazie per la bella serata » alla padrona di casa in anticamera, e scambi di buonanotte sul pianerottolo, che sono puro « i miei rispetti alla sua signora », « grazie, presenterò ».

La morte di Cesare aggiunge la sfacciataggine all'ingiuria e all'insulto. Cleopatra la vede nel braciere magico della fattucchiera, che funziona esattamente come un televisore, con una tecnica di ripresa anche abbastanza disinvolta: campi lunghi del corteo, carrellata su per la scala, particolare del pugnale di Bruto, primo piano del « tu quoque »... Certo, molto più moderno della vasca dei *Visiteurs du soir* di Carné, dove quindici anni fa gli amanti folli vedevano (anche là per virtù magica) un duello a molte miglia di distanza, ma senza montaggio. I funerali di Cesare sono invece molto ordinari: scalinata del monumento a Vittorio Emanuele, bandiere del Comune, banda dei Carabinieri, mobili dell'Anagrafe. Ancora a piazza Venezia non va male un « Guerra, guerra! » della *Norma*: con le lettighe bloccate dalla folla come i tassì durante i discorsi di Mussolini. Né va trascurata l'orazione di Ottaviano ai senatori, ripetuta per ben tre volte: è una lezione di procedura civile in un anfiteatro dell'Università di Macerata o Camerino, fatta da un assistente volontario ai fuoricorso che vengono tutti insieme a prendere la firma alla vigilia degli esami.

Il grande show del film è l'entrata di Cleopatra a Roma: momento « cruciale », perché in un colpo solo lei deve riprendere Cesare e conquistare il Senato e il Popolo Romano. Il film lo risolve con un corteggio di numeri di rivista. Quindi, in teoria, bene. Invece, tra siparietti e stelle filanti e nuvole di polvere d'oro si riconoscono tutti i quadri: dei Dapporto 1949, dei Gisa Geert 1951, dei Katherine Dunham ripetuti in varie tournées sempre uguali... Né più né meno che una celebrazione di vent'anni di Spettacoli Errepì: un quadro per ogni rivista di ogni anno... Già che erano su quella strada potevano almeno sfrenarsi tipo Folies Bergère. Una certa chicca è comunque la discesa di lei da un'enorme sfinge, lungo uno scivolo di legno con frangia di passamaneria ai bordi, comprata evidentemente in una chincaglieria di via Tuscolana.

Altri oltraggi al pubblico sono forse deliberati: sfondi di paesi laziali veri, con chiese moderne, capitanerie di porto, caserme della Guardia di Finanza costruite dopo la guerra. Davanti, forse pensando alla «gilded shell / red and gold» di Eliot, naviga un Bucintoro da Carnevale di Viareggio carico di tende porpora e di palme secche (evidentemente morte durante le riprese, e non sostituite). È un dileggio del *Giulio Cesare* di Händel («Presti ormai l'Egizia terra / le sue palme al vincitor»)?... A bordo, comunque, un buffet freddo del più realistico Ruschena, servito da figurine da album Perugina che intrecciano un *Sacre du Printemps* alla Delia Scala su una moquette Upim da poche lire al metro con piatti e bicchieri della Standa.

Sono poi parecchie le cose veramente squallide del film, e non fanno neanche ridere. La sceneggiatura è indecente, e i dialoghi spesso vergognosi: con l'avverbio che impazza, e l'abuso degli «awfully» preposti a ogni aggettivo. «Literally?» domanda Cleopatra sgranando gli occhioni. E Cesare dopo l'incendio della Biblioteca di Alessandria dichiara «I am extremely sorry» come un cameriere che si scusa d'aver versato due gocce di vino sulla tovaglia. I «cattivi», tutti con la barba per distinguerli. Richard Burton recita malissimo, vestito e comportandosi come Bob Hope nella giungla. S'infila fazzolettini orlati nell'ascella della corazza come avrebbe fatto Oscar Wilde nella manica della redingote. Ma il vero dramma è che grida distrattamente in tutte le direzioni, e lo si confonde continuamente con le comparse; non ha mai quella presenza magnetica che distingue l'attore dai generici. La formazione del secondo triumvirato, poi, è un «a me questo», «e a me quello» veramente da bar sport, non si è mai vista al cinema semplificazione più crassa.

Azio, infine, è una battaglia che lascia perplessi; intanto, perché non si vede. Cioè, da principio viene risolta con un commando di Guardie Svizzere che giocano alla battaglia navale su una scacchiera di finta malachite con quei modellini di torri e d'alfieri che si fanno a Volterra con l'alabastro locale e si vendono a Roma in via Due Macelli ai turisti. Sarebbe lo Stato Maggiore egizio che segue le manovre. Ma sullo sfondo del mare si muovono modellini di navi così oltraggiosamente falsi che quando alla fine brucia un'infinità di triremi indubbiamente vere, tutto il pubblico è persuaso da un pezzo che la battaglia sia stata girata in un catino. Cosa sarà successo? Certamente sono state montate delle scene di raccordo, fatte appunto in catino dopo l'incendio della flotta vera. E come mai Cleopatra compare alla battaglia in pullover di cashmere celeste, con un incredibile paltò di cammello dell'anno scorso, con maniche normali, collo di leopardo, e cappuccio da sci? Chiaramente è un abito privato della Taylor, adatto a far spese di mattina in qualche via delle Repentite o delle Rabbonite: e lei lo portava arrivando sul set. Ivi le ipotesi non possono essere che due: o è stato utilizzato un provino e non la scena definitiva in costume; o nessuno si è accorto dell'errore se non quando era troppo tardi per rigirare le scene, *dopo* l'incendio delle triremi sullo sfondo.

Fino alla fine si rimane sul ridicolo. Le trattative con Antonio nascosto nella tomba di Cesare già sono una sfacciata parodia del processo di Radamès con Amneris nascosta; e la tomba è una chicca di per sé per il concetto della morte che rivela, un Escuriale di finta onice ricostruito a Forest Lawn da un architetto bavarese della Secessione viennese. La morte di Antonio è interamente alla pellerossa, il solito sceriffo che esce solo, da *Sfida infernale* a *Mezzogiorno di fuoco*. E quella di lei, non è che una natura morta di fichi rovesciati per terra, col suo aspide che scappà via. Cariiino...

Forse mai sono trasudate da un film americano zaffate così violente di caldo, fatica, stanchezza, sabbia, polvere, occhiaie, sudore, sete, odor di piedi. Gli attori sono tutti brutti. Non un bell'uomo fra tanti guerrieri, non una bella donna fra tante baiadere. Orrendi, sporchi, mal truccati, con il rimmel che cola, vestiti in maniere ridicole, recitano confusi, stravolti, disfatti dalla spossatezza, si muovono avanti e indietro come a Caracalla, non sanno mai dove guardare. A cominciare dalla Taylor: sempre sudata, disordinata, non lavata, cenciosa, unta, grassa, vestita di scampoli comprati a qualche liquidazione di fondi di magazzino tipo Klein o Bloomingdale's. Nei reparti dei tessuti d'arredamento, però: mai d'abbigliamento. Lei cambierà sessanta abiti, sempre tipo camicia da notte con vestaglietta estiva sopra, a mezze maniche, e il suo corpetto ricamato ad aspidi fin dai tempi di Cesare. Ma in realtà ha sempre addosso un pezzo di tenda, una fodera di poltrona, un cuscino scompagnato, una spugna da bagno, un tappetino da automobile. Ogni tanto s'appunta uno scampolo di lamé alla vestaglia, o inalbera un en-tête da Carmen Miranda o Yma Sumac, con gli ananas; o un feltro da concorso ippico sopra un prendisole d'imprimé nero a stelle marine, di raion. Ma di solito rimane sul bottone di madreperla e le collanine di conchiglie comprate dal tabaccaio a Torvaianica. Anche qui, il fatto che sia così vistosamente ebrea riesce imbarazzante: come vedere Mosè interpretato da un egiziano, come le Aide giapponesi o le Traviate etiopi.

Ne vien fuori così, invece di una regina tolemaica, il personaggio di un'anziana chiromante mitteleuropea, eccessivamente grassa, di quelle ordinarie che non si lavano fino alle sette del pomeriggio, e girano per la casa spettinate in camicia da notte, golose, mangiando cioccolatini e succhiandosi le dita e pulendosele nel didietro della vestaglia. Se è male illuminata, la si può scambiare per la Folle de Chaillot; e quando vuol diventare regina, dice a Rex Harrison «make me a queen» con meno aplomb di quando Ethel Merman muggiva «call me madam».

Si sbaglierebbe però a credere che *Cleopatra* possa essere l'ultimo film di una vamp. È in realtà il primo di una nuova carriera trionfale, se il cinema e il teatro vanno avanti come promettono, con ninfomani ubriacone di Tennessee Williams, vecchie drogate di O'Neill, zie disfatte di Lillian Hellman, madri ingorde di Albee e Shaffer e Moravia, vedove oscene di Kopit. Senza contare il ruolo già lì pronto di Erodiade in una *Salome* diretta da Visconti...

Eppure, pochi anni dopo, nel tardo '67, quale indimenticabile arrivo delle ultime Dive – Liz Taylor e Grace Kelly – all'estremo Gran Ballo del Settecento Veneziano, a Ca' Rezzonico, in adeguati costumi e acconce maschere. Piovigginava parecchio, sull'avvento di centinaia di lance e gondole festive all'unico sbarcadero. Fra imprecazioni di scafisti e gondolieri irriferibili. (Si contemplavano le risse o resse abbigliati da mendicanti rococò, incantati, sulla balconata. All'interno, Tomaso Buzzi andava schizzando col pennarello i convitati e le tavolate agghindatissime).

Ma le due divine si reggevano intrepide in piedi per le entrées davanti ai fotografi, sotto le cotonature parigine altissime del famoso Alexandre, accanto ai consorti acquattati. E poi, da vicino, quelle due celebri paia d'occhi apparvero assolutamente memorabili.

A VENTUN POLLICI

Tutte le sere, quando incomincia a far buio, in circa trenta milioni di case americane scoppiano sparatorie improvvise, precedute da sghignazzate agghiaccianti, e seguite da silenzi di morte. La polizia non interviene mai: gli sparatori non sono altro che attori della televisione vestiti da cowboy che fanno del loro meglio per sviluppare una delle industrie più prospere del paese, comportandosi come se il tempo si fosse fermato al 1870, e tutti vivessero sempre ad ovest del Mississippi. Fra questi eroi si trova qualche faccia già nota al cinema, che ha fatto fortuna negli *shorts* a puntate: come Dale Robertson, protagonista di *Tales of Wells Fargo,* che passa per il più ricco di tutti (un milione di dollari all'anno), o un veterano dei film di Ford, Ward Bond, di anni cinquantacinque, che cavalca ancora con straordinaria energia in *Wagon Train,* facendo smorfie e ghigni «larghi come il Fiume Rosso». Richard Boone, invece, quantunque ex-campione dei medioleggeri, viene dal teatro di prosa, e ci tiene a farlo vedere citando Shakespeare di tanto in tanto nel suo programma *Have Gun, Will Travel.* I più grossi di tutti, e notevolmente più giovani, sono un «bravo», James Arness (*Gunsmoke*), un «malvagio», James Garner (*Maverick*), poi Chuck Connors, Hugh O'Brian, Clint Walker, e fanno rispettivamente i programmi *Rifleman, Wyatt Earp, Cheyenne,* tutte trasmissioni che generalmente prendono il nome dal protagonista. Di solito si tratta di ex-marines che copiano John Wayne o Fred Mac-

263

Murray, con muscoli però molto più sviluppati, schiene larghe come armadi, grinte da far paura, avventure incredibili, e un paio di inconvenienti: come attori, è meglio non parlarne, e a cavallo la maggior parte di loro fa un po' pena. Normalmente si dice che «appena salgono su un oggetto poco più mobile di una sedia a dondolo cominciano a tremare». Eppure il successo aumenta. Le trame fanno spesso pietà. Si può andar via, fare un giro, tornare dopo un quarto d'ora: e non si è perso niente, sono ancora allo stesso punto. Sempre, si è allo stesso punto. È difficile distinguere un programma dall'altro se non si vede il titolo. Ma il successo è sempre crescente, e anche al cinema aumentano tutti i giorni: sembra che l'America non abbia mai avuto una passione così scatenata per il *western* come adesso.

«Ma come mai in tante famiglie si passa la sera a guardare il didietro di un cavallo che corre?». Questa è la domanda che comincia a farsi frequente, davanti a un successo così frenetico; e negli ultimi quattro anni non ha fatto che crescere. Attualmente, dei dieci spettacoli più popolari alla televisione, otto sono *western*; in tutto, saranno almeno quaranta, e stanno portando via a poco a poco anche il tempo dedicato alle trasmissioni che una volta facevano impazzire il pubblico dall'entusiasmo, i quiz, i varietà, le gare di indovinelli... Basta, non li vuol più nessuno. Pistole e cavalli, ci vogliono.

Nessuna meraviglia se gli autori e i produttori dei programmi, dopo aver rifatto cento volte tutte le vecchie storie, stanno veramente perdendo la testa per trovare nuove favole da raccontare a questo pubblico così affamato; e se qualche volta, dopo aver fatto morire di fatica qualche soggettista, decidono di imitare quei produttori cinematografici che si sono messi ad ambientare fra i ranches dell'Arizona e le carrette della Wells Fargo semplicemente *tutte le storie* scritte dalla Bibbia e dall'*Odissea* in poi nella letteratura universale. Così, allargandole in paesaggi sempre più sconfinati per le necessità del grande schermo, o girandone «in economia» sette o otto al giorno per la televisione, si può anche dimostrare che il *western*, come genere, è praticamente inesauribile.

Le avventure di questo tipo che eravamo stati abituati a vedere al cinema fino a non molto tempo fa si riferivano di solito al periodo «classico», quello che va dalla fine della Guerra Civile (1865) ai glaciali inverni del 1886 e 1887 che hanno fatto morire più di tre quarti del bestiame. È l'epoca delle ultime scorrerie dei Sioux e degli Apaches, delle prime miniere d'oro nel Colorado e nel Nevada, delle migrazioni del bestiame dal

Texas al Kansas, e del modo di dire «non c'è più legge a ovest di Kansas City, e a ovest di Fort Scott non c'è neanche più Dio». Tanto whisky, tanta sporcizia. È da parecchio tempo che gli storici del costume si affannano a dimostrare che i veri personaggi del West erano ben diversi dagli eroi belli, graziosi, rasati, lavati, puliti che ci fanno vedere al cinema e alla televisione. Basta dare un'occhiata alle testimonianze e alle ricerche su quel periodo per trovare una quantità di miti infranti nel modo più crudele, e scoprire invece tanta sozzeria. Naturalmente è vero che si ubriacavano oscenamente appena potevano, e nel soffitto di un'osteria sono stati contati 3620 buchi di pallottole, opera di sfaccendati che sparavano alle mosche per passare il tempo; ma specialmente la questione del «vero» coraggio degli uomini del West e delle loro «vere» imprese è uno degli argomenti più controversi e aperti a discussioni arrabbiate. Ogni tanto, anzi piuttosto spesso, esce un libro che li difende. Ma è più frequente che vengano fuori rivelazioni documentatissime che non lasciano in piedi niente della reputazione degli eroi più famosi.

Billy the Kid, per esempio, non solo era pazzo, ma anche vigliacco, e ha ammazzato ventun persone, certo: però dopo averle disarmate e messe con le mani in alto. Jesse James era un fior di mascalzone che non ha mai dato un centesimo ai poveri. Wes Hardin, il più temuto del Texas, ha ucciso quaranta persone perché era un perfetto imbecille, sparava addosso a passanti sconosciuti senza una ragione e senza preavviso. Gli sceriffi che appaiono come arcangeli o salvatori avevano poi un giro d'affari bene organizzato e piuttosto redditizio: apertura e gestione di locali di gioco e di meretricio, per proprio conto, riscossione di forti tasse «per protezione» da tutti gli altri tenutari di pubblici esercizi; oppure imposizioni di enormi multe, che poi venivano tolte a richiesta, dietro pagamento della metà della somma originaria. Non è da meravigliarsi quindi che tanti banditi si mettessero a difendere la legge con una bella stella di latta sulla camicia: rendeva di più.

Polemiche grosse si sentono fare anche a proposito delle armi, e della loro precisione; e la gente si accapiglia. Sarà vero o no che con le Colt in uso nel West non si riusciva a colpire neanche un cavallo fermo alla distanza di venticinque passi, e che la pistola a sei colpi che si vede al cinema era in realtà tanto grossa che non si riusciva a tirarla fuori stando seduti (per esempio, a un tavolo d'osteria), quindi bisognava prima alzarsi, perdere tempo, tirarla fuori, sparare? E poi del resto serviva tutt'al più per far scappare i coyote? Sarà vero che per ammazzare la gente si dovevano adoperare quindi o i grossi fucili di precisione, o le minuscole rivoltelle, tutt'altro che maschili, da nascondere nella manica come faceva Doc Holliday?

Gli americani sono affezionati alle armi; tant'è vero che i fondatori della Costituzione hanno ritenuto opportuno di inserire il Secondo Emendamento, quello che «garantisce il diritto dei cittadini di tenere e portare armi illimitatamente», prima ancora delle disposizioni che salvaguardano l'inviolabilità della persona e del domicilio, e fissano le garanzie processuali. Ma che delusioni tremende sono i duelli del West raccontati dai testimoni... Gente che comincia a sparare a cento passi di distanza, così non rischia niente e l'avversario ha sempre la scelta tra rispondere e scappare; rumore certamente fantastico; qualche passante ci andava di mezzo; e la conquista delle nuove terre non andava troppo avanti...

Ma la leggenda è cominciata subito, quando la maggior parte degli eroi campava ancora, ed erano tutt'altro che vecchi, perché la maggior parte di loro ha trasferito la carriera dai ranches e dai saloons nei circhi equestri e nelle redazioni di giornali, sparando delle gran storie, come hanno fatto Wild Bill Hickok e Buffalo Bill. Di lì la saga è andata avanti, attraverso i romanzetti da pochi centesimi della fine dell'Ottocento, nonni dei fumetti, come quelli di Zane Grey, che in origine era un bravo dentista di New York. I primi film muti, agli inizi del secolo, hanno finito per codificare le situazioni fondamentali, che si sono mantenute fisse per cinquant'anni.

Si fa presto a riconoscerle: l'eroe «bravo» deve essere forte, virtuoso, silenzioso, rasato di fresco, portare un cappello chiaro, e sembrare un po' timido. Il «cattivo» invece parla tantissimo, fa lo spaccone, beve forte, ha basette infernali, si veste di nero, entra da destra (quando perde, nel secondo tempo, ricompare inseguito da sinistra). La ragazza da principio conta poco, è una specie di graziosa sordomuta che costituirà il premio per il «bravo», ma sa tanto di poco che tante volte lui la lascia indietro come una bambola vinta al tiro a segno, e riparte da solo. Non passa tanto tempo, però, e lei si evolve in una maestrina, bella, intelligente, virtuosissima, tante volte orfana, e piena di propositi di redenzione (ma finché il cinema non diventa parlato, queste sue doti non può svilupparle bene). E le situazioni, si sa bene quali sono sempre state per quarant'anni: il furto di bestiame, l'assalto alla corriera, l'attacco degli indiani, la rissa all'osteria, i lunghi mortali silenzi sotto il sole nella Main Street deserta, quando il bravo e il cattivo camminano lentamente l'uno verso l'altro, e bisognerà vedere un po' chi è più svelto a tirar fuori la pistola. I cowboys musicali e cantanti sono durati poco. E così si arriva senza grandi cambiamenti alle e-popee di John Ford e di William Wellman, di Gary Cooper e di John Wayne, sempre sul piano della lotta del Bene contro il Male. Neanche per un momento si è mai sospettato dell'infallibilità delle operazioni basate sulle caratteristiche balistiche delle loro armi: nessuno osava pensare che un giocatore di base-ball fa centro più facilmente che non quei semidei, con le trappole di Colt di cui disponevano, oppure che qualunque poliziotto o marine appena appena addestrato d'oggi riuscirebbe a disarmarli in un soffio.

Ma poi le certezze si incrinano, le acque cominciano a intorbidirsi, i semidei diventano uomini, e non succede più che tutto il Bene si trovi da una parte e tutto il Male dall'altra. Quando la psicologia comincia a infilarsi nel film *western*, i caratteri dei protagonisti si articolano, le luci e le ombre si fanno sempre più complicate, le situazioni stesse non sono più così limpide, e tante volte le scelte più problematiche. Da *Mezzogiorno di fuoco* e dal *Cavaliere della valle solitaria* in poi, se ne è fatta, della strada! e abbiamo visto parecchie novità, in pochi anni. Il bravo e il cattivo cominciano a comprendersi, qualche volta si avvicinano e si parlano, persino con un sospetto di simpatia reciproca; e in certi casi più recenti, come *Ultima notte a Warlock*, il bravo addirittura è straziato dopo aver fatto fuori il cattivo, come dopo aver perso un amico, e non ha più pace, va via in stato da far compassione; e qualche volta il Bene e il Male coesistono nello stesso personaggio. Se poi Henry Fonda e Anthony Quinn vanno via insieme da vecchi, sarà segno che vi fu del tenero da giovani.

Si sono visti «western dei Diritti Civili»: quelli con il povero indiano ingiustamente perseguitato, il buon meticcio inseguito, i teneri messicani sfrattati, i cinesi carini percossi. Si sono visti poi cowboys sensibili, umbratili, tormentati, frustrati, repressi, ossessionati da ricordi d'infanzia, da fissazioni amorose, cupidigie insane, incubi di morte; sceriffi colpevoli; pellirosse di rara invisibilità. Tra i sentimenti buoni e quelli malvagi finiscono per scomparire tutti i confini. Dai primi «western psicologici», pieni di vaccari schizofrenici, sparatori paranoici, guardie forestali col complesso di Edipo, e vice-sceriffi che perdono e riacquistano la memoria tutte le volte che sentono la *Danza delle ore*, si è fatto presto a passare ai *western* cosiddetti *adulti,* pieni di rare deviazioni, preziose psicopatie, sofisticati disturbi: incesti, matrimoni misti, casi di cannibalismo, vampiri.

Eppure, dei sette o otto che se ne possono vedere in un giorno, ce ne sono parecchi da notare divertendosi molto. Le trasmissioni sono tutte pubblicitarie, naturalmente, e le più popolari sono quelle di un genere che forse è il più nuovo di tutti: quello chiamato H.H.R.S. («Have Hero Remove Shirt»), cioè «fate togliere la camicia al protagonista».

Sempre gli industriali che finanziano i «western» televisivi si sono resi conto che chi tiene il borsellino nella famiglia è la signora; e sia che loro facciano la pubblicità a una cera da pavimenti o ai materassi di gomma o ai dadi di pollo o al detersivo in polvere, è sempre la signora quella che compra. Perciò è inutile sperare di commuoverla facendole vedere Martine Carol o Jayne Mansfield, che non le importano niente, e tutt'al più interesseranno al signore. Ma il signore al massimo comprerà l'automobile, una volta ogni qualche anno: chi fa la spesa tutti i giorni è la moglie. E non è giusto che anche lei non debba provare le emozioni e le ebbrezze finora riservate al marito, al cinema o alla televisione o sulle copertine delle riviste.

E la signora ha da scegliere anche troppo, fra i tredici canali del suo televisore. «Tutte le volte che Clint Walker si toglie la camicia» scrive seriamente un giornale in questi giorni «le azioni dell'industria di cui fa la réclame salgono di tre punti in Borsa». Non passa settimana senza che James Dunn non se la strappi di dosso; e lo stesso «Cheyenne», che andava avanti da anni con le sue storie, ha raggiunto l'apice della sua carriera, misurato da sacchi di posta, la volta che ha fatto un bagno in un fiume che è durato due puntate e mezzo. Sembra di sentire Jimmy Durante, quando assicura che lui questi romanzi sceneggiati li guarda tutti, e sostiene di aver visto una volta l'eroe sedersi nella poltrona del barbiere ai primi di febbraio, e rimanerci fino alla fine di marzo, perché il taglio di capelli e le chiacchiere erano durati sei settimane.

Bisogna vederli, per credere, questi *western.* C'è sempre un torrente, un corso d'acqua, uno stagno, una vasca, un abbeveratoio; e come si è abituati, su tutte le reti, alle interruzioni improvvise di qualunque programma per i due minuti pubblicitari del «comprate la nuova automobile» oppure «la camicia che si lava e non si stira» (e poi subito il programma riprende), così si sa già che a un certo momento c'è il bagno o la doccia, con la stessa regolarità. E sempre con i pretesti più incredibili: due cowboys cugini è da tanto che non si vedevano; si incontrano, sono contenti: doccia. Un altro, che aveva combattuto nella guerra civile, torna finalmente a casa dopo tanti anni, creduto morto: bagno. Oppure, di solito: che caldo! via la camicia! Non conto storie, una volta ho visto la storia di un cowboy che galoppava lungo un'autostrada; passa un marinaio, al volante di una lussuosa fuoriserie, solo; la macchina si ferma e non va più. Sembra che ci sia un guasto. Lui scende, si infila sotto la macchina, e si sporca la divisa bianca. Si avvicina il cowboy, scende, lega il cavallo a un palo, via la camicia, sotto la macchina anche lui, trova il guasto, ma anche lui si è sporcato. La macchina riparte, e vanno tutt'e due al ranch a fare la doccia. (Il cavallo probabilmente rimane dov'è).

I giornaletti di cinema, che dànno i consigli agli aspiranti attori, non raccomandano certo più di andare alle buone scuole di recitazione. Nelle «Piccole Poste» si risponde: quello che conta oggi, più che la «mascolinità» dell'attore, è la «muscolinità». Perciò, niente studi d'arte drammatica; abbasso le accademie: palestra, ci vuole, e sollevamento pesi. Invece di iscriversi all'Actors' Studio, è meglio frequentare una buona piscina, magari come bagnino, tanto per tirare avanti, e preferibilmente a Las Vegas. Da cosa nasce sempre cosa. È solo questione di tempo, di pazienza, e di tenersi in allenamento. Poi, una volta, «scoperti», si fa in fretta a imparare a recitare, ad andare a cavallo, sparare agli indiani. Si impara tutto. (È un po' come la storia delle bambine brave e delle bambine cattive. La mamma spiega alla bambina che cosa deve fare e cosa non deve fare la brava bambina. Poi, per vedere se ha capito, le domanda: «Allora, lo sai dove vanno a finire le bambine cattive?». «Dappertutto» risponde la bambina).

Questi tipi dei *western* televisivi, appena hanno un nome, naturalmente cominciano a prendersi molto sul serio anche fuori dai teatri di posa. I giornali sono pieni delle loro gesta. Hugh O'Brian (di *Wyatt Earp*) sostiene di essere «la pistola più svelta di Hollywood»; svergognato da un gruppo di comparse, che dimostrano di essere molto più svelte di lui, modifica la dichiarazione sostenendo di essere «la pistola più svelta fra i protagonisti di western televisivi girati a Hollywood». Il notissimo Audie Murphy, allora, lo sfida a battersi con munizioni vere. O'Brian, cortesemente, replica che quando lui dice «la pistola più svelta» intende dire che è il più svelto a tirarla fuori dalla fondina; premere il grilletto è un altro affare. Messa a posto questa importante faccenda, Steve McQueen (di *Wanted: Dead or Alive*) dichiara pubblicamente che è lui il solo vero uomo fra gli eroi di *western*: gli altri sono tutti bambine; le bambine lo sfidano a fare tutti insieme le «prove di sopravvivenza» in uso nelle caserme per paracadutisti designati per le missioni speciali. Ma poi non le fanno.

Di fronte alla sfrenata passione per i *western*, davanti alle manifestazioni sempre più clamorose dell'eterna mania degli uomini americani di ostentare muscoli, armi, maschilità, vera o finta (per dimostrare, mentre non è vero, che comandano loro e non le donne, e quindi pretendono di fare i grandi cacciatori, i sollevatori di pesi, i *muscle men*, quelli che bastonano la moglie, che picchiano tutti nel bar); di fronte a spettacoli come quelli che si fanno a Tombstone e a Dodge City (dove gli enti «pro loco» organizzano finti linciaggi per i turisti, con due esibizioni al giorno, e la vittima ha una vescica di liquido rosso sotto la camicia), le reazioni di quelli che osservano i costumi contemporanei sono varie.

I genitori e i maestri sembrano preoccupati per le esplosioni sadomasochistiche delle scene di violenza, e dicono che incoraggiano la delinquenza minorile. I direttori dei programmi sostengono che dopo tutto il *western* è il divertimento più semplice e più spiccio che si conosca, alla portata di tutti. E gli psicologi, a meno che non pensino che uccidere lo sceriffo sia una dimostrazione del complesso di Edipo, e che le mogli si divertano immaginando il marito nei panni del «cattivo» percosso, trovano che dopo tutto, come «mezzo di evasione», i *western* servono ottimamente a far dimenticare al povero americano medio le difficoltà della vita contemporanea, portandolo indietro verso un passato mitico come un paradiso, all'aria aperta, dove ognuno può farsi giustizia da sé e ha la libertà di tutte le scelte, senza mogli noiose.

Si parla già addirittura di Sacra Rappresentazione della Vita Americana, con tutti i simboli del caso, il Bene, il Male, la Natura, lo Spirito, il Paganesimo, la Cristianità; e magari implicito il senso della Eterna Ricerca da parte dell'uomo del Senso profondo della sua Vita stessa. Ma allora sarà meglio un Altrove?

SENTIMENTI DEI TEMPI

Gli enigmi dell'America contemporanea ci appaiono veramente parecchi: ma uno dei più gravi riguarda i sentimenti degli americani. Non si vedono. Si tratta di incapacità di manifestarli, o addirittura di incapacità di provare sentimenti autentici?

Anche soggiornando là parecchio tempo, una risposta a questioni così imbarazzanti sembra piuttosto difficile da escogitare. Forse non basta neanche una vita intera (almeno, a qualcuno). Se la diffusione dei giornaletti più popolari è una prova dell'interesse del genere di «storie autentiche» che pubblicano, vediamo subito infatti che i più venduti e i più letti sono pieni di titoli come «L'estraneo (oppure: l'estranea) che ho sposato», o «Viviamo insieme da vent'anni... e non ci conosciamo ancora».

Le situazioni reali più vere che queste storie rispecchiano – e il pubblico lo sente – sarebbero dunque queste: famiglie dove il silenzio viene riempito dalle canzonette e dalle rivoltellate delle trasmissioni televisive, e interrotto tutt'al più per parlare della cottura della bistecca. Fra amici, tutt'al più ci si ripeteranno reciprocamente le notizie appena lette sul giornale; ma più spesso ci si contenterà di sedere quietamente, insieme, vicini, col bicchiere o la bottiglietta in mano. Relax.

Uno degli spettacoli che colpisce di più lo straniero appena arrivato, del resto, è quello di parecchie macchine ferme lungo le vie principali delle città, il sabato sera. Sono piene di ragazzi giovani che siedono e tacciono, con la loro lattina di birra in mano, e la sorseggiano lentamente. Si ripassa dopo tre ore, e sono ancora lì, nella stessa posizione. Dappertutto si vede la stessa cosa. E finalmente ci si rende conto di un fatto. Per loro, il massimo bene è lo star fermi e non parlare. Non vogliono andare da nessuna parte. Non vogliono veder niente. Con una ragazza, almeno per rispondere alle domande, qualche cosa dovrebbero pur dire. Ma non sono disposti neanche a quella fatica; o, almeno, non tutti i sabati. Quindi parcheggiano l'automobile in una via centrale, così vedono un po' di luci e un po' di movimento; ma quando sono rimasti lì per qualche ora, e si sono bevuti una buona quantità di birre, apparentemente non desiderano altro che di andarsene quietamente a dormire.

Quando la detestata conversazione, cacciata dalle finestre, rientra dalle porte girevoli sotto forma di dovere sociale, in una riunione o in uno dei loro frequentissimi ricevimenti, dove tacere sistematicamente sarebbe nient'altro che una villania, allora si svolgerà in generale sul solito argomento «sicuro», che non si esaurisce mai: le differenze tra le automobili di quest'anno con quelle dell'anno scorso. Ma cosa possono mascherare queste chiacchiere sui fanalini, sulla lunghezza delle pinne?... Forse qualche passione? Queste, però, se pure esistono rimangono chiuse dentro, giù, giù in fondo, e non si rivelano mai; se si riuscisse a capire il meccanismo sarebbe spiegato il più grosso dei misteri che affannano oggi gli americani.

Questi fenomeni, nella buona cultura, diventano «la poetica dell'incomunicabilità»: si prende un po' di Cechov, con le pause, i silenzi, le patetiche esitazioni, i grigiori dimessi, e se ne applica la «chiave» con qualche deformazione decadente alle situazioni contemporanee più tipiche: quelle di «impaccio», nella famiglia e nella società. Dopo tanti libri su temi simili, dalla McCullers a Salinger, basta un minimo di orecchio per inventare quella figura di «timido moderno» che è Marty, in cui milioni di persone si identificano immediatamente, al cinema. E non per nulla, all'estremo opposto di queste «tecniche del ritegno», la sola altra letteratura possibile sembra quella dell'orrore, dello scandalo, dell'offesa aperta, che almeno prende di petto i lettori: le lotte dei marines nella boscaglia contro i giapponesi e contro la morte, la violenza selvaggia delle vendette dei gangsters, le combinazioni sessuali più spericolate, il sangue, i vampiri, e adesso (sempre più difficile) anche il cannibalismo.

Un inglese è diverso: sarà timido, o fingerà di esserlo; se ha un carattere complicato giocherà a fare il malvagio o l'ipocrita in maniera allegra, sempre con una notevole quota di negligenza e balbettio. Ma, come tutti gli europei, avrà passioni spiccate: le sue simpatie e antipatie si capiranno quasi sempre... La vera differenza, se prendiamo un americano qualunque, e tanto più se appartiene alle classi medie, se viene dal Middle West, è che non sembra stupido, né ignorante, né con la testa per aria, ma è semplicemente tutto d'un pezzo, timido, innocente, con i piedi per terra, con una certa lentezza di reazioni intonse. Nei suoi occhi celesti, senza un'ombra palese, si vedono l'onestà, la fiducia nel prossimo, una sincerità assoluta, commovente.

Quello che ci fa smarrire, davanti a questi esemplari umani – per esempio, trovandosi davanti a un uomo d'affari anziano che per tutta la durata di una colazione non ha fatto altro che dire «sapete, io vendo acciaio», e non ha detto altro –, è che diventa inevitabile domandarsi: eppure, se questo brav'uomo serio, pulito, rispettabile, a modo suo anche simpatico, è riuscito a raggiungere una buona posizione, in una società spietata come questa, se insomma ha voluto il successo, una qualche volta avrà pure dovuto essere spietato anche lui, o almeno dare qualche gomitata agli altri, per farsi strada... Possibile che sia sempre stato così timido e ingenuo, come ci sembra? Ma allora, in che momento è «vero»? A casa, in famiglia, davanti al televisore, senza una parola e apparentemente senza una idea in testa – oppure nel suo mondo di uffici, di telefoni, di segretarie, di c.i.f. e di f.o.b.?

Esistono, dunque, o no, nel mondo americano moderno, l'amore e l'odio, l'ira, la gelosia? Qualche peccato capitale, come la gola e l'avarizia, è stato eliminato, si capisce, in un ambiente dove la maggioranza mangia per tutto l'anno la stessa fetta di carne e piselli, e spende sistematicamente più di quello che guadagna. L'invidia, che era esistita a lungo sotto forme diverse, si poteva confondere fino a un certo punto con la volontà di potenza; cioè diventava una forza attiva, tendente a un «prevalere sugli altri». Ma è un momento che sta passando: oggi, lo si vede ovunque, l'ideale sociale saranno piuttosto il conformismo e la quiete, non già il dominio e il potere. Altro che Rastignac. E i milionari, o cercano di presentarsi come tipi di filantropi illuministi sempre solleciti del bene della comunità; o altrimenti possono salvarsi solo passando per macchiette convenzionali, che ricordano i caratteristi di Hollywood. Agli «originali» molto viene perdonato, anche il possedere mezzo Texas e vivere in due stanzette facendo una collezione di capsule di gasosa. Ci pensano i settimanali a illustrare i loro «pallini» per divertire l'operaio e la casalinga.

L'ozio, poi, non è più possibile per nessuno; ed è stato sostituito dal sesso nella sua carica di padre dei vizi. Ma il sesso, signorine mie, lasciamolo perdere, anche se parlando della vita americana viene fuori da tutte le parti: una cosa, si sa, meno la si fa, e più la si ha in mente? Si parlerà dell'amore, allora, come sentimento, come passione? O come faccenda di bacini teneri, di inefficienza fisica, e di convenienze sociali un po' soffocanti?...

Forse non si trovano più quei sentimenti veri e spiccati e forti, già così succulenti nei melodrammi hollywoodiani d'una volta? Sembrano piuttosto sostituiti da un vago sentimentalismo piccino picciò, rugiadoso e diffuso, che pare genericamente avvolgere ogni aspetto della vita americana contemporanea, anche i più banali e sciocchini. Come se questa vita veramente imitasse la più convenzionale televisione «per i piccoli».

Dove saranno «assolutamente» finite quelle famiglione tradizionali che mai discorrevano di argomenti realistici, e andavano avanti a base di «avete tutti ben riposato?», «come sono sbocciate le rose in fondo al giardino?», «passami il formaggio», «che deliziosa la brina sui vetri», ma non perché gli argomenti *veri* non esistessero? E infatti, quando arrivava il momento della grande crisi, le passioni più violente sempre mantenute sotterranee si scatenavano in maniera tempestosa e scenica: «Fra noi due, tutto è finito!», «Adesso hai una laurea, e dovrai mantenerti da solo!», «Non perdonerò mai questo affronto!», «Vattene, figlia sciagurata, e non tornare mai più!».

Quando mai situazioni simili si presenterebbero invece in una famiglia contemporanea, dove è già tanto se si parla del tepore e della bibita? Gli argomenti sono tutti lì, e non ce ne sono altri, perché tutta la famiglia si ispira a quei modelli di «vivere graziosamente» suggeriti dai film o dai giornaletti, dove non c'è posto che per la gente perbenino. Con la stessa cieca dedizione che accetta senza fiatare i consigli «quest'anno usano le gonne scampanate, i tavolini svedesi, le pettinature alla Grace Kelly», uomini e donne obbediscono al giornaletto che impone di sorridere, perché la vita è tutta un sorriso, e tutti i problemi si risolvono, si sa.

È piuttosto significativo sfogliare le rubriche di «confidenze» che affollano tante pagine su ogni giornale. Il più grosso successo in questo mare di confessori laici, a cui tutti si rivolgono, e di cui tutti seguono fedelmente le risposte, è il caso di Dick Clark. È un giovanotto sorridente e ben pettinato, somigliantissimo a Mike Bongiorno, però più giovane, che ha in mano un pubblico di parecchi milioni di persone: dispone di parecchie riviste, di cui una tutta sua, di una trasmissione televisiva popolarissima, e di una rubrica domenicale su uno dei quotidiani più diffusi di New York.

Si leggono ovunque centinaia di sue risposte, di solito ad adolescenti in crisi; e di solito la crisi è scoppiata perché la mamma lascia uscire una ragazzina solo il sabato sera, oppure non permette che lei inviti in casa i piccoli amici più di una volta al mese. E queste si precipitano a scrivere al confidente adorato, parlando di baratro incolmabile fra le generazioni. La più drammatica letterina che ho visto nella posta di Dick Clark era di una quattordicenne, che era stata invitata da due ragazzi diversi al Ballo Annuale del Ginnasio. Lei accetta di andare con quello che le piace di più, ma una settimana prima del ballo a lui vengono gli orecchioni, e non può più accompagnarla. «Cosa fare?» chiede lei, disperata. «È dignitoso che sia io a fare il primo passo, e telefoni all'altro ragazzo per sentire se mi vuole ancora?». Dick Clark, sempre signore, ha risposto che in questi casi è meglio mettere di mezzo una comune amica, e far parlare lei, invece di esporsi direttamente a brutte figure. E apparentemente i problemi che si presentano a una gioventù fra le più turbate e inibite del mondo sono in gran parte di questo peso. Ma come potrebbe non essere così, dal momento che tutto quello che vedono e imparano dai film e dai fumetti è sul piano del «bel pensierino»: la cartolina d'auguri buffa, il coniglietto di pezza, il lenzuolo con le figure di Disney, il cellophane, i nastrini... Macché Oliver Twist o Gavroche.

Questa, naturalmente, sarà solo una faccia delle situazioni correnti. Ma è anche l'unica che si vede: i modelli di «vita graziosa» imparata dai film «rosei» e dai giornaletti. I drammi esistono? E come! Però evidentemente loro si rifiutano di ammetterli, di riconoscerli, di affrontarli. Rimangono chiusi dentro, al livello dell'inespresso, riducono l'individuo come uno straccetto, e certamente questa è una delle ragioni per cui tanti fra loro dànno l'impressione di una gioventù che va abbastanza in malora. Se ne hanno molte prove che non è decente riferire. Ma basta entrare, in qualunque città, in quei negozi che sono insieme fruttivendolo e giornalaio, forse perché vendono merci ugualmente fresche ed effimere. In fondo alla scansia dei giornali, in un angolo un po' raccolto, c'è lo scaffale delle riviste di nudi.

Sono moltissime, alcune centinaia: tutte hanno successo, e naturalmente ci sono quelle di nudi maschili e quelle di nudi femminili. In qualunque momento, l'angolino è pieno di ragazzi che le stanno sfogliando. Magari anche qualche adulto. Ma di solito è tutta gente fra i diciotto e i trent'anni. Sono lì, con le mani piene di fotografie di finte ballerine delle Folies Bergère e di Mister Muscoli gonfi come palloni, e le sfogliano febbrilmente, accesi in faccia, con le dita tremanti. Molte volte non hanno i soldi per comprarle: sono operai, ragazzi poveri. Ma stanno lì un'ora, e quando escono comprano il « New York Post », sette centesimi. E quando sono fuori, possono tornare a sembrare capitani della squadra di baseball. Ma è bastato vederli un momento, fra i pacchi di giornali e i cesti di pere e mele nel negozio, per avere una immagine abbastanza sinistra dei tormenti di questa gioventù americana contemporanea.

Man mano che crescono, ai turbamenti del sesso se ne affiancano altri, di natura tutta diversa. Sembra veramente che gli americani d'oggi siano affaccendati per tutto il tempo a cercare di somigliare molto a qualcuno e a distinguersi un pochino da qualcun altro. Non è più certo soltanto una questione di snobismo all'antica. Si tratta di tutt'altro. Il loro è un « fare » che ha il senso di un « voler essere »: voler essere qualcuno, cercare di trovarsi una personalità, ma da indossare come un abito fatto. Come tutti. Tale tendenza porta il suo contributo a rendere ogni ambiente dove si esagera con le « regole » da osservare molto simile a un quieto inferno.

Pare così abbastanza difficile, per un europeo medio, stabilire e intrattenere un rapporto d'amicizia un po' confidenziale, aperta, con gli americani che arrivano a Roma o a Parigi allegri in viaggio – eppure si tratta quasi sempre di gente di una certa levatura culturale e sociale, che per il solo fatto di essersi mossa da casa una certa esperienza del mondo deve averla, quasi per forza. Poi, va bene, li abbiamo visti nei soliti film, spesso bugiardi; e si sa ancora che in questo momento i tedeschi e i giapponesi li amano tanto, i francesi invece non li possono soffrire, gli inglesi hanno sempre un fondo di stizza e dispetto nei rapporti quotidiani con i grossi cugini d'oltre Atlantico, gli italiani li prendono un po' in giro, ma senza cattiveria...

Un bel giorno si arriva là; e naturalmente interessa soprattutto stare a contatto con quelli che in Europa non vedremo mai: non ci vengono, o verranno tutt'al più una volta, e quella volta non li vedremo, se non nei gruppi. Interessa vedere gli americani veri in casa loro, e come si comportano nella vita di tutti i giorni, anche perché guardandoli da vicino si spera di capire i motivi di tanti loro atteggiamenti piuttosto misteriosi e contraddittori, come individui e come popolo, che tante volte ci lasciano perplessi, perché non riusciamo a spiegarli in fondo. Soprattutto in politica.

Sono decenni, praticamente, che si va avanti domandandosi se sono, per esempio, più pagani o più puritani, dei grandi ingenui o dei grandi malati di nervi. Negli anni più recenti, poi, parlare di «folla solitaria» finisce per non suggerire soltanto una cifra sociologicamente azzeccata da sfruttare superficialmente, ma significa badare a un indirizzo assai serio di ricerche sulle ragioni psicologiche e sociali che umiliano nella folla tutti questi omoni grandi e grossi di massa, che potrebbero essere campioni di baseball, capitani d'industria, lottatori; e li isolano in una specie di omologata solitudine. E non riescono a venirne fuori: non ce la fanno, a comunicare con gli altri, a spiegarsi, anche di fronte a se stessi, a capirsi, a parlare. Si vedono tutti immersi in questa tristezza infinita, quieta, senza vitalità turistica, privi di tutto quello che è allegria, ironia, umorismo, tutti oppressi dalle pressioni sociali che li avviano a tenere comportamenti uniformi per l'intera comunità. Ma a questo punto sembrano perfino sollevati: tante responsabilità di meno...

Anche il conformismo, però, un tempo era certo più facile di adesso. Nel mondo pre-democratico le identità erano già lì pronte per tutti: uno nasceva, ed era avviato a diventare signore o servo, mercante o contadino, con poca fatica e nessuno sforzo da parte sua. Erano tutte figure ben definite: non ci voleva niente a occupare il proprio posto nella società, e a conservarlo lì. Andava a posto subito anche chi si sentiva innovatore o ribelle rispetto alla sua epoca: avrà fatto lo stregone della tribù, l'aruspice, il cavaliere errante, il monaco flagellante, o l'avventuriero, a seconda del secolo e della struttura più o meno primitiva della comunità; ma anche queste erano figure socialmente ben definite; e facendo lo stregone o il cavaliere, l'irregolare rientrava nella regola con una fisionomia riconosciuta da tutto il suo ambiente. Forse anche con qualche funzione utile.

Si trattava, si sa, di quei tipi di comunità che gli studiosi di sociologia chiamano «governate dalla tradizione», oppure di quelle «guidate dall'individuo». Sono guidate dalla tradizione le società più primitive, che si sostengono sulla caccia, sulla pesca, su una rudimentale agricoltura. La percentuale delle nascite e delle morti è altissima, le risorse invece sono scarse, e siccome le bocche da sfamare sono tante si escogitano parecchi espedienti per ridurle di numero: organizzare guerre, fare sacrifici umani, con magari un po' di cannibalismo, ammazzare gli infanti appena nati o i vecchi non rappresentativi. Tutte pratiche codificate come riti religiosi solenni, perché si tratta di società molto stabili, legate alle loro tradizioni. Però sono cerimonie non troppo complicate da imparare, alla portata di tutti, così hanno anche il vantaggio di riempire buona parte della giornata: vantaggio grosso per le epoche senza cinematografo. Senza contare che chi riesce a sopravvivere si trova automaticamente valorizzato: è un mondo ove l'individuo conta qualche cosa, qualunque «figura» abbia.

La personalità umana, naturalmente, ha un'importanza molto maggiore nell'epoca successiva, quella della società «guidata dall'interno dell'individuo», come è tipicamente il mondo rinascimentale e moderno. La popolazione qui aumenta perché le nascite prevalgono sulle morti. Invece di continuare a ripetere cerimonie immutabili, la gente si preoccupa di cambiare in meglio, ricerca nuove soluzioni per i vecchi problemi, e non si affeziona troppo alle abitudini degli antenati. Quello che ci vuole, ci vuole: riforme, scoperte scientifiche, esplorazioni, espansione, colonizzazione, imperialismo. L'economia comincia a basarsi sulla produzione. E gli individui cercano di ragionare col proprio cervello: fino a una data età imparano dai vecchi, ma da un certo punto in poi vanno avanti da soli. È l'età che ci sta finendo sotto gli occhi: avrei voluto un po' vedere se qualcuno si fosse permesso di suggerire, non dico a Lorenzo de' Medici, ma a un padre di famiglia nel tardo Ottocento, come allevare i figli o quali mobili comprare per la sala da pranzo...

Per capire qualche cosa dell'Americano d'oggi bisogna invece tener presente che lui è già dentro completamente nella terza fase, quella in cui l'individuo viene guidato ancora dal di fuori, ma questa volta dalla massa dei suoi simili: fase che da noi sta cominciando appena adesso.

È questo il momento in cui i bisogni più urgenti sembrano soddisfatti per tutti: la casa, il lavoro, il pane, i vestiti, ci sono. Aumenta ogni giorno il numero di quelli che oltre al pane e ai vestiti possono procurarsi anche l'automobile, il lavabiancheria, i marrons glacés. Il lavoro manuale, la fatica fisica, diminuiscono sensibilmente; decresce il numero di persone impiegate nell'agricoltura, nelle miniere, nelle fabbriche stesse, infine; e aumentano insieme il volume del commercio, l'importanza delle comunicazioni. Diminuiscono anche gli orari lavorativi, lasciando maggior tempo libero per il riposo, per la lettura o la televisione, per andare al cinema, al mare, in campagna. I servizi pubblici si sviluppano in maniera mai vista.

Nascono meno bambini, però campano quasi tutti; e i vecchi

vivono più a lungo, abbastanza tranquilli: nessuno li ammazze-
rebbe quando non riescono più a lavorare. Magari un paio di
generazioni sono state sacrificate, e hanno dovuto tirare la cin-
ghia, subire privazioni orrende, come è capitato in Inghilterra
durante la rivoluzione industriale, e come sembra che non sia
ancora finito di succedere nella Russia d'oggi. Però il capitale
è stato accumulato, le fabbriche sono in piedi e lavorano, l'economia funziona.

Funziona tanto bene che a un certo punto pare che non ci
sia niente di più stupido che conservare i marenghi d'oro nella calza come ha sempre fatto la nonna. Il risparmio è considerato tutt'altro che una virtù. E il primo dovere del cittadino
sembra che sia quello di spendere tutti i soldi che guadagna,
perché adesso la prosperità delle nazioni si misura non dai depositi nelle banche ma col volume degli acquisti, col giro d'affari, con l'aumento della produzione che garantisce lavoro e
benessere per tutti. Quindi, facilitazioni nel credito. Tanto, un
po' d'inflazione non fa male a nessuno.

Per arrivare a questo momento sarà stata magari utile un pochino di etica protestante. Una società primitiva, dalle tribù selvagge fino alla Russia zarista, poteva reggersi sul senso del *peccato*, quale meccanismo di controllo psicologico e sociale: se una
cosa è peccato, non bisogna farla, per timore della sanzione religiosa; e se non la si fa, uno si sente innocente, contento. In un
ambiente più evoluto, il meccanismo sarà quello di *orgoglio* e *vergogna*, come quando nei nostri bar i giovanotti stanno lì per ore
a raccontarsi quello che uno riesce a far meglio dell'altro, con
tutti i ragionamenti basati sull'«io sono più dritto di te».

Ma nell'ambito del capitalismo protestante non sarebbe stato possibile mettere in piedi una democrazia o un'industria
senza un senso di *colpa* notevolmente sviluppato. Lì la «drittag-
gine» serve poco. Se la maggioranza dei cittadini non si controlla da sé, se non si sentono in colpa quando agiscono male,
indipendentemente dal fatto di essere scoperti o no, presi o
no, puniti o no; se non regolano la propria condotta in base a
imperativi categorici di natura morale e non resistono da soli
alle tentazioni del potere, dell'influenza, del prestigio, della cassaforte aperta; e se per esempio la burocrazia di uno Stato o
di una impresa privata non riesce a comportarsi onestamente
quando non si sta lì a sorvegliarla per 24 ore, perché è gente
incapace di provare rimorso, allora non c'è niente da fare: la
democrazia o l'industria faranno presto ad andare in malora,
evidentemente.

All'Americano d'oggi questo senso di colpa è rimasto attaccato dai tempi dei suoi nonni puritani. La «coscienza sensibile» è, si può dire, una delle caratteristiche più importanti della loro società. Questa specie di censore, sempre sveglio, sempre vigile, nell'animo di ciascuno di loro, funziona automaticamente come un orologio caricato una volta per tutte, e non si può sopprimere. Il suo consenso o la sua disapprovazione permetteranno all'individuo di dormire i suoi sonni sereni, o lo tormenteranno fino all'angoscia (e a questo punto, per sfuggire in qualche modo, lui si metterà a bere).

Con la coscienza non si può arrivare a compromessi. Non esiste per loro la confessione che libera dai peccati. In ogni rapporto umano, in amore, negli affari, in ogni occasione della vita quotidiana, il senso di colpa è lì pronto a imporre la serietà, l'onestà, la buona fede, l'impegno nel lavoro, a proibire l'ingiustizia, la menzogna, la truffa, ma forse anche lo scetticismo, il menefreghismo, l'ironia corrosiva. Niente al mondo gli americani temono più di questo giudice interiore che non si addormenta mai né si prende vacanze. Nessuno di loro riesce a trovare l'esistenza sopportabile senza la sua approvazione, evidentemente. Notiamo questo nella psicologia individuale, nella struttura della loro società, nella condotta della loro politica nazionale ed estera. I gangsters difficilmente sono americani veri? E veramente l'alcolismo si spiegherà come una ritirata verso l'ultimo rifugio, per scappare via, sempre più lontano da se stessi.

Così, per tentare di capire il carattere e i sentimenti dell'Americano d'oggi, il suo senso di solitudine, la sua ingenuità disperata, bisogna tener presente fino alla noia questo inesorabile tipo di struttura sociale entro cui si trova a vivere, e che lo condiziona in tutto?

La nazione, certamente, continua ad attraversare una «fase di abbondanza» senza precedenti. L'economia, che per gran parte della storia dell'umanità si era basata sul principio della *scarsità* dei beni, affronta ora serenamente le conseguenze anche psicologiche di una civiltà che ammette e magari impone lo *spreco*. Ci si può permettere di avanzare la minestra nel piatto, e non è una tragedia se si dimentica accesa la luce in tutto l'appartamento: le spese per il vitto, infatti, sono le meno importanti nel bilancio di una famiglia, e la corrente elettrica è così a buon mercato, che anche l'acqua calda è oramai alla portata di tutti. Calze rotte? Camicie sfilacciate? Si buttano via, perché costa meno comprarle nuove che non farle aggiustare: e per lo stesso motivo nessun negozio vende più colli e polsi di ricambio. Indispensabili negli uffici, una volta; e motivi di facili umorismi.

Però, con tutte le sue camicie e le sue bistecche e le sue automobili, l'individuo non è mai stato come oggi tanto guidato e controllato dalla massa dei suoi simili; e così profondamente che è difficile afferrarne la misura dall'Europa, dove si sta appena adesso cominciando a entrare in questa fase.

Il capitalismo, l'industrializzazione, l'urbanesimo, sono certamente fenomeni caratteristici di questo momento storico (e si vede subito, come si fa in fretta a passare dall'urbanesimo alla decadenza degli agglomerati cittadini, al sorgere improvviso delle comunità suburbane). Ma il connotato più tipico della società americana è quello di essere «guidata dall'esterno»: *other-directed.* Non si tratta più, cioè, di obbedire alla tradizione, agli antenati, e neanche di lasciarsi dirigere dalle proprie certezze interiori. A questo punto si guarda soprattutto al giudizio dei propri simili, ai contemporanei, ai concittadini, ai vicini di casa.

Anche in passato, naturalmente, si stava abbastanza attenti a «quello che facevano gli altri», specialmente per ciò che riguardava la casa, i cibi, i vestiti: ma era sempre una somiglianza superficiale. Ai commenti della signora del piano di sopra si badava, sì: ma «in casa mia, comando io», diceva il papà. La differenza è che oggi nessun americano pare più libero di fare quello che vuole, neanche in casa propria: quello che mangia, i vestiti che indossa, l'automobile, le vacanze, saranno scelti e imposti dalla massa delle signore e dei signori del piano di sopra e di quello di sotto, dai vicini, dai concittadini, dai coetanei, dai giornaletti, dalla TV. E si vede subito come agiscono queste pressioni sociali collettive che avviano ogni individuo a tenere comportamenti simili a quelli di «tutti gli altri», li livellano in un conformismo che per un temperamento timido può perfino rappresentare un sollievo.

La vera novità è che la massa americana oramai tende ad avere non più soltanto gli stessi gusti, le stesse preferenze, ma anche le medesime idee, in tutti i campi, dalla politica allo sport al cinematografo alla scelta delle vacanze. E i mass media più moderni, giornali e riviste, radio, televisione, e i film, costituiscono un sistema sempre meglio perfezionato per suggerire a tutta la comunità, appunto, cosa pensare, cosa fare, cosa credere. Le signore dell'età romana o del Rinascimento non avevano i giornaletti che spiegano come arredare il salottino o come rimodernare il «tailleur» dell'anno scorso: eppure se la cavavano, probabilmente. Ma come deve fare senza tutti questi consigli un'americana d'oggi? Si sentirebbe perduta. E suo marito, di che cosa parlerà con i suoi amici, se non ha letto il giornale che gli fornisce idee già confezionate?

Non esiste più lo stregone, l'aruspice, il predicatore? Si legge, tutti, l'articolo di Lippmann, e va bene lo stesso. Quella mattina tutti ripetono l'opinione di Lippmann. Nessuno vuol più credere alla dea Venere, o a Diana? Ecco lì pronte la dea Monroe, e la Bardot, e tutti ci credono. Alle otto di sera, tutti insieme a far la coda ai cinema.

Dal momento poi che in questa società qualunque criterio di comportamento è basato sul giudizio degli *altri*, le conseguenze più vistose sono per esempio che la vita familiare non è più accentrata intorno al focolare o alla sala da pranzo, come era nell'età individualistica. I genitori appaiono privi d'autorità proprio perché sono a loro volta non individui, ma rotelline nell'ingranaggio, con poca personalità, e volontà anche meno; e invece di imporsi come i padri terribili dell'Ottocento, andranno a sfogliare ansiosamente manuali e riviste per sapere dagli *altri* come si fa ad allevare i bambini. Questi bambini, da parte loro, baderanno specialmente a quello che dice e fa il loro «gruppo», cioè i loro coetanei, infischiandosi di quello che fanno padre e madre, i quali, ammazzati dal lavoro e dalle preoccupazioni, sono ben contenti di rifilarli a scuola tutto il giorno, per non doverli sorvegliare. Le responsabilità vengono così trasferite, e il *gruppo* finisce per contare molto più della famiglia.

Mentre il nucleo familiare viene così dissolvendosi nella massa, e la gente passa la maggior parte del tempo fuori casa, agli atteggiamenti «razionalistici» del tempo dell'individualismo succede un comportamento «socializzato», uguale per tutti. E una volta che tutte le persone finiscono per somigliarsi e agire nello stesso modo, è abbastanza significativo che anche gli amici diventino «fungibili». Oramai, nei quartieri tutti uguali, con case uguali, impieghi uguali, automobili uguali, non è più il caso di scegliersi gli amici in base a qualche affinità o somiglianza: sono *tutti* affini, *tutti* simili... Perciò l'amico sarà il vicino di casa; il vicino di casa sarà l'amico; e se si cambia casa se ne trovano degli altri, uguali identici a quelli che si lasciano indietro, fungibili, come le saponette che si sostituiscono in stanza da bagno, via l'una l'altra.

Questa, però, è nonostante tutto una società *mobile*, perché è libera, democratica; ed è ancora possibile all'individuo forte, deciso, di farsi una posizione, se vuole, e di cambiare sempre in meglio. I caratteri intraprendenti ci riusciranno. Ma per i timidi, i quieti, i conformisti, che costituiscono sempre la maggioranza, e non hanno una forza morale sufficiente, la democrazia di massa costituisce un toccasana per la personalità. Appunto: la società basata sull'uguaglianza – uguaglianza di *possibilità*, non di *condizione* – offre grandi possibilità, appunto, ai forti, ma ai forti soltanto. I deboli, abbandonati a se stessi, devono subire questa autorità del «gruppo», esercitata sulla identità personale con nuove pressioni economiche e psicologiche, aggiunte oggi alle vecchie pressioni sociali e politiche manifestate dalla comunità in ogni tempo.

I sociologi americani contemporanei descrivono con efficacia questa popolazione che vive, lavora, pensa, e perfino sogna, in gruppi omogenei sempre più vasti. La tecnica moderna porta, si sa, a una centralizzazione dell'economia sempre più intensa; e l'uomo americano deve lavorare di giorno in immensi conglomerati d'uffici, dormire di notte in immensi agglomeramenti d'abitazioni suburbane, trarre la propria vita spirituale da un mondo fantastico che gli è imposto dai mezzi di comunicazione di massa, già preparato e digerito come le pappe che gli mettono davanti a tavola, passando insomma la vita non come *individuo* ma come membro di un *gruppo*, e sentendosi in grave *colpa* tutte le volte che fa qualche cosa di diverso dagli altri.
Quindi, l'ideale sociale finisce per essere l'integrazione nel gruppo, non tanto la riuscita individuale; e quello che si *deve essere*, la propria *identità*, viene imposto e condizionato dagli altri. Uno da solo non ci arriverebbe più. E c'è tutta una serie di nuovi miti americani che premono su questo processo: quello della *togetherness*, per esempio, a cui si ispirano quasi tutti i film e i giornali illustrati. Significa appunto una buona volontà, tanto affabile da parer quasi sinistra, nello star tutti insieme, tutti buoni, tutti amici, vicini, senza far niente di diverso dagli altri, andando avanti a furia di sentimenti piccoli e dolci, nascondendo ogni tensione e ogni conflitto sotto una specie di lenzuolone di cordialità superficiale. Non per nulla si insegna ai bambini, fin da piccoli, non tanto a obbedire a un codice morale, ma piuttosto a cercare di rendersi simpatici e *popolari*, «facendo come tutti gli altri». Quando diventano grandi sono quindi già «preparati»: mitissimi, mai troppo «brillanti», perché il «troppo brillante» è guardato con sospetto da una società che teme chi fa il furbo, mentre del più ottuso si fidano abbastanza; buon lavoratore; pieno di buona volontà verso gli «altri», cioè i colleghi, i vicini, i concittadini, i compatrioti; completamente perduto nell'intimo, e sempre alla ricerca di suggerimenti esterni, *su tutto*.

Se quest'anno esce un nuovo modello d'automobile, tutti i vicini la prenderanno; e la prenderà naturalmente anche lui; altrimenti sarebbe considerato molto «strano», quasi un «originale». Lo stesso succede con le tende, con i terrazzini, con le scuole dei bambini. E se vuol fare lo spiritoso, farà il piacere di mettersi lo stesso cappellino buffo o la stessa camiciaccia sgargiante che si mettono anche i suoi vicini quando sono in vena di fare gli spiritosi nel giardinetto. Altrimenti, se «fa diverso», tutti lo guarderebbero con sospetto. Ma se «fa come tutti gli altri», allora è un brav'uomo, un bravo vicino, un bravo americano.

Si può dire che non esistano oggi negli Stati Uniti discipline scientifiche più profondamente sviluppate di quel complesso di tecniche tra psicologiche e pubblicitarie – come le «relazioni umane», la «ricerca dei motivi» – che studiano le ragioni del comportamento di questo «uomo-massa», e si propongono insieme di manipolarlo, indirizzarlo, utilizzarlo a fini comunque vantaggiosi, sfruttando per esempio la sua disponibilità elettorale o il suo potere d'acquisto. La sperimentata tecnica dei «persuasori occulti», basata sulla violazione del subcosciente, rappresenta per ora la punta estrema dell'assalto del gruppo all'identità individuale.

SUBURBIA

La società americana di questi anni Cinquanta può ancora dare a un osservatore di passaggio l'impressione di basarsi sul principio dell'uguaglianza. La maggior parte della gente si parla chiamandosi col nome di battesimo, anche se si tratta di persone anziane che si sono appena conosciute. Il concetto di «autorità» non intimidisce il cittadino, ed è teoricamente possibile che all'ultimo dei diseredati càpiti di rivolgersi con una certa disinvoltura non solo al Questore, ma al Generale, al Ministro, al Presidente. Le differenze di vestiario tra la dattilografa e la miliardaria parranno minime (ma quanto significato hanno quei particolari quasi impercettibili che collocano una persona «al suo posto» nella scala sociale... e soprattutto che grosse differenze di prezzo... Ma le etichette delle marche sono sempre interne). Uno sguardo appena al di là della superficie, però, non ci mette molto a scoprire alcune realtà per loro oramai pacifiche, ma per noi non di rado sorprendenti.

In ogni ambiente, dappertutto, è chiaro che occorre osservare una massa di regole: e anche da noi, il vestito che andrebbe benissimo a un'attrice per una festa in casa dei produttori del film *Didone abbandonata* sarebbe considerato stravagante a una Prima Comunione; come del resto, il convenevolo de «i miei rispetti alla sua signora» può essere considerato una prova, volta a volta, di buona educazione o di mezzocalzettume irrimediabile. Ma se si vanno a guardare le trasformazioni più attuali del modo di vivere degli americani, ci si accorge che forse proprio negli anni recenti si è venuto formando negli Stati Uniti un sistema di classi ben definito; basato su una quantità di differenze sociali mai esistite prima; e queste regole, relativamente nuove, magari minuscole, però rigide, finiscono per riguardare praticamente ogni aspetto della vita e della condotta dell'individuo. Si stanno facendo sempre più importanti, più che non da noi: e guai a non osservarle.

I movimenti che hanno cambiato la faccia della società americana sono parecchi. Fino alla vigilia della guerra, per esempio, era normale che in ogni paese e in ogni quartiere delle grandi città vivessero, gli uni accanto agli altri, ricchi, poveri, gente che faceva i mestieri più diversi, senza nessuna insofferenza reciproca, come succede in fondo nella maggior parte delle città europee, dove le differenze di ricchezza sono, semmai, più sensibili. Basta considerare Roma; nella zona intorno a Piazza di Spagna, chiunque avrà come vicini di casa, nel raggio di poche decine di metri, Ava Gardner e il Collegio di Propaganda Fide, il principe Torlonia e parecchie grandi sartorie, il Partito Liberale Italiano e una quantità di piccoli ciabattini, carbonai, macellai, rigattieri, nonché le salumerie più avviate della città (e, fino a qualche anno fa, almeno tre case chiuse altrettanto fiorenti).

A Milano, intorno a via Spiga, è pressapoco. Cartolai, materassai, droghieri. E ci stanno benissimo tutti. Ma per avere una idea della struttura attuale delle città americane, bisogna dare una occhiata ai quartieri nuovi, fuori dal centro. Oggi appaiono divisi rigidamente in zone abitate solo da gente che ha su per giù il medesimo reddito: e così, anche in certe vie dei Parioli, o addirittura nelle borgate, non è probabile che in una casa abiti uno che guadagna cento, e nella casa vicina uno che incassa mille.

Attraverso tutti gli Stati Uniti d'oggi si nota evidentissima questa tendenza. Chiunque cerca di abitare vicino ai propri simili, di vedere e frequentare solo quelli che fanno lo stesso mestiere, hanno lo stesso reddito, la stessa casa, gli stessi mobili, gli stessi vestiti. È, naturalmente, una conseguenza della formazione della società di massa: sotto sotto ciascuno si sente così poco sicuro di sé che cerca d'istinto di imitare i vicini; e più è uguale a loro, più si sente a posto.

Ma a questo punto i fatterelli da notare sono parecchi. Uno è che si vede benissimo come ogni gruppo, acquistata stabilmente una certa sicurezza di sé, cerchi subito di differenziarsi, in compenso, da tutti gli altri gruppi, per acquistare una specie di «distinzione». Questa può manifestarsi in una quantità di sfumature del tenore di vita. Uno straniero se ne accorgerà solo usando una certa attenzione, ma un americano percepisce subito le *differenze* tra chi si presenta con una Ford da 2200 dollari, una Chevrolet o una Plymouth che ne costa 2500, una Mercury o una Pontiac da 2800, una Oldsmobile o una Buick da 3600, una Chrysler o una Lincoln da 5000, una Cadillac da molto di più. A seconda che uno sia iscritto in un club o in un altro, abiti in una zona o in un'altra (si sanno benissimo i prezzi degli appartamenti, abbastanza uniformi in ogni singola strada); a seconda dell'università dove si è andati (Harvard, Yale, Princeton, bene; il resto, no); a seconda della religione (meglio di tutto, essere protestanti, possibilmente episcopali; e, in ordine discendente, presbiteriani, congregazionisti, unitariani, metodisti, luterani, pentecostali, episcopali; mentre i cattolici e gli ebrei vengono dopo, però possono essere ricchi o poveri, eleganti o poveretti, eppure confinati in categorie rigide). A seconda, naturalmente, della professione, degli abiti, di quello che si mangia. Così è facile giudicare presto una persona, una coppia, e l'ambiente di appartenenza.

Il vero paradosso, si capisce, è che tanta gente si affanna a cambiare la macchina, la casa, la religione, il golf club, nel tentativo di elevarsi socialmente, e di «sembrare più di quello che sono»; però, in realtà, dopo la guerra, le distanze fra i ricchi e i poveri sono diminuite notevolmente. E non è successo soltanto che la crisi del '29 ha insegnato ai ricconi a dissimulare meglio i loro soldi, a smetterla con l'ostentazione cafona dei palazzi, dei gioielli, dello champagne a fiumi durante le feste, e dei biglietti da cento dollari adoperati per accendere le sigarette. Lo straordinario sviluppo economico del dopoguerra, con lo sfruttamento delle risorse dell'elettronica e dell'energia nucleare, ha alzato enormemente il livello di vita di masse enormi di gente, la loro capacità di acquistare prodotti che una volta erano rari e costosi, e adesso eccoli alla portata di tutti nei grandi magazzini. Nello stesso tempo, l'imposta progressiva sul reddito tosa sensibilmente le grosse fortune, e agisce nel senso di un notevole livellamento.

Sono tutti fenomeni che darebbero l'idea di una certa corsa alla uniformità, piuttosto che alla differenziazione. E invece, si assiste a questa specie di corsa paradossale: più le distanze economiche diminuiscono, più si riduce il margine fra i redditi individuali, e più chi guadagna, mettiamo, cento, farà di tutto per distinguersi non tanto da chi ha dieci o mille (queste disparità si fanno sempre più rare), ma piuttosto da chi ha novanta o centodieci; e dovrà quindi moltiplicare gli sforzi.

Questa pare attualmente la preoccupazione principale della nazione intera. A noi sembra abbastanza pietoso il genere di discorsi che qui si sentono fare un po' da tutti, dal professore e dal dirigente industriale e dal musicista (e specialmente dalle loro mogli): e cioè dove sia «socialmente giusto» abitare, e cosa «socialmente giusto» offrire da bere alle diverse ore del giorno, o dire, o indossare, o mangiare nelle diverse circostanze. È chiaro che si tratta di una ricerca assillante di «che cosa si deve fare» da parte di gente che si trova spesso in località e ambienti diversissimi dai loro originari; e quindi hanno bisogno continuamente di imparare nuove regole di comportamento, di stare attenti a non fare errori. Ma queste apprensioni, la preoccupazione continua di dire e di fare la cosa giusta o la cosa sbagliata, stringono abbastanza il cuore, perché non denotano soltanto buona volontà, ma una insicurezza addirittura inquietante.

I sociologi tante volte si divertono a osservare i cerimoniali in uso nei diversi ambienti. Per esempio, se due coppie di coniugi devono andare nella stessa macchina, nella classe lavoratrice i due mariti stanno sempre sul sedile davanti, con le due mogli dietro. Nelle classi medie, ogni marito si tiene vicina sua moglie. E nelle classi superiori è più probabile che il proprietario della macchina faccia sedere la signora ospite accanto a sé, mentre gli altri due staranno dietro. Tutti, quindi, obbediscono in quel momento a una delle molte regole in uso nel loro ambiente.

Nello sforzo di distinguersi e di definirsi, nuove regole come queste vengono create continuamente; e siccome chi non le osserva fa una brutta figura, tutti stanno attentissimi, per paura di non sembrare abbastanza perbene. Ora, finché a qualcuno vengono i patemi perché ha versato l'acqua nel bicchiere da vino, poco male. Però il conformismo sociale comincia ad avere delle conseguenze importanti nel corpo di una nazione, quando càpita per esempio, come risultato di tante minuscole «tendenze di gruppo» sommate insieme, che in questi ultimi anni a persone di modesta famiglia e modesta educazione diventi sempre più difficile che una volta farsi strada molto al di sopra della condizione d'origine. Ah, l'accento, la voce...

Anche altri fenomeni stanno rallentando la possibilità di ascesa e di contatti sociali. Gli organismi industriali sono cresciuti nelle dimensioni, e non c'è più nessuno che possa conoscere tutti i colleghi, tutti i dipendenti, così la distanza fra i capi e i sottoposti aumenta sempre di più. I piccoli imprenditori, i professionisti che non devono ubbidire a nessuno, sembrano in continua diminuzione. E ogni impresa pubblica o privata tende a darsi una vasta organizzazione burocratica.

Fino a non molto tempo fa, poi, i vicini di casa avevano maggiori occasioni di conoscersi e valutarsi reciprocamente; e lo stesso succedeva in numerosi circoli e associazioni, fra gente di diversa condizione sociale. Ora però i circoli, tutti, stanno diventando sempre più esclusivi: questo vuol dire che ai soci non piace ammettere gente più su o più giù di loro. E la tendenza a muoversi continuamente, a cambiar spesso casa o addirittura città, praticamente impedisce di avere coi vicini di casa rapporti che non siano soltanto formalmente gioviali.

Anche i rapidi cambiamenti della domanda e dell'offerta sul mercato del lavoro contribuiscono a rendere confuso e disordinato questo panorama di classi sociali mosse da tante tendenze così diverse, in tutte le direzioni. Tutti cercano, a quanto pare, disegnatori tecnici, meccanici aeronautici, fisici, operatori di macchine elettroniche, dattilografe, e perfino stagnini e professori di scuola media. Nessuno vuole invece ferrovieri, panettieri, attori, calzolai, tipografi: tutti mestieri in declino. Del resto lo sviluppo industriale sta trasformando parecchi operai in impiegati; e nello stesso tempo la ricchezza nazionale in aumento finisce per giovare a tutti. «L'alta marea, quando sale, porta su tutte le barche» dicono a New York. Diminuiscono perfino gli orari di lavoro, e notevolmente...

Non sembra perciò tanto vano, poi, che tutte le nuove classi emerse dall'azione di forze così spesso contraddittorie si diano tanto da fare per definirsi, per assestarsi, ricorrendo a tutti i mezzi più opinabili. Si comincia, generalmente, dalla casa. Sono tutte lì pronte; c'è la via delle case per chi guadagna 5000 dollari, per chi arriva a 10.000, a 20.000, a qualunque cifra. Oggi, però, tutto sommato, è molto più difficile passare dalla categoria dei 5000 dollari a quella dei 6000, o da quella dei 20.000 a quella dei 25.000, che non un tempo passare dai 5000 ai 50.000.

Le conseguenze della «fase di abbondanza» negli Stati Uniti d'oggi sono parecchie e notevoli. Naturalmente, in una società centralizzata e basata su ordinamenti burocratici, in un mondo rimpicciolito, con un ritmo dell'esistenza accelerato dall'industrializzazione, la soluzione delle varie vecchie domande ha come effetto che si presentano nuovi problemi, altrettanto grossi. Continua a diminuire anche il numero degli individui impegnati in lavori manuali: agricoltura, industria pesante, facchinaggio. Le macchine fanno gran parte del lavoro; e quindi occorre lavorare più con la testa che con le mani. E guai a chi non si specializza: rimane indietro.

Mentre poi il sistema economico della fase precedente era basato sul principio della «scarsità» dei beni, il principio ora dominante dell'«abbondanza» sconfina in quello di «spreco». E le conseguenze psicologiche sono profonde: almeno come il passaggio da un'epoca dove anche il sale e il pane erano rari e costosi, a un'altra epoca in cui ci si può permettere di avanzare la minestra nel piatto, a un'età infine quando le spese per il vitto diventano le meno importanti nel bilancio d'una famiglia.

Le grandi città americane stanno diventando posti dove si va a lavorare, a divertirsi, e dove si può anche facilmente venire assassinati; ma per viverci, non vanno più bene. È straordinario notare come la loro rapida decadenza del dopoguerra le abbia spopolate in pochi anni. Oggi sembra che possano abitarle, in pratica, soltanto i ricchissimi, i poverissimi, gli stravaganti.

Basta arrivare nel centro di Filadelfia, di Boston, o nel cuore stesso di Manhattan, e guardarsi attorno. La folla densa e operosa che si dà da fare dentro e fuori gli edifici e ingombra i marciapiedi per gran parte della giornata, dopo le cinque e mezza abbandona in massa i negozi e gli uffici, si riversa in fretta nella metropolitana e negli autobus, sempre più frequenti e convulsi; e dopo un'ora sono spariti tutti.

Il cielo è ancora chiaro: ma l'intero centro della città, per centinaia di isolati, è deserto, oramai. Si può girare a lungo, mentre la notte arriva, per questi quartieri fantasma, tra edifici illuminati alti decine di piani, e dove non è rimasto nessuno, senza incontrare una sola persona a piedi: se non, forse, un poliziotto che si insospettirà immediatamente. A cento metri dal Parlamento del Massachusetts, la mia prima sera a Boston, sono stato messo faccia al muro, gambe larghe, braccia alzate, da un vecchio agente mulatto che si infuriava perché non riusciva a capire *che cosa* potesse fare uno straniero, *a piedi*, nel quartiere degli affari; e mi perquisiva invano, prendeva a calci il pullover che mi aveva fatto gettare a terra, convintissimo che dovesse esserci un'arma da qualche parte, forse per svaligiare un ufficio, o almeno rubare un'automobile. E a dirgli, semplicemente: «Sono arrivato oggi, sto osservando la città», diventava anche più cattivo. È inconcepibile che una persona dabbene possa girare a piedi, in centro, dopo una certa ora. Ci dev'essere sotto per forza qualche cosa di losco.

Ma mentre viene buio, tante luci si stanno accendendo in

quella parte del quartiere fantasma che ha una doppia vita, e si chiama, in ogni città, «downtown». Sono i bar, i cinema, i teatri, i locali di flippers e biliardini, le sale da ballo a poco prezzo, le tavole calde piene di inservienti in berrettino che nutrono di polpette e polpettoni la folla solitaria. Questi locali sono tutti addossati e appiccicati insieme in non più di tre o quattro strade, in tutti i centri, come nei remoti villaggi della frontiera, dove i cowboys arrivavano insieme al tramonto dalle fattorie dei dintorni, e trovavano tutti i *saloons* in fila nella via principale.

Anche oggi, in fondo, la «spedizione in città» che si fa partendo dai quartieri periferici e dalle comunità suburbane è molto simile; e la stessa Broadway sembra un enorme baraccone da fiera per accalappiare i provinciali che calano in città da tutti gli Stati Uniti, abbagliandoli col richiamo delle mille luci e delle mille attrazioni. C'è la solita cascata d'acqua vera, alta quattro o cinque metri, e larga una decina, issata su un tetto per fare la réclame a una bibita gassata; e la consueta boccaccia spalancata che proietta anelli di fumo nel cielo, réclame di una sigaretta; e c'è l'eterna predicatrice invasata, magra come un uccellaccio col becco crudele, che tutti i sabati aggredisce i passanti sull'angolo dell'albergo Astor, a Times Square, urlando e minacciandoli delle pene infernali (e intanto perde la trippa per i suoi gatti, dalla borsetta di plastica nera). Nelle vie laterali, poi, le insegne dei teatri si sovrappongono, e in poco più di cento metri si possono vedere dieci commedie, dieci *musicals*, scegliere tra Paul Newman e Charles Boyer, Geraldine Page e Claudette Colbert, Ethel Merman e Ginger Rogers, Dana Andrews e Sidney Poitier...
Basta girare l'angolo, però, da queste vie commerciali di giorno e sfolgoranti dalle sette alle tre di notte, a New York e nelle altre grandi città, per trovarsi di fronte a diversi spettacoli, che fanno paura. Da nessuna parte, in Europa, l'ostentazione del fasto e le miserie più spaventose si trovano in un contatto così immediato. Gli *slums* non si trovano fuori, lontani, in periferia; ma si hanno sempre sotto gli occhi, lì, nel centro stesso delle città, nei quartieri più antichi e più importanti. Sono le prime cose che si vedono arrivando in macchina, o uscendo dalla stazione, sbarcando dalla nave; sono a pochi passi dal Municipio, dalla Borsa, dalle cattedrali; ce li troviamo davanti se appena lasciamo le grandi strade eleganti colme delle vetrine di pasticcerie e di fiorai, di gioiellieri e case di moda.

Ma che cosa è uno *slum*? Come si forma, questa specie di piaga sociale che divora il cuore delle città, come una prova di decadenza e di vitalità insieme, ed è uno dei problemi più grossi che la nazione debba oggi risolvere?

Anche qui, una prima passeggiata per Boston, che pure una volta era la più nobile delle città americane, può già cominciare a insegnare qualche cosa. I quartieri centrali, costruiti dall'aristocrazia più tradizionalista del paese, legata alle memorie della vecchia Inghilterra, sono oramai disertati in gran parte. Le ville di mattoni rossastri falso-Tudor simili a quelle londinesi, le cavernose magioni di Beacon Hill costruite da mercanti e da ambasciatori che importavano arazzi della Savonnerie e lampadari di Murano, i palazzetti floreali di Back Bay, capricci di miliardarie che li riempivano di chiostri benedettini, mosaici pompeiani, Tiziani e Raffaelli acquistati da Berenson giovane, stanno andando lentamente in rovina: chiusi da anni, con le finestre sbarrate da assiti, o rilevati da club e ricreatori (i più belli riscattati e trasformati in musei), o addirittura suddivisi tra numerose famiglie di immigranti. Questi sono soprattutto italiani e irlandesi, e hanno praticamente in mano la città: ci sono più pizzerie che bar, se si sfoglia l'elenco telefonico sembra quello di Napoli infilato in quello di Dublino, il governatore si chiama Furcolo ed è nato a Torre del Greco, e il senatore della regione, che è Jack Kennedy, se non fosse cattolico troverebbe molte difficoltà a racimolare i voti necessari per tornare a Washington ogni volta.

E i bostoniani veri? Bisogna andare a cercarli fuori, sulle colline o lungo la costa, nelle loro nuove case. Molti ricchi, si capisce, sono rimasti in città, e vivono in palazzi magnifici tempestati dal fisco, circondati da vie e praticelli *off-limits*, sorvegliati da portieri in livrea e da poliziotti privati in borghese; ma la maggior parte delle famiglie «medie» se ne è andata. Lo stesso fenomeno si ripete più vistosamente in tutte le grosse città, meno legate alla tradizione o a un particolare stile di vita.

Intere zone di case della fine dell'Ottocento o degli inizi del nostro secolo decadono lentamente, per decenni, senza che i proprietari si preoccupino di un minimo di manutenzione, proprio perché gli inquilini appena ne hanno la possibilità se ne vanno, e chi subentra è gente di condizione economica sempre inferiore, sempre meno disposta a pagare la stessa somma per vivere in uno stabile che si degrada. Gli appartamenti, che in origine erano stati costruiti per una sola famiglia, cominciano ad essere suddivisi tra molti occupanti: ma la struttura non si presta, e i servizi devono essere rimediati, di fortuna. Chi deve

292

occuparsene? Non certo il padrone, che non vuol più spenderci un soldo; e neanche gli inquilini, che sanno benissimo di essere lì solo di passaggio, e cercano di andarsene al più presto.

È il momento degli immigranti: scandinavi, italiani, tedeschi, irlandesi, in un primo tempo, parecchi anni fa; poi l'ondata dei russi e degli ebrei dell'Europa orientale; e poi magari i cinesi; finalmente i neri; e da ultimo, negli anni recentissimi, i portoricani. Ma questi sono cittadini americani come tutti gli altri, e non si possono tener lontani dalle metropoli, restringendo le leggi sulla immigrazione come si faceva con gli europei.

All'atto che le prime famiglie nere cominciano a stabilirsi in un quartiere, tutti gli altri cominciano a fare i bagagli, come se fossero arrivate le termiti (i fitti crollano). I bianchi sostengono che da questo momento non è più possibile abitare lì: troppa gente, troppi rumori, troppi bambini villani e sporchi per le strade, ubriaconi che strillano, immondizia gettata dalle finestre, qualche coltellata ogni tanto, e le ragazze non possono più uscire sole di sera.

Sarà sempre vero, o c'è dell'esagerazione? Un fatto, però, è sicuro: ci sono parecchi speculatori che fanno un calcolo di questo genere. Prendono qualche appartamento in una zona abitata da bianchi, lo affittano a famiglie nere, e aspettano. Cosa succede? I nuovi arrivati saranno per lo più gente povera, analfabeta, disoccupata (o tutt'al più, come lavoro, scaricheranno sacchi, tireranno carrettini). È gente che viene dalle campagne del Sud, sospettosa di natura e diffidente per la loro condizione di minoranza razziale, per le ostilità che incontrano subito. Saranno anche poco pratici di norme igieniche, incapaci di tenere in ordine una casa, che già è amministrata con una rassegnazione un po' cinica dai proprietari: quindi, se una persiana si spacca, rimane rotta; se una tubatura si interrompe, nessuno l'aggiusta. Alla fine, disperando di poterne mai ricavare qualche cosa, e vedendo che il valore cala, i proprietari venderanno tutto, per poco, agli speculatori. A San Francisco, si spiega sovente, accade lo stesso coi cinesi. Dove giungono loro, il vicinato si svende.

Le famiglie nere hanno sempre tanti parenti più poveri di loro, perduti in fondo a pianure immense e depresse, che vogliono venire in città a cercarsi un mestiere, disposti anche a pigiarsi in quattro o cinque in una stanza sola. Gli speculatori dunque affittano interi stabili, stanza per stanza, suddividendo ogni locale fino all'inverosimile: un ricatto che è tanto più sporco in quanto i poveri locatari non troverebbero tanto facilmente un altro posto dove abitare in città, e quindi sono costretti a pagare affitti anche notevolmente alti.

Per qualche tempo, la coesistenza dei vecchi e dei nuovi abitanti provoca parecchie difficoltà. È quasi tipico l'esempio del barbiere italiano in una zona del West Side, a New York, che veniva lentamente invasa dai portoricani. Il nostro barbiere non intendeva tagliare i capelli ai nuovi venuti. Allora ha assunto un lavorante portoricano. E così, quando un cliente con la pelle scura s'affacciava nel negozio, il padrone, anche se stava leggendo il giornale, diceva «Francisco, c'è un cliente per te», anche se Francisco ne aveva già sotto uno. Qualche cliente se ne andava offeso; ma se qualcuno si lamentava, il barbiere italiano spiegava che non era abituato a tagliare quel tipo di capelli. Però alla fine ha dovuto trasferirsi in un'altra zona.

Pochi anni dopo l'arrivo dei primi neri o portoricani, il ciclo dello *slum* infatti è completo. Il quartiere oramai è sovrappopolato. I cugini e i cognati del bravo operaio che ha un lavoro, lazzaroni, oziosi, cominciano a fare il giro delle bettole. La gente passa in strada la maggior parte del tempo. Le case si riempiono di topi. La delinquenza minorile dilaga. E presto, le prime famiglie nere che sono riuscite a elevarsi un pochino, cominciano a scappare a loro volta. Forse è il loro primo stipendio regolare, da generazioni; ma non esitano a sacrificarne una buona parte per andare a stabilirsi altrove. Il quartiere, oramai dannato, continua a degradarsi: arriva gente sempre più miserabile e disperata, e chi ne evade incomincia il medesimo processo in un'altra parte della città, dove di lì a poco riprenderanno a seguirlo i parenti e gli amici.

Gli americani stessi riconoscono che questo è uno dei loro problemi più gravi di politica interna, dovuto a decenni di cattiva amministrazione municipale. La corruzione dei sindaci e degli organi comunali, che chiudevano scandalosamente gli occhi su qualunque violazione delle leggi edilizie, è arrivata negli anni della Depressione a eccessi tanto drammatici da diventare proverbiali. Se la maggior parte delle città ha goduto di un relativo «buon governo» da allora, si può dire che è stato imposto a furor di popolo. Ma il danno peggiore era stato fatto; e buona parte di New York è ancora oggi una città di orrori, come la Parigi di Eugène Sue. I bianchi continuano ad andarsene, alla media di 50.000 persone all'anno, organizzando nuovissimi stili di vita nelle comunità suburbane. Al loro posto, sono arrivati nuovi gruppi sociali che non pagano imposte, hanno anzi bisogno di assistenza d'ogni genere, e così aggravano insieme la crisi edilizia e la situazione sanitaria nonché fiscale. Perciò i problemi che si presentano oggi a una amministrazione comunale di una grande città fanno veramente paura.

Applicare le leggi sul risanamento degli alloggi, e frenare la speculazione, risulta praticamente impossibile. Come si fa a sistemare le decine di migliaia di neri e portoricani che arrivano ogni anno senza un soldo in tasca? E come trattenere in città i bianchi che abbandonano i quartieri dove non vogliono più stare?

I primi tentativi sono stati fatti una ventina d'anni fa, con risultati disastrosi. Era il tempo delle illusioni sul conto delle città-giardino. Prima della guerra, parecchi architetti si erano entusiasmati alla discutibile idea di costruire grandi blocchi di abitazioni, tutti uguali, separati da larghi spazi pieni di prati e di luce. Ma il grattacielo andrà bene per gli uffici, nel cuore delle metropoli. E almeno agli inizi, quasi nessuno ha voluto vivere nei casermoni periferici, che paiono fatti non per chi ama abitare in città, ma per chi proprio non ha altra scelta: tutti gli appartamenti economici identici; una vita noiosa e squallida, da colonia penale; le strade tutte uguali, distinte solo da numeri; non ci sono diversi tipi di negozi, ma solo grandi magazzini, uno in ogni edificio, e servono solo quello, hanno tutti gli stessi prodotti. Per andare da un edificio a un altro, bisogna fare dei chilometri a piedi, oppure tante acrobazie complicate con la macchina, perché i posteggi devono essere ordinatissimi. Non si può camminare sull'erba. Non si può lavare la macchina in strada; né andare in bicicletta. I bambini vengono rinchiusi tutti insieme dentro giardinetti circondati da reti metalliche, come pollai o conigliere.

Nessuna meraviglia se la gente è corsa ad abitare in campagna, più presto che poteva, fuggendo da questi complessi edilizi concepiti come isole autosufficienti, isolate dal resto della città. Poteva esserci il supermarket, la lavanderia, l'ufficio postale, la tavola calda in ogni edificio: ma dove trovare il negozietto di frutta non conservata, la sartina a poco prezzo, il bar semibuio dove nascondere la propria malinconia?... Se uno vuol vivere isolato, tanto vale che si costruisca una casetta fra i boschi: spenderebbe lo stesso...

Oggi questi alveari collettivi si continuano a costruire nelle aree dove sono stati abbattuti gli *slums*, per alloggiare le famiglie che non guadagnano più di un dato reddito. Ma i risultati non sembrano felici: gli studiosi che avevano previsto un miglioramento netto dei costumi, una volta che si fosse riusciti a migliorare le condizioni di vita, devono amaramente constatare che «il papà continua a drogarsi, la mamma a correre in cerca di uomini, e il figlio a uscire col coltello». Sarebbe dunque la monotonia dei quartieri tutti uguali, adesso, la causa di tutti i delitti e vizi?

L'aspetto di queste zone, certamente, è sinistro come quello di un campo di smistamento; e non troppo dissimile deve riuscire la sorveglianza da parte delle autorità preposte. Le case a basso affitto possono essere occupate solo da chi non dispone più di tanto: e le investigazioni sulle entrate di una famiglia possono essere anche molto pesanti, come sa bene quel nero che per poco non veniva sfrattato perché possedeva una bella automobile, e poi si scoprì che la aveva vinta a una lotteria. Molte volte, poi, essere sfrattati perché si guadagna oltre il limite consentito può significare anche dover tornare negli *slums* perché non si riesce a trovare di meglio.

I criteri urbanistici nelle metropoli, quindi, si stanno ispirando a princìpi irrazionali, di moderata follia. Niente di rigido, di monotono, di ossessivo. E niente pomposità inutili e formalistiche. Non case tutte uguali: ma piuttosto, qui una piazzetta asimmetrica, là un tempio buddhista, là un caffè di tipo parigino, o un laghetto, un boschetto, una terrazza. E soprattutto, molti negozi, e negozietti, di tipo europeo, un po' finti o curiosi: la cartoleria accanto al panettiere, l'esclusiva sartoria vicina al modesto ciabattino e alla fruttivendola che avrebbe fatto impazzire il noioso architetto di vent'anni fa, se avesse osato esporre i mazzi di sedani e ravanelli fuori da una porta della sua «unità d'abitazione».

Una città che di notte si vuota, poi, è solo una mezza città, si dice: e perciò il quartiere dei divertimenti, *downtown*, dovrebbe essere sempre più simile a un immenso luna-park, per attirare sempre più gente, da molti chilometri di distanza. Altrimenti si accontenterebbero di andare nei cinema drive-in più vicini a casa. Quindi, luci, e musiche, insegne colorate, suoni festosi, passatempi organizzati. In qualche caso, si è perfino proibita la circolazione alle vetture per permettere alle persone di passeggiare liberamente, cosa tanto rara in America.

L'entusiasmo di vari urbanisti americani per queste «soluzioni pedonali» è quasi commovente: si tratta, dopo tutto, della «scoperta» di Piazza di Spagna, o di Montmartre.

Film di successo, come *Missili in giardino* dànno un'idea abbastanza prossima alla realtà della vita nelle comunità suburbane dove una larga maggioranza di famiglie americane benestanti abita attualmente, e sembra trovarsi tutt'altro che male. Le ville sono tutte nuove. Le famiglie, tutte composte di genitori giovani e un paio di bambini. Questi crescono un po' allo stato brado, ma almeno sono lontani dai pericoli della città. La moglie deve avere un'automobile per sé, sennò rimane praticamente prigioniera in casa tutto il giorno, a parecchi chilometri dal negozio più vicino, e in queste condizioni si può anche impazzire. Per buona parte della giornata, come fa Joanne Woodward nel film, si occupa degli «affari della comunità», un nuovo modo per indicare un passatempo antichissimo, quello di mettere il naso nelle faccende private dei vicini, col pretesto di controllare che si comportino tutti per benino. C'è nel film anche una moglie senza bambini (Joan Collins) che dà la caccia ai mariti delle amiche; ma non gliene va bene una: bella, carina, chic, però all'idea di fare un torto alla propria consorte, il terrore e lo sgomento si dipingono negli occhioni buoni dei mariti tentati.

Per mantenere questo tenore di vita, la casa e il giardino e le due automobili, il povero marito suburbano infatti deve alzarsi prestissimo, e viaggia più di due ore al giorno per andare e tornare dal lavoro. Nessuna meraviglia se arriva alle otto di sera morto di stanchezza. Non ha neanche più il fiato di dire «buonanotte» alla famigliola riunita: immaginiamoci se gli resta la voglia di guardare le mogli altrui... Molte volte, anzi, per evitare di incolonnarsi in una tripla o quadrupla fila di macchine che vanno e vengono tutte alla stessa ora lungo le medesime strade, prenderà il treno, come Paul Newman nel film. Almeno così potrà distendersi, fare due chiacchiere, leggersi il giornale, bere un paio di bicchieroni. E nello stesso tempo, se in famiglia ci fosse un'automobile sola, la lascia a disposizione della moglie, che deve pure accompagnare i bambini a scuola, e passare dal villaggio più vicino a fare la spesa. Paul Newman, nel film, fa appunto così.

Nella realtà, invece, Paul Newman, che recita in teatro a New York e ha una casa parecchi chilometri fuori, va avanti e indietro in automobile. Lo spettacolo, che è *Sweet Bird of Youth* di Tennessee Williams, finisce verso le undici e mezza; e se si va a salutarlo in camerino a quell'ora, si vede un giovanottino ordinato, pulito, quieto, cortese (tutto il contrario del malmostoso Marlon Brando), che si prepara la valigetta per rincasare, come un impiegatino che è andato a giocare al calcetto in trasferta, e dice «sono un'ora e tre quarti di macchina che devo farmi tutte le sere, però almeno dormo fra i campi». I suoi amici, fra cui

Don Murray, lo invitano magari a cena. «Non posso proprio» risponde lui «se vengo, finisce che si resta a tavola come minimo fino all'una; e poi, a che ora arrivo a casa? Dopo le tre! Ma domani devo lavorare, come si fa... Mangio un sandwich qui, e parto subito».

Succede in tutte le grandi città, alla maggior parte della gente che si incontra. La tendenza generale è di fuggire dai centri sempre più rumorosi e malsicuri, dalle vicinanze pericolose e sgradevoli. Oramai, chi appena poteva farlo, si è preso una villetta a qualche decina di chilometri al di là delle sterminate periferie delle metropoli, fitte di casette operaie; e si è sistemato in campagna. C'entra molto, in questo, l'amore, ereditato dai bisnonni inglesi, del verde, degli alberi, del proprio pezzetto di terra da coltivare nelle ore libere, del pratino da tosare per rilassarsi dal lavoro d'ufficio. Ma l'esodo dalle città, questo sorgere improvviso di comunità suburbane lontane anche due ore di macchina dal centro degli affari, è anche un risultato del conformismo sociale che domina la vita americana. Chiunque, se gli amici, i colleghi d'ufficio, o quelli che guadagnano tanto come lui, vanno ad abitare fuori, dovrà imitarli, per non fare brutta figura, e non essere considerato un originale o un pezzente. Altrimenti, sarebbe come continuare a mettere i vestiti del nonno, o andare a piedi quando tutti gli altri hanno l'automobile.

Anche qui, si può cominciare a imparare già molto da un giro nei quartieri centrali di Boston, costruiti nel secolo scorso dalla aristocrazia più tradizionalista del paese, e oramai disertati in gran parte.

Parecchi bostoniani antichi e facoltosi sono rimasti in città, e abitano tutti riuniti nei quartieri «esclusivi», circondati da vie e giardinetti «riservati», «ovattati», «blindati», «allarmati». Ma tutti gli altri, praticamente la maggioranza delle famiglie al di sopra di un minimo livello sociale, vivono fuori della vecchia città; e più hanno soldi, più abitano lontano, più strada devono fare tutti i giorni.

Un medio professionista si sarà stabilito sulle colline intorno, fra Belmont, Somerville, Wellesley, Arlington, in un paesaggio incantevole, quasi svizzero, di pini, laghetti, belle strade servite da rari autobus, candide ville con un bel prato dietro, e una siepe fittissima che lo divide dai prati dei vicini. Sono ville generalmente non grandi, per non dar troppo lavoro alla padrona di casa priva d'aiuto; e il mobilio non è gran che (l'antiquariato ha prezzi naturalmente proibitivi per i pezzi autentici importati dall'Europa; e il genere «vecchia America» sta cominciando a diffondersi solo adesso nelle classi medie). Però nelle cucine e in lavanderia non mancano tutti gli apparecchietti che servono a semplificare i lavori.

I bostoniani più ricchi o più eleganti, bisognerà andare a cercarli più lontano, lungo la costa settentrionale del Massachusetts, che è stupenda. Chi può costruirsi una villa importante, e non ha paura di far più strada mattina e sera, si spinge sempre più in su, oltre Salem, verso Beverly e Rockport, vecchi paesetti di pescatori di balene, con casette di legno bianche e tranquille, ben conservate, e alla moda come dei Positani o Portofini. Alle spalle, boschi di pini e d'abeti. La natura qui è affascinante: rocce alte sul mare, e di tanto in tanto dune sabbiose, di una sabbia grossa, gialla, di quarzo ruvido; e qualche ciuffo di canne alte. Le ville si affacciano spesso sulla spiaggia, o sono costruite in mezzo alla boscaglia: di solito sono modernissime, un po' hollywoodiane, con grandi vetrate, quinte che scorrono, vasti atri trasformabili, pavimenti di legno e pietra grezza, camino nel centro. Ma c'è uno speciale gusto nel conservare come monumenti un po' orrendi le palazzine dell'alta borghesia 1880, con le torrette e i pinnacoli, biblioteche un po' sepolcrali, tanti vetri colorati; e ci si diverte molto a riarredarle con buffet alti e nerissimi a colonnine tortili, tappeti con frange pesanti, lampadari di vetro verde, da notaio di provincia.

Guardata dall'alto, questa regione è anche più splendida. Dall'aeroplano, che si prende per andare a New York, a Washington, a Filadelfia, si vede questo paesaggio delizioso di boschi e d'acque. Neanche un campo: tutti fiumi, laghetti, spiagge, prati verdissimi seminati di villette per una estensione di centinaia di chilometri. Sembra che tutte le città si prolunghino fino a toccarsi, attraverso queste distese di campagna vastissime diventate aree residenziali. Le regioni più densamente popolate paiono veramente una immensa periferia brutta, ma talora ecco un paradiso suburbano alla portata di chiunque possa disporre di un reddito fisso di una certa entità.

Il fenomeno si fa anche più vistoso quanto più ci si allontana dai vecchi centri del New England, ancora abbastanza attraenti e legati alla tradizione di un particolare stile di vita. Nessuno esita più certamente a voltare le spalle a una città moderna rozza e priva di fascino; e già queste comunità in campagna, benché giovani, hanno ispirato un buon numero di libri e film di successo. I più tipici, quelli di Peter De Vries e di Max Shulman, hanno reso popolarissimo il personaggio del «commuter», cioè il marito suburbano, ridendo alle spalle dei mille piccoli incidenti che gli complicano l'esistenza. Viaggiare ogni giorno da casa al posto di lavoro si dice appunto «to commute», un neologismo che rende abbastanza l'idea del transito, del passaggio; lo si sente sovente quando si tratta di rispondere alla domanda: «E così, dove siete andati a stare?».

Avvicinandosi al paradiso suburbano però, si cominciano a vederne gli inconvenienti (le lamentele del «commuter» sono cominciate da un pezzo...). E se si attraversano in macchina i «suburbia» del New Jersey o di Long Island, intorno a New York City, si vedono sì i grandi alberi, le belle ville, i teneri prati; si vedono i bambini in costume da bagno che giuocano col cane, e il padrone di casa che cuoce le bistecche sul fornello all'aperto, secondo la moda corrente, con un berretto da cuoco in testa, un grembiule con i disegni di Topolino, e una corona di ospiti che aspettano tutti in fila, col loro piatto in mano, oppure stravaccati sulle poltrone di vimini. Però i fastidi sono già parecchi.

I primi arrivati si trovavano benissimo in quei grandi spazi aperti e verdi, si godevano il sole e la natura. Ma poi continua a venire altra gente. Si cominciano a frazionare le proprietà, a costruire nuove casette, fin troppo vicine l'una all'altra. Dietro le casette arriva il supermarket, il cinema drive-in, che saranno comodissimi, ma anche cattivi auspici di tutto quello che arriverà ancora: non è lontano il momento che spunterà fuori tutto il rumore e la confusione che si era creduto di fuggire abbandonando la città. Comincia l'invasione delle scavatrici, delle imprese di costruzioni, dei rulli compressori; all'alba non si riesce già più a dormire, e le strade saranno sempre ingombre, o buttate per aria.

Poi, come è fatale in questa società che adora il progresso – ma è un progresso paradossale, una prosperità che più aumenta, più abbassa il *vero* tenore di vita –, arrivano gli agenti del fisco. I terreni e le ville si erano pagati poco, certamente; e tutti allora si erano rallegrati all'idea di risparmiare i soldi dell'affitto in città (tutti gli americani tendono a essere proprietari della casa dove vivono: odiano l'idea stessa dell'affitto o del condominio). Ma adesso le imposte aumentano paurosamente, forse anche peggio che in città. I contributi per le strade, l'acquedotto, l'elettricità, i telefoni, salgono alle stelle, dal momento che tutti i servizi vanno impiantati nuovi, posando cavi e tubature per distanze enormi. La comunità incantevole dei primi anni, lamentano tutti, fa anche troppo presto a trasformarsi in un paesaccio qualunque.

Sembra quindi che anche lì, come nelle metropoli, il ciclo sia ormai completo. Qualcuno torna addirittura in città. Si tratterà specialmente di persone che, hanno un assoluto bisogno di starci: giornalisti, gente che lavora alla radio o alla televisione, con orari lunghi e irregolari. Oppure funzionari di società che sanno bene di essere lì solo di passaggio, e quindi trovano che non val la pena di prendere una casa in campagna per pochi mesi. Quando una università è in città, poi, come la Columbia a New York, i professori tendono a vivere lì vicino. Ma il nucleo più grosso dei nuovi abitanti delle città sarà dato dai giovani non sposati o sposati da poco che devono star molto dietro a un lavoro importante e non hanno troppi soldi. In questo caso, parecchi di loro, o parecchie coppie, si mettono insieme per prendere un grosso appartamento e dividere tutte le spese. Ma basta la nascita del primo figlio (che dà fastidio agli altri, e obbligherebbe la coppia a mettersi da sola) per convincerli al ritrasferimento in campagna.

Nelle comunità suburbane si troveranno dunque soprattutto famiglie giovani, con bambini piccoli. Due coniugi senza figli si troveranno meglio in città, sia pure in un appartamentino piccolissimo. Non costa troppo, e la moglie non soffrirà dei continui paragoni con le vicine prolifiche. Anche le vedove, i divorziati, gli scapoli, le nubili preferiscono stare in città, per la stessa ragione. E gli artisti, lo stesso, naturalmente.

Sovente si sta poi assistendo a un fenomeno che è l'esatto contrario di ciò che si è sempre visto da noi. Si era abituati, cioè, alle famiglie che vivevano in città per decenni, perché il padre aveva il suo lavoro e c'erano i figli da mandare a scuola: sistemati questi, i due vecchi, diventati nonni, si ritiravano tante volte in campagna, o in riviera, o in un centro più piccolo.

Negli Stati Uniti, succede invece che dopo qualche anno la vita in campagna comincia a stancare. Provate a tagliare il pratino un giorno sì e un giorno no: dopo venti o trent'anni, non sembra più tanto divertente. E non se ne può più anche di dover continuare a potare le rose, tagliare la siepe, rastrellare il sentiero; che barba! I vicini sono sempre gli stessi, e una volta che i figli sono cresciuti e andati per la loro strada, gli argomenti di conversazione delle mamme paiono improvvisamente ridotti, e i giorni più lunghi e più vuoti. Che tristezza, poi, durante l'inverno! La signora di mezza età comincia dunque a fare delle scappate più frequenti nella città vicina, e le sembrerà di respirare ogni volta una boccata d'aria più eccitante del solito.

Ma i due coniugi non sono più tanto giovani, e non trovano più le forze di un tempo: andare avanti e indietro troppo spesso li stanca. E come sono più deprimenti, poi, le vecchie serate a due... Oramai, del resto, potrebbero anche permettersi un appartamentino in città: oh, una cosa da niente, un pied-à-terre minuscolo per fermarsi a dormire quando nevica o si vuole andare a teatro. Intanto, il primo passo è fatto.

Va a finire che la moglie e il marito incominceranno a passare talmente tanto tempo nelle due stanze in città, riducendosi a tornare nella villa solo durante i weekends, che a un certo punto si presenta spontanea l'idea: «Ma perché continuiamo a tenerla? Prendiamoci piuttosto un bell'appartamento in un bel quartiere, con tutte le nostre comodità». Tanto più, la villa è invecchiata, non si ha voglia di star lì a riparare il tetto, e ai figli non interessa: loro, per esigenze di lavoro, devono abitare da tutt'altra parte.

La signora, diventata anziana, comincia a riscoprire dunque i vantaggi della città. Ma oramai ha i mezzi per potersi permettere una bella casa; e può quindi apprezzare i teatri, i concerti, i musei, i bei negozi, dimenticando gli aspetti poco simpatici e i vicinati imbarazzanti che l'avevano fatta scappar via da sposina. Non dovendo più fare tante distanze, ricomincia anche ad andare a piedi, ben contenta: tanto di guadagnato per la linea. E se proprio vorranno prendere una boccata d'aria, con i nipotini, si persuaderanno che è meglio comprarsi una villetta al mare, o in una campagna «vera», lontanissima dalle metropoli: bisognerà viaggiare ore e ore per arrivarci, su nel Vermont o nel Maine. «Mai più, però, in una comunità suburbana: ci abbiamo passato tanti anni belli, però adesso basta, è finita».

IL PRANZO IN PIEDI

Il pranzo in piedi finisce per essere il rito sociale preferito dalla maggioranza di quegli americani d'oggi tanto tranquilli da stringerci il cuore, specialmente perché può svolgersi molti milioni di volte sempre secondo le stesse regole immutabili e fisse. E questo è un grosso sollievo per la padrona di casa e anche per i suoi ospiti, tutta gente quieta, perbene, che odia le novità e le sorprese. In un pranzo, necessariamente, prevale il mangiare sul bere, e non è probabile che gli ospiti pasteggino a whisky. Si corrono quindi molti meno rischi che non a un cocktail-party, magari *prolungato*, dove se anche a un certo punto vien fuori il risotto o lo spaghetto, o il salmone affumicato, o il pollo in gelatina, si sa che si comincia bene, ma non si sa mai come può andare a finire.

A un cocktail-party, non dovendo tenere il piatto in una mano e nell'altra le posate, gli ospiti avranno sempre il loro bicchiere, anche per evitare il nervosismo della mano vuota, che viene ai timidi quando non sanno dove metterla. Ma i bicchieri usano sempre più grandi. E per di più si tratta di gente che beve tutta volentieri, in ogni sesso e ogni età. Quindi, via un martini l'altro, via uno scotch l'altro, magari meccanicamente, senza badare, senza contarli, c'è sempre il pericolo che a un certo momento possano capitare cose «spiacevoli»: una moglie che mette le mani su un marito non suo; oppure, travolto dai «daiquiri», qualcuno potrebbe cominciare a dire tutto quello che pensa, in faccia a tutti, magari cose che stava covando da un pezzo. E questo è sempre giudicato sconveniente nelle classi medie. In qualunque tipo di società, com'è noto, al contrario del proletario e dell'aristocratico, il borghese cerca di non dir mai in faccia alla gente quello che ha in testa, e abbellisce piuttosto il proprio linguaggio con qualche affettazione un po' circospetta. Nelle classi medie americane, poi, il parlar chiaro in tutto quello che non riguarda le questioni di soldi è considerato addirittura sconvenientissimo. Due persone, appena presentate, si domanderanno per prima cosa, come se niente fosse, che mestiere fanno e quanti soldi guadagnano, cioè le frasi che tanti europei morirebbero invece di rivolgere a un primo venuto (e che fanno effettivamente morire l'inglese abituato a rispondere balbettando «I suppose...» anche quando gli vien fatto capire che importa sapere se una cosa la sa sì o no – opposizione binaria – mentre quello che suppone o immagina non interessa a nessuno). Ma negli Stati Uniti anche più che altrove chi esprime semplicemente, con una qualche sincerità, le proprie supposizioni, e peggio che mai se sono sentimenti di minoranza, passa per un maleducato abbastanza infido, forse un po' debole di mente, certo asociale, e comunque uno che non sa comportarsi in mezzo alla comunità.

Meglio, molto meglio, quindi, lasciare l'uso del cocktail-party con tanti liquori ai ricchi, ai viziati, agli spregiudicati, ai mondani. Rischino loro che qualcuno, perseguitato da una coscienza scioccamente colpevole e intenerito dai martini e negroni, possa scoppiare a piangere per il rimorso di una cattiva azione vista al cinema dieci anni prima, e che da allora lo perseguita tipicamente, americanamente. Oppure qualcun altro, convinto di essere un fallito nella vita, potrebbe scegliere questo momento per proclamarlo ad alta voce, ammettendo di non riuscire «popular», cioè simpatico alla gente, e chiedendo pubblicamente alla moglie di aiutarlo e di stargli vicina. Il disperato monologo di auto-accusa, per quanto possa parere una conseguenza di Dostoevskij, è un altro momento americano fin troppo tipico, e si sa che vien fatto discendere direttamente dalle usanze tradizionali delle comunità più o meno puritane di pionieri, dove pericoli gravi sono sempre in agguato, e c'è bisogno dell'unione e della collaborazione di tutti per farvi fronte. Se qualcuno pecca, la migliore letteratura dell'Ottocento è lì a dimostrare che diventa infido. E allora, in mancanza di giudici e tribunali sul posto, la confessione pubblica sarà indispensabile perché la comunità perdoni il colpevole, lo riammetta nel proprio seno, e gli conceda un fucile per combattere insieme a tutti gli altri contro i Sioux che stanno arrivando. In tempi più recenti, a seconda della «popolarità» di un individuo, la comunità può invece far concedere o no un'apertura di credito, che servirebbe a mandare i figli a scuola o a comprarsi l'automobile: basta dare informazioni buone o cattive quando la banca locale le manda a chiedere.

Meglio, meglio quindi, in una famiglia tranquilla, organizzare un buon pranzo, e lasciar perdere i liquori forti. Quelli vanno bene quando si è soli o fra pochissimi amici seduti. Le scene provocate dall'ubriachezza, ai parties o nei pubblici esercizi, sono dovute anche al fatto che generalmente quando uno ha bevuto troppo e si sente male, non fa come da noi, non va a dormire; insiste, invece. Da noi, non si tiene a farsi vedere in giro in quegli stati: la gente non gradirebbe. Anche nei paesi più sperduti e indietro, l'ubriaco della domenica sera, in piazza, viene considerato un po' come «il più stupido del villaggio».

Ma per gli americani, così abituati a provare i loro sentimenti collettivamente, sembra che anche soffrire e star male insieme agli altri dia un certo sollievo. Il vero orrore sarebbe arrivare a casa, e doversela cavare da soli. Non per nulla cercano sempre di andare, anche per divertirsi, durante le vacanze, dove c'è più gente. Se un posto è solitario, per loro è un brutto posto. E si capisce anche la mania per le radioline portatili: rappresentano una compagnia, un surrogato della conversazione che non sanno sostenere, e un altro ancora dei tanti papà putativi che li accompagnano per tutta la vita, dando consigli e ordini, come il padre vero non si è mai sognato di fare. In questo modo, uno non si sente mai solo. Ha sempre con sé una vocina tipo Grillo Parlante che gli dice cosa mangiare, che gelato prendere, che sigarette fumare, dove andare stasera. È anche naturalissimo che a un certo momento, al momento del nodo alla gola, trovino più sopportabile dire «sì, sono uno sciagurato», aggiungendo eventualmente «ma non lo farò più; lo prometto», davanti a un pubblico di spettatori e di testimoni (scaricando, nello stesso tempo, il peso della potenza puritana come si scarica una pila a terra), invece di chiudersi in una stanza e ficcare la testa in un cuscino. Il barista, pagato apposta per dire ai clienti in lacrime «sì, George», «certo, signore», «oh, come avete ragione, amico», può anche fare al protestante – com'è noto – lo stesso effetto che il cattolico si aspetta dall'apparato del confessionale, in una illuminazione ugualmente bassa. Le vignette in proposito sono innumerevoli e insopportabili. Ma è anche naturalissimo che la signora non gradisca affatto che questo rituale si svolga durante il suo ricevimento, con tutti i soldi che le costa, e allora servirà soltanto dei succhi di frutta e qualche birra.

Un europeo, dopo tutto, può sempre chiedersi che bisogno ci sia di tormentarsi tanto sul fatto di invitare degli estranei, e scervellarsi sulla questione di cosa offrire da mangiare e da bere: «Io, in casa mia, non invito mai nessuno, e vado avanti benissimo; e nella mia stessa città c'è un mucchio di gente che vive perfettamente tranquilla e rispettata da tutti, eppure non ricevono...». Ma bisognerebbe provare a essere trasferiti in una media città americana, dove non c'è niente; e questo significa proprio che non esiste *niente*: nessuna possibilità di difendersi contro quei nemici orribili che sono la solitudine e il tempo vuoto. Bisognerebbe provare un po' a vivere in una società dove tutti hanno talmente bisogno degli altri che sembrano ansiosi per tutto il tempo di provare agli altri di essere *a posto*, e insieme di controllare che anche gli altri lo siano. È un bisogno che si manifesta continuamente, anche al di fuori della mania ossessiva di raccogliersi in clubs e associazioni. Ma se uno non riesce simpatico, non c'è niente da fare. Il giorno che chiede di essere ammesso, lo bocciano; e questo fatto ha delle ripercussioni poco gradevoli anche su sua moglie e sui figli. La moglie, da parte sua, se non riesce simpatica neanche lei, potrebbe trovarsi in una brutta situazione, mettiamo il giorno che si ammala. La cameriera non l'ha, i bambini sono piccoli, il marito a lavorare. Se non intervengono gli «altri», sotto forma di vicini e vicine, una potrebbe anche morire, tipo in un deserto.

E poi, non è soltanto una questione di dare le informazioni favorevoli alla banca per la concessione di un credito. Se uno non è «popolare», è difficile che faccia carriera in fabbrica o in ufficio; se vende qualche cosa, avrà pochi clienti; il giorno che ha bisogno di una garanzia, o vuole soltanto comprare una casa a rate (e se non la prende così, dovrà aspettare un pezzo), non gliene andrà bene una, semplicemente perché gli «altri» non lo trovano un tipo «regolare» o «popolare».

Gli «altri» fanno dunque inviti. Bene; la padrona di casa «regolare», sapendo che questo è indispensabile per la carriera del marito, qualunque carriera, inviterà anche lei, con la stessa frequenza, e badando bene di non fare né più né meno degli altri. Altrimenti, sia che la giudichino un'ambiziosa o una pitocca, non è già più «regolare», e quindi non simpatica.

Non saprei se sia più commovente o più allucinante andare a questi parties, e trovarli tutti così identici. In una famiglia media e regolare – ci sono andato varie volte – si arriva vestiti abbastanza bene, ma niente di speciale, tra le sei e mezza e le sette. Se la stagione è bella, tanto meglio, tutto è preparato nel pratino dietro casa, e non si fa disordine nelle stanze: si entrerà solo più tardi, per il caffè, o se l'aria si fa umida. E se c'è una cameriera (caso molto raro nelle famiglie medie), non sarà presente. Succede, cioè, il contrario di quello che càpita nelle nostre case. Le nostre mamme, se si trovano momentaneamente private di una servitù efficiente, preferiscono rimandare un tè. Ma una signora americana sa bene che la cameriera a ore, ben pagata e piena di esigenze, il giorno che entra in casa qualche persona estranea alla famiglia, e lei deve lavare qualche piatto in più, fa storie e la pianta immediatamente. Perciò il giorno del ricevimento viene spesso fatto coincidere con il giorno di libera uscita della domestica, che per tutto il tempo si tiene lontana dalla casa, e va a pranzo in città.

Il problema del lavare i piatti viene risolto adoperandoli di plastica, con bicchieri di cartone e posate di celluloide. Tutta roba graziosa, divertente, bellissima di colore e di decorazione, che si compra nei grandi magazzini, costa pochissimo, e adoperata una volta si getta via. Negli angoli del giardino, semi-dissimulati fra i cespugli, ci saranno due o tre cestoni di fil di ferro, dove gli ospiti buttano man mano gli oggetti di cui si sono serviti, e i tovaglioli di carta. Alla fine del party, i cestoni vengono messi fuori del cancello, e la nettezza urbana li porta via la mattina dopo.

Sul tavolo preparato con una bella tovaglia ricamata ci saranno sempre i due candelabri d'argento, con tante candele colorate accese. Non ho mai visto, a un certo livello sociale, un pranzo illuminato dalla luce elettrica, né in casa né fuori: viene considerato poco elegante, mentre le candele dovrebbero dare allegria e signorilità. Accanto ai candelabri ci saranno dei grandi piatti, spesso d'argento, col tacchino e il prosciutto. È difficile che non ci sia il prosciutto cotto, generalmente di tipo Praga, tagliato a dadi. Ed è impossibile che non ci sia il tacchino, comprato già arrostito (e buonissimo) in un negozio in città. Sono buoni, per quanto di sapore non molto spiccato, come del resto anche i polli, a causa dei sistemi di allevamento; vengono ingrassati artificialmente, facendoli impazzire, oppure assordandoli, con strane luci e rumori eccessivi, dentro gabbie dove non possono muoversi. Una volta impazziti, continuano a mangiare perché non ricordano di avere il gozzo già pie-

307

no. E vengono anche allevati in diversi modi, a seconda della maniera in cui saranno cucinati. Quando si compra un pollo o un tacchino crudo, bisogna sempre specificare se dev'essere arrostito o bollito o se andrà al forno, perché quelli per il lesso non possono andar per l'arrosto, e viceversa. Non ricordo se sono i polli pazzi che vanno bene per il lesso, e quelli sordi per l'arrosto, o se è viceversa; ma qualunque massaia americana le sa benissimo, queste cose.

Tacchino e prosciutto saranno comunque già tagliati a piccoli pezzi, nei piatti da portata, perché altrimenti, tenendo il piatto di cartone in una mano, e il bicchiere di plastica con le posate di celluloide nell'altra, è chiaro che non si arriverebbe molto lontano, nemmeno quando le posate hanno una lama a dentini sottili. Su un prato, va bene, si può appoggiare tutto sull'erba. Ma in un appartamento, in piedi, e dovendo tante volte reggere anche un piatto per una delle signore, l'operazione è spesso fastidiosa. Non senza un motivo, naturalmente: l'imbarazzo delle persone è tanto grande che devono concentrare tutta l'attenzione sulla manovra, e quindi nessuno bada a quello che si dice, come succederebbe invece se ci si trovasse seduti a una tavola ben servita. Si tratta infatti, di solito, di chiacchiere che non significano nulla, meri suoni di convenienza che devono semplicemente dare l'impressione di un rumore sociale. Non è necessario che abbiano un senso, e basta che sommandosi producano un cicaleccio animato, perché loro generalmente odiano l'idea della conversazione, però desiderano che l'impressione sia quella sonora di un party ben riuscito.

Tanto varrebbe ripetere quindi un po' di tabelline del sei o del sette; ma ascoltiamo qualche discorso dei vicini, comunque: «Mi spiace di aver rovesciato il tacchino sui calzoni. Sono di nylon?». «Oh, niente, è stato solo un urto». «Aspetti; le tolgo l'insalata dalla gonna. È di quelle che si lavano e non si stirano, vero?». «Niente, niente di male; il punch non macchia». Nel bicchiere che si tiene con tanta pena, di solito ci sarà del punch, infatti. Due giovani signore, accanto a un grosso «bowl», mescolano continuamente succhi di frutta, vino rosé, e qualche liquorino dolce col nome francese, versandoli dalle caraffe già preparate e poi ripreparate, con qualche fetta d'ananas e d'arancia che galleggia, e versano questo punch coi loro graziosi mestoli nei bicchieri che vengono continuamente porti.

In un'altra zuppiera ci saranno insalate e pomodori, raramente conditi con l'olio, che in America si usa poco, è venduto nelle farmacie, e non è buono, ma più spesso con una salsina francese. Ci saranno anche dei piatti di dolci, e se gli ospiti fossero pochi nulla tratterrebbe il padrone di casa dal cucinare bistecche per tutti sul «barbecue», vestito di berretti e grembiuli buffamente allusivi, e azionando il carbone speciale da «barbecue», la padella speciale da «barbecue», le forchette e gli occhiali speciali da «barbecue». Ma normalmente il pranzo è tutto qui.

Se la casa è più ricca, oltre magari alle luci elettriche splendenti il piatto più ricercato non manca. Il primo gradino nella sofisticazione del menu è quello del curry e del pilaf; ma salendo più in alto si fa relativamente presto ad arrivare all'avocado, all'anatra selvatica; e naturalmente nelle case dei milionari si riceverà e si mangerà come dai milionari europei, serviti da camerieri che magari si rifiutano di assaggiare il foie gras o il caviale, e in cucina si preparano la bistecca. (Secondo un gossip di Washington, in una magione assai fine si festeggiava un tartufo grossissimo giunto da Torino. Ma venne servito bollito). Se invece si scende alle classi proletarie, la differenza che si nota non riguarda tanto la minore capacità d'acquisto, ma la struttura stessa del ricevimento. Difficilmente sarà deciso con molto anticipo: sarà improvvisato, e soprattutto un fatto familiare, con parenti e vicini di casa. Le regole, comunque, appaiono rigidamente osservate a tutti i livelli; e non se ne esce. Càpita a un figlio di immigrati siciliani di crescere a Brooklyn, e in casa si mangia soprattutto pizza, spaghetti, sanguinacci, e si beve vino rosso. Va a lavorare nel Minnesota, nel legno, e mangia come tutti gli altri falegnami: manzo, patate, birra. Poi passa a Detroit, in una fabbrica di automobili, e comincia a far carriera: vivendo in mezzo ai dirigenti, mangiando tutti grandi bistecche, buon pesce, bevono tè freddo a tavola e bourbon di marca prima e dopo. Torna a New York ormai ricco, arrivato, va nelle case dei milionari, a feste dove si servono piatti esotici e ricercati; ma nessuna festa ha tanto successo come quelle che dà lui in casa sua, col cappello da cuoco in testa, offrendo piatti caserecci che tutti trovano sofisticati e squisiti: pizza, spaghetti, sanguinacci, vino rosso.

Prendiamoli da bambini. In America, lo si sa bene che sono sempre stati molto coccolati e viziati, anche troppo, da quando alcuni psicanalisti cominciano a dichiarare che se si contrastano da piccoli crescono male, se si sculacciano avranno degli incubi orribili da grandi, e se gli si nega la chicca non si adatteranno mai alla vita di società. Da questo momento, il bambino ha cominciato a comandare in casa. Decide tutto: dove si va, cosa si mangia, a che ora si va a letto, e, man mano che cresce, i programmi della televisione, l'automobile nuova, i divertimenti di tutta la famiglia.

Il bambino americano odierno evidentemente non ha mai conosciuto il nostro vecchio tipo di padre severo, cresciuto fra i miti di De Amicis e Gian Burrasca, fermo ai suoi due istituti fondamentali (il bambino *è disubbidiente*, il papà *si arrabbia*), ed è invece senza limiti il ludibrio a cui viene sottoposto il padre di famiglia nella casa americana: buttato a terra, costretto a camminare a quattro zampe, con copricapi ridicoli, preso a calci, spruzzato di latte, chiamato Pluto.

Più tardi, padre e figlio diventano ometti insieme, ragionando con trasporto di caccia e di pesca, delle gesta dei marines e dei risultati delle partite di baseball. La mamma, che tiene il borsellino, viene esclusa da questo scambio di confidenze. Tutti e due la chiamano «la vecchia».

Poco dopo, si accorgono che non hanno un gran che da dirsi, o forse vorrebbero magari dirsi qualche cosa di vero, però non ci riescono, oppure non viene mai il momento buono. Allora vanno davanti alla televisione, e per qualche anno vedono insieme dei film western. Poi il figlio se ne va per suo conto.

Naturalmente, basta un ricordo dei nuovi testi sociologici e antropologici che tutti più o meno abbiamo letto ai tempi universitari, per rammentare un po' di definizioni.

In una società povera e primitiva, i bambini imparano presto a comportarsi come gli adulti. Le famiglie sono numerose. Vivono tutti insieme, tante volte in un'unica stanza. Basta guardarsi intorno, e ascoltare: il bambino impara.

Nel mondo borghese gli appartamenti sono abbastanza ampi. Esistono pareti che dividono i bambini dai grandi; e mentre il papà è a lavorare in ufficio, i figli per gran parte della giornata nelle mani di cameriere e maestre e nonne vengono allevati badando a fornirgli una buona istruzione e a formare anche con superstizioni e proverbi un carattere che sarà magari quello dell'uomo del Rinascimento, fiducioso nel proprio spirito individualistico, o quello del puritano preoccupato della propria coscienza e dei misteri della predestinazione, però in fondo rassicurato dalla convinzione che questo o quello sia il segno più certo della divina benevolenza.

Comunque, il bambino viene addestrato a farsi strada con le proprie forze (al contrario del piccione viaggiatore, allenato a tornar sempre al punto di partenza). È un sistema educativo dove da Chaucer a Collodi la severità prevale ovviamente sulle indulgenze, nella convinzione che i giovani debbano lottare contro tante asperità, e la tenerezza finirebbe per rammollirli. Non per nulla i figli di famiglia nel *Cuore* sono condotti a passare le loro domeniche a contemplare le piaghe del Cottolengo. Molto presto saranno chiamati a fare scelte importanti, e magari impreviste, addossandosi le responsabilità relative (tranne le bambine, allevate come sceme dalle monache perché a loro non tocca far scelte).

Tale ritratto applicabile a buona parte della società europea fino a non molti decenni fa appare superatissimo da tempo negli Stati Uniti, com'è noto, e ad una ad una in tutte le altre società in fase d'abbondanza, dove per i bambini va senza paragone meglio (come per tutti, del resto). Non saranno più percossi, né privati del gelato o del cinema per punizione. Il papà non si arrabbia. Le ragazzine vanno a scuola coi loro fratelli, e (tranne che presidente) possono diventare qualunque cosa. E i ragazzini non devono neanche più andare a vendere il pop-corn agli angoli delle strade, né a portare i giornali a casa all'autore della *Our Town*, se proprio non ne hanno una gran voglia. Quelli sono ricordi. Le famiglie ora non sono più convinte che i figli debbano spendere solo quello che hanno guadagnato con le loro fatiche. Oramai capiscono tutti l'importanza dei grossi investimenti nella loro futura carriera; e il papà tira fuori i soldi: altrimenti, addio presidenza a Jack Kennedy! Senza contare che adesso le famiglie sono più piccole, quindi i pochi figli si possono assistere meglio, e impiegare somme più cospicue nel «lancio» di ciascuno.

In una società di massa, però, l'educazione dei bambini presenta problemi tutti abbastanza grossi. Le strade sono due, come per le fabbriche d'automobili: si possono produrre di serie o fuoriserie. Bisogna però decidere subito. O si alleva il ragazzo fornendogli dei criteri di giudizio e di moralità individuali, in modo che si trovi in possesso di una coscienza indipendente, e riesca a «volare da solo» (e magari molto in alto, però d'altra parte col rischio che non riesca mai ad adattarsi alla vita collettiva). Oppure lo si cresce con tanta affettuosità, ma tenendo presente che è destinato a vivere in una società diretta dal «gruppo».

In questo caso bisognerà insegnargli – come del resto correntemente si fa – che una cosa è buona o cattiva, non già a seconda che si conformi o no a certi criteri astratti di natura moralistica (che la coscienza di uno potrebbe magari anche suggerire), ma sarà buona o cattiva a seconda della concreta approvazione degli «altri». Quindi ogni azione, ogni bene posseduto, il carattere, l'intelligenza, i valori morali, non avranno alcuna importanza in *sé*, se non riscuotono il consenso del «gruppo». E così anche ogni comportamento umano. Una volta poi che «buono» equivalga ad «approvato dal gruppo», questo giudizio naturalmente finirà per interiorizzarsi, e verrà a formare la coscienza americana «tipica» del buon cittadino che forse crede di pensare da sé, di avere anche qualche idea propria, e invece esprime soltanto le massime della comunità a cui appartiene (guadagnandosi così l'infallibilità).

Il bambino, cresciuto sopra i giornaletti e la televisione, fa prestissimo a imparare. Non cerca più tanto, come i figli di una volta, di imitare il papà e la mamma. Né questi lo pretenderebbero, poveretti: sanno fin troppo bene che di personalità ne hanno talmente poca, anche loro, da dover supplire continuamente col soccorso della pubblicità commerciale. E tante volte il bambino, a furia di guardare la televisione e di imparare

dai suoi coetanei, finisce per saperla più lunga lui dei suoi genitori, e a giudicarli, specialmente se sono immigrati recenti.
In questo caso, il vero americano della famiglia è lui...

Cosa si può fare? Prenderlo a schiaffi, tenerlo senza frutta,
chiuderlo nello stanzino buio (non c'è, nelle case moderne),
minacciarlo che viene il lupo e lo mangerà? Mai, mai! Sarebbe
imperdonabile: se ne farebbe un infelice per tutta la vita. Gli
piacciono gli uomini? Pazienza... E quindi, al di là dell'abisso
che convenzionalmente li separa dai figli, ma in fondo protegge abbastanza comodamente le due parti, i genitori si rivolgono affannosamente, anche loro, ai giornaletti e alla televisione
per imparare «come trattarli». E come conseguenza, se un giorno il bambino è più capriccioso del solito, è la mamma che si
sente colpevole: «sarà colpa mia! o Dio, cosa avrò mai fatto!».
E gli permette di succhiare il biberon fino a vent'anni, purché
non strilli.

Ecco il bambinone, stupendo e muto, col suo biberon in bocca, davanti alla televisione tutto il giorno, avvolto nella sua coperta mezza umida, e circondato da grossi animali di pezza. Se
gli spengono la televisione, grida; e allora, anche per evitargli
lo psicanalista da grande, gliela lasciano accesa. Se i suoi amici
lo vengono a trovare, eccoli tutti seduti davanti alla televisione
col loro latte e la loro coperta, senza dire una parola e senza
muovere un passo, fino all'ora di andare a casa.

Quando torna il papà, qualche volta starà lui a giocare perché ne avrà voglia; e per farlo divertire, non sapendo come parlargli, imiterà per scherzo i comici della televisione, così il bambino avrà del padre non l'immagine di un capo di famiglia dotato d'autorità, ma quella di un piacevole pagliaccio con tante
smorfie. Più spesso, però, il papà sarà talmente stanco, che dirà alla mamma «tiramelo via dai calzoni, mi dà fastidio»; e magari ha scioccamente fatto una carezza al cane. Nel bambino,
geloso e rimasto privo del suo pagliaccio privato, si formano i
germi e grumi della schizofrenia che lo porterà sul divano dello psicanalista qualche decennio dopo.

Ma anche la mamma tante volte lavora; e le nonne nelle case moderne non usano più. Allora li mandano a scuola.

Questa non sarà più l'aula tradizionale con tanti banchi di
fronte alla cattedra, la maestra autoritaria che dice «su con me,
ripetete!», la lavagna in un angolo, e alle pareti tante riproduzioni di monumenti antichi che non dicono niente al bambino perché non hanno nessun nesso con la sua vita di tutti i giorni, e
simboleggiano il distacco della scuola da questa vita a cartoons.

Sarà piuttosto una scuola «progressiva»: aule piccole, pareti allegre, con disegni degli stessi scolari, che siedono intorno a una medesima tavola, bambini e bambine, e la maestra in mezzo a loro. Non ha la bacchetta, non li mette dietro la lavagna, non si impone di prepotenza. Dice piuttosto: «Bambini, allora cosa facciamo oggi?». I bambini non hanno voglia di far niente. Allora non si fa niente. Si faranno dei giochi, e se non imparano oggi, pazienza, impareranno un'altra volta. L'importante è che si mettano in testa i princìpi dell'American way of living.

Anche nelle scuole secondarie l'insegnamento parrebbe abbastanza fluido, con materie quasi tutte facoltative; e lo scolaro segue praticamente solo quelle che lo interessano. Compiti a casa, pochi. Lavoretti in giro, anche meno; ormai non c'è più bisogno, seriamente, dell'aiuto di un ragazzo. Un aspirapolvere fa meglio qualunque cosa. E poi c'è la televisione.

Ogni giorno i ragazzi passano parecchie ore davanti allo schermetto, senza muoversi. Quando il resto della famiglia torna a casa, via le scarpe, su le pantofole, e tutti davanti all'apparecchio; si mettono a tavola per la cena, e siedono generalmente su un lato solo (esistono tavoli apposta «per la televisione»), così non perdono niente dello spettacolo, senza dover torcersi il collo. Viene qualcuno? Lo fanno sedere, gli dànno da bere, ma guai se parla. E quindi, se alla fine della giornata si fa il conto delle parole scambiate fra padri e figli, si vede che sono scarse.

Una conseguenza notevole della assiduità davanti alla televisione è appunto che i ragazzi delle nuove generazioni parlano sempre meno. Fanno fatica a esprimersi perché non sono abituati a trasformare i concetti in parole, e quindi hanno una notevole difficoltà a comunicare le proprie idee agli altri. L'americano tradizionale è sempre stato silenzioso e impacciato nello spiegarsi, come si è sempre visto in tutti i film dove l'eroe simpatico nel quale deve identificarsi lo spettatore è sempre quello che parla meno; ma oggi, in ogni gruppo di giovani, si nota che le frasi più ripetute sono domande: «what did you say?», «what does it mean?», «what do you mean by that?» (cosa hai detto, cosa vuol dire, cosa intendi con questo?...). E del resto, anche a Roma, va diffondendosi un «nun ho capito» automatico, che ormai non denota più mera coglionaggine. Bensì risentimento, da labbra semiaperte.

Un'altra conseguenza diffusa è che arrivano all'università facendo ancora grossi errori d'ortografia. Nella lingua inglese sarà magari un affare complesso, tanto più che molti giornali popolari adottano uno «spelling» molto semplificato. Ma i ragazzi, ascoltando continuamente le parole pronunciate e disabituandosi a vederle su libri o giornali, finiscono per perdere ogni familiarità con la parola scritta. Dal momento che imparano poi a guidare – una macchina d'occasione costa tanto poco – non fanno più neanche un passo a piedi. E ingrassano.

Ma neanche Alberto Sordi, nelle sue fantasie più selvagge sui bulletti romani figli di mamma e pavidissimi, può veramente dare un'idea approssimativa della vera realtà dei ragazzini americani d'oggi, completamente perduti senza la loro casa, la loro mamma, il loro lettino, il loro bicchiere di latte o di cola. Ci si domanda perfino con una punta d'angoscia se è poi vero che sono esistiti fino a non tanto tempo fa dei padri inflessibili che mettevano un fucile in mano al figlio, e gli dicevano «va nel West a fare fortuna»; oppure lo facevano cominciare da quei lavori umilissimi nelle fabbriche, da cui risalendo prima adagio e poi in fretta uno poteva finire per diventar presidente del consiglio d'amministrazione, con yachts, palazzi in Park Avenue, castelli importati dall'Europa pietra per pietra, sigari costosissimi, ghette bianche, e diamanti grossi come palline da ping-pong.

Adesso, la maggior parte di loro va all'università, dopo la scuola secondaria, anche se in seguito dovranno fare un lavoro più che modesto. E andare all'università significa staccarsi materialmente dal tiepido ambiente familiare – moquettes soffici, orsi di peluche, televisione, cucina di casa, oggetti e abitudini familiari – per abitare in un collegio, mangiare alla mensa, passare tutto il tempo a contatto con gli «altri». E naturalmente non si può scappare. Questo è il momento della prova decisiva. Qui si mettono le basi di tutto: carriera, matrimonio, rapporti con la società. Si vede «chi ce la fa» e «chi non ce la fa». E fin dalle prime settimane si capisce subito chi avrà successo: dalla massa quieta e timida, che per paura di «non farcela» si limita strettamente a «fare come tutti gli altri», si differenziano presto alcuni campioni di popolarità, che tutti gli altri seguiranno sempre. Imitandoli già dai berrettini: a loro quasi tutto è permesso, entro certi limiti. (E non badiamo a chi, pur essendo uno dei deboli, cerca di «far diverso»: la sua sorte sarà orrenda. Semplicemente lo mettono al bando; nessuno bada al suo berrettino; può anche morire; nessuno se ne curerà. Ma l'ostracismo, che è sempre stata la sanzione per gli irregolari, fa molto più paura nella società di massa, dove ciascuno ha continuamente bisogno degli «altri»).

Quasi sempre i tipi più popolari sono quelli che riescono meglio negli sport. Un ragazzo di grande valore in campo scientifico, che prende i voti più alti agli esami e si laurea con lode, sarà grandemente stimato dalla élite intellettuale della nazione, e gli si aprirà una carriera brillante in ogni caso. Ma il gruppo ha una certa diffidenza istintiva per l'intellettuale troppo brillante. Nel campione sportivo gli «altri» possono ancora proiettarsi: «Se avessi i muscoli più sviluppati, potrei fare anch'io il capitano della squadra di baseball; con un po' d'allenamento farei i cento metri piani meglio di tutti». Ma come devono fare a identificarsi nello scienziato? Le sue operazioni logiche sfuggiranno in gran parte... è un meccanismo complicato. Senza contare poi che il gruppo sa molto bene una cosa: lo scienziato farà senza dubbio una carriera ottima; però in una società come quella americana, che si basa tanto sulla cordialità, sulla giovialità, sul cameratismo, a ogni capitano di una squadra di baseball, proprio perché è «popolare», un ottimo avvenire è assicurato comunque. Anche se è stato bocciato a tutti gli esami, troverà sempre un posto in un grande organismo industriale, o una carica politica, dove non dovrà far altro che dei grandi sorrisi e qualche manata sulle spalle. Inoltre è molto più simpatico dello scienziato. A quante elezioni si ripete puntualmente il caso che la massa dei votanti preferisca istintivamente il candidato «simpatico», che non saprà far niente, però alla televisione mostra un bel sorriso ampio, da bel bambinone oppure da Papà Natale, e bocci invece il candidato intellettuale, molto più preparato, che però dà un po' di fastidio e non troppa fiducia...

Il successo nello sport è la via più sicura per conquistarsi popolarità e ascendente sugli altri studenti. Gli altri mezzi sono tutt'altro che certi. Bere tanto non pare troppo pulito in un paese dove l'alcolismo è una piaga seria. Giuocare forte neanche: l'abilità e la fortuna sono sempre ammirate, certo, ma il comando del Dio puritano che incita inflessibilmente al lavoro non è troppo facile da dimenticare. Guai, poi, se la coscienza puritana sospettasse un odore di truffa nel giuoco troppo abile, tipo bisca di New Orleans. Guidare la macchina a velocità un po' pazzesche? Poco consigliabile, in un paese dove i limiti di velocità sono severi su tutte le strade, e la polizia è lì pronta a dar multe da cavare la pelle.

Anche il successo con le donne desta la diffidenza dell'Americano medio. A lui pare una cosa da lasciare agli europei, ai francesi. Non è certo un grande amante, e neanche un grande corteggiatore. Le donne gli hanno sempre fatto molta paura; del resto sa bene che sono loro che comandano. Dunque, soprattutto, le rispetta.

Questo non càpita tanto perché buona parte delle risorse nazionali siano nelle mani di ricche vedove che sopravvivono per venti o trent'anni ai mariti industriali abbattuti dall'infarto. È un costume che risale più indietro, all'epoca dei primi immigranti, e poi ai tempi della frontiera. Allora le donne erano talmente rare che questa loro scarsità diventava una ragione più di forza che non di debolezza. Sceglievano, o meglio, si facevano scegliere, da chi volevano loro; e quindi facevano in fretta a imporsi, aiutate dalla morale puritana che tormentava la coscienza dell'uomo con l'idea che il sesso è una cosa orrenda, e che basta pensarci per sentirsi colpevoli.

In questo modo un rapporto normale e adulto fra uomo e donna diventa difficilissimo; e basta dare un'occhiata alla letteratura americana dell'Ottocento, da Poe a Whitman, da *Moby Dick* a *Huckleberry Finn*, per vedere che non solo nessuno cerca di raccontare una vera storia d'amore tipo *L'éducation sentimentale* o *Le Rouge et le Noir* o *Illusions perdues*, ma neppure tentano.

Per tutto l'Ottocento, l'uomo americano innalza la donna su una specie di piedestallo, invece di intrattenersi a quattr'occhi con lei. Da una parte, le nega l'uguaglianza politica e sociale, ma dall'altra le si prosterna ai piedi, facendone una eroina di purezza e di virtù celestiali e non terrestri, e proclamandola regina della casa, della famiglia, della scuola, della cultura. Comincia l'abitudine che il marito versi a lei tutto lo stipendio, e la lasci libera di amministrarlo. Già nei paleo-fumetti, Arcibaldo non ha più un soldo in tasca: chi decide le spese è Petronilla, e lui deve chiederle tutto.

Quando Petronilla scende dal piedestallo, e reclama parità di diritti giuridici, politici, economici, lei continua a intascare lo stipendio di Arcibaldo, e comincia ad aggiungere nuovi vantaggi a quelli che godeva già. Tra la fine dell'Ottocento e l'inizio del Nove si fa strada in tutte le carriere riservate agli uomini, e convalida il suo potere con parecchi mezzi, dal predominio economico all'educazione dei bambini. I maschietti vengono allevati non più con le vecchie tecniche basate su comandi e castighi, che ne facevano spesso dei ribelli e degli scappada-casa; ma il sistema usato sarà quello dell'affetto, della tenerezza, dello zuccherino, col ricatto sentimentale della carezza e del bacino della buonanotte, che possono essere concessi o negati a seconda che il bambino abbia fatto il buono o il cattivo. Così, quando cresce, è già preparato ad essere trattato dalla moglie nello stesso modo.

Dal momento che il bambino, poi, vede pochissimo il papà, quelle poche volte che lo vede si accorge che non ha autorità ma è più bambino di lui, e d'altra parte le uniche redini che sente sono nelle mani della mamma e della maestra, è naturale che cresca abituato all'idea di essere comandato dalle donne. Ma bisogna anche aggiungere che l'uomo è spesso bloccato dalla legislazione a lui sfavorevole. Ci sono dei poveretti che trent'anni dopo aver detto in una sera di ubriachezza «Ti sposerò» a una ragazza qualunque, devono ancora pagarle somme ingenti tutti i mesi, perché la legge sulla rottura della promessa di matrimonio è severissima, e accorda risarcimenti cospicui alla ragazza, anche se praticamente non c'è stata seduzione o altri danni imenei. E quando uno è sposato, bisogna che rifletta molto prima di chiedere un divorzio: le disposizioni sulla comunione del patrimonio fra coniugi tante volte permettono alla moglie di tenersi una larga fetta delle sostanze guadagnate dal marito nel corso del matrimonio.

Perciò un ragazzo deve stare molto attento; e anche per questo loro sono tanto cauti e passivi; per questo aspettano sempre l'iniziativa della donna, e non fanno mai il primo passo. Hanno paura di doverlo pagare troppo caro. Questo è uno dei pochi aspetti dove i film di Hollywood rispecchiano la realtà abbastanza fedelmente.

Ma un'altra ragione seria per cui nelle università e nella vita i grandi corteggiatori sono rarissimi, e considerati con diffidenza, è che all'Americano le avventure interessano poco. Non soltanto per la paura di dover spendere troppi soldi. Siccome per la coscienza puritana far l'amore è una cosa orrenda o sporca, sarà ancora peggio se fatto solo per il gusto dell'avventura. Se c'è di mezzo l'affetto, allora la cosa è un po' meno terribile. Nel matrimonio, poi, si capisce, tutto si giustifica, come per i cattolici.

Ma all'Americano importa di sposarsi al più presto soprattutto perché è rigidamente monogamo di natura. Anche la più sfrenata fra le dive di Hollywood – potrebbe essere anche una venuta fuori dai bassifondi, che ha cominciato a dodici anni a fare lo spogliarello, e poi non ha fatto altro che passare da un'orgia all'altra – il giorno che le vien voglia di far l'amore con un uomo abbastanza noto, non se lo prende per amante come succederebbe più o meno in tutto il mondo. Divorzia, se lo sposa, gli sta insieme finché le va; poi magari divorzia di nuovo: tutte cose contro il suo stesso interesse (perché ci perde tempo, soldi, reputazione); però non si può farne a meno. La coscienza americana non transige: un marito per volta, e niente all'infuori di quello, in pubblico.

E quando del resto un comune marito, trascinato da una passione che gli procurerà tormenti indescrivibili, avrà un'avventura con una donna che non è sua moglie – e sarà sempre stata la peccatrice a travolgerlo –, è proprio la moglie quella che lo saprà per prima, e da lui stesso: perché subito dopo il fatto lui si precipiterà sconvolto e singhiozzando da lei, e le confesserà tutto. Gli adulterii americani sono molto più tragici di quelli europei dell'Ottocento. Non si prendono alla leggera, non si possono trasformare in farse da *boulevard*: non vedrete molto spesso libri o film americani moderni dove un adulterio è gettato in ridere, o, peggio ancora, con un finale spiritoso. Se il coniuge colpevole, percosso da ambasce, non confessa subito tutto all'altro coniuge, non avrebbe più un momento di pace con la propria coscienza inesorabile. Macché Offenbach. Macché Feydeau.

Ma come mai Gary Cooper, Clark Gable, Spencer Tracy, alla loro età, continuano a interpretare parti romantiche, in duetti amorosi con giovani attrici che potrebbero essere le loro figlie? Arthur Schlesinger jr, che si è posto di recente questa domanda, in un saggio diventato subito popolare, non è certo un critico cinematografico, ed è naturale che non gli importi niente se gli attori delle nuove generazioni recitano bene o no. Il suo mestiere è quello di storico, e non esistono studi sull'età di Roosevelt più rinomati dei suoi; ma nello stesso tempo è uno degli osservatori più acuti e brillanti dei costumi contemporanei, e ha fatto presto a notare come la decadenza della maschilità nelle generazioni più giovani negli Stati Uniti, fenomeno già abbastanza vistoso, si rifletta tipicamente in questa mancanza di attori di venti o trent'anni abbastanza «uomini», e in altri sintomi rilevati negli spettacoli di questi ultimi tempi.

L'interesse del pubblico americano per film come *Tea and Sympathy* o *Cat on a Hot Tin Roof,* e il successo di *Look Back in Anger* e decine d'altre commedie basate su storie di ambiguità sessuale, non provano soltanto che fra i temi più sentiti dalla gente comune sono quelli che riguardano uomini sempre meno sicuri della propria virilità, secondo una tendenza letteraria che da Fitzgerald e da Hemingway arriva agli «scandali organizzati» degli autori più recenti: a un certo punto si capisce piuttosto che gli americani riconoscono in questi personaggi i problemi più vicini a loro stessi, in una società dove gli uomini lavano i piatti, asciugano le posate, cambiano le fasce al bambino, e sono sempre più numerosi nelle industrie dell'abbigliamento e dei cosmetici; mentre le donne, con la stessa energia che dimostrano nei rapporti amorosi e familiari, progrediscono in professioni come quella di medico, avvocato, dirigente industriale, funzionario di banca, da cui fino a non molto tempo fa erano generalmente escluse.

I giornali volgari sono pieni di fumetti che dipingono in colori drammatici o buffi questa avanzata di eserciti di Petronille aggressive contro i poveri Arcibaldi in grembiule e berretto da cuoco: indimenticabili figurine a puntate, con versi ottonari, sul «Corriere dei Piccoli». Ma anche a un livello molto più serio i critici «sociologici» e «psicologici» contano con apprensione i casi sempre più frequenti di impotenza, omosessualità, castrazione, inquietanti disturbi nervosi per cause sessuali, che si presentano ormai in ogni libro e spettacolo; e arrivano a scoprire significati rivelatori in tutto quello che si vede, perfino in qualche film western piuttosto importante come *Mezzogiorno di fuoco* (tutt'al più considerato finora come una parabola esistenzialistica sulle scelte morali aperte all'individuo solo perduto in un mondo ostile). Per buona parte del film Grace Kelly cerca di convincere lo sceriffo Gary Cooper a non far uso della pistola: quale immagine più eloquente, si dice, degli sforzi della donna americana per esautorare l'uomo e svirilizzarlo? (Tanto più che alla fine è proprio lei a privarlo materialmente delle sue prerogative, strappandogli la pistola di mano per ammazzare i cowboys malvagi). E buona parte del successo della signora Krusceva nel suo viaggio recente è dovuta senz'altro al suo aspetto mite di buona signora anziana che non tenta neanche di imporsi al marito. È bastato che un giornale la chiamasse «quella brava massaia che pare sempre appena uscita dalla cucina con un po' di farina sui gomiti», perché tutti gli americani la amassero, di colpo, molto più che non il tipo di donna alla Grace Kelly, fredda, efficiente, troppo somigliante alle loro mogli autoritarie.

Gli psicanalisti sostengono che la maggior parte dei disturbi nervosi dei loro pazienti si debbono ai timori e alle insicurezze nati nell'inconscio da dubbi sulla propria maschilità. Chi invece si rende conto chiaramente di questi dubbi corre a comprare quei manuali che dovrebbero insegnare «come si fa», e che raggiungono tirature immense. Sembrano veramente all'oscuro di quello che è il caso di *fare* per essere e sembrare «veri uomini». Nella società americana, afferma Theodor Reik, psicologo fra i più eminenti, gli uomini hanno paura di non essere abbastanza uomini, mentre le donne temono di essere considerate *solo* donne, e vorrebbero essere qualche cosa di più. Per spiegare questa mancanza di equilibrio nei rapporti fra i sessi, c'è chi arriva a sostenere che il predominio maschile nel secolo scorso era dovuto solo al fatto che la donna era psicologicamente idealizzata e praticamente segregata: ma in condizioni normali di «libera competizione» la donna americana vince facilmente perché ha più forza. Schlesinger, nella decadenza del sesso maschile, vede soprattutto uno smarrimento del senso dell'identità personale; che è un fenomeno antico ed eterno – basta ripensare alle drammatiche ricerche di se stessi di Edipo, o del Leopold Bloom di Joyce, o addirittura dei personaggi di Kafka, che cercano nella stessa epoca di cavare un senso da un mondo incomprensibile – ma forse mai vissuto così diffusamente come nell'America d'oggi.

La ricerca della propria identità è sempre un fatto altamente drammatico. Non sempre si ha voglia di riderci sopra (e certamente Edipo non si divertiva troppo), come càpita nel romanzo quasi pirandelliano di Nigel Dennis, che si intitola appunto *Cards of Identity*, e dove nessuno è sicuro di essere se stesso: tanto che un personaggio arriva a dire «oggi come oggi bisogna scegliere fra essere una donna e comportarsi da uomo, o essere un uomo e comportarsi da donna» – come dire che «se voglio fare una cosa, devo essere l'altra». E *Some Like It Hot*, che in Europa viene preso come una farsa sfrenata, magari un po' goliardica, in America diventa una allegoria della società, anche troppo carica di simboli: tutti possono essere tutto, non si può mai essere sicuri di niente, e da Tony Curtis, attore mediocre in tanti film di successo, può venir fuori improvvisamente una bellissima donna, né più né meno come certi estratti di carne, magari non servono a preparare un buon brodo, però vanno benissimo per lucidare le scarpe, o tingersi i capelli.

Anche quando si prova a sbirciare i giornaletti in mano al soldato o all'elettricista che ci càpitano seduti vicini in metropolitana, un europeo avrà sempre qualche sorpresa. Mentre da noi vediamo che le letture di operai e soldati sono specialmente i rotocalchi o i fumetti di storie d'amore – e denotano quindi un desiderio di conoscere «fatti della vita», oppure una tendenza all'evasione in un mondo sentimentale e zuccherato –, i giovani americani della classe lavoratrice, anche se non hanno mai sentito nominare Tennessee Williams, sembrano specialmente avidi di rivistine «maschili» che si chiamano appunto *Uomo, Superuomo, Mondo di maschi, Vita virile.* Tutte piene di storie di Tarzan contro i coccodrilli, Bond contro la piovra, gesta di agenti segreti alle prese col controspionaggio russo, o *marines* contro i guerriglieri giapponesi di quindici anni fa, esercizi ginnastici per rafforzare i bicipiti di Mr Muscolo, con moltissime illustrazioni. Rivelano cioè un interesse dominante per gli aspetti più vistosamente virili del cosiddetto sesso forte, con una preferenza marcata per le manifestazioni di violenza fisica contro avversari temibili. A questo punto le rivoltelle dell'epoca d'oro dei gangsters non bastano più. Interessano soprattutto le violenze «dirette»: pugni e cazzotti. E del resto, la maggior parte dei delinquenti minorili agisce con l'arma più «diretta» di tutte – il coltello – lasciando perdere la pistola tradizionale.

Questa preoccupazione di «maschilità a ogni costo» non manca di impressionare chiunque entri per la prima volta nell'atmosfera americana: giacche di cuoio nero, scarponi, grossi sigari masticati all'angolo della bocca, manate pesanti sul dorso, risate lente e gravi. È una ostentazione talmente isterica da sembrare perfino disperata. A chi si vuol darla a bere? Poi si capisce che cercano di ingannare specialmente se stessi. E i propri analoghi, da incontrare nei locali bui dopo aver bevuto. Così possono anche arrivare a eccessi quasi incredibili e quasi comici di ostilità contro tutto ciò che ha un'aria «femminile», o «effeminata», come per paura di lasciarsi contaminare.

I tecnici della pubblicità «scientifica», che queste cose le sanno abbastanza bene, perché le studiano nelle loro ricerche di mercato per vendere meglio i prodotti, si sono venuti accorgendo che l'immagine femminile associata a determinati articoli commerciali non dà più gli effetti di un tempo. La differenza con l'Europa, cioè, pare questa: da noi, ancora oggi, se un uomo vede la réclame di un'aranciata o di una sigaretta, fatta da una ragazza carina, che gli offre il bicchiere o il pacchetto, da un manifesto alto tre metri, lui gradisce talmente quell'immagine, che viene indotto a bere quella bibita o a comprare quella marca di sigarette, e non un'altra, proprio perché è associata a un'immagine piacevole. L'uomo americano, invece, attualmente, sembra portato a convincersi che *allora* quei prodotti sono «roba da donne»: è talmente poco certo della propria maschilità che teme perfino l'insidia di una bibita, come se gli proponessero di mettersi cipria e rossetto. Perciò tutta la pubblicità dei prodotti destinati agli uomini viene impostata adesso ricorrendo a immagini di pugilatori, marinai, muscoli gonfi, avambracci pelosi, petti larghissimi sotto canottiere stracciate. «Se anche i *marines* fumano queste sigarette, posso bene fumarle anch'io, senza brutti effetti sul sistema ormonico» pensa forse il timido americano che sogna di avere una forza erculea, per sgominare i giapponesi nella giungla, con una mano sola, come si vede nei film.

C'è naturalmente una parte di suggestioni omosessuali in tutto questo; ma di solito il meccanismo psicologico sembra più rudimentale, tenendo conto della loro mentalità infantile. È lo stesso ragionamento del bambino che beve l'olio di fegato di merluzzo perché la sua mamma gli ha raccontato che dopo tre bottiglie sarà più forte del centrattacco dell'Inter.

Le difficoltà, per i tecnici pubblicitari, cominciano quando si deve vendere il medesimo prodotto sia agli uomini che alle donne: per esempio un sapone. Se si facesse così un manifesto dove si vede Ava Gardner che lo sta usando, mentre da noi si penserebbe «l'importante è che un sapone faccia tanta schiuma», l'americano medio si preoccupa: «Ava Gardner mi piace tanto; ma perché dovrei farmi venire una pelle come la sua? Il flamenco non ho occasioni di ballarlo, e poi ho moglie e figli...». E quindi tutta la fatica consiste nell'inventare diversi tipi di manifesti, differenziati: fiori, pizzi, colorini tenui, per attirare la signora; muscoli, baffi, pipe, nostromi, per persuadere il signore. Un grossissimo affare.

I ragazzi americani arrivano a vent'anni addormentati e innocenti come vitellini; e anche se sono alti due metri, dànno l'impressione di avere appena lasciato a casa la bottiglia di latte. Avete in mente il tipico cowboy giovane dei film western tradizionali? Quello che non beve mentre gli altri tracannano whisky, e chiama timidamente «signora» l'allegra ragazza del saloon, che nell'ultima scena sarà sposata da un cowboy più anziano ma impacciatissimo con le donne quantunque abbia già l'età di John Wayne e di Gary Cooper? Ecco, questa è la perfetta immagine del ragazzo americano medio di diciotto anni che si lascia alle spalle la famiglia e la casa, e fa all'università i primi passi nel «mondo più grande».

La sua esperienza di questo mondo è scarsissima, perché praticamente fino a quel momento non ha conosciuto altro che un piccolo gruppo di bambini della sua stessa età. Non è vissuto in una delle grosse famiglie tradizionali, con nonni, nonne, zii, zie, cuginetti, cameriere, tutti quanti insieme nella stessa casa. Non è mai stato abituato a girare con amici di età o di condizione sociale diversa, come succede spesso in Europa, dove i bambini piccoli sono spesso a contatto coi più grandi, sulle spiagge, nelle piscine, nei campi di football in periferia, e più ancora nei piccoli centri e nelle campagne (e come succedeva anche più spesso nell'America di qualche anno fa).

Il ragazzo americano ha invece generalmente una esperienza limitata al gruppetto dei coetanei, molto simili a lui stesso, perché le famiglie tendono a riunirsi insieme in quartieri e sobborghi dove tutti guadagnano pressapoco e conducono il medesimo tenore di vita. E poi i genitori sono sempre stati preoccupati non già di affermare la propria autorità su di lui, ma piuttosto di renderlo «adatto» alla vita sociale. Perciò cominciano fin da quando ha due o tre anni a mandarlo fuori insieme ai figli dei vicini che hanno la sua stessa età, a organizzare festine per tutti i piccoli amici insieme. E i piccoli amici continuano a crescere talmente sempre insieme, senza vedere niente di diverso, che è inevitabile come ciascuno guardi soltanto agli altri membri del gruppo, e si imitino a vicenda come scimmiette.

Se uno ha una cosa, la vogliono subito anche gli altri, e tormentano la mamma per averla. Però se qualcuno fa qualche cosa più degli altri, e non ha la tempra di un capo, basta la frase «ma chi si crede d'essere, quello?», per ricordargli il dovere sociale di essere uguale a tutti. Il gruppo non perdona a chi «vuol fare il di più». Ed è molto significativa la risposta di una bambina di dodici anni a David Riesman che le domandava se le sarebbe piaciuto avere le ali. «Certo che mi piacerebbe volare» ha detto la bambina «però solo se volassero anche tutti gli altri. Altrimenti sembrerei una che si vuol dare delle arie».

Non c'è da meravigliarsi quindi se arrivano a vent'anni imbambolati come fantocci. Sono vissuti sempre in questa atmosfera da «cantuccio dei piccini»; hanno guardato soltanto a se stessi; del mondo degli adulti hanno poca o nessuna esperienza; e i loro eroi, siano George Washington o Jesse James, sono comunque figure mitiche, evasioni troppo lontane dalla realtà quotidiana che dovrebbero prima o poi affrontare.

Basta guardarli per vedere come sono timidi e spaventati. Sentono che arriva il momento delle responsabilità, e la paura di dover cominciare a prendere delle decisioni da soli li paralizza. Ma c'è un'altra ragione per cui arrivano sotto i vent'anni inquietissimi. Una civiltà come quella americana, basata sul sesso, sul richiamo e sulle immagini del sesso, per far la pubblicità a ogni prodotto, per vendere i giornali illustrati, per attirare le folle al cinema, finisce per spargere il terrore in questi cervellini semplici e ansiosi. Loro sono pulitissimi. Le figure femminili lussureggianti che si vedono intorno da tutte le parti, perfino quando aprono un pacchetto di sigarette, li turbano enormemente. Ma la coscienza puritana inquieta è sveglia da un pezzo a suggerire che si tratta di pensieri vergognosi, suggestioni diaboliche, immagini di peccato. Il loro scoramento, la loro confusione, perciò, non hanno limiti.

Non ne vengono fuori anche perché non ne parlano mai con nessuno. Un ragazzo europeo religioso farà quattro chiacchiere col suo confessore. Tanti altri non si preoccuperanno esageratamente, e molto spesso getteranno in ridere i turbamenti dell'adolescenza. Magari li risolvono sul piano della barzelletta, facendo con i compagni quei discorsi sboccati che sono un po' una malattia della crescita, come il morbillo e la tosse asinina (tutte malattie abbastanza leggere se fatte in età giovanile: diventano più gravi a trenta e a quarant'anni). Ma questi americani sono come case senza porte e senza finestre? Non si riesce né a entrare né a uscire? E quantunque la psicanalisi abbia un successo sempre più esteso, naturalmente non è alla portata di tutti. Il cattolicesimo, poi, in un ambiente puritano prende per forza aspetti diversi: con un prete come Bing Crosby in tutti quei film untuosi, più che di canzonette, onestamente, non si riuscirebbe a parlare. Ma è un po' poco.

Gli americani, per di più, non soltanto non riescono a confidarsi con nessuno, a comunicare con gli altri – ed è questo il connotato forse più tipico della loro razza – ma la loro *serietà* è anche esagerata. Significa che non riescono a ridere di niente, neanche delle sciocchezze più irrilevanti (i modi di provocare il riso, negli Stati Uniti, seguono infatti leggi piuttosto incomprensibili nel resto del mondo). Immaginarsi quindi se riuscirebbero a prendere in giro la propria coscienza... Oltre a tutto, parlare del Maligno, o anche soltanto pensarci, è un po' come ammetterne l'esistenza, o addirittura come chiamarselo vicino. In questo modo, intanto, come sa anche chi non ha mai studiato psicologia, se non si affronta un nemico apertamente non si riesce mai a sconfiggerlo; e se non si tira fuori il verme dal frutto, continuerà a lavorare nell'interno.

Per la maggior parte degli americani, questo nemico continua a lavorare dentro per tutta la vita. E una delle cause dell'alcolismo è che il whisky e la birra riescono ad addormentarlo per qualche ora.

L'alcol, come è noto, per loro lavora in questo modo: finché non hanno bevuto, l'idea di «divertirsi» (cioè di far l'amore) li riempie insieme di desiderio e di ripugnanza, perché il matrimonio va bene, ma l'avventura è peccato. Quindi li turba moltissimo. Allora cominciano con qualche bicchiere, per entrare nella «fase allegra», quell'euforia quando tutto può diventare possibile, e la coscienza si sente non troppo nemica. È il momento di fare il giro dei bar, pagar da bere a tutti, rimorchiare qualche ragazza. Basta guardare le città americane il sabato sera, o il centro di Napoli quando c'è in porto la flotta, per capire tutto. È l'unico momento in cui riescano ad essere, non si dirà intraprendenti, ma un po' disinvolti. Però, più spesso, travolti dall'euforia provocata da loro stessi, vanno avanti a bere fino a un punto tale di confusione, da non riuscir più a stare in piedi.

Allora crollano di colpo; e non c'è altro da fare che buttarli su un letto a smaltire la sbornia. La ragazza napoletana o livornese di solito rimane abbastanza stupita d'essere trattata come una sorellina ritrovata dopo tanto tempo. Ma in America nessuno si sorprende. La serata del sabato va a finire sovente così. Come nei film musicali. Ho visto varie volte clienti ubriachi stramazzare di colpo dai seggiolini, nei bar, viaggiatori ubriachi sui treni, marito e moglie ubriachi tornare a casa facendo zig-zag per la strada, sedendosi sul marciapiede ogni tanto. Weekend.

Sabato. Ci sono almeno tante donne quanti uomini ubriachi in giro; e la condizione di *alcolizzato* è pacificamente riconosciuta, come se si dicesse di uno «è grasso», «è calvo», «è ragioniere». I mendicanti si avvicinano e dicono: «Sono un alcolizzato, sapete: non mi dareste un po' di soldi per bermene un altro?». E l'atmosfera dei bar, mezza buia, con poche lampadine, e un barista cordiale, comprensivo, che dà i consigli, anche più paterno del papà vero, sembra a tanti il luogo ideale per dimenticare le angosce. E rimbambire.

Tennessee Williams, nella campagna contro le donne che conduce da anni, con le sue commedie e nei film, ha l'abitudine di dipingere il giovanotto americano come un povero essere smarrito e ingenuo, ma tanto buono, tanto puro, che si guasta a contatto con gli orrori della vita, viene divorato da donne-vampiro più vecchie di lui, e si rovina per sempre. Ma a giudicare dal successo commerciale, questi personaggi interpretati di solito da Marlon Brando, Paul Newman, Montgomery Clift, sembrerebbero i più vicini e familiari al gran pubblico. E la verità sembra piuttosto che il bambinone ingenuo arriva a vent'anni già straziato da conflitti tra la coscienza puritana e aspirazioni conturbanti e oscure. I suoi giornaletti li legge, i manifesti sui muri li vede, e qualche volta dopo il cinema non riesce a dormire tranquillo.

326

Nello stesso tempo, questa serietà naturale dell'Americano lo porta però a lavorare e a studiare forte, a prendere tutto con grande impegno, a non scherzar mai su niente, a stordirsi magari dalla fatica, ma a dirigere tutte le proprie energie sugli sforzi che si fanno in vista della carriera professionale. Nelle università è quasi incredibile e quasi commovente vedere come tutti i ragazzi si buttino sullo studio, mattina e pomeriggio e sera. Sempre carichi di enormi libri difficilissimi, tanto che ci si può chiedere cosa ne capiranno, poi, come potranno servirsene. Ma l'impegno, quasi disperato, c'è, come se passando dal sonno allo studio, e dalla biblioteca al letto, facendo anche un po' di sport per stancarsi fisicamente, si potesse evitare di pensare agli argomenti che preoccupano, e rimandare intanto, di qualche mese o di qualche anno, il passaggio dal biberon di latte al bicchiere di whisky.

A questo punto, si presentano le ragazze.

Loro non le vedevano da un pezzo, almeno dai tempi della scuola elementare mista, quando giuocavano insieme con la sabbia. Poi, per parecchi anni, anche se in classe sedevano vicini, i due sessi si dividevano sulla porta, e i due gruppi andavano per strade diverse. (Come nelle nostre scuole italiane d'allora). Le ragazze ora arrivano molto più serene, tranquille, sicure di sé. Sanno di avere in mano le situazioni. E le operazioni che cominciano a questo punto sembrano la cattura dei vitelli in un ranch. Ma se il vitello non trovasse chi dopo la cattura lo protegge, lo consiglia, lo aiuta, gli insegna momento per momento quello che deve fare nella vita, come la moglie americana tradizionalmente fa col marito, c'è da domandarsi che cosa ne sarebbe di lui, poveretto.

UNA TRAGEDIA CORALE

Il Grande Delitto Americano del nostro tempo va stancamente avviandosi in cerca d'Autore. E probabilmente, di protagonisti. Come un tragico *musical* molto emblematico e fin troppo scadente... Canta il suo vittimismo (per ora) «Satana» Manson, nel microsolco-pirata appena messo in vendita. E nei corridoi delle udienze preliminari, il trio delle bambinacce brune probabilmente assassine esegue spensierati «numeri» vocali di mistico esoterismo più floreale che sanguinario... Ma si tratta di semplici battute introduttive, o di prove generali per vivaci concertati e appassionate romanze? Oppure, messi da parte i comprimari, altri personaggi saranno evocati per i grandi recitativi con aria nei quadri successivi?

O «ensemble»? Questo dramma è sempre apparso – fin dall'inizio – tipicamente «corale». Intanto l'atroce assassinio di Sharon Tate e dei suoi sventati ospiti presentava caratteri evidentissimi di spettacolarità e di messa in scena, come se un moderno e modesto regista «della crudeltà» pretendesse di pasticciare delle Ecube e Medee con gli ingredienti dei film scalcinati di occultismo e magia. E addirittura, dei *western* sadici con sbudellamenti d'indiani. Non per niente, Manson finisce arrestato in un ranch abbandonato dalle produzioni cinematografiche, e ne dà l'annuncio il governatore Reagan, ex-cowboy «buono» della Hollywood «prima della caduta».

Però, uno spettacolo così spaventoso e così mediocre dà subito una gran soddisfazione a un immenso pubblico middle class americano che brontolava da anni contro le «sregolatezze» dei Divi e la «spregiudicatezza» degli Hippies... e ora si assesta golosamente davanti ai televisori per godersi in pace uno show «dove non manca nulla». Ecco un «giallo d'azione» dei più violenti... e la punizione degli Sregolati ad opera degli Spregiudicati... e anche qualche stimolante afrodisiaco... e perfino le gioie del «l'avevo previsto, io!»...

L'assassinio di Sharon Tate ha infatti provvisto, con puntuale tempismo, un massacro-che-diventa-slogan («Voi di Bel Air!») all'America *square*, nel contrasto sempre più duro che l'oppone all'altra America, quella *hip*, ben provveduta a sua volta di slogan e di massacri da rinfacciare all'avversaria: tutta la guerra del Vietnam, fino a «Voi di Son My!». Queste due stragi, l'estate scorsa, sono state impeccabilmente, sinistramente contemporanee. Così ciascuna delle due Americhe ha potuto rimproverar l'altra con uguale asprezza: avete avuto ciò che vi meritate! ecco dove vi conduce la vostra follia omicida!

Massacratori e massacrati sembrano dunque impallidire in questa vera Tragedia Americana attuale che è l'allontanarsi senza speranza di due pezzi di nazione incompatibili e ostili. Da una parte, gli *square* che credono ciecamente nei capelli corti e nella tecnologia, nella disciplina aziendale e in John Wayne, negli abiti grigi-scuri e nell'uso della violenza, nelle docce e negli orari, nel cemento armato e nell'esercito, nella contabilità e nella conquista della Luna, nella repressione spietata di tutti gli «anti-americani» (anche in casa) e nella casa con tanti elettrodomestici e parecchie automobili... Dall'altra, i molti (più giovani) che si sentono indifferenti all'espansione automobilistica e cibernetica, ai perfezionamenti delle portaerei e dei jumbo jets, alla violenza, a tutte le guerre, alla vita dedicata a valori soltanto materialistici, e perfino a Burt Lancaster e a Cary Grant. Preferiscono Robert Redford e John Voight, l'amore, i fiori, i colori accesi, le linee curve, le stoffe africane, i profumi indiani, l'estasi buddhista, la campagna, l'«uscire dal sistema», il sognare, il pensare, il non-pensare, il non far nulla, il non avere possessi, né complessi...

Da qualche anno le due Americhe si rafforzavano silenziosamente, guardandosi malissimo e perfezionando con rabbia i propri modi di vita. Gli *hip* si alleano ai movimenti studenteschi di contestazione, approvano le proteste dei neri, esperimentano tutte le droghe capaci di «espandere la mente», rifiutano

i vantaggi del «modo di vivere americano» (dal sapone al na-
palm), si rifugiano in «comuni» rurali dove larghe e confuse
«famiglie» fanno vita arcadica e bucolica in località deserte che
avrebbero riempito di gioia D.H. Lawrence e Walt Whitman.
La retorica del fuoco di legna e dell'amore sotto la volta stellata,
del pentolino ammaccato e della natica nuda sulla zolla umida... Mitizzano preferibilmente santoni dell'LSD e del dio Shiva,
del flauto dolce e della tessitura a mano, come Timothy Leary
e Allen Ginsberg. Invece gli *square* eleggono Nixon, manovrano la polizia e i tribunali, dànno coraggio ai «falchi» contro le
«colombe», organizzano il ritorno all'aurea mediocritas nella
vita pubblica e al tran-tran nella vita privata. E per proteggere
questi ideali, comprano moltissime armi.

Poi, agli *hip* che ascoltavano Bob Dylan dipingendo di petali rosa gli sportelli della Volkswagen, cominciano a mescolarsi
venditori di polverine e intossicati in agonia, Pantere Nere disperate, dinamitardi dilettanti, ricattatori professionali. E gli
square cominciano a uccidere. Tranquillamente, come sparare
ai gatti. Si può seguire questa storia dai romanzi di Norman
Mailer al film *Easy Rider*.

Ma almeno due libri anticipano con precisione l'intero caso
Manson, anche perché Manson evidentemente li ha letti con
grande attenzione (sono popolarissimi, in California), e vi si è
conformato in ogni particolare nell'organizzare la propria vita
e la propria grossa «famiglia».

The Electric Kool-Aid Acid Test – titolo intraducibile! – è un
eccellente e spiritato reportage di Tom Wolfe sulle avventure
di Ken Kesey, scrittore americano giovane e molto promettente
te che dopo varie storie di droghe e di polizia ha organizzato
una «famiglia» fra le più pittoresche, con individui tutti «eccezionali», fra le straordinarie «sètte» della Bassa California,
e poi finisce in niente. Cioè: i parallelismi sono perfetti fino
all'arresto del protagonista (Kesey, come Manson, carica a San
Francisco tutta la sua troupe su un vecchio autobus scolastico,
e scendono verso la Valle della Morte dove si divertono, ogni
giorno, apparentemente). Però dopo qualche mese di carcere Kesey esce, e mentre tutti gli altri finiscono male lui si ritira nell'Oregon e ricomincia a scrivere. E la sua vera ispirazione sembra che sia Hermann Hesse.

Stranger in a Strange Land di Robert Heinlein è invece decisamente di fantascienza. Molto interplanetario: il protagonista è
un Superman nato da un marziano e da una terrestre, però allevato su Marte da esseri talmente superiori che quando scen-

de sulla Terra, nonostante che si trovi preso in mezzo da giornalisti e infermiere appena usciti da un film con Bogart e la Bacall, fonda una «comune» o «famiglia» estremamente mistica e rituale, sempre nella Bassa California. Il fatto singolare è però che Wolfe ha trovato una copia di questo romanzo, insieme a *Siddharta* di Hesse, proprio nella «famiglia» di Kesey. Dunque la genealogia delle fonti «letterarie» di Manson pare addirittura precisa.

Ma i narratori (o registi) futuri del caso Manson dovranno chiarire – con l'aiuto dell'imminente processo – innanzitutto un punto. Come in altri casi clamorosi, la polizia trova anche qui immediatamente un gruppo di presunti colpevoli talmente *giusti* nell'aspetto e pittoreschi nel comportamento, che paiono appena inventati da una équipe di sceneggiatori impegnati in un grosso film commerciale su questo stesso delitto. Si poteva dunque immaginare, agli inizi: troppo perfetto! troppo verosimile! addirittura, troppo inventato! E dunque, il sospetto: fra i tanti diversi gruppi sciagurati chissà da quanto tempo sotto sorveglianza della polizia, saranno stati scelti proprio i più plausibili, esteticamente, da un punto di vista di effetto cinematografico sul grosso pubblico? Intanto, infatti, i più cari amici dei poveri morti andavano raccontando dappertutto, anche a Roma, che questa uccisione era stata invece organizzata per mera frivolezza da un giovane mostro diabolico e simpatico, macabro e potentissimo, sempre vestito di nero e dotato di leggendari poteri magnetici, oltre che di spaventose protezioni politiche...

Però, basta guardare i ritratti della struggente ragazza Oughton, la ricca e radicale ereditiera dell'Illinois educata a Bryn Mawr (il meglio!) e saltata per aria con una casa intera a Manhattan (manipolando esplosivo: è rimasto soltanto un ditino, dal quale l'hanno riconosciuta)... Porta scarpe da tennis, occhialini da John Lennon, calzonacci sformati, capelli alla Mia Farrow, dunque molto più corti che le canterine forse assassine nelle carceri di Los Angeles... Eppure, anche qui, la realtà inventa *facce* molto più straordinarie e più *giuste* di quelle immaginate dagli sceneggiatori o dal cast director.

MINORILITÀ

A Londra e dintorni, l'espressione «teddy boy» ha un significato preciso. E del resto, basta vederne uno solo una volta per non sbagliarsi più: sarebbe come non riconoscere un carabiniere in alta uniforme. Si tratta essenzialmente di poveri ragazzacci smunti, «dandies» da pochi soldi, che credono di distinguersi (o conformarsi) indossando i panni tipici dell'epoca edoardiana, cioè dell'inizio del secolo. «Teddy» era appunto il nomignolo del principe di Galles, figlio della regina Vittoria, che salendo al trono in età già avanzata col nome di Edoardo VII ha dato il nome alla parte finale della Belle Époque britannica.

I loro abiti seguono regole fisse, come una vera uniforme: redingote lunga e nera, un po' lisa e sbrindellata, calzoni neri strettissimi, scarpette usate a punta (una puntina assurda), camicia di pizzo, con un jabot ciancicato e sporco, nastrino di velluto nero o viola al posto della cravatta, gilet fantasia di broccatello un po' indiano o giapponese, con draghi e pagode, e qualche filo d'oro, tanti capelli, ciuffo in avanti, basettoni lunghi, faccia pallidissima da malato, garofano appassito all'occhiello (oppure il biglietto di ritorno in autobus, piegato in due). Eventualmente un bastoncino da passeggio. Ma una volta che hanno fatto la fatica di vestirsi, è difficile che trovino la forza di fare o dire altro.

Sono in fondo dei piccoli narcisi un po' esibizionisti, e oscuramente e confusamente provano a manifestare il loro disagio di vivere nel mondo d'oggi, che capiscono poco, andando a cercare una ispirazione sartoriale in un'epoca diversa. Ma in sostanza hanno finito per attaccarsi all'epoca sbagliata. Non hanno molto in comune, infatti, col sovrano di cui portano il nome, amante soprattutto delle sottane e dello champagne, pieno di vitalità, di gioia di vivere, e voglia di fare scherzi scollacciati. Tristi, invece, magri, e fiacchi come sono, questi smunti che una birra basta a stendere in terra per tutta la notte, si contentano di girare per qualche cinema o sala da ballo, addentando una polpettaccia di carne coperta di salsa rossa quando l'appetito morde, la sera tardi; e tutt'al più faranno qualche urlo ai film di Elvis Presley o ai concerti di Tommy Steele. Non sono generalmente loro che vanno in giro per Londra con le catene da bicicletta intorno al pugno, o con la lametta di rasoio nella patata per sfregiare l'avversario. Se al «teddy boy» si toglie quel particolare vestito, non rimane più niente.

Le vere bande di delinquentini minorenni americani vanno in giro bardate in tutt'altra maniera, tipo «motociclista mascalzone» alla «gioventù bruciata». Fino a poco tempo fa avevano capelli tagliati cortissimi, e non ricci. Ma questa moda del «crew cut» sta passando, e in America si vedono oramai le pettinature più straordinarie, che richiedono ore di messa in piega per farle star su. È una moda lanciata dai cantanti bambini della televisione, tutti coi capelli lunghissimi e folti: Frankie Avalon, Ricky Nelson, Fabian, e più di tutti Edd «Kookie» Byrnes, detto appunto «Mister Pettine», perché è diventato famoso con l'eseguire la canzone *Lend Me Your Comb* (cioè: «Prestami il pettine») passandosi continuamente un pettinino sul ciuffo.

Questi portano blue jeans, maglietta a T bianca o rossa, scarpacce da pallacanestro, oppure stivaletti da «marine» a mezzo polpaccio, giacca di cuoio o di raso colorato. Se appena possono, hanno una grossa motocicletta nera, magari da starci su in tre, con tutti gli accessori: casco, guantoni, occhialoni di plastica. Coi «teddy boys» non hanno nessuna parentela comune, se non qualche simpatia per le canzoni del juke-box (ma quelle piacciono a tutta la gioventù). L'automobile in questo momento sembra molto meno popolare della motocicletta, e la rivoltella addirittura non la vuole più nessuno, perché preferiscono il pugnale. Dunque sembra che in ogni caso lo strumento scelto debba essere il più semplice, che faccia tutt'uno fisicamente col corpo di chi lo manovra.

Quanto al termine di «teenager», dal momento che vuol dire «ragazzo o ragazza dai tredici ai diciannove anni», è un po' difficile non passare attraverso questa fase, tanto più per chi ne abbia già compiuti dodici. È vero però che i delitti commessi in questa età si sono fatti così frequenti, che oramai il solo sentir la parola, spesso abbreviata nel suono gentile di «teen» (che si pronuncia, addirittura, *tin*), basta a far venire in mente immagini sinistre, attività criminose, assassini, sangue. Tanto più lo si è visto attualmente: questi tipi di delitti si sono ripetuti così feroci tutte le notti a New York City, da prendere il posto più importante nelle prime pagine dei giornali, e provocare discussioni accese, interventi da tutte le parti.

Si capisce che la caccia a «Dracula» e alle altre figure fantasma chiamate «l'uomo del mantello» e «l'uomo dell'ombrello» ha fatto parlare di sé più di tutti gli altri episodi simili, nel colmo di queste estati sciroccose e torride. Non si vedevano da parecchio tempo titoli così grossi, storie tanto diffuse, e un numero così enorme di fotografie di ragazzacci portoricani carichi di ricci neri e sorridenti in mezzo ai poliziotti, con le loro camicie a fiori stracciati. Ma non passa veramente giorno senza che qualcuno muoia in malo modo qui. La ragazzina che passa per caso, il cliente che entra nel bar, il bagnante sulla spiaggia di Coney Island, ammazzati generalmente senza ragione, per accidente, o per il gusto di vederli morire. È capitato lo stesso ai due ragazzotti di sedici anni pugnalati da questo Dracula di diciotto o venti, che non li aveva mai visti e non sapeva neanche chi fossero.

Il Central Park di notte è una lunga striscia di terreno selvaggio tipo giungla, circondato dal buio e da un muretto che non serve a nulla. I giardini pubblici dovrebbero essere chiusi dopo le dieci e mezza di sera, ma la polizia e il municipio riconoscono che non c'è niente da fare. Inutile mettere i cancelli. Verrebbero spaccati immediatamente; e le lampade, lo stesso.

La giungla d'estate è umida, afosa. L'erba è piena di bottiglie rotte, lattine di birra vuote, cartaccia, sporcizia, rifiuti. L'aria è pesante. Il buio, in certe zone, completo. Chi entra non può non sapere che è uno dei posti più pericolosi in città. Centinaia di persone camminano adagio, silenziose, e non si capisce mai chi sia l'inseguitore e chi l'inseguito, chi la vittima e chi il carnefice. Cosa cercano? Avventure emozionanti, chissà, marijuana, eroina, uomini e donne di tutte le età e di tutti i colori, rischiando a ogni passo di sentirsi una mano intorno alla gola, dita che frugano in tasca, una lama fra le costole. La polizia non entra quasi mai nel parco di notte.

Ci sono tanti cartelli: «Vietato andare in bicicletta», «Vietato pattinare», «Vietato l'ingresso ai venditori ambulanti», «Depositate le immondizie negli appositi recipienti». Nessuno che dica: «Vietato ammazzare». Ma frequentemente, in questi giorni, càpita che qualcuno venga fuori rotolandosi dal folto, e lasciandosi dietro una striscia di sangue si trascini a morire davanti a qualche porta delle case intorno.

Camminare per queste strade, specialmente verso Harlem e il West Side, è un giro che porta attraverso posti fra i più miserabili del mondo. Le case sono vecchie, grosse, crollanti per l'incuria e il disordine. Dalle facciate grigie e marrone cascano letteralmente i pezzi, sulle scale di ferro arrugginite, davanti alle finestre dove si protendono fuori per respirare i vecchi e le vecchie che vivono con altre dieci persone nella stessa lurida stanza, sopra i marciapiedi pieni di porcherie rovesciate fuori dai bidoni aperti. Si cammina fra cattivi odori soffocanti, nell'afa ferma, in mezzo a donnacce sfatte che articolano suoni incomprensibili, uomini muti e sozzi con l'aria torva, animali randagi che mangiano rifiuti sotto un tiro continuo di latte vuote e di sassi, bambini stracciati che rischiano la vita ogni momento fra le ruote delle macchine, e i loro fratelli più grandi, in pantaloni stretti e pettinatura «a coda d'anatra», identici alle fotografie di quelli che sono già in galera. Non conviene camminare sul marciapiede. Si divertirebbero tutti a sputare in testa dalle finestre, gridando magari «non ce l'hai l'ombrello?». Ma non conviene troppo camminare neanche in mezzo alla strada, e tanto meno fermarsi. Vengono vicini a gruppi, con aria minacciosa, le mani nella cintura, a chiedere se si è della polizia, cosa si fa lì, cosa si vuole. «Questo è il territorio dei Dragoni. Via!». E si va via.

Sono quasi un milione questi portoricani di New York. Buoni e gentili in patria (dicono), fanno presto a diventare mostri depravati dalla miseria quando la fame li spinge a trasferirsi qui. Ma la vera infamia è che molti sono stati trasportati qui come bestie da un defunto politico italo-mafioso che aveva bisogno di voti, e per assicurarseli ammassava molte migliaia di questi infelici in certi *slums* del West Side di sua proprietà, così schifosi che nessuno voleva abitarli.

Il colore della pelle, la pronuncia barbara e inintelligibile, la difficoltà di imparare la lingua e di inserirsi nel resto della popolazione, l'incapacità di fare un lavoro seriamente, li riducono presto in una condizione tanto miserabile e disperata che tutto diventa possibile nella «piccola Puerto Rico» di New York, e oramai si crede a tutto il peggio, perché se ne sono lette e sentite di ogni genere: le continue aggressioni ai passanti, in pieno giorno e nelle strade affollate; i bambini di dodici e tredici anni mandati in giro dai parenti a smerciare l'eroina, e drogati loro stessi; le incredibili percentuali della prostituzione, della tubercolosi, della sifilide; le ripetute uccisioni di poliziotti nell'East Harlem; il chilometro e mezzo di «catacombe», tra la 111th e la 112th Street, nel West Side, chiamate così perché si tratta di una fila di cantine collegate fra loro, dove i drogati senza casa dormono divorati dai topi, nelle condizioni più degradanti. Sono quelli che per farsi l'iniezione non hanno più neanche la siringa, e sono ridotti a usare prima una scheggia di vetro, e poi un contagocce da rimedio contro il raffreddore. (Ma quel *Puerto* fu mai *Rico*?).

Se si gira per caso a fare delle domande, con un interprete o due, a queste donne abbrutite, che parlano solo un dialetto mezzo spagnolo incomprensibile, e dimostrano sessant'anni ma poi non ne hanno più di trentadue-trentatré (hanno avuto i primi figli a quattordici, quindi sono già nonne da un pezzo), vengono fuori delle storie che fanno spavento, proprio perché si somigliano tutte. Loro sono venute da Puerto Rico qualche anno prima; l'uomo che avevano insieme se ne è andato, e non si sa dove sia; loro hanno fatto qualche basso mestiere, e hanno cambiato parecchie case, una peggio dell'altra. I figli? Li vedono poco, non sanno se vanno a scuola o no, se lavorano o no; qualche volta, certo, portano a casa dei soldi, ma di solito dormono tutto il giorno e vanno fuori di sera; però sono abbastanza buoni, affettuosi; una volta andavano anche in chiesa.

E quando finalmente qualche poliziotto ne vede due, che vengono fuori da una cantina al tramonto, e frugano nei sacchi della spazzatura in cerca di qualche buccia di pomodoro marcio da mangiare, e poi scappano cercando di far sparire un coltello avvolto in carta da giornale, si comincia a ricostruire la storia di qualcuno di loro. In mezzo alle sigarette, ai pettinini, tra il sorriso sfacciato per il fotografo e la risposta spavalda al sergente che interroga, viene fuori che uno dei ragazzi era andato a offrire della marijuana alla madre di un altro. Però adesso dice che aveva parlato di erba, non di marijuana. Quale erba? L'erba del parco. La donna, mandata a chiamare, sembra che confermi invece il fatto della marijuana, o almeno così pare all'interprete, perché lei, in realtà, più che parlare, abbaia, e questi rumori riescono praticamente incomprensibili.

Allora la «gang» di uno di questi ragazzi – sarà stata quella dei Dragoni, dei Vampiri, dei Cappellani – se la prende con quella dell'altro (Vescovi, Pescicani, Bucanieri, o Baroni, o Cappellani Rinnegati). Fissano un incontro, una sfida. Ma poi, in quel posto, che si chiama la Cucina del Diavolo, càpitano tutt'altre gangs, non quelle interessate: e in queste sostituzioni di persone e di luoghi stupefacenti per l'incomprensibilità, l'inutilità di tutto quello che succede, compare a un tratto il finto Dracula di diciotto anni, in mantello di raso nero orlato di rosso, e accoltella i primi due che riesce a raggiungere, «perché ne aveva voglia» (non per rapinarli: in questo caso si vedrebbe il «movente». No: erano poveri ragazzacci stracciati. Non avevano un soldo in tasca, e lo si vedeva benissimo. Ma muoiono ugualmente con la gola tagliata).

Ci saranno poi tutte le storie commoventi e inevitabili: la ricerca affannosa, la cattura, la madre che urla in spagnolo «Spirito Santo! Spirito Santo!», e porta una Bibbia in carcere al figlio, che gliela ributta sulla faccia. Ma lei continua a dire che era buono. Le madri dei ragazzi uccisi dicono: «Bisogna ammazzarli, strozzarli, bruciarli vivi». I vicini di casa organizzano cerimonie macabre e vistose. I preti, durante il servizio funebre, fanno dei sermoni di fuoco e indicono processioni espiatorie con tante candele, scene di isterismo, voti, fioretti, promesse. I giornalisti vanno a scoprire se al ragazzino piacevano le ragazzine oppure no, perché si vestiva di raso, perché si lasciava crescere tanto i capelli. Il governatore, il sindaco, i parlamentari, i capi della polizia interrompono le vacanze, e la pubblica agitazione li trascina indietro, nella città che cuoce, insiste perché facciano qualche cosa.

Ecco, un problema fra i più grossi che l'America deve affrontare oggi, non meno grave di quello della integrazione dei neri. New York passa per essere la città più pericolosa del mondo, e lo è. Bisognerebbe costruire nuove case per le decine di migliaia di persone che arrivano tutti gli anni in miseria nera e non si possono mandare indietro perché sono cittadini americani come tutti gli altri. Bisognerebbe mandarli tutti a scuola, e trovare il modo di farli lavorare. C'è però l'inconveniente che spesso anche tanti ragazzi ricchi e sani fanno i delitti dello stesso tipo inutile, insensato; e non si è ancora capito, benché si vada avanti da secoli a discuterne, se lo facciano perché la loro natura sia fondamentalmente già cattiva, o se vengano spinti invece da TV, dischi, giornali, film (la polemica sui flippers, si sa, risale ai Manichei).

Si potrebbe, certo, come hanno ripetutamente proposto, istituire un coprifuoco per i ragazzi, arrestare tutti quelli che si trovano in giro dopo le dieci di sera, mandare in un'isola di lavori forzati (descritta, naturalmente, come «un ridente riformatorio») tutti quelli che appartengono alle bande e ne portano i giubbotti colorati, il segno più chiaro di «comportamento antisociale». Ma per adesso New York continua a essere piena di quindicenni e sedicenni che sono in giro tutte le sere solo per aggredire il prossimo, senza ragione, neanche quella di fare una rapina a scopo di lucro. Se appena possono, uccidono, perché è una cosa che li diverte. E quando li prendono, si mettono a fare gli spiritosi. Basta aprire un giornale a caso: ecco in prima pagina la brutta faccia sorridente di uno di sedici anni, con la sua camicia a fiori e il suo ciuffo che richiede un'ora per essere pettinato.

Cosa ha fatto? Ha fatto a pezzi un vecchio di 74 anni, insieme a due altri. Gli hanno anche portato via quindici dollari, cioè diecimila lire; e lui ha l'aria soddisfatta di uno che finalmente è riuscito a fare quello che voleva. Al poliziotto che lo ha preso, dice: «Amico, hai trovato l'uomo giusto». Chiede un pettine appena prima che gli mettano le manette; e se gli chiedono se è vero che ha fatto fuori il vecchio, risponde: «Certo, aveva più di novant'anni per gamba». Ride, scherza coi suoi amici che sono ammanettati tutti insieme: «Io invece ne ho un paio per me solo!» fa. E quando finalmente lo portano via, saluta tutti col gesto del pugile che scende dal ring: «Ci vediamo tutti fra cinque anni!».

L'ARRIVO DI KRUSCEV

Magari non sarà capitato a troppi di finire sullo stesso letto insieme a Vittorio Gorresio, Camilla Cederna e Ugo Stille; ma a me sì, un pomeriggio di sole, a cento metri dalla Casa Bianca, in una stanza senza poltrone del Washington Hotel (che per la capitale americana pare ciò che l'Hôtel des Palmes è a Palermo), con il lobby da basso pieno di grossi *congressmen* agitati in grosse faccende, e tutti i canali della televisione invasi dal sorriso furbetto di Kruscev.

Quantunque il suo enorme aeroplano sia arrivato verso mezzogiorno e mezza, con un'ora di ritardo per colpa dei venti contrari, il primo ministro russo non ha rinunciato a dire per prima cosa al microfono che le ore del mattino han l'oro in bocca, e che chi ben comincia è alla metà dell'opra, senza cambiar nulla al testo del discorsino già preparato. Kruscev ama molto questi modi di dire proverbiali: subito dopo ha aggiunto una specie di «son qui col cuore in mano» e anche una sorta di «chi la fa l'aspetti».

L'aereo è fra i più grossi mai visti. Può contenere più di duecentocinquanta persone, ha una forma elegantissima, e una coda che sembra l'obelisco di Washington. Sullo schermo la somiglianza era perfetta.

Tutta questa parte dell'arrivo la si è vista alla televisione, infatti si è scelto il migliore dei tre programmi che trasmettevano l'evento, ma si è trovato un servizio dei più scadenti. Si vedeva malissimo, ben poco in primo piano, e della discesa vera e propria dalla scaletta, che è sempre il momento più bello, niente del tutto. Due mesi fa, il generale Kozlov, siccome qui non esistono scale o rampe alte abbastanza per questi aerei giganteschi, si era dovuto calare giù dalla botola come da un campanile di villaggio. Stavolta, sempre per ragioni di vento, l'apparecchio è atterrato dalla parte opposta a quella dove era predisposta l'accoglienza; e così, senza sapere come fossero usciti, a un certo punto ce li siamo visti davanti, che facevano strani giri su e giù dal tappeto rosso per imboccare la strada giusta davanti ai picchetti d'onore schierati.

Questa camminata è stata abbastanza lunga, e li ha condotti due o tre volte avanti e indietro per palchi e piattaforme. Bandiere di tutte le specie li nascondevano continuamente. I familiari e i figli non si sono visti neanche un momento; e la moglie soltanto alla fine; però ci hanno esposto a lungo le strette di mano di Kruscev con tutti i dignitari americani che lo ricevevano, e con le loro mogli, quella di Eisenhower, quella di Cabot Lodge, fra le signore dei generali.

La giornata era piuttosto bella, serena, anche abbastanza fresca, dopo la mezza estate più soffocante del mezzo secolo. Ma sul campo il sole picchiava. Deformati e degradati dai brutti scherzi della televisione, i due vecchi uomini di Stato parevano immagini di morte, somigliavano in maniera impressionante alle loro caricature più perfide: un teschio con due grossi bulbi oculari, un orso, un cinghiale, maschere di Ensor e di Rouault. Era curioso notare la loro circospezione: non era impaccio, ma si muovevano e parlavano cautissimi, con un imbarazzo che s'è visto di rado nelle loro solite apparizioni pubbliche, specialmente nel caso di Kruscev che è uno degli uomini meno inibiti che si conoscono. (Ho sott'occhio quello straordinario documento di estroversione esplosiva che è stato il suo battibecco con Nixon in una cucina alla Fiera di Mosca: che grosso pezzo di teatro). Soprattutto la sua prudenza colpiva molto stavolta: è stato di una sobrietà mimica eccezionale. I due si studiavano senza guardarsi troppo, cercavano in maniera quasi commovente di non rovinare la situazione. Kruscev, poi, abbracciando la bambina che gli offriva i fiori, ha avuto un gesto addirittura tenero.

Ma le cerimonie sono andate avanti per più di mezz'ora, e sempre al sole. Faceva caldo, e i due vecchi soffrivano, vestiti di normali abiti scuri di lana, mentre dovevano ascoltare fermi tutti i ventun colpi di cannone, e gli interpreti si asciugavano il sudore. Avevano il cappello, ma non c'è stato un solo momento che l'avessero in testa o in mano tutti e due insieme; è stato un continuo metterlo e toglierlo, nervoso, con manovre un po' da commedia, un tenerlo alto per ripararsi dalla luce, un non saper cosa farne, appoggiarlo, metterlo, toglierlo in fretta e rimetterlo subito dopo, quando non serviva per salutare la truppa.

Alla fine, dopo il discorsino di Eisenhower, giusto, e il discorsino altrettanto serio di Kruscev, letti tutt'e due da paginette tirate fuori dalla tasca interna della giacca (ma Kruscev, tra le continue ripetizioni delle parole «bandiera dell'Unione Sovietica» e «pace con amicizia», trova il modo di osservare che da alcune ore la Terra pesa qualche chilo di meno, e la Luna qualche chilo di più), salgono in tre su una limousine per due.

Soltanto adesso si vede finalmente la signora Kruscev, col mazzo di fiori che le han dato. La macchina parte con loro tre strettissimi e semisepolti fra queste rose rosse, Eisenhower scomodissimo in mezzo, con le mani in grembo, e Kruscev, salito per ultimo, che si fa strada verso il fondo del sedile con scosse brusche ed energiche dei fianchi.

A questo punto, mentre il corteo imbocca le foreste per la capitale, ci si butta in strada. Finiamo per appostarci sull'angolo della Blair House; una casetta da niente color crema, al numero 1615 della Pennsylvania Avenue, a pochi passi dalla Casa Bianca, sul marciapiede di fronte, e di fianco a un giardinetto pubblico che di sera è assai frequentato.

C'è tanta gente curiosa e zitta. Ci sono fotografi, polizia, omacci, bande che suonano. La più vicina è in rosso, e dicono che sia dei marines, ma non credo, sono troppo piccoli e brutti. Hanno però begli ottoni color argento. Nell'aria squillano carillons patriottici.

Cominciano ad arrivare delle grosse donne con pacchetti e buste. Potrebbero essere cameriere russe dell'ambasciata che tornano dal mercato rionale. Entrano. Poi arrivano i bagagli: valigie disparatissime, un po' di tutti i colori, cuoio chiaro, scuro, finta pelle verdina, pegamoide celeste pallida con gli angoli marrone, borsone di plastica da grandi magazzini, nuove, tre portabiti di tela verde scura, mezzi vuoti, due cappelliere gialle alte da cilindro, pacchi avvolti in carta da panettiere, legati con lo spago. I soldati scaricano tutto, e portano dentro la Blair House.

Subito dopo arrivano loro. Davanti viene una macchina carica di commodori, blu e dorati; motociclette con bandierine di satin, bianche, rosa, viola, celesti, blu, con le frange, che spariscono subito dietro l'angolo del viale; poi guardie a cavallo, con la camicia azzurrina, la cravatta scura, il cappellaccio, sotto-sella chiaro, cavalli neri, tranne quello del capo che è biondo. Poi la banda dell'aviazione, preceduta dai picchetti delle tre armi, una banda di *riders* o *rangers*, non so, con un cache-col turchese, un plotone di marinai indecorosissimi, grassi, piccoli, con gli occhiali, che sbagliano il passo, e un gruppo di aviatori, fiacchi ma giusti.

Sempre seduti stretti nella stessa posa, con Eisenhower in mezzo infelicissimo che non sa più dove tenere le mani, arrivano loro nella limousine. Scendono, si fermano un po' sui gradini. Kruscev cammina con qualche imbarazzo, e li sale con pena. Ha la sua giacca nera a medaglie, la pelle abbronzata. Cammina veramente come quei vecchi signori che hanno le loro difficoltà con la prostata; ma d'altra parte si era sempre sentito che soffre specialmente di fegato e reni. Se è fegato, la pelle non può essere scura perché abbia preso del sole, che fa malissimo, come tutti sanno, ai sofferenti di disturbi epatici. Deve essere allora il suo colore naturale. Ma gli occhietti vispi sono ancora più vivi e curiosi di come sembrava alla televisione. La moglie è tranquilla, grossa, con un vestitino grigio scuro a piccoli disegni neri, piuttosto pesante, i capelli sciolti un po' in disordine sotto la berrettina nera. Ha ancora le sue rose. Eisenhower, vecchissimo, non si ferma più un minuto, e va a casa subito insieme a Cabot Lodge, grande e grosso e con la faccia scura. Sono le due passate. Si va tutti a far colazione subito. Il resto della famiglia Kruscev non si è visto neanche stavolta. Forse li fanno passare dalla porta di dietro, come i bagagli?

Alle tre e mezza si torna alla Casa Bianca; Kruscev viene da solo in visita, e arriva puntualissimo. L'ingresso è da un padiglioncino secondario della grande villa, non dalla porta centrale della facciata. Hanno tracciato una linea col gesso per terra, e noi curiosi non possiamo oltrepassarla, benché invitati. L'addetto stampa, Hagerty, sta lì a questionare con tutti. Lo chiamano «Lord Hagerty» con un po' di rabbia, e ha un aspetto non simpatico: abito blu ordinario, fiocchini sui mocassini, brutta faccia un po' rincagnata e un po' rossa, con gli occhiali d'oro. Dice, seccato, ai fotografi: «O lavorate dove vi dico io, o niente del tutto». Allora si va dentro.

Camilla mi ha regalato un lasciapassare per entrare dappertutto; ma come quasi tutti avevo preferito non andare all'aeroporto, perché si era sentito dire che le misure di protezione erano esagerate, si sarebbe stati tenuti lontanissimi, e non si sarebbe visto niente. Forse non era vero: e la prova migliore è che sono andato poi in giro per tutto il giorno con questa targhetta puntata alla giacca, con un nome non mio, sono entrato da tutte le parti con dei «passi pure» (e gli amici, «è con noi»), mi sono trovato due volte a portata di mano del personaggio numero uno, e dopo tutto avrei anche potuto essere il capo dei terroristi ungheresi. Fa un gran caldo.

Nell'anticamera piena di quadri storici e di poltrone di pelle, ci si apparta fra due colonne. Ci sono un vecchio e una vecchia, cerimonieri, centenari, meravigliosi, di una cortesia incantevole, che dicono cose graziose a tutti.

Alle tre e mezza in punto arriva la macchina dei grossi agenti di scorta; in piedi sui parafanghi e con una gamba dentro e una fuori dallo sportello, sembra arrivata dai film di Al Capone. Stavolta l'invitato ci passa vicinissimo, serio e a posto, col suo vestito nero, e si può certo paragonarlo a tutti gli animali che si vogliono, fare delle ironie sulla sua forma, la sua statura, il suo aspetto rustico; ma un certo stile glielo riconoscono tutti facilmente. Gli teniamo dietro fra i drinks e la folla. Camilla gli dice un gentile «buongiorno», perché l'ha appena visto al Cremlino, e lo fa voltare indietro con un minuscolo sorriso dei dentini d'oro. «Bello e circospetto» dicono due signore.

Washington è una città caldissima di partenoni tutti bianchi e un po' sepolcrali, separati da spazi vasti e secchi pieni di luce, dove si ha sempre l'impressione di andare «in ufficio», e gli unici posti dove si respira sono le stanze ad aria condizionata degli alberghi da quindici dollari, oppure i sotterranei del Campidoglio, percorsi da trenini come quelli che portano i bagagli da un marciapiede all'altro nelle stazioni. Andando in giro per i meandri della Legislatura degli Stati Uniti su questi trenini, si può aver la sorpresa di sbucare fuori in luoghi anche familiari: certi angoli di giardino con tutti i fiori preferiti dalle zie rurali, salvie, begonie, un ciuffo di canne d'India in mezzo, un bordo d'ageratum, e in un angolo una paulonia mezza morta. Oppure si finisce sopra una terrazza che ha come parente più prossimo il Casino di Montecarlo, e fra le ringhiere e i lampioni mancano soltanto un'orchestrina 1910 e i gelati. O magari anche si può avere la sensazione di trovarsi a Milano; un'aula crema e beige con sedili marrone e velluti rossastri, con le sue appliques di bronzo: il cinema Astra, se non ci fosse tutto uno svolazzare di commessi in maniche di camicia bianca e cravatta scura che si affannano sopra e sotto il banco dello speaker come in una regìa d'opera di Visconti o Strehler. Ed è invece il Senato americano, con la sua discussione sui diritti civili, e pochi legislatori infastiditi che leggono dei «casi» presentati dai loro elettori in materie scolastiche, davanti a una tribuna del pubblico con un gran va-e-vieni di gente carica di pacchetti.

Veramente dànno l'impressione di essersi fermati un momentino per riposarsi, come quando una signora anziana accaldata si siede per un attimo in una chiesa tranquilla, tra una commissione e l'altra, per riprendere fiato e contare il resto che le han dato indietro nei negozi. Per esempio, questo qui vicino a me, alto, biondo, sposato, col ciuffo, e con dei vestiti standard, che si pulisce le unghie da un quarto d'ora, sarà entrato perché gli interessa oppure per caso? E questi due sottufficiali dell'aeronautica non aspetteranno forse una coincidenza alla Union Station, appena due passi qui dietro?

I commessi vanno e vengono, s'affannano a portare appunti e a ricevere le telefonate, siedono per terra e poi s'alzano di scatto a mormorar cose nelle orecchie dei senatori. E certo, il senatore del Mississippi lo aveva preparato bene, il suo discorso, preciso e pieno di dati... Gli è andata male, nessuno qui a sentirlo, per via di Kruscev in città. E non è andata troppo bene neanche ai membri della «Società per lo Sviluppo e l'Incoraggiamento del Quartetto Vocale tra i Lavoratori Barbieri d'America», che avevano riunito qui il loro congresso annuale proprio in questi giorni – e forse speravano in un po' di pubblicità – ma girano tristissimi a piedi col loro cartello attaccato al bavero, dappertutto, e mangiano del popcorn in silenzio sulle orribili rive del Potomac.

Basta, comunque, con Washington. Kruscev oramai l'ho visto, e persino toccato, dentro la Casa Bianca; e Eisenhower anche. E poi, quindici dollari al giorno per una stanza d'albergo senza una poltrona comoda è troppo, anche con l'aria condizionata. (A New York ne spendo tre o quattro). Dopo un giorno e mezzo sono già stufo di star sempre seduto su qualche letto davanti alla televisione con un bicchiere di tonic in mano. Perciò mi vedo ancora un pezzo di programma con Nixon insieme agli amici, che poi del resto han pure tutte le loro cose di lavoro da fare, mi compro un po' di dischi di Ethel Merman a due dollari e mezzo l'uno al negozio all'angolo (mentre da noi vengono più di cinquemila lire), e via.

344

LA CITTÀ VISIONARIA

Off Washington, via New York; e di lì poi a farmi un bel bagno nel gelido Atlantico, sul North Shore del Massachusetts (le spiagge «bene» di Boston). Prima però, siccome è già arrivata la sera, ho il divertimento d'accorgermi che i giardinetti bui proprio davanti al cancello della Casa Bianca sono uno dei posti più malfrequentati della nazione, dopo una certa ora. Tutto un traffico tra i vialetti e i cespugli, un cicaleccio Luigi XV in mezzo a eucalipti e pagode: Milano al confronto è niente, intorno alla Fiera, come del resto Roma alle Belle Arti, o Londra a Earl's Court, o Mosca davanti al Bolshoi, perché qui a Lafayette Square se ne vedono di tutti i colori, non di un colore solo.

Sull'aereo sono seduto vicino a una disinvolta di mezza età, non ben fatta però ben messa, che come prima cosa mi fa, con dei gran denti in fuori, «Mi chiamano la Contessina Dracula, ma il mio nome è Marie-Celeste», e giù whisky con succo d'arancia e grapefruit, molto buono. Disinvoltissima: camicetta con titoli di *musicals* (e quindi *My Fair Lady, Brigadoon, Damn Yankees, The Music Man*), gonna con titoli di canzoni (e allora *This Can't Be Love, The Lady Is a Tramp, I Hate Manhattan, Have You Met Miss Jones*). E pantofoline un po' turche – subito se le mette, appena seduta – con nomi di località alla moda, tipo Copacabana, Virgin Islands, Las Vegas.

Appunto da Las Vegas sta arrivando, perché lei è di Bournemouth, Inghilterra (dove torna appunto adesso, va a New York per imbarcarsi sul *Queen Elizabeth*), però ha tanti amici dappertutto, in ciascuno degli States, specialmente a Los Angeles, e così un anno sì e uno no li va a trovare, e fa il giro. Allegrissima: «Tutte cantando» dice «le abbiamo fatte, le sei ore di macchina da Los Angeles a Las Vegas, e con le mie vecchie canzoni sporche li ho tenuti su tutti, per tutto il tempo, ho smesso solo per i dieci minuti che siamo scesi a prendere il caffè». È andata senza il marito, perché lei ospita gratis troppa gente nell'albergo che hanno a Bournemouth: specialmente ballerini e cantanti, che lei ama tantissimo. Anche gli sport la attirano molto, «... specialmente il baseball, ma preferisco vederlo alla televisione, così intanto si possono fare anche delle altre cose...», e dopo mezz'ora è diventata molto amica di tutti i passeggeri.

«Don't you have les vapeurs, ma petite?» le chiede alzandosi in piedi al momento di scendere a LaGuardia una vecchia altissima che stava zitta nel primo sedile vicino allo sportello, piena di nastrini di velluto rosso fra i capelli bianchi e con tre ricchi orologi da polso, uno sopra l'altro; e così si viene a sapere che viaggia con la sua mamma.

Dall'aeroporto LaGuardia al centro di New York si fa in meno d'un'ora; e la cosa più bella da vedere qui, il meglio che l'America abbia prodotto insieme a qualche tipo umano perfettamente splendido e senza cervello, saranno pur sempre i grattacieli, meravigliosi in ogni momento, fin dalla prima volta che si vedono quelli di Wall Street lì in fila, sull'orlo dell'isola di Manhattan, quando si approda col transatlantico (ed è sempre all'alba, e ai raggi del sole loro cambiano di colore dal grigio all'azzurro al rosa). Ma appena dietro il gruppo di Wall Street, che sono proprio i primi e son pochi (quelli che si vedono in tutte le cartoline, con la nave davanti), ce n'è una quantità grandissima, sparsi per tutta la lunghezza dell'isola. Così, dopo aver visto da vicino quelli della 5th Street, che formano la prospettiva più favolosa, è molto più eccitante prendere un battello e fare la circumnavigazione di Manhattan; un giro da perdere la testa.

Si parte da brutti paraggi sul West Side, fra i moli delle grandi linee marittime; e tra la riva grigia-affumicata del New Jersey e i ponti sospesi e la statua della Libertà di nuovo, in mezzo a una quantità di navi che si incrociano a migliaia da tutte le parti, si passa proprio davanti al muso dell'isola, coi gracili giardini della Battery appiccicati sulla «skyline» come una mosca sul naso. E i piroscafi per Staten Island passano avanti e indietro, rossi, carichi di automobili e di gente, con la frequenza di uno ogni cinque minuti. Lì si arriva in pochi minuti a un'America rurale fuori del tempo, però popolosa, con larghe strisce di sabbia fra un dock e l'altro, casine basse fra le paludi, villaggi estesi come Bologna o Genova, coi loro bazaar di campagna e i loro autobus ogni ora e mezza, vecchie case che vanno in malora in fondo a larghe tenute, e vicino a una torva stazione elettrica la sorpresa di un vecchio Garibaldi Memorial.

Ma girato l'angolo di Manhattan ci si trova dentro l'intrico dei ponti e dei tunnel di Brooklyn, di fronte alle inquietanti torri di Brooklyn Heights, misteriosi alberghi aerei sopra un dirupo d'alberi e di passerelle sospese, come una passeggiata a mare di Nervi tirata su fin sotto l'orlo di una Dolomite. Dietro queste cime romanticamente tempestose, chilometri di negozietti levantini che vendono di tutto sull'Atlantic Avenue, e più in là l'incredibile magazzino Loehmann's, che va visto a costo di tralasciare qualunque altra cosa, perché non sarà il posto *meglio* decorato d'America, però è certo il *più* decorato. Come idea, un po' la Ca' d'Oro di Venezia; solo, è delirante: tutto un soffitto a cassettoni inglesi, un inginocchiatoio francese intarsiato, una cancellata di ferro battuto spagnolo, e tabernacoli neogotici, angeli svolazzanti, leoni di marmo con la coda dritta come gatti arrabbiati, divani di pelle di zebra o di giraffa, e soprattutto pavoni, pavoni, pavoni. È un posto d'abiti da donna d'occasione appesi a centinaia sulle loro grucce a tutte le altezze, il lotto da 4,50 dopo quello da 5,50, da 6,50, da 7,50, da tutti i prezzi, con una folla di donne in mutande di nylon e cappellino di sbieco che li tirano giù e se li strappano di mano – una che tira da una parte, l'altra dall'altra, senza mollare, come energumene – per non lasciarsi portar via la loro «occasione»; e se li contendono strillando, anche con male parole («l'ho visto prima io, bugiarda!»), semisvestite sempre perché non ci sono stanzini per la prova, e quindi tutte le centinaia di clienti se li infilano dalla testa o dai piedi, davanti a tutti e sotto la sorveglianza delle cassiere (rinchiuse in gabbie di ferro battuto a forma di pavoni alti due metri, e con gli occhi della coda fatti di lapislazzuli finti).

Mica tanto lontano, isolato alle spalle della rumorosa Broadway di Brooklyn, il villaggio di Williamsburg: fermo al tempo dell'arrivo dei suoi abitanti, gli ebrei dell'Europa centrale, ottanta o novant'anni fa, ma in realtà conservando abitudini e modi di vita dei ghetti di Polonia e d'Ucraina nel diciottesimo secolo. L'osservanza religiosa, con tutte le regole e le proibizioni, è strettissima, mantenuta a ogni costo con lo stesso mistici-

347

smo ostinato e ascetico dei leggendari «rabbi» del Medio Evo. Non si legge il giornale e non si accende il fuoco di sabato; e si incontrano per la strada giovani studenti del Talmud, con la pelle emaciata e gli occhi bassi, che circondano con reverenza un vecchio imponente con riccioli davidici e una gran barba, cappuccio di pelo e robone: durante la settimana sarà un piccolo sarto o un maestro di scuola, ma nel giorno del Signore si sente un re, è un sapiente che dispensa saggezza al suo popolo fuori del tempo, in quell'unico giorno della settimana che per lui conta, e non importa niente se avrà a cena la carne fredda e le patate cucinate il giorno prima, e la mattina dopo dovrà tornare al ferro da stiro entro le sette.

Risalendo lo stretto braccio dell'East River tra Manhattan e Brooklyn si incrociano una dopo l'altra le sinistre isole dei pazzi, con degli infermieri in bicicletta, e l'isola di Welfare, ancora più macabra, sorprendentemente abbandonata e deserta nel cuore praticamente di New York City, e con solo qualche vecchia casa del 1880 cadente, con tutti i vetri rotti e i porticati a pezzi; come se ne vedevano qualche volta nello sfondo dei primi film di Chaplin, per dar l'idea del lato proprio più lugubre di un'America misera e antica.

Sulla sinistra, invece, avventandosi sulle screpolature di Manhattan, si intravvedono per un attimo prospettive visionarie in fila, una dopo l'altra, fra i grattacieli qui moderni fino agli ultimi piani, e poi addirittura gotici, puntuti come torri di cattedrali o castelli, verdi come se vi crescesse in cima l'erba: squarci improvvisi di *slums* fra i più spaventosi al mondo, neri edifici sepolcrali tenuti su dalle scalette di ferro incastrate nella facciata per non franare tra i bidoni delle immondizie sul marciapiede; superfici di cristallo e alluminio che riflettono il cielo; campi di gioco nel miraggio del Central Park, dove ancor oggi un'orribile popolazione di «fuorilegge» si ammassa tutte le notti; e i sereni palazzi dei grandi ricchi, con parecchi Renoir in ogni stanza.

Dopo Randall's Island si è persa alle spalle definitivamente Brooklyn, e si imbocca lo strettissimo Harlem River. Subito s'alza lì il Bronx con lo Yankee Stadium davanti, e gli irregolari pezzi di collina dove le costruzioni nuove vengono su disordinatamente come in una periferia europea povera. Siamo alle spalle di Manhattan, oramai, con Harlem sotto lì dietro, ma attualmente si cessa d'andare con motivi folkloristici all'Apollo Theater per i concorsi canori dei dilettanti; e più in là ancora sono sparse le acropoli degli antichi potenti dell'estuario, la Morris-Jumel Mansion o la Van Cortlandt House: fastose magioni costruite verso la fine del Settecento da avventurosi inglesi scappa-da-casa diventati ricchissimi nelle piantagioni alle Indie Occidentali, ora convertite in musei di mobilio d'epoca, con due o tre visitatori al giorno che si aggirano guidati da una vecchia Figlia della Rivoluzione fra i letti a barca e le biblioteche ottagonali delle fiammeggianti dame franco-olandesi cariche sempre di pappagalli e di scialli, instancabili nell'intrigo amatorio o affaristico o politico; però «George Washington dormì qui», e lì mise rimedio alla Ritirata da Long Island.

Superata l'ansa del fiume, sotto una gran roccia a picco dipinta d'azzurro da allievi della Columbia University senza paura delle vertigini, la selva di Fort Tryon s'alza come una rocca sul colle; ma la rocca sono i Cloisters, quel «capriccio» di ricostruzioni medioevali che è la dépendance all'aperto del Metropolitan Museum, col portale dei Templari di Beaune, gli affreschi visigotici di Burgos, i crocifissi borgognoni, i leoni di Zamora, il chiostro di San Guglielmo d'Aquitania, e poi quelli di Bonnefont, e di Trie, e di Cuxa, tutti portati qui pezzo su pezzo, e la cappella di Notre-Dame de la Grande-Sauve, e le tombe catalane, e i leggendari arazzi della Caccia al Liocorno e vari grumi o gliommeri d'antica Europa decostruita e ricomposta in contesti alienati, con tutt'intorno zinnie e petunie da giardinetto del parroco.

Più giù, in pieno fiume Hudson oramai, è qui che la città mostra infine i suoi aspetti veramente più fantastici: in faccia alle rive boscose del New Jersey, il parco di Riverside s'alza per una distesa di chilometri, come un altopiano indiano carico di vegetazione nei quadri di Max Ernst, con la città visionaria là in alto, tutta torri, cupole, pagode, rosse e arancione, verdi e gialle, di cui sarebbe arduo calcolare la distanza o la forma. E non importa niente sapere che la torre rossa è un immenso ospedale cattolico dove si è letto sui giornali di stamattina che Elizabeth Taylor deve avere un bambino nuovo, o che la cupola verde appartiene alla Columbia University ove dovrò andare a sentirmi qualche lezione di letteratura del professor Lionel Trilling. Passo come ebbro di questi spazi, di questi colori, sotto l'infinito ponte George Washington sospeso sul fiume all'altezza delle stelle, e tutte le finestre dei grattacieli sono ormai accese, in maniera impressionante, e si sbarca dopo aver fatto l'intero giro della città visionaria.

Più tardi, il sole già alto illumina sotto di noi il campo a forma di quadrifoglio di Logan, l'aeroporto affondato coi suoi quattro lobi in fondo alla baia di Boston. Poi un'ora di trenino fantasma, su quelle linee locali con nomi fantasiosi che evocano lontananze indefinite, pionieri insabbiati, e gente isolata, dimenticata, persa... e comunque cessano quietamente di funzionare una per volta, perché il loro esercizio è passivo da decenni. Dopo luoghi con nomi storici importanti come Revere, Lynn, Salem (sempre i posti delle streghe), si incontra una fila di stazioncine rurali col loro doppio binario in mezzo ai campi, una baracchetta lì vicino, e un paio di macchine cariche di bambinoni biondissimi col loro ice cream in bocca. Tutto intorno, prati laccati di verde cupo, e alberi invernali, abeti e betulle, e le casette coloniali bianche, e le guglie aguzze delle cappelle unitariane o presbiteriane. Sono i villaggi dove vive oramai più di metà dei bostoniani «veri», cacciati dalla città dall'aumento degli affitti e dalla decadenza di interi quartieri che si degradano in *slums*: così si sono stabiliti in «comunità» allacciate e divise da una invisibile rete di gerarchie rigorose ed energici pregiudizi sociali. Beverly, Ipswich, Rockport, più a nord, sono le nuove roccheforti del New England più segreto e altezzoso, e lì si appiattano le magrissime e schifiltose signore già di Beacon Street, che a furia di arricciare il naso sopra qualunque cosa si sono praticamente ridotte a non uscir più e a non vedere più niente (mentre i mariti, si capisce, vanno e vengono dagli uffici in città decadute alzandosi presto e tornando tardissimo in lunghe e lente colonne di macchine spesso bloccate dalla neve o dagli incidenti).

Ma ecco qui finalmente, proprio sulla punta del Cape Ann, due celestiali ex-discepole di Roberto Longhi, ora direttrici di musei a Washington e a Boston: le Misses Mongan aspettano in macchina, e si va insieme alla loro casina nel bosco della Punta Halibut, un villino della loro bisnonna puritana coi baldacchini di percalle sui letti e tantissime opaline di tutti i colori sulle étagères del salotto; e tante barche di pescatori nel porticciolo sotto le finestre, come un Portofino da *Mayflower*. Facciamo un rapido bagno fra le rocce, nella meravigliosa acqua gelata del Nordatlantico color bronzo opaco, in mezzo a un'infinità di granchi e di bambini che fanno dello «skin-diving» per acchiapparli, vestiti da testa a piedi dei loro scafandri di gomma nera come i diavolini del *Mefistofele*; poi una incantevole colazione sul pratino dietro casa, col console di Finlandia e un avvenente nipote missionario in Cina; tantissimi meloni d'acqua, e del punch squisito.

Stasera, poi, a Beverly, avremo riso e pesci con tante salsine polinesiane in una casa completamente piatta e praticamente giapponese sulla scogliera, tutta cristallo verso il mare e tutta legno di teak sul lato di terra, con dei samurai scolpiti e dei finti Botticelli che servono da quinte scorrevoli per separare gli «angolini», tanti libri, tanti cuscini per terra, un camino centrale, e l'affabile Giorgio de Santillana, con i congiunti Venini simpaticissimi. Si discorre di letture, e di amici: il solito Moravia, diffusissimo. E più tardi ancora, dopo un giro con le torce e i cani lungo la spiaggia, al riparo dalle ondate altissime che terranno svegli per tutta la notte, un salto ancora sotto un castello stregato di fronte: un maniero degli anni Ottanta fosco e sepolcrale come la magione degli Amberson di Orson Welles, macabro come un disegno di Chas Addams, e certamente due o tre zie murate vive nelle torrette là in alto, come in un incubo di Poe o Charlotte Brontë perversamente manomesso dal vecchio Hitchcock.

NEL VENTRE DELLA METROPOLITANA

Tutti a New York ossessivamente ripetono: «*Mai*, per nessuna ragione, discendere nella metropolitana!». E paiono spaventati sul serio. Come se nei meandri infernali dell'Underground si addensassero minacciosi e notturni tutti i terrori dei miti popolari archetipici, tutti gli incubi infantili vanamente scacciati o rimossi, tutte le angosce antropologiche dell'inconscio collettivo sbigottito e gotico. La violenza in libertà, il delitto a tutte le ore... Discendere per quelle scalette atroci nel labirintino sottosuolo della megalopoli sgangherata, infatti, non equivale più ormai tanto a calarsi nel «ventre» metaforico o realistico delle capitali del feuilleton ottocentesco. Sembra piuttosto, nel declinare del ventesimo secolo, di andare incontro alle popolazioni sotterranee che abitano certe favole mitologiche paurose e arcaiche. Sembra cioè di sprofondare in una folla costantemente pigiata e intasata nel buio amniotico delle caverne (o della mente umana?), carica degli spettri che attraversano il sonno dell'immaginazione, e agitata dalla violenza che percuote stralunata e sonnambula il paese «superiore».

Queste viscere della New York contemporanea appaiono adesso come una necropoli degradata priva d'ogni dignità e sede di tutti i raccapricci probabili. Mosaici slabbrati; piastrelle rotte; gradini che si sgretolano; cementite affumicata e scrostata; ghisa già decrepita mal ridipinta in tutti i colori. Una segnaletica sbrindellata e catastrofica. E tubi fumiganti, e gabinetti traboccanti, e bidoni rigurgitanti: un sudiciume tormentoso, con puzze spaventevoli... Come per allestire uno scenario allucinante dove addirittura non importa se si svolgeranno effettivamente i più grandi orrori e i massimi crimini, statisticamente, ma dove gli orrori minuscoli costantemente si sommano, quotidiani e insostenibili. E diventano un simbolo fin troppo concreto della «invivibilità» di New York, proclamata dai suoi stessi abitanti in questi anni con galoppante apprensione.

Le cause imponenti della degradazione sono conosciutissime, e si vedono. Tutto ciò che è stato «moderno» si corrode rapidamente in uno sfasciume di rifiuti ormai ineliminabili, tanto che interi quartieri, verso la punta e ai margini di Manhattan, appaiono ormai abbandonati e morti. La gran «macchina» della città funziona male, logora il fisico e lo spirito umano con i suoi orari, i suoi ritmi, i suoi strumenti, i suoi inceppamenti: produce quindi aria inquinata e isterismi, immondizie e paranoia. Dunque gli appena abbienti non ancora rifugiati in campagna si richiudono nelle case e negli uffici, nell'economia o nel lusso, e non ne escono anche per questo smodato timore dell'aggressione violenta per strada. E allora fra le smagliature urbane fatiscenti si fa avanti a strattoni un'umanità diseredata e disperata, nettamente terrorizzante. E riempie in silenzio tutti gli spazi vacanti. Né si saprebbe immaginare un contrasto più drammatico della contrapposizione fra le astronavi svolanti intorno ai pianeti, e l'abominio quotidiano in cui viene sospinta la folla desolata nell'Underground.

... Quelli che si addormentano, urlano, parlano da soli, cascano per terra... Gente d'aspetto malato, ma piena di energia e di rabbie, urtandosi a mandrie... Grassezze sempre più morbose, sbilencaggini patologiche; poi, *hot pants* e anche *baby dolls* di lamé d'oro, con sotto gambone muscolose e gonfie, bandane da faraoni intorno alla fronte, in mezzo a tutti gli altri vestiti o svestiti sempre più orrendamente: un grosso aumento nella percentuale di mostri, nani, obese, sciancati (che non si capisce come riescano a fare le scale) e ciechi (e non si capisce come non caschino sulle rotaie)... Fra manifesti di prodotti ottimistici, tutti immediatamente svillaneggiati coi pennarelli, così ogni pubblicità, appena affissa, diventa negativa... E l'ossessivo «Jesus saves!» ripetuto come i vari «Fuck!» su tutti i muri, magari con altri verbi, d'una religiosità oscena e inconfessabile... In tutti gli angolini morti, rituali sessuali febbricitanti che mimano la disperazione antropologica, la tensione fra i gruppi razziali, l'esplosione dei «complessi» nei singoli tipi sociologici e psicologici dell'America tradizionale... tutto risolto in cupo erotismo postribolare, giacché qua sotto diventa tutto atroce e lurido ciò che poteva essere stato umano negli accampamenti e nelle stalle, sul *campus* e in piscina... Ogni tanto, qualcuno con tutti i «segni» della élite dominante si abbandona all'abiezione pubblica, come all'inferno... E una gran paura soprattutto per le bande di bambini delinquenti intorno ai dieci anni (però pochissimi bambini vengono portati giù dai parenti). E passano file di vagoni spesso vuoti, ma fanno una gran paura, che cosa succederà nel percorso? E piove anche molto, negli angoli della metropolitana.

Così, presto, si ha la sensazione concreta che Manhattan, già dilapidata da ogni lato, fra Harlem e il basso Village e il West Side e i *docks*, venga ora rosicchiata e sgretolata anche sotto, da questa immensa folla di spettri cupi e implacabili incessantemente in moto sotto Wall Street e sotto «Vogue», sotto Fifth Avenue e Broadway, sotto Central Park e il «New York Times» e il «New Yorker» e la «New York Review of Books», e sotto quel loro mito ormai agghiacciante d'una metropoli civile come un gran villaggio amichevole e chic...

Siccome però questa paranoia galoppante nella megalopoli si fonda immediatamente su impressioni private e largamente su ossessioni collettive, e le localizza non più nei quartieri miserabili ma in tutte le strade e in tutto il sottosuolo, come tentare di razionalizzare le sensazioni fisiche «di atmosfera» su cui si fonda l'attuale Spirito del Tempo in questa città, così angoscioso per tutti e da chiunque accollato alla Violenza?... Una violenza che ormai non ha più chiaramente troppi nessi con le statistiche poliziesche delle aggressioni, ma è soprattutto *mood* e mitologia che unifica i fantasmi personali e le paure di gruppo. È «aura»...

Parlano infatti di violenza i visitatori che trovano New York «da un paio d'anni, spaventosa!», e i cittadini che esclamano ormai meccanicamente «io non esco mai» o «io vado via appena posso». Ne discorrono malvolentieri i pacifici hippies mortificati e stravolti; ne sbraitano con una certa voglia di praticarla gli operai dei cantieri edilizi, sotto il duro casco da lavoro che è l'emblema concreto della loro belligeranza conservatrice; non ne parlano davvero né i camerieri terrorizzati dei posti notturni presso Times Square, invasi da gente sempre più litigiosa e spaventevole, né i terrificanti teenagers dentro i cavernosi e fragorosi locali dell'«estrema esperienza di divertimento legale», giacché tirano avanti senza più parlare dopo aver messo da parte i riformisti indulgenti che li accompagnavano agli inizi del movimento giovanile... Ma non parlano d'altro i tassisti raggomitolati nella gabbia di ferro che protegge il posto di guida; e per lo stesso timore delle rapine, nessun distributore di benzina dà il resto dopo il tramonto. Accettano solo denaro contato, da versare in una cassaforte apribile solo di mattina, come il tesoro notturno delle banche (eppure un pieno di benzina costa poco, il resto è normalmente di poche decine di cents, e il frutto d'una rapina sarebbe molto più scarso che in Europa...).

Ecco, la più viva sensazione dopo stagioni sempre più agoniche. Fino a poco fa in ogni folla americana, sia pure dimessa e malmessa, si potevano discernere taluni gruppi malvestiti specifici; i primi hippies, sempre con qualche piccolo accessorio esotico o snobistico; i «bianchi poveri»; i neri miseri; i clochards disperati; i mendicanti ubriaconi... Ormai si ha piuttosto l'impressione di una folla uniformemente sconsolata e sordida: scomparsi i dettagli folkloristici o pittoreschi; svanito anche l'antico luogo comune dell'acqua-e-sapone, il culto ossessivo della doccia e dello shampoo; e sembra addirittura svaporata la caratteristica tradizionale del viso prospero e del corpo atletico. Allora questo squallore della gente per strada a New York sembra dato insieme dagli abiti sordidi, dalle facce e dalle espressioni smunte; da un desolato «lasciarsi andare»; dall'evidente assenza d'ogni senso di speranza o fiducia; dall'innegabile senso di minaccia che si sente fisicamente sospeso attorno...

Cioè, la sensazione precisa che la folla disperata e sotterranea della metropolitana esca ormai da quelle tane tenebrose e riempia in tutte le strade – anche quelle sacre allo shopping... – il deserto lasciato dietro di sé dagli «altri» che invece stanno rintanati e impauriti dentro le case, col cane.

IL SABATO DEL VILLAGE

Generalmente il Greenwich Village è un posto colorato e grazioso, piacevole per chi ama questa specie di bohème un po' stolta; ma nelle sere che precedono i giorni festivi diventa anche più vivace, si riempie di folle variopinte, e comincia a far venire presto quell'ambivalenza di sentimenti che si prova di solito in posti come St-Germain-des-Prés o Portofino, pieni di gente quasi tutta atroce. Quando si dice, come di Capri, che sono rovinati per sempre, significa proprio che con la folla insopportabile sono fastidiosi, perché il calore umano va bene, però non fino al punto di dover soffocare in mezzo a troppe facce di imbranati; e senza la folla insopportabile sono deprimenti come un vecchio viale dopo l'abbattimento degli alberi.

Ho paura che questo giro del Village si faccia senza tanta indulgenza, e proprio nessuna commozione: le leggende degli anni Venti e Trenta saranno ovviamente tutte delle bellissime storie, O. Henry va benissimo, Edna St. Vincent Millay va benissimo, vanno benissimo anche Edgar Poe che qui scrive il *Corvo*, Bette Davis e Miriam Hopkins giovani che recitano gli atti unici di O'Neill alla Provincetown Playhouse; vanno ancora meglio Melville che deve lavorare per vent'anni alla dogana e Dylan Thomas che beve tutte le sere fino a morire alla White Horse Tavern – ma in fondo che cosa dovrebbe importarci, onestamente, anche del «favoloso» Hotel Brevoort (in seguito abbattuto) dove Dreiser e Sherwood Anderson si scambiavano confidenze che possiamo anche desumere dai loro libri, oppure della casa natale di Henry James presso Washington Square (semmai, andremmo a vedere i posti dove abitava da grande, a Londra)? O ancora del tipo di sentimentalismo epifanico degli eroi giovanili di Edmund Wilson, che appena svoltato l'angolo di Abingdon Square, trac!, hanno subito la Visione: «... Avevo voltato le spalle al mondo dei fini mediocri e dei compromessi prosaici – ed a qual prezzo! – ma quale spirito coraggioso non sarebbe disposto a pagarlo? – ero finalmente libero di seguire la Poesia»... Sembra di vedere Maria Schell con gli occhi da miracolata, o quei vecchi film con Ann Blyth che parla con Dio, e dopo aver ricevuto qualche minuscola grazia (guarigione di cuccioli, bel sole per il compleanno della nonnina in scialletto), gli dice sempre due o tre volte: «Thank you, thank you, God» con la lingua impastata.

Camminiamo comunque fra la gente del sabato sera per qualche volta, dato che è inevitabile trovarsi prima o poi dalle parti di Sheridan Square e di Christopher Street, venendo fuori da un *musical* off-Broadway – l'*Opera da tre soldi* nella modesta versione Blitzstein, che si replica da sei o sette anni con o senza Lotte Lenya e probabilmente andrà avanti per sempre, il revival dell'incantevole *The Boy Friend* (già così amato a Londra con Julie Andrews) e di *Leave it to Jane*, l'operetta di Kern e Wodehouse addirittura del 1917: questa è una ghiottoneria ancora più preziosa, tutta sugli intrighi intorno a una partita di baseball fra due collegi rivali, con la partitura eseguita da banjo e sassofono, i ragazzi in blazers e paglietta, e le ragazzine in organze fiorite. Ma avanti. Le case, i negozietti, le persone, somigliano inevitabilmente al miscuglio di straccionaggine e di qualche coppia ben vestita che si vede tutte le sere a Parigi tra il Bonaparte e i Deux Magots, da tanti anni; si troverà qualche somiglianza con la cupa folla che cala a Piccadilly Circus, piena di facce che rivelano l'interno affanno tra il sesso, la birra, e la coscienza colpevole.

Ma negli abbigliamenti e nelle vetrine si nota soprattutto quel «Provincetown look» che corrisponde al «fa tanto Capri» nelle riviste di Totò. Barbe e magliette zozze, antiche, storiche, maniche e pantaloni arrotolati, code di cavallo, mocassini di corda o piedoni nudi, cinturoni e accessori militareschi mortificati da chi li porta...

C'è proprio tutto. Come fuori dal tempo. Ecco i negozi di «Sole Sabbia Sandali», le vetrine di shetland schiumosi, le ciniglie a colori sgargianti, i cappelli di paglia e di rafia, i costumi

357

da bagno col particolarino insolito, zoccoli, borse fantasiose, occhiali eccentrici, foulards, cache-cols... E la gente non ha mai smesso d'indossare questi accessori da spiaggia camminando tra Waverly Place e Christopher Street: come sul Cape Cod. Ma più spesso, con tetra ostentazione senza aspettative né alternative, strati e grumi di sporcizie e patine: e in questo paese di docce e saponi possono fare una maggiore impressione che non a Parigi o a Londra, dove si sa che lavarsi è impopolare o difficile per il cittadino medio. Dunque, impressionante contrasto con le divise bianche appena inamidate d'una coppia di marinai rasati, tosati, lucidi, cercando sempre più smarriti un posto di hamburgers, ma dando una tale sensazione di pulizia che «ci si potrebbe mangiare sopra», come dicevano le bisnonne dei loro pavimenti sempre tirati a cera.

Ma al di là del tocco stagionale e della vecchia polvere, il vero incanto di queste stradine scure e sporche pare proprio un Kitsch o flashback di negozietti morti. Eternamente vendono fiori di mare polinesiani, vimini messicani, terrecotte etrusche, aquiloni giapponesi, dischi ribaldi, carte brillanti per avvolgere i regali, uccelli di crêpe-de-Chine, apparecchi di bagno-maria, manifesti del cinema muto, telefoni della Belle Époque, ritratti di Manolete morto, di Elvis Presley nudo, di Gilda Mignonette impiumata, tiare nuziali di Mandarini, sali di Montecatini, cassette di yerba matè, rane francesi in barattolo, teschietti precolombiani, carillons tedeschi in forma di birreria a tre ante, elmetti da pompiere, cazzi di gomma, cristalli di rocca, pale d'altare gotiche, zenzero, couscous... La loro follia graziosa e quieta: pareti di mattoni, tanta polvere su vecchi dischi e curiosi libri, gatte grassissime addormentate in vetrina, belle addormentate magari annegate con capelli lunghissimi tipo Dante Gabriel Rossetti o sua sorella Christina: «Quand'io morrò, mio caro / non cantar nenie per me / non piantarmi rose al capo / né cipressi ombrosi ai piè»...

... O sonnambule oppiate, fra i bottoni e i posters, come tante Kim Novak in *Bell, Book and Candle*, nell'incomparabile Bleecker Street, tutta a caffè italianizzanti che mescolano Borgia a Capri e Busseto a Settimio Severo, negozi di alimentari aperti tutta la notte per vendere gin e cipolle e lamponi e finto-Chianti: Piedigrotta! Donizetti! (Accanto a Thelonious Monk, com'è giusto, ogni sera dopo le dieci). Polpettacce che friggono sui davanzali dentro marmitte da cani, letture di canzoni sceneggiate in una latteria in bianco-e-nero; la targa di «Fazio e Popolizio, avvocati» (vera, non invento niente); e il decrepito Bizarre, grosso e soffocante caffè con stendardo a vampiri, i primi finti lampadari Art Nouveau verdi e gialli, da chiromante pre-Tiffany, le pareti di mattoni con qualche vecchia maschera africana o forse americana, tanta segatura per terra, le tavoleggianti in calza nera e sottanina corta pre-minigonna, i barbuti in maglietta sporca che distribuiscono i programmi e portano via i piatti usati... E su un palchetto un nero eccitatissimo in maglietta sporchissima a righe e baschetto marrone legge molto male al microfono dei versi lunghi e corti – ma si sentono specialmente le clausole ripetute «mare», «fiori», «sesso», «oceano», «Gerry Mulligan», «nulla», «puritanesimo», «primitivismo», «notte», «chiappe», «San Francisco» – e qualche trovatina da presentatori d'avanspettacoli – mentre (di fronte) al mitico Amato Opera Theater il signor Anthony Amato rappresenta antologie di melodrammi dimenticati o famosi, purché strazianti, con un pianista e due o tre allievi di scuole di canto, e una qualche vecchia, però con scene, costumi, macchine, luci, giochi di luci, e tutto; e lui stesso accoglie gli spettatori con un discorsino d'acculturazione, recita un riassunto dell'opera, canta dentro e fuori scena in tutte le parti, si unisce ai cori, suggerisce, alza e abbassa i fondali, appare in pelli d'animali e di mostri, vende caffè e tortillas, e insomma produce delle Aide e dei Flauti Magici non troppo dissimili da quelli offerti all'Opera di Roma.

Pochi passi, fra decine di macchine ferme con dentro ragazzacci di colori vari che bevono birre una dopo l'altra, e il loro sabato sera probabilmente è tutto lì, e si arriva sotto gli alberi di Washington Square, tra panchine e ringhiere cariche di brutta gente, e praticelli devastati, una fontana asciutta, i soliti neri che strillano, i consueti vecchi coetanei della Galli Curci che giocano a dama, sui tavolini di graniglia, gruppi di donne vestite da uomo, gruppi più folti di uomini che non sono vestiti da donna, però riescono a sembrarlo, tanto ingegnosamente aggiustano i loro abitini, tutti in marcia verso i locali di esibizionismo: ce ne sono parecchi, ma per cavarsi la soddisfazione di entrare a bere una birra e fare quattro salti e quattro strilli, bisogna aspettare a lungo per strada davanti alla porta, perché ci sono regole dei comandi di pompieri piuttosto rigide, e quando un locale raggiunge un dato numero di clienti non ne possono entrare più finché non ne escono altrettanti. E i portieri sono sempre omacci cattivi. Il fatto più divertente è che tutte le cantine sfrenate sono gestite da una sola banda di gangsters di professione, che hanno trovato molto più profittevole questo tipo di attività, e sono poi gli unici a poter pagare alla polizia le somme altissime che questa pretende per chiudere un occhio sulle attività dei posti di lussuria.

Washington Square in queste sere d'estate può anche sembrare il Camposanto di Pisa, con tanti sarcofaghi di bambini scoperchiati: si attraversano i giardinetti scavalcando le custodie aperte di tanti strumenti musicali, per avvicinarsi ai gruppi. Cantano in quattro o cinque, raramente di più, a voce non troppo alta, strettamente per se stessi: un nero che provava a eseguire le popolari nenie dell'Old Kentucky con certe colorature troppo belliniane, l'ho visto mettere a tacere. Questi sono i figli delle famiglie conformiste ricche, con gli allievi degli istituti artistici e delle scuole progressive: evadendo qui, vestono alla St-Tropez, con trasandatezza infinita, magliette da polo scarlatte, calzoni attillati color corda, qualche volta anche stivaletti neri alti; cantano cose banali ma piuttosto ricercate, accompagnandosi soprattutto con banjos, non si mescolano assolutamente coi giocatori di dama o con i volgari suonatori di campanacci da buoi in mandrie; e si fanno accompagnare dalle loro amiche predilette, la Grande Spregiudicata in zazzera corta e camicia da uomo fuori, la Damigella Eletta preraffaellitica dalle chiome lunghe, pallide, sciolte, e la Bevitrice d'Assenzio, col suo occhio disperato per le bruciature da sigaretta, le macchie da cappuccino...

Se dalla piazza si ritorna verso la 3rd o la 4th Street, si ricasca nell'usato mondo *hip, beat, cool, Zen,* OPEN a tutti quanti («Viva la libertà» e «Chi più ne ha più ne metta»). E che scrittura *easy.* E pronta a tanti usi (nelle solite didascalie degli avvisi pubblicitari – «drink, man, drink...», «sleep cool, man, cool» – si sfrutta utilmente almeno come la pittura di Mondrian nelle illustrazioni), che tutti i disoccupati spirituali sono stati pronti ad adottarne la «cifra», così comoda da afferrare senza fatica. A noi parrà di essere tornati a quei buffi tempi della poesia ermetica? (Scherzi «da prete» *cult,* qui?).

Tutti i clienti dei localacci, che pagano poco più di un dollaro a testa, sudano in silenzio senza lamentarsi; non si dimenticano di lasciare una piccola mancia; e poi vanno a casa abbastanza soddisfatti. Difficile, come al solito, stabilire chi siano i peggiori, se Bouvard e il suo amico Pécuchet seduti fra il loro pubblico, oppure i falsi artisti da caffè. Indubbiamente detestabili, ma almeno in qualcosa mostrando saggezza: nel giudicare e chiamare *square* gli *squares* faccia-da-scemo e finti-spregiudicati e «beati beoti» che vanno lì a passare una serata à la bohème (il loro grosso pubblico...), ordinano le consumazioni perché «drink, man, drink» è un motto e un logo regolare, e lasciano qualche monetina oltre al 12,5% di prammatica...

Per conto personale e obiettivo, benché appaia arduo trovare un qualche ambiente privo del tutto di qualche curiosità umana, queste specie di bohème conformistica e inutile credo che siano tra le più fastidiose. Sarà stato magari divertente passarci per la prima volta, come tutte le cose che si fanno a suo tempo, da studenti, in quel momento che non può non capitare nella vita di tutti, ed è quello in cui «Parigi era ancora Parigi» (ritenendosi generalmente che in seguito non sia mai più stata la stessa); ma agli artisti da caffè o stradina o straduccia preferisco ancora quelli da biblioteca universitaria, dove si lavora molto meglio e si conclude (anche nel sex, a Harvard o alla Sorbona) assai di più.

Passare questo sabato sera al Village sarà curioso: però sono molto più interessanti il Faculty Club di Harvard, o i bagni dei neri a Harlem, pieni di amicizia simpatica e semplicemente no-problem, o le redazioni delle riviste femminili a Madison Avenue, governate con artiglietti di ferro sotto i costumini soft di Givenchy. E di tutta questa sera il momento più bello viene alla fine, quando si è fatto tardi, «until the night is through», e improvvisamente l'alba ci sorprende in mezzo alla Fifth Avenue. Pochi spettacoli ho visto più commoventi dei colori teneri del cielo, tra le facciate ancora buie e cieche dei grattacieli, che a uno a uno i raggi puliti del sole illuminano adagio, in purissimo technicolor.

NEL PAESE DEI BALOCCHI

Bastano poche settimane di New York e si fa in fretta a rendersi conto che parecchia gente incontrata *socially* sull'isola di Manhattan finisce con l'appartenere quasi sempre a due tipi umani costanti e fondamentali: la ragazza di mezza età con la gonna ampia e il giovanotto ingrigito con la giacca stretta. Tutt'e due ugualmente magri e neurotici, coi medesimi segni di efficienza ansiosa sotto gli occhi e sulle *mèches* – perché diventa inevitabile non riuscir mai a dormire abbastanza, quando gli idoli della tribù si travestono da *social must* – e normalmente abbigliati dalla mattina alla sera per l'eterno cocktail-party che dura tutto l'anno.

Poco pare veramente più sinistro al mondo, oggi come oggi, di queste loro funzioni rituali dove ogni officiante manovra il suo bicchiere e la sua oliva, la sua candela accesa e la sua patatina fritta come strumenti di tormento consacrati dalla tradizione, se non forse quei bar assolutamente macabri per giovanotti disturbati fra Second e Third Avenue, all'altezza delle Quarantesime e Cinquantesime Strade, oppure sul West Side, tra il Central Park e Amsterdam Avenue: centinaia, tutti con le loro luci basse e il loro pianista discreto, e dentro ciascuno centinaia di clienti con la stessa faccia lunga e il capello troppo pettinato, la giacchetta antracite spacchettata uguale per tutti, e occhi da solitudine metropolitana talmente esausta da non aver più neanche la forza di comunicare con la parola... Un mondo certamente di gatti in cucina col loro piattino di latte, il quadro astratto sul divano-letto, il *paperback* «universitario» letto a metà, e una fraseologia di non più di trecento parole per esprimere qualunque emozione... (Del resto, negli ultimi tempi quei locali sono stati fatti chiudere tutti, uno dopo l'altro, dopo che la polizia è arrivata ad ammettere che dietro i diversi prestanome esisteva un unico racket, l'ultima trasformazione delle gangs d'origine italiana che hanno sfruttato di volta in volta il contrabbando dell'alcol o la prostituzione delle minorenni).

Il momento dell'evasione o della sfrenatezza, la valvola che protegge (finché può) dallo psicanalista, non si ritrova certo al Greenwich Village il sabato sera, né intorno a Times Square dopo una cert'ora della notte, sotto i lumi dello *showplace of the nation*. E quindi per trovarsi in mezzo a qualche rito di autoliberazione che per forza, data la natura gregaria del popolo americano, non potrà non essere collettivo, bisogna andare a cercare una diversa località, una stagione adatta. Di saturnali strettamente americani ne avevo già visti, pochi, passando un Independence Day a Newport, dove il pesante sonno collettivo sulla spiaggia delle immense ville 1890, dopo le eccitazioni del Jazz Festival, è uno degli spettacoli impressionanti del secolo; e poi a Provincetown, sull'estrema punta del Cape Cod, dove nei «lunghi weekends» estivi molte migliaia di coppie di muratori del Connecticut o garagisti del Massachusetts, ferrovieri del New Hampshire e guardie forestali del Maine, si incontrano su uno sfondo di color locale esageratamente pittoresco, e fra il gorgheggio di cento juke-box fuori del tempo si fanno sotto l'ombrellone tante minuscole cortesie da pensione di famiglia.

Ma a un certo punto, stando a New York nella stagione dei bagni, la leggenda «cosmopolitana» di Fire Island e delle sue follie dagli anni della Depressione in poi, più o meno occulte e mitizzate, induce ad andare a vedere sulle sabbie del posto (come ha fatto una volta perfino Lévi-Strauss) che cosa sono poi le dissipazioni contemporanee dei ricchi newyorchesi impazienti, dei loro ospiti continentali, degli intrufoloni provinciali, delle mezze calzette che risparmiano sul mangiare per potersi concedere un disco o un drink.

Perciò, con un borsino e basta, si parte.

L'isola è in realtà una lingua di sabbia molto lunga e stretta al largo di Long Island, un Lido di Venezia di cinquanta chilometri per cento metri, semideserto e di grande bellezza. Non molto facile da raggiungere: praticamente solo in motoscafo, da una certa fermata della ferrovia di Long Island (l'*away from it all* domenicale bisogna meritarselo...). E naturalmente varrà la pena di fare lo stesso viaggio del pubblico festivo schiumante d'impazienza, perché durante la settimana il luogo potrebbe essere abbastanza depresso (come il resto della nazione). Tanto meglio poi se è la vigilia d'una di quelle festività che durano tre giorni; così ho fatto apposta ad andarci la vigilia del Labor Day, che cade nella prima settimana di settembre e per tutto l'anno tiene in caldo le più esagerate aspettative del ricco e del povero.

Gli episodi di festosità e di impazienza cominciano di solito verso le cinque del venerdì pomeriggio sulle piattaforme della Pennsylvania Station; il treno *commuter* di Long Island parte tra scene frenetiche sui marciapiedi, carico di balocchi e profumi, fiancheggiato da centinaia di macchine per la strada parallela (e che naturalmente è la stessa percorsa in direzione contraria da Daisy e Tom e tutti gli altri nel settimo capitolo domenicale del *Great Gatsby*). Sono più di due ore di cinguettii soffocati, nel treno carico di giovani papà di famiglia con l'occhio opaco seduti immobili, e di giovanottini magri e puntuti che guizzano a centinaia da un vagone all'altro, tipo anguille e ambrottole, coi loro borsini e qualche raro ragazzo-a-muscoli che non parla. Per la maggior parte sono arrivati alla stazione correndo, direttamente dagli uffici, con le loro flanelle antracite e il colletto a bottoncini; perciò l'isterismo si fa presto acuto, uno dopo l'altro i borsini si spalancano, e ne sgorgano la sua maglietta, il suo golfino, il suo cache-col, il suo sandalo.

Dopo circa un'ora il treno è tutto un gran cicaleccio gregario, e ronza come un alveare irritato quando si ferma poi a Sayville. Qui (due binari in mezzo alla campagna, una baracca, e basta), tutta una performance di cadute e di strilli, una corsa collettiva ai tassì per l'imbarcadero, lontano parecchi chilometri, richiami, spintoni, salti mai visti, tutto un tacco rotto e una cappelliera persa per strada. Nei tassì, carichi di sette o otto persone casuali per volta, partono le ultime flanelle e gli ultimi ritegni: i primi che arrivano al molo prendono il ferry (che si chiama, naturalmente, *Beachcomber*), e pagano poco per una traversata di tre quarti d'ora. Gli altri lo perdono, oppure non ci stan sopra; e devono aspettare due ore per il prossimo, fra le canne del canale, oppure noleggiare un water-taxi che impiega un quarto d'ora, però costa carissimo.

All'arrivo uno può anche credere d'avere le allucinazioni, vedendosi capitato in un paese tutto sul muscolo e sul vigore; ma poi si sentono le voci, e si va avanti. Sono almeno quattrocento villette di legno, collegate da passaggi di legno su palafitte,

alti da mezzo metro a un metro sopra la sabbia e i cespugli
pungenti, con un vasto complesso di ristoranti e bungalows intorno a una piscina, il Cherry Grove, un piccolo ufficio postale, un posto di polizia dove non c'è mai nessuno, e due negozi: uno di cose indispensabili (pane da sandwich, minestra in
scatola, sapone da barba, creme lubrificanti, whisky, limoni,
barattoli di piselli, wafers, candele, kreks), l'altro di frivolezze
voluttuarie (coralli, sonagli, ventagli, teste di imperatori romani, diademi di strass, cartelli di «*sex... anyone?*», piume di struzzo, *ponchos* di mohair, reti da pesca, portapenne, fermacarte,
mandolini). E le coppie di vecchini neri per l'eccessiva abbron-
zatura, in slip e cappellino, calano lì a far le loro spese trainan-
dosi dietro un carrettino a mano con le ruote gommate, e sempre chiacchierando fitto tra loro ripartono col loro carrettino
carico: un blocco di ghiaccio, un fascio di gladioli, parecchie
scatole a colori, dodici bottiglini di tonic-water, e un cane bianco e nero su tutto.

Lungo i cammini di legno, fra un canneto e l'altro, si può
fare il giro dei cottages: tutti bassi, qualcuno (si capisce) un
po' barocco-rococò, alla Berman-Bérard, con finti busti di gesso, altri giapponesi molto severi e minimal, altri olandesi che
sono il trionfo del *cosy*, altri ancora bassissimi e neri, con finestre lunghe e piatte un po' Gropius, e parecchi (naturalmente) romano-pompeiani, col loro peristilio; e tutte le casine, i
sentieri, i cancellini, i carrettini e le seggiole hanno i loro nomini, ciascuno col suo giochetto di parole dentro, o l'allusione buffa in qualche modo: Serafina della Rosa & Girls, Coq
d'Or, Casa Sì-Sì, Harlotquin, Get Hur, Other Rooms, e sotto,
sempre, i due nomi dei proprietari, tipo Tom & Jerry, Don &
Pat, Mike & Jack, Russ & Brian. Le casine sono state costruite a
partire dagli anni della Depressione, quantunque costasse certo enormemente portare materiali e manodopera e tutto attraverso il braccio di mare, da qualche ricco fantasioso che voleva tenere i suoi *private shows* in pace, lontano dalla triste New
York di quegli anni; e costano adesso dai cento ai trecento dollari d'affitto alla settimana (tutto l'immobiliare è in mano a poche persone); ma c'è sempre parecchia gente che si mette insieme per prenderne una in tanti, e se non ci passano che il
weekend la subaffittano ad altri dal lunedì al giovedì.

Gli abitanti al crepuscolo siedono quietamente davanti casa,
sempre in costumino, sui loro terrazzini e nel piccolo patio coperto dalla zanzariera. Bevono, rompono il ghiaccio, scambiano patatine fritte con le fatine del patio accanto, s'alzano a tur-

no per andare a rimestare nei loro pentolini sul fornello, cuociono il loro pranzettino a lume di acetilene (non essendoci ancora elettricità sull'isola), preparano sulla tavola i lumini, i tovagliolini, le mandorle, e tutto intorno bandiere di chiffon, stendardi di velo, farfalle di filigrana, galline di vimini, anatre di stagnola, pavoni di rafia, fenicotteri di plastica, ombrelloni a frange e ombrellini di carta cinese, e ogni tanto qualche cane o bambino che non si capisce di chi sia. Parecchi dipanano matasse azzurrine, sentendo la radio; in età più anziana lavorano all'uncinetto; ogni tanto se ne vedono una quantità, accumulati su un piccolo patio di due metri per tre, che non riescono né a muoversi né a parlare: è segno che lì c'è un party, e lo si capisce da qualche bicchiere cascato sotto, dallo strilletto appena riescono a uscire.

Quando vien buio brillano gli zampironi e i carburi; e loro si mettono tanti cappellini buffi. Si può veder dentro in tutte le casine, tranne che in un interno tirolese nero; e naturalmente ho guardato in tutte, trovando tutta una serie di rappresentazioni: commedie brillanti, di carattere, di costume, d'intreccio, di rottura, drammi passionali, sketches musicali, Dafni e Cloe, Piramo e Tisbe, Filemone e Bauci, Arminio e Dorotea, e un'infinità di quadretti di genere tipo «idillio sopra le pentole»: un bacino, una cucchiaiata, un assaggio alla salsa, un altro bacino, e via.

Al Cherry Grove e negli altri due ristorantini minori, Pat's e The Sea Shack (tutta una cosa di pareti di tronchi, pavimenti oliati, poca luce, moccoli nelle bottiglie, e dischi di Ethel Merman), ci si perde piuttosto a imburrare le pannocchie di granturco, per cena, e come *avance* ci si può magari sentir dire: «Ad Atlantic City queste pannocchie le vendono negli stands apposta» – e basta – da una testolina rapata persa dentro un giacchettone da West Point. Così si va avanti per ore, fino a tardi. Ma in seguito, molti occhietti ritorneranno a brillare, durante il successo di *Strangers in the Night*: «È la nostra canzone!».

I due poliziotti intanto stanno per tutto il tempo con le lampadine in mano sul piccolo molo a questionare con i motoscafi che attraccano, ma prima della fine della sera tre o quattromila persone saranno così sbarcate sull'isola, contandone sei o sette per casa, un migliaio o due di randagi, e qualche decina alloggiate al Cherry Grove, dove le stanze son pochissime, e anche a voler mettere due o tre persone in ogni letto, o a farle dormire col barista polacco o coi camerieri, come normalmente si fa, non è che si ottenga molto. Il Cherry Grove funziona da *community center*, piuttosto: dopo la cena, che è sempre un affare regale protratto fin dopo la mezzanotte nelle casine o nei locali, gli abitanti arrivano lì tutti, isolati o in corteo, chi solenne dopo tre ore di maquillage e chi ansimante per inseguimenti o altre storie sue. Al Cherry Grove, dove le porte dei gabinetti sono marcate «Ups» e «Downs» oppure «Kings» e «Queens», la serata si protrae con qualche grandiosità e qualche numero d'arte varia. Basta mettersi in bocca una sigaretta per provocare un incendio d'accensioni simultanee di lighters da ogni parte, sufficiente a far fuori una foresta; e per una ragione o per l'altra neanche i brutti pagano più della metà dei loro drinks, a patto (si capisce) che non siano del tutto avvizziti. Ma in realtà non succede mai niente, oltre al solito chiacchiericcio senza nesso e senza senso di tutti questi posti americani. Tutt'al più chi è nuovo del luogo si volterà per assistere, ad ora tardissima, alle Apparizioni, che sono entrées un po' turchesche, col loro sandalo arricciolato, la loro movenza felina, il bavero della casacchina tirato su, l'occhio un po' umido, e magari anche crudele, con la sua pupilla dilatata, la bocca atteggiata nella smorfia del «no, no», un sopracciglio sempre un po' più su dell'altro, e il capello che prima è stato decolorato, bagnato, ritinto di scuro, e poi decorato con piccole *mèches* capricciose d'argento, da scuotere a colpettini.

Ma per aria c'è tutta una specie di attesa diffusa per «dopo», come se si fosse tutti d'accordo nel protrarre ancora un po' il Momento Meraviglioso (questa dev'essere la prima legge del luogo, col suo corollario «prima bere, poi fare»; la seconda, che entra in vigore più tardi, suona appunto come «mai dire di no a nessuno»). Verso le due in tutti i bar le luci lampeggiano per dare il segnale della chiusura; e lampeggiano anche gli occhietti nel buio. È venuto il momento. Tutti si spostano adesso verso un altro *must*, il Meat Rack (*rack*, proprio come rastrelliera o scaffale; e *meat*, naturalmente, è la carne che si compra dal macellaio), e con The Dunes è una delle fondamentali istituzioni del luogo. Ma non bisogna andarci prima delle due (ho provato, e non c'era nessuno, infatti). Si arriva in fondo al cammino di legno, e lì con una assicella-passerella si scende sulla sabbia: il Rack è lì subito, e saranno cinque o sei acri di cespugli e alberelli dove alligna la pantegana, e razzolando distrugge la vegetazione. In mezzo a una folla da piazza San Marco a Ferragosto, che ciecamente si incrocia nel buio come uno sciame di meduse o di polipi, il razzolare va avanti giocando al «cotto e mangiato» fino allo spuntar del sole, quando è tutto un guardarsi in faccia, e se la va la va, può capitare magari un invito al breakfast; e dopo, a dormire fino al pomeriggio, quando arriva la nuova ondata del sabato e si sparpaglia fra le dune, dove subito scompare e nidifica, tra un bagno e l'altro sulla spiaggia meravigliosa.

Chi invece si trattiene al Cherry Grove assiste per tutta la notte a tuffi in piscina, frittura di hot dogs, finti riti voodoo a titolo di spettacolino di varietà, e una volta all'anno una commedia di Broadway con Ronald Colman e Celeste Holm *in person.* La gente è tanta che non si sa più dove metterla; perciò costruiscono dei palchettoni, e così ne sistemano due o trecento per volta, coi loro bicchieri, su in alto. Nascono e muoiono così in pubblico gli idilli più strazianti, fra gli inginocchiamenti dei respinti e il pianto dei pentiti; ombre deliranti si vedono benissimo dietro le porte dei bungalows, a stecche trasparenti come quelle delle cabine; e un bambino che ha fatto delle cose inverosimili s'allontana tenuto per mano da un vecchino, che lo ha portato lì per giocare.

Fra le meduse e i polipi, e i loro *tableaux vivants,* i loro giochi d'acque e belle statuine e quadri per una esposizione, sono andato in giro per un pezzo, nel buio fitto, dentro nella sabbia e i cespugli fino alle orecchie, finché mi càpita di vedere un corpo disteso a terra, che poteva essere anche un ubriaco addormentato, o qualcuno sopraffatto dal godimento venereo e della pelle; e invece era morto, mortissimo, col suo pugnale fra le costole, e poi più visibile perché vestito di bianco. I giochi da qualche tempo si stavano facendo più fitti nei suoi paraggi, come se la vicinanza di questa cosa facesse un po' d'effetto nuovo; ma non mi sono fermato più molto, dal momento che il barista polacco m'aveva detto che in seguito a un certo articolo esplosivo di «Confidential» sulle Gomorre americane erano arrivate due barcate di poliziotti in borghese, una cinquantina, in sandali e calzoni corti, e avevano avvertito confidenzialmente il personale del locale che verso mattina ci sarebbe stato un raid a sorpresa nel Rack.

Così ho finito col passare un pezzo di notte nel sottoscala del bureau – puro *Pal Joey* – diviso solo da un leggero graticcio dal suono dell'orchestra, dallo sfrigolio degli hamburger, dai rumori del rito voodoo, dalle capsule delle birre cadute per terra, dai tuffi in piscina, dal rantolo greve di alcune creature più vecchie e più grasse che erano state sistemate per terra nel coffee-shop dell'albergo, a cinque dollari l'una, con un giornale e una coperta, e inspiegabilmente erano andate a coricarsi già alle undici, dalle donne-camioniste che già alle sei della mattina han cominciato a questionare con espressioni terribili per una partita di pallacanestro persa sulla spiaggia nel pomeriggio. E all'alba quando mi buttano fuori il patio è già pieno di derelitte figure con le loro cestine di paglia, tristissime, che aspettano il primo battello col bavero alzato e gli occhiali neri su, e paiono morte, tranne due che si muovono appena: una creaturina voodoo carica di tamburelli, e un'altra in blue jeans e unghie arancione si trascina dietro una custodia da violoncello che non sta chiusa, piena di mutande sporche.

WEST COAST

PANORAMA DI LOS ANGELES

Questa notte pailletée di luci favolose dove ci butta l'aereo dopo sei ore di tramonto continuo e immobile – fuso dopo fuso orario – arrivando da New York, è in realtà il globo della fattucchiera. Fa vedere il futuro. Fa toccare col dito le forme scelte dalla nostra civiltà per agonizzare, le sue rapide smorfie: il narcisismo bizantino di San Francisco o l'avvenirismo frenetico di Los Angeles. Dentro, a capofitto. È l'opposto del tuffo nel passato che si fa nella tomba etrusca o tra le rovine di Pompei.

Los Angeles non ha una personalità né un'immagine, è fin troppo notorio: soltanto una periferia, forse la più estesa e popolata dell'universo, e dove tutto pretende d'essere grande e nuovo e felice, ma dà un'impressione di provvisorio e di squallido, anche di grottesco. Niente di monumentale o minimale. Però è il centro di gravità di questo boom californiano galoppante, impressionante, e «senza centro».

Smisurate scacchiere e serpentine di baracche sconnesse e sgargianti, fra palme spelate e lampioni rotti. Recinti di vecchie macchine in vendita, coi loro cartelli del prezzo, e fari e bandiere chiassose che girano. Pianterreni senza primi piani che vendono «di tutto». Casine e automobili a forma di scarpa, zucca, dentifricio, salamino. Magazzini frigoriferi a tanti piani, per conservare carne, pellicce, quadri. Baracchette che offrono pozioni d'amore, danze del ventre, animali di nylon, variazioni sulle nudità. Neon che girano proponendo bistecche, salse, bische, traslochi, prestiti fiduciari, transazioni immobiliari, cuccioli neonati già addestrati. Due slogan luminosi: «È elegante comprare le birre a paia». «La persona chic telefona molto e telegrafa a tutti».

Supermarkets aperti fino alle due di notte, coi loro parcheggi sterminati davanti. «Pancake houses» aperte 24 ore su 24, cioè tavole calde fumiganti di tortini da mangiar caldi con burro e marmellata e melasse ingrassantissime: spalancate e desolate, una dopo l'altra. Tratti al buio dilapidati, fondi stradali dissestati, squarci di miseria come sullo sfondo di certi vecchi Charlot. Buio: solo qualche insegna di liquori; qualche lavanderia notturna con dentro uno o due solitari che aspettano, e ogni tanto parlano. Pittura di Hopper...

In giro, vecchi obesi, camiciole a palmizi, calzonacci corti, ragazzacce altissime, voci nasalissime, tantissimi occhiali, motociclisti senza moto, cowboys senza cavallo, messicani che si sentono sottosviluppati rispetto ai neri, ciabatte di gomma, zoccoli, canottiere, barbe, vie deserte, e improvvisamente una folla in abito da sera davanti all'ascensore di un garage.

Magazzini d'abiti in forma di Canterbury o Westminster: colonne di ghisa verniciata, capriate gotiche di cemento, vessilli sventolanti con le Due Rose, busti di Elisabetta e Bacone smaltati con vernici d'automobili. E dentro, il sarto, un vecchino lunare e soffice che fa dei falsetti scozzesi. E dietro, nel retro, una voce calabrese che canta «ammooore!».

Grattacieli illuminatissimi su prati derelitti. Alberghi a padiglioncini di mattoni sparsi in un parco incolto nella zona più densa della città. Chiese che paiono cinema, cinema fatti a basiliche, banche e assicurazioni che nulla distingue da una giostra dei cavalli.

Sinagoghe in forma d'acquario, pagode in foggia di cinodromo... Ma sono anche più sconcertanti le chiesette presbiteriane, o unioniste, o metodiste: perché questi culti settentrionali associati di solito a guglie aguzze e facciate bianche da New England qui franano nel moresco, nel mosaico, nel bizantino, o addirittura nel giapponese-orizzontale.

Bar, quasi sempre derelitti e frananti; ma con gente dentro d'una tremenda vitalità e grassezza. Cantano, urlano, bevono mostruosamente. Pranzo-cinema due o tre sere alla settimana, e sotto forma di brunch ogni domenica mattina, alle undici e mezza: un vecchio film a passo ridotto sullo schermetto sopra il bar, pollo fritto o bistecche (piatto unico) sui tavolacci di legno davanti.

Caverne di stucchi e specchi ove si vendono mobili fatti di specchi e stucchi, scrivanie «900», sculture di gru, donnine di terracotta, poltroncine fra il Secondo Impero e la Polinesia o l'Alhambra. Organi, la mania degli organi; organi e armonium da tutte le parti. Abiti per la «ragazza alta» e per «l'uomo grasso». Ristoranti italiani, sempre a coppie: Mario & Toni, Gianni & Gigi, Armando & Alfredo. Fra stirerie cinesi, birrerie bavaresi, rum tropicali con palme, capanne da Sette Nani.

Le strade laterali nel senso dei meridiani sono molte migliaia, tutte uguali, e non c'è niente. Villette a un piano, di stucco, vagamente neomessicane, occupate per metà dal garage; squallide quasi come nei suburbi inglesi; ma con la facciata bianca, un pezzo di pratino davanti, inferriate civettuole ma solide, e un arancio o due. Queste strade non sono illuminate, come nelle campagne. Ogni casina ha un paio di lampadine fantasiose, gialle o verdi, dissimulate nei rampicanti e accese tutta la notte. Anche le catapecchie più miserabili, tipo strega, tengono la loro lucina rosa in un'edera.

Ognuno ripete che il «centro» non esiste a Los Angeles. Ecco un tremendo buco nero, il downtown, con autostrade vertiginose che gli si aggrovigliano intorno a serpente o imbuto, a cinque o sei piani. Fantasmi di edifici pubblici ricoperti di smog untuoso; una stazione d'autobus con destinazioni apparentemente orride; un paio di grossi alberghi ordinari e magazzini di mobilio; qualche cinema intorno alla «famigerata» Pershing Square (con reputazione pessima). Due grattacieli: uno bianco e celeste, l'altro nero e oro con una torre Eiffel in cima. Poi le stesse autostrade salendo salendo si svincolano e sparpagliano tra Boulevards e Hills. Praticamente nient'altro: supermarkets e cinema sono disseminati per tutta l'area urbana, e si sa che i negozi chic sono concentrati a Beverly Hills.

L'orlo dell'orrido invaso è un pendio di vecchie casette sempre più crollanti, ogni giorno. Senili, vagamente nordiche, da faro, da fiordo, di legno scrostato, ma con portichetti a colonne greche da carpentiere. Come stili, si portano qui soprattutto il solito castello della Loira, l'abituale magione falso-Tudor, la birreria tirolese in serie, i più convenzionali Fratelli Grimm. E non di rado s'accumulano in due o tre piani l'arco a schiena d'asino, la lesena scanalata, il mattone rosso e la torretta ottagonale verniciata di cementite pistacchio. O anche una facciata palladiana; dietro le colonne, sovrapposti, tre balconi da Giulietta o da Biancaneve, collegati dalle loro scale antincendio arrugginite.

Non s'immaginano veramente ragioni di «andare in centro», se non irreali: prendere un autobus? far ricerche in biblioteca? In realtà, ci si va per pagare le multe.

Così, per cogliere un'idea di questa «città che non è una città», in un paesaggio e una società vitali e mortali come le giungle e i cancri, lo sguardo abbraccerà soprattutto quei Boulevards che si avviano quasi paralleli fra spiagge e Hills – Hollywood, Sunset, Santa Monica, Beverly, Wilshire – alternando per decine di chilometri le loro fisionomie fondamentali: la fatiscente, la fastosa, la miserabile, la baraccona, la ribalda, l'acefala.

A nord, tanti vecchi canyons stepposi s'avviano per la San Fernando Valley, tra ville costruite sui declivi appoggiandosi a palafitte di cemento, e interminabili strade serpentine intasate di traffico all'ora del rientro serale. Anche macchine costosissime; nessuno può fare a meno degli orari d'ufficio. A sud, lungomari a gobbe gialle e secche, rocce scure alte sulle ondate del Pacifico, viali di palme improvvisi fra pensioncine delittuose e radure di biada bassa. Casette appiattate nei canyons, gole, canneti, palafitte, tramonti tempestosi, parcheggi deserti, vapori notturni (e poco in là, il deserto spazzato continuamente da un vento fortissimo). Sabbia gialla perforata da migliaia di pompe petrolifere, nere in fila con le loro proboscidi come grillitalpa giganteschi. Frutteti e peones e terra scura e sombreri e aranceti fra alberi come batuffoli. Improvvisamente, un prato verde perché curato e annaffiato: con effetto alla Magritte. La regola è comunque che i ricchi abitino sulle colline, e i poveri in pianura o nei canyons, comunque nelle buche. Però con qualche eccezione: i ricchissimi hanno un canyoncino in alto tutto per sé.

Da qualunque boulevard si arrivi a Beverly Hills, la frontiera della ricchezza scatta di colpo, perfino l'asfalto migliora improvvisamente di qualità. Lungo il Sunset Boulevard cessano i villini e i motels, cominciano gli enormi parchi che nascondono le ville «leggendarie», costruite trenta e quarant'anni fa. Ogni pochi metri, sulla strada, cartelli di sosta vietata. E la polizia lì dietro. Buona parte del fascino di questa sezione è dovuta al criterio del giardino all'inglese applicato a una vegetazione tropicale aggressiva.
Per il Wilshire Boulevard, i negozi immediatamente presentano tutto quello che può rendere accettabile la vecchiaia (e civettuola, e seducente...). Le camicie più svolanti, i golfini più

schiumosi, gli alabastri più traslucidi, le argenterie più cincischiate, le scarpe più coccodrillesche. Il boudoir neogotico, il pigiama di Hong Kong, le cravatte di Jermyn Street. E ristoranti deliziosi. Anche un palazzo d'assicurazioni che fa la caricatura a quello dell'EUR dei «navigatori e poeti»; con archetti però moreschi-tangerini. Da weekend a Las Vegas.

I veri «Hills» sono poi nella posizione dei Castelli rispetto a Roma: colline tenere o accidentate, ma cariche di centinaia di ville, con giardini fittissimi e gallerie e piscine e un panorama scintillante di notte, quando il sinistro paesaggio della pianura scompare e rimane soltanto un immenso planetario di luci estese fino all'orizzonte. Le case ricche sono piuttosto belle, le piscine hanno le statue, e le biblioteche delle boiseries magari francesi autentiche. Guardie severe, boudoirs eclettici. Lusso, ricchezza, voluttà.

Il problema sarà che per mantenere la bella casa a Beverly Hills e il personale necessario qui occorrerà spesso diventare lo schiavo della bella casa, e lasciarla all'alba lavorando in maniera quasi disumana. Senza contare che uscendo dalla bella casa ci si trova nella desolazione, bisogna far chilometri e chilometri per venirne fuori.

Questa macabra e luccicante ragnatela immatricola ogni anno molte migliaia di nuovi cittadini che hanno caricato su una macchinaccia famiglie e bagagli, speranze e deliri, si lasciano indietro *tutto*, e «vengono al West». Perché? Le risposte sono generiche e precise. Cercano il clima, il cielo, il mare: l'eterna primavera, la vita all'aria aperta. Anche la ricchezza a portata di mano. E libertà, e mancanza di tradizioni, e non sentirsi legati a nulla... Cioè, risposte da mangiatori di loto.

Cosa trovano? L'unico posto al mondo ove si rovescia l'abituale schema nord-sud. A nord, in un frizzante clima genovese, il pigro edonismo di San Francisco. A sud, con uno spossante scirocco africano aggravato da un costante smog milanese, il surmenage attivistico di Los Angeles. Boom sempre più folli. Migrazioni sempre più colossali. E continue trasformazioni del Mito del West. Prima, la Febbre dell'Oro. Poi, la febbre dell'agricoltura. Poi il cinema. Durante la Depressione, la caccia all'Utopia, come nei romanzi di Steinbeck. Durante l'ultima guerra, il boom della marina e dell'aeronautica. Subito dopo, i boom della scienza, dell'industria, dell'educazione: l'Elettronica, la Ricerca Nucleare, le Commesse Militari, i Missili (e l'Università) diventano i protagonisti della vita californiana, al posto dei film di Hollywood. Magari, come risultato: ecco la sola comunità dove possono abitare vicini Hans Kelsen e Susan Hayward, Rudolf Carnap e James Stewart e Sandra Dee. Ma si formano intanto i principali problemi: le dimensioni, la mobilità, la vivibilità, la crescita, la proliferazione urbana, la congestione del traffico, la contaminazione dell'aria, la scarsità d'acqua.

I rimedi ai *problems*? Essenzialmente due, viene ripetuto. I soliti: le autostrade e la cultura. Dal momento che «siamo la regione più dinamica della terra», in quanto «Los Angeles è figlia di Detroit», cioè è la prima grande città che si sia sviluppata nell'èra dell'automobile, come risultato non ha né centro né forma: tutto dipende dal sistema stradale. E siccome i californiani sono i tipi più mobili del mondo – nel 1960 uno su tre viveva nella stessa casa da più di cinque anni, uno su sette era arrivato nello Stato da meno di cinque anni, oggi a Los Angeles metà della popolazione cambia casa ogni anno – l'unica salvezza dall'anarchia e dal caos paiono, con valore taumaturgico, la pubblica istruzione, la scienza, il senso civico. Cioè, solo la cultura può dare un senso e un'immagine consapevole a una collettività priva di coesione e di radici (e non già razzista, però instabilissima politicamente). Ecco perché il boom educativo, il sessanta per cento del bilancio statale dedicato alle università, l'incetta dei Premi Nobel.

Un tormentone solito è che il paese non esprime certo una cultura sua propria: l'immagine culturale della California è composita, con elementi delle provenienze più bislacche. E la «filosofia delle autostrade» viene spesso espressa così: osservare da che parte viene la gente, e dove va; fra i due punti, costruire un'autostrada. Ma la maggioranza della gente non sa dove va...

Allora i mangiatori di loto fanno una certa fatica a mantenere quel loro ideale tenore di vita che ha per simboli una villa con tante comodità, una macchina per ogni membro della famiglia, e un barbecue per la bistecca serale in riva alla piscina, con amici e soci in costume da bagno per tutto l'anno. E anche un reddito che si mantiene prospero soprattutto se gli Stati Uniti rimangono invischiati in qualche guerra. Molti loro figli, poi, rifiutano questo ideale pianificato e raggiunto; e si dichiarano poco soddisfatti delle strutture aziendali e familiari, dei fini della società e dello Stato. Ma non appena hanno respinto la piscina in giardino e le bombe nel Vietnam, non rimane altro valore o affetto che può tenere unita la famiglia: né materiale (contestato), né spirituale (inesistente). Così i genitori si adoperano a rafforzare l'apparato già reazionario dello Stato californiano, aggiungendo le frustrazioni familiari ai risentimenti della maggioranza silenziosa. E i figli fanno spontaneamente amicizia coi diseredati e i sottosviluppati: gli sventurati, i drogati, gli ultimi arrivati, i contestatori, i neri, i barboni, i cantanti, gli scontenti, i maghi, e i matti, che formano l'*altra* California, non forte come quella che ha il potere, però quasi più numerosa.

Così esplodono le contraddizioni californiane: con follie e con violenze, e non soltanto con pittoreschi colori. E dunque questo Stato così «avanzato» è probabilmente il più conservatore degli Stati Uniti; invece di *creare*, distrugge se stesso; infatti sviluppa la tecnologia, apparentemente, per disumanizzare la vita; ha un clima incantevole, e l'avvelena coi miasmi; è pieno di figli, e ne divora (in un modo o nell'altro) la maggior parte. Proclama, empiricamente, i trionfi del razionalismo, dell'illuminismo, delle scienze esatte; e in nessun altro paese prosperano più sfrenatamente l'occultismo e la magia. E non soltanto i giochi di carte e i fondi di caffè, le sfere di cristallo e i tavolini a tre gambe e i tarocchi, e certe forme di erotismo sbrigativo...

Anzi, i più appassionanti recenti delitti vanno presentando un ricchissimo campionario, contaminato e composto (dunque, «tipicamente californiano») delle svariate magie elaborate con diffuso entusiasmo fra Hills e canyons, Boulevards e baracche... Il satanismo delle messe nere, con apparato di teschi e bare e costumi da Mefistofele... Le ricette delle streghe medioevali, con pozioni di insetti e decotti di erbe malefiche... Il voodoo delle Antille, annaffiato col sangue degli animali sacrificati in trance e in raptus... I rituali celtici, col vischio e la luna e i druidi uso *Norma*... Lo spiritualismo teosofico di tipo Rosacroce, con tentativi di far comunicare gli «iniziati» coi defunti più o meno illustri... Il magnetismo personale, ipnotico, alla Cagliostro-Rasputin... L'astrologia che proclama l'avvento dell'Acquario, con le macumbere... La filosofia indù, predicata dallo Swami Prabhavananda e propagandata da Christopher Isherwood... La scientologia, con le sue elaborate iniziazioni spirituali e tecniche corporee e sottomissioni economiche (ostentatamente studiate anche dai serial killers in carcere)... E il demonismo del più celebre stregone del primo Novecento, Aleister Crowley, che si faceva chiamare «Bestia 666» e si presentava come Diavolo, praticava tutte le magie pensabili, prendeva tutte le droghe conosciute, viaggiava con un harem di concubine in costume, fu scacciato da Cefalù per ordine di Mussolini negli anni Venti, e fondò a Los Angeles una setta che sopravvive fiorentissima, e servì come modello a Roman Polanski per *Rosemary's Baby*.

... Satanismi di massa assortiti e abbondanti e spesso cheap che entro le contraddizioni e soddisfazioni superficiali e viscerali o monumentali proliferano con furia ormai delirante, fra i grandi e i piccini... Sempre con pochissima acqua in giro.

Su un cartellone: «Rispetto al resto della nazione, la California oggi legge di più, beve di più, va meno in chiesa, ha più automobili, e famiglie più piccole. Favorisce il controllo delle nascite e le macchine straniere. Si muove di più, viaggia di più, va di più ai campeggi. Ha più spazio, più terreni selvaggi, e anche più sobborghi e gente appena arrivata. Produce più dottori di quanto dovrebbe in scienze naturali ed educazione, meno in lettere, arti, scienze sociali; e ha meno chimici, economisti, storici. Ma riceve molti più onori accademici che non il resto della nazione» (Earl Pomeroy).

Rieccoci così alle risapute massime. Frank Lloyd Wright: «L'America è un piano inclinato, tutto ciò che non ha radici rotola verso la California». (Come in qualche famoso disegno di Saul Steinberg). E Raymond Chandler: «Los Angeles non è che una vecchia puttana stanca». E Harrison Salisbury: «A Los Angeles ho visto il futuro, *e non funziona*».

Era un manicomio, ma ora sembra diventata seria, dice Steven Marcus, da New York. Poi si corregge: è un paese talmente esteso, che sopravvivono ancora vaste di follia. Ci pensa su un attimo: in fondo, il solo comun denominatore della California, è la California stessa.

Sempre dall'East Side dell'East Coast, Irving Kristol m'avverte di tener presenti due dati. Le università californiane sono gratuite per legge statale, perciò fra una generazione o due tutti i cittadini saranno stati all'università: questo spiega il boom dell'educazione. E il boom scientifico si basa su un circolo vizioso: le industrie si trasferiscono in California perché agli scienziati piace vivere là e non all'Est; mentre gli scienziati corrono in California perché l'industria vi si sviluppa rapida e quindi ha posti da offrire.

Questi scienziati, aggiunge il letterato con una certa albagia, sono ambiziosi e frivoli, si lasciano sedurre dal miraggio dei tanti soldi e della tanta terra. Trovano il paradiso dappertutto dove si può sciare e fare i bagni in ogni stagione. Non sentono affatto la mancanza della vita culturale nelle grandi città come

New York, perché amano solo la musica: e la sentono in casa coi dischi.

Il vice-sindaco di Los Angeles, amico di Max Ascoli che mi ha mandato a vederlo, siede nel suo ufficio al Comune con una elegante giacchetta d'alpaca nera. Indica una gran mappa e domanda che immagine offre la città guardandola dall'alto. «Cosa rimarrà fra cent'anni? Il sistema delle autostrade, e il mare. Niente altro. Non è come Oxford o Parigi o Calcutta. Non ha una struttura. È una metropoli che si sviluppa orizzontalmente, un organismo temporaneo che prende forma in situazioni critiche. Per ora si estende ancora lateralmente. Poi andrà su. La densità aumenta. Le basi ci sono. Fra due generazioni sarà molto maggiore di Manhattan. Certo... culturalmente lo so che la considerano piuttosto un deserto...».

Ed è vero? «Stando vicini, magari non si vede».

Ma qual è l'immagine culturale del paese che spende più soldi al mondo in cultura?

«La maggior parte della gente qui non si può permettere la cultura. È un fatto individuale; si vede nelle case, negli individui. E del resto il prodotto dell'immaginazione non rimane nella comunità, non arriva in tavola. Esiste certo una cultura di classe, distribuita geograficamente con una certa precisione. Si può indicare sulla mappa: questo arriva qui, quest'altro lì... Qualcuno ha molti soldi; e li spende spettacolarmente...

«La città, certo, partecipa allo sviluppo dell'università. Ma come fa a seguirlo? Cresce così svelta... E ci vogliono delle somme enormi, solo per sviluppare le istituzioni e le immediate adiacenze... È un processo lento... e in questo senso la città non ha mai avuto un programma da sviluppare. A Hollywood spendono naturalmente molti soldi in pubbliche relazioni... Ma la città non ha contatti con la gente del cinema. Gli artisti per noi sono anonimi; il mercato culturale si sviluppa adagio; e le università certamente vanno a caccia di personalità, c'è Huxley, ci sono tanti Premi Nobel da farne due squadre di football... Ma un abitante su cinquantamila ne sa i nomi... Provate a parlar di cultura nella San Fernando Valley...». (Paolo Milano ha un biglietto da visita di Miguel Ángel Asturias, con «Premio Nobel» sotto il nome).

E il Comune?

«La collettività è fluttuante, il suo motto è "affari e piacere". Ci preoccupiamo di fornire un centro civico perché la gente si riunisca artificialmente, proiettandovi l'immagine della "piazza" all'europea: anche per un centro culturale è necessaria una fisionomia identificabile.

«Ma la nostra cultura è in culla, il tempo è troppo breve per poter misurare e giudicare. Vedremo fra duecento anni se è cultura o no, quella d'oggi, i parchi e gli edifici pubblici che stiamo costruendo, e questo centro di musica nuovo, per esempio. Ecco qui i progetti: come si fa a dire se è bello o no? Lasciamo perdere la bellezza esteriore, guardiamolo da un altro punto di vista. Noi siamo convinti che sia utile perché almeno è identificabile. Questa è la nostra politica: un punto di riferimento, con una sua fisionomia, come il Metropolitan o la Scala. E allora va bene. Bello o brutto, d'ora in poi lo si riconoscerà. Almeno sarà qualche cosa...».

Missionario ispirato con una certa punta di snobismo mondano, il professor Abbott Kaplan rivendica all'Università di Los Angeles (UCLA) «il più importante ruolo culturale in città e nella regione»; e definisce «il più grande programma extramurale d'America e del mondo» i corsi «per adulti, non per analfabeti» che organizza come direttore della University Extension. Sono corsi per laureati, con centinaia di specializzazioni, per tenersi al corrente professionalmente; e li seguono sessantamila medici, ingegneri, avvocati, uomini d'affari (pagando quaranta dollari per diciotto lezioni, un'ora alla settimana). Gli insegnanti vanno da Elizabeth Arden a Edward Teller, da Kenneth Rexroth a George Gamow, da Erskine Caldwell a Jascha Heifetz.

«Per sola voglia di imparare, e per avere in mano nuove armi competitive nella carriera» nota Kaplan; e osserva come il cinema sia ormai «sempre più in minoranza, ridotto a fatto solo economico» negli interessi del pubblico colto. D'altra parte la città è così grande e sparsa che le persone colte sono isolate, si perdono. Ma l'università con i suoi enormi mezzi può fornire «un terreno d'incontro non formale»; e nello stesso tempo «dare un'enorme spinta alle arti liberali, musicali, pittoriche, cinematografiche». Così, da un lato provvede «centri di riunione, dove sia possibile mangiare, bere, parlare». Dall'altro, in una collettività priva di spettacoli d'ogni genere, organizza ottimi concerti sul campus, nella Schoenberg Hall; e ingaggia attori e registi professionisti a Broadway per la propria stagione drammatica, l'unica regolare a Los Angeles.

«Cerchiamo di coinvolgere gli scrittori...». Ogni anno, una conferenza su temi d'attualità. L'anno prossimo, «Cinema e TV». E quest'anno, sempre non invano, «I problemi della crescita: le arti culturali in California». Ecco il programma degli interventi: prolusione di August Heckscher, il consulente numero uno di Kennedy per la politica culturale; conferenze e discussioni sulla creazione artistica e le funzioni della critica, a cui partecipano Aldous Huxley e Billy Wilder, Richard Neutra e Jack Lemmon, Stanley Kramer e John Crowe Ransom e Jean Renoir, il coreografo Eugene Loring, il disegnatore industriale Charles Eames, il produttore John Houseman, il poeta Kenneth Patchen, il critico teatrale del «New York Times» Howard Taubman. Sembra un numero natalizio di «Esquire».

Ma che sensazione mortuaria, vedere le file di grandi teatri di posa chiusi o vuoti, o trasformati in piccoli studi per la televisione. Le industrie californiane oggi sono la Lockheed o la General Atomics, producono aeroplani e missili e componenti elettronici, o si occupano d'acciaio e petrolio e speculazioni immobiliari, o sono «imprese pensanti» come la Rand. Nessuno parla di film.

Del resto i grandi produttori sono vecchi, ricchi, privi d'interessi, e senza nessuna voglia di rischiare. Un tempo i terreni degli studios erano aperta campagna, ora sono aree fabbricabili. Fanno più in fretta e guadagnano di più a venderli pezzo per pezzo alle imprese di costruzioni, invece di fare dei film. Gli studios paiono diventati cortili fra i nuovi edifici. Il «back lot» della Fox è un buco dove si può girare solo in interni. Più redditizio, evidentemente.

Apparentemente la gente del cinema forma una società anziana e senza ricambio. Gli attori e i tecnici dei film di venti o trent'anni fa vivono ancora, abitano tutti a Los Angeles, si vedono in giro: mentre dopo la guerra non vi si è stabilito praticamente più nessuno. Stanno lì in transito, in una casa affittata per la durata di una «parte» o di un impegno alla televisione. Perciò un party tipico di Beverly Hills fa così senso. Tre quarti sono attempati: sceneggiatori venuti dall'Austria nel '37, operatori della Garbo, soggettisti che azzeccarono due «idee» in due decenni, produttori a cui andò bene qualche film di propaganda di guerra, ex-ragazzi prodigio ora calvi e con gli occhiali e rappresentanti di commercio, ex-Divine che bevono soltanto da un thermos che si sono portate dietro. E in mezzo, portati non si sa mai da chi, arrivisti e venali, con che fredda efficienza si dànno da fare i finti cowboys venuti da tutti gli Stati a battere sistematicamente bar e palestre, ricevimenti e spiagge, fino a un risultato aggiornato: non più la piccola parte «tanto per cominciare» in un film in costume, ma il contratto per un «serial» televisivo in cinquanta puntate.

Hollywood. Il nome che nel resto del mondo significa Il Cinema E La Sua Magia qui definisce con precisione topografica un tratto di qualche centinaio di metri dell'Hollywood Boulevard, una Pigalle tropicale. Luna-park, honky-tonk, baraccona: ma con qualche spizzico inaspettato d'eleganza. Negozi d'abiti fantasiosi, motels con palme intorno alla piscina, bar e ristoranti piuttosto depressi, una ricca libreria, l'edicola dei giornali stranieri, enormi vetrine di concessionari d'automobili, una quantità di cinema. Le predicatrici sul marciapiede mettono in guardia urlando contro il peccato e il demonio. Ma le insegne luminose reclamizzano ormai soltanto spettacoli che si svolgono a centinaia di miglia di distanza, negli alberghi di Las Vegas.

Dei cinema, il più vistoso è una pagoda tipo giardino zoologico con un tetto di latta ridicolo, il Grauman's Chinese. Ma la cosa impressionante sono i nomi di «stars» incisi sul marciapiede tutto intorno. Tutta gente morta; o come se fosse morta; o che sta per morire. Sembra di camminare sulle lapidi tombali, come nelle chiese europee. E pensare che lasciano in tutto un'impronta di mani o di tacchi, e una battuta da avanspettacolo all'indirizzo del signor Grauman.

Il delizioso Pantages invece è di marmo nero lucido, granito verniciato di bianco, ferri sobriamente battuti. Ma poca gente anziana ad applaudire Zizi Jeanmaire e Roland Petit. Nello stesso gusto, alcuni magazzini d'abiti chic a Beverly Hills: lo stesso stile civilissimo di certe palazzine degli anni Venti ad Amsterdam e Parigi, sul boulevard Raspail.

E le grandi case?... «Niente, fanno!» esclama drammaticamente George Cukor, nei suoi saloni pieni di cowboys e tavolini, mentre Katharine Hepburn nuota nella piscina di casa. «Nel '30, nel '35, la Metro o la Paramount o qualunque altra casa avrebbe ingaggiato cinquecento ragazze, le avrebbe allevate, istruite, provate... e una di queste avrebbe avuto certo la faccia della Garbo o il talento della Crawford... Ma oggi se ne disinteressano! Non si muovono! Stanno lì immobili! Come dinosauri! È troppo tardi perfino per morire: possono solo diventare fossili! E i nuovi che compaiono hanno solo un'aspirazione: rimpiazzare i dinosauri per diventar dinosauri a loro volta! E non capiscono che senza attrici il cinema non può andare avanti».

Cukor è vispissimo, pulsantissimo. Ha molti bei tavolini, nei suoi saloni, ma corre veloce con un centrino ogni volta che un giovane cowboy sta per posare un bicchiere con ghiaccio su una superficie lucida. In casa girano parecchi cowboys, ma non si può andare in piscina finché Katharine Hepburn fa la sua nuotata. «La Garbo? Uhm, qualunque ragazzino di Positano ha un viso più espressivo». Ma Cukor è soprattutto inquieto per le notizie da certe nuove saune in città. Non ci può andare perché è troppo noto. Così insiste perché si vada, e poi gli si venga a raccontare.

Naturalmente gli architetti tendono a sentirsi fra i protagonisti ideologici più impegnati nella costruzione di questo «mondo nuovo». Vado a trovare un professionista di successo, l'architetto Edgardo Contini, ferrarese amico di Bassani emigrato nel '38 e pianificatore urbano fra i più brillanti: proiettato nella soluzione futura di problemi già scottanti fin d'ora. «È necessario costruire al più presto centri artificiali, gallerie dove la gente possa camminare e incontrarsi; altrimenti finiscono per conoscere solo casa propria, due vicini, l'ufficio, il supermarket e il cinema rionale; e formeranno un ammasso di monadi, non una collettività... E bisogna pensare all'avvenire dei nostri figli: i bambini stanno crescendo educati ai suoni, magari agli odori, ma non a vedere il brutto...».

La casa a Hidden Valley è magnifica, la famiglia simpatica, il pranzo squisito... «Ma tutte le case ormai sono perfette» osserva. «Possediamo un forno, magari due o tre forni. Vale la pena di possedere cinque o sei forni? Per anni si è stati in casa, a goderci le nostre comodità e la televisione. Oppure, come alternativa, dieci chilometri per andare a cena fuori, altri dieci per il cinema, altri dieci per il night-club, e altrettanti per tornare a casa...».

E adesso? «Con il cinema che decade...». Ecco un altro entusiasta della funzione dell'università come sistema educativo per adulti. «Sostituisce il caffè o il club come centro di vita sociale...». E non solo l'università, infatti: ogni high school a Los Angeles ha i suoi corsi serali, con più di duecentomila adulti come allievi regolari. «Meglio che stare a casa a curare i bambini...».

«Molti studenti sono giovani mogli; o giovani coniugi insieme. Per noia, curiosità, snobismo, magari... Vanno a corsi di ceramica, esistenzialismo, compravendita immobiliare... Anche materie utili per il lavoro professionale, si capisce. Ma l'importante è che la cultura sia diventata oggi un "segno" di status sociale, più ancora della Cadillac...».

«Non soltanto,» interviene la signora Contini «in quante case d'amici, ricchi, blasés, che hanno tutto, si diffonde l'uso dei gruppi di discussione. Una quindicina d'ospiti scelti, un "moderator" fornito dall'università stessa a richiesta; e un lungo dibattito che dura tutta la sera, molto seriamente, parlando d'affari internazionali, o di musica, o d'argomenti comunque molto specifici...».

Benché si vendano in California più copie del «Wall Street Journal» e di «Harper's» che non a New York (e del «New Yorker», appena meno), in tutto lo Stato non esistono editori; non si stampano libri; non è mai riuscita a vivere una sola rivista; e i quotidiani pubblicano solo cronaca locale, fotografie di fidanzati e sposini, pettegolezzi sulle serate dei divi. La costa atlantica, vista dai giornali di Los Angeles e San Francisco, sembra lontanissima e l'Europa praticamente non esiste. A meno che non muoia il Papa o non dia le dimissioni Adenauer.

L'unica eccezione è «Sunset», cioè «tramonto», che si definisce «la rivista del vivere occidentale» e proclama di non avere altri interessi editoriali «al di fuori della casa, della cucina, del giardino, dei viaggi». Mensile, con tante pagine; illustratissimo; gonfio di pubblicità. Tira settecentomila copie; pubblica manualetti che passano anche il milione. Fa di tutto per restare «tipicamente locale»; e scoraggia ogni vendita a est delle Montagne Rocciose.

Ecco il sommario di un numero qualunque dell'estate scorsa. Aiuta a capire che senso ha la vita in California, più di un'indagine sociologica: me l'ha consigliato Bruce Bliven, ex-direttore di «The New Republic», ora in pensione presso l'Università di Stanford.

Pigiami da patio
Mobili da costruire per la stanza da letto dei bambini
Come interessare i ragazzi alla natura e al giardinaggio
Elenco ragionato di campeggi e scuole estive all'aperto (moltissimi, pagine e pagine)
Dimostrazione scientifica di come vola un elicottero senza pericoli in un parco pubblico
Fotografie di animali in movimento
Musica e dramma all'aperto
A pesca con rete e bilancia
Che tipi di barche si noleggiano alle Hawaii
L'alpinismo nell'Idaho
L'albergo di Wright a Tokyo
Le autostrade nell'Alaska
Come leggere un palo totem
Le bellezze naturali della costa dell'Oregon

Le nuove sorprese del vecchio parco di Yellowstone
Sei modi di preparare le tostadas
Quando l'auto incontra il giardino: molte ingegnose soluzioni
Tetti di canne per aver ombra nel patio
Come costruire un giardinetto per la propria stanza da bagno
Le capanne in forma di A, la più opportuna
Paralumi di metallo, per lampade da pergolato
Diversi tipi di interruttori elettrici
Usi insoliti di specchi
Diverse ricette indiane, iraniane, giapponesi
Diversi usi dello spiedino per gli scampi e i fegatini
Ricette casalinghe e costose con caviale, avocado, ananas
Soufflés siriani
Mousses hawaiane
Come utilizzare le felci tutto l'anno
La rete di nylon che protegge il ribes dagli uccelli
Il letame abusivo che non bisogna comprare
Problemi pratici: l'albero che interferisce con un angolo del terrazzo; una scala da giardino; le pareti battute dal sole; la separazione delle aiuole senza bordura.

Consigli per l'estero: come vedere Parigi dall'elicottero; in quali sere è illuminato il castello di Heidelberg; le gite in barca a motore nei canali intorno a Stratford-upon-Avon; quali festival hanno spettacoli all'aperto di giorno; reliquie dell'Inghilterra rurale nel centro storico di Londra. Le esposizioni agricole a Rotterdam.

Giochi che i bambini possono fare durante i lunghi tragitti in macchina: mettere insieme tutto l'alfabeto con le prime lettere delle targhe o della pubblicità (vince chi finisce prima); fare la gara a chi vede per primo tre mucche in un prato, una donna a cavallo, un aeroplano che si abbassa, un cane nero, un orso grigio, un ponte coperto, un incendio.

Incontri. Quello che muore per strada senza aiuto, e quello che viene arrestato perché va a piedi (sempre, si vedono). Macchine (parecchie) con sei bambinacce sopra, chiaramente avvinazzate. Il motociclista senza motocicletta (tutto in cuoio nero, dal berretto al giaccone agli stivaletti ai jeans), e il cowboy senza cavallo (bardato come nei film western o a Dallas). Oppure, l'uno e l'altro, addirittura in mantello nero, collo di velluto, fodera di raso rosso a gigli fiorentini. Vie di mezzo, niente.

Due vecchine mi fanno spostare la macchina dicendo che è

sosta proibita e si prende la multa. Appena mi muovo, si mettono lì con la loro, ghignando.

Desiderando una vacanza piuttosto festiva, si abiterà al famoso Chateau Marmont, facendo magari colazione alla sottostante Schwab's Pharmacy, celebre perché lì secondo le migliori leggende venivano scoperte dai talent scouts le future dive come
Lana Turner. Nature e vite ancora più tempestose che nei melodrammi passionali interpretati sugli schermi. Dai balconcini
del Marmont si salutano alle altre finestre eccellenti amici italiani: ecco Verde, ecco Claudia, ecco Bernardo e Clara. Una domenica si va in un irresistibile period piece a Santa Monica, la
villa di Dolores del Río e suo marito Cedric Gibbons, l'art director grandioso che inventò e controllò lo «stile Metro-Gold-
wyn-Mayer» degli anni Trenta. È un mirabile post-Bauhaus lat-
teo con gli angoli tutti minimalmente arrotondati, e una partitura complessa di modanature e sfalsature rastremate in superfici chiare e piane e color panna da cui emerge una struttura
complessa di tenui lame di luci indirette, la sera. La piscina non
è lontana dalla cucina, giacché sede per quasi tutto l'anno di colazioni, dato il clima (però spogliatoi e cabine e docce la separano dal tennis, rimosso nel cemento). Invece la sala del breakfast ha per ingresso un invito ricurvo, come per accompagnare
la spalla stanca dal risveglio mattutino ai due liquidi che la rivi-
vranno, la spremuta e il caffè. Attualmente la proprietà è archi-
tettonica-viennese. Ma apparentemente la anima soprattutto
una bicicletta.

Sempre a Santa Monica, questo vecchino birichino e bal-
danzosetto che passeggia ogni mattina fieramente sulla muscle
beach (sotto casa sua, in un canyoncino di Azaleas o Acacias),
con un berrettino da *Morte a Venezia* vecchio e sbieco, e slip di
molti anni fa con una palla casualmente fuori... Ecco l'immancabile Christopher Isherwood. Ha appena pubblicato il secondo tomo della sua autobiografia (*My Guru and His Disciple*)
che è abbastanza narrativo così come tutta la sua fiction era
sempre stata notevolmente autobiografica. Venticinque anni
di Vedanta (a partire dalla vigilia della guerra, quando i suoi
coetanei che non combattevano si convertivano al cattolicesimo o facevano servizio civile), sotto la disciplina spirituale di
questo Swami Prabhavananda che gli diceva «nessun male se
fai l'amore con un giovanotto, basta pensare che sia il giovane Krishna», e sovente aggiungeva «quando mi fai conoscere
Greta Garbo?».

Auden commentava: «Non va». Eppure (ricordo quando il nostro insigne Argan brillantemente lo illustrò a Marcel Duchamp, abbastanza deliziato) anche nella tradizione cattolica qualche manuale confessionale barocco spiegava come non far peccato commettendo la sodomia: basta pregare intensamente che dall'atto contro natura possa nascere un piccino. Cioè, una manifestazione di Fede tanto grande e intensa come quando s'invoca il Miracolo, l'Impossibile: far spuntare la gamba tagliata, far resuscitare la mamma morta, ecc. E questo redime (mentre se la stessa invocazione si fa durante un atto secondo natura, non solo non vale niente, ma può costituire peccato contro la fede).

Fra gli stessi muscle boys da muscle show si ritrovano in spiaggia due facoltosi belgi d'Anversa frequentemente incontrati in kermesse europee; e ci conducono per drinks nella magione dove sono ospiti, presso un magnate dei condimenti in barattolo. Giovialmente fa ritratti in polaroid e li dona; ma intanto, in caso di sorprese, c'è il documento. C'è anche un italiano che dorme nella dépendance, e così salutiamo volentieri un amico Luciano sceneggiatore veneto.

A colazione, al Polo Lounge di Beverly Hills, ecco le celebrità: Pola Negri ogni giorno sola al suo tavolo; e in seguito lì ci si divertirà a scherzare con gli amici italiani: ecco i sosia di Dustin Hoffman, di Richard Gere, di John Travolta. (E invece sono veri, ovviamente). Il mercoledì, sfilata di moda, sempre a colazione, con mannequins che girano fra i tavoli: mai visto un simile allungar le mani e palpar profondo, ai tavoli di signore e signorine.

Al vecchio immenso Hollywood Bowl, *La Damnation de Faust*, di Berlioz, interamente microfonata e amplificata. La Los Angeles Philharmonic sarebbe un'orchestra eccellente, già diretta da Mehta e adesso da Giulini, sul podio c'è Jesús López-Cobos, musicista civilissimo, Mefistofele è l'ottimo Paul Plishka, e Margherita la squisitissima Florence Quivar, che potrebbe essere un'Adalgisa o un'Amneris da leccarsi baffi di connaisseurs. Ma la Natura non perdona e la «console» neanche: le colline crepitano d'insetti fragorosi con voce tra il grillo e il rospo e il trapano, tanti piccoli aerei sorvolano bassi, e i tecnici alzano e abbassano continuamente i volumi dei diversi settori orchestrali e dei solisti. Diventa quasi patetico che un gruppo di fiati ligio alle didascalie berlioziane si alzi e si sposti su lontani pianerottoli per far banda interna o remota: potrebbero stare al loro posto, tanto l'effetto stereo viene regolato con indicatori e pulsanti, a comando.

Pubblico sterminato distribuito in migliaia di piccoli recinti sugli ampi gradoni, con cinque sedie e un tavolino: voluminosi contenitori versano manicaretti, terrine, la quiche e la mousse, con tanti thermos, e anche il vasetto con la rosellina nella sua acqua, fra due candele accese. Vendita di vino e birra agli ingressi, da portar dentro. Sono venuti anche di lontano, sono arrivati ore prima, il loro *casual* è elaborato e festivo, come in un Glyndebourne di gran massa, il porcaio è colossale. Dopo l'intervallo, tre quarti se ne vanno: hanno già mangiato, bevuto, hanno sentito un po' di musica, hanno passato la serata al fresco; dopo un po', basta.

Sulla carta, Universal City sarebbe vicina a tutto. Ma nella fine pomeriggio dei rientri, il traffico è fermo o lentissimo. Più di due ore e mezza per arrivare a un concerto di Frank Sinatra, in un nuovo anfiteatro coperto. Pubblico enorme, di un entusiasmo disposto a tutto. Così la figlia Nancy intrattiene gli spettatori spossati soprattutto sugli inconvenienti della congestione stradale. E il vecchio Frank, poi, ci ritornerà sopra. Un presentatore spiega a lungo che il suo boss è grandissimo. Finalmente, appare lui somigliante a Gino Bramieri, e beve, fuma, come nelle pubblicità per sigarette, si appoggia, sta volentieri seduto. All'interno dei suoi vecchi successi, le sue cose un tempo più splendide, ora lavora di lazzi e drittate, che piacciono molto. In *I Get a Kick Out of You*, per esempio, ecco un « I get cocaine from Spain » fra urli di gioia; e grandi applausi per « Your fffff... », perché sembra che stia per uscire una parolaccia volgare, e non finalmente « ffabulous face! ».

Parecchi muggiti a bocca chiusa, come quando Lauren Bacall alla televisione esalta il caffè in polvere facendo dei cupi « mmmmm! », e sembra una mucca che faccia réclame al latte. E dei nuovi « sss » sibilanti: dei « *she... is...* » (in *The Lady Is a Tramp*) molto odontoiatrici. Anche grida clamorose e ingigantite, ora che è così gonfio, là dove una volta era la più raffinata sottigliezza, quand'era magro. Il vecchio incanto, pare che sopravviva quasi intatto. Ma la bottiglia pare praticamente andata, verso la fine.

Parla del tempo che fa, tra boati d'entusiasmo immutabile. Dà i risultati delle partite, e la folla è in vero tripudio. Ripete i vecchi lazzi municipali sulle cittadine adiacenti, ed è delirio: ancora più che nel caso del Papa, qualunque cosa riesca a dire.

Lo spettacolo cadaverico offerto da quei famosi cabarets satirici nati dalle sassate di Mort Sahl al perbenismo e a Hollywood, e dal drammatico autolesionismo di Lenny Bruce, pare quello d'una libertà d'espressione forse senza precedenti negli Stati Uniti, certo senza paragoni in Europa. Argomenti? Masturbazione, cancro al polmone, matrimoni misti bianchi-neri, impotenza, aborto, bomba H... Ma nessuna censura, nessun tabù: per questa estrema libertà ideologica fornita alla nazione dai fratelli Kennedy; e appoggiata fra l'orrore dei benpensanti e lo scandalo dei conservatori dalla Suprema Corte, con un liberalismo inimmaginabile nei nostri paesi europei.

Lo sketch più popolare sembra dappertutto quello della Crocifissione. In una, Cristo parla con un accento di Oxford impeccabile: «Lo sanno, ma certo che lo sanno, figuriamoci un po' se non lo sanno, quello che si fanno...». Più giù i due ladroni bofonchiano classicamente, si lamentano in grevi accenti proletari perché le loro croci sono più basse di quella in mezzo. I soliti privilegi... «Perché è crocifisso più in alto, quello lì?». «Per tutti gli anni che ho speso a migliorare il mio accento in solitudine» risponde Cristo gentilmente «e poi perché mi càpita di avere un padre più influente del vostro». In un'altra, un omino semplicemente dritto in piedi in mezzo alla scena, a braccia allargate, si guarda intorno e zufola nervosissimo. Poi, anche lui con accenti volgari: «Non sanno quel che si fanno! Come, non lo sanno, quei figli di... Lo sanno sì! Lo sanno sì! Non mi vengano a raccontare storie!...». Ecco un passante, abbastanza malconcio. È malato, non vorrebbe fermarsi, va a casa a misurarsi la febbre. L'omino promette di guarirlo, a patto che gli tiri via i chiodi dalle mani e dai piedi. Il passante brontolando comincia a schiodare. «Attento! Attento; non prima le mani!» grida l'omino. «Prima i piedi! Prima i piedi, ho detto!». Troppo tardi. Cade a testa in giù, e, bum!, picchia una nasata per terra.

La compagnia di Billy Barnes è celebre a Los Angeles. La loro sede è in una via d'antiquari chiassosi e parrucchieri sfacciati e locali notturni con le torce fuori. In un teatrino, un pubblico ricco e quieto, molto borghese: giovani coppie, cotonate perbene, stole di visone, qualche paltoncino bianco con volpe bianca; ragazzi e ragazze di liceo, già obesi e bovini come il papà, o magre e fredde come la mamma. Durante lo spettacolo si tolgono le scarpe come a casa.

Fanno anche tournées di successo a Broadway. Ma qui la rivista è strettamente municipale, tipo *Sette giorni a Milano*, e s'intitola infatti semplicemente *L.A.* Su una scena che è una parodia parrucchieresca del Disadorno e del Nulla, tre uomini in alpaca nera e tre donne in due pezzi color tortora cantano con un pianista e un batterista un'introduzione tutta orgoglio per la città che cresce: «L.A. è... L.A. è...», a couplets sui cambiamenti locali ogni giorno, e le contraddizioni, e l'esplosione della popolazione, e lo smog, e le celebrità, e il baseball, e i fans. E continui paragoni e rinfacci con New York e San Francisco. I primi sketch riguardano l'arrivo a Los Angeles dei Piccoli Teatri e dell'Assurdo, con fatui lazzi: la proliferazione dei numeri – telefoni e indirizzi, macchine e assicurazioni – finché anche il nome diventerà un numero; le domande folli dei selezionatori di personale a chi cerca un posto; l'importanza della musica di sottofondo nelle situazioni patetiche. E lo spirito è notevolmente qualunquistico, un po' vile. Ma per virtù di un ritmo brillantissimo lo spettacolo riesce tutto divertente. La ragazza di Chicago, cacciata di casa in boa e valigetta, sogna un Luogo dove la Fanciulla sia Protetta e Rispettata, ma con pretese insensate. La signora abbandonata dal marito è molto grata al suo pappagallo, che le è stato vicino nel dolore. Ogni donna – assicura – dovrebbe avere un pappagallo: capiscono tutto, rassicurano, non si lamentano di niente; non come i gatti, troppo indipendenti e vanesi. Entra l'amico attuale della signora: è un pappagallo.

Una stupenda nasona sboccata alla Martha Raye, Patty Regan, canta il tango dei sobborghi. Da un po' di tempo tutte le cose più eccitanti non succedono più a Los Angeles, ma a Covina: un sobborgo che il pubblico sghignazza solo a sentir nominare. E la canzone non è che un elenco di nomi di posti e di luoghi comuni, che diventa folle per la solita ricerca sociologica delle «cause» dei fenomeni. Ci sono troppe autostrade, troppi drive-in, e piano-bar, e lavanderie automatiche, minaccia la nasona con la serietà di un Decano. Poi procede a deduzioni deliranti: troppe casse di risparmio, troppe pancake houses... perciò le massaie fanno le stupide coi commessi viaggiatori davanti al frigorifero!

Il finale del primo tempo rievoca (era tempo!) gli anni Quaranta visti da Hollywood. La guerra, la parodia dei manifesti e degli slogan, i film patriottici, il musical di propaganda. L'isola del Pacifico affollata di trii vocali in divisa, la giungla in balletto, la cantiniera che piange orgogliosa sopra la scopa del richiamato; i tre marinai canterini in licenza che trovano la ragazza che singhiozza perché ha perso José Iturbi, e vanno insieme alle prove dell'Hollywood Bowl e là ballano il boogie-woogie della Vittoria Imminente.

La seconda parte cede più al surreale; gli esami di licenza alla scuola di strip-tease, il valzer delle delikatessen importate, il congresso commerciale trasformato in farsa campanilistica, il twist di West Hollywood che intreccia scaltramente le figure e i temi d'una serata al bar: bere, neurosi, muscoli, droghe, l'odio per la famiglia, la ragazza appena arrivata in città, il sesso e la ragazza sola, l'incomunicabilità nei rapporti col cane.

Quattro sketch vengono fuori soprattutto bene. L'amante dell'uomo sposato, non giovane e coi rimorsi («Cosa fare? Aspettare?»). La «prima» del film artistico-nudista, con la star intervistata dalla televisione e molestata da un osceno vecchietto che le offre i lollypops. Nessuno riesce a cacciarlo via. Lui tira fuori i soldi. Lei ci sta. Ma non ci sono più posti al cinema. «Neanche uno sgabello? Allora andiamo a letto». E la tragedia del ricco venuto dall'Est: possiede una villa, piscina, quattro Rolls-Royce, ma non ha mai partecipato a un'orgia di Hollywood: «il mio giardiniere ne fa tre alla settimana, il barbiere garantisce che una qualunque ne vale sei a Roma, i miei amici mi disprezzano perché non ne ho mai viste, non mi basta più la fotografia su "Life"... Perché, perché non riesco mai a entrare a una vera orgia di Hollywood?». E, infine, il «pageant» di Los Angeles, con cori arcani che domandano: «Città di progresso, dove vai?», oppure, più pettegoli: «Dove sei stata? e con chi?». La storia della città viene riassunta da un comitato di vecchie maestre in pensione che la ricostruiscono simbolicamente: prima gli animali, poi gli indiani, sempre con gags comicissimi; poi i messicani: padre Serra, un bel pretino nasale, canta il valzer dei Santi spagnoli; l'ovvia Febbre dell'Oro; e una sfilata di catastrofici tableaux vivants che presentano i principali prodotti, dal petrolio al pesce, con malevolenze.

Sarà forse un caso, ma i teatrini sperimentali della Costa Occidentale stanno tutti (o quasi) rappresentando Shaw. Quel capolavoro di *Heartbreak House* all'Università di Los Angeles nel proprio teatro, con una propria compagnia, primadonna Marsha Hunt. Ed è evidentemente il migliore spettacolo in città: ma come sa di second'ordine... La scenografia è vittoriana accurata, dentro cornici ovali concentriche di finto-legno. L'accompagnamento musicale, chissà perché, il *Concerto per piano e orchestra* di Ravel. Ma gli attori, o cantano o fanno le macchiette, dando un'importanza esagerata a ogni singola entrata e uscita. Dopo il primo intervallo non sono rientrato. Fuori, sul campus, un profumo intenso tipo papaya, pioggerella, il neon freddo dei lampioni, il ronzio dei ciclotroni dai laboratori scientifici.

Ventate di cori dell'*Aida* arrivano dalle porte aperte degli istituti musicali. Davanti ai gabinetti, file di signore eleganti con

stole di visone tutte uguali; e qualche scialle a frange abbondanti. Le grandi automobili a colorini di caramella riempiono un
enorme posteggio sotto i fianchi da basilica romanica della biblioteca centrale. Dentro una Corvette sportiva, un papà allat-
ta un bambino che piange. Macchine della polizia passano continuamente avanti e indietro.

Sulle salviette in spiaggia, a Malibu, in seguito, *Music for Cha-
meleons* di Truman Capote tiene spesso compagnia agli olii ab-
bronzanti e alle valigette frigorifere con le bibite. Nelle prime
pagine si incontra un'aristocratica della Martinica in una casa
di merletto di legno che beve tè di menta ghiacciato e profumato all'assenzio, suonando Mozart al piano per dei camaleonti verdi e rossi e gialli e viola e celesti, e per un autista che ha
avvelenato la moglie ed è poi scappato dall'Isola del Diavolo.
(Siamo in Jean Rhys? O in Djuna Barnes?). Poi si incontra in
una vecchia custodia di cuoio uno specchio nero che appartenne-
ne a Gauguin per riposare la vista e rinfrescare la visione dei
colori, così come nei banchetti i gourmets prendono un «sor-
bet au citron» per risvegliare il palato fra portate troppo elaborate. (E qui? Siamo in Djuna Barnes? O in Karen Blixen?). Nella prefazione e nella postfazione l'autore dichiara che non bisogna scrivere «alto» e «denso», ma piuttosto «basso» e «semplice» e «chiaro» come un ruscello di campagna, però liberando l'intero potenziale, facendo esplodere tutte le energie e le
eccitazioni estetiche, combinando in una singola forma tutto
ciò che si sa di ogni altra forma di scrittura... Memories...

Una gran mostra di avanguardie russe al Los Angeles Coun-
ty Museum of Art si vanta d'essere più ricca di ogni esposizione analoga a Parigi; e certamente è più ordinata e meglio orien-
tata. Oltre ai capolavori più celebrati e itineranti di Malevič e
Lissitzky e Tatlin e Puni e Gabo e Larionov e Gončarova e Kandinskij e Rodčenko, tanti sorprendenti minori, molte fotografie e ritratti, molta grafica e libri d'arte, parecchie patetiche stoffe per grandi magazzini di futurismo proletario di massa, e costumi e attrezzi di spettacoli di Mejerchol'd, mobili trasformabili con molle e sportelli, abiti rigidi come feltro trapunto. Soprattutto, una vivissima genialità femminile vastamente docu-
mentata: una magnifica parete di Ljubov' Popova, che fa del
post-Boccioni sofisticato e rigoroso sia nei quadri sia nelle composizioni architettoniche sia nei figurini di moda pronta; Alexandra Exter, ricercatrice intensissima di inter-relazioni e co-in-
tensità ritmiche fra i colori, nel cinema di science-fiction su-

prematista, rivoluzionaria e inter-planetaria; Olga Rozanova, stilizzatrice del vecchio astrattismo in collages già minimalisti; Varvara Stepanova, pioniera della funzionalità e della costruttività nei vestiti per un'epoca industriale. (Come quegli architetti che più tardi respingevano ogni aspetto decorativo e ornamentale nei ristoranti e negli alberghi, mettevano in evidenza solo i pilastri e le tubature e il cemento, dunque i clienti fuggivano per rifugiarsi nei locali concorrenti tutti rococò e Art Nouveau).

Racconterà poi Octavio Paz che a Cuernavaca spesso con la giovane moglie giocavano a tennis in un club con una signorina simpatica. E una volta piovve, si bagnarono, e lei li invitò per cambiarsi nella sua villa, vicina.

Qui si aggirava per le stanze un'autorevole vecchia in nero lungo e con la sua borsetta da casa: molto simile, nella descrizione, alla Principessa di Lampedusa che nel suo cavernoso appartamento palermitano pose all'esule baronessa von Titzewitz parecchie domande su torrette e vecchi parenti in castelli baltici ormai svaniti, prima di abbracciarla come «chère cousine». E poi mi chiese (forse per test psicologico) di porgere i salatini, indicandomi un tavolino vuoto. (E lì, un dubbio: fare un gesto, come il mimo Marceau?). La vecchia dama di Cuernavaca, udendo che l'ospite bagnato era un poeta, gli domandò rapidamente se preferiva Marinetti o D'Annunzio. Aggiungendo «io sono Tamara de Lempicka» e lasciandolo interdetto, perché non c'era ancora stato il revival, dovuto a F.M. Ricci.

Wally Toscanini invece la conosceva bene («una lesbicona simpaticissima») perché frequentava negli anni Venti un'accademia di pittura moderna a Montparnasse con Emanuele Castelbarco, compagno di Wally. E anzi, la prima mostra di Tamara fu proprio nella Bottega di Poesia milanese di Emanuele e Walter Toscanini. Ma una sua burrascosa visita al Vittoriale (fra scostumatezze del Vate e strepiti domestici) è ora per centinaia di repliche il tema di uno straordinario prolungamento (forse involontario) del Metodo Ronconi, dall'*Orlando furioso* in poi. Scritto e diretto dai tuttavia giovanissimi John Krizanc e Richard Rose.

Ecco una vecchia villa, lungo il fiume di macchine avviate all'Hollywood Bowl – stasera canta Aznavour, domani suona Ashkenazy –, identica alla celebrata e familiare chiesa dello Steinhof viennese, opera di Otto Wagner. Stessa cupola bizantina su base quadrata, con campaniletti anche quadrangolari ornati di giardinetti pietrosi e trofei di metalli già dorati e ora un po' grigioverdi. Ma un cannone fuori, accanto a una De Soto bianca coupé.

L'interno basilicale della villa – che appartiene all'American Legion ed è piuttosto ampia – è riempito di ninnoli e gingilli come il Vittoriale stesso, con un autentico genio nel trovarobato, nella scelta, nell'accumulo. Interi magazzini e depositi della Warner Bros e della Paramount si devono esser riversati qui dentro, con risultati identici alle visioni estetiche del Comandante: l'ospite è sempre tentato di ricercare l'etichetta della vendita all'asta sotto i ferri battuti e le maioliche.

Ecco frange, fiocchi, lustrini, mitragliatrici, stelle e stelline dorate, stendardi, vessilli, seggioloni con le zampe, batterie di moschetti, poltrone di velluto da Opera, una statua d'Augusto con frangetta di porporina, rilegature antiche, libro degli ospiti, «Memento Audere Semper», dischi a 78 giri, medaglieri, ufficetti. Stoffe tipo Fortuny appese alle pareti e balconate del primo piano, e di lì alcove di colori e stili diversi (Quattrocento, moresco, francescano, Art Déco, preraffaellita) molto più grandi che al Vittoriale vero, e con un diverso profumo in ciascuna: tuberosa, tabacco, vetiver, patchouli. («Il Vittoriale è *piccolo*» mi disse una dama di quei tempi).

Petali di peonia sparsi ovunque; un amorino pendulo tra i festoni di rose tiepolesche affrescate nella cupola. Vittorie di Samotracia. Onorificenze, decorazioni. Una sala da pranzo con tavola e sedie monumentali, colossale lampadario, centri e appliques da *Grand Hotel* o *Dinner at Eight*. Viole, lillà, stivali, lumini, incensi...

All'entrata, un vecchio cameriere untuoso e tinto in giubba a righe e ciabatte dice tanti «Buonasera» servili (in italiano), ma un'arrogantissima camicia nera, nera come i volumi di Franco Maria Ricci nella bacheca dietro, squadra bieco gli ospiti, timbra i loro passaporti valevoli solo per il 10 gennaio 1927, e li ammonisce rozzamente di non aprir porte o cassetti e non disturbare il Comandante – mentre uno stuolo di camerierine in crestina gira con vassoi offrendo spumante della casa.

Pubblico variopinto. Parecchi gruppi di donne corpulente e vivaci. Debussy, Chopin, fox-trot. Coppe e bicchieri dappertutto, grazie, prego, cassapanche, how do you do. Pare un animato ricevimento nella hall di un piccolo albergo di Cortina con tanti cuscini, in altri tempi. Barba alla Dino Grandi, e movenze da scettico blu, un elegante pianista brizzolato fa piano-bar in smoking, mentre al primo piano una ballerinetta in tutù si esercita nella *Morte del cigno*.

La servitù e i dipendenti hanno istruito gli ospiti nella visita guidata e nel rispetto al Vate, li hanno controllati e ammoniti poliziescamente a comportarsi con riguardo. Loro però si comportano malissimo, e si gettano in terribili intrighi, dimenticando quasi subito di avere il Vittoriale pieno di gente.

Ecco dunque una Luisa Baccara, una piccina trottolina assai vispa, non la vegliarda silenziosa e austera che si vedeva a Venezia ai balli Volpi in conversari con Palazzeschi. La danzatrice, Carlotta, farebbe di tutto per ottenere una raccomandazione a Diaghilev. La cameriera Emilia ha le dita lunghe e scatti di nervi. E il vecchio valletto è un ex-gondoliere che ne ha viste di tutte e capisce tutto, ma è un po' stufo e va in giro col piumino, svogliato, in un odor di mangiare che si mescola presto al gelsomino.

C'è qualche mistero, forse: il poliziotto squadrista si chiama Finzi, il nuovo chauffeur fruga in tutti i cassetti e copia le lettere stracciate nel cestino, il «dandy cariato» Gian Francesco suona soft background music e beve immensi cognac, ma sembra un viveur capace di forti ricatti a tutti. Ogni tanto, qualcuno esce dai cessi con le narici in fiamme e una scarica improvvisa di brio. Ma la migliore di tutti è assolutamente Aélis – anello di congiunzione fra Gloria Swanson e Maria Melato e Joan Collins –, housekeeper-regista-confidente suprema di un Imaginifico che invece è tutto sbagliato: un intruglio fra Antonio Gandusio e Louis de Funès, agitatissimo in sahariana bianca e decorazioni e medaglie da colonnello sudamericano.

I bei costumi sono di Gianfranco Ferré. La genialità di questo «film vivente» è che si svolgono sei-sette-otto azioni contemporanee – e rapidissime, animatissime, fuori di sé – in tutti gli ambienti e anche in una cucina che si spalanca nel sottosuolo, con grandiose batterie di rami e barattoli d'epoca e verdure padane. E in una chiesa gigantesca sul dietro, con navate sudamericane di inginocchiatoi e altar maggiore primitivo e pulpito rococò e mausoleo michelangiolesco già pronto per il Vate – nonché altari e pianoforti e casseforti e letti e bagni e fornelli sempre impegnati in azioni contestuali, violentemente. Ecco un ronconismo bene applicato.

E via, conciliaboli concitati, civetterie, fatalonerie, spuntini, alterchi, aperture di cassetti e sportelli, confidenze audaci, esplosioni di collera, massaggi affettuosi, seduzioni catastrofiche, minacce con la pistola puntata, orazioni alle folle dal pulpito con scarsi spettatori, e intimità femminili invece affollatissime... Perle, piumini, pantofole, spie, spari. E tutto sempre, vertiginosamente, di corsa. Oltre al solito Coinvolgimento, dunque, e al poter scegliere fra più possibilità alternative, componendosi il proprio itinerario aleatorio (come nella musica dopo il 1950), gli spettatori funzionano allora come intrusi invisibili testimoni di gustose scenate in casa d'altri... E su e giù, e giù e su, quindi, sempre al galoppo, assatanati dietro poliziotti e pianisti e cameriere, anche raccontandosi rapidamente sui pianerottoli cosa succedeva nelle stanze da letto o in portineria, mentre il Vate, giù in cucina, si prepara di pessimo umore una frittata agli zucchini, e se la mangia tutta anche scottandosi la lingua e discutendo con Aélis se è troppo o poco salata.

Nell'intervallo, anche gli spettatori pranzano (il costo dell'entrata è salatissimo), in una mensa per legionari fornita dal rinomatissimo ristorante Ma Maison – dunque formaggi francesi. E c'è anche da correre fuori in giardino perché la Baccara scappa in macchina e più tardi ritorna tagliuzzata – dunque grandi movimenti intorno alla De Soto, con valigie, cappelliere, accelerate, ecc. E in tutto questo la Tamara stessa è poco più che un pretesto: bella donna, altissima, tipo controfigura di Anjelica Huston, ma tutto sommato insulsa, malgrado diadema e paillettes. Ha comunque una grande entrata con voluminoso bagaglio nel primo atto, e un aspro diverbio con l'invadente Imaginifico in un boudoir, con paraventi e paralumi rovesciati, vasi cinesi tirati in testa, e poco più.

Movimento grandissimo, anche faticoso. Urli, spari, rumori incongrui, scalpiccii nelle stanze vicine, tonfi di sopra, puzze di sotto, inseguimenti in pelliccia con valigie rovesciate e mutande in giro. Scene di passione estrema in disimpegni di passaggio. Dipendenti che insultano i signori. Porte e sottane sbattute in faccia. Piumini e frustini. A tratti, sembra un sogno di Visconti avverato, o l'Italia vista da Muriel Spark. Si potrebbe anche passare una sera nel matroneo, la seconda nella hall, ecc. C'è perfino un'uccisione: chi è stato? «Chiudete le porte!» tuona Aélis. E tutti scappano.

Nei film italo-dannunziani del Quaranta, le Belle Arti del nostro Rinascimento erano spesso signore e padrone, regine e sovrane. Si vedeva sovente Raffaello alla Farnesina (nella *Fornarina*) che dipingeva la Favola di Psiche e diceva «più su quel braccio» e «più a destra quella gamba» a Giulio Romano e a Sebastiano del Piombo, tutti con delle gran berrette di velluto nero in testa, come nel primo atto della *Bohème* all'Opera. E Agostino Chigi incontrando Tommaso Corsini in una Piazza San Pietro già berniniana gli diceva «non posso fermarmi, sono in ritardo, devo correre alla Farnesina per il ritratto!». E appena lì in posa, Raffaello gli diceva «sorridete!». E da parte sua Giulio II, ricevendo Bramante che si lagnava perché Michelangelo gli faceva dei dispetti, gli rispondeva: «Voi siete un grande artista, Bramante mio, è vero... Però... però... Michelangiolo è artista sommo!». E subito aggiungeva: «Ben venga maggio, e il gonfalon selvaggio!».

Care memorie... Il Cardinale Giovanni de' Medici (eroe anche di una famosa tragedia presso la D'Origlia-Palmi in un sotterraneo del Vaticano), intendendo per certe sue oscure trame fingersi pazzo in Roma, contro gli Strozzi (e il facinoroso pubblico guidato da Laura Betti si divideva uso stadio: «Forza Medici!», «Stronzi Strozzi!»), riceveva Michelangelo, che arrivava con dei gran rotoli di progetti. E poco dopo si sentivano strilli e strepiti da Gatto Silvestro dietro la porta chiusa, e ne usciva come ribaltato Michelangelo, raccogliendo nervosamente i suoi rotoli; e si precipitava urlando per le scale, mentre dietro di lui appariva con un ghigno diabolico il Cardinale, e stropicciandosi le mani diceva tra sé a voce altissima: «Ed ora tutta Roma sarà informata della mia presunta pazzia, mercé quella lingua lunga del Buonarroti!».

C'era, spesso, la cortigiana Singulto, per lo più interpretata da Elli Parvo. E v'era una gran dama tutta signorilità e albagia che abitava sopra il Caffè Aragno, e si massaggiava sempre delle pomate sulla faccia, prima di uscire a bordo di sfarzosi equipaggi. Era lei, innamorata di Raffaello, che faceva rapire la povera Fornarina da Gino Saltamerenda e da Carnera; e loro la lasciavano come morta al Tuscolo, riportando alla gran dama in sua vece il cuore di un abbacchio, come in *Biancaneve e i Sette Nani*. Ma la Fornarina fuggiva attraverso la Ciociaria, trovava asilo presso Bella Starace Sainati, che abitava in uno speco con la sua capretta, e la sfamava con un formaggio. E dopo tre mesi domandava «dove sono?», poi finalmente rientrava in città scortata da Ugo Sasso e da Ugo Ceseri, in un abito tutto di perle, per denunziare la sua persecutrice, che veniva subito esiliata da Leone X a Pesaro. E c'era uno stupendo incontro davanti allo scomparso cinema Arenula fra le due rivali, con la dama sprezzante che sibilava alla Fornarina: «Siete solo una popolana, una fornaia che si vendica!». E lei, sdegnosa, rispondeva: «Prego: Fornarina! *La* Fornarina di Raffaello!».

E del resto, nella Tate Gallery londinese, c'è un Raffaello di Turner (nientemeno) che nelle Logge Vaticane mostra alla Fornarina, vestita da Fornarina, tutti i suoi quadri conosciuti, appoggiati alla balconata; e al di là si vede il solito colonnato del Bernini già compiuto...

Adesso, in giro per quella cultura che ancora si definiva sconvenientemente «bassa», dai «bacchettoni», tra le decine di «ephemera» disponibili presso Hollywood, si sceglie subito *Michelangelo's Models* («fantasia storico-romantica» di Frederick Combs) in un teatrino sperimentale con parecchi nomi italoamericani.

Eccoci nello studio del Buonarroti, tutto soppalchi e scalette, canestre di frutta e torsi di *Prigioni*, e inseguimenti birichini, con mani addosso, anche galanterie. Il Maestro è in baby-doll, e il suo garzone Tondo in maniche rosa e calzabraga.

Si prepara un party, nello studio: vini e coppe di trovarobato e attrezzerie. Giunge primo Bramante in robone verdone a stelline, barbetta da conte Sforza, falsetti dispettosi; e ha con sé un beach boy un po' anatroccolo, Raffaello Santi, o Sanzio, che si affanna a presentare come nipote. E tutti: nipote, quello? Ah, ah, la più amena celia della stagione.

Ecco Leonardo da Vinci in robone scuro, malandato, con bastone e vistosi acciacchi; anche un po' vecchio ruffiano. E arriva inopinatamente anche il Botticelli, checcona secca e cavernosa, nasona, in pellegrina rosa, calze rosa, cappello di paglia da giardiniere di Van Gogh, in compagnia di Monna Simonetta de' Vespucci, in camicia da notte di cotone a fiori vagamente reminescente de *La Primavera*. Ma Botticelli ha anche preso dalla strada un ragazzotto affamato chiamato Ignudo, in canottiera tagliata che fa reggipetto.

Si conversa chiamandosi continuamente per cognome – signor Botticelli, signor Santi – come parrucchieri e asolaie e pantalonaie sulla spiaggia libera. Simonetta: «Mi scrivevano tutti dei sonetti, ma poi se li leggevano l'un l'altro!». Anche sboccati, quegli artisti. Raffaello: «Voglio imparare la proporzione». E gli altri, con gesti poco fini: «Va bene, questa?». E si disputano gli anatroccoli.

Ma ecco, arriva un fan del Maestro: Tommaso de' Cavalieri, in fodera da poltrona, chintz da tende a fiori blu e rosa. Momento magico! Michelangelo, creatura esile e flebile presa da raptus, congeda gli ospiti e anche il garzone Tondo (si dà troppe arie). E attacca febbrilmente a disegnare su una cartella, mentre il bambinaccio Ignudo rimasto ha paura dei modelli in gesso per il *David*. Ragazzotto perduto corto e basso, biondo, con largo accento servizievole del Sud degli Stati Uniti, molto

di campagna e cascina, invadente e trottolante, un po' porcel-
lotto, si offre non come apprendista ma come servo, saggia marchetta rustica che sa installarsi rendendosi utile.

Il Cavalieri, ahimè, corteggia Simonetta che riappare in do-
mino e bautta Settecento di lenzuolo celeste; e la chiama sempre «Signora de' Vespucci». Ma lei: «No, prego, Simonetta, non
Venere né Madonna né men che meno Fornarina!». Un idillio
molto mondano. Sorpreso tuttavia da Raffaello. Il Sanzio decide di intromettersi... Ma si odono dischi di funzioni religiose... Ed ecco Giulio II! Un Tino Buazzelli ordinario (ma in gioventù fu fratello di James Dean in *East of Eden*) con un chieri-
chetto checchina serpentina. E Bramante si lagna: una tomba
di Michelangelo nella *sua* basilica! Consigliere maligno, vira e
gira i progetti pontifici per Michelangelo: dalla scultura alla Sistina... Ma l'onesto Raffaello (che ha udito la trama) instaura
con Bramante un conflitto arte-etica: zio e nipote si sgridano e
rinfacciano sui princìpi, e sulle congiure del perfido Bramante
per scacciare il Buonarroti anche dalla Sistina facendola assegnare al Sanzio. Alterchi fra cocorite, col Papa arrabbiato in
soffitta. Michelangelo chiama: «Giulio!». Giulio II risponde:
«Hey!». Scoppio d'ira papale, perché Michelangelo vuole scolpire e non dipingere. Quindi relax, brama di comfort.

Tommaso, prima di sedersi, pulisce lo sgabello con un fazzoletto di pizzo. Poi, con Michelangelo, bevono incrociando elegantemente le braccia e le coppe, con sguardo fisso. E mentre
Simonetta flirta – volubile trottolina! – con l'uno e con l'altro
sventolando la mascherina veneziana, e l'ex-garzone Tondo prosegue la sua nuova carriera di gigolo di successo con porporati
e con artisti, tutto uno sfiorarsi signorilmente a due con sguardi magici e passione intensa. Noto e trafficato equivoco! Tommaso parla di una divina creatura con quegli occhi, quella bocca... e Michelangelo fa le fusa perché non ha capito che di Simonetta si tratta. Quando comprende... un flash! «Ora lo so
che cosa deve andare su quel soffitto!». (Si tratta della Sistina).
E avanti con corpo e anima, Platone e Convito, seduti per terra
a domandarsi «chi sono io?», il basico «who am I?» di tutti i
film americani. E notti mettendo in posa il bambinaccio Ignudo sul tavolo, in gesti non solo da Prigioni e da tombe medicee,
ma da Adamo e profeti su quel soffitto. Infatti, per numerosi
messaggeri intercettati e messaggi non recapitati, per amor di
Tommaso il Maestro aveva accettato le proposte papali, poi «sono in trappola!» mentre arrivava la risposta del Vaticano: «Cominciare domani mattina!». (Ma Ignudo partecipa addirittura

alla stesura dell'epistola a Giulio II. Si rivela una perpetua di buon senso, fa anche da mangiare bene).

Leonardo appende stelle filanti, nastri hawaiani, fiori finti: è il suo turno di dare una festina. Ma a questo suo party escono tutti da una certa tenda alterati e alticci, riaggiustandosi le mutande. Il padrone di casa, in chimono. Molto acchiapparsi e contendersi. Simonetta, ormai sul Pasolini, paga le marchette al parsimonioso Botticelli, e tenta di spingere Tommaso nella tenda perché gli venga fatto il sedere. Leonardo, a Raffaello: «Soprattutto, impara una cosa. Porta a compimento tutto ciò che inizi».

Ma poco dopo Michelangelo è in fuga, in bermudas. Raccatta biancheria, disegni, ricordi... Arrivo inopportuno di Tommaso, pronto a darsi, ma a chi? Irruzione del Papa furibondo, ma litigando del più e del meno trovano alcuni temi per la Sistina osservando il movimento giovanile. Crisi d'artista: dipingerò te... E Ignudo: ti porterò la colazione, ti terrò compagnia di notte...

A Beverly Hills, uno dei ristoranti più pomposi e leziosi, fra mille altre civetterie e princisbecchi, ha anche la ridicolaggine di porgere ai clienti due menu diversi: uno rosa e senza i prezzi alle signore, e uno azzurro con i prezzi ai signori. Quale errore. Una ricca e battagliera donna d'affari invita un suo gentiluomo non tanto agiato a colazione, e fa capire al maître, eloquentemente, «pago io». Sbadatamente, invece, le porgono il solito menu femminile senza i prezzi. Non l'avessero mai fatto. Invece di commentare «che stronzata», la signora parte indignata col suo ospite senza mangiare e corre da un'avvocatessa femminista che neanche lei esclama «che stronzata», ma querela il ristorante, e chiede una somma grossissima come danni e risarcimenti per l'insulto e il disturbo e l'indegnità antifemminile sofferta. Il tribunale non risponde affatto «che stronzata». Trova anzi fondato il caso. La signora ha ogni probabilità di diventare ancora più ricca, giacché il ristorante le offre cifre assai cospicue per un componimento stragiudiziale della vertenza. (Ah, averlo saputo prima. Si poteva andar lì travestiti da Zizi Jeanmaire, con le penne nel dietro, e fare lo stesso. Peccato che ormai abbiano cambiato il menu).

A Hollywood, lo sciopero degli attori dura per parecchie settimane, e sembra una battaglia civile. Il punto è questo: negli sfruttamenti «ulteriori» o «successivi» del film o del telefilm per cui l'attore è già stato pagato, i diritti «accessori» o «ancillari» delle videocassette e delle altre riproduzioni meccaniche a quanto (di percentuale) ammontano? Ma soprattutto, da quando decorrono?

Dal primo dollaro dell'incasso lordo, chiedono gli attori. Dopo l'ammortizzamento del capitale investito, cioè a partire dall'utile netto, ribattono i produttori (in base all'argomento: «noi siamo fuori coi soldi, la vostra prestazione è già stata compensata»).

... Pianti di scavatrici lungo la frana scoscesa ov'è la buca non edificata nel rovinoso downtown di Los Angeles: neanche per Dioscuri o Argonauti di De Chirico in partenza dal Borghetto Flaminio (tipo via degli Scialoja, via Beccaria), contro la cespugliosa pendice di Villa Ruffo... O piuttosto uno smottamento di Villa Balestra smangiata dai rifugi bellici e incombente (sotto la piscina di Mariella Lotti) su Viale Tiziano e le stazioni di servizio...

Sull'orlo del baratro giace ancora per pochissimo, evidentemente, la casina-madre di «Physique Pictorial». Sola e perseguitata e meritoria pubblicazione di nudi maschili artistici ancora «sous le manteau» ma con prevedibili modernariati favolosi, quando non ci saremo più. Anche perché le pose e i fisici, e non solo le pettinature, appaiono irresistibilmente (e involontariamente) d'epoca. Come ci hanno insegnato i migliori conoscitori, basandosi sulle unghie e le ciglia anche nelle pose più statuarie fra Quaintance e Tom of Finland.

Il luogo è misero, e il padrone peserà duecento chili, in vestaglia. L'accoglienza è benigna, e te ce credo: vengo per comprare vecchi numeri arretrati. Dunque mi vengono mostrate le salette di ripresa. Molto più povere che negli effetti, dato che generalmente trattasi di una tendina sul fondo, spostabile; e in taluni casi, un David michelangiolesco da comodino. Fa piuttosto impressione che ci si trovi nella capitale del cinema, con nessun sentore o ammicco in proposito. Il «camp» non abitava forse qui?

Sunset Boulevard! In piena controcultura Beatnikiana e Beatlesiana, da «shobiz» metropolitano e transdisciplinare e microstorico... Variamente gnostico o gotico, manicheo o maniaco. Diversamente narcisistico... Fino al lepidotterismo... Fra italianetti: «Berrettina e Ciabattina – sono uscite stamattina – con la loro borsettina – per trovare Mutandina». Ecco il centro del movimento?

Long Beach pare una enorme Livorno, così orizzontale che guardando avanti per ogni boulevard non si vede niente. Poi, moli con qualche palma e qualche aiuola, spiaggette finte fra le case e le navi, file di macchine con la gente dentro che non scende neanche, seduta immobile come i romani al Pincio. E parcheggi vastissimi, deserti; eliporti abbandonati; vecchini che si avviano alla spiaggia in cappello di paglia, traversando i prati artificiali. Moltissimi vecchini: anche poveri, tante volte in tristi abiti scuri del Trenta. E pattuglie di polizia; Chevrolet cariche di marinai; neri che pescano zufolando quieti, con la lenza e lo stecchino in bocca; povere cameriere devastate nei ristoranti, premurose e artificialmente allegre.

I soliti tosaerba, dappertutto: con poco da tosare. E dappertutto, nella desolazione, la popolazione dei vecchietti, fra gli zampilli e i campi di golf. Campi che sono spesso disastri, palme trapiantate e morenti, operai che scavano, lavori inutili, una tragedia.

Appena fuori dalla città, questa pianura secca a monticelli di cenere, antenne elettriche, baracche di lamiere, enormi globi di cemento come uova bianche; mucchi di mine della marina, nuove, in depositi dietro la rete metallica. A sud, scendendo lungo il mare, a sinistra campi di migliaia di antenne che pompano petrolio, a destra darsene di migliaia di barche tutte uguali. Fino a San Diego, tutta una duna gialla e una pianura sabbiosa.

Da Long Beach alla frontiera messicana il paesaggio è di una desolazione avvilente. Dune di sabbia, lingue di sabbia, cespugli aridi. Colline secche, paludi morte. Natura ostile, clima soffocante, mare nemico. Centinaia di chilometri di spiagge percosse da un'acqua livida, con cartelli di pericolo e segnali di pescicani. Lungo il mare, moltitudini di macchine e roulottes che servono da abitazione permanente, con stracci appesi fuori, come se fossero scoppiate tutte le bombe e la popolazione si rifugiasse sulle coste.

Le colline dietro appaiono sassose come nelle isole greche più nemiche; oppure s'allargano in una steppa grigia coperta dalle zampe nere delle pompe di petrolio. Ai lati della strada, negozietti che vendono di tutto, baracche basse. Chioschi di cactus, stands di begonie e fucsie. Antichità, perfino: cioè pentole di rame. Su una roccia, improvvisamente un'Arca di Noè, con animali di latta e cartone. E motel coperti di polvere che annunciano cibi polinesiani, pietanze messicane, smorgasbord. La sabbia e l'umidità sono soffocanti, s'attaccano alla faccia, alle mani, non vengono via neanche a fregar forte; cariche d'una salsedine terribile.

Luoghi deserti. Poi, improvvisamente, oasi di Costa Azzurra. Porticciuoli di yachts, ciuffi di palme con albergo a chalet civettuolo. Eliporti, case di pancakes in stile Sette Nani, motel che offrono piscina calda, televisione e coffee house. Laguna Beach è piena di mosaici di conchiglie, modellini di velieri in bottiglia, negozietti di foulard e borsette di penne di tacchino. La Jolla poi è pettinatissima, trionfo della poinsettia e del sicomoro, con ville di gusto tradizionale, teneri prati, viali delle palme alti sopra le rocce, alberghi e balconate.

Intorno, subito, «executive homes», «influential homes», «pace-setter homes». Cioè, lotti di volgari case avvicinatissime, a tanti piani, una addosso all'altra: gli svantaggi della città più le scomodità della campagna. Chiosco delle informazioni lì pronto, vie interne già asfaltate, modellino dell'intero progetto illuminato dall'interno, e gli acquirenti pronti in fila.

Ceci me rappelle cela? Oceanside, a metà strada fra Los Angeles e San Diego, è un Lido di Camaiore piatto e sterminato, completamente provvisorio. Ai margini di Camp Pendleton, il maggior campo d'addestramento dei marines sulla costa occidentale. In divisa da fatica o in jeans verdi e maglietta, con la nuca rapata e l'occhio assente, sono lì tutti che errano a migliaia per queste vie artificiali, dove tutto par fatto apposta per tener lontano il mondo. I negozi espongono oggetti irreali, i giornali più lontani vengono da San Diego e Los Angeles, non portano altro che cronaca locale e pettegolezzi di divi.

Né fatti, né idee. L'orizzonte non esiste, il mare è immobile davanti alla costa piatta. Le vetrine sono piene di cappelli da cowboy e stivaletti ricamati, i bar di coche-cole e patate fritte, le edicole di Tuesday Weld, i cinema di comiche con i Bowery Boys, la televisione di pubblicità. L'unico saloon è in mezzo a un deserto: decorato con reti e conchiglie, completamente al buio. Al banco, una bionda rauca e non giovane che parla di tutto il bene fatto dall'esercito all'Alaska e agli esquimesi durante la seconda guerra mondiale.

Rimangono solo due evasioni apparenti (ma dopo tutto questi sono volontari, non capitati qui per forza). Una nel cibo messicano, orribili tortini di fagioli pestati, con spezie disumane che reclamano birra a fiumi. L'altra è il negozio del sergente maggiore pornografo. Sembra una cartoleria di paese, con questo grosso proprietario identico al «cattivo» nelle comiche di Charlot, ma sottufficiale pensionato dello stesso Camp Pendleton. Alle pareti c'è tutta la sua carriera in trent'anni di fotografie e pergamene. Promosso, decorato, superdecorato, lodato dal generale, encomiato dal commodoro, congratulato dal maresciallo. Sotto, scaffali carichi dei fumetti più folli che si possano pubblicare in un paese libero, con titoli come «Spie scoperte e crudelmente punite», «Ragazze prigioniere mortificate e legate», «Donne risolute che dominano uomini forti», «Prigioniere spaventate vendute come schiave».

Non si riesce a entrare, perché è affollatissimo. Stanno tutti lì a leggere senza comprare, non si capisce come guadagni il sergente. E certo su tutti i bandi di arruolamento si legge che «Il corpo dei Marines vi farà diventare uomini». Ma è piuttosto folle l'idea che dopo aver fatto il percorso di guerra per tutto il giorno questi escano per passare la sera a leggere in piedi le storie del «Giovanotto torturato dalla Inquisitrice Spagnola» e della «Ragazza senza aiuti mandata alla deriva nel mare in tempesta» e della «Fidanzata robusta che disarma e lega a un palo un intero sestetto jazz». D'altra parte, nell'ipotesi di una guerra mondiale, a chi se non a questi mercenari fuori dal mondo toccherà pagare di persona per salvare quello che resta della civiltà europea?

Appena sdraiati accanto, si voltano e porgono automaticamente il dietro, secondo l'addestramento di «prendilo come un real man». Chissà cosa faranno tra loro.

Una volta all'anno, d'estate, Camp Pendleton è aperto al pubblico per il «Rodeo & Carnival» dei marines. I festeggiamenti cominciano ai cancelli d'ingresso, con donnone nere in berrettone che regalano cotillons e forniscono mappe e indicazioni. Sono indispensabili, come i numeri d'ordine dei posteggi: molte migliaia di famigliuole percorrono infatti le decine e centinaia di chilometri di pianura steppesa attraversate da autostrade a quattro piste, fra colline selvagge scavate dai solchi rossi dei carri armati.

Tra i percorsi di guerra, ogni tanto, una gran baracca con su scritto «Scarpe» o «Scope» o «Bambini» o «Lavanderia»; e gli altri bisogni delle grosse comunità d'ufficiali con famiglia che vivono appiattate e mimetizzate nelle pieghe del campo. Cartelli continui di «Allacciate le cinture di sicurezza – e vivete!»; e statistiche luminose di quanti marines muoiono al mese per aver guidato scioccamente. «8 giorni dall'ultima morte!». A tratti, folti d'eucalipti, un lago artificiale, un gruppo d'arcieri che si esercita al bersaglio. Elicotteri sempre sopra che sorvegliano.

Dietro una curva, parcheggi smisurati con almeno cinquantamila macchine: si fa in fretta a fare il calcolo contando sui lati dei quadrati. Tutti devono scendere, e sono imbarcati su centinaia d'autobus militari da poliziotti in nastri blu che scuotono la testa e strillano confusamente gentili. Pare l'autobus della scuola: pieno di bambini messicani eccitatissimi, di nonnini in camicia di raso albicocca cangiante, di giovani papà grassi in maglietta rossa, di mamme bionde in calzoni di lamé d'oro e camicette ricamate a madreperle pendule, col loro tacco alto e il pullover bordato di visoncini.

Ecco il Grande Carnevale: alla Billy Wilder, dentro un anfiteatro naturale che è piuttosto un imbuto di polvere. Venti cowgirls in bianco e verde sfilano dietro la loro reginetta sotto un cartello che vieta il possesso di alcolici nel recinto; e in piedi su un cavallo docilissimo il cowboy le prende al laccio, prima una, poi due, poi sette insieme. Ma oltre a qualche sciocchezza fantasiosa come saltare nel laccio o tirarsi bambini piccolissimi da un cavallo all'altro, i «numeri» girano attorno ad alcune prodezze basiche: sellare il cavallo selvaggio saltando poi giù dalla parte della testa; stargli sulle spalle per otto secondi con gli speroni avanti e una mano sola; rovesciare a terra il manzo di colpo saltandogli addosso da un cavallo; cavalcare il toro toccandolo con una mano sola e senza cambiarla; legare tre zampe a scelta del vitello con due corde, tenendogli giù anche la testa.

I concorrenti sono tutti marines cresciuti nei ranches; ma ne girano a migliaia anche fra il pubblico, tutti con bardature pittoresche, parlando di cavalli incessantemente. Fanno tutto, oltre che domare i cavalli, dal momento che è la loro festa e tengono a mostrarsi buoni. Vendono hot dogs, popcorn, patate fritte, in stands e tukul ricoperti di stagnola. Portano il ghiaccio in camion, e si passano di mano in mano i blocchi bestemmiando quieti. Fanno i poliziotti con superbi caschi bianchi a righe rosse e gialle. Corrono con la Croce Rossa a recuperare un caduto che non s'alza, fra gli applausi un po' a vanvera della folla. Conducono giostre dei cavalli col valzer del *Faust*, gestiscono tiri a segno e pesche di pesci di celluloide e Last Chance Saloons, sempre con uno più grasso in mezzo col bracciale da «supervisor». Cullano felici enormi cani di piume celesti. Vendono coccodrilli di plastica come clips, con su scritto «state attenti a guidare, e divertitevi!».

Le migliaia di famigliuole siedono sui gradini di terra rossa del cratere. Sono frequentissimi fra gli spettatori i poliomielitici vestiti da cowboy, le paralitiche in carrozzella abbigliate da cowgirl, le amputate con la loro gamba d'alluminio dentro lo stivaletto ricamato; e sotto il cappellone nero, bave, glaucomi, cataratte, apparecchi di sordità. Il consumo di gasose è frenetico.

Lasciandosi indietro le vallate di frutta e viti piene di nomi locali come Orange e Pomona e Topanga, basta passare un paio di catene di montagne verso l'interno per trovarsi in un deserto tipo Castigo di Dio Biblico. Grigio, bianco, sassoso, piatto fra montagne dentate del medesimo colore. La strada segue le gobbe del terreno, è una pista coperta di catrame senza paracarri. E il vento è atroce. La macchina fa salti di parecchi metri; e finché si va allo stesso livello della ghiaia intorno importa niente; ma passare un ponte o un viadotto fa una certa paura, si rischia di cascar giù se non si va a passo d'uomo. Aprire uno sportello tra le folate è difficile, chiuderlo quasi impossibile. Incidenti ridicoli: non si riesce a stare in piedi, fare una pipì diventa un'impresa grottesca. Va via anche la radio. Invece delle solite otto o dieci stazioni ne rimane una sola, e continua a trasmettere la *Serenata del somarello*.

Compare una baracca circondata da carcasse d'automobili scoperchiate. Poi una capanna che vende aspirapolvere usati. Poi, di colpo, senza che nulla sia cambiato nel paesaggio, una quantità insana d'agenzie immobiliari. E per molte decine di chilometri adesso ecco in fila i cottages-modello a 395 dollari: con un piccolo supplemento in più per moquette e aria condizionata. Cartelli continui che insistono: «Executive Acres», «Prestige Retirement Community», «Summit View Homes», «Senior Citizens Paradises». Sono molte migliaia i vecchi che evidentemente vengono a passare qui i loro ultimi anni, come a Cannes o a Sanremo; e questa lottizzazione del deserto s'allarga frenetica, come posto di ritiro è più frequentato della costa, è uno degli aspetti più bizzarri della vita californiana d'oggi.

Le zone lottizzate non presentano certo attrattive diverse dalle Vallate della Morte. Steppose uguali, percosse da questo vento spaventoso. Aria netta, luce spietata, profili decisi delle montagne gialle. Sassi grossi e piccoli; cactus del tipo Joshua Tree: cioè un porcospino infilato su un palo, un mazzo d'aghi da lana in cima a un tronco spinoso. Se i vecchi escono, il vento li butta a terra. Se hanno bisogno di qualunque cosa, venti o trenta chilometri come minimo, per l'emporio più prossimo. Per parlare a un vicino, bisogna andarlo a trovare in macchina. Se stanno male, possono anche morire.

Per centinaia di chilometri, non un filo d'erba né un fiore né un albero. E neanche un'attrattiva di tipo Las Vegas. Invece, sulle spianate di ghiaia, casine in forma di cappello da Mago Merlino, di berretto da medico di Molière, di en tête da Fatina dai Capelli Turchini, magari con su scritto in paillettes «cocktails». Sale da poker aperte 24 ore contro orizzonti surreali, con insegna di «Benvenute le signore». Piccoli supermarkets, Chiese di Cristo, lavanderie, motels Le Sabbie, ricambi d'automobili, piatti e bicchieri giganti sormontati da un enorme «non si fa credito». E pagode svizzere in forma di tenda poligonale di cemento, ritiri spirituali della «Scienza della Mentalfisica». Di sera, neon luccicanti: «Christus regnat», «Only you», «Senso unico», «Visitate la capitale dei datteri», «Installate l'aria condizionata sulla vostra macchina», «Venite alla chiesa battista», «Frequentate la cappella luterana», «Iscrivetevi fra i testimoni di Geova», «Pensate all'anima».

Le demenze del deserto culminano in Palm Springs, che è indubbiamente una piccola città schifiltosa e chic, con una piscina ogni due abitanti; e ville di vetro e ardesia con enormi soggiorni a moquettes bianche spesse e divani a venti posti foderati di zebra. Ma risulta un'allucinazione in mezzo a un lago asciutto e sabbioso. Dopo ore di deserto orribile passate aggrappati al volante, spinti indietro dal vento contrario così che non si possono far più di cinquanta miglia all'ora, a salti, mentre il sole calante passando fra una dolomite e l'altra illumina le ventate di polvere come raggi malati di Tintoretto, questa oasi manicurata di palme moribonde scosse dalle raffiche fa un'impressione di città artificiale, volontaristica, parrucchieresca.

L'aria è di un nitore insostenibile, molto salutistico, e la pulizia di ogni superficie quasi disumana; i campi di golf e le piscine calde stanno chiusi fra i loro paraventi di plastica; e le Cadillac e le Jaguar dormono ben riparate. Per una comunità di poche decine di migliaia di persone, poi, sessanta imprese d'aria condizionata, settanta agenzie immobiliari, altrettanti medici specialisti, quaranta boutiques da donna, venti da uomo, e tre istituti di bellezza per cani. Le sere poi sono molto lunghe, perché sotto queste montagne enormi si entra nell'ombra alle quattro del pomeriggio, e il ritmo mondano pare molto intenso. Ma dopo tutto l'unico senso che può sostenere questa città è di vender bene l'idea che avendo le palme belle vicino al mare diventa chic venirle a cercare brutte e malate nel lago salato (e sia pure illuminate una ad una a cura del municipio).

La pianura piatta e secca, a casine accasciate col garage che occupa metà spazio, poi comincia ad alzarsi in colline senza alberi, solo antenne della televisione. Dopo, chilometri di filo spinato intorno ai laboratori di precisione e alle caserme della marina, ai binari e alle navi da guerra. Ecco San Diego.

La vera città è allucinante, nata com'è sulle sabbie e cresciuta soltanto sulle industrie di guerra, aeronautica, flotta, missili. È stata la protagonista della guerra nel Pacifico, lo sarebbe di qualunque altra guerra, anche di più. Ma la si gira benissimo, perché le autostrade hanno preceduto le case.

Le costruzioni sono tutte bassissime, portando in alto su un palo insegne e simboli: anche una guglia sopra un'antenna per segnalare la chiesa in una baracca, o magari un'automobile intera issata a dieci metri d'altezza per avvisare che si lavano le macchine per 99 cents. Il simbolo della città, invece del numero degli abitanti tenuto aggiornato a San Francisco e a Los Angeles sui tabelloni illuminati allo sbocco delle autostrade, in polemica con New York che aumenta meno, sembra che siano due meccanici a torso nudo nell'atto di lavare una jeep davanti a una torre industriale. E del resto l'intera propaganda civica o per gli arruolamenti si basa sull'industriale e il climatico e il sexy, né più né meno come quando i giornali californiani pubblicano titoli tipo «Ken è arrivato a Beverly Hills, e tutte le donne vanno pazze per lui».

Ciò che rimane della cittadina spagnolesca fine-Ottocento inghiottita dalle fabbriche e dalla marina è una modesta architettura da pueblos in pochi esemplari, con pilastri piramidali: cioè uno stile Ramona. E la stazione: due campanili coloniali, e in mezzo la porta in forma di bocca spalancata, tipo Cabiria o Inferno, con sopra iscritto SANTA FE. Ma il vero panorama sono il gran porto in forma di stivale pieno di navi e la distesa dei depositi di benzina e gasometri e la Convair e la General Atomics, i chilometri di capannoni dove si costruiscono i missili intercontinentali.

Tant'è, basta camminare per la strada: non esiste nel mondo moderno una comunità più popolosa di soldati di mestiere. E a questi mercenari è affidata in gran parte la difesa dei superstiti «laissez-faire» dell'Occidente, di cui non sanno nulla. Il downtown di San Diego è allegro e lunare perché in poche centinaia di metri quadrati di «Tenderloin area» riesce ad accumulare nei suoi negozi milioni d'oggetti che non servono a nulla se non a compiacere ai desideri più innocenti e fantasiosi di molte decine di migliaia di marinai.

Armadietti con chiusura automatica; abiti civili in affitto; anelli con enormi pietre colorate; anelloni più rozzi da applicare al cazzo; patate fritte; tiri a segno con l'orso; diamanti artificiali per fidanzamenti rapidi; enormi ciambelle ricoperte di cioccolato; immense automobili rosa e nere in affitto; blue jeans Levi Strauss (è la marca più popolare in California, perciò vengono chiamati «levis»); frappè oppure vodke tascabili (fino a ventun anni non possono bere alcolici in pubblico, e la maggior parte non li ha, anche se hanno già fatto in tempo a combattere a Cuba).

In ogni vetrina un cartello propone pegni, assegni, impegni sulle paghe. I più allettanti li espongono i sarti, fra giacchette d'argento con collettini di velluto nero, cinturini laterali con fibbie, spacchetti sormontati da martingale a parecchi bottoni, baveri accollati con fiocchi di gros-grain, polsini a manicotto con risvolti impunturati. Giacchette di loden di nylon, fra il tirolese e il '700 e il liftier da commedia musicale. Stivaletti da Texas bianchi e neri, con ramages d'oro e tacchetto alto, bottoncini laterali, fibbie d'argento e di strass, punta a spillo («Acme, garantita la punta più sottile del mondo»).

Al cinema, la storia di una ricca cinese assassinata nuda in un bagno turco di San Francisco. Nelle edicole: «Mabel la soggiogatrice», «La ragioneria in poche lezioni», «Come sottomettere per sempre il marito», «Il russo per principianti», «Il ranch delle stenodattilografe con la frusta», «Il parto naturale sotto i vostri occhi», «Il taglio cesareo come alla vostra presenza», «La nascita di quattro gemelli come in casa vostra», «Maisons europee ed asiatiche visitate per voi dal Famous French Pornographer Monsieur Retif de la Bretonne».

In giro, quasi soltanto ronde militari. Un negozio sì e uno no serve per gli arruolamenti, col sergente dentro, come nella guerra dei Trent'Anni. Sui muri, i manifesti conservatori: «Per la salvezza della nostra Repubblica, incriminate il Presidente della Corte Suprema».

Il lato sci d'acqua e pantaloni capresi è spostato sul Coronado, la penisoletta che si raggiunge col ferry in pochi minuti, per un braccio di mare affollato di incrociatori e portaerei. Oppure, facendo un lungo giro in macchina intorno alla baia, per una strada deserta piena di fuochi in riva all'acqua e di coppie colpevoli coi capelli scossi dal vento come in un *vintage* Warner Bros.

Forse presto il concetto di vacanza verrà sistemato su isole artificiali, con una natura inventata e la sua proibizione alle automobili. Il Coronado già suggerisce questo modello. Yachts, tennis, golf, Gloriette, viali tipo Lido di Venezia, un immenso albergo liberty a balconate e torrette, tipo un Suvretta da mare. Dentro, tappeti e poltrone e camini: il castello di *Citizen Kane*, deserto tranne che per il Pranzo Sociale dei Macellai Occidentali. Di fianco, un Villaggio Messicano a capanne di paglia, tanghi, candele: un Meo Patacca per aeronauti.

Cinquant'anni fa quando San Diego era una cittadina di poche migliaia di abitanti, il municipio aveva designato una gran collina a crepacci come giardino pubblico. Oggi gli abitanti sono più di mezzo milione, e San Diego si definisce «una città costruita intorno a un parco». Balboa Park coperto di eucalipti è un giardino fra i più impressionanti: più vasto di Hyde Park, più accidentato delle Buttes-Chaumont, più fiorito del Bois de Boulogne; e più ancora che in Svezia o in Olanda un sogno civico d'architetti moralisti: la domenica, non essendoci altri posti dove andare, tutta la popolazione è obbligata a cascar lì.

Eucalipti, crepacci, burroni, vallate, ponti; ma crepacci con dentro autostrade a quattro piani; burroni che contengono un intero giardino zoologico e ponti del diavolo; vallate destinate addirittura a un villaggio, il Villaggio delle Nazioni, ciascuna ha il suo cottage dove si va a prendere il tè: ma l'Italia non c'è. In compenso, un buon segno: la Francia divide il suo con le Filippine. In tutti, merende domenicali e dolcini tipici: con profumi diversi a seconda della bandiera sul tetto: Islanda, Cecoslovacchia, Danimarca, Scozia, Ungheria. Più allegra di tutte la Germania, tutto un valzer, un piano-e-violino con fette di torta, Goethe e Brahms nei ritratti sul muro. Fuori, sotto, impazzano il sole, l'erba, i concerti, i recitals, le arti e mestieri, il teatro di marionette, la Fondazione Ford, i coretti di hillbillies, i cimiteri di cani, gli ospedali di gatti: siamo in un'area «ricreativa». Ma più sopra nella collina s'arriva in un luogo di magia.

Degli Alcázar, delle Alhambre, delle Certose. Il rococò gesuitico trasfigurato nella meringa e nello schiumino, il petit four che diventa cupola, l'amaretto e il frollino che aspirano all'abside e alla navata. Le Tre Marie? O almeno Dieci? Macché, sono i padiglioni sopravvissuti alla Esposizione Panama-Pacifico del 1915; costruiti con intenzioni spagnole-rinascimentali, propositi barocchi-messicani; ma di gesso, di stucco, di cartone, con ornati fioritissimi. Campanili a veroni, colonne tortili inghirlandate di pampini, tutta una proliferazione d'angeli e trombe, d'angurie e serpenti. Quindi cadenti, frananti, giù a pezzi, impossibili da riparare. Ma convertiti finché è possibile ad usi ancillari e pratici.

Così, di fuori è Granada (dopo un bombardamento o un terremoto). Ma dentro, gran plastici di trenini-singhiozzo non si sa perché memorabili, che corrono. Astronauti, missili, cabine pressurizzate. E un museo dell'aerospazio che è anche un museo dell'uomo e nello stesso tempo museo immaginario, un matrimonio ideologico fra Malraux e Soustelle e Walt Disney.

Portici, tipo un *Fornaretto di Venezia* fatto da Visconti con gli stessi criteri di *Senso*. Statue equestri di Carlo V e Filippo III, tutta una Plaza Mayor. Carillons sui campanili. Esedre da Montecatini.

Una sera viennese che è il trionfo dell'ortensia, della begonia, dell'amarillide con la sassifraga. Il più grande organo ad acqua del mondo, in un anfiteatro di muse e di belle di notte, con un concerto pomeridiano tutto abbandonato a Sarasate e a Chabrier. Un villaggio degli artisti, che espongono pueblos all'acquarello o in pietra dura sotto bougainvillee implacabili.

Picnic indiani sotto i sicomori, radure con fuochi, bocce, giostre, calumet. Un parco dei giochi: vecchini sui trenini, con cravattini a farfalla; vecchiette con la zazzeretta celeste avvinghiate al carro dei pompieri in miniatura, che gira sempre intorno alla stessa cabina telefonica per tutta la mattina, con sirene laceranti che non smettono mai.

Mai visto un pubblico così felice. Fa quasi paura, forse non è neanche giusto. Un'aria di ballo della scuola, di festa degli alberi, di passeggiata dell'asilo, di libera uscita dall'orfanotrofio e dal cronicario. I mercenari in queste ore libere s'abbandonano alla fantasia vestimentaria, si caricano di frange, qualcuno con moglie più vecchia in occhiali e maternity dress, il suo bambino in carrozzina e l'altro presto. Con enormi sacchetti di pistacchi rossi, si spenzolano per afferrare le ninfee arancione nello stagno verde.

Una serie di ristoranti, con dentro il caos. Chiamati Il patio del re moro o Il paradiso in terra, La siesta, La fiesta, o magari La maràntega. Pieni di cancelletti, archetti, ghiaia, rampicanti, fontanine, sposini, camerieri in rosso come diavolini. Il più puro Festival di Spoleto: infatti non si riesce mai a mangiare.

In un palazzone crollante, un salone tipo stazione a forma di F sgombrato da tavoli di ping-pong ammucchiati in un angolo: si riempie di gente all'ora di colazione. Sbarre tutt'intorno; le allieve della scuola di ballo aggrappate in tutù; l'orchestra in un angolo; la musica più dolce del secondo romanticismo; e la maestra in mezzo, incredibilmente russa come nelle caricature, spiega gli entrechats alle due del pomeriggio ai genitori (che lavorano nelle fabbriche di missili) delle bambine che sgambettano alle sbarre.

I boati dell'organo sconvolgono il parco alle due e mezza. Corriamo. Non tanto pubblico, però «a modo». Tutte signore in raso giallo, cappelli di velluto nero, occhiali di strass, stola di cincilla di orlon.

Il giardino zoologico di Balboa Park è il maggiore della California, forse il più straordinario al mondo; si allarga continuamente; ma forse più curioso ancora degli animali è il pubblico domenicale.

Costruito benissimo: in un canyon profondo, fitto d'eucalipti, si scende a terrazze nei crepacci laterali. Anfiteatri di foche, giardinetti Art Nouveau con pavoni rosa e fenicotteri arancione, buche sotterranee di certi tapiri «estremamente notturni», circuiti per lasciar correre i ghepardi regalati dalle case cinematografiche. E i coccodrilli sbadigliano; il gorilla siede in un angolo del suo recinto non finito che «aprirà il prossimo weekend» avvisa il cartello; i bambini parlano alle tartarughe, nutrono gli aironi rosa di popcorn; i mercenari offrono sigarette ai roditori e ai plantigradi. E roccia finta, e rami di cartone, e missili sopra la testa, e cielo fitto d'aeroplani grossi e piccoli.

Si entra nella gran gabbia dei pappagalli, fra doppie porte di rete metallica, la si percorre tutta in discesa. Ma ad ogni canto d'uccello viene da alzare la testa per vedere se esce da un altoparlante, come per le strade di Los Angeles dove serve come pubblicità ai negozi di calze.

Davanti all'«aquila calva», simbolo della nazione americana sul sigillo e sui dollari (ma paradossalmente in via d'estinzione) con la sua testa bianca e un gran bel becco d'avorio, sfila per tutto il pomeriggio una delirante collezione di cartoons di Steinberg: grassi mostruosi che fotografano le antilopi, vecchine senza una gamba che visitano il serpentario, poliomielitici in carrozzella fra una scimmia e l'altra. Indianini appostati allo stagno per vedere quando l'ippopotamo tira fuori la testa dall'acqua, urlando di gioia «cabeza! cabeza!» appena spunta un orecchio. Famiglie obesissime: padre e madre enormi, mostruosamente gonfi, con vestiti sformati da clown; bambini d'una pinguedine impressionante, sfasciati da disfunzioni di tutte le ghiandole (ce ne sono moltissimi, quasi la metà...), senza collo, senza caviglie né gomiti, con immensi sederi, sempre mangiando, pescando con pigra ingordigia nei loro sacchettoni di chicche. Dall'occhio ironico dello struzzo si vede che capisce tutto: più umano e intelligente di nove su dieci persone nel parco. Con lo struzzo è chiaro che sarebbe possibile vivere, capirsi, parlarsi. Ma con questi? Non so.

A San Diego infine, otto marinaie su una nave da guerra con equipaggiamento nucleare ed equipaggio misto vengono accusate di intimità lesbiche in camerate e in angolini, da certe commilitone moraliste o invidiose. Dunque, Corte Marziale, come per *The Caine Mutiny*: si vede ogni sera in tutti i telegiornali, si rivede ogni mattina su tutte le prime pagine dei quotidiani. È la stessa materia della commedia *The Children's Hour* di Lillian Hellman: due maestre accusate di colpevoli tenerezze da una piccina maligna, e benché innocenti non potendo reggere la pressione e l'onta una o tutt'e due si ammazzano.

Macché, adesso. La linea di difesa delle marinaie accusate davanti al tribunale militare è di portare come testimoni dei trucidi che ripetono: «Lesbica quella? Mi fate ridere, quella è una gran troia, me la son fatta tante volte, se la sono fatta tutti, chiunque sa che è pronta alle partouzes, ecc.». E il tribunale: ah, sì, è una troia? Allora viene assolta, con tante scuse! Ogni sera, al telegiornale familiare: è una gioia, meglio di qualunque capolavoro di Lillian Hellman.

A meno di mezz'ora da San Diego, appena oltre la frontiera, Tijuana: cioè la città visitata ogni anno da più americani che non Londra e Parigi e Roma messe insieme. Non perché sia bella. Di messicano-tipico non ha nulla, costruita com'è da pochi anni sull'orlo della penisola della Bassa California, lunghissima e deserta e lontana da tutto quello che in Messico ha un senso e un sapore. Per di più separata dal resto del paese: c'è il mare. Finta, quindi, proprio per ragioni geografiche. Però ha una gran reputazione di vizio: con bische, corride, droghe, e tutto.

Lungo la strada, già réclames folli e monumenti pubblicitari fra il maxi-Brasini e il Ruschena-plus e la centrale elettrica «iper» illuminata a festa. Alla dogana lasciano passare le centinaia di macchine in fila senza neanche guardarle, è sabato notte. Di là, subito, cento baracche di copertine per sedili e tappetini da macchine. Una gran Porta Portese: fisarmoniche, organini, indianini, cappelloni; e copertoni usati, cioè una cosa che negli Stati Uniti non si vede mai. Ciechi, gobbi, venditori di pannocchie. Capanne per «nozze e divorzi a prezzi ribassati». E tutti i negozi spalancati per tutta la notte.

Per le porte aperte si vede bere, giocare, gli spogliarelli: «El twisto», «Girlesque», «Miss-guided missiles», su sfondi di cartone da avanspettacolo, cieli, rocce, fontane, castelli; coi comici in giacca a quadri troppo lunga e i baffoni neri; e ragazze gonfie, bassissime di sedere; e l'imbonitore sulla porta che acchiappa per le maniche. Per tutta la notte le strade sono piene come in una sagra dei nostri paesi prima della guerra. Migliaia di americani con l'occhio sbarrato perché hanno bevuto, cauti nel passo e lenti nella contrattazione; e festose comitive familiari messicane con tante nonne e tante nipotine, col loro gelato.

Il Drago Verde, la Volpe Azzurra; e dentro, un onesto varietà meridionale, ma col venditore di marijuana alla biglietteria. Bar lunghissimi, tipo dopolavoro, pieni di trombe; e complessini anche per le strade, col guitarrillo e il guitarrón. Sombreri da peone. Giostre da paese. Tutti i selciati sconvolti da lavori lasciati a metà; nei nuovi locali non ancora finiti si entra sulle assi fra la calcina e le buche, sotto lampadari tipo Murano cinese, con gli orchestrali in smoking luridi che girano impacciati fra i tavoli come si vedeva nei film pseudo-ungheresi.

Licores drive-in. All-night abogado. Un avvocato in «affari internazionali» con studio in un cantiere e targa di cartone (dorme nella baracca del geometra). Venditori di spiedini di carne fritta nera. Cinema chiamati La Paloma o Amapola che dànno il film *Orgullo de mujer*. Il vermut San Tomás, «il vermut che fa ambiente». La Libreria Santa Rita, che rievoca la morte di Papa Pacelli. La Birreria Heidelberg. Le cose più impressionanti sono certi gatti di plastica alti un metro, neri o rosa, che costano mezzo dollaro; certi abiti ricamati e traforati e dipinti, rotondi a tutte le altezze; certi portalibri di pietra gialla, pesantissima e diafana; certe corride a colori fluorescenti, su drappo nero, per vederle nel buio.

I reati che si possono commettere, secondo un avviso della polizia, sono otto gradazioni di ubriachezza molesta, in ordine crescente di gravità: ebrio impertinente; ebrio indignado; ebrio escandaloso; ebrio riñas; ebrio lesiones; ebrio voltado; ebrio orinando en la calle; ebrio insultos al gobierno.

Tornando indietro, dopo il dispensario celtico alla frontiera, la prima sosta è a una coffee house servita da cameriere in abito cowboyesco. Non contenti d'aver guidato tutta la sera, tutti mangiano senza scendere il loro chili con carne. Che è una pietanza sciagurata. Intanto riunisce tutti gli odori delle rosticcerie, lavanderie, friggitorie, caserme, collegi, bagni turchi e colate di catrame. Per di più ha influssi psicologici, perché fa venire dubbi morali e rimorsi molesti. Per esempio: è giusto mangiare orribile chili a questa frontiera invece di stare a casa facendo un lavoro serio qualsiasi?

In un paese dove i palazzi sono nuovissimi, le chiese funzionali, e i musei ridicoli, il concetto di «monumento» naturalmente si deforma e si sposta. Come l'opera d'arte può assumere l'aspetto di Oggetto Trovato o di Arnese d'Uso, così la «vista» di carattere contemplativo-turistico riguarderà ormai il Sorprendente, l'Involontario, l'Inaspettato Quotidiano. Oppure, il Luogo Comune. Cheap, regolare. Facciamo quindi apposta a cominciare da Forest Lawn, dove l'Arte si tira da parte per cedere il passo alla Sociologia. Questi famosi cimiteri californiani sono giustamente esemplari come accoppiamento di sagace speculazione degli imprenditori con la ricerca da parte della clientela di segni esteriori di prestigio sociale. Ma rivelano anche qualcosa di più: addirittura una nuova idea della Morte. Finora era stata più o meno tremenda o sacra, variamente punitiva o liberatrice o retributrice o redentrice o Sorella Morte o Manomorta. Qui forse per la prima volta diventa Graziosa e Carina: con la Cultura delegata a funzioni analgesiche e consolatorie per mezzo della ripetizione di forme collaudate dalla tradizione filistea europea.

Questi Parchi Memoriali o Mortuari sono quattro o cinque, stabiliti di solito su parecchi chilometri di colline ingrate e steppose subito ricoperte di magnifica erba continuamente rinnovata. Begli alberi, strade asfaltate (tutta una curva deliziosa), declivi con lapidi e fiori (quelli artificiali sono proibiti), e di tanto in tanto edifici ove s'addensa l'Arte. Per esempio, il Grande Mausoleo di Glendale: ovvero «undici piani di capolavori artistici, rarissimi marmi importati e più di trecento finestre istoriate, nonché le meraviglie della scultura: l'unico posto al mondo dove il *San Giorgio* di Donatello e la *Pietà* di Michelangelo si possono ammirare fianco a fianco».

A Glendale, nelle cappelle del parco si somministrano riti di tutti i culti, sotto l'insegna «sola nostra teologia è l'Amore». Sono chiostri benedettini e rettorati scozzesi, absidi romaniche e guglie gotiche e navate Tudor, non di rado portate dall'Europa pietra su pietra come i Cloisters di New York; oppure ricostruite fantasiosamente fra le magnolie, con cuffie uditive per i sordi, perché possano sentire anche loro il *Preludio e Morte d'Isotta* e il valzer di *Intermezzo*. Con giardinetti a tre cancelletti per meditazioni, sedie per amanti con scioglilingua fatali, e poetiche leggende autenticate da eredi, vicari, notai, badesse.
Dalla Chiesina delle Eriche al Tempietto dei Platani al Santuario dell'Amore al Sacrario di Santa Sabina, la Morte abbraccia la vita e s'avvinghiano insieme alla Religiosità e all'Arte: Apollo e Dafne con Santa Rosa da Lima, Buddha naturalmente con Mosè, i dignitari massonici con gli eroi di Guadalcanal, Canova con Pollaiolo e con Thorvaldsen. L'artista e il copista, le opere e i busti, i chioschi e i baldacchini, l'altare cosmatesco e il pozzo portafortuna. Lapidi da tutte le parti. Il Credo del Costruttore. Premendo il bottone, esce dal ligustro la Fiaba del Cristo Sorridente. Il giro è lunghissimo, il sole caldissimo, una giornata non basta.
In un tremendo odore di fiori marci, le cripte si ramificano negli undici piani del Grande Mausoleo, una Fiera di Milano travestita da Escuriale e più grossa della Stazione Centrale. Vasi, statuette, simboli massonici, motti dialettali, scritture orientali, citazioni poetiche, lettere di mamme, «ci manchi molto...». Le centinaia di vetrate brillano di paillettes come abiti di Orry-Kelly, e le statue si inseguono dal sacro più stucchevole al più indecente profano. Veneri danzanti, olandesine in zoccoli, piccole fiammiferaie, putti col cardellino, Muse della TV. Gli artisti sono quasi tutti italiani: Vincenzo Jerace, Pietro Brazzà, Antonio Savignoni, Ernesto Gazzeri, Rosa Carelli Moretti. Dal go-

tico si passa al moresco, dal romanico o romantico al rococò e al bombé, da terrazze di dalie e gelsomini e agrifogli e petunie a cupi angolini dove arriva il rumore delle macchine che macinano i morti. Ci si perde per scale e ringhiere, per altane e ballatoi.

Santuario della Benedizione, Gallerie Sempreverdi, Salone della Rimembranza, Corridoio della Misericordia, i lavabos, Esedra della Redenzione, Colombario dell'Amore, Pianerottolo dell'Ispirazione, Santuario della Felicità Raggiunta, Salone della Serenità, Galleria dell'Esaltazione, Colombario dell'Adorazione, gabinetti, Corridoio della Riunione, Angolo della Speranza, altri cessi, Rotonda della Devozione, Scala della Compassione, Anticamera del Rifugio, Santuario della Tenerezza, Galleria del Canto...

Ogni tanto, un enorme tempio, con la sua opera d'arte dentro e gli altoparlanti che la spiegano. Per esempio, una vetrata che riproduce l'*Ultima cena* di Leonardo, commentando che quella di Milano è passata sotto tante mani che ormai non è più quella vera. L'unica giusta è questa, conservata nel vetro intatta e fedele. Tutta una drammatizzazione: il Fondatore del Cimitero disperato a Milano; poi un'improvvisa Ispirazione: la Cena! Ed ecco l'ultima depositaria dei Segreti del Vetro. E lì tutta una cataratta di vicissitudini melodrammatiche, col lavoro che non va avanti e l'effigie di Giuda che continua a rompersi... La fusione del Perseo non è nulla, al confronto; e la storia viene accompagnata da musiche eroiche ma «buone», da varo della portaerei.

Lullabyland. Un enorme cuore di mortella e ageratum occupa l'intero fianco di una collina. Dentro, tombe di bambini piccoli, bambini nati morti, e qualche nonnina affezionata. Anche se sono vissuti solo un giorno o due, si chiamano Henry B. Smith III o Lucius E. Brown jr, e avevano già avuto soprannomi buffi come Muggsy o Bunny. Qui possono giacere accanto ai sepolcri di Theda Bara, Jean Harlow, Carole Lombard.

Alla fine, il Museo. Due armature, pietre preziose montate e no, lettere di Dickens e Longfellow, monete citate nella Bibbia, statuette indiane, ventaglio della Pompadour, prime edizioni delle fiabe di Andersen. Gli inestimabili tesori sono tutti qui. I banchi vendono dischi della Crocifissione, un'*Ultima cena* da colorare con gli acquarelli, portapenne in forma di Natività e piatti con su il Sermone della Montagna. Borsellini funebri, zuccheriere e pepiere cimiteriali. Gioìelleria religiosa: clips sacre, orecchini benedetti e braccialetti edificanti.

Forest Lawn a Hollywood è invece molto più indietro coi lavori. In fondo a una strada tipo via Flaminia a Tor di Quinto. Ma invece dei galoppatoi ci sono gli studios della Warner Bros, deserti, con bandiere acciaccate che sventolano e un cartellone che esalta «il buon senso civico accoppiato al buon gusto cinematografico».

L'enorme cimitero qui è appena cominciato: una chiesina bianca tipo New England all'ingresso; e dietro, lavori incompiuti. Una enorme linea elettrica passa sopra le Colline dell'Eterno Riposo appena attaccate dai giardinieri. In alto, ancora secche e gialle. Giù, l'imbalsamazione della natura segue gli stessi criteri cosmetici dei cibi colorati, delle bibite profumate, delle musiche riarrangiate, e – si capisce – dell'imbellettamento dei cadaveri.

Camion che scaricano terra, pini appena trapiantati, giovani e vecchi neri avanti e indietro coi trattori, dietro siepi di limoncini. Ogni cinque o sei metri, un rubinetto. Le vie asfaltate s'arrestano tutte dopo pochi metri, con motti di pace e gentilezza e ricordi sempreverdi sull'orlo dei marciapiedi: ma il prato dietro non è ancora stato collocato, e i mosaici in forma di Cinemascope nascono dalla sabbia a metà.

Scalinate che conducono nel nulla, larghissime. Un gran muro di marmo, con su un nome: Charles Laughton, il primo arrivato.

Controluce, irreale, un servizio funebre sul prato. Le gobbe steppose delle colline dietro. Le macchine colorate contro l'erba verdissima. Uomini in nero e donne in abito estivo contro l'orizzonte, col vento che muove adagio le gonne a fiori e i capelli.

Uscendo da Los Angeles verso Santa Ana, prati annaffiati, aranceti, baracche crollanti, roulottes; fabbriche piatte lungo il terreno, come livellate nelle pieghe della campagna; insegne di «Prestige Retirement Community»; e riflessioni involontarie sul diventare di colpo più vecchi e più saggi, con dubbi. Come sempre, improvvisamente un parcheggio sterminato, metà vuoto e metà buio; e in fondo il luccichio di enormi lettere luminose: «Pancakes & Steaks», «Il posto più felice della terra». Qui Fellini, subito! Una nana in tacchi alti, calze rosse, gonna scozzese sul blu, mantelletta scarlatta e berretto da fantino, bottoni d'oro, frustini, si scudiscia le caviglie sull'entrata, sotto il cartello dei prezzi: «Ingresso, guida, e cinque avventure assortite»; oppure «Ingresso, dieci avventure assortite, e colazione».

Sarà una guida? o una visitatrice? Ci travolge una comitiva di delinquenti giovanili in cuoio nero, in gita aziendale. Entriamo a Disneyland e ci si para davanti una massa di festeggiamenti così smisurata, da buttarsi nel primo posto che si vede, non sapendo scegliere.

Non ne verrei mai fuori, è un cinema con sei schermi su sei pareti, tutt'intorno. In piedi su una piattaforma centrale si piroetta come galline impazzite per non perderne neanche uno, di questi film muti meravigliosi; e sempre sei contemporaneamente. Una damigella in lungo si butta da un monoplano col suo ombrellino, e atterra senza spettinarsi su un mucchio di fieno. Due malvagi rivali non vogliono che poliziotti e preti si stabiliscano nella Cucina del Diavolo, e finiscono per lottare sui binari mentre sopraggiunge sbuffando la vaporiera. Una coppia criminosa di dentisti butta una paralitica in mare per ereditarne le sostanze, ma il cane ha visto. Il fantasma dell'Opéra trascina una Semiramide fra i cunicoli. Una crestaia in cuffietta ha visioni sacre in una capanna su un ghiacciaio.

Si è sopraffatti dai godimenti. Di qui un naufragio di baleniere, di là una vergine conculcata da una megera, di su un salvataggio in cima a una ciminiera per mezzo d'un biplano acrobatico, di giù una vittoria a Indianapolis osteggiata da un grassone in cilindro. La cassiera è di cera, ma le figuranti di questa zona girano affabili in camicetta a righe e gonna lunga fra le monache sportive, i posteggi per carrozzelle, il pittore barbuto che fa la silhouette in due minuti, il carro dei pompieri che passa carico di damine, il negozio di candele tortili «di tutti i colori dell'arcobaleno».

Siamo nella Frontierland, una delle quattro zone di Disneyland, tutto un Davy Crockett. E l'illusione teatrale è perfetta: porticati western costruiti con un senso della prospettiva impeccabilmente «magico» (pianterreno normale, primo piano più basso, secondo piano bassissimo, come vedendoli con l'occhio del bambino). Il personale è numerosissimo, passano centinaia di comparse ilari e disinvolte in magnifici costumi del West o di *Fantasia,* tutte di gran bell'aspetto.

Le altre zone sono i Paesi delle Fiabe, dell'Avventura, del Domani. Ma non ci si aspetti di visitarli in ordine. Mescoliamo tutto: il padiglione della chimica pieno di ottani per scolaretti studiosi e l'officina di Mastro Geppetto che vende topolini meccanici, il Matterhorn traforato di cascate, seggiovie, cremagliere, e il *Nautilus* che dondola e fa star male, col suo armonium del Capitano Nemo e fuori dai finestrini cofanetti di crisopazi, con la loro piovra sopra, a ventose minacciosissime. Dentro nella Balena. Fuori nei Piatti Volanti, che spiccano balzi altissimi su cuscini d'aria, sopra un fondo traforato elastico. E su nel Castello della Bella Addormentata, con gabinettini segnati «Principini» e «Principessine» nelle torrette uso Ludwig. E giù nelle canoe per la spedizione nella giungla, con imboscata di nativi e coccodrilli che spalancano le fauci. La giostra dei cavalli è una spettacolosa torta nuziale che gira nel colonnato di San Pietro, e che cosa vende il Mago Merlino nella sua boutique? Maschere da scienziato pazzo, con occhioni pilotabili.

L'aria è carica di profumi e gorgheggi, e nessuno distinguerebbe da un albero vero l'enorme baobab di plastica del Robinson Svizzero, con foglie di gomma che si tirano come elastici e un ristorante sulla cima. Solitudine o moltitudine? L'ottimismo previttoriano di Robinson Crusoe risolve tutto o non serve a nulla? I bambini di tre anni entrano nelle cabine telefoniche alte un metro, invece dei numeri trovano sul quadrante le facce di Topolino e Biancaneve, possono telefonare a tutti, anche a Paperino e Pluto, che rispondono.

Il sorriso nazionale. L'obesità nazionale. Le neurosi nazionali? Tutto giusto. Come mangiano, tutti, continuamente. Enormi quantità di popcorn, ice cream impressionanti. Bene. Trenini nel deserto. Miniere abbandonate. Isole di pirati, con tesori e mappe di tesori. Fortini con strombettii: «carica!!!». Nitriti; ruggiti; e cessini con su scritto «Braves» e «Squaws». Le sirene dei battelli, il carro dei pompieri con la sua sirena, la campanella della pieve, il trenino-singhiozzo col suo fischio svizzero, il cinguettio di Cenerentola, quello di Biancaneve, quello della Fatina dai Capelli Turchini. Battelli di Mark Twain, zattere di Tom Sawyer, galeoni di pirati, vapori a pale. Mulini a vento, e ad acqua. Alberi con capanne di Tarzan sulla biforcazione dei rami.

Comprano cappelli (li vende naturalmente il Cappellaio Pazzo). Partono sui missili. Volano sull'Elefantino Dumbo, con Peter Pan. S'accampano nella Valle dei Castori. Entrano nelle tazze del Folle Tea-Party, in forma di giostra, e fanno tutto il giro dalla Marmotta alla Lepre di Marzo. Forse Evelyn Waugh dopo aver cantato i cimiteri lo farebbe volentieri un romanzetto sulla vita sessuale di Disneyland, un idillio nel personale, per esempio fra un giovanotto della *Horseshoe Revue* in cappellone e camicia rosa con elastici neri alle maniche, e una fatina che guida il galeone di Peter Pan in fuga da Captain Hook. Insidiati ovviamente da un esploratore in casco tipo sughero che cattura coccodrilli di gomma. Eccoci al Disneyland Hotel: dal bal-

422

cone d'ogni stanza si può prendere la monorotaia, volare felici verso la Magia...

Venice di giorno non l'ho mai vista. Non so cosa può sembrare alla luce del sole, se ci va gente o no. Ma si capisce che sarà preferibile ricordarla come un incubo. Ci sono arrivato per caso, scendendo da Santa Monica lungo la costa, verso le dieci di una sera di nebbia: la solita nebbia che s'alza dal mare quasi ogni notte, densa come quella finta dei film del terrore. Anche nelle notti d'estate. E di solito si passa senza accorgersi che cambiano i nomi da Manhattan Beach a Redondo Beach a Huntington Beach in un continuum sempre identico (e abbastanza sinistro) di casine basse e baracche di hamburgers e monticelli di cenere e palme morte in spiazzi ghiaiosi. Da un lato della strada, le onde sgarbate e ostili del Pacifico; dall'altro, le pompe del petrolio in fila che affondano la proboscide nella sabbia come un esercito di enormi grillitalpa neri.

A un tratto ci si trova invece in un paesaggio bizzarramente familiare, benché ancora più macabro. Somiglia a Chioggia? A Sottomarina? A Pellestrina? Strade strettissime, canali, ponticelli, campielli, mercatini di pesce... Portici, archetti gotici, capitelli con angeli e leoncini, le colonne di Palazzo Ducale, verniciate di cementite nera, un St. Mark's Hotel in stile Rialto, col suo evangelista davanti... Delle Giudecche incompiute, delle Fondamenta Nuove irreali, delle Mercerie dilapidate, una Riva degli Schiavoni lunga come quella vera: solo, lasciata a metà. E gli abitanti si fanno intorno, come nel Settecento quando arriva un forestiero di distinzione: ma è una popolazione incredibilmente miserabile, solo nel più euforico buonumore la si potrebbe paragonare per qualche barlume artisticheggiante a una Burano di guerra o dopoguerra.

Barbe. Sandali. Ragazze vestite da giovanotto, piedi nudi, calzoni di tela di sacco. Nere obese sdraiate sul marciapiede. Vecchie ubriache che parlano da sole. Vecchini tremebondi in giacconi da marinaio stracciati. Certe piccoline panciute, non giovani, in braghe scarlatte da sulamita e pantofoline d'argento, con delle otiti, delle cataratte, comunque con tante bende in faccia: insieme a neri discinti, che si grattano; e altri neri lazzaronano foscamente, come negli eccessi più trucibaldi della propaganda razziale.

Abbandonata, decrepita, deserta, ecco dunque Venice, un sobborgo di Los Angeles di cui si sapeva vagamente che esiste, ma che cos'altro? Niente, è fuori da tutte le strade, ci si càpita

423

solo per caso o perdendosi. Non figura sulle guide. Vedendo-
la in questi vapori da film espressionista parrebbe magari un
luna-park dell'età d'oro di Eric von Stroheim e Gloria Swanson, una Biennale da Femmine Folli; invece è molto anteriore
agli anni deliranti. Risale agli inizi del secolo, era un progetto
visionario di costruire sulle paludi una Venezia artificiale identica a quella vera, e altrettanto grande, un Castello d'Armida
per la California. Cioè le stesse intenzioni di Disneyland. Ma
qui non ha funzionato, è andata subito malissimo. Così i canali sono stati riempiti di ghiaia, e non si è speso più un soldo per
la manutenzione delle case: sono andate immediatamente in
rovina, costruite di materiali labili e attaccate dalla Natura nemica. I diseredati le hanno invase perché i prezzi devono essere bassissimi; e fanno un'impressione insieme di Bassifondi di
Gor'kij, con una Cipro da Otelli delle filodrammatiche, e la più
cupa Depressione di quelle drammatiche fotografie fatte dalle
agenzie agricole di Roosevelt.

Nell'atrio del St. Mark's Hotel si aggirano vecchi paralitici in
vestaglia laida, senza neanche la televisione. Rari i negozi, e
vendono cenci. Cellophane al posto dei serramenti. I canali
sono pieni di terra e calcinacci, le strade sbarrate da paletti di
ferro: cunicoli bui interminabili e certo pericolosi, con rantoli
di gatti lamentosi e un tremendo cattivo odore. Macchine fra-
cassate. Macchine coi finestrini rotti a sassate. Macchine usate
come deposito di stracci. Palizzate divelte. Cartelli di «Vietato
appendere panni nei pubblici esercizi». Dalle finestre aperte,
gente nuda che si dimena in stanze luride.

Queste calli lagunari strettissime e incredibilmente sporche
sbucano tutte sulla falsa Riva degli Schiavoni, d'una surrealtà
allucinante da cattivo quadro. Davanti, una spiaggia estesissima, farinosa, artificiale; con rotonde slabbrate e chiuse da decenni. E al posto di una qualsiasi piazza San Marco, enormi distese chiuse al traffico: si va solo a piedi, tra fanali a gas e buche
nel selciato destinate una volta agli alberi. È una Venezia che diventa irlandese, elisabettiana, cantonese, hawaiana, catalana,
napoletana, della Foresta Nera, trasformandosi in un villaggio
di ristoranti tipici che non hanno avuto successo e sono quasi
tutti chiusi: senza battenti, e dalle finestre si vedono le sedie polverose sui tavoli, lampadine che pendono solitarie, il pavimento
che si gonfia con funghi che nascono ed erbe maligne. La sala
da ballo si chiama Aragon (chiusa). Un'ambulanza va avanti e
indietro lentissima, ombre lontane si perdono nella vastità della
sabbia, si sdraiano a gruppetti di cinque o sei.

I monumenti più cospicui di questo lungomare sono enormi gabinetti pubblici, molti, illuminati, a pagoda, con mosaici: in uno i vecchi giocano a carte, in un altro le donne lavano la biancheria, in un altro i marinai fanno la lotta, da un altro ancora viene una tromba lacerante come nei cattivi film. Improvvisamente, alle spalle, un bar per signorine sole, affollatissimo: e schiamazzano, si percuotono, corrono dentro e fuori avvinazzate. O vestite di sacco e a piedi nudi; oppure con manto di velluto rosso e coroncina d'oro. Mezze misure, niente.

A nord di San Francisco, invece, le highways attraversano una natura disabitata e rarefatta. La bellissima via costiera è quella percorsa dall'eroina del film *The Birds*: strettissima, a curve eleganti, campestre ma a mezza costa su un gran mare luccicante, fra colline chiare, e piena di boschi dietro e sopra. Addentrandosi fra i redwoods, i più maestosi e tristi e grandi alberi, in una luce subito più opaca e cupa, si passa per una zona probabilmente molto simile a come l'hanno vista i primi arrivati. Tranne – si capisce – per le due cupole dell'osservatorio sulla collina più alta. Un cartello: «Vietato tirar palle di neve ai veicoli e ai loro occupanti». Sotto, a matita: «Attenzione! Attraversamento di astronomi!». Sempre un po' di nebbia. Casette di legno severe e rudi. E giovani papà e mamme in stracci chic che allevano i bambini nei boschi perché non possono sopportare la città.

«Proibito usare esplosivi sulla strada», invece, sulla speedway per Sacramento: tra i campi e i frutteti e i tagli dei boschi per rifornire da cent'anni le segherie. Nuovi cantieri in aperta campagna: parecchie nuove industrie si stanno stabilendo in queste solitudini fuori mano per approfittare di certi sgravi fiscali e della vicinanza alla capitale dello Stato.

A Sacramento stessa, un gran Campidoglio circondato dai giardini pubblici. Un paio di chiese costruite per rievocare il gotico. Un paio di grattacieli antiquati, di quelli che avevano ancora il tetto: verde, a mansarde. Ma nulla che ricordi i minatori d'oro o i cacciatori di pellicce o le stazioni delle corriere a cavalli o le stagioni d'Opera più tumultuose del West. Nulla che distingua semmai questa città dalla periferia industriale di Utrecht o Arnhem. E il saloon pieno di sciantose è sostituito come dappertutto da cinema puritanicamente aperti solo di sera. I film sono nudisti e francesi, con titoli tipo «Il suo bikini non si bagnava mai». Sono poi montaggi di pezzetti ripresi a St-Tropez con la macchina a máno: yachts carichi di ragazze che giocano a palla vestite solo di cappellini di carta da martedì grasso, con la Tahiti-Plage come sfondo e l'*España* di Chabrier come accompagnamento.

425

L'albergo dove mi fermo è tutto un mogano e una moquette rossa, con un congresso di veterinari della guerra spagnola (1898), curiosamente tantissimi. Su un solo divano, venti centenarie Figlie della Rivoluzione in abito da «convention»: raso bianco da Prima Comunione lungo fino ai piedi, cloche di fior d'arancio o berretto bianco da yacht, occhiali d'argento, sciarpa di raso gialla e blu. Mangiamo i nostri fichi bolliti. Pazienza.

Quindi, strada deliziosa, fra colline ripide e morbide, prati acquosi, larghi alberi sparsi. Paesini bianchi. Manifesti di rodeos, teatrini che riprendono musicals di vent'anni fa, cartelli sbiaditi di «Vendesi cavallo», carrozze e vecchie automobili sul tetto delle casine dei mediatori, come insegna. Verso Salinas, campi di verdura, fabbriche di zucchero, e all'entrata di ogni cittadina cartelli verdi per la ricerca di braccianti agricoli.

Sui bordi della strada, continuamente stands e baracche che vendono fragole, ciliegie, meloni, ribes, olive, mandorle, pannocchie, champagne locale, ogni specie di frutta secca. A un chiosco d'arance vedo arrivare una macchina con sette vecchie; scendono le tre più cadenti, chiedono al vecchino decrepito al banco quali arance fanno più succo per i soldi che spendono. Discutono per mezz'ora. Ne comprano per un dollaro, le arance sono orribili.

Su questa strada procedevano nel Settecento i francescani di padre Junípero Serra, costruendo la Catena delle Missioni; ciascuna a una giornata di cammino dalla precedente, trenta o quaranta chilometri, una ventina in tutto per l'intera lunghezza della California. La meglio conservata è San Juan Bautista, uno dei luoghi dove la vita pare imitare i film. Lunghi porticati con archetti bianchi di calce e la balconata sopra, tetti di legno e cactus davanti: luoghi da cavalleria spagnola e peones accovacciati per terra. Stalle bianche con gran portoni; albergo giallo e rosso con veranda al primo piano su cui dànno tutte le stanze, e fregi sul tetto. Bandi incorniciati della Wells Fargo con taglie per banditi messicani colpevoli di ruberie da strada maestra. Di fronte, alla Missione, le robinie e i ligustri, le rose dei Padri, le tavolate per i pellegrinaggi, un orto di ulivi carichi di merli, un'aiuola di candide calle intorno a una statuina della Madonna di Lourdes. Ma nessuna persona in giro. Il luogo è deserto, ben restaurato, morto. Soltanto, a una fermata di autobus, un marine accompagnato alla partenza dalla mamma e dalla fidanzata. Tutti e tre obesissimi, fino al grottesco; e tutt'e tre con gli stessi pantaloni chiari larghissimi, gli stessi occhiali spessi, lo stesso passo ondeggiante e insicuro. Gli abbracci di commiato sono scene d'affetto fra orsi di pezza.

Deviando un pochino verso Reno (Nevada), ecco uno spettacoloso Gay Rodeo cautamente annunciato solo in taluni locali. Migliaia di spettatori e partecipanti, tutti vestiti da cowboys o comunque vestiti come se, trattandosi di robusti giovani. Soprattutto, gli abbigliati o spogliati da antichi Romani in filmacci economici. Le acrobazie sono tradizionali, classiche, nello stadio, fra le birre; ma in manti e mutande da gladiatori fanno ancora più sensazione, quando zompano da un cavallo all'altro senza briglie o si esibiscono disinvoltissimi in piedi sulle schiene dei cavalli al galoppo.

Pasadena. Ha il California Institute of Technology, è vero; e chissà quanti Premi Nobel, e fondazioni Guggenheim. Ha anche Linus Pauling; e il *Blue Boy* di Gainsborough nella galleria di Henry E. Huntington. Bisognerà tornarci. Ma si ha l'impressione che qui nessun boom sia mai arrivato. Sembra di fare un salto indietro nell'età di Roosevelt. Il municipio è uguale al monumento ai caduti a Sant'Ambrogio, a Milano. Il Museo, una pagoda cinese piena di divinità precolombiane. Il dipartimento del culto è un college di Cambridge, con giardini a oleandri che vanno a finire contro cupole di San Marco e campanili romanici pavesi. Il teatro, la celebre Pasadena Playhouse, è un cortile catalano, un patio andaluso. Ma il resto della cittadina pare il quartiere Trionfale di Roma.

Case quasi tutte vecchie. Cioè del Venti, del Trenta. Quindi, incredibilmente decrepite. Cottages vittoriani di legno e latta, con reti moschicide alle finestre, arrugginite e strappate. Gli intonaci gialli e verdi si pelano, i serramenti non verniciati si chiudono male e cascano a pezzi. Vecchi obesi, in camicie a palmizi tipo Truman, e calzoni rotti. La vecchia America casalinga di Arcibaldo e Petronilla... Vi si tornerà.

Una spiaggia da sbarco alleato tipo Torvaianica, per molte miglia a sud di San Francisco. Dune, cespugli, villaggi italianizzati; ma un mare molto più drammatico sotto. Alberghi tipo Des Bains. Cominciano dei Cieliti Lindi alla radio.

Compaiono i primi «cipressi di Monterey»: angolari, storti, tragici, come spezzati e devastati, crescono solo in questa regione, con delle barbe bianche di muschio. I ciuffi di bosco possono sembrare quindi parchi di ville: ma con qualcosa di giungla e di filamentoso in più.

427

La villetta vittoriana di uno che smonta macchine in mezzo a un improvviso deserto, circondato da carcasse. Vendite ai bordi della strada di carciofi e di mele, di piccoli cactus. Nausea da frutta secca. Delle Rimini di motels; e poi dei boschi deserti, improvvisamente, d'affascinante bellezza. Ristoranti napoletani, pizze. Campi di carciofi.

Di Monterey dovremmo magari sapere fin troppo, dopo tutte quelle descrizioni di Steinbeck (ed. Bompiani) quando c'era poco altro da leggere, in guerra. Ma i suoi personaggi non ci sono più e i loro nomi si ricordano poi? Oggi saranno ricchi, anche se probabilmente sono i loro nipotini a correre le strade presentando donne messicane ai soldati che se ne servono soprattutto per cantare in coro.

Era un villaggio addormentato di pescatori, con deliziose costruzioni ottocentesche: alberghetti messicani, teatrini, cappelle, case di balenieri in pensione, il villino di R.L. Stevenson. La guerra e il turismo hanno trasformato la penisola, ricca ora quasi sfrenatamente. Tutto intorno, cartelli di stabilimenti militari civettuoli come alberghi di una ville d'eau. Scuole di guerriglie e commandos. Corsi di lingue per le truppe d'invasione. Fort Ord. «The Leadership Human Research Unit». Gli istituti di perfezionamento della Marina: in mezzo ai parchi, tra un Politecnico e un Forlanini e Montecarlo e Montecatini. Insieme alle centinaia di motels hanno spazzato via le vecchie attività pescatorie, che sopravvivono sporadiche per necessità di folklore. Boulevards di palme corrono lungo l'Oceano, tappeti di portulaca mauve riproprono pesantissimi ogni sporgenza di terreno, ristoranti rustici costosi si sono stabiliti sul molo. La protezione del «naïf» è organizzata come a Mikonos. E Cannery Row non è che una via morta protetta come a Pompei, percorsa da famiglie forestiere attonite alla vista di vecchie fabbriche deserte e chiuse. Leggono «Peninsula Packing Co.» e «Enterprise Packers» e «Oxnard Canners, Inc.» e «Aeneas Sardine Products Co.» sugli edifici cadenti e scuri con lo stesso interesse curioso di chi scopre a Ostia Antica la Via dei Balconi o dei Magazzini Granari Repubblicani.

Il sabato sera, la città si riempie. File di macchine giù da San Francisco, tutti i militari fuori a bere, e chiunque ha una villa nei dintorni non sta molto in casa. Il centro di Monterey diventa Piccadilly Circus o Times Square in una notte estiva di festa. Uomini in scuro, signore pettinatissime, studenti nel giaccone giallo e rosso di cuoio e maglia che è un'uniforme di giovinezza come la toga praetexta; italiani, cinesi, spagnoli, neri, soldati, uffizialetti in pullover; la polizia civile e militare, che ogni

428

tanto sequestra una bottiglia a qualcuno e gliela versa in un tombino sotto gli occhi. I locali di dissipazione sono centinaia.

Esce da un vecchio teatrino una gran folla in abito da sera, dopo aver visto le *Footlight Follies,* una rivista per beneficenza data da dilettanti chic con biglietto a cinquanta dollari. Entrano altri in jeans e maglione a un teatrino vicino costruito intorno al 1850 e inaugurato pare da Lola Montez. Qui altri dilettanti rappresentano fedelmente gli antichi melodrammi popolari irlandesi senza «metterli al corrente»: pieni di sotterfugi e presentimenti, rivelazioni, minacce, pericoli, sventure, disperazioni, svenimenti, con enormi barbe finte. E nel piccolo foyer, bacheche di memorie, vecchi costumi e programmi e libretti e ventagli e parrucche.

Una famiglia perseguitata dagli usurai. Padre e madre che si chiamano fra loro «mother» e «O' Grady». La figlia Molly testa-rossa, bella e risoluta, concupita dal creditore con la barba che la ricatta con le cambiali in mano, e lei risponde fieramente di no. Torna un fratello emigrato, li vuol portare nella Terra dei Liberi: ma lasciare le memorie dei nonni... Un giardiniere e una cameriera si uniscono nelle abnegazioni, si tolgono il pan di bocca: lui dialettale, col berretto, comincia tutte le battute con «come stavo dicendo...». Gli usurai, a passetti e falsetti: fischiatissimi dal pubblico. Gli «a parte», tutti ululati. I momenti di fierezza, battendosi le mani aperte sul petto. Molly più di tutti, con rumor di ciccia. Arrivi e partenze che devono restar nascosti, rumorosissimi. Prima che il personaggio entri, passi spietati a lungo fra le quinte. Ottimo odore di pancakes dalla cucina. Negli intervalli, spuntino e pianista. Alla fine, fuori-programma di balli tradizionali.

I bar si chiamano fantasiosamente Pigalle o Colony, Ferro di Cavallo o Gabbia d'Oro o Dollaro d'Argento. Vittoriani-opulenti, o scandinavi-ascetici, o Luigi XV, o Liberty: o le diverse cose insieme. Alle pareti, tappezzerie a rose rosse su fondo nero unito; o damasco amaranto con piatti inglesi e appliques d'ottone con globo rosso a fragolona. Lampadari, a gas o al neon, gialli e celesti. Baldacchini capitonnés sopra i bar, sopra la macchina delle sigarette, sopra il juke-box. Panneggi di stucco dorato. Una parete a musmè: tante Madame Butterfly su mensoline rococò. Abat-jours su odalische alla Brancusi. Angioletti su specchi molati. Vetrine piene di bouquet nuziali, borsette di perline, ventagli romantici, manicotti edoardiani, sciarpe neogotiche, e sopra una pergamena scritto: «È la mia vita! Sono io che la vivo! Gli altri non c'entrano!».

In mezzo, una enorme gabbia dorata, infiocchettata come un albero di Natale, con uccellini di strass e luci magiche dall'alto. Dentro, seduta a un piano-bar di specchi e paillettes, una di quelle vecchissime sciantose tipo «red hot mama» che vengono tirate fuori da ogni ospizio dopo trent'anni di dimenticanza perché sono la più furiosa attrazione di questi anni. Vecchissime, biondissime, grassissime, professionalmente allegre e grottescamente truccate, vestite da bambine ma proiettate sul Passato e sul Mito. Quindi non inquietanti né pericolose, in nessun senso. E per di più, chiuse nella gabbia. Perciò, adorate dagli spettatori del sabato sera. Sei ore di coro, come minimo. *I Love Paris, Mack the Knife, Oh What a Beautiful Morning, Carefree!, Stranger in Paradise,* tutto sulla nostalgia, sui ricordi, su «ciò che sarebbe potuto essere e non fu». Impressionante, quindi, dal momento che l'età media di questo pubblico è sui venticinque anni, l'abbigliamento sul cashmere a colorini tenui, e tre quarti sono allievi ufficiali di carriera che trovano in Mae West un'alternativa romantica al missile. Dietro l'angolo, nello stesso isolato, i neri cantano le stesse canzoni nel locale riservato a loro, con una nera altrettanto vecchia e grassa ugualmente in gabbia su un piano-bar più modesto.

Più tardi, ubriachezza e pentimento. Per il gran rituale puritano della colpevolezza da weekend è disponibile una sola tavola calda aperta 24 ore. La prima volta ci passo prima di cena in un vortice d'uffizialetti in rosa e lilla. La seconda, sei o sette ore dopo, con un pianto di cowboys davanti alla televisione. Venuti in Porsche da Los Angeles a trovare un fratello militare; ma era consegnato e non poteva uscire. Così s'erano ubriacati insieme, non potevano più guidare né l'uno né l'altro; e intanto gli era venuta fame. Quindi, tutto uno sbrodolar birra, un abbraccio alla salsa di pomodoro, un lacrimare sopra i piselli, un singhiozzo alla cipolla gemendo alla senape «non giudicarmi così perché mi vedi sporco di cibo, a Beverly Hills ho i miei "dates" con una nota starlet...». Il momento è deamicisiano; ma soprattutto perché la donnina che ci serve è la medesima di sette ore fa. Piccola, non giovane, bruttina, magra, indifesa, in piedi da tutta la sera: eppure professionalmente alacre, in un paese dove chi non è giovane e piacevole e allegro viene messo da parte e buttato via.

Sul promontorio, la riserva Del Monte: si passa di colpo da paesaggi estremamente selvatici ad angoli pettinatissimi. Pineta tipo Castelfusano: però espressionistica, data la forma folle del cipresso di Monterey. Urto di correnti oceaniche, cartelli di naufragi. Sabbie bianche, cave per vetrerie. Masse di uccelli marini immobili. I cerbiatti di Walt Disney. Non ci si può fermare, anche perché la strada è stretta, se non nei punti designati. Tutti lì fermi, per esempio, a guardare il cipresso solitario: uguale agli altri, l'unica differenza è che sta solo, non nel gruppo poco più in là.

Poi si diradano gli alberi, s'aprono prati verdissimi, i campi di golf più belli al mondo; vecchine giocano sole, in tweed, e fatta la buca risalgono sul camioncino che serve da caddy, con le loro mazze dietro. L'albergo è tra una Villa d'Este e un Formentor, con bungalows e boutiques. Ma molte casine sono sepolte nel bosco, con cartelli all'inizio dei sentieri: «The Smiths House», «The Chas. D. Smalls», «The Edw. B. Rogers».

Alla fine, Carmel, forse la più bella spiaggia californiana. Somiglia al Forte dei Marmi di oggi, ma scende con un pendio come la Marina di Massa. I cipressi sono stupendi, la spiaggia candida, i negozi e i ristoranti ancora abbastanza belli, le ville nuove piuttosto volgari. Sopravvivono diverse civetterie: le case senza numero, la posta che non arriva (però fra i vialetti solitari i radar controllano gli eccessi di velocità delle macchine). E qualche pittore rispettabile dei vecchi tempi eremitici non se ne è ancora andato. Ma il luogo sta per scoppiare sotto gli arrivi turistici.

In fondo al paese, un'altra Missione deliziosa: campi, vigne, porticati, cimiteri e come simbolo tangibile della condizione sospesa dei Padri i loro servizi da tavola: porcellane che arrivano metà da Cardiff e metà da Canton.

Ci sono un Little Sur e un Big Sur. Fra i due, Point Sur, un promontorio brullo con un faro in cima a un aeroportino da elicotteri dietro. La natura è settentrionale e solare, pare la piana di Colico o la Valtellina, di un bel verde pallido brillante.

Il piccolo Sur non è gran cosa; valli di mezza montagna, ma senza genziane: prato gialloverde, erosioni color zafferano, fiorellini modesti e gialli, erbe grasse rossastre, qualche macchione con la sorgente dentro. Giù al mare, Cogoleto cinquant'anni fa. Da San Francisco a Los Angeles, sembra ancora la riviera ligure prima della colata di cemento.

Lungo la costa deserta, capanne di legno, rade di baleniere, cassette per la posta sperse nelle rovine, all'imboccatura di un canyon sassoso. Cassette e porte sono spennellate a colori vivaci dove un pittore si è costruito la baracca da sé, con assi e latta. Ma i dintorni sono lasciati squallidi: pochi fiori su stecchi alti nelle discese polverose fino agli scogli. Gran vento sempre:

in giro con giacconi da marinaio, a spasso col cane che addenta ranuncoli.

La nebbia pare fitta a tutte le ore. Il parabrezza, sempre bagnato. Poi cominciano gli alberi. In una decina di chilometri, come un salto dalle Prealpi alla Baviera: una lunghissima valle, stretta e umida, una meravigliosa aria d'alta montagna. Bosco fitto e nero, alberi che si saldano in cima a volta da cattedrale, cespugli tipo lamponi, tanta acqua che cola, baracche di legno dove ci si aspetta come minimo il camoscio al mirtillo.

Invece, il solito hamburger con salsa ketchup; e una paradossale tirchieria applicata all'abbondanza, la prima volta che mi càpita in questo paese. Tutto un sistema d'ingegnosi aggeggi, probabilmente costosissimi in sé, per risparmiare zucchero e tovaglioli, economizzare sapone e senape. «Sta qui vicino Henry Miller?» chiedo all'emporio che vende tutto in mezzo alla foresta. «Very nice» risponde il padrone. «Però sono trenta miglia su per un canyon non asfaltato: di consegne a domicilio a queste condizioni è chiaro che non possiamo farne».

Back to Santa Monica, l'inevitabile termine di tutti i boulevards; e il Sunset che viene meno torcendosi in un complesso dedicato a tutte le religioni. Dunque moschee, Madonne, mosaici, mulini anche a vento, calotte, cupole. E l'ormai immancabile viale delle palme – una Sanremo più bella – con gerani e azalee e begonie, e ville subito dietro la passeggiata a mare. A sud, verso Long Beach, la fine del mondo occidentale, ormai già vista una volta: quel triste paesaggio a gobbe gialle e secche. Gole, canneti, palafitte, Venice, tramonti tempestosi, parcheggi deserti, nebbie e vapori dopo il crepuscolo. A nord, per Malibu, il lungomare delle Palisades alto sulle rocce. La collina alle spalle.

La costa, un'altra Torvaianica: spiagge molto volontaristiche, speculazione piuttosto frenetica, mare che per molte miglia si vede e non si vede. Coperto da casine polinesiane: una addossata all'altra, per godere tutto l'anno i piaceri della vicinanza d'ombrellone. A destra, rocce scure con qualche cespuglio in cima. A Malibu, infine, una spiaggia libera. E una pizzeria trendy, presso un molo tipo Brighton. Davanti, un po' di generici della TV fanno del surf-riding; strillano buttandosi sulle onde; tornano sulla strada al tramonto scuotendosi la sabbia dai mocassini. Alle spalle, un «eremo francescano» offre ritiri spirituali anche cheap. Le magioni favolose restano invisibili.

Girando tanto in macchina intorno a Los Angeles si ascolta naturalmente della gran radio: una dozzina di stazioni, tutte perentorie e ottimistiche. Sempre canzoni su San Francisco, il Golden Gate, i cable cars. Ce ne sono molte di più che a Milano sulla Madunina e i Navigli. Nelle radio dei tassì, invece, una eterna partita di baseball che non cessa mai, giorno e notte, coi suoi applausi di folla regolari e uguali.

La réclame che si sente di più è un coretto nasale e smorfioso con un banjo. Ripete incessantemente, accelerando come nel *Bolero* di Ravel «a dollar down and a dollar a week», ed elenca in mezzo le infinite cose che si possono comprare a rate, un dollaro subito e poi un dollaro alla settimana. Alla stazione radio italiana, canzoni risorgimentali e reggimentali probabilmente apocrife: «Te saluta ogni mattina / te saluta ogni cuggina / te saluta ogni cognà». Qui la pubblicità è bizzarrissima, fatta in una lingua italiana che non esiste: esageratamente floreale e liberty, come se si fosse sviluppata autonoma dalle réclames dannunziane dell'«Illustrazione Italiana» ai primi del secolo, prosperando senza più contatti col «parlato» della madrepatria. «Ci permettiamo di offrirvi una leggiadra canzone, col vostro riverito permesso...». «Una eletta schiera di specialisti del salame mantiene alta la delicata tradizione nazionale degli insaccati...». «Quel signore si sta godendo il fumo del suo sigaro... si accende facilmente... brucia uniformemente... ma non vogliamo dirvi di più! Lasciamo all'eloquenza del suo aroma...».

Per forza in uno Stato così basato sull'automobile la polizia del traffico diventa importante come la milizia nelle dittature. Ma diventa anche la scelta a portata di mano per il maniaco esibizionista che non può uscire con tante frange addosso, sennò lo arrestano. E poi la corruzione della polizia californiana è leggendaria, ripetono tutti: tradizionalmente enorme, zarista, gogoliana, grottesca.

Le divise sono incredibili. Tutto quello che può desiderare un mitomane col solo scopo d'abbigliarsi fantasiosamente e percuotere taluno con impunità. Anche il sogno a occhi aperti del bambino di sette anni ingordo di giocattolini. Casco d'oro lucido; bluse di raso gialle e blu come l'Opéra di Parigi, calzoni a bandine di passamaneria come nelle riviste della Osiris, giacconi con baveri di castoro; guantoni con paramani da moschettieri, stivaloni a fiocchetti per tenere l'arrestato «sotto il tallone» fuor di metafora e con viva reciproca soddisfazione sadomaso.

Moto bicolori. Fanali gialli e rossi e arancione. Catarifrangenti celesti; tubi di scappamento cromati; marmitte rococò. Telefonino per giocare a far «Pronto Pronto Centrale». Catenelle argentate e dorate sugli stivali e intorno alla vita. Anche parecchie poliziotte: abbronzate e depilate e vestite da omacci. Ogni giorno, sui giornali, abusi di polizia tremendi. Nei locali «leather», anche chi finge fa tremendamente sul serio.

Multe frequentissime, quante se ne sono prese. Dieci o dodici dollari per ogni sosta vietata o voltata da una corsia che non va bene. Ma non si possono conciliare subito, gli agenti non possono ricevere soldi. Bisogna andare ogni volta alla sede centrale.

In un paese che è il trionfo del civettuolo, degli uffici di tipo parrucchieresco, delle chiese agghindate come modisterie, dell'anagrafe-confetteria, delle banche piene di tulipani e di valzer, l'edificio delle multe a Los Angeles è tutto a vecchi mattoni e tubature arrugginite, come un orfanotrofio di Dickens, in mezzo a un quartiere di demolizioni. Niente musiche. Pavimento da palestra fascista. Alle pareti, diapositive illuminate d'orribili disastri. Nessun particolare risparmiato. Chevrolets che fracassano Buicks, Studebakers che esplodono, MG triturate dal treno, Corvettes infilate nei burroni, volanti di Oldsmobile conficcati nello stomaco, folle intorno a cadaveri, facce sfigurate, nasi tagliati, familiari piangenti, corpi sanguinolenti, assicurazioni che pagano poco.

In fila, mamme nere pettinate alla Paggio Fernando con la loro rete della spesa, e giovani mogli in camicia da uomo e blue jeans che pagano la multa del marito. Ma agli sportelli, impiegatine nasali e timidissime che succhiano giuggiole e rispondono che non san niente, loro sono contabili e basta. Impossibile quindi ogni contestazione.

A Beverly Hills invece si deve entrare in Municipio. Un'Alhambra fra magnolie fiorite, con anche del Positano e dello Stupinigi. Dentro, una biblioteca uguale al cinema Odeon di Milano; gabinetti di marmo grigio; e un'aula di tribunale tipo birreria di Merano, però con panchetti imbottiti come i sedili della Jaguar. Alle multe, un impiegato cortese e mondano scherza con tre grossi bambini (hanno la patente a sedici anni) e intanto si svaga con me in italo-spagnolo forse anche un po' rumeno. «Piuttosto che pagare vado in prigione, si potrebbe?» ride uno dei tre. E gli altri, sghignazzando: «Vacci, vacci, che poi ti veniamo a trovare, ti portiamo le arance e i compiti».

Arriva, verso le dodici e mezza, una comitiva di signore, tutte con la loro multa fresca: il trionfo del visoncino azzurro, del bassotto da Signor Bonaventura, del completino da patio gialloverde, della pantofola di lamé. Fuori, la Rolls-Royce rosa e la Bentley mauve. Come civetteria fine, la Volkswagen d'oro.

VEDUTE DI SAN FRANCISCO

Rari grattacieli sparsi, colline ripidissime fiorite di case bianche, vertiginose salite, vaste distese abbandonate, ciuffi d'alberi scuri, guglie gotiche o Art Déco, cupole come spumoni rosa: l'estrema città europea dell'Occidente, di una bellezza straziante e disperata, forse percepibile soprattutto da qualche europeo molto disperato e inconsolabile. «Tutto ciò che scompare in Europa» diceva infatti Oscar Wilde «prima o poi ricompare a San Francisco». E l'hanno ripetuto sia Frank Lloyd Wright sia Saul Steinberg: gli Stati Uniti sono un piano inclinato ove tutto rotola verso la California. Senza prevedere che poi l'inclinazione si sarebbe ribaltata, e i «movimenti» d'avanguardia sarebbero nati giovani proprio a San Francisco, rotolando poi sempre meno lieti e «fioriti» nell'Europa trucibalda degli anni Sessanta, senza queste eterne primavere in costume fra piscina e barbecue, e spazi, spazi, mancanza di tradizioni, libertà e chances di ricchezza, decadenza all'aria aperta...

Una luce di qualità forsennata, indifferente, orizzonti troncati o spalancati o improvvisamente deserti; e continui vortici di nebbia: invadente e salata, sa di mare. Un pittoresco angoscioso e quasi atroce, perché dà un senso di paura fisica e psicologica. Quindi è giusto che i suoi pittori non siano dei Vermeer o dei Canaletto, ma dei Welles e degli Hitchcock, con macabri bianchi-e-neri, o colori luccicanti e immobili: da allucinazione in pieno giorno.

Senza nessun dubbio è la più meravigliosa città degli Stati Uniti, con «patiti» che si trovano e riconoscono in tutto il mondo. Edonistica? Soprattutto narcisistica: fa l'amore con se stessa come Venezia o Bruges, guardandosi indietro e addosso. Clima costante, nessuna differenza di temperatura fra dentro e fuori casa, stessi vestiti tutto l'anno. Industrie poche. Non muove un dito da decine d'anni, in nessuna direzione. Campa sulla gaiezza e sull'estenuazione, come la Parigi dei musicals: ecco perché una certa aria mortuaria. E passerebbe per Regina del Saper Vivere: in realtà sta in testa alla nazione americana per quello che riguarda i sottoprodotti della frustrazione e dello sgomento, droghe, alcolismo, divorzi, capricciosità di sesso, suicidi. Un certo saper morire? È anche il posto degli Stati Uniti ove nascono meno bambini.

Forse però l'unico posto al mondo dove si possono vedere demolizioni di cattedrali e costruzioni di basiliche. Sono i vecchi Palazzi del Cinema di trent'anni fa, enormi e cavernosi, grondanti decorazioni dorate. Franano sotto i colpi dei bulldozers fra nuvole di porporina e di gesso, e sirene con draghi che rimangono aggrappati a fili di ferro. Ma i duomi sono gotici come a Chartres, con vetrate e tutto; naturalmente di cemento.

Ogni immagine visuale parafrasa e amplifica un'Europa di leggenda. Ma questo porto d'aspetto ancora mediterraneo e così simile a Genova o a Napoli, quando si è lasciato indietro il Vecchio Continente, coi suoi antichi parapetti e tutto? Remoto, dimenticato, non lo si sente. Come se non fosse mai esistito. Sono somiglianze che si portano involontariamente, come il taglio di naso o il sorriso d'una bisnonna di cui nessuno si ricorda più.

I liberali europei fuggiti dopo le rivoluzioni del 1848 sono arrivati facendo il giro del Capo Horn perché preferivano a New York questa «porta di servizio» all'America; e hanno fatto in tempo a trovare la Febbre dell'Oro. Gran porto internazionale e confusionario: tradizionalmente un approdo ideale per ogni giapponese e cinese che attraversasse il Pacifico (verso il 1860 c'erano dodicimila uomini cinesi in città e sette donne in tutto: vivevano insieme in otto case di Chinatown, ammucchiati in poche stanze, perché se uscivano gli spiritosi li legavano per il codino ai lampioni). Perfino i cacciatori russi di pellicce venivano giù dall'Alaska. E si capisce che gli spagnoli hanno fatto in tempo a lasciarsi indietro qualche nome di santo cattolico su ogni traccia di presidii e missioni.

436

Una mescolanza affascinante e mostruosa di vecchio e nuovo, di barocco e Art Nouveau, di vittoriano e orientale e andaluso e svedese. Un'associazione abnorme di lineamenti che appartengono a epoche diverse, a umori e climi eterogenei. Chiese in forma di bottiglia. Moschee in forma di Pantheon. Ville giapponesi con cancelli rococò dorati. Palazzetti dell'Aia con un chiostro amalfitano. Palazzoni di Corte barocchi con la pensilina davanti come i cinema. Palazzi della Signoria con archetti moreschi siculi. Il finto-Stuart costellato di ceramiche verdi, formelle da basilica romanica pavese. Un Partenone con scalette da incendio fra le colonne, e un mappamondo da Edizioni Paravia nel timpano. Una Santa Maria Minore pechinese...

Ogni aspetto si trasforma, si deforma, prolifera, diventa un'altra cosa e va a finire fatalmente nella pagoda: pagoda Luigi XV, si capisce. I grattacieli tendono a conservare una dimensione antropomorfica: cedono alla debolezza ornamentale, alla fioritura di stucchi e di bronzi. Palazzi decoratissimi a fette verticali strettissime. Villini romantici scampati al terremoto; quindi ormai casine della fata o degli spiriti. Quasi sempre rosa confetto o verde pistacchio. Ma non di rado verde corazzata; o verde bottiglia, come certe automobili del Trenta. O anche rosa con balconi neri. O interamente neri, con tende a righe bianche e nere. L'oro, tutto cesellato... Le colonne, sempre *habillées*...

È Bisanzio! È Bisanzio! La fila delle somiglianze è impressionante; tutto coincide. Le stesse colline, le stesse torri, i minareti, le ville. Il suo Bosforo, il suo Corno d'Oro, il suo Mar di Marmara. I riflessi, gli abbagli. Lo stesso lievitare di religioni deliranti e culti esotericissimi, da «fine del mondo». La stessa poesia alessandrina e decadente. Lo stesso «tifo» per i Verdi e i Blu all'Anfiteatro: cioè qui i Giants al Candlestick Park. È Bisanzio: una di quelle città cariche di «magia» dove i diversi aspetti di un'intera epoca approdano per combinarsi, riassumersi, e perire.

Da tre lati il mare: il Pacifico a ovest, a est la Baia, di fronte il Golden Gate. La città è costruita sulla punta nord di una penisoletta, perciò non può allargarsi. Se cresce sul quarto lato, già non è più San Francisco; passati i Twin Peaks frana giù nella pianura informe di San Mateo e Palo Alto e San José, e prende nomi di sobborghi. Il centro rimane quindi urbano, all'europea, coi negozi belli tutti riuniti, gli alberghi vicini, e le strade giuste da girare a piedi.

Ma le vie sono lunghissime. E nel loro percorso cambiano fisionomia molte volte, come le strade di Ferrara che partono dalla piazza e passano fra palazzi splendidi, poi fra negozi e casette, e finiscono fra vigne e campi dopo aver toccato una badia. Qui la stessa via può assumere tanti successivi caratteri in altalena. Cominciare in un quartiere napoletano franante, dietro una vecchia stazione abbandonata e cupa, con due treni al giorno sì e no. Continuare per la Marina, una fila di villette fiabesche, tutte col verone della fata a colonne e il suo garage sotto (o sfiorare la Missione Dolores, il suo cimiterino del Settecento gonfio di sassifraghe). Quindi passare un ponte con spallette altissime e dunque niente «viste», come sul Ticino in automobile. Poi il Civic Center, il Municipio e la Biblioteca e l'Opera: a cupole dorate, come le variazioni di San Pietro fatte nel Seicento nei piccoli reami barocchi, da Copenhagen a Torino. Templi egizi per vendere le macchine usate, motel e snack-bar di pizze in Lombard Street...

Insegne vistose come a Los Angeles e in tutta la California: «4 barbieri qui per servirvi», «5 piani di scarpe da uomo», «8888 articoli, tutti a 88 cents», «Aprite un conto corrente alla Wells Fargo; così anche voi potrete dire di far parte del West».

Sopra un mercato di macchine usate, scintilla un neon azzurro: «Gesù, luce del mondo». Sopra una struttura industriale modernissima, una gigantesca torta da compleanno con almeno cento candeline; e gira continuamente, bianca di panna e rossa di ciliegine. Nelle vetrine dei grandi magazzini, corone di «Flores para los muertos», pronte per il cimitero.

Pieno anche di nomi italiani. Le insegne per la strada dicono Torre di Pisa, Angolo di Roma, Il Trovatore, La Tosca, Adagio Biagio, Crespi, Figoni, De Feo, Galante, Salandra, Buongusto, Barbarotto, Vieni Vieni, Agenzia Viaggi Giorni Felici. Ma certi camerieri sembrano così italiani, si chiamano, e non rispondono: sono filippini.

Si ricade in desolati quartieri di vecchi poveri, che si ubriacano e fanno scene in mezzo alla strada; e dalle porte spalancate d'alberghi decrepiti si vedono altri vecchi seduti davanti al televisore in pantofole. Miglia e miglia di capannoni abbandonati, distese di ex-depositi portuali non certo promossi ad «archeologia industriale», malgrado le ciminiere cadenti. In un bar tutto nero prima non si vede niente, come in quegli stands alle fiere campionarie dove si entra al buio e là in fondo compare – mettiamo – il Nylon. Qui invece la decorazione è a martelli, cacciaviti, tornii, catene da motocicletta; e i clienti sono vestiti tutti di cuoio nero, giacca e berretto, stivali e calzoni, con catene intorno alla vita nonché un orecchino d'argento, e un anellone sull'intimo. «The Boys in the Backroom», come cantava Marlene, ivi si sfogano.

Nella baracca degli «hometown papers» chi soffre di nostalgie sfoglia i giornali della città natale: con nomi come «Seattle Examiner» e «Pittsburgh Chronicle», «Kansas City Star» e «Sacramento Bee». Di colpo, fra le vetrine di porcellane e antiquari, ecco le succursali dei più bei negozi d'abbigliamento di New York, signore in tailleur rosa, uomini in scuro (è una delle città più formali del mondo, giacca e cravatta tutti anche in agosto); e valigie da aeroplano, tartans scozzesi, sale da tè ottocentesche e moquette spessa e cameriere vecchie.

Subito accanto, la Cina più misteriosa-insidiosa-minacciosa, e cheap, come nei «prossimamente» dei film di spionaggio: con le lavanderie, le giade, i Buddha, le lanterne di carta coi fiocchetti; dragoni su tutte le case e ideogrammi al neon attraverso la strada. Interni marron cupo. Centinaia di ristoranti, con le loro specialità innumerevoli. E cinemini con filmini cinesi sentimentali e semipornografici, a due personaggi fissi, il furbetto socievole e l'ingenua torbida che s'insaponano il didietro in piscina. Tutta poi un'area artisteggiante, con barbe e sandali e Caffè di Ribellione e Rivolta e pittori sul marciapiede; ma dopo la sparizione dei beats si direbbe retrocessa alla bohème di Murger e Puccini. «Andiamo da Momus!». Centinaia di locali tipo Pigalle, aperti tutta la notte coi loro spettacolini: i cabarets tipo 1890 con le lampade a gas e i velluti rossi e il quadro della nuda distesa sopra il bancone vittoriano; le sciantose che volteggiano sulle altalene; i Capodanni celebrati ogni notte; i travestiti caratteristici; lo strip-tease davanti a un cavallo: tutto l'armamentario e bric-à-brac puntualmente già visto in tutti i film sui divertimenti di notte.

Le colline sono parecchie, e d'una ripidità addirittura ridicola. Molto più verticali della diagonale di un quadrato. Da aver paura salendo che la macchina possa ribaltarsi all'indietro. Ce la facciamo? Sì o no? Poi come in un ottovolante ecco là in alto passarci di fronte il tram: cioè i cable cars fondamentali per il folklore della città come le gondole a Venezia. Vetture originali di quarant'anni fa, colorate e aperte, con panche pittoresche, tirate su e giù con un filo d'acciaio racchiuso nel terzo binario. Si sale. Si arriva in cima alla salita vertiginosa già spaventati; e lì ecco pronti il semaforo rosso e lo STOP.

Dopo queste pendici fitte di villini a meringa, bianchi o vivacemente colorati, che gioia struggente arrivare su Telegraph Hill fra l'odore oleoso degli eucalipti e vedere la Baia e i ponti sospesi e i moli e le navi e i ristoranti alla pescatora: il panorama è intensamente favoloso. Ma più straordinaria ancora è la cima di Nob Hill, con gli alberghi più belli del mondo. Di un fasto inimmaginabile: moquettes a immensi disegni rosa e marrone e gialli e verdi; arazzi, cuscini, poltrone di tappezzeria; il trionfo del bronzo dorato e del marmo rosato e del candelabro di cristallo, della palma in vaso gigantesca, dell'enorme paralume scarlatto davanti allo specchio; e sulla colonna nera il capitello sarà un drammatico ananas d'oro. Torri altissime con cupola di vetro aperta su tutti i lati, e vista incomparabile; e al centro un bar in forma di nave, che regge un'orchestra con sopra le bottiglie. Il night-club panoramico a forma di giostra gira con tavolini e tutto; la coffee house viennese offre 24 tipi di caffè e alcune centinaia di sundaes. La cattedrale sfida le stazioni inglesi più storiche e nordiche. La dimensione normale è lo sterminato, la misura corrente è il frenetico: mai trovata un'equivalenza così demente e precisa fra il sovraccarico e lo stupendo.

Sulla punta della città, a destra i moli dei pescatori, cioè una Mergellina di ristorantini col pesce; a sinistra il Presidio. Fondato alla fine del Settecento dagli spagnoli, come le Missioni, è un recinto militare vastissimo aperto alla gente su colline e vallette fra il settentrionale e il tropicale. Una larga guarnigione l'abita in caserme dissimulate. Pini marittimi, palme, sequoie, eucalipti, petunie, boschi di ginepri e lauri e mirti. Tappeti di portulaca fino al mare. Ma meno di due chilometri più in alto, le case dei colonnelli e generali in fila tra neri abeti sembrano baite a Madesimo. Bandiere sui pennoni, cannoni spagnoli di vecchie guerre sull'erba. Merli, corvi, elicotteri sempre in volo. Bande militari attraversano in blu e oro i tappeti verdi, luccicando e strombettando. Passeggiano ausiliarie in verde, sergentesse nere con cappelli di paglia e gonne fiorite svolanti. Alberi talmente frondosi, forse da Cina, forse da paese delle fate. Ma le curve delle vie sono così intasate di Volkswagen che pare in realtà Heidelberg, la città più americana della Germania.

Salendo un magnifico parco per il Camino del Mar, il Palazzo della Legion d'Onore si para lì fra kentie giganti e mimose carnivore come un Cimitero Monumentale sulla cima di un Sacro Monte. Gran prato davanti, con leoni di pietra, statue del Cid e di Giovanna d'Arco, parterre di tageti e sassifraghe col *Pensatore* di Rodin in mezzo, e un cielo pieno d'aquiloni. Pennoni, petunie, pini, odor di montagna.

Venti gallerie regalate dai proprietari di tutti gli zuccherifi-
ci californiani, eredi di un giovane tedesco che ha cominciato cento anni fa vincendo le piantagioni a poker con un capo
indiano. Dentro, quindi, arazzi e cassoni medioevali, e piante
grasse, e marquetries. Pentole turkestane, cassettoni, commo-
des. Sorrisi etruschi, giudizi di Paride, cani cinesi montati dagli orafi di Luigi XV, piatti di Pietroburgo, tabacchiere di Fabergé, ametiste di Joséphine Beauharnais. Anche opere non importanti di Rembrandt, Greuze, Veronese, Lorrain, Longhi, Van
Loo, Vigée-Lebrun.

In un'ansa della via che porta al Golden Gate, circondato da
stagni impressionistici compare un Taj Mahal guglielmino e
corinzio, rossastro, e fatiscente come dovrebbe essere il Vittoriano a Roma. È l'unico esempio di decrepitudine clamorosa
e pubblica visto in questa città: un Palazzo delle Belle Arti costruito per una esposizione di cinquant'anni fa e ora abbandonato. Sfondato il duomo centrale, franate le decorazioni di gesso su legno, color cotto, si vede l'armatura sotto, le tele di sacco sventolanti, gli eucalipti cresciuti fra le colonne babilonesi
e berlinesi, i piccioni che fanno il nido sulle cariatidi dilavate.
Il mito della Bella Addormentata applicato alle prime Biennali di Venezia come appaiono nelle fotografie. I corpi laterali
dell'edificio, estesi come a Stupinigi, si perdono fra le lagune
e i cespugli fitti, gli zampilli otturati, le anatre, i fantasmi di
Isadora Duncan (cresciuta qui) e forse di Guglielmo II, le pru-
gne rosse che nessuno mangerà. Si moltiplicano le analogie e
similitudini. Proliferano le somiglianze e rimembranze. Si affermano le *correspondances*.

Sotto Sutro Heights, Point Lobos; e proprio sulla punta Cliff
House, luogo festivissimo e dopolavoristico, da cui si guardano le foche col cannocchiale sulle loro Seal Rocks. La spiaggia
non è affatto invitante: lunga e gialla di fronte a un mare freddo e sabbioso, con onde sgraziate. Sembra in brutto una spiaggia olandese, Katwijk o Noordwijk: col suo mulino a vento,
perfino, e il bosco di pini dietro, polverosi di salsedine. Ma nel-
l'interno rosso e rosa delle baracche sono raccolti con amore
una quantità di oggetti del passato: modelli di velieri, nodi da
marinai, le tazze rotte dal terremoto, i plastici delle Missioni,
con scritta di «Si prega di non toccare le Missioni». Organetti
e pianole fabbricati in Svizzera o ad Amburgo nel 1850. Ne
hanno una quantità insana: a rulli e a tavole, funzionano con
la monetina, con giochi di passeri becchettanti e minuetti di
damine. Ussari e moretti, scimmie e ulani eseguono la *Roman-*

za di Dalila o il *Caro nome* trascritto per flauto magico, la barca-rola dei *Racconti di Hoffmann* trasformata in samba e suonata da una celesta. In una gabbia d'oro, su una peluche gialla, tre usignoli zufolano – assicura il cartello – «Ma vieille residence en Kentucky».

Il parco del Golden Gate è un affascinante giardino all'in-glese fatto di piante tropicali, con viali e biciclette e campi da tennis e il mare alle spalle. Ma ogni tanto si allarga in uno spiazzo pettinato uso Baden-Baden, con rododendri, memoria-li semicircolari per ricchi giovanotti caduti in guerra, camelie marce nei laghetti romantici, pesci giganti che si abbracciano in marmo davanti a un colonnato neoclassico, Beethoven in bronzo che s'affaccia da una magnolia. Enormi serre, fra bo-scaglie da Fratelli Grimm. Nei caffè all'aperto una banda da piazza San Marco. Serve immense, candide, come a Vienna; an-zi, come torte di Vienna; e sull'erba, davanti, scritto coi fiori: «Comprate Buoni del Tesoro».

Il giardino giapponese è irto di ponticelli e travi e archetti e paletti e pergolati come in ogni film sul Giappone; tutto un su e giù in poco spazio. Ai tavolini siedono con piattini e teiere bambine cotonate e maestre grasse, ragazzi rapati in calze di lana. Mangiano chicche di zenzero da cui vien fuori un fogliet-to: «Stasera farete una felice esperienza». Ecco una coppia ap-parentemente colpevole: gangster lui, disillusa lei. Origliamo. Gran delusione: stanno trattando una compravendita immobi-liare per conto di terzi.

In cima alla più bella ed elegante fra le tante colline rico-perte di moltitudini di casine della fata e della strega, pasticce-rie e meringhe vittoriane deliranti a colori di caramella psi-chedelica, il Fairmont Hotel è l'epitome del fasto molto carat-teristico di San Francisco, non soltanto grandioso e smodato, ma a un incrocio molto bizzarro nell'Antropologia del Gusto. Infatti qui il grande lusso scarlatto della fine-Ottocento, iper-Montecarlo operistica e capitonnée, si metamorfosa in un Art Déco tra i più squisiti e leggiadri proprio mentre una mador-nale ondata cinese e giapponese carica di giade e lacche e bam-bù viene a incontrarsi col maestoso e funebre spagnolo-colo-niale di quercia e di pietra risalito lungo il Camino Real e ma-gari dal Messico. E la pomposità pittoresca e vivacissima degli arredamenti e abbigliamenti sempre tipica in questa città – molti cappelli per strada, molto patchwork nelle vetrine, mol-to nero-e-oro all'Opera – dispoticamente si arrampica lungo i dislivelli fioriti di bougainvillee e scampanellanti di tram a cre-

442

magliera turistici per esplodere e trionfare in questa folle e monumentale reggia di iper-Sassonia o maxi-Württemberg sopravvissuta perfino al celebre terremoto.

Le colonne sono gigantesche, e le scalee fra le più vistose. Un gran buio tenebroso e sontuoso a griglie dorate sopra una moquette a colossali arabeschi rosso scuri, verde scuri, giallo scuri; e costantemente questa illuminazione da Notte Veneziana nei *Racconti di Hoffmann*. (Naturalmente, nella mirabolante rappresentazione di Walter Felsenstein). Negli atrii sepolcrali si passa da una Schönbrunn espressionista a un'Alhambra ellenistica, si attraversano danzando Pantheon gotici e Partenoni, si procede alcolici e volubili da una Versailles western a una basilica di Santa Mariuccia in Vincoli a Shanghai, con draghi, come se Ludwig di Baviera e Madame de Pompadour avessero collaborato all'allestimento intrecciando i propri favoriti trips con Sarah Bernhardt e Max Ernst: qui tutto intensamente avorio e oro e soprattutto rosa fucsia ciclamino e shocking, lì archetti moreschi dorati e argentati dagli apparatori di Hollywood, lì spire di Copenhagen con su delle bestie e una pensilina da cinema davanti, qui una moschea fatta a gabbia di tucani ma costruita in ceramica Wedgwood, e accanto una villa di Pompei rifatta in stile finno-svedese alla Alvar Aalto tranne il pergolato che è Tirolo, la fontana che è Esther Williams, e la Gloriette che è Salvador Dalí. Il godimento è totale, lo smarrimento e l'estasi durano a lungo, mai il vetero-surrealismo ha colpito – ancora – così duramente. E del resto nelle stanze non si scherza: niente vie di mezzo tra i ramages da palco all'Opera e il metallizzato da automobile sport.

Giù nella bassura, fra i diversi bar dove la Costa dei Barbari ammicca a New Orleans e a Singapore, fra i parecchi ristoranti dove evidentemente Napoleone III sta pranzando con Ida Rubinstein e Arthur Rubinstein fra paraventi e peluches e appliques a gas, uno contemporaneo e squisito si presenta tutto a lastre di beola con ikebana, scampi e granchi deliziosi dagli scogli vicini, e una sua casa-madre non meno eccellente nell'orrenda Waikiki, alle Hawaii qua di fronte, dove le gite insegnano che in tutte le isole il cibo è normalmente deplorevole, ed è frequente il bubbone mattutino dopo il vecchio maiale all'ananas e all'alka-seltzer.

Ma dal vecchio Escuriale di marmo e velluto del Fairmont si protende anche una vertiginosa torre moderna con ascensori panoramici esterni e un belvedere girevole con la vista più bella al mondo, forse paragonabile soltanto (uno immagina) a

Costantinopoli dall'elicottero. Drinks perfetti, naturalmente; e fuori, quest'aria costantemente irreale, una luce stralunata e stregata, tipicamente lunatica, fra colori luccicanti e violenti (anche quando tirerebbero al pastello); e queste improvvise ondate di nebbia marina salatissima, specialmente in agosto al tramonto. Fra orizzonti stravolti perentoriamente spalancati o troncati, questa infinità di colline vertiginose costruite a castelletti e torrette e mansarde, ripidi coni di parchi selvaggi con cipressi accovacciati e neri, associazioni euforiche di rosa-bianco-nero e giallo-rosso-verde e azzurro-oro e nero-argento e viola-lilla e pisello-pistacchio e nero-blu sopra bomboniere a pinnacoli; e i grandi ponti aerei sospesi fra isole e penisole invase dalla nebulosità crepuscolare; e il nuovo distretto finanziario tutto a torri di banche e assicurazioni in forma di colonna o cofanetto o piramide...

Sarà opportuno di qui uno zoom temporale ben assestato sul «post», senza lasciarsi andare nelle magie del tramonto esauriente. C'erano qui sotto, a Chinatown, ristoranti cinesi insuperati per cibo sublime e anche lusso sfrenato (piuttosto insolito per quei parsimoniosi stabilimenti). Però anche il migliore esercizio sembra improvvisamente e inspiegabilmente franato: troppe comitive charter. Né ci si dovrà lasciare attrarre – troppo selvaggiamente turistici – dai vecchi-nuovi ristoranti tipici emersi dal restauro delle antiche manifatture abbandonate di sardine in scatola ottocentesche. «Canneries»... Erano, fino a poco fa, dei Piranesi e dei Doré tutti atri muscosi e fori cadenti di mattoni fulvi e di paleo-poutrelles. Ma la voga dell'archeologia industriale li ha intasati di boutiques di ricordini. Meglio sarà non perdere l'architettura alberghiera che sviluppa con risultati abbastanza sensazionali l'«esterno ribaltato in interno», là dove sorgeva (e non sorgerà più) un fantastico «Embarcadero Y» con parecchi piani di stanzette single per militari e altri giovanotti insonni senza «Who am I?» fra le porte aperte e le brande agitate e le docce frequentatissime come le terrazze sul tetto, nelle notti senz'aria condizionata.

Ecco dunque l'interno di una piramide molto grande, con molti piani, ciascuno ovviamente sporgente sul sottostante, per due lati, sopra una piazza europea con pubblici esercizi e negozi e alberi piuttosto alti, come in una gigantografia di piante per appartamento. Il terzo lato, a piombo, ha invece una quantità di balconate ricoperte di rampicanti come una facciata di piazzetta chioggiotta o ischitana: ma questi vanno molto su. E a fianco, salgono e scendono vivaci e velocissimi ascensori decorati da festoni ricurvi di lampadine brillanti come palchetti galanti della Belle Époque. L'effetto sarà sconvolgente o divertente. Ma per mangiare, un salto indietro nel tempo, rientrando nel quartiere chic all'Hotel Clift che racchiude una sua Redwood Room storica e identica alle più maestose scenografie dei più antichi film muti: col miglior roast-beef possibile in una regione di carni addirittura mitiche.

Università e fondazioni, amministratori municipali e comitati di signore si dànno un enorme daffare: ma nella regione più assetata di cultura al mondo il teatro esiste in forma sommaria e ridicola, come del resto i musei. Anche per i californiani facoltosi «che hanno tutto», la scelta della serata può così ridursi a poche alternative piuttosto caserecce. (Escludendo un'eccellente *Tosca* molto europea alla locale Opera).

Ecco allora i musicals in qualunque locale Civic Auditorium: cioè *Camelot* e *Carousel* ripresi anni dopo Broadway, come da noi le opere in provincia; con gli stessi momenti vuoti d'imbarazzo; gli stessi costumi lisi; lo stesso cast incompetente (un bell'uomo che non riesce a muoversi, un soprano che canta Rodgers e Hammerstein come se fosse la *Linda di Chamounix*); e il coro si sposta per lo più come i cortigiani di qualunque *Rigoletto*.

Oppure, gli inesauribili film del Trenta alla televisione, carichi sempre di smisurati godimenti: Mae West deve fermarsi in un villaggio per una panne alla Rolls-Royce, e fa un capriccio per il boscaiolo fidanzato della maestrina; Miriam Hopkins avventuriera a Shanghai confessa su una giunca la falsità dei suoi gioielli; William Powell e Myrna Loy regalano un fox-terrier a un ex-colonnello in vestaglia; Dorothy Lamour portata dalla giungla nell'alta società in pareo e capelli lunghi, e lì bacia tutti i maggiordomi. Fra l'uno e l'altro, come réclame, lo psichiatra a ciuffi e mèches che spiega come nessuna terapia sia necessaria per le neurosi: vanno via da sole! E soprattutto la consolante presenza della Filosofia a Los Angeles.

Cioè una mania americana attuale. Impazza il *concept*. Si dorme in un albergo, ed ecco sul comodino il volume del signor Sheraton che spiega la sua filosofia alberghiera. Si entra in una pasticceria, e subito lì pronto l'opuscolo del signor Schrafft che espone la sua filosofia cioccolataia. Si apre «Playboy», e per più di metà è occupato dalla venticinquesima puntata de *La mia filosofia* da parte del suo direttore. Così nessuno stupore se aprendo la televisione ecco ogni volta Marlon Brando interpellato da David Susskind che impiega tre quarti d'ora di sospensioni e grattatine per esprimere «una basica esitazione fra idealismo pragmatico e pragmatismo idealistico».

San Francisco pare un'autentica antica eccezione, in California, perché (oltre all'Opera) qui esistono dei bei vecchi teatri cavernosi a stalattiti d'oro adatti a ospitare le commedie e i musicals di successo in tournée. E poi ecco il quartiere notturno che manca a Los Angeles, e tiene vivi con ostinazione i miti della Costa dei Barbari e della Febbre dell'Oro negli anni Novanta. Quindi, naturalmente, il trionfo della lampada a gas (gaz!) e del damasco rosso anche sintetico, del barista con gli elastici alle maniche e dell'immancabile sciantosa sull'altalena di velluto. Insegne anche in italiano e in cinese. Ristoranti che rappresentano tutti i folklori del mondo. Spettacoli-breakfast a partire dalle tre del mattino. Ribalte minori di travestiti vecchissimi e grassi che producono per un pubblico di famigliuole charter un Giro del Mondo con New Orleans e «Ça c'est Paris» e una Roma fatta di Fontane di Trevi e di «vieni-vieni-vieni-bella-bella-bella-accanto-a-me!».

Ma lungo le vie ripide affollate di turisti e macchine di sbieco con su il freno a mano, fioriscono ancora i cabaret che hanno lanciato per primi un nuovo stile «sick» di satira politica e di costume, basato su argomenti nauseanti o deprimenti. Orrore dei benpensanti e scandalo dei conservatori, quindi per la libertà d'espressione senza precedenti negli Stati Uniti d'oggi: merito d'una Corte Suprema molto più progressiva di qualunque magistratura europea. Ma ogni protesta e rivolta, come fa in fretta a diventar commerciale. Sarò stato sfortunato, ma si ha l'impressione che il successo temperi gli attacchi dei discepoli di Mort Sahl e Lenny Bruce contro i tabù nazionali.

Allo Hungry i si scende per scale tappezzate di manifesti di teatri francesi. Una cantina di pali e mattoni. Sedie da cinema con mensolina sulla spalliera per i drinks. Come pubblico, bambinone bionde e rosa, vecchie coppie, marines con gli occhiali.
Ci sono rimasto poco. Spettacolo indecente. Prima, un quartetto di jazz freddo. Poi un cantante in cravatta nera che fa praticamente del Cole Porter rimodernato. Tantissime canzoni, troppe. Per così poco, allora molto meglio Eartha Kitt all'Apollo, l'enorme varietà di Harlem, con un vivacissimo pubblico colorato. Poi ancora quattro biondi melensi della Florida che cantano folk songs, altra mania nazionale e specialmente universitaria veramente detestabile: nel più puro stile Ora del Dilettante, con l'aria di soldatini buoni che amano la nonna e

la torta di mele, o di studenti con l'esenzione dalle tasse che fanno l'autostop con banjo e chitarra per vedere i musei. Stoltamente familiari: fingono di sbagliarsi e di farsi dispettucci, anche, come i complessini di armoniche a fiato negli avanspettacoli. Uno spettacolo da scuola, da oratorio, da stazione d'autobus. Non si poteva starci. Tanto più che uscendo ci si imbatte in frotte di vecchi che scendono per sentire la seconda parte: quelle ridicole imitazioni «sconcertanti» della famiglia Kennedy che si vendono anche in disco a prezzi scontati.

Il leggendario Committee è l'interno di un garage che pare l'osteria nelle prime comiche di Chaplin, con la balconata di legno in fondo. Si sono costruiti la loro baracca in fondo a un cortile, e dànno da mangiare delizie turche e baklave perché il negozio più vicino è una confetteria anatolica. Ma si possono avere anche bistecche e polpette, polli e pizze, bere birra o champagne locale. Vengono chi dal Living Theater di New York e chi dall'Opera municipale di Cleveland, e li presenta un giovane compère somigliante a Vittorio Sermonti e a Prandino Visconti: quattro uomini, due donne, un pianista, convinti che «è malato chi vive di abitudini e pregiudizi senza controllarli con la critica e la satira».

Schioccando ritmicamente le mani cominciano a fare associazioni su parole fornite dal pubblico: oggetti, professioni, titoli immaginari. Nonsensi e cantilene, falsi indovinelli e proverbi di follia eseguiti sullo schema del vecchio quintetto d'Opera uso Eddie Cantor. O l'oratorio improvvisato su richiesta, per esempio sul tema del tessuto adiposo: «Ci sono nel corpo umano diversi tessuti... Ci sono nel corpo umano funzioni affascinanti – secrezioni di umori – ma una soprattutto...».

Gli sketch variano dal ripugnante al surreale, con qualche scivolata nel banale. Il dialogo sporcaccionesco di due osceni figuri che ammiccano sconciamente, ma sempre a bocca piena, senza parlare, fanno bolle schifose, rimettono tutto in bocca, fra singhiozzi e catarri, rigurgiti, annodano, impiastrano, s'ingozzano per sbaglio, ma finiscono aerei, volando: sono aeroplani. Le spie russe in occhiali neri che controllano una finestra, orologio alla mano. Preparano un attentato? Arriva l'FBI: sono colleghi. O Michelangelo secondo *L'agonia e l'estasi*: con basco in testa scolpisce cantando; poi scolpisce la modella, dove è grassa; poi si fa scolpire. O l'aggiustatore di televisori nervoso con la sventata che legge il futuro nelle foglie di tè. O i dilemmi di uno che ha comprato un negozio di fabbro a New York e ora cerca un fabbro da affittare. O il pornografo timido con le fotografie della mamma...

Meglio di tutto un breve atto unico. Una suicida sta per buttarsi da un ponte. Passa un tale, e si ferma interessato: «È la prima volta in due anni!». Ma discute solo il lato tecnico: se prima la testa o prima i piedi, l'accelerazione del corpo, l'urto sull'acqua uguale a un urto sul cemento, da quell'altezza. Lei ha perso insieme il lavoro e il ragazzo, ma gli chiede seccata perché è così allegro. Diventa indiscreta: quanto guadagna lui al mese? E guadagnando così poco ha ancora tanta voglia di fare lo spiritoso? Quanti amici ha? Due. Così pochi, in tutta una vita? Ma io li scelgo! ribatte lui seccato. Finisce che se ne va tristissimo, dicendo a lei che «invidia il suo buonumore!».

Ancora Shaw, con un *Major Barbara* brechtianamente impostato, all'Actors' Workshop S.F. Un teatrino di genere parrocchiale, al primo piano del Marines Memorial, un'associazione benefica con motti tipo «Semper fidelis»; e nel pubblico un intero ginnasio, bambinacce in capello lungo, gonna e camicetta, e ragazzacci in golf arancione che si schiaffeggiano e si fanno sgambetti.

La scenografia è un perfetto Luciano Damiani involontario: lasciando scoperto il muro di fondo del palcoscenico, ovviamente stupendo, di vecchi mattoni malverniciati. Effetto però sciupato per eccesso, da funi e carrucole finte-utilitarie e invece decorative, come le reti e gomene dei ristoranti Al Nostromo, messe lì «per bellezza» e non perché servono. Costumi invece tipo Berliner Ensemble, che sembrano rubati negli obitori e nelle camere ardenti.

La produzione intenderebbe raggiungere risultati brechtiani medi, ed è impostata molto bene. Però tutti tendono a strafare. La recitazione risulta un compromesso fra il tentativo epico e la mescolanza irlandese-viennese dei vecchi caratteristi di Hollywood: la linea John Ford, la linea Billy Wilder, e la via di mezzo Frank Capra. Viene in mente la teoria di Gielgud, per cui solo i vecchi praticoni dell'Abbey Theatre di Dublino sarebbero in grado di recitar giustamente Beckett, perché è uno scrittore così irlandese che se non viene recitata in dialetto può perdere ogni sapore...

Ci dànno un po' troppo dentro. Fanno dei movimenti laterali superflui. Dànno l'impressione che finita la propria scena si gingillino ancora senza uscire, sempre troppi o troppo pochi rispetto alla necessità. Tendono a far piccole smorfie di stupore, indignazione, solita ilarità uso Arcibaldo e Petronilla; a sedersi in basso, su gradini; a pronunciare le battute più celebri come se fossero epigrammi da prender su e portare a casa. Altri difetti americani poi si vedono volenti o no: Lady Britomart, maestosa finché è seduta, esce poi in fretta, quasi correndo, come una dama edoardiana non avrebbe mai fatto, e neanche un'attrice inglese.

Ma la satira fabiana tutto sommato funziona ancora; viene fuori bene prima di tutto per virtù propria, poi perché Barbara è brava, e Lady Britomart giustamente perentoria, alla Edith Evans, con un accento perfetto. La scena fra lei e Undershaft in un salotto ricco di mobili ed elementi costruiti contro panneggi scuri ha punte degne del Wilde migliore in una produzione all'Haymarket. (Una leggerezza imperdonabile, però: il «New Statesman» che si passano di mano in mano ha la testata rossa che si usa da pochi anni, prima è sempre stata nera; non solo, ma è su carta da posta aerea).

Nel finale, una trovata. Già l'allestimento della fabbrica era stato risolto controluce, con discesa di cannoni silhouettati contro il muro pallido e una rapsodia per coro e orchestra, liberty e marziale. Alla fine, il cannone centrale gira verso il pubblico; ma l'effetto ricorda curiosamente l'ottimismo dei film di guerra.

Di volta in volta, poi, e di viaggio in viaggio, di soggiorno in soggiorno, sempre nuove mode e continue manie, fra i miti e i culti di queste febbrili stagioni. Ora, i tarocchi e i letti ad acqua. Dappertutto (ma che fastidio, magari), libri sui tarocchi, spettacoli sui tarocchi, lezioni con entusiasmi e manifestazioni per imparare e approfondire l'uso e la pratica dei tarocchi. I *waterbeds* sono invece materassi pneumatici gonfiati appunto d'acqua di rubinetto per garantire sensazioni senza precedenti di riposo e di voluttà, sommate. A provarli, sembrano piuttosto scomodi e informi, con risucchi molesti, e un'ovvia tendenza, in caso di più occupanti, a formare buche e rigonfi che spingono fatalmente giù i più leggeri. Ma a giudicare dall'ossessiva pubblicità delle liquidazioni i problemi da risolvere paiono principalmente due: una chiusura davvero stagna contro ogni perdita o sprizzo, e un riquadro di legno per impedire che l'arnese si sposti sul pavimento sotto il peso dei dormienti agitati. A San Francisco, però, addirittura nel vecchio museo «pompier» al Civic Center, si può sperimentare come «installazione» una grande materassata a molte piazze, entro una cospicua cella di plastica; e lì, suoni e proiezioni e soffi di profumi vegetali circondano i cinque o più sensi come nelle composizioni celebri di Skrjabin. O come in quelle dei vecchi Visconti, zii o cugini di Luchino, con barbe da dogi o pizzetti squadristi, in certe serate «uniche», al teatro Odeon milanese. Senza profumi, là, però: solo musiche arcane e proiezioni di gibigianne avvolgenti.

... Paranoie sempre più galoppanti... Nostalgia di qualunque passato prossimo, purchessia... Una diffusa violenza che pare insieme causa e sintomo di ogni fenomeno... E intanto, un paradossale revival di spiritualismi che sarebbe stato arduo prevedere, così rimescolati e sgangherati, fino a poco fa.

Questi solforosi viluppi aggravano fino al disagio aperto i pesanti problemi fra cui si dimena la nazione, i più notori: la droga, il Vietnam, la perdita di credibilità nei «valori», la crisi giovanile, i conflitti di razze, l'invivibilità dell'«ambiente», le tentazioni d'autoritarismo extra-legale da parte di tutti i «poteri». Così i segni più contraddittori e parossistici vengono avvinghiandosi assieme non soltanto nella giungla d'una pubblicistica «d'analisi» ormai vastissima (in questi giri presente soprattutto come sfondo, in «campo lungo», evitando ogni giardinetto di citazioni e di «esperti»), e addirittura a livello delle osservazioni turistiche sul cosiddetto campo (o da un effettivo «campus»).

Ciò che colpisce innanzitutto il visitatore di ritorno dopo un paio di stagioni, infatti, sarebbe un accresciuto e generalizzato squallore, con sensibile «calo di fiducia». La desolazione della folla; la sporcizia nelle strade e nelle persone; la spossatezza dei giovani; l'inanità delle conversazioni; e una paura vastissima, allucinante, accompagnata da una nuova inaspettata gentilezza reciproca. Ma paura di cosa? Di tutto... Degli «altri»... Forse anche di se stessi... Già tutti i tassisti inorriditi per la delinquenza stradale non parlano d'altro, asserragliati dietro la grata di ferro che li difende dall'aggressione dei passeggeri, pare così frequente. Però il terrore della violenza «in giro» e l'orrore per le città contaminate spingono a frequenze ormai ossessive questo luogo comune d'ogni chiacchierata corrente: da un paio d'anni «non si vive più». Macché figli dei fiori, gonne a fiori, bambini e culone in grassezza e libertà secondo la Natura in città, chitarre pacifiste, Joan Baez.

Tutti ripetono che da qualche tempo «le situazioni sono improvvisamente fuori controllo», tutto pare diventato «irriconoscibile»: dalle istituzioni patrie, agli amici, e ai loro discorsi, ai locali diurni e notturni. E allora: non si può più uscire, non si può andare nei posti come in passato, tutto è pieno di pericoli specialmente di sera; e del resto sembra indispensabile abbandonare le megalopoli al più presto, o il più spesso possibile, giacché la gran macchina deteriorata non funziona più, non si riesce a ripararla, e appesta l'aria. (Come conseguenza, è evidente che gli agiati si trasferiscono «fuori», e la megalopoli si trova piena di poveri, carica di problemi, e priva di gettito d'imposte).

D'altra parte, i morsi della nuova recessione economica stanno probabilmente dietro certe nuove ondate di cortesia americana senza precedenti: smodata nei negozi, per esempio. O forse comincia a diffondersi capillarmente e subliminalmente la sconfinata neogentilezza polivalente instaurata dagli hippies come disperata risorsa di sopravvivenza in un environment fin troppo intasato, in una società di indigenti (volutamente o no) per i quali la pratica del «do ut des» senza soldi col prossimo si risolve in uno strumento di comunicazione primario «erga omnes». E a questo proposito occorre notare lo straordinario ronzio dei termini della «messa in comune» – nozioni quali *communal, community, communication...* – intorno alla grande preoccupazione americana contemporanea, «esplorare nuove forme di vita». In comune, appunto: come complemento a quell'esplorazione per lo più singola di «nuove forme di conoscenza» così inquietante nel passato prossimo per la sperimentazione entusiastica e sistematica di droghe deboli e forti dagli effetti non tutti prevedibili.

In un paese così agitato da violenze senza precedenti si assiste così contemporaneamente a una ricerca e a un riflusso. L'immensa minoranza giovanile ormai assorta in un suo desolato silenzio rituale e come sacerdotale si raggruma in piccole collettività sperimentali che pongono in comune ogni possesso e ogni esperienza per tentar di raggiungere quell'estremo valore della comunicazione reciproca totale, omogeneizzata nell'ambito d'una «controcultura» risolutamente passiva. E molto più apatica e abulica di qualsiasi taciturna «altra guancia» cattolica. L'opposto dei terrorismi e carrierismi e leaderismi tipicamente nostrani, con la loro pizza alla sua ora fra camerati o compagni nel locale dove fanno lo sconto (e presto mitico o storico, come le date fatidiche dei cortei), e poi a nanna dai genitori in attesa... Qui si rifiuta radicalmente ogni attivismo ed esperienza e tradizione dei «padri»; e ci si fida soltanto della ricerca personale di possibilità ancora ignote, e vaghe, in una drammatica contrapposizione reciproca di panoplie di «valori» incompatibili, mentre la «maggioranza silenziosa» sbraita – in realtà – con fragorosissimo odio. Ma la religiosità galoppa, in tutte le forme... tra i fiori e il rock...

Smottamento e gazzarra di *segni* e di *valori* sembrano infatti fenomeni molto caratteristici di questa fase, in cui tante convenzionali «immagini», apparentemente intatte, si sono letteralmente trasformate dall'interno. Le orgogliose grandi corporations «che hanno fatto l'America» con la loro potenza industriale, ormai, vengono viste normalmente come principali colpevoli della distruzione del territorio americano, delle acque, della vegetazione, della fauna. E se s'incontra un cowboy vestito da cowboy, nessuno pensa davvero all'epopea del West, giacché ognuno sa che quella divisa sta facendo concorrenza alle donne da marciapiede, al prezzo fisso di venti dollari, mentre la rivalutazione sentimentale dei Sioux sta raggiungendo livelli emotivi addirittura sublimi. Le più «classiche» Cittadelle del Sapere Accademico hanno del resto assunto una maschera da Fucina di Vulcano, per le loro fitte connivenze con l'industria di guerra; e nubi di nero sospetto già offuscano l'imparziale profilo della Giustizia.

In quanto a un altro simbolo dell'Ottocento più affettuoso e patriottico, il «vagone coperto» che trasportava le famiglie dei pionieri dietro le mandrie di bestiame, attualmente è l'emblema di tutt'altre conquiste: giacché rappresenta il risultato delle trattative fra i consigli comunali delle città californiane, e i rappresentanti dei numerosi elettori appartenenti alle sètte omosessuali, che all'interno di questi vagoni celebrano le loro festine di weekend garantite dai sindaci al riparo dalla polizia.

Vistosa e tipica prosegue anche la tendenza al mixage dei *segni*, combinati in tutte le forme d'abbigliamento. Non più uniformi tutte western, o tutte hippie, o tutte afro. Invece, addosso alla stessa persona, brandelli provenienti dalle più diverse culture: pellerossa, squaw, sadomaso, feddayin, fantasma dell'Opéra, Mao, Zen, e naturalmente hot pants. Come in una generale risacca dei movimenti giovanili tra Flower Power ed eccitanti violenti ormai passati nella nostra Italia, coi terroristi e gli attentatori e i rapitori e i pushers. Dove sarà la scena del dramma?

All'aeroporto di San Francisco, al check-in d'una popolare squadra di baseball un ragazzotto si aggira eccitato e incantato intorno ai suoi idoli, quasi incredulo di poterli magari toccare col pretesto dell'autografo. Non si rende conto che praticamente ogni giocatore è accompagnato da un vecchietto feroce, sponsor o amante possessivo e geloso. Ma i vecchietti, visibilmente agiati, sono venuti solo per il giocatore del cuore, che subisce un po' bovinamente il distacco. Oltre un certo limite, il giovane entusiasta non potrà procedere. È anche sprovvisto di camera fotografica.

Tutti gli alberghi di San Francisco sono in sciopero da parecchie settimane per un'agitazione che muove dai ristoranti, e gli scioperanti picchettano gli ingressi (vetri coperti da tavole di legno, polizia privata col walkie-talkie a tutti i piani) aggredendo con insulti e porcate i clienti che entrano ed escono per colpire attraverso di loro il cuore della gestione. Dunque fitti scambi di «facce di merda» e «va a cagare» e altre formule convenzionate e correnti, coinvolgendo per lo più comitive di giapponesi che si affrettano a fotografare tutto: non rinunciando tuttavia a dormire nella stanza pre-pagata, anche perché questa è una destinazione ove si arriva dopo numerose ore di volo o di guida, e il fuso orario non perdona.

Il tema di questa agitazione riguarda la selezione-discriminazione effettuata nell'assunzione del personale. Infatti, siccome qui i ristoranti (a differenza delle tavole calde) hanno generalmente una fisionomia molto specializzata, è sempre stata consuetudine che nei posti cinesi ci siano cuochi e camerieri cinesi, nei posti «europei» o «francesi» camerieri d'aspetto bianco e di statura medio-alta, nei posti «chicanos» dei messicani col baffo pendulo e la fusciacca in vita, ecc.

I sindacati di San Francisco domandano invece che cessi ogni differenza di razza e colore e statura e sesso e dimensione ed età ed etnia, e a questo punto i ristoranti si sentono perduti, prevedendo le disaffezioni della clientela a un Mandarin Palace con sudamericani che esclamando «hasta la vista» servono specialità di Pechino cucinate da una mammy nera, o a una Boîte Pigalle con hawaiani che cucinano e filippini ai tavoli. Come se in una trattoria romana tipica le penne all'arrabbiata venissero gestite da una proprietà araba e da un personale somalo, mentre entrando al Pram Dam Drang vietnamita si trovasse un collettivo Velletri-casareccio. O come se un pubblico di concerti accorrendo a un programma di giamaicani vi trovasse – contro ogni discriminazione – non il «reggae» ma il «liscio», e i cori della Valsugana.

I picchetti – per lo più cinesi e messicani dall'aria appena arrivata negli Stati Uniti, e né bianchi né neri americani – continuano a gridare «merda! cacca! culo!» anche in spagnolo ai clienti degli alberghi, anch'essi testé sbarcati. Ma andrà a finire come una dimostrazione di pizzaioli calabresi davanti agli alber-

ghi di Mosca e Leningrado? O come se Eulalia Torricelli da For-
lì manifestasse davanti alla Scala per farsi attribuire i ruoli e i
contratti di Shirley Verrett?

Manifestazioni e picchetti anche davanti ai cinema di San
Francisco dove si proietta *The Fiendish Plot of Dr. Fu Manchu,*
l'ultimo film di Peter Sellers, che fa un cinese di centosettan-
t'anni delirante e macchiettistico, e quindi viene accusato da
processioni di cinesi con cartelli indignati: mettere in pessima
luce una grande civiltà e un grande popolo! Da poco ci sono
state delle vive proteste di cattolici e protestanti ed ebrei contro il film *Life of Brian,* in quanto rilettura oltraggiosa e scurrile dei Vangeli; grosse proteste dei gay contro il film *Cruising,*
in quanto generalizzazione iniqua per cui il cuoio nero froce-
sco parrebbe condurre necessariamente al delitto; e minacciose proteste arabe contro il film *Death of a Princess,* perché di-
storcerebbe fatti realmente avvenuti secondo un grossolano orgoglio e pregiudizio. I prossimi film dovranno stare molto attenti. La satira dovrà richiedere numerose autorizzazioni.

Qui a San Francisco, la mostra dei Paesaggi Immaginari di
Isamu Noguchi è un documentario interessante e patetico di
quelle epoche ormai remote e così facili quando qualunque
trovata ovvia – fare i baffi alla *Gioconda,* mettere Bach e Vivaldi come colonna sonora a un film western, piegare un tubo industriale e chiamarlo monumento – era ancora lì alla portata
di tutti. E dunque bastava a un giapponese-americano contemporaneo tra i surrealisti e la psicanalisi fare un gran giro delle
case-madri del Primitivo e dell'Esotico – Stonehenge, Lascaux,
Chichen Itza, Borobudur – e degli ateliers dei sacerdoti del
Sofisticato sul Semplice (Brancusi, Arp, Moore...) con soste at-
tente sia nei giardini di sabbia giapponesi sia nelle fabbriche
di acciaio e cemento, sia nelle cave di Carrara e sia a tutte le
mostre di Ernst e Miró e Calder fino ad Arnaldo Pomodoro.
Ed ecco, fatto.
Ecco dunque le colate di bronzo infilzate in sbarre d'alluminio a sezione quadrata su altre due che fanno cavalletto; i fagioli di travertino che si incrociano formando tavolini e panchine;
alberi di nave con vela a reggipetto e palla da ping-pong; un
quadrato di perspex rosa con buco rotondo su un paesaggio
di plastica bianca; una gamba che forse è un osso per cani a
strisce bianche e rosa che fanno calza di marmo su base di legno; una sbarretta altissima simile a una unità di misura con
un po' di torsione in diversi strati di marmi bianchi e verdi co-

me certe vecchie caramelle; parecchi cubi un po' sfalsati e promossi a monumento perché appoggiati su uno spigolo, oppure segati e svuotati come piramide a quattro zampe; caccole giganti di bronzo graffiato per giardino Zen; uno stupendo sole nero, ciambella lucida e maligna di granito, con pieghe irregolari e lucentezze anomale. E le piattaforme di sassi e sabbia per le scuole giapponesi di arrangiamento floreale. E per tantissimi spettacoli di Martha Graham, con musiche di Edgard Varèse e Aaron Copland, i manufatti bellissimi tra l'arma e l'osso e la freccia e il fallo di legno massiccio e lucido e amico-nemico di Eve e Giuditte e Fedre e Salome e Medee; e l'Orfeo di Stravinskij salvato dalla grecità come Mosè dalle acque, con forme primarie sospese. E più in là, verso il 1980, addirittura Nureyev in *Appalachian Spring*.

I grandi esterni, giardini e terreni da gioco, quando vengono realizzati appaiono nelle fotografie come spazi tristissimi di triangoli sfalsati, segmenti di cerchi, crateri in declivio, pendii brulli, rocce naturali sparse, muri di cemento curvi, cubi di cemento per sedersi, pavimenti di sampietrini in cerchi concentrici, buche piene d'acqua col percorso di sassi giapponesi per attraversarle di sbieco. (Richiamano le foto del giardino cubista dei Noailles a Ramatuelle, visto nei piccoli film sperimentali, e poi cancellato dalle urbanizzazioni). E anche i monumenti realizzati su piazze di università e di banche sembrano appartenere a una siderurgia feriale.

Ma i progetti sembrano spesso graziosi: una elegante montagna da gioco da un lato è piramide a gradoni, e dietro diventa una coda di cometa che si affloscia pettinata e ricurva. Per Buddha, ecco un tempio con tre spicchi d'uovo su petali di loto che lasciano emergere un flauto minareto. Per il regista von Sternberg, una piscina a nocciolo di nespola che contiene un'altra nocciolina o favetta, in discesa: qui l'architettura è di Richard Neutra, come per Ayn Rand (*Noi vivi*) poco distante: vasti spazi viennesi vuoti con ampie vetrate curve e chilometri di tubolature d'alluminio. Per le Hawaii, invece, un anello sacro a ciambella rituale affondata in un cratere di sabbia.

Fa parte della mostra un teatrino polivalente composto di cinque elementi: una piattaforma quadrata di paglia chiara e nera in riquadri uso Mondrian; un tronco di cono di bambù, con sgabellini triangolari dentro; un fondale sospeso giapponese a quadrati color latte illuminabili; una tenda per doccia, quadrangolare sospesa, di seta; tanti cuscini rotondi sparsi per performance. E lì, qualche imbarazzo: dove sedersi, per un eventuale drink?

Ancora, a San Francisco, una *Bisbetica domata* (locale ma premiatissima al Festival di Edimburgo) interamente western e da saloon senza cambiare una parola al testo. La comicità è infernale. «Eccoci nella dolce Padova», mentre banditi e sceriffi sparano alle lampade e si buttano dalle finestre. E arrivi da Verona cantando sguaiatamente *La cucaracha* e sottolineando grevemente il verso «marijuana da fumar». Sono quelle ricerche di luoghi comuni così specifici da diventar «topoi» di un «genere»: come quando il gruppo TSE di Parigi rifà il Poliziesco, o quando Robert Altman esegue il suo taglio trasversale di Nashville. Trovarobato e fabbisogno sono impeccabili: piano honkytonk e dottore ubriaco, bottiglie tirate lungo il bancone e ragazzacce messicane sui pianerottoli, il barista che spara a ragni giganti e un Jack Palance tutto in nero. Tutti in scena insieme recitando il loro Shakespeare intatto e sparandosi e bastonandosi e precipitando dalle balaustre con energia fisica scatenata.

È la vita domestica di Calamity Jane? La Bisbetica è una Ida Lupino un po' culona vestita da sergente confederato e con un padre sceriffo, la sorella buona legge paperbacks unti e viene legata con frusta da cavalli, lui è un omone paonazzo coperto di polvere e sporco lurido furibondo perché gli manca il fumare e con un gesto di slacciarsi la cintura che non si capisce mai se preluda a sfilarsela per frustare o a una calata di calzoni con sberleffi.

Tutto rapidissimo e un po' turistico, tranne quegli strani nomi italiani che vengono compitati a fatica valendosi di foglietti. Gran fisicità violenta, e naturalmente rozzezza: quanti calci nel dietro da parte di lui, quante ginocchiate nelle palle da parte di lei. Altro che *Kiss me Kate*.

Sempre qua, *Beach Blanket Babylon*, un cabaret a puntate famosissimo per gli enormi oggetti che riescono a portare sulla testa, come straordinarie sculture molli di Claes Oldenburg a vispissimi colori pop.

La protagonista è Biancaneve, che stanca di nani e principi e golosa di mass media arriva a Hollywood, dove come cameriera di tavola calda incontra un assortimento mirabile di miti di massa «tipicamente americani», da Mr Peanut alla Monaca Volante, dallo Spaventapasseri del *Mago di Oz* a Ethel Merman, al Leone della MGM che quando apre bocca gli va giù la lingua, e diventa scivolo; e giù sciocchine. Tutte le canzoni appartengono al folklore contemporaneo e richiamano in scena i loro oggetti, già canonizzati dalla Scuola Warhol; rammentano anche atroci doppi sensi per le associazioni proterve recente-

456

mente assunte da termini già innocenti. E ballano le palme di Los Angeles fra sigle e «loghi» di cinema e di prodotti. Ballano, nel regno incantato delle tavole calde, tavole apparecchiate con incorporate sedia e vivande. Danzano con perfettissimi tempi gli immensi «en tête» in forma di hamburgers e gelati e pile di piatti sporchi. Finalmente appare la fatal mela avvelenata sulla familiare piramide di San Francisco, tra fragorosi applausi locali. Ah, se apparisse talvolta la «patata bollente» così cara al nostro idioma in cima alla altrettanto prediletta «punta dell'iceberg». Cosa succederebbe? Lo scioglie?

Il giro d'America di Tutankhamon provoca anche in California emozioni e affollamenti inverosimili, più che se arrivassero il Papa e la Regina Vittoria ed Enrico Caruso insieme. Non c'è proporzione: al Metropolitan Museum di New York, i tesori del Cremlino, benché superbi e preziosi e finora meno accessibili dei tesori dei Faraoni, ricevono qualche centinaio di visitatori al giorno. Qui il grande parco dei musei si è riempito di padiglioni per ristorare spropositate folle, che procedono suddivise in plotoni segmentati e distanziati. Esiste addirittura un ufficio con inserzioni sui giornali per scambi e baratti di prenotazioni.

Accanto, negletta, ecco invece una mostra imponente d'arte coreana antica: gran frivolezza e leggerezza e allegria di ori millenari in cuffie alate e cinture a petali danzanti. Virgole di giada dappertutto. Squisiti vasi per rami fioriti e brocche da vino in forma di caffettiera e una quantità ricchissima di forme nei piattini e coppette floreali, contemporanei al nostro più alto Medio Evo. Grevi maioliche a pennellate pesanti coetanee invece del nostro Rinascimento: gatti e galline e pulcini e bambù e salici con effetto di tappezzeria da nursery.

Ma deliziosi rustici quadretti di genere: rive di fiume con donne confidenziali che si sciolgono le trecce, si lavano i piedi, abbracciano fumatori barbuti, si rilassano sull'erba, combattono con spade di legno acconciate da contrabbandiere della *Carmen*. Sfumature celesti e verdoline, delicatissime. Bei ritratti, molto grandi e assai fini, di vecchi sapienti, intelligenti, ironici. Il massimo dell'eleganza concentrata e personalizzata nella tegola.

Con un abitino rosso da film-rivista storico, il solito sorrisino da Santa Maria in Paramount, e una macchina fotografica per scattare istantanee al pubblico (piace molto) in aggiunta alla sua chitarra tradizionale, Joan Baez canta in un anfiteatro quasi greco all'Università di Stanford circondata da eucalipti immobili nella terra riarsa e nel cielo blu, e da vigilantes uomini e donne col walkie-talkie attivissimi nel portar via in macchine a rete metallica chi si permette di dare i numeri. C'è un gran sole. Quasi tutte coppiette trentenni con piccini, quasi tutti spogliati per il caldo, in costume da bagno, con giocattoli e arnesi sportivi, racchette, pattini, frisbees. Quasi tutti i bambini piangono sentendo cantare. Ma con bonarietà, serenità, bonomia, da vera beniamina del pubblico, lei racconta cosa ha fatto stamattina, cosa ha visto ieri, cosa le è successo l'anno scorso, cosa le dicono il suo bambino Gabriel e la sua vecchia mamma. E piace tutto. Canzoni molto soavi e piuttosto uguali, le lunghe e le corte, preferibilmente su coppiette e ragazze infelici e dunque con materia e storia per ispirazione e melodia, soggetti e oggetti di alcol, droga, potere, gelosia, malintesi, stronzaggine e commozione. Lunghe ballate con strofe alterne dedicate a ciò che disse e fece lui, e a ciò che fece e disse lei, ma per lo più soffrendo per poco e contentandosi di niente.

Piace molto la serenità. Piacciono molto le fotografie. Piacciono moltissimo le battute attribuite al piccino. Piacciono anche gli ammicchi spiritosi a tanti nomi celebri della televisione e della canzone, da Lily Tomlin a Rocky, e gli improvvisi stacchi come citando fra virgolette luoghi comuni tipici. Piace immensamente quando annuncia «e ora la canzone di un mio amico dei primi anni Sessanta, che faceva lo scrittore», e attacca un Bob Dylan fra i più notori.

IL SOMMO ALFRED KAZIN

A nord-est di San Francisco, al di là di un lunghissimo ponte sulla baia, Berkeley è una università in salita sopra un borgo western-svizzero sull'orlo di una collina tipo Delfi, o tipo Heidelberg di là dal Neckar. Ripida sopra una vallata a cucchiaio; con uno stadio nel bosco. E un teatro greco a mezza costa, proprio come a Delfi: però donato da Hearst, in fondo alla Hearst Street, di fianco al Laboratorio delle Radiazioni e nello stile del caro Liceo Grattoni di Voghera. Gli istituti, le biblioteche sono di un liberty alemanno da Corso Venezia nel nucleo centrale; a mattoni rossi vagamente Tudor nel tratto medio, e svedesi-tropicali nelle costruzioni più recenti, vetrate, acciaio, legno, schermi di plastica. Li indica uno per uno con una specie d'entusiasmo perplesso Alfred Kazin camminando per questo campus affollatissimo con la sua pipa in bocca e le sopracciglia folte che vibrano d'ironia. «La diffusione mostruosa della cultura...». Fa vedere i manifesti degli eventi culturali, sovrapposti a centinaia sulle colonne rotonde come a Parigi, l'Unione degli studenti uguale a un Grand Hôtel appena costruito in riva al mare.

«Questa esplosione che ha dello spaventoso... La maniera impressionante che ha la California d'aggrapparsi alla cultura...». Chiede se lo so già, che per la ricerca scientifica il governo americano dà più soldi a questa università che a tutte le altre messe insieme. «I Premi Nobel sono concentrati qui, e controllano le sostanze, spezzano l'atomo, entrano nel futuro, scoprono un nuovo mondo di cui gli umanisti non sanno niente... Così finisce per obliterarsi la distinzione fra consumatori e produttori di beni culturali...

«Se ne accorgono tutti che è la fine di un periodo, che ci troviamo in un nuovo paese, in una nuova generazione. Ma come si fa a giudicarla, non si è espressa ancora pienamente...».

Kazin, grande critico autore della *Storia della letteratura americana* così formativa e leggendaria nel nostro dopoguerra, vive di solito a New York, e si trova ora a Berkeley, dove tiene un corso di un anno. È alla fine, non sa se tornerà ancora. Ma stando qui osserva da vicino «il fenomeno delle arti moderne che diventano merci da comprare al supermarket». Che situazione irreale, commenta: questi suoi tre-quattrocento studenti che letteralmente «vivono d'arte moderna» come consumatori. Generalmente ricchi, figli di famiglie borghesi, e «vivono per l'arte»: problema facile naturalmente per il consumatore, ma complicato per i produttori-creatori. Un esempio pratico: la narrativa non si vende più, gli editori l'accettano sempre meno, sempre contrari al rischio dell'esperimento...

... E certo che esistono gli scrittori non pubblicati, moltissimi, risponde appena glielo chiedo. «Vero?». Chiama Mark Schorer che sta passando, somigliante al defunto De Robertis; e Schorer conferma: «Certo, e magari sono scrittori buoni». Andiamo a colazione tutti e tre.

«Ecco, fino al 1920 la letteratura americana veniva giudicata inesistente dai "pundits" ufficiali» dice Schorer. «Poi, il "grande movimento", la letteratura "nuova", la rivolta "moderna" contro il puritanesimo, il provincialismo... il trionfo dell'arte moderna... Ma ancora negli anni Trenta erano rarissimi i corsi di Letteratura contemporanea, con praticamente nessun critico in cattedra. Giusto il contrario di oggi: non si fa altro che giudicare; e creare pochissimo».

«Si capisce, la vitalità creativa di un gruppo si basa sull'attacco» dice Kazin. «Come quando gli enciclopedisti aggredivano le superstizioni dell'ancien régime, o i romantici si ribellavano contro il razionalismo del Settecento. L'attacco all'età vittoriana parte da Shaw e Mencken e Gide e Strachey; e la vittoria della letteratura moderna in America data dal giorno che il nome Babbitt diventa sinonimo d'insulto, e i romanzi tipici attaccano il filisteismo della piccola città – *Main Street, Winesburg, Ohio* – ed esaltano la metropoli come in Dos Passos e Fitzgerald, con una libertà apparentemente disarticolata, e l'eroina emblematica è la ragazza "emancipata"... Ma il vero trionfo di un movimento letterario arriva solo quando è già finita la sua autentica ragion d'essere, e s'avvia a morire... e i nemici sono già sepolti, le eresie sono diventate clichés accademici... Negli anni Trenta il "movimento moderno" s'impone, ma è già finito, già diventato un articolo d'esportazione. I ribelli del 1910-1925, Eliot, Pound, Joyce, Yeats, si sono trasformati in "tradizione moderna", in "fornitori di canoni".

«Piove una valanga di Nobel sulla testa degli antichi ribelli, da Lewis e O'Neill a Eliot a Faulkner e Hemingway. Dopo la guerra sono tutti argomenti per tesi di laurea, discussi da professori pedanti, mercificati nei grandi magazzini... E insomma cosa significa oggi "letteratura moderna?". "Moderno" è un termine che è sempre esistito, per indicare una determinata costante dello spirito umano. Ma storicisticamente nella storia della cultura serve a indicare un periodo ben preciso, gli anni Venti, quando appunto trionfa la letteratura di rivolta contro il vittorianesimo, e Joyce ed Eliot dànno il meglio di se stessi, e anche Picasso e Stravinskij, e si pubblica la *Recherche*... e il cinema diventa consapevolmente un'arte; e prendono lo slancio riviste come "The American Mercury" e "The New Yorker"; e in Europa "La Nouvelle Revue Française" e "The Criterion" e la "Deutsche Rundschau" rappresentano centri riconosciuti d'autorità letteraria...».

Ma cosa vuol dire «letteratura "moderna"» oggi? Una tradizione; un genere di largo consumo...

« Ecco perché dico che il moderno è il vero nemico del contemporaneo; il "moderno" come moda, come professione, o speculazione, commercio... L'arte "moderna", come quando si dice stile moderno, casa moderna, seggiole moderne, genitori moderni, la mia mamma è una signora così moderna... Il "moderno" come canone stabilito: perciò nemico del "contemporaneo", ancora inarticolato, che non si sa ancora per chi sta, o contro chi... Ma non come i beats, quando credevano che vivendo in città si produca un'arte più moderna di chi abita in campagna... L'arte contemporanea non è più semplicemente antiborghese, non è così semplice: i territori da esplorare sono diversi...».

Usciamo. Questa California... «Certo, sta diventando un centro culturale importante come New York, neanche là si potrebbe fare di più... In realtà, California e New York sono uguali, la differenza è semmai con gli altri Stati del West: come il Nevada, così puritano e corrotto...

«La California, invece... Il sogno che tutti gli americani sognano: il nirvana... Vi piace il nirvana? E l'hanno trovato, questo sogno di vivere senza preoccupazioni, volendo vivere non profondamente, senza significato, evitando la vita reale... Il sogno della ricchezza improvvisa, come ricompensa rapida delle sofferenze... Oppure venire qui vecchi dai paesi freddi, la casetta per gli ultimi anni, organizzati per eliminare le cause di nervosismo... E una gran paura, tutti, che l'arte moderna e la psicologia moderna siano cause e non effetto di "tanti pasticci che abbiamo intorno"...

«Certo, i californiani hanno questo senso di vivere al centro della più grande potenza del mondo... consumando una cultura che è un prodotto nazionale non meno degli aeroplani fabbricati qui intorno... Ma come si fa a vivere e a lavorare, qui? La California intellettualmente è un paese di consumatori, non di produttori. Gli studenti acquistano i loro autori come al supermarket, ogni università offre i suoi corsi ben confezionati su Joyce, Hemingway, affogati tutti nella cultura, in mezzo a una borghesia che però non legge... E i letterati, magari pagati per *non* insegnare.

«E del resto, anche quelli che insegnano: spiegano in classe la cultura moderna; poi vanno a casa, dopo un bagno turco culturale durato mezza giornata. E adesso dovrebbero cominciare il loro lavoro creativo. Ma a questo punto non sanno più di dove cominciare, veramente. Vivendo in un mondo pieno di definizioni, come fanno a uscire dalla trappola delle definizioni? Semmai, in un mondo pieno di venditori culturali, il vero problema sarebbe il come riuscire a "non" avere un grosso pubblico lì pronto. È sempre stato il senso di protesta individuale, dopo tutto – come una privata illuminazione –, a dare alla letteratura americana quella forza che è soltanto sua... Se invece ora avanza qualche "nuovo", deve camminare per strade già battute...

«Come si finisce per sentirsi stufi di una cultura che è nemica della letteratura, ed è un *big business* non meno del *big business* dell'anticultura... Ma come si fa a credere ai movimenti di massa, a più di venti persone per volta... Senza contare che ogni epoca ha i movimenti che si merita. Come tendenza è proprio universale. Anche a Mosca, dove pure leggono tutto e sanno tutto, e non meno superficialmente che qui da noi... e vengono fuori quei tipi di racconti con la ragazza che dice: "Sono orgogliosa di essere all'università mentre mio padre faceva l'operaio". Roba da ridere. Dimostra semmai che i mezzi di comunicazione delle idee sono altrove, ormai, non già in letteratura. Si hanno risposte molto più rapide dalle scienze sociali: che dimostrano per esempio "perché" si è liberali oppure conservatori... mentre per i grandi romanzieri dell'Ottocento, mettiamo due aristocratici come Tolstoj e Turgenev, l'unico mezzo di comunicazione era il romanzo. Ora preferirebbero esprimersi in altri campi...».

E il critico, allora? «La vera grande critica, la più alta, l'ho sempre vista come una "histoire morale", la sua forza è nel dichiarare appassionatamente la vera natura dell'uomo, e quale dev'essere il suo destino: come i saggi di Matthew Arnold sulla poesia e la cultura, gli attacchi di Proust a Sainte-Beuve e di Nietzsche a Wagner, e Baudelaire sull'arte; e Shaw sul dramma; e prima ancora Goethe e Schiller, e Wordsworth e Blake... Compendiare lo spirito dell'età in cui si vive e poi trascenderlo per vedere le cose nella "grande prospettiva": come fa Marx con la filosofia greca, Kierkegaard su Mozart, Shaw su Ibsen, Lawrence sulla letteratura americana... e anche Eliot agli inizi... Una critica non di gusto ma di ideali, con un senso dinamico dei valori, discriminando a costo di mostrarsi ingiusti e faziosi per fedeltà al proprio ideale: come il Dr Johnson ingiusto con i poeti metafisici, e Goethe ingiusto con Hölderlin, e Sainte-Beuve con Flaubert, e James con Tolstoj, Eliot con Shelley, Wilson con Kafka, Trilling con Dreiser. Altrimenti, se ci si vuol far piacere tutto per forza, per il terrore di lasciarsi sfuggir qualche cosa si finisce dilettanti epicurei come il povero Berenson, per cui la cultura era una tavola apparecchiata carica solo di fondants.
«Il critico dev'essere sempre un bravo scrittore, scrivere per il pubblico e non per pochi iniziati, scrivere per ragionare e convincere, ordinando drammaturgicamente i propri argomenti in maniere che la pura logica magari non approverebbe e la pura erudizione non capirebbe mai. Però la critica si giustifica – quando riesce – in quanto argomento morale nella grande causa della letteratura. Il critico che scrive bene è il critico che vive nella letteratura, vi è impegnato egli stesso e quindi vede l'influenza della letteratura nel nostro pensiero e nei nostri atti, nei nostri piaceri e nel nostro destino...».

Insomma? «La critica mi piace seria nel contenuto e personale nello stile, cioè giusto il contrario della ricetta accademica dello stile pomposo e del contenuto irrilevante... ricordandoci poi che la critica migliore è sempre nata su giornali per il gran pubblico, da Poe e Coleridge e Sainte-Beuve e Proust...

e Beerbohm e Shaw, Eliot e la Woolf, Lawrence e Chesterton e Madox Ford... fino a Wilson, Pritchett, Snow... Vero è che Goethe faceva della critica meravigliosa, però orale, e che Pound si esprime felicemente soprattutto nelle lettere private...».

Quali sono gli eroi culturali dei suoi studenti? «Chi lo sa...». Mi fa vedere altri edifici, altri manifesti. «Quali sono?» insisto. Mi indica un bel bosco di redwoods e non risponde. Non me lo vuol proprio dire.

SERE A BERKELEY

Dietro un antico Grand Hotel chiamato Claremont, a torrette e pinnacoli, con le orchestre di Benny Goodman o di Duke Ellington che suonano ballabili del Trenta fra palme in vaso e abat-jours, i vialetti delle ville dei professori di Berkeley s'intrecciano su per la collina come fra Cannes e Antibes, tra facciate marocchine di stucco e tetti d'ardesia scozzesi. Spesso ville prese in affitto ammobiliate da professori trasferiti qui da pochi mesi, prima insegnavano all'Est quasi tutti. E dopo il gran ponte sulla Baia da San Francisco, dopo l'aperitivo e le mandorline e il tramonto, sedendo a tavola coi professori di storia moderna e di dottrine politiche e di letteratura inglese, e le loro mogli gentilissime e magre, e i fisici nucleari immancabili a ogni party accademico californiano, qualche background sociale e culturale e politico dell'università viene fuori a poco a poco.

A una conferenza di James Baldwin, tenuta sul campus di Berkeley, sono appena accorsi novemila studenti. Quindi, giudizio favorevole su questa «mass intellighenzia» della nuova generazione: «meravigliosi liberali», avidi di politica aperta, vogliono imparare, odiano il nazionalismo dei padri... Ma altri deploravano che qualunque cosa faccia Norman Mailer trovi «l'accoglienza preparata»: un largo pubblico filisteo che mette la protesta anticonformistica sullo stesso piano di «show» di un qualunque trattenimento musicale Kitsch. Opinioni divise, commenti perplessi. Vero, come ricorda il professor Paul Seabury (storia moderna), che un paio d'anni fa le commissioni ancora maccarthyste per indagare le «infiltrazioni comuniste» nella pubblica amministrazione attraverso il paese hanno ricevuto proprio a San Francisco le dimostrazioni ostili più affollate e violente della loro carriera. E proprio da parte degli studenti di Berkeley: se ne è occupata a lungo Jessica Mitford su «The Nation». Però è anche vero che in nessun'altra regione si trovano tanti violenti nazionalisti, paranoici al punto di vedere cospirazioni rivoluzionarie dappertutto, tante vecchie conservatrici arrabbiate che denunciano per alto tradimento il Presidente della Corte Suprema colpevole di sostenere l'integrazione dei neri nelle scuole... Il paese è carico di contraddizioni.

Pieno di tensioni, dicono, di pressioni «intollerabili» su tutto; conseguenza di una guerra fredda che dura da diciotto anni, però anche segno di prosperità, questa lotta politica che si risveglia come rivolta di destra quando si comincia generalmente ad arricchire e si ha paura di perdere i propri soldi. Riconoscere qualche soluzione, non sembra facile. «Questi non hanno pazienza, vogliono soluzioni immediate – e non ce n'è!». Pressioni sempre più forti, quindi, anche perché la guerra fredda richiede spese enormi per gli armamenti; e questo diventa un nuovo modo di vita, non si riesce più a tornare indietro, anche per il terrore della disoccupazione, sull'industria di guerra vive tutta la California da Los Angeles a San Diego. E le spine politiche costanti, Castro, la Cina; e i rimpianti, i rimproveri, perché si sente cocente il fatto che fino a non molto tempo fa sia la Cina che Cuba erano Stati «protetti»...

D'altra parte, speranza in questa nuova «armata di consumatori culturali», gli studenti «liberali» con simpatie per il pacifismo, la consapevolezza della pericolosità di qualunque guerra, il senso che molte barriere sono cadute, ed è sempre più difficile fissarsi su punti di vista immutabili o «definitivi»... Questo «nuovo pubblico culturale» di cui è stato rappresentante tipico lo stesso Kennedy, che «leggeva tutto»... («Però, timido!». «Tranne che per Cuba!». «Per forza! Lì non c'erano scelte!»).

A proposito della cultura californiana, il professor Henry Nash Smith, direttore dell'Istituto di Letteratura Inglese, mi fa notare come dipenda dai mezzi di trasporto. Nel 1850 «Londra e New York erano tutt'uno culturalmente». E San Francisco ha sempre avuto un tono cosmopolitico perché vi arrivavano soprattutto europei, molti esuli liberali dopo il '48, circumnavigando il Sudamerica perché era la via più agevole. Non venivano certo allora molti americani dall'interno, le vie di terra non esistevano. Ecco perché nella fonetica e nell'architettura di San Francisco si sentono influenze atlantiche e mediterranee, di New York e di New Orleans, cioè dei porti di mare; mentre Chicago è molto più impermeabile alla cultura europea. Poi è molto importante, osserva, l'evoluzione di molte istituzioni protestanti, a partire dalle chiese stesse: dalla rigidità al fasto. «Quando ero bambino, pareti nude, ostracismo alla musica, antipapismo frenetico, e Roma considerata sempre "la sgualdrina di Babilonia"... Ora torno alle medesime chiese, e trovo vetri colorati, candele, fiori, magari musica d'organo...».

Tornando a Mailer, la solita disputa americana si sviluppa intorno ai nomi consueti. Bellow «ha più talento, ma è più ristretto». Mailer «più sofisticato e universale». Macché, trovano altri: è «parochial», non un vero romanziere. «Malato d'instabilità...». «Un impaziente dotatissimo...». La tesi di Alfred Kazin: è il tipico oracolo profetico israelitico, tipicissimo dell'intellighenzia ebrea di Manhattan. Ma attraverso il paese non lo ascoltano molto. Cioè: il paese è così vasto, così pieno di gruppi etnici o religiosi o culturali diversi, che ogni scrittore attuale rappresenta prima di tutto un gruppo specifico. Manca sempre il grande scrittore americano contemporaneo.

Dopo un'ultima insalata al formaggio, il padrone di casa siede al clavicembalo, sua moglie suona il flauto dolce. Ascoltiamo musica del Rinascimento, bevendo scotch. È una serata di Berkeley molto tipica. Prima di mezzanotte, tutti a casa.

Chiacchierando à bâtons rompus, i fatti si accavallano alle sensazioni. Il vero simbolo del New West pare oggi essenzialmente l'attività intellettuale. Questa prosperità economica sta producendo una frenetica competizione attivistica dove l'arma più importante è agli occhi di tutti il cervello, e la cultura diventa il principale «status symbol». L'ossessione per la «conoscenza» tende per di più a giustificare (su basi «scientifiche») l'esistenza stessa della California com'è attualmente, e quindi il fatto che i New Westerners si stabiliscano qui. Ecco allora questi New Westerners ostinatamente fissati sull'educazione e sull'università.

E certo questo programma educativo statale è il più vasto mai concepito. Perché «fra un paio di generazioni ogni californiano sia stato all'università», su ogni dollaro delle imposte 62 cents vanno alle scuole. Se ne costruisce una al giorno. E più di metà del bilancio dello Stato è destinato all'Università. Cioè, per ora, duecento «junior colleges» aperti a tutti gli studenti usciti dalla high school; sedici «stage colleges» riservati al trenta per cento coi voti più alti; e sette «campus» principali (di cui Berkeley è il più illustre) dedicati solo ad «alti studi» e a ricerche scientifiche specializzate. Questi ne accolgono il tredici per cento assolutamente «top»: cioè, l'anno scorso, circa sessantamila.

L'Università di Stanford invece è privata. Fondata su un enorme lascito (è anche la più ricca) e amministrata indipendentemente. Ma poi oltre al California Institute of Technology (detto «Caltech» e corrispondente al M.I.T. di Boston) bisogna tener presente una larghissima rete di istituzioni semi-indipendenti o collegate in qualche modo alle grandi industrie o alle grandi fondazioni: dal Centro per lo Studio delle Istituzioni Democratiche a Santa Barbara al Centro delle Scienze Behavioristiche a Palo Alto, dal Laboratorio per le Radiazioni a Livermore alle officine atomiche di Los Alamos, dall'Istituto Scripps per l'Oceanografia agli osservatori astronomici sul Monte Palomar.

Si sa come affrontano queste università il problema della crescita. Una volta raggiunta una certa dimensione ottimale, il campus non s'ingrandisce più. Invece di allargare le Facoltà o il numero degli iscritti, proliferano fondando sedi nuove provviste di tutti gli istituti in ogni località dove aumenta la popolazione. Così ogni città avrà presto la propria, provvista della relativa Extension, cioè di quel complesso di corsi a pagamento per adulti che ogni rettorato istituisce in qualunque materia pensabile purché richiesta da almeno quindici persone disposte a pagare la tassa: e vanno dalla Amministrazione Termale alla Tecnica d'Imbalsamazione al Mandarino Parlato.

Le paghe dei professori sono le più alte d'America, solo Chicago e il Texas possono in qualche modo competere, in compenso si tratta di posti dove difficilmente molti professori andrebbero. E la frequenza ai corsi è generalmente gratuita. Come risultato, gli studenti iscritti stanno raddoppiando fra il 1960 e il 1970, ed è certo che fra una generazione ogni giovane californiano sarà passato per almeno una di queste università; mentre la corsa all'Ovest dei docenti è diventata una migrazione fra le più impressionanti e ridicole della storia della cultura. Attraverso le varie sedi delle università californiane ho provato a intrattenermi con parecchi di loro, «ambientati» o dépaysés...

Il professor Seymour Martin Lipset è notissimo in tutto il mondo come sociologo, tradotto anche in Italia; ma a Berkeley dirige l'Istituto di Studi Internazionali, in una villa svizzerabavarese sopra l'università, in un viale d'abeti. Mi offre per prima cosa alcuni dati.

La California arriverà presto ai venti milioni d'abitanti, con un aumento del cinquanta per cento in quest'ultimo decennio, e un reddito di tremila dollari annui a testa. Siccome è il centro scientifico della nazione, vi si spende il 25 per cento del bilancio della Difesa e oltre il 40 per cento dei fondi per la ricerca scientifica, quantunque si trovi a tremila miglia dalla capitale. Ha le quattro banche principali degli Stati Uniti, il secondo teatro d'Opera (dicono), e più lettori del «Wall Street Journal» e del «Christian Science Monitor» che non il resto della nazione. Ha inventato il nuovo cabaret satirico, e ha portato via da New York i due massimi squadroni di baseball, i Dodgers e i Giants.

Poi mi spiega alcuni elementi che differenziano sociologicamente il Nord e il Sud della California. L'ordine stabilito di San Francisco, formato da vecchie famiglie venute anche un secolo fa, e durante la Febbre dell'Oro. Quindi una struttura sociale stagnante da decenni a cui si conformano i non molti nuovi ricchi che s'aggiungono ai vecchi di tanto in tanto. Qualità specifiche: la praticità, e una tolleranza assai rara altrove, dipendente dalla tentazione cosmopolitica, originaria ed ereditata. E un tradizionale amore per la cultura, anche perché ci sono sempre stati più ebrei nella classe dirigente a San Francisco che non per esempio a Tel Aviv, da parecchie generazioni; con frequenti matrimoni misti; e quindi la maggior parte delle vecchie famiglie con ascendenze internazionali ha un ramo cristiano e un ramo ebreo, ma considerandosi però parte di una famiglia sola. Un esempio tipico, James Zellerbach, cioè un grande industriale che s'occupava con lo stesso interesse di affari internazionali e di orchestre sinfoniche. (Anche ambasciatore in Italia alla fine degli anni Cinquanta). Del resto, la maggior parte delle istituzioni culturali di San Francisco è stata fondata da mecenati ebrei.

Intorno, la Bay Area rappresenta un sistema non integrato; anche se molte famiglie sono alla quarta generazione ricca, dopo aver fatto i soldi con le miniere o le ferrovie fra il 1850 e il 1880. Ma di tradizioni vere, nessuna. Tutt'al più una propaganda entusiastica, attualmente, che tende a «lanciare» novità eccitanti a ogni costo in polemica contro l'Est della nazione; e a creare una «immagine» della zona, confidando che questa facciata crei come conseguenza una situazione reale. Ma la vera cultura rimane chiusa nelle università. Non esiste al di fuo-

ri una qualunque occupazione «intellettuale» per gli intellettuali: né un giornale né una casa editrice.

Los Angeles, invece, avendo cominciato a esistere da pochi
anni è in preda alla confusione, nelle mani dei nuovi ricchi.
Nulla di stabilizzato e istituzionalizzato nella struttura sociale.
Molto più popolosa, più decentrata. Più commerciale, con aree
importanti di industria culturale sparse intorno a Santa Monica, Pasadena, Hollywood, e agglomerati di intellettuali riuniti
intorno alle grandi industrie, dalla Rand alla General Motors,
oltre che nelle università. Ma sono strutture socialmente non
integrate, barcollano sotto la spinta delle ondate d'immigrazione. E si capisce, manca quella classe dirigente «dominante» con mentalità tradizionale che a San Francisco è maestra
di «buone maniere» *anche politiche* ai nuovi arrivati.

Ecco perché le tensioni etniche e razziali sembrano qui così
violente. L'antisemitismo della Bassa California si può spiegare col fatto che lì gli ebrei sono molto più numerosi ma meno
ricchi che a San Francisco, e immigrati molto dopo. Anche gli
estremismi politici si scatenano molto più virulenti e più folli.
Quasi come nel Sud: la differenza col Sud è che in California
non sono quasi mai diretti contro situazioni locali. L'integrazione coi neri, cioè, non è un problema sentito in California.
Ma l'esplosione della popolazione ha conseguenze soprattutto
reazionarie.

Per esempio, la Birch Society è più agguerrita qui che altrove, e sostiene tuttora che Eisenhower è sempre stato un pericoloso agente comunista. Un gruppo politicamente rozzo sarà
sempre pronto a dare una interpretazione in termini di «cospi-
razione» o «complotto», per spiegarsi la forza dietro ogni misura anche moderatamente progressista... C'è oltre tutto una
larga percentuale di Repubblicani delle classi medie dispostissimi a privare dei diritti civili tutti i «radicali» della nazione. E
questo succede appunto al livello dei nuovi ricchi. Appena
hanno un po' di soldi, subito si ribellano contro il governo federale, le imposte, i sindacati. Dichiarano come minimo che
«a Washington sono tutti socialisti». Predicano un feroce laissez-faire. «Noi abbiamo fatto i soldi, e ce li teniamo!». La stessa
mentalità dei Baroni Ladri di cinquant'anni fa. Altro che discorrere di «cultura politica da integrare», secondo Lipset.

D'altra parte, ci sono qui molti più «compagni di strada» dei
comunisti che nel resto della nazione, tanto più oggi. E moltissimi vagamente prosovietici, o confusamente filocinesi, sosten-

gono fra l'orrore dei benpensanti non solo la necessità di riconoscere la Cina comunista, ma addirittura l'inutilità dei rifugi antiatomici... Sono numerosi soprattutto fra gli intellettuali delle classi medie, immigrati recenti, gente che non si è ancora «trovata», anche scontenti cronici che trasferiscono in politica i loro sentimenti personali di malessere... Non per nulla, sentimenti mobilissimi; facili poi a trasferirsi da un estremismo all'altro per esprimere in fondo null'altro che lo stesso disagio di base...

Per questo i due partiti principali soffrono continuamente di gravi imbarazzi da parte dei loro elettori californiani. Devono far sempre i conti con i gruppi potenti molto più a destra o a sinistra della «linea ufficiale»; e in mancanza di una struttura sociale stabile non possono neanche contare su leaders o gruppi locali con un minimo d'autorità tradizionale capace da un'elezione all'altra di dare qualche garanzia di stabilità al processo politico. È chiaro che non ha mai fatto in tempo a formarsi un apparato dei partiti come all'Est del paese, tenuto insieme più dall'organizzazione che non da ragioni ideologiche vere. Qui il lavoro si deve basare su attivisti che agiscono prima di tutto per forti convinzioni personali, magari indipendenti e ribelli rispetto alla «linea» centrale...

Quindi lo Stato che ha la più larga delegazione al Congresso e alle convenzioni nazionali dei partiti risulta il più caotico, il più provinciale, una curiosità regionale che influisce sempre più gravemente sul resto della nazione. E fra i politici locali solo i più sofisticati sono un po' al corrente con la politica nazionale, tanto meno internazionale. La maggioranza si limita a fare delle rozze distinzioni fra tutto-bianco e tutto-nero, semplicemente su scala e misure locali.

Su che problemi, chiedo a Lipset. La distribuzione dell'acqua, prima di tutto. È il problema principale perché il Nord della California è pieno d'acqua e il Sud non ne ha mai avuta abbastanza. Perciò, contestazioni continue intorno a giochi d'interessi enormi. Poi le imposte, tutti le giudicano insopportabili. E le autostrade; l'educazione; la legislazione sui diritti delle minoranze... Quello che rende sempre così problematiche le elezioni locali è il fatto che il segreto per diventare governatore della California sembra che sia l'autodefinirsi di centro-sinistra accusando l'avversario di estremismi di destra e di sinistra. È quello che fanno tutti i candidati normalmente, i programmi del Democratico o del Repubblicano si somigliano in maniera addirittura indecente...

E l'Università? La caratteristica della vita californiana è che si orienta sulla cultura, e la cultura si orienta sulla giovinezza, mi ripete il professor Seabury. Il sentimento più diffuso è che «niente è abbastanza buono per i giovani», non si fa mai abbastanza perché «siano felici», e «purché siano felici» hanno sempre automaticamente ragione loro contro la famiglia, le autorità, il corpo accademico... Per questo l'università ha una parte così importante nella vita sociale; e Berkeley ha un bilancio annuo di duecentocinquanta milioni di dollari, come una grossa industria.

L'Università della California si sta costruendo una nuova sede grandiosa a San Diego cominciando con le Facoltà scientifiche. Come avviene sempre, spiega il professore: nuove costruzioni imponenti, e chiamare gli scienziati più famosi. Sono poi, storicamente, il gruppo che si recluta prima e più facilmente. Gli scienziati non sono gente urbana, non hanno bisogno della città. Non s'interessano molto di letteratura, politica, discussioni. Solo di macchine e di musica; e le trovano qui. Dopo vengono i letterati: è successo così anche a Berkeley, a suo tempo. Anche fisicamente, il fabbricato delle Humanities viene dopo. Si parte dalla Tecnica, le Lettere seguono. E naturalmente anche la ricerca scientifica privata si è molto sviluppata, ormai tutte le industrie tengono qui i loro laboratori.

Si ripete spesso che gli scienziati vengono qui, le industrie li seguono – o forse è il contrario –, comunque si installano intorno alle università. Lo sa bene qualunque società dell'Est, che quando si trasferisce un dipendente in California va calcolato in partenza che non vorrà più tornare indietro. Qui trovano questo stile di vita integrato... L'interno delle case, ogni rito mondano, dànno l'impressione di un tenor di vita molto più alto che a New York. All'Est rimane praticamente chi è vicino alle case editrici, alle gallerie d'arte, al teatro... E qui molte professioni liberali sono già sovraffollate: medici, architetti...

Il fatto che l'università diventi il centro della vita culturale e sociale porta poi a questa enorme quantità di narrativa sulla vita nel campus. È una comunità vastissima: chiusa, ma grande abbastanza da viverci dentro senza uscirne. La maggior parte degli immigrati viene di lontano. Così gli intellettuali arrivati da poco non conoscono nessuno; e tendono a stare sempre fra di loro. Ci sono ormai tanti poeti e romanzieri e critici nelle università americane che scrivono come se l'unica attività umana di cui ci si possa occupare sia appunto la vita accademica: *Who's Afraid of Virginia Woolf?*... Non se ne esce. Ma anche molta gente d'affari abita a Berkeley, senza nessi con l'università. Proprio per vivere vicino al campus, per interessi intellettuali personali, contatti con l'ambiente accademico significativi anche per ragioni di lavoro. E occasionalmente insegnano, in materie di loro competenza professionale. Come McNamara: è un esempio tipico di uomo d'affari intellettuale sempre più frequente nella vita americana.

Tutto intorno al campus si sviluppano poi la musica, la pittura, i teatri. Si finisce per somigliare alle piccole Corti europee del Settecento. Lontano dalla città: un ambiente protetto, circondato, con il vantaggio di una notevole tolleranza, di una certa protezione dalle pressioni politiche e sociali. Però, come ambiente, borghese, rispettabile, conformista. Nessuna paura: di nessuno. Però, l'obbligo di conformarsi. Riti sociali obbligatori frequenti, continui... Le «mogli accademiche», organizzatrici instancabili e minacciose... E questo sarà un bene o un male per l'attività intellettuale e la creazione artistica?

POMERIGGI DI STANFORD

Stanford. Un viale di palme fuori dall'autostrada a sud di San Francisco, nella pianura polverosa di Palo Alto, fra uno sbricio-lio di casette e villette senza forma, chioschi di polpette e gaso-se, ristorantini messicani che nulla distingue da un elettrauto; automobili usate in vendita fra lampioni festonati di bandieri-ne (usate inglesi appena ci si avvicina all'università, fra gli stu-denti allignano la MG e la Austin-Healey). E la schiumetta bian-castra della Baia da un lato, sulla ghiaia della riva.

Dopo qualche miglio di questo viale di palme, fra prati sab-biosi, cespugli mediterranei, eucalipti impolverati, chiostri kaki e archi color terra: ecco il fortilizio della Legione Straniera nei film del '37 con Jouvet e Renoir, però con mosaici di Monreale e statue da Lourdes sopra la basilica centrale, di un romanico impazzito nel romanzesco. Passano pompieri; o forse ambulan-ze; comunque, sirene; e in parte borghesi, in parte ufficiali, una quarantina di longilinei in fila per due marciano dentro e fuori la brutta basilica, l'Università ha molti corsi affollati di militari in servizio. Comandi di graduati: avanti-marsch, alt. Alt, avanti-marsch. Tutto intorno, volantini di manifestazioni: madrigali di Domenico Mazzocchi, liuterie alla Poulenc, conferenze su Da-nilo Dolci con colletta alla fine; dimostrazioni contro l'arma a-tomica oppure in favore della Poesia; decine di piccoli teatri, col loro Brecht e il loro Beckett; qualche ballo di Facoltà.

Nel Museo, in una stanza di damasco rosso, la storia di questa università si svolge attraverso ritratti e ricordi. Il signor Stanford, piccolo avvocato del Wisconsin rovinato da un incendio, va in California e fonda la Southern Pacific e tanti bazaar, diventa governatore e senatore, pranza alla Casa Bianca con la moglie venuta su dal nulla, ma l'unico figlio muore in Europa a sedici anni e loro decidono di fondare la grande istituzione in sua memoria. I ritratti dei tre: quello di lui fatto da Meissonier a Parigi; lei, ordinaria e molto brutta; però diventa gradatamente una bella vecchia, i suoi abiti esposti in vetrina sono folli collezioni di merletti coperti di struzzi, nappe, passamanerie. E liberale: per lasciar liberi i Trustees di amministrare l'università ha passato in viaggio gli ultimi anni ed è morta a Honolulu.

Le fotografie delle loro magioni, tutto un Luigi XV fastosissimo del Secondo Impero rifatto durante la Belle Époque. Tutte distrutte dal terremoto. I garden parties in villa a Palo Alto: con poltrone gotiche fra palmizi da Meyerbeer, violini, altalene, tigri per terra e camerieri, tantissimi. E la stanza del figlio: lo scarabeo egizio, i trenini, lanterne magiche, cristalli di rocca, conchiglie fossili, aironi impagliati, biciclette, velieri, sassolini raccolti a Praga o a Göttingen, boccali da birra, cimieri, fucili, statue di gattini buffi.

Le loro opere d'arte, legate all'università. Una Madonna di Benedetto da Maiano. *Tre figure in satin* di Pio Ricci (la scuola satin-medioevale, tra Hayez e Giacosa). L'arazzo di Beauvais vicino alla punta d'oro che ha scavato la prima buca della ferrovia Central Pacific. Angiolotti portacandele; un *David* di un finto Caravaggio; un *Enrico Quarto* del 1880 vicino a una *Lady Hamilton* di Angelika Kauffmann. La caricatura del *Museo Immaginario* di Malraux: un Buddha, un eremita portoghese (che sarà poi San Bernardo), una «femme nue allongée» parigina della fine-secolo. Un legno astratto, un cammello di maiolica, una zingarella persiana 1910, una «serata musicale» di un Goulacroix: grandi olii neri di pescatori olandesi e gole nevose bavaresi e carrozzoni da Febbre dell'Oro. *Il sabato del minatore* (1860) e subito vicino un collage «pop» di scommesse al totalizzatore intitolato *Un giorno alle corse...*

Dentro il Dipartimento d'Inglese, una porta con il nome di Yvor Winters sulla targhetta. Forse il più discusso fra i critici anziani d'America, insegna qui l'Arte Poetica, sostenendo che Melville e Hawthorne, Jane Austen e Henry James non sono nulla in paragone a Edith Wharton, e che gli unici poeti contemporanei decenti sono Robert Bridges, sua figlia Elizabeth

475

Daryush, T. Sturge Moore ed E.A. Robinson, «incomparabilmente superiori a Eliot e Pound e W.C. Williams e perfino a
Hopkins». Più in là, un tavolaccio con su abbandonati o gettati via i quaderni dei temi d'esame: «Lafcadio in viaggio per Roma», oppure «Il rapporto itinerante Don Chisciotte-Sancho»;
e sulla copertina la promessa in base al Codice d'Onore di non
copiare e di non farsi aiutare durante lo svolgimento.

Con una bella giacchettina blu dei Brooks Brothers viene
qui incontro Blair Fuller, che è un bel signore alto e sportivo
somigliante a tutti i veneti che tornano dall'America. Pelle abbronzata e capello corto biondo-grigio. Somigliante nel tratto
poi a quasi tutti i suoi colleghi della «Paris Review» e al loro
stile di letteratura agiata alla George Plimpton: gran belle ville
a Long Island e automobili sport e bohème elegante a Parigi;
feste di tori a Pamplona e balli di debuttanti in Scozia; e soprattutto il trionfo del party «mescolato» a Manhattan, buttando
insieme coi loro bicchieri di «stinger» in mano la poetessa novantenne e il drogato portoricano e la collezionista di Fabergé
e il profeta nero-musulmano e la contessa fiorentina e la cantante di «musical» e il romanziere disintossicato e il presentatore della televisione e magari la Presidentessa.

«Il programma di sviluppo di Stanford,» dice Fuller «quest'anno, cento milioni di dollari, tutte donazioni private». Siamo in un circolo di studenti, seduti nella caffetteria: pareti di
teak, grandi vetrate, divani svedesi, bei tappeti indiani. Dietro
i portici moreschi di rappresentanza (e di fasto 1920), la zona
degli istituti e dei dormitori è molto meno Coppedè, però sempre di un lusso più orientale e mediterraneo che a Berkeley:
spesso, viareggino e riminese. E dappertutto, passando, «questo edificio l'anno scorso non c'era», «questo l'han fatto sei
mesi fa».

Tantissimi soldi disponibili anche per le esercitazioni in tutti
gli istituti; per esempio, in quello della televisione, cento metri
di pellicola gratis a ogni studente, e «fate quello che volete».
Continuamente il ritornello sociale della vita americana, «fate-
li contenti», «purché siano contenti», trasportato dalla nursery
all'università: rettori e decani raccomandano ai docenti di «tener tranquilli gli studenti», di «renderli felici». E se gli studenti non si sentono felici, la colpa è del docente, si capisce.

Ma questi corsi di «creazione letteraria» (o di «letteratura
creativa»: «creative writing») che proliferano in tutte le università, anche le più sperse, coi loro «creatori» in cattedra, e i «romanzieri residenti», i «critici visitanti», i «novellieri ospiti»...

476

Come insegna, Fuller, sentiamo, la creazione letteraria? Il docente potrebbe essere unilaterale o eclettico... dogmatico o senza princìpi...

No, dice. È più semplice: aiutare lo studente a sviluppare le proprie doti, liberamente; e criticarlo sul suo stesso terreno, attenti a non ferirne la suscettibilità. Farli scrivere... Certo, si capisce subito cosa hanno letto di recente, vedendo le loro prove. Salinger? Sì, lo leggono ancora. E Baldwin, come uomo di punta nelle questioni razziali, senza però influenza, letterariamente. Poi per esempio un allievo del corso ha letto tutto Hemingway quest'anno. Le fasi delle revisioni critiche naturalmente non cessano d'alternarsi: magari dei sì entusiasti a Fitzgerald e dei no furibondi per Hemingway. E i loro esercizi vengono letti e commentati in classe: il sistema della critica pubblica... «Un'ora d'inferno» commenta uno dei giovanotti seduti lì intorno. «Peggio che l'autocritica in una cellula comunista...».

Ma chi sono i veri maestri di questi ragazzi di vent'anni? Non li cercano affatto nel passato: si interessano invece, per esempio, di Philip Roth, di Joseph Heller. E poi continua lo straordinario successo di William Golding, simultaneo in tutte le università americane, soprattutto come maestro di stile. (Chi l'avrebbe immaginato, pochi anni fa, quando i suoi libri più belli erano già usciti, *Lord of the Flies* e *Pincher Martin,* con tributi di stima notevolissimi da parte dei colleghi, da Forster in giù, ma successo di pubblico scarso anche in Inghilterra, e andando a trovarlo a casa sua a Salisbury lo si trovava isolato e amareggiato e costretto a fare il maestro di scuola malvolentieri per mantenere la famiglia...). Ma per portare altri esempi: fra gli allievi del corso di Fuller, dei due migliori uno sta scrivendo un romanzo che è poi un grosso poema in prosa, affascinato dalla poesia di Cummings; e l'altro che intende fare lo sceneggiatore di mestiere non riesce ancora a liberarsi dell'influenza di Kerouac.

Però è significativo che lascino da parte Steinbeck e ritornino piuttosto verso Cechov, osserva un collega di Fuller, William Roberts, docente anche lui di Letteratura creativa. Siamo dopo un cocktail nella sua villetta in un ristorantino fra i campi, dietro l'università: con i séparés, le coppie, il juke-box, il twist. Cena messicana, tortini di fagioli, crocchette di pollo, spezie demoniache, birra a torrenti. «E pensare che ai miei tempi, neanche tanti anni fa...» geme Roberts «i nostri eroi intellettuali erano – com'è giusto – Fitzgerald, Hemingway, Wolfe... e ci toccava difenderli contro insegnanti filistei che li accusavano di *scriver male*... vere lotte a coltello... mentre adesso, chi illustriamo noi dalle nostre cattedre? Bellow, Malamud, l'ultima Paley appena uscita, i contemporanei pubblicati la settimana scorsa... Ah, ma io per me insisto anche molto su Turgenev, su Colette... Turgenev perché rappresenta veramente la via americana alla novella, tipo O. Henry, con lo scatto a sorpresa nel finale...».

Ma per esempio, chiedo a Roberts e a Fuller insieme, chi amano di più questi loro studenti, fra Stendhal e Flaubert? «Flaubert!» esclamano tutt'e due. Però, aggiungendo, sarà forse un caso, ma uno in classe ha scoperto per suo conto Babel' qualche mese fa, e da allora tutta la classe non legge che Babel', non fa altro che parlare di Babel', imparano apposta il russo per capirlo nell'originale... Ma Cechov ha sempre un'influenza fortissima: non ne perdono uno di quei racconti cechoviani del «New Yorker», che non è mai stato aperto ai giovani come adesso e sarà magari pericoloso, però intanto li aiuta a farsi conoscere... Anzi, gli studenti tendenzialmente cosmopoliti alla newyorchese leggono specialmente «The New Yorker», mentre quelli con aspirazioni aristocratiche da «vecchi americani» preferiscono «The Atlantic Monthly». Ma anche se come eroe intellettuale viene fuori spesso il nome di Camus perché tutti hanno amato a un certo punto *L'étranger*, in questo momento è sempre Babel' che prevale sugli altri interessi.

E degli inglesi, oltre a Golding? Huxley, stranamente: *Point Counter Point*. Orwell. Anche un po' di Waugh... Tutto qui? Sì, tutto qui.

Ecco, e allora cosa fanno questi ragazzi dopo l'università, quando da consumatori passivi di beni culturali si trasformano a loro volta in creatori? Situazione difficilissima, rispondono d'accordo. Pochissime riviste pubblicano racconti al di fuori del «New Yorker», e poca gente le compra, e nessuno apparentemente legge i «quarterlies». Di romanzi, ne escono sempre meno: fino a pochi anni fa, due libri di narrativa contro uno di non-fiction; ma la proporzione tende a rovesciarsi. Caso tipico clamoroso è quello di Mailer, che deve cambiare editore perché il suo gli rifiuta l'ultimo libro: e non lo vuole proprio perché non è un romanzo. D'altra parte, uno scrittore deve cominciare con un romanzo, si ritiene correntemente; e la reputazione deve farsela come autore di romanzi.

Fra gli autori californiani, chi preferiscono? Wallace Stegner, il romanzo *A Shooting Star*, i suoi racconti marini. «Ma la cultura californiana somiglia a un'ameba... e intorno a San Francisco appare piuttosto isolata, impotente, invidiosa... più che non intorno a Los Angeles, invece così fiorente...».

E fra le mode intellettuali correnti?

Gli attacchi alle madri, vilipese perché ritenute colpevoli di tutto quello che va male nella vita americana. Sempre più crudeli e feroci. Non c'è studente che non abbia letto con entusiasmo *A Generation of Vipers* di Philip Wylie, un aspro pamphlet contro la mamma americana prepotente e invadente. Lì sopra si basa una quantità di romanzi, commedie, film, un intero filone con un gran successo commerciale assicurato in partenza dall'argomento.

Alla mensa dei professori, una veranda scura simile all'atrio di un vecchio cinema, con poltroncine impagliate e tovaglie a fiori e insalate miste e gli eucalipti fuori mossi dal vento. Una conversazione à bâtons rompus con Wallace Stegner, ritenuto il miglior romanziere californiano attuale, insegnante qui nella classe di Narrativa (e somigliantissimo a Gianandrea Gavazzeni, la stessa faccia aperta, lo stesso bel ciuffo da leoncino argentato). E con Bruce Bliven, ex-direttore di «The New Republic» ora qui ospite dell'università per far ricerche e scrivere una vasta opera storica; convalescente, col bastoncino, e gli abiti chiari e il cravattino scuro e il generoso sorriso 1910 degli eroi buoni di Carson McCullers.

Questa è la maggiore università privata, ricorda Bliven: novemila studenti, di cui la metà laureati che si specializzano, e soprattutto nelle materie scientifiche. Dieci anni per diventare esperti spaziali, per esempio. E una scuola di medicina perfettissima, però fonte di controversie continue fra la città e l'università: il meraviglioso ospedale serve soprattutto per insegnare o per guarire i malati?

«Caratteristiche comuni della cultura californiana? Non ne vedo; o pochissime. Sono tutti immigrati, anche gli studenti. Poca coesione, poche affinità se non esteriori. Un'attività intensa, certo, ma pluralistica. Non già un "flusso creativo" unitario. La pittura, intensamente non-figurativa. Ma l'architettura ha forse connotati più particolari, individuabili anche attraverso una successione di "maniere"; specialmente nell'architettura domestica, ispirata da un anno all'altro prima da esempi indiani, poi spagnoli, poi giapponesi. E anche nella decorazione d'interni come si succedono le importazioni: il periodo svedese, il periodo giapponese... E la musica: un'accesa mania per la musica classica, orchestre di dilettanti che si moltiplicano, tutto prodotto e consumato sul campus...

«Ma in tutte le arti si può parlare di frenetiche importazioni di stili da ogni parte, di eclettismo assoluto, di pot-pourri: conseguenza dell'arricchimento rapido. Attività intensissima, certo. Ma per ora, tutt'al più, speranze. Per i risultati, dateci cento anni... La California oggi è soprattutto un certo stile di vita all'aria aperta, la vita è molto più *fisica* qui che altrove. Forse – chissà – più vicina all'ideale greco, la mente e il corpo... Conseguenze culturali? Mentre a New York "sano" in fondo è ancora un termine di dileggio (l'arte "sana"...), come se i sani non pensassero, qui i giovani sono addirittura sanissimi, più alti, più pesanti... a dispetto dei sorrisi di compatimento dell'intellighenzia di New York. Ogni nativo della California proprio non può concepire l'intelligenza senza la forza e lo sport. Però, nella mia esperienza di direttore di riviste, ho sempre notato anche lo stacco netto di qualità fra i "pezzi" dei corrispondenti della California (e di New York e del New England, si capisce) rispetto a quelli del resto del paese: molto più colti, c'è più circolazione di idee, gli studenti che vogliono fare i giornalisti sono più seri...».

«C'entra anche un certo complesso "coloniale" d'inferiorità, la smania di "tenersi al corrente"...» osserva Stegner.

Come mai, chiedo, non ci sono mai state qui riviste tipo appunto «The New Republic» o «The Nation», allora? Non è mai stato possibile, dichiarano insieme, al di fuori di New York. Infatti l'unica rivista simile è «Frontier», a Los Angeles. Si pubblica da una decina d'anni, mensile, carta patinata, una trentina di pagine, come sottotitolo «La voce del nuovo West». Nell'ultimo numero: editoriali sulla «sanità» nel pensiero di papa Giovanni, sul Consiglio democratico della California, sulla politica repubblicana per Cuba, sulla censura, articoli sulla pena capitale e su Mahalia Jackson, e una vasta inchiesta sulla politica a Hollywood che dà come risultato una massima abbastanza vile: «non allungate troppo il collo». Ma la tiratura è piccolissima.

Altrimenti le solite 750mila copie di «Sunset», tutta giardini e turismo e barbecue; il milione di copie dei libri illustrati sulle bellezze naturali nel West; le 60mila copie nelle prime tre settimane di vendita dell'album di fotografie «Beautiful California»; le infinite pubblicazioni sul «West Coast Living», che «coprono» tutto il West dividendolo in zone diverse ma scoraggiano la diffusione al di là delle Montagne Rocciose. È questa la cultura californiana tipica?

«Le università sono isole d'intellighenzia fuori delle città (che lavorano e s'occupano d'altro)» insistono Bliven e Stegner. «Ma ora che le università costruiscono le loro città, e i loro ospedali, e le loro industrie, e le loro centrali elettriche, i rapporti con il mondo degli affari – o col municipio – diventano sempre più difficili. Un esempio tipico è la lotta per i cavi dell'energia destinata a un acceleratore atomico potentissimo messo su dall'università: con enormi piloni che rovinerebbero una vallata ancora relativamente intatta. E anche in California è continuo il conflitto fra chi ha il senso della bellezza tradizionale e i progressisti-vandali. Ma l'università in questo caso è favorevole al danno al paesaggio, mentre la città si oppone. Dove si vede che l'università ha le sue colpe nella distruzione del paesaggio. Ma si sa, le università americane sono amministrate come industrie, nessuno domanda che siano intelligenti o abbiano buon gusto. Esistono, si capisce, i gruppi pro e contro le bellezze geografiche, ma la maggior parte non si muove, non fa... Contro la linea elettrica si muovono pochi disperati, scoraggiati dall'università...».

Questa regione... «Un paradosso» fa Bliven. «Un'area semi-tropicale dove la gente dovrebbe tendere a essere rilassata e letargica, e invece è continuamente travolta da attività tremende...». E Stegner: «Da Seattle a San Diego, un tremendo fermento di energie e ottimismo e forze creative; e non soltanto da un punto di vista industriale. È una società urbana, opulenta, energica, ansiosa, con alti redditi. Non le importa nulla (ma fino a quando?) delle differenze di classe, siamo ancora a una fase d'uguaglianza, senza snobismi. E questo attivismo frenetico ha totalmente cambiato la tradizionale atmosfera della regione, fatta di sonnolenza provinciale spagnola. Non si accontenta delle piscine in ogni casa e delle tredici agenzie della Rolls-Royce su quaranta in tutti gli Stati Uniti. Vuole qualche cosa di più. Ma cosa? Contribuire regionalmente alla cultura nazionale? Ma la cultura nazionale *siamo noi*, il ramo più energico dell'albero. Anzi, siamo la via maestra dell'America ancora più America...».

Bliven: «I nostri problemi sono gli stessi di tutta l'America, moltiplicati in grandezza a causa della rapida crescita. Non importa neanche più tanto la qualità umana degli immigrati, contano e pesano proprio in quanto numero!». Stegner: «Ma quanta energia, quanto talento, quanta buona volontà e buone intenzioni! E nella maggior parte sprecati, buttati via, senza un indirizzo!». Un esempio? «L'ente autostrade: troppi soldi, troppi poteri, una mentalità soltanto ingegneresca, e nessun controllo!».

Ma questi soldi spesi nella educazione pubblica, che effetti hanno a lunga portata sulla cultura? Occorre aspettare, ripete Bliven. La cultura viene prodotta nelle enclaves universitarie per altre enclaves...

Allora come usano questi studenti la loro condizione privilegiata? Sono soddisfatti almeno?

A Stanford, mi rispondono, vengono di solito da famiglie già colte. La selezione è notevole: molte migliaia di aspiranti, e molti respinti. Favoritismi? Ma le più alte speranze degli Stati Uniti sono nei campus oggi, la selezione *deve* essere severa. Oggi gli studenti sono molto più seri di qualche anno fa; fanno un migliore uso delle loro possibilità. S'ammazzano dal lavorare, si vedono solo facce stanche, tese; anche se all'università si potrebbero sentire più liberi, meno sorvegliati che alla high school. E che devozione, che integrità, quanti volontari per i Peace Corps che dedicano fino a due o tre anni della propria giovinezza alle «buone cause», per esempio come insegnanti o infermieri nei paesi sottosviluppati. Non è il più alto grado dell'idealismo? I migliori studenti di qui sono veramente la miglior qualità d'uomini che esista oggi al mondo; nessun paragone con quelli di solo dieci anni fa. E se sono nati ricchi, con un forte senso di responsabilità appunto per questa sorte privilegiata: non per nulla una metà dei medici americani viene dal dieci per cento più ricco della popolazione...

Parlando invece dell'insegnamento della letteratura, Stegner fa notare che «noi non formiamo scuole, come fanno i francesi; ognuno ha le proprie predilezioni, fra gli studenti uno ammirerà Conrad e uno Camus». Osservando la «curiosa dicotomia» fra grandi e piccole riviste, insiste sul fatto che si manifesta oggi in forme diverse dalla norma (per cui di solito le grandi riviste di massa sono terribilmente commerciali, e quando la standardizzazione diventa intollerabile allora esplodono i piccoli magazines nati dalla ribellione e dal fatto che i grandi non accettano novità rivoluzionarie). «Ma oggi sono i grandi che sembrano aperti a tutto, corteggiano ogni non-conformismo, mentre i piccoli sono pieni di lavoro d'imitazione... Per questo non sono più importanti come negli anni Venti e Trenta, quando si potevano trovare Joyce e Hemingway soltanto nella "Transatlantic Review" di Madox Ford. Allora avevano una grande influenza, oggi no».

«Questo culto dell'incoerenza... questi tentativi di "espressione"...» sorride Bliven. E Stegner, ancora: «Non sono in fondo dei veri sperimentatori, ci offrono tutt'al più echi e pastiches di vecchie esperienze... Questi movimenti culturali che si agitano sperimentalmente a San Francisco su decine di rivistine arrivano molto in ritardo, e dunque "passés" per chi abbia un minimo d'informazione, e ben poco interessanti per i veri informati». «All'Università dell'Arizona,» torna a sorridere Bliven «com'è sempre brillante la conversazione, il giorno dopo l'arrivo del "New Yorker" agli abbonati...».

E i rapporti con New York? È difficile, sostengono tutt'e due, farsi una fama con base sulla East Coast, senza andare a New York. Tutte le riviste che rendono popolare la cultura sono all'Est, perfino quelle di architettura che è l'arte tipicamente californiana. E gli editori di San Francisco pubblicano solo qualche libro di scuola. Poi, per esempio, in California esistono le tipografie ma non le legatorie. E già a Boston è difficile fare l'editore, dato che tutta la pubblicità ha il suo centro a New York. Forse il primo passo, buon segno, è la nuova edizione californiana del «New York Times»...

Stegner: «Qui seguiamo e formiamo le persone. Arrivano dall'Est sospettosi e diffidenti; poi vanno a casa pieni di rimpianti. Non ne ho mai visto uno contento di andarsene di qui».

Bliven: «A New York invece arrivano "per fare gli intellettuali di New York" con tutto quello di mondano e dispersivo che implica il cliché. Qui *arrivano*, semplicemente, senza intenzioni. A New York, la sensazione corrente è il "ce l'ho fatta!". Qui, si viene soprattutto per *non* essere al centro di una febbrile attività intellettuale...».

Stegner: «Certo, fino a pochi anni fa era impensabile che Berkeley o Stanford potessero attirare gente da Harvard. Adesso succede continuamente. Veramente abbiamo qui la gente migliore del mondo, anche fra gli insegnanti. Ma ci vorrebbe un centro, un'accensione, com'è stata Firenze nel Rinascimento...».

Bliven: «Vigore anglosassone in clima mediterraneo...». «Ma se sono quasi tutti italiani!» gli osserva l'altro.

Tradizione o avanguardia? domando. Esempi più inglesi o francesi? No, molto americani, mi risponde Stegner. «I francesi vivono su basi intellettuali talmente solide e tradizionali che l'unica loro soluzione è sempre di rompere le istituzioni con una rivoluzione. Ma qui, senza basi, orfani culturali, prima di tutto occorre sintetizzare, istituire, mettere insieme; anche sperimentalmente; ma tendendo verso l'unità, non verso il frammentismo e la dissoluzione. Prima definire una cultura, poi esploderla. Per questo l'anti-romanzo non fa effetto a nessuno. E Kerouac e Ginsberg possono magari avere talento, ma Ferlinghetti è l'unico che ha dimostrato di avere anche disciplina. Infatti rimane – lui solo – e lavora. Qui bisogna crescere. Farlo in pubblico? Niente di male. L'infamia invece è l'elevare a teoria la pigrizia e la sporcizia, quella è stata la vera colpa dei beats».

E il suo insegnamento agli studenti? «Che con le idee rigide si fanno discepoli, si creano clans, e basta. Un maestro troppo eclettico d'altra parte perde forza, non è serio. L'ideale è in mezzo, un equilibrio difficile...».

«Non siamo come in Francia, dove un autore appena fuori vien subito lanciato nei salotti» mormora Bliven. «Abbiamo altre preoccupazioni...».

UNA MATTINA A DAVIS

Davis, la terza università californiana in ordine di importanza, si trova a una settantina di miglia a nord di San Francisco, poco prima d'arrivare a Sacramento, capitale dello Stato, col suo Parlamento neoclassico a colonne e a cupola, i suoi viali di magnolie, le sue sedi della Wells Fargo simili a chalets termali e la sua periferia industriale uguale a ogni Mitteleuropa, le Jaguar per la strada e gli abiti da sposa all'asta nelle riffe dell'Esercito della Salvezza. Lungo tutta la strada, in un panorama di campi e di vigne, la radio della macchina continua a trasmettere réclames tipo «Io sono il diavolo! e vi consiglio biscotti diabolicamente squisiti», con voce mefistofelica. E subito dopo: «Per favore, spostate la macchina; c'è una ruota che mi schiaccia la coda!». Siamo al centro d'una zona agricola fra le più grasse della regione. Non per nulla la scuola di Davis è nata qualche decennio fa come Istituto agrario per i figli dei farmers locali, con l'aggiunta di una facoltà di Veterinaria più tardi. La trasformazione in università è recentissima: negli ultimi anni agli ottocento studenti d'Agraria se ne sono venuti aggiungendo più di tremila di «Humanities».

Il «campus» è rurale, non si distingue dalla piccola città. Vialetti e villette a un piano, con il portichetto davanti; o a patio tipo motel; tutte di legno bianco a strisce come nel New England. Tanti alberi, tanta erba; una luce nordica. Tutti in bicicletta come a Oxford. Le strade hanno i nomi delle lettere dell'alfabeto per un verso, dall'altro sono indicate con i numeri. Qualche Volkswagen, Morris Minor, MG. L'autobus giallo che porta le bambine a scuola a Sacramento. Cani rossi a spasso da soli. E il fabbricato delle Scienze Politiche è soffocato dai rami dei platani.

Qui il mio «contatto» è Theodore Draper, professore a New York in visita a Davis per un corso sul trotzkismo, ma famoso per alcuni saggi sulla rivoluzione cubana. Sono pubblicati su «Encounter» e «Tempo Presente», e discussi in tutto il mondo perché in polemica contro i «miti» populistici di Sartre e di Wright Mills sostengono la «realtà» di una «rivoluzione borghese usata per distruggere la borghesia». Estremamente cortese: m'illustra questo fenomeno di proliferazione dell'educazione anche come effetto del decentramento culturale sempre più sviluppato dopo la guerra in tutti i campi, perfino nella musica e nel teatro non più accentrati a New York. E la vita culturale sempre meno gravitante intorno a New York; con gli scrittori che «entrano nel circuito universitario», spostandosi da un campus all'altro, magari anche senza insegnare ma a disposizione delle Facoltà.

«Le città americane grandi e piccole sono sempre state provincialissime, e oggi in pochissimo tempo eccole fornite tutte di gallerie d'arte e di sale da concerti. Qui, poi, c'entrerà naturalmente l'orgoglio regionale e la rivalità fra San Francisco e Los Angeles (al di fuori, non esisteva nulla); insomma, a un certo punto si è visto che i californiani hanno preteso di avere tutto, immediatamente, dove prima non c'era niente. Per questo il boom culturale è così interessante qui: dato l'ambiente dove si è sviluppato. In questa cittadina d'agricoltori, pensate, c'è un famoso quartetto "in residenza", e dà concerti un paio di volte al mese. E un piccolo teatro dove solo l'altra sera abbiamo visto una *Elettra* di Giraudoux data benissimo... Mi sembra incredibile, conoscendo le tradizioni filistee della piccola città americana... E il mese prossimo avremo il *Misantropo* di Molière, prodotto interamente con mezzi locali.

«Certo, è un creare senza tradizioni, queste scuole non hanno un passato. L'unica tradizione è agricola, di farmers che coltivano i campi e allevano il bestiame e leggono solo la Bibbia e vanno a letto presto...

«Come si fa a dire che cultura ne viene fuori... I beats sono scomparsi, i poeti di San Francisco appartengono piuttosto al passato o al folklore... E i più notevoli, Ferlinghetti, Rexroth, Patchen, non hanno niente di californiano "tipico". Che l'autore più rappresentativo della regione rimanga allora lo Steinbeck di tanti anni fa? In pittura, semmai, si vede una notevole diversità rispetto all'Est. David Park, Richard Diebenkorn, Paul Wonner, William Brown, Roland Petersen... Il ritorno a una certa "classica forma dell'oggetto", stilizzata, a colori brillanti... Wayne Thiebaud dipinge solo torte, ma mi pare che arrivi a risultati più significativi di quelli degli scrittori...».

A colazione Draper ha invitato alcuni suoi colleghi delle Facoltà umanistiche; e sollecita gentilmente che raccontino le loro esperienze accademiche.

Un giovanotto volpino professore di clarinetto che ha la classe di musica e viene da Berkeley: prima andando avanti e indietro, dice, e poi passando sempre più tempo qui a Davis, rendendosi conto di come siano serie le intenzioni dell'università, e come fornisca tutti i mezzi adatti. Come siano ricchi gli «interscambi»: si tengono concerti qui e viene parecchio pubblico da Sacramento. Tutti i musicisti del dipartimento hanno composizioni eseguite a New York, e alle diverse radio, «sono conosciuti, non isolati, attenti a invitare compositori illustri a tener corsi periodici (come Milhaud, che ora abita qui vicino), così andando via questi mantengono molti collegamenti». Giovanissimi, tutti; e una grande attività: quartetti, pezzi per archi, musica elettronica, con registratori e strumenti jazz provvisti dall'università, che acquista tutti gli apparecchi necessari. Quanti studenti? Dodici, che vengono da tutto il Nord California. Ma molti altri uditori seguono i corsi. Ed è insolito, perché non si tratta di un conservatorio, non si viene qui a studiare il pianoforte o la direzione d'orchestra. S'insegna la musica come «umanità» e non come professione. Diventeranno insegnanti a loro volta, teorici, compositori.

Draper come un «moderator» dà ora la parola all'insegnante di Dramma che è un bel signore grande e grosso pettinato con la riga. Viene dal Wisconsin e dall'Illinois, come carriera, ma è newyorchese d'origine. Qui da due anni, cioè da quando il corso d'Arte drammatica è stato separato da quello d'Arte, fondato sei anni fa come parte del Dipartimento d'Inglese. Ecco come proliferano, questi corsi, come si sdoppiano e crescono indipendenti – fa osservare Draper. «E noi raccontiamo tutti questi episodi personali di vita accademica proprio per far vedere come il panorama dell'università cambia di anno in anno... La Dizione, per esempio, che finora fa parte del corso di Dramma, dall'anno prossimo sarà un corso a sé».

487

Ma cosa insegnano, in questo corso? Recitazione, regìa, storia del teatro, critica. Tre docenti, e saranno sei l'anno prossimo. In tutti i dipartimenti, la media dell'aumento degli studenti e dei professori è del venti per cento all'anno. Quindi, muratori al lavoro su tutto il campus per allargare e sopralzare gli edifici, e costruirne di nuovi. «Forse si sviluppa veramente troppo in fretta» riflette Draper. «I cambiamenti sono così continui da diventare drammatici... E tutto negli ultimi pochi anni: l'istituto d'Agricoltura è stato fondato nel 1900, i dipartimenti umanistici indipendenti dall'agraria, verso il 1950; dopo di allora, il terzo stadio, fulmineo, la proliferazione».

La direttrice dell'istituto di Inglese è un'anziana signorina robusta e dolce come le donne-detective di Agatha Christie, le chiedo che corsi sta facendo. «Il tardo Rinascimento e un seminario sul Settecento». Naturalmente il suo istituto è uno dei più antichi, più stabili. Ma il professore di Dramma si lamenta: in tutta la California neanche un buon commediografo, neanche un regista. Come, si stupisce Draper: domenica scorsa è stato a Sausalito, che è la Portofino di San Francisco; ed è vero che all'Actors' Workshop locale si recitava per sole 32 persone in un teatro di 350 posti (il pubblico ci va solo al sabato); però davano uno Shaw rappresentato benissimo. Dato a New York, avrebbe avuto ottime critiche. C'è troppa cultura a San Francisco – ribattono gli altri – rispetto al pubblico in grado di assorbirla. La spinta all'attività culturale poi viene troppo più dall'alto che dal basso, la città è troppo finanziaria e commerciale. Non come a New York dove la maggior parte del pubblico medio «si tiene al corrente» per un'abitudine ormai di molti anni.

Infatti succede che il Royal Ballet britannico dopo New York viene in tournée in California e gli rifiutano l'Opera di San Francisco perché preferiscono darla a *Camelot*. Così gli inglesi devono riparare a Seattle. Però, ribattono qui, la compagnia di balletto stabile di San Francisco è la seconda degli Stati Uniti, e molto più giovane e attiva del New York City Ballet, ormai vecchio e stanco. E perfino a Sacramento sta cominciando una compagnia locale di balletto, che poi si esibisce in tutta la regione.

In passato, spiega la signorina d'Inglese, San Francisco e Los Angeles ricevevano tutto da New York già confezionato. Ora invece succede che alcuni fra i migliori cantanti del Metropolitan vengono da Sacramento, dopo studi fatti a Sacramento. E questo, dice, le sembra quasi un ritorno alla tradizione; perché in realtà Sacramento (lei è nata lì) intorno al 1890 era un posto ricco e colto e sofisticato, con i soldi guadagnati nella Febbre dell'Oro non si badava a spese pur d'avere i cantanti più celebri all'Opera locale. Tutto è declinato, come dappertutto, nei primi decenni di questo secolo. Ma sua madre per esempio ricordava com'era elegante la vita mondana a Sacramento intorno al 1870...

Un caso isolato, notano gli altri. Non ce n'erano molti nell'America provinciale di quegli anni: merito tutto delle miniere d'oro. D'accordo, ribatte la signorina: la cultura veniva tutta ricevuta dall'esterno, ma ai tempi di mia madre la città era piena di gente ricca e piena di gusto, sapevano quello che volevano, e dai vestiti ai mobili ai gioielli ai cantanti ai libri importavano tutto dall'Europa; attraverso New York, si capisce. La differenza è che ora risvegliandosi un certo interesse intellettuale la cultura viene prodotta localmente e non più importata, né dall'Europa né dall'Est.

Ecco, riassume didatticamente Draper, una evoluzione tipica, in parecchie fasi successive. Prima, importazione totale della cultura. Poi, separazione fra la cultura europea e quella dell'Est; a questo punto solo New York, e non più l'Europa, fornisce i materiali culturali. Più tardi San Francisco sviluppa una propria cultura indipendente. Adesso tocca a Sacramento, che si sviluppa in vista del futuro. E rimane la capitale dello Stato, dopo tutto. Con la differenza che in passato la base sociale della cultura era la «buona società» in città. Ora il motore è spostato nelle università. «Qui siamo nel centro di *nowhere*, eppure viviamo in un centro di cultura!». A New York l'università non ha certo lo stesso ruolo. E la cultura prende subito un aspetto commerciale. Qui sarà più accademica. Ma almeno non dipende dalle esigenze del commercio. I soldi vengono dallo Stato; così come lo Stato controlla sempre più strettamente il teatro d'Opera o i campi sportivi...

«Sono tre le forme di finanziamento delle università, in sostanza: indiretta, attraverso le imposte; o per mezzo delle grandi fondazioni; o per via di donazioni secondarie, per esempio anche la Fondazione Ford sovvenziona teatri e teatrini. Ma se questo sussidio cessa, viene magari sostituito da quello dell'Università di Stanford. Stanford, per esempio, finanzia l'Opera di Palo Alto con criteri progressivi e commerciali nello stesso tempo. Così hanno dato *The Rake's Progress* già nel 1953, con Rounseville protagonista come a Venezia; mentre all'Opera di San Francisco finanziata solo dagli industriali il *Wozzeck* arriva con più di trent'anni di ritardo. Questo s'intende per cultura progressiva...».

L'insegnante d'Arte è una giovane scultrice di Chicago, bionda, vestita d'imprimé gialloverde, venuta qui quattro anni fa per un «term» e poi rimasta a insegnare. «È la mia prima università» dice. Lavora, espone; e l'insegnamento l'assorbe molto, diciotto ore settimanali, è una delle insegnanti più occupate, certi giorni tre ore e certi sei. Ma fanno tutti questi orari? No, m'assicurano: di solito da sei a nove ore settimanali; questa signorina fa degli straordinari perché li vuol fare, ma per esempio la professoressa d'inglese per mezzo anno ne fa sei e per mezzo nove.

La scultrice ci conduce nell'atelier, un granaio pieno di gessi e bronzi con una decina di ragazzi e ragazze in jeans bianchi e blu e occhiali che preparano la fusione di una scultura, ne liberano un'altra dallo stampo, fondono con la fiamma ossidrica alcuni manubri di bicicletta per farne un monumentino, si passano ridendo delle diapositive colorate guardandole contro il sole. Camminando sulla sabbia che copre il pavimento lei ci fa vedere i crogiuoli, i forni per la cera perduta, un artista italiano e uno giapponese, i pezzi di scultura che nascono dal matrimonio fra l'Oggetto Trovato e la Saldatura Autogena. «Il nostro criterio è di lasciare gli studenti liberissimi di fare tutto quello che vogliono fornendo i mezzi e naturalmente i consigli...». Ma lei gira qui fra la sabbia e le fusioni con questo bell'imprimé? No, confessa: questo lo metto per far lezione di disegno, quando ho la scultura mi metto in blue jeans anch'io.

Il vero inconveniente di queste università sono i doveri sociali nel campus, spiega Draper mentre veniamo via: la mondanità accademica, gli inviti invadenti delle mogli dei professori, almeno uno al giorno e chi non ci va passa subito per altezzoso e antipatico... Procediamo fra platani e prati, e zampilli, biciclette, uccelli blu che sgambettano sull'erba. In questa crisi di crescenza, mi fa notare, quasi tutti gli istituti hanno sede in vecchi fabbricati convertiti, proprio perché le nuove costruzioni non fanno in tempo a tener dietro alla moltiplicazione dei «dipartimenti». E sono tutti di legno: anche il piccolo teatro dove hanno dato l'*Elettra*. Fra l'uno e l'altro, la giornata è bella, un gruppo qui e uno là fanno lezione sul prato: seduti per terra con il professore in mezzo e le biciclette appoggiate agli alberi. Oppure sulla gradinata di legno del campo sportivo, tutto un prendere appunti e scambiarsi sorrisi.

Qual è la «situazione attuale della poesia?». Provo a chiedere al mio coetaneo Thom Gunn, su una vetta abbastanza vertiginosa di San Francisco, dove abita abbigliato in «full leather» da «Action» notturna, col motto «Born to Lose», cosa pensa lui della solita questione da almanacco se la poesia, per interessare la gente, deve interessarsi di più dei «problemi del tempo». «Ormai è superata» mi fa «la distinzione fra linguaggio "naturale" e linguaggio poetico. Non siamo più nelle condizioni di Wordsworth o di Pound di fronte a un linguaggio poetico ammuffito. Usiamo tutti il linguaggio naturale, oggi: anche John Masefield e John Betjeman. Semmai la distinzione che importa è quella tra formale e non-formale, nell'ambito della "dizione naturale". Le possibilità del linguaggio formale in poesia mi sembrano ricche come sono sempre state, basta considerare il successo di Ted Hughes e Donald Davie e Robert Conquest. D'altra parte l'influenza rivoluzionaria di William Carlos Williams (tanto per usare il vecchio luogo comune critico, il "pellerossa" contrapposto ai "visi pallidi" Lowell e Roethke e Louise Bogan), ha spinto parecchi giovani americani a sfruttare fino in fondo le potenzialità del linguaggio non-formale; ma un diverso formalismo viene sfruttato con immaginazione e sensibilità in Inghilterra da Kingsley Amis e Philip Larkin».

Ma il suo maestro Yvor Winters, che cosa significava per lui, con quella sua «durezza»? «M'importava la sua poetica, la poesia come "tecnica di comprensione", che deve investire non solo la riproduzione dell'esperienza, e le reazioni che l'accompagnano, ma anche il tentativo dell'autore di capire di che cosa mai stia parlando».

In questo momento però gli interessano soprattutto i problemi metrici. «Quando ho cominciato a scrivere poesie "sillabiche" mi sono reso conto che improvvisamente potevo disporre d'una certa spontaneità di percezione e di linguaggio che mi mancava usando i metri tradizionali. Ma mi sento ancora a disagio in questa frattura fra i due diversi tipi di poesie che faccio, quello metricamente intenso e quello sillabicamente casuale. Ognuno esclude troppo dell'altro...».

Non per nulla i suoi eroi intellettuali (*My Sad Captains*...) sono sempre dei *duri* sfortunati: Julien Sorel, il Coriolano di Shakespeare, Caravaggio in Santa Maria del Popolo, Claus von Stauffenberg, «Rastignac a 45 anni». Lui ne ha trentaquattro, è venuto dieci anni fa, dal New Movement inglese, direttamente qui. «L'Est, New York, Harvard, con tutti quei gilets così *voluti*, mi davano l'impressione di non uscire dall'Inghilterra, mentre San Francisco è la miglior piccola città al mondo. Piena di gente calda, che non cerca l'infelicità, che non si vergogna di se stessa... E sentirmi espatriato, o comunque straniero, è una condizione per mantenere l'individualità, vivere soli, non confondersi in una "vita letteraria" troppo congeniale che fa perdere tutte le possibilità, tutti i doni»...

E «Baudelaire tra gli eroi»... Ma i suoi fiori saranno della violenza, non del male... Una poesia maschile e solitaria che deve suonare eroica e casta alla maniera dei metafisici, non già dei romantici più o meno decadenti. Macché Byron o Hemingway, Montherlant e corride. Semmai, un John Donne che abbia scambiato la tonaca di Decano col giaccone di Marlon Brando, cuoio nero ancora ottimo. E un buon metafisico saprà essere più metaforico di chiunque; e provare che la parola astratta e la dichiarazione diretta possono diventare materiali altrettanto buoni per la poesia. (Come sapeva bene il Leopardi del *Canto notturno*). «Così il poeta è una coscienza che si esamina confrontandosi al mondo; e l'arte della concentrazione e della trasparenza, prima d'ogni dissociazione della sensibilità, deve tendere a una precisa definizione degli oggetti. A una lucida concentrazione sillabica dai riflessi di fuoco freddo». Cioè: ecco ancora Coleridge? O quei tipici poeti che si legano alla sedia o al letto di contenzione e fortissimamente vogliono la percossa? Naturalmente, con energia, profondità, abilità tecnica eccelsa, gran piglio d'arroganza yeatsiana, passione senza illusione, disincanto, coraggio, coglioni, puntuale controllo delle ferite...

Allo State College di San Francisco vado a trovare James Schevill che con Evan Connell jr è il miglior poeta californiano d'oggi (se ha un senso etichettare regionalmente due ragguardevoli artisti per il solo fatto che sono nati qui, vivono e lavorano a San Francisco). Tipici poeti da «piccole riviste»: hanno pubblicato ora le raccolte che m'hanno emozionato di più dopo le «cotte» per Gunn e per Lowell. Di Connell, *Notes from a Bottle Found on the Beach at Carmel*, un ampio poema di duecentocinquanta pagine fra l'Eliot della *Death by Water* e il Pound dei primi *Cantos* e le vaste tappezzerie liriche-tropicali di Saint-John Perse, con una folla di riferimenti eruditi e citazioni storiche ed etnologiche e simboli presi da J.G. Frazer e da Jessie Weston. Fa venire in mente anche abbastanza Sanguineti.

Schevill preferisce chiudere la descrizione ragionata di un processo mentale nel «giro» d'una composizione breve, riunendole magari in brevi serie; e nella sua raccolta *Private Dooms and Public Destinations* si vede subito come dalle prime immagini di spiagge e fiere e paesaggi notturni e funerali abbia fatto presto a passare a un panorama di idee, di persone, di gesti.

Dirige il Poetry Center e tiene la cattedra di Poesia da due anni. Lo incontro mentre sta uscendo dalla lezione, in un edificio tipo Bocconi a tanti piani e corridoi, in mezzo a questa università in fondo alla parte nuova della città, vicino alle spiagge. Mi dice che dieci anni fa aveva cinquemila iscritti e adesso ne ha quattordicimila. Si può insegnare la poesia? Glielo chiedo subito (Thom Gunn, per esempio, a Berkeley insegna letteratura inglese, non poesia). Ma sorride: «Non si spiega certo dalla cattedra come si fa a scrivere versi. La classe di Poesia è un sostituto del caffè letterario francese o italiano che qui non esiste. Provvede un ambiente utile dove discutere e scambiarsi opinioni, e correggerle, per questi studenti che altrimenti non troverebbero nessun posto per parlare con qualcuno dei problemi che li interessano. In questo senso la classe di Poesia è un servizio pubblico, perché offre appunto servizi non disponibili altrove in questa città».

Oltre ai seminari, m'informa, organizzano ogni anno un Festival di Poesia, commissionando componimenti che gli autori vengono a leggere direttamente. L'ultima volta, fra gli altri, Brother Antoninus, Ferlinghetti, Gunn, Snodgrass. E girano dei cortometraggi sui poeti: uno su Roethke, per esempio.

E il clima intellettuale californiano, come lo vede? «La crescita certamente si riflette sulla cultura; ma in modi diversi. Non esiste ancora un'editoria, è noto. Ma ci sono i lettori e ci sono i soldi. Presto ci sarà, dunque. Per il resto, non credo che esista una cultura californiana tipica. Sono nato a Berkeley, abito qui, sono stato via spesso, sono tornato, ma non posso dire che derivi dalla regione alla mia poesia molto più di un certo senso di spazi, di paesaggi. Gli altri, poi, vengono per lo più dal di fuori... Si procede su basi individuali...

«Del resto, finita la grande epoca... morti o morenti i grandi scrittori tutti insieme, Hemingway e Faulkner e Cummings e Williams e Stevens e Frost... non si capisce ancora... Però l'attività è grande. E la ricerca dei valori individuali per me significa per esempio che si è fatta troppa poesia sulle cose, e specialmente sulle piccole cose, su sensazioni minuscole e ridicole. Mi sembra che sia ora di tornare a occuparci delle persone, della drammatica relazione fra l'uomo e il mondo...».

Per questo le sue poesie più recenti s'intitolano a eroi emblematici e a simboli intellettuali: l'inchiostro gelato di François Villon; Charles Péguy che fa il pellegrinaggio sbagliato: da Notre-Dame a Chartres, cioè «da spirito a spirito» (e non da Versailles a Chartres: «dalla forza orizzontale "secolare" alla passione "religiosa" verticale»). Il giuoco della roulette russa in casa Majakovskij. L'inno funebre per Hemingway, intitolato *Alla congiunzione «e»*. Omero nella caverna di Platone. San Tommaso e la Parola Eterna. Il Principe di Machiavelli («Dio è una donna / l'arte della guerra. / Impara ad amare / sopra la cicatrice»). Descartes che compone un balletto «in cui danzerà la mente di Dio / e la Regina Cristina vedrà i miei ballerini trionfare sopra la morte». Rousseau che porta i suoi cinque bambini all'Ospizio dei Trovatelli «considerandosi un cittadino della Repubblica di Platone». Marx a Soho che scrivendo il *Capitale* racconta ai suoi bambini la storia del «meraviglioso giocattolaio Hans Roeckle». Il canto di Freud morente sul fumo del suo sigaro («doppia carne / doppia vita / l'amore è un letto / dove angeli e diavoli / tormentano e giocano / doppio calore / doppia fiamma / l'amore è una furia / per amare e trovare / un solo nome»). E l'incontro di Wallace Stevens con George Santayana: «Qual è la divinità se brilla soltanto / nell'atto dell'adorazione...». E Wittgenstein che «scruta in fondo al pozzo cercando la chiarezza delle parole...».

E gli altri? Mi chiede ridendo se intendo i beats. Come tutti ripete che sono esistiti solo sui giornali a caccia di pittoresco. «Del resto non ci sono più da tanto tempo perché sono andati via anche proprio fisicamente. Ciò che esisteva, semmai, era una protesta diffusa dei giovani contro un certo tipo di establishment politico e culturale, una lotta generale per i valori individuali; ma questo esiste dappertutto, anche a Mosca».

E le riviste? «Sono tantissime: perché è facile anche per chi non ha ancora un nome trovare soldi e amici e fondare una piccola rivista. La difficoltà è che una volta erano dirette da una persona sola, di cui riflettevano i gusti, mentre oggi sono generalmente nelle mani di comitati sempre più burocratici dove si deve tener conto delle esigenze di tutti finendo immancabilmente in un compromesso. Un comitato di redazione per forza finisce per annacquare tutto a furia di «do ut des». Devono mettersi d'accordo su troppi punti, concedersi troppo reciprocamente... Il vero problema è che non si può accettare il principio di questa specie di "machine control" quando si crede in una certa misura nel gusto individuale...».

E dopo questo bel libro di poesie, cosa sta facendo, lui? Un ampio poema, ispirato alle ultime lettere dei soldati da Leningrado. E si occupa anche molto di teatro, dopo aver passato qualche stagione lavorando a Londra insieme alla Littlewood, e prima ancora a Berlino con Brecht: di tutt'e due parla con entusiasmo. Come gli era parso Brecht umanamente, gli chiedo. «Affascinante... una personalità complessa...». In che cosa credeva? «Nell'uomo, sinceramente; e in Marx. Per questo non amava la Russia, non ci voleva andare per non vedere da vicino "l'assenza di marxismo"; e quando è passato a Berlino Est (semplicemente perché a New York non era riuscito a impiantare un suo teatro, io lo conoscevo fin da allora; e a Berlino invece gliene offrivano i mezzi), si è sempre tenute aperte tutte le strade per l'Occidente».

E lui, Schevill, per il teatro cosa sta facendo? *American Power*, una commedia, o meglio due atti unici, per due attori, da due punti di vista differenti. Una satira dello Spazio in termini di «alta» e «bassa» commedia (alta, per lo Spazio). L'argomento è come si diventa padroni del potere negli Stati Uniti: ma trasferendo la tecnica di potenza del buddhismo Zen nel campo della politica americana contemporanea, con un rovesciamento di parti fra chi è il padrone e chi è il candidato (il candidato è una donna).

Certo, aggiunge, oggi tutto il teatro com'è, diventa un problema non soltanto di stile di prosa, di qualità di linguaggio: proprio l'usura delle convenzioni temporali impedisce ormai di adoperare la sequenza cronologica tradizionale... Più si va avanti, più appare la necessità di rappresentare un «tempo» simultaneo, passato e presente e futuro sintetizzati nello stesso «atto»...

GOLD A «FRISCO»

Herbert Gold sembra avere – o sarà una mia impressione – molti aspetti in comune con Italo Calvino, al quale somiglia fisicamente e di cui è amico. Nei racconti dell'uno e dell'altro s'incontra lo stesso tipo d'intellettuale quarantenne d'origine piccolo-borghese che ha sfiorato la guerra giovanissimo, ha vissuto con una certa intensità il dopoguerra; si è liberato di un bel po' di pregiudizi, ma tiene in piedi qualche sovrastruttura ancora comoda; è venuto scoprendo le «buone cose della vita», con ilare energia, concentrando le prime istanze moralistiche su limitati obiettivi fondamentali e generali. Un'ambizione bilanciata; una riluttanza istintiva a «mettersi in vista»; e insieme un rifiuto a «fissarsi», rinviando di anno in anno le prove maggiori: cioè il Romanzo Impegnativo e l'Amor Coniugale.

Più ritroso, più cauto, con più radici e più «piani», il nostro. Meno metaforico, più estroverso, Gold: vitalissimo ma probabilmente più disincantato. Quantitativamente più prolifico: *Salt, Love and Like, The Optimist, Birth of a Hero, The Age of Happy Problems, The Prospect Before Us...* Con un costante sorriso da «bravo ragazzo americano» e tutti i sensi svegli spericolatamente puntati sulle preoccupazioni urbane e suburbane degli Stati Uniti d'oggi. L'amore, la mancanza d'amore, il lavoro, i vicini, il divorzio, la psichiatria. E la Virtù Americana. E la Colpa Americana. Dalle università alle villeggiature, da Madison Avenue alle comunità degli immigrati ebrei ai deserti al neon del

Middle West. E la *vita* così *difficile* in questi tempi: con tanto da guadagnare (posizione, casa, macchina), e tanto da perdere (macchina, casa, posizione). Anche qui, nella California dei «movimenti» allo stato nascente.

Le domande sono le stesse «contenute dentro ogni atto eseguito da un uomo o da una donna». Cosa dobbiamo fare della nostra vita? In che direzione il prossimo passo? E poi, cosa? Quando? Dove? Come? Perché? Giusto o sbagliato? Per chi vivo? Chi sono io? Lo scopo della narrativa sarebbe dunque di «esplorare delle possibilità». Ma che figura ridicola, per un narratore serio, sorprendersi nei panni di «un filosofo sistematico che guida un Tram Chiamato Realtà per rientrare a casa – nella Verità – dopo un giorno di duro lavoro»... Un Visconte Rampante o Dimezzato può andar cercando la propria Realtà in un balletto; ma Amerigo Ormea incappa in alcuni fatti reali nella vita di tutti i giorni. E l'Immagine della Donna non sarà mai concreta come Sally o Judy che si lavano le calze. Le opere si mantengono volutamente «minori». E altrettanto programmaticamente cambia faccia ogni volta la ragazza accanto al protagonista: «Lo scapolo che è solo un altro acrobata in bilico nel circo disorganizzato dell'amore e del matrimonio in America».

Gold è partito da Cleveland, Ohio; ha fatto il paracadutista in guerra; è stato a Parigi e a Haiti per qualche tempo: sa bene il russo; e abita beato a «Frisco» da tre anni. Lo vado a trovare a casa sua, un pianterreno fra gli alberi in cima a una collina straordinariamente campestre, nel centro della città. «Qui è sempre aprile» dice. «A casa, quando c'era bel tempo, bisognava correr fuori a goderselo. Qui si può star dentro a lavorare senza rimpianti: è bello sempre...

«Per molti americani,» spiega «San Francisco è come Parigi negli anni Venti. È possibile vivere a un livello nuovo, liberamente; spendi poco, la società ti accetta come sei, di vere difficoltà non ce ne sono, e tanto meno pasticci con l'immigrazione o la lingua. Bel tempo, si mangia bene, le ragazze in bikini tutto l'anno, musica... Basta allungar le mani e vengono giù i soldi. La gente, assetata di cultura: ti riconoscono, ti stanno assieme volentieri. Quindi, più possibilità, più riconoscimenti, e la sensazione di far parte comunque di una società, della *tua* società. Invece di spender soldi in abiti pesanti a Chicago, meglio spenderli qui in teatro e libri...

«Certo, tanti vengono di fuori senza tradizioni, senza legami né radici; quindi rimangono sospesi per aria. Astratti, senza regole, nessun terreno dove posarsi. Niente impegni, verso nessuno. Molti amano questa sensazione d'irresponsabilità. Ogni decisione basata sull'umore o la simpatia. Nulla d'obbligatorio. Tutto che si torna a decidere da capo, dalla professione al sesso: voglio essere questo o questo... Mi darò allo Zen o allo sci d'acqua, alle lotte per la libertà o alla collezione di francobolli?...

«Naturalmente è una vita artificiale. Ma l'infelicità dipende soprattutto dall'uso che si fa dell'Est: New York, piena com'è di obblighi sociali... Chi ha bisogno di pressioni dal di fuori, ci stia pure, fa bene. Qui però il mondo non preme. Della propria vita, uno può disporre per produrre. E per me star qui è come Taormina: una villeggiatura dove si lavora bene; e con una differenza, la vita sociale e culturale in più. È una vera città, dove è possibile camminare, far l'amore. Abbastanza piccola da conoscere amici, stare insieme. Grande abbastanza per fare i propri comodi. Ero venuto per un anno, chissà quanto ci starò. Scrivere alla mattina; tennis nel pomeriggio; e la sera, "my lady"...».

Scendiamo per una quantità incredibile di sentieri ombrosi, rive fiorite, pendii pieni d'erba e cespugli e casine: col traffico e i grattacieli tutto intorno e mezzo chilometro sotto. Sediamo a un ristorante hawaiano del '30 che lo diverte molto, con una Dorothy Lamour che arriva in gonnellino di rafia e banane a portar pozioni gelate al rum. Fra totem e tabù e maschere tribali, il solito discorso sui maestri.

«I Faulkner, i Fitzgerald hanno avuto influenza sulla generazione precedente, ma non su questa... E quella parodia di un Diogene letterario moderno che è venuta fuori da Hemingway... cioè un cercar reputazione e non gloria, formule e non saggezza, sollievo per i propri disturbi e non risolutezza di fronte alla morte... Dopo tutto, Diogene cercava l'onest'uomo al mercato portando una lanterna, non uno specchio. Ma la fissazione autobiografica guida a un pathos da frasi memorabili sulla lapide funebre...

«La società celebrata dai Wolfe e Anderson e Dos Passos e Steinbeck ormai ha un'importanza solo storica. E gli pseudo-leaders hanno finito per morir tutti... I vecchi problemi ce li sentiamo ancora addosso come trent'anni fa, quando le ideologie sociali che riempivano la testa agli scrittori davano poi come tutto risultato dei finali di romanzo tipo "Egli è morto per tutti noi, ragazzi!"... Ma c'è stata di mezzo una confusione di ottimismi successivi, tutti temporanei: la vittoria in guerra, una prosperità economica speciosa, la mancanza di un ideale politico importante da sbattere in faccia agli errori veri o falsi dell'America...

«Si capisce, i narratori si addossano adesso una parte tradizionalmente svolta dai filosofi, dai metafisici, dai leaders religiosi, e poi sono tornati al più elementare fine poetico: la conoscenza. Cercar di sapere, farsi le domande essenziali... Naturalmente altri si sono rifugiati in vecchie solfe di tutto riposo; resipiscenze religiose, dogmatismi politici, l'edonismo nonché la sua anemica nipotina psicanalitica, l'ossessione per la buona salute fisica: un ideale da assicuratori o da masseuses, una caricatura del purgatorio classico che raggiunge ordine e calma attraverso pietà e terrore... E il nuovo melodramma borghese? Herman Wouk, ovvero "Arriviamo noi marinai di carriera"; Sloan Wilson, ovvero "Confessa la verità a tua moglie, e metti anche il pigiama di flanella grigia"; Cameron Hawley, ovvero "La Passione secondo San Luce"; la scuola di Marquand, ovvero "Che cosa triste esser tristi, però che cosa anche signorile"...».

Le maschere tropicali ci fissano, i rum aumentano, la Dorothy Lamour passa avanti e indietro con banane infilate dappertutto. «... E pensare che chi ama la narrativa sul serio lo fa perché riguarda le uniche domande che hanno un senso oggi. Che rapporti fra libertà e isolamento? Quando sono solo e quando indipendente? Quando mi sento responsabile? E quando gregario, affondato nell'isolamento socializzato? Quando sono egoista nell'insignificanza, selvaggio nell'incoerenza? Quali sono le relazioni fra amore e forza, fra amore e debolezza? Perché devo amare e lottare, sfidare la mia età e la Storia? Perché devo morire, e chi sono io? È questa la domanda a cui anche Joyce e Nabokov devono rispondere, la relazione causale con la società in cui si vive è un punto morale. È una domanda come uno spinacio fra i denti, ci appesta il fiato appena ce la poniamo; e non è neanche una domanda tipica dei nostri tempi. Lo spinacio è ancora visibile fra i denti di Dostoevskij, Tolstoj ha la bocca piena di verde. Il grande scrittore esplora sempre il proprio spazio interno e il mondo fuori, e cerca un nesso: *dev'esserci una coerenza*, insiste. È l'ego debole che si dimena invece in cerca di forti asserzioni, si immola nella burocrazia e nella pubblicità, strilla a tutti: "Aiutatemi, ditemi che ci sono anch'io!". E giù quindi memorie d'infanzie trepide e conculcate, esposizioni del già esposto, lutulenti ricordi di guerra, imitazioni di James e Kafka, autogingillarsi col Peccato e le Magnolie al Chiar di Luna, tutto un interior decoration della prosa, come se il narratore fosse l'allodola di Shelley che "versa fuori il suo cuore in torrenti d'arte non premeditata", senza riflettere che lo scrittore è una bestia pelosa e non un uccello alato...

«Insomma, da un lato il delitto di *hybris*, il folle orgoglio che induce il misero mortale a paragonarsi con Aldous Huxley o William Saroyan... Dall'altro ecco l'esemplare chiarezza di Saul Bellow, che alla stessa domanda "perché sono qui?" risponde ironico: "perché ci sono, e basta!". Oppure disperato: "perché ci sono, e non basta affatto"».

Usciamo in giro per il quartiere, e sembra una passeggiata alla Gene Kelly nell'*Americano a Parigi*. Gold accarezza il bambino, raccoglie le patate cadute alla vecchina, tira un calcio a una palla, si ferma a far due complimenti alla moglie di un amico, assicura a tre ragazze che sono diventate più carine dalla settimana scorsa, tutte e tre.

Ma fra gli autori operanti adesso... «No, nessuno è in grado di esercitare una vera leadership intellettuale» afferma. «Bellow e Nabokov certamente hanno un'influenza considerevole: ma stilistica, perché scrivono bene. Altrimenti, si rimane nel campo delle public relations, della moda come effetto del giornalismo alla "Time". Formule abili, che sintetizzano ogni idea in uno schema pubblicizzabile, destinato a essere sostituito alla stagione successiva, e di cui sono vittime gli scrittori di talento. Si può fare una cronologia, perché il ritmo è regolare: cinque anni fa Kerouac; quattro anni fa Ginsberg; tre anni fa Salinger; due anni fa Mailer come giornalista; l'anno scorso Albee; quest'anno Baldwin...

«Così ormai gli scrittori americani compiono l'atto gratuito in pubblico, gridano le proprie difficoltà sessuali sui tetti, come il sordo che vuol farsi sentire... Questo esser diventati "public commodities" è la peggior disgrazia capitata agli autori americani dopo le borse di studio ai reduci di guerra. Questa tentazione della vita pubblica, che impedisce la vita privata, la quale sola rende possibile la letteratura... Per che cosa, poi? Per parlare in pubblico, aver la fotografia in copertina; per esser riconosciuti dal negoziante d'automobili, dalla padrona di casa. Perché oggi le padrone di casa conoscono almeno di nome gli scrittori: la mia sapeva perfino qualche titolo. E con questo?... Mentre in Francia, quando De Gaulle stava per salire al potere, passeggiando di notte vedevo la finestra di Sartre illuminata fino a tardi; e trovavo consolante per tutti la responsabilità di qualcuno che pensa seriamente per gli altri... Vogliamo fare un paragone con una lettera aperta di Mailer a Kennedy o a Castro su una rivista di moda? C'è una bella differenza, mi pare...».

Passiamo per la scuola d'arte, una Brera rurale su un precipizio, con un chiostro mediterraneo, un pozzo ottagonale a piastrelle tipo Vietri, sculture di gesso e metallo sull'erba, una ragazza di Tokyo che lui «riconosce dalla biancheria appesa», dice; e barbuti che studiano quieti in una bella biblioteca foderata di legno, su poltrone rosse di cuoio.

La letteratura più giovane? Parla d'anarchia, individualismo, mancanza di gruppi, nessuna affinità fra un autore e l'altro. Chi lui preferisce è George Elliott, autore di *Parktilden Village* e di *Among the Dangs*. Nato in California, vissuto a New York, insegnante in varie università, ora a Syracuse: «la prova che non ci sono solo movimenti *verso* la California.

«... Mentre qui si farebbe così in fretta, volendo, a guadagnar soldi facendo gli scrittori "brillanti", i compromessi sono tanti... per la televisione, "storie allegre di gente allegra con allegri problemi"... ghost-writing d'autobiografie di buone donne... Oppure, vivere con pochissimo a Sausalito, mangiando angurie: intellettuali che non hanno nulla in comune, né di letteratura né di politica né di sesso. Stanno insieme fra amici, al caffè, nella libreria, pubblicano insieme senza influenzarsi, dividendo le bottiglie e le donne e le gite alla spiaggia...».

OFF-OFF

Rivisitare N.Y. nel '66 o '67 può risultare più impressionante che in ogni déjà vu. Uno slogan facile come «le dighe sono franate!» rispecchia davvero la fattualità. Emerge in queste nuove stagioni un'America «altra» che fino a poco fa non si vedeva, eccitante e forse inquietante ma ora davvero tangibile perché contestando il «sistema» o i «canoni» rovescia intanto ogni previsione anche recente dei profeti sociologici e dei critici di cultura. O altresì dei luminari economici: le risposte sembrano inadeguate, se si indaga sui gruzzoli eventualmente raggranellati dagli autori dei manuali di economia su cui ci si formò da studenti. Pieni di previsioni. Ma le impressioni più invasive, alla superficie e anche sotto, sono proprio queste: franate le dighe.

E in realtà? Ormai è chiaro che sotto le gravi complicazioni in casa e fuori a causa del Vietnam, i Poteri hanno furbamente deciso di *mollare tutto di colpo* sul piano del costume. E questa liberalizzazione brutale e improvvisa produce risultati entusiasmanti. Ma anche rudi, violenti, goffi.

Già. La Libertà d'Espressione (o Sfogo) finora procedeva a passettini. Minuscoli, nel campo della protesta politica e dei tabù di costume. Qualche piccola «parolaccia» in più, ogni anno, nella stampa giovane e negli spettacoli adulti. All'indirizzo dei presidenti, delle forze armate, degli organi anatomici pudendi, di qualche religione fra le tante, dei prodotti benvoluti dal popolo dei consumatori. Qualche centimetro di pelle più esposto. Qualche satira un po' più acida, ironie più «progressive». Qualche denuncia, sequestro, «causa celebre» (Henry Miller, Burroughs) con assoluzioni che portano avanti, «lento pede», le situazioni... Insomma, progressi graduali e graziosamente positivi.

Ora, ecco tutto superato da uno sblocco effettivo e brusco dei procedimenti. Senza paragoni nella storia dei recenti secoli. Così pare che non esistano più limiti alle manifestazioni di ostilità o antipatie per le istituzioni e le persone e le vicende. Né alle esuberanze di una «facoltà di esprimersi» senza alcuna censura politica o di sboccataggine.

Se non «carattere dominante», questo pare così il connotato sociologico più vistoso dell'America d'oggi. Una violenta inondazione di pornografia liberata, e ormai addirittura indecisa sui propri scopi, sommerge e affoga ogni fase precedente. «Playboy» sembra veramente, adesso, una pubblicazione familiare per il nonno e la nonna: un album su cui ricordare i cari vecchi tempi, infinitamente più innocenti delle figure pubblicitarie maschili e femminili che reclamizzano i più melensi prodotti con allettamenti – su tutti i muri – già al di là del credibile. Fuori dalla loro semi-clandestinità, assumono un aspetto «generazionale adulto» quei giornaletti di corrispondenze bizzarre tanto in voga sottobanco fino a poco fa: e proprio quelle raccolte di «piccoli annunci» più o meno succulenti con desideri così o cosà – spesso con foto demoralizzanti ma golose e arcaiche – oggi bersaglio di parodie generalmente spiritose sulle riviste come «Evergreen»... Del resto, basta controllare le edicole. Le opere erotiche più rinomate e proibite ormai tutte ripubblicate in paperbacks da pochi cents: senza che l'abolizione delle censure sembri influenzare la cronaca criminale. E costano anche meno di un quotidiano quei giornaletti locali come «The East Village Other» o «The Statist» dove si trovano delle inserzioni abbastanza incredibili, oppure trouvailles da passare di mano in mano finché diventano celebri: come una famosa commemorazione della morte di Walt Disney sotto forma di festa boschereccia dove tutti i suoi personaggi, da Biancaneve agli animaletti della foresta, si abbandonano ad atti spiritosamente «innominabili». O l'ancor più famosa descrizione (data come «capitolo tagliato dal celebre libro di William Manchester») delle abominevoli operazioni perpetrate da Lyndon Johnson sul cadavere di Kennedy, in presenza della vedova irata, «per trasformare il foro d'uscita in un foro d'entrata». (E subito dopo, un avviso: gli abbonati che vogliono disdire il loro abbonamento sono pregati di indicare il loro codice d'avviamento postale).

Nello stesso tempo, pare abbastanza straordinario come un grosso paese in una brutta guerra, gonfio di tetre preoccupazioni, coltivi senza il minimo impedimento i «mille fiori» di un'opposizione furibonda che va dalle aspre e ragionate condanne della politica militare del presidente Johnson su tutte le riviste dabbene, alla ribellione teppistica dell'insulto antipresidenziale sotto forma di sconcezza e d'ingiuria. Basta, anche qui, uno sguardo alle edicole. Non esistono davvero precedenti, nella storia moderna. Ed è proprio questo che fa esclamare a tanti americani: «Non abbiamo mai avuto un governo così liberale!». Magari con l'aggiunta: «Dovrebbe reprimere *almeno* qualche cosa...». E magari le riflessioni: «È mai possibile che un uomo così scaltro com'è sempre stato Johnson sia diventato improvvisamente uno sciocco? non è pensabile che un ex-liberale tanto illiberale abbia improvvisamente delle botte simili di liberalità». Non per nulla viene permessa la riapertura di quei locali sfrenati e assai goderecci – backrooms nei bar, bagni e saune maschili... – funzionanti nell'Età dell'Innocenza fino a Eisenhower, e chiusi per le raggiunte consapevolezze sotto Kennedy fra uno starnazzare collerico di più minoranze colpevolizzate; e anche per questo l'uccisione di Dallas viene fantasiosamente ripresentata, di tanto in tanto, come effetto terroristico di un *plot* di immoralisti impegnati e vendicativi.

Si torna qui dunque con intenzioni perentorie: osservare le nuove strutture culturali di minoranza ora à la page perché *off-off*. Provenendo da ambienti ove tante attività artistiche e operazioni critiche inevitabilmente coincidono. E si fanno rapidamente Tradizione: in base ai successivi Decenni e Periodi, e alle relative Mode codificate («in stile anni '30-'40») nelle storie del cinema come nelle guide alberghiere. Però abbisognano di qualche Sistema in grado di fornire organizzazione e strumenti per i tentativi alternativi, e le iniziative contestatrici non avallate e spesate dagli Sponsor.

Dietro le facciate chiassose o sconvolgenti, ora qui, sembra addirittura sconcertante constatare come nell'emergenza dell'America «nuova» le arti stiano trasformandosi profondamente, basicamente, diventando innegabilmente «altra cosa»: in una metamorfosi continua delle forme e dei generi; o «scambiandosi le parti» per i passaggi incessanti e inquieti di un artista dopo l'altro da un mezzo d'espressione a uno diverso. Magari, per il costante assillo americano della Ricerca dell'Identità attraverso l'esperienza: l'identità propria, e l'identità (o l'esperienza) di una forma espressiva.

... La pittura che diventa film... La scultura che non sta più ferma... La musica diventata soprattutto happening... La coesistenza di possibilità che «portano avanti» pezzi di mode o idee del passato recente: magari come *junk* e *funk art*... lungo la strada a doppio senso che collega l'apparizione delle Strutture Primarie ai recuperi tipo Duchamp o Cornell... E il film diventa, praticamente, tutto: e mentre c'è chi ne abolisce un «pilastro», come il montaggio o la ripetizione dei ciak, altri fanno già a meno addirittura della macchina da presa, lavorando direttamente sulla pellicola, intanto certi vecchi cinema sconsacrati ritornano a funzioni teatrali abnormi, grottesche, scurrili, che del teatro «di parola» non hanno più nulla, e del teatro *come rituale* invece conservano tutto... E invece le operazioni più squisitamente teatrali, i riti pittorici più sofisticati, sembra che possano funzionare specialmente attraverso il «mezzo» e la proiezione del film...

Sembra cioè impressionante che in ciascuna arte emergano tutte insieme delle *nuove partenze* – dal teatro off-off-Broadway al cinema «underground» alla musica più aleatoria – che ne metamorfosano radicalmente i presupposti. Questo pare il lato veramente straordinario dell'America «altra», nella sua stagione attuale: che il teatro e il cinema e la musica e le arti figurative presentino in uno stesso contesto una serie di proposte – preziose, o rudi – con un solo valore in comune: non chiudono un'epoca, da epigoni, ma aprono strade nuove, come precursori.

Certamente, in quanto operazioni d'esordio, questi lavori offrono appunto, specialmente, *aperture*: non già risultati definitivi o maturi. Però queste proposte «di partenza» bastano a fare invecchiare di colpo i risultati delle fasi appena precedenti: con la conseguenza che da una prospettiva storica e di gusto ora il cool jazz o il film di *Ulysses* o magari Albee sembrano appartenere – di colpo – al Dugento.

Una sensazione immediata: stavolta la scissione è definitiva. Esistono ormai due Americhe. Due «territori» nettamente divisi: due «zone» incompatibili e autosufficienti. Non riesce più possibile entrare in un «ambiente» coi segni che distinguono l'altro. E chi fa degli avanti-e-indietro fra le due «regioni» non può più passare «di là» con gli abiti e le mentalità in uso «di qui». E viceversa: neppure con gli alibi della vacanza.

Di qui, le giacche scure e le cravatte a righe e le camicie standard e le scarpe in serie dell'ordine invecchiato: bene che vada, le tinte smorte del cashmere. Tutto improvvisamente decrepito, verdognolo. Di là, un ordine opposto: tutto nuovo, anche più in serie, ma furiosamente povero. Coloratissimo: però, mai alla maniera allegramente rinascimentale dell'ultima Londra. Tutto più tetro, esasperato: leggermente sinistro. Fuori di sé... Colori più mescolati e meno lieti. Calzoni più bassi, camicie più proletarie, cinturoni molto più militari; desert boots economici; stracci messicani; e una prevalenza di stivaletti e blusoni di pelle fra il motociclista neurotico e il cowboy esaltato e l'esibizionista ridicolo. Si finisce per «dover» possedere i due corredi: adoperandoli con la stessa frequenza... Ma in questo fifty-fifty continuo, fra Upper e Lower Manhattan, ormai non si capisce più bene quando uno è «vero», e quando si sente travestito.

Questa America «altra» sembra definitivamente emersa nelle ultime stagioni. Al «be-in» pasquale si sono contati, al Central Park. Erano più di 350.000 cloni e droni, intruppati; e si vedono nei film dell'occasione: un vasto quadro di serenità colorata che trova riunite le nuove masse protagoniste della vita urbana, per la prima volta fuori dal loro habitat, il pittoresco contesto delle vie fieristiche al Greenwich Village e delle avenues dilapidate nel basso East Side. Un picnic rurale fra l'erba e gli alberi, al sole, con i bambini, e i panini, le «mises» più fieristiche... Come recuperando antiche feste patriottiche o religiose, con vesti a fiorami di massa, in una campagna dimenticata, e comunque ormai impossibile da raggiungere... Su ogni sfondo, l'apparire delle torri del Central Park South o West, grigie sorveglianti nell'uniforme architettonica del vecchio capitalismo: più presenti intorno alla folla che non i poliziotti con l'ordine di non disturbare i flower children anche vecchietti... Così, la protesta contro la violenza e la guerra, e il dissenso dalla politica del governo, manifestato con il peso muto della presenza collettiva, arrivano a coincidere con una polemica vivente sulla Natura e sul Verde, un'evasione dai miasmi della Giungla d'Asfalto verso una campagna non contaminata... e non a un livello classico-romantico da «Italia Nostra», ma come richiamo popolare-arcadico a Toro Seduto, se non a J.-J. Rousseau.

Ora il «territorio giovanile» si vede presente dappertutto, come un sistema completo di riti e miti e vestiti e valori e divertimenti, e «design», e «sound». La non-violenza e il colore acido sono gli aspetti più appariscenti dell'America «nuova». Subito dietro, un rifiuto disincantato e spontaneo dei valori convenzionali americani fissati da generazioni di sociologia descrittiva, di una società congelata sui miti risaputissimi del successo e della carriera.

Una regione giovanile sempre più vasta li sta respingendo serenamente, come fisiologicamente, senza curarsi di discutere in polemica contro l'arrivismo furioso che è sempre stato lo stile di vita degli anziani. E si capisce come non sia possibile un dialogo. Un ambiente coltiva una spirale sempre più fitta di luoghi comuni: l'arrampicamento aziendale, il raggiungimento spasmodico delle vette del potere, l'agenda carica d'appuntamenti fino al grottesco, le segreterie, le telefonate, le colazioni d'affari, i weekends di lavoro, e un infarto a cinquant'anni fra le risa dei colleghi sopravvissuti. L'altro ambiente, talmente «distaccato» da adottare piuttosto il vecchio motto dei motociclisti di San Francisco: «Born Losers»... dispostissimi ad abbattere qualche grattacielo a Manhattan, per far spazio agli ortini dell'insalata...

E qui sarebbe sensato, semmai, sorprendersi per il ritardo di questa reazione smitizzante? «Doveva» prodursi, fatalmente, in un clima sempre più pesante di «successo a ogni costo», così carico di quella violenza che si avverte nelle città americane come un'oppressione fisica fatta d'aggressività, villania, spietatezza, neanche dissimulate, a tutti i livelli – dalla rudezza incredibile dei tassisti all'indifferenza offensiva dei camerieri, all'aggressiva sdolcinatezza dei commessi – fino al gusto della guerra: certe macchine coperte di slogan tipo «Bombardate subito Hanoi», certe sfilate patriottiche in Fifth Avenue con cinquemila cittadini in uniforme, e reduci esuberanti, e mamme con le giberne, e cartelli con inni ai «nostri valorosi ragazzi», e Martha Raye in uniforme da paracadutista, a sessant'anni...

L'America «altra» appare invece come una variopinta regione superficialmente serena, e sotto sotto più che complessa. I suoi patroni dinamici sono assai disparati: da Martin Luther King a Bob Dylan, da Allen Ginsberg a Timothy Leary, con «temi» che vanno dalla lotta per i diritti civili alla propensione per qualunque droga all'inclinazione pastorale... E non di rado, gli ingredienti risultano contraddittori: come il gusto (insieme) della vocalità dolcissima, belliniana, di Joan Baez, e delle scatenatezze di complessini aggressivi che fanno sembrare i Rolling Stones, al confronto, un'orchestrina di dame viennesi...

Questa America «nuova» si distingue dalla solita perché le si contrappone in tutto, a partire dalla sua «cifra» figurativa: un «lettering» inedito e capzioso, colorato, psichedelico, allucinatorio, come prendendo l'Art Nouveau là dove s'era fermato, e portandolo avanti, mescolato a un *pop* vagamente *camp*.

Da copertine per *lp* di tendenza, posters per locali alternativi con orchestrine trendy. Questa America non si saprebbe definirla del tutto «giovane»: parecchi anziani cercano volonterosamente di celebrarla e di farne parte, per motivi anche poco belli. Né va qualificata completamente «moderna». Infatti si riattacca consciamente a parecchi aspetti del costume indiano, in quanto passato remoto americano specifico, e tradizione più «giusta», in quanto precede la violenza portata dai bianchi. Intanto respinge numerosi aspetti del costume americano recente: a partire da tante retoriche della gioventù.

Non più durezza, combattività, fretta, grinta, arrivismo, crew cut: secondo i modelli della convenzione pioniera e poi guerresca, suffragati da Hollywood e dai marines, e naufragati nei manierismi isterici dell'Actors' Studio. Al loro posto: mitezza, dolcezza, calma, sorriso svagato, capello lungo. Un inaspettato ritorno all'eterosessualità, magari di gruppo: allontanandosi dalla mitologia «muscolare» dei bravi ragazzi americani coraggiosi e senza cervello, che diventano come niente assassini pur di obbedire a un ordine del loro adorato sergente che li sottomette volenti... Questo continuo richiamo ai «perdenti» diventa etnico quando si rifà (anche nelle facce imbiancate, e truccate con colori forti) agli indiani aborigeni e al modo pellerossa di vivere, apparentemente sereno e tribale, senza conflitti, immerso nella natura e nei cosmetici, uccidendo solo le bestie necessarie alla cena.

I motivi prediletti conducono volentieri, più che a una dissacrazione, a un'appropriazione indebita dei simboli nazionali più sacri, dalla bandiera alla torta di mele; a un gusto per gli emblemi presi come decorazione e non come simbolo. Cioè, come significati, non come significanti: la divisa dei lancieri del Bengala, o delle guardie rosse di Mao, indossate non come richiamo all'imperialismo ottocentesco o alla rivoluzione culturale, ma semplicemente perché i colori son belli, e van bene con le cravatte indiane o le patacche da commendatore. Come già la bandiera inglese, le «stelle e strisce» vengono adoperate, per i loro bei colori, e il grazioso disegno, in una quantità di modi: quadro di Jasper Johns, quadrante d'orologio, costume da bagno, borsa da spesa, cuscino da sofà, macinino da caffè. Magari, semplicemente bruciata ai giardini pubblici, proclamando che la torta di mele (simbolo della mamma) fa venire il cancro, e la patata al forno (segno della nonna) è un allucinogeno sconvolgente. Sembrano buffe trovate Dada o Pop? Certo meno buffe, in una situazione così duramente visiva, così dominata dalla persuasione pubblicitaria, dove Hollywood e la politica e le chiese e le bibite e le creme solari e la guerra fanno appello ai cittadini-consumatori con tecniche identiche e simboli intercambiabili (si confondono invero facilmente).

Si nota anche subito una tendenza diffusa ad abbandonare spesso le realtà quotidiane orribili o fastidiose, per rifugiarsi nell'estasi provocata chimicamente. Miti, gentili, quieti, un po' vaghi; dopo il tramonto, addirittura assenti, o un po' troppo eccitati... Questa pare la sola caratteristica attuale condivisa dal mondo giovane e dall'anziano, che oltre tutto ci guadagna sopra sia vendendo i prodotti sia poi fingendo scandali nei giornali dabbene. L'America sembra soprattutto affaccendata a prendere sostanze di varia natura per allontanarsi dalla vita e soggiornare in altre «dimensioni» dove si vedono tanti bei colorini e si sperimentano sensazioni di espansione esilarante... Parecchi prodotti si vendono nei negozietti specializzati, con attrezzature pittoresche reclamizzate liberamente dopo la gran voga della banana fumata, diventata un simbolo di «libertà interna» contro cui nessuno può azzardarsi a dir nulla, perché l'industria della banana è uno dei pilastri commerciali degli Stati Uniti: capace anche di provocare rivoluzioni di destra nel Centro-America quando la banana viene in qualche modo conculcata.

Sulla banana tutti han voluto dir la loro, come con quei libri conosciuti solo attraverso le recensioni. Tante poesie e manifestazioni e bottoni con su «Viva la Banana». E dopo? Sulla strada aperta dalla cipollina e dalla campanula, non sembra che il bricolage domestico si avvii verso lo stupefacente da fruttivendola, accoppiato alla mania per le ricette da cucina. Piuttosto, sembra di tornare alle ricette delle streghe: prendete due zampe di ragno, una presa d'origano, il cuore d'una zanzara...

... Mentre sto fuori per qualche tempo, so già che nel mio ingressino si accumulano pacchi su pacchi di romanzi scadenti. Il problema più vivo sarà di riuscire a non leggerli fino alla stagione prossima, quando non se ne parlerà più. Appena rientrato, so bene quali telefonate m'aspettano: dolorose o spiritose sollecitazioni a votare tante, ma tante brave persone modeste o vanesie in tanti, ma tanti premi ridicoli. Sarà uscito, intanto, qualche buon libro di saggistica moderna. Generalmente tradotto dal francese o dal russo. Proponendo nozioni letterarie «classiche» – nel senso che discendono dalla Retorica Classica – e criteri critici «nuovi». Sottili, attraenti, profondi: applicabili alle nostre operazioni letterarie di natura creativa-critica... magari per sentirsi strillare «vecchie solfe!» o «mode straniere!» o «lo diceva già il Tale nell'anno Talaltro»...

Per comprendere invece il senso delle operazioni culturali in atto negli Stati Uniti, e intenderne il background, occorre premettere che è verissimo ciò che si sente dire (e se ne dubita). Verissimo: i letterati americani, così diversi dagli europei per formazione e abitudini, non praticano affatto il traffico delle presentazioni dei premi. Non ci pensano davvero. Hanno ben altri arrivismi, semmai. E così sono privi di affanni tanto gravi da drenare buona parte dell'energia creativa verso le attività bizantine o levantine della telefonata-sollecito.

Si dirà: tradizionalmente affetti dal convenzionale empirismo anglosassone. Però, anche profondamente preoccupati da questioni extraletterarie pesanti, capaci di distogliere in parte dall'attività creativa: le conseguenze della guerra nel Vietnam; la questione della Cia; l'opposizione intellettuale alla politica del governo.

È una situazione stridente, radicale ed equivoca... Il momento politico americano stimola e fomenta le più furiose indignazioni *civili*. Ma lo stesso «sistema» governativo che provoca i cittadini alla collera non ne censura minimamente le violentissime esplosioni sotto forma artistica. Così, agitata da paradossali proteste, una libertà d'espressione sconfinata, senza precedenti, finisce per assumere connotati allucinatori...

Sempre più alieni dalla teorizzazione saggistica, comunque: specialmente i più giovani. Agiscono pragmaticamente: tutti affaccendati a girare film o a preparare spettacoli; e anche a fare dei libri, degli strani libri. Però, non curandosi affatto del discorso teorico, delle dichiarazioni di poetica, delle idee generali o settoriali. Ignorando ancora l'uso di termini anche elementari: come «struttura», «semiologia», «sistema»... Non si potrebbe esibire un'immagine più precisa e inquietante della vera incomunicabilità fra le diverse culture contemporanee: impegnate in problemi diversissimi, e talmente inesportabili fuori dal *loro* contesto, da far dubitare della loro *tempestività*.

Bisogna anche notare che gli americani giovani hanno smesso da un pezzo d'occuparsi dell'Europa. Di quello che càpita fra noi, davvero non gliene importa più nulla. (Non sono stati ancora ri-colonizzati dalle accademie francesi). Sono invece informati e curiosi di ciò che viene dall'Asia: e non solo la guerra e le droghe; ma un certo tipo di musica indiana, di filosofia cinese, di arte giapponese, di mistica religiosa Yoga e Zen.

In fondo, però, sembra giusto che gli americani giovani ignorino così volentieri *la critica*. In che cosa consiste (praticamente, oggi) questa attività? Come «funziona», al di fuori di quelle superbe operazioni di Nouvelle Critique, così entusiasmanti e così ancora impopolari? E che cosa ne ricevono, gli utenti? Il panorama risulta spesso lamentevole...

Ecco, nella «Partisan Review», Susan Sontag: sta mettendo la critica attuale, non solo americana, sullo stesso piano di quei rabbini pochi decenni prima di Cristo, umilmente convinti della mediocrità spirituale della loro epoca in confronto con l'età d'oro dei grandi profeti. Così convinti, e anche abbastanza sollevati, certo, da dichiarare terminata per sempre l'èra delle profezie, e definitivamente concluso il canone dei libri profetici.

Potremmo osservare: la stessa cosa capitava ai primi umanisti del nostro Rinascimento, carichi di complessi d'inferiorità nei confronti dei Greci e dei Latini. Ma la stessa cosa pare capitata, dice la Sontag, quando con altrettanto sollievo la critica anglo-americana ha dichiarato definitivamente concluso il periodo dell'avanguardia sperimentale. Intendendo, proprio: per sempre.

Qualunque innovatore letterario moderno viene infatti celebrato, normalmente, per aver «fatto saltar per aria» le convenzioni artistiche del suo tempo, «esploso» le regole stesse del suo mezzo espressivo. Per avere, in qualche modo, «abbattuto una barriera». (Non per avere effettuato riconquiste). Ma queste celebrazioni rituali non mancano mai di sottolineare come – ahimè – qualunque rinomato genio innovatore sia in realtà l'Ultimo Avanzo d'una Stirpe Infelice. Normalmente, «chiude un'epoca» (o una via), invece d'aprirne di nuove. Dunque, per la Sontag, l'interesse d'una critica «così brillantemente retrograda» si basa sostanzialmente su «bancarotta di gusto e disonestà di metodo».

Ma qualunque apprendista strutturalista osserverebbe piuttosto come una critica ossessionata da falsi problemi come la chiusura delle epoche o l'apertura delle strade sia fondamentalmente vittima dei fantasmi ottocenteschi dell'evoluzionismo e della teleologia. Cioè, quei pregiudizi basicamente storicistici per cui un libro o un quadro o una musica hanno un senso e un valore non molto «di per sé», ma per l'azione dinamica esercitata in un certo contesto socio-culturale. Insomma: perché «portano avanti il realismo di un Tizio», oppure «reagiscono contro il simbolismo del Talaltro».

Così, la sinistra intellettuale più attualmente sofisticata, in Francia, delusa dalla Storia e dalle sue Dialettiche, esegue le sue operazioni culturali decisive voltando le spalle a Sartre, per rintracciare nell'antropologia secondo Lévi-Strauss... cosa?... non solo un gusto pittoresco per l'uomo primitivo «alle soglie della Storia» (già vagamente edipico), ma un modello «sincronico» di regole strutturali da riportare attraverso l'applicazione linguistica sui metodi della Scienza Letteraria. Qui si rivalutano dunque l'istituto e il funzionamento della Retorica Classica: contro la «critica» del Prima e del Poi, del *Da* e del *Fra*; e un Gérard Genette segna fra gli altri questa fase, successiva alle marmoree sistemazioni di un Northrop Frye.

«Nella coscienza letteraria generale, lo spirito della retorica tradizionale è morto all'inizio del diciannovesimo secolo, con l'avvento del Romanticismo e la nascita concomitante d'una concezione storica della letteratura... Mentre la situazione retorica si occultava nell'insegnamento, la si vedeva riapparire sotto una forma nuova, nella letteratura stessa, con Mallarmé, Proust, Valéry, Blanchot, in quanto essa si sforzava di prendere a carico la riflessione su se stessa, ritrovando in modo inatteso la coincidenza delle funzioni critiche e creative. In un certo senso, la nostra letteratura attuale è tutta una retorica, perché è contemporaneamente letteratura e parola sulla letteratura». (E qui potremmo aggiungere: *ecco* le ragioni per cui amiamo tanto il romanzo-saggio e una saggistica pressoché «romanzesca»...).

Scendendo da livelli simili, pare naturale che nei confronti della critica «anziana» i giovani americani usino soprattutto le loro facoltà «mcluhanistiche» (e istintive-animali) per individuare esattamente «quello che va bene» per loro da quello «che non va». Così come non sbagliano un colpo nella scelta di un giornale o nel rifiuto d'uno spettacolo. Sempre senza leggere una sola parola scritta: affidandosi non tanto a quello che si chiama «il fiuto», ma in realtà a un sensorio complesso di sviluppo recente, per cui ora i giovani *sanno* (come i gatti) le cose che i vecchi «non sentono». E sempre, senza leggere nulla.

A chi viene da territori così intensamente «critici» come i nostri, questo atteggiamento potrebbe forse far girar qualche testa: anche se questo attuale *distacco dalla critica* non è che una nuova metamorfosi del *distacco dalla teoria*, basico e costante. Ma insomma, per esempio: come vedono loro la critica, soprattutto accademica? Tutta anziana, ripete sciocchezze, dunque tutta da evitare. Ma questa indifferenza non è una «risposta» o una «reazione». Con i vecchi non si dialoga, meno che meno si polemizza. La Contestazione non c'entra, ancora. Si ignorano, così come non si va in certi negozi conservativi: non per «posa», ma per fastidio. Esiste, poi, per caso, un qualsiasi critico giovane? In qualunque «specialità»? Tanti rispondono, generalmente, *no*. Anche un po' sbalorditi. Non ci avevano mai pensato, prima.

Tutto un modo attuale di «far critica» – in America come in Italia – sembra infatti che stia limitandosi a un grossolano «resoconto dei fatti». Spesso con un odore sgradevole di esaltazione pubblicitaria per conto di terzi. Oppure, di risentimenti e acredini per sfogare chissà quale biliosità propria. Tanto più insistente e molesta, la faccenda, quanto più un paese è culturalmente ristretto... Mai, invece, un qualche tentativo di «interpretazione di idee»? Questo lo si vede bene nel taglio e nel tono delle recensioni giornalistiche: l'unica «forma» (superficiale e affrettata, timida o saccente) coltivata da una «classe critica» autoconfinatasi da decenni nella «cronaca» (che segue), escludendo con tutta la propria attrezzatura mentale il taglio e il tono del «saggio» (che, invece, non di rado *precede* la creazione artistica).

A parte l'esaltazione pubblicitaria sospetta di venalità, e lo sfogo biliare che rasenta spesso l'insulto, il difetto più vistoso di molta critica (non solo italiana) consiste in un attaccamento esageratamente sentimentale alle correnti e alle persone e alle opere di cui il critico s'invaghì negli anni giovanili dell'innamoramento facile. Di conseguenza, un iroso rifiuto di qualunque fenomeno culturale presentatosi con un minimo d'autorità nelle epoche successive al decennio individuato come propria privata Epoca d'Oro o Scala d'Oro. I nomi che si presentano in seguito vengono svillaneggiati con esasperazione e fastidio, in proporzione diretta al loro peso specifico e alla loro autonomia rispetto ai progenitori: giudicata presunzione e invadenza.

Sostanzialmente, i «moventi» di questa critica paiono due. Un'incancrenita pigrizia d'ordine storicistico nel giudicare un qualunque fenomeno. Non lo si valuta normalmente *di per sé*. Lo si considera invece come «fase» in una sequela di eventi o in un contesto: da registrare in una schedina per chissà mai quali Annali. Non per il suo (qualunque) valore, dunque: ma secondo paragoni o frizioni con gli antecedenti e i contemporanei. E poi, un invecchiato scetticismo provinciale accoglie con irritazione ogni novità capace di turbare il tran-tran stabilito, gli interessi creati, i presepi accomodati, i sonni tranquilli. E dunque, ribatte con cinismo di fronte a qualsiasi buona fede altrui.

Esempi: i critici parigini tipo «Figaro», per cui nulla di serio avviene mai in teatro dopo Achard e Anouilh. Anche i critici italiani di mezza età, per cui ogni ideale rimane accumulato, a dispetto delle bassezze più corrive, nei letterati di mezza età, nei registi e negli attori di mezza stagione. E nei casi di benevolenza, i fenomeni culturali degli anni Sessanta vengono giudicati in base agli affetti del Venti o alle nostalgie del Trenta o ai parametri del Quaranta...

In America, il tono della recensione letteraria corrente varia da vent'anni fra l'angosciata arguzia delle riviste, e la bonarietà semi-sofisticata dei quotidiani e dei supplementi. La recensione cinematografica andante ondeggia fra l'impressionismo della sensazione personale immotivata, basata sull'«umore» dell'Ego, e il suffragettismo spiritato tipo «imparate ad apprezzare Resnais, ignoranti!». Nella critica teatrale, la situazione pare ancora più rozza, concretamente: i giornali normalmente diffusi non recensiscono e nemmeno elencano gli spettacoli più vivi di queste stagioni (che sono imprese di minoranza). Però non hanno torto: nessun giovane legge mai questi giornali. La separazione è avvenuta...

E la critica, come si comporta, fra queste metamorfosi e transizioni? Assume gli atteggiamenti? Tenta... Controlla le situazioni? Prova... Ma soprattutto nel campo teatrale le posizioni e le figure sono talmente semplificate da risultare «emblematiche» come Don Chisciotte e Sancho, o «tipiche» come Toni e Giacomino.

Così da un lato esiste la posizione di Walter Kerr, che decide sul «New York Times» il successo o il fallimento degli spettacoli a Broadway. Con estrema coerenza, e forza d'urto. Salva specialmente (e le raccomanda) le commediacce da boulevard che piacciono al pubblico suburbano cinquantenne, e piacciono a lui come «vero teatro».

D'altra parte, funziona a tratti un'opposizione estremamente variabile che generalmente arriva sulle riviste in soccorso di spettacolini già defunti... Si sa che la critica può venir fatta con criteri di consenso o dissenso, e con uguale entusiasmo o scetticismo. Per esempio, parecchia critica teatrale italiana viene eseguita normalmente con criteri corporativi, come la musicale: all'interno di un ambiente dove tutti si conoscono da tanti anni, e magari si compatiscono. Le recensioni saranno terra-terra ma molto «specializzate», in quanto si occupano solo di teatro, evitando tutti gli altri argomenti importanti, variamente «scottanti», nella cultura contemporanea. Scansando, cioè, i «temi» letterari o filosofici o musicali o politici o variamente scientifici o artistici. Ma come dice Ripellino nei suoi saggi sul teatro russo: «Spesso il teatro ci servì di pretesto per discorrere delle altre arti, che vi confluivano come in un fervido estuario...». Giusto come in Chiaromonte e De Feo e Radice, in Vigolo e Mila e D'Amico... Fra quei temi di cultura soprattutto contemporanea senza i quali veramente la recensione d'uno spettacolo «vale» e interessa quanto quella d'una mostra di rose. Altro che le cronache sportive.

Ecco, Walter Kerr ha questo in comune con la critica letteraria anziana. È un critico che arriva sempre «dopo», a raccontare le sue banali sensazioni di vecchio amante del boulevard, poco amico della cultura di tutto il Novecento. Non viene mai «prima», nel senso di indicare una strada, aprire un cammino, proporre delle idee ai teatranti e al pubblico: sia pure attraverso l'interpretazione. Oppure comprendendo qualche cosettina un po' prima degli Altri. Esegue recensioni estremamente superficiali. Evita qualunque approfondimento drammaturgico: considerandolo, si vede, estraneo ai limiti della recensione, che poi diventa slogan pubblicitario, sulle locandine. Non si muove mai; e se ne vanta. Non ha mai avuto la curiosità di vedere nessuno degli spettacoli che hanno portato avanti il teatro in Europa negli ultimi decenni; e quei pochi che ha visto a New York, non gli sono piaciuti. Parla sempre di spettacoli che ha visto nel Trentacinque, ne ha visti tanti, e li ricorda volentieri. Mai una parola su un libro.

Inoltre, vede la critica come «cadreghino» perpetuo; e la sua attività primaria, come una trama incessante per conservare e giustificare il Posto. Non sembra che passi il suo tempo, come si fa in Europa, a caccia di altri Posti: consulenze o presidenze connesse col Posto. Oppure, divorandosi nel terrore che qualcuno gli porti via il Posto. Non gli deve mai esser venuto in mente che i critici teatrali più ragguardevoli, G.B. Shaw o Max Beerbohm, e poi Kenneth Tynan, hanno esercitato la critica solo per un breve periodo, come un'attività transitoria, da abbandonare per ipotesi più interessanti appena uno s'accorge che rischia di ripetere delle noiosità, perché in quattro o cinque anni si è già detto tutto. Gli devono sembrare insensati, quei giornali inglesi dove numerosi critici agguerriti e competenti si scambiano continua-

518

mente le parti e le rubriche, alternando un anno di recensioni teatrali a un anno di recensioni cinematografiche, facendo ogni tanto dei lunghi viaggi, o magari occupandosi di poesia, mentre il loro posto viene occupato per un mese come «vice», magari da Angus Wilson o da Kingsley Amis, perché «li diverte»...

In compenso, come Harold Hobson a Londra, si compiace acutamente della propria posizione di legittimista maligno, e compone ogni recensione come un'immaginaria confutazione «modernissima» di «ciò che diranno i soliti», cioè gli avversari scioccamente progressisti e «poco furbi». A questi, oppone le proprie dure spiritosaggini di vecchio ostinato elefante conservatore «che la sa più lunga degli altri» e «duro a morire». E per esempio continua a riscrivere: «Lo so che tanti non mi possono soffrire, eppure dovranno sopportarmi ancora per un bel pezzo: non ho nessuna intenzione di far piacere a chicchessia, ritirandomi». (E magari, l'utente: «Preferirei rilassarmi davanti alla TV»).

Bisogna dire che il suo più preciso avversario (fino a poco fa), Robert Brustein, faceva di tutto per confermarlo in queste attitudini, perché componeva le sue recensioni nello stesso modo. Cercando di prevedere tante finte saggezze spregevoli e filistee, reazionarie alla maniera di Walter Kerr, al solo scopo di confutarle con disprezzo prima ancora che Walter Kerr si sognasse di pubblicarle, e dando così l'impressione di vivere acutamente ossessionato da Walter Kerr... Scrivendo, per esempio: «Stavo per immergere la penna nella formaldeide, e cominciare una confutazione nel mio stile più velenoso...». (E l'utente: «Pietà. Per lui»).

Ma Robert Brustein ha pronunciato i discorsi d'opposizione più acuti e sensati di questi tempi sulla decadenza del teatro americano. «Qualche anno fa, la fine del nostro letargo nazionale veniva segnalata, nella maggior parte dei settori culturali, da una furia di rivolta radicale e fermento artistico; però il teatro, tradizionalmente retrogrado, continuava ad assopirsi in mezzo alle pappe più mediocri. Impenetrabile ad ogni esperimento, inaccessibile ad ogni impresa, ostile ad ogni pensiero. Finanziato da produttori timidi, confezionato da commediografi pedestri, e giudicato da recensori convenzionali, quasi ogni spettacolo americano emanava una puzza di squallida soddisfazione che operava come un narcotico su un pubblico già rimbecillito dal benessere... Queste condizioni mi hanno assegnato per forza una posizione d'avversario».

Brustein teneva un discorso lucido e furibondo. «Indifferente alle trippe e agli sciroppi che costituivano i massimi successi d'ogni stagione a Broadway, e depresso per le malevolenze antipatiche pronte ad accogliere qualunque lavoro con aspirazioni superiori alla bassezza, mi sono infilato in punta di piedi in una carriera di recensore, curioso di vedere se un teatro in malora poteva ancora sottoporsi agli stessi rigorosi esami che tuttora si applicano alla letteratura, alla poesia, alla musica, alla pittura... Come critico drammatico, la mia responsabilità principale tendeva a valutare e spiegare lavori di qualche interesse, ma siccome questi apparivano molto di rado, sono stato obbligato a ripiegare su un altro scopo: identificare i vari ostacoli sulla via d'una vera arte drammatica... Ecco perché la maggior parte del mio lavoro finiva per diventare una forma di critica distruttiva».

Ma lo stato del teatro americano attuale riesce sempre più deprimente per il critico «distruttivo». Nei confronti di Broadway, Brustein agli inizi tentava «di giustificare le recensioni di successi balordi, usandoli come pretesto per discussioni saggistiche su argomenti generali». Poi non ce l'ha più fatta, a occuparsi di balordaggini. Così, si limitava a scrivere in tre occasioni: novità o riesumazioni significative (anche se brutte); mascalzonate da svergognare; stranieri in tournée che «reggevano» un discorso. In quanto all'off-Broadway, «il successo l'ha subito deteriorato». I nuovi teatri stabili, come il Lincoln Center, risultano «neanche una resurrezione della vecchissima Broadway, ma meramente un suo spasimo postumo». E l'Actors' Studio? Una timida truffa, però anche scandalosa, per intrufolarsi nel «frou-frou culturale» con un Metodo tagliato su misura per Broadway. «Lee Strasberg è stato l'arredatore d'una struttura franante senza far niente per modificarne le fondamenta». Arthur Miller? «Informe, tedioso, sbrodolone, confuso. Il peggior difetto di *After the Fall* è la disonestà: dovrebbe farsi recensire nelle rubriche di pettegolezzi. *Incident at Vichy* è un Gran Premio della Colpa corso nel fango; e riporta indietro il teatro al 1930». Edward Albee? «Civetta col suo talento. Non crea profondità, ne simula l'aspetto». LeRoi Jones? «Un sadomasochista fantasioso, ispirato dallo sciovinismo razziale».

Siccome dunque il teatro «continua a simulare valori e a fingere impegni», Brustein abbandona la critica per passare a dirigere la scuola drammatica dell'Università di Yale, con pieni poteri. Ma come Kenneth Tynan, passato dalla critica combattiva alla direzione del National Theatre britannico, sta suscitando nella sua nuova posizione un vespaio di controversie e di biasimi. Presenta, per esempio, a Yale, i nuovi modelli di

520

teatro politico di protesta. Ma a questi può spesso applicarsi una sua vecchia condanna: «Sembrano preoccupati delle più importanti ansie moderne, però qualche essenziale impegno manca seriamente... Ora che la rivolta culturale è diventata un'arma dei buoni affari e dei mass media e delle riviste di moda, una folla di hipsters e di loro agenti sfrutta cinicamente le paure e le pretese di un pubblico semi-educato». Inoltre, la sua politica di chiamare attori e registi di Broadway a lavorare con gli studenti viene discussa con ostilità dai teatranti più giovani, che vedono come un contagio nello «stile dei vecchi».

Così, se si domanda agli autori degli spettacoli nuovi più interessanti a New York quale sia il loro critico «congeniale», rispondono d'accordo: «Nessuno». E chiedo: «Avete un "vostro" critico?» a parecchi registi nuovi, a parecchi scrittori giovani. E loro rispondono sempre: «Non ne abbiamo». E fra i più vecchi? Nessun «favorito»? Rispondono: «Loro non ci vedono; e noi non li vediamo».

... Ma dietro i problemi che angustiano la cultura americana di questi tempi, un greve background è costantemente presente: come si risolverà la guerra nel Vietnam? dove andrà a finire l'affare della Cia? Non si può più perderli di vista, questi temi, considerando qualunque faccenda culturale americana d'oggi: così come il «chi vincerà i premi di questa stagione?» rimane la preoccupazione di fondo per intendere qualunque giravolta della cultura italiana.

Fra queste preoccupazioni così diverse dalle nostre, l'opposizione intellettuale alla politica del governo sta già raggiungendo punte estreme. Noam Chomsky ha appena scritto nella «New York Review of Books», che «occorre prendere misure illegali per opporsi a un governo indecente». E si stanno moltiplicando i manifesti ispirati («oltre» Bertrand Russell) a una non-violenza talmente dissimile dal vecchio pacifismo, che non rifugge da iniziative e decisioni estreme.

Ora, gli adulti comunque ragguardevoli per posizioni accademiche o culturali rischiano (tutto sommato) poco: anche se pubblicano manifesti per invitare i cittadini pensosi a pagare soltanto la metà delle imposte. Si presume infatti che sia questa la quota-parte del reddito nazionale confluita ad alimentare una guerra disapprovata dai cittadini più moralisti d'una nazione tradizionalmente rigidissima nelle questioni etiche. Male che vada, un professore che si agiti per liberalizzare le attività degli studenti su qualunque piano viene arrestato con la moglie e la figlia e il genero e diversi giovani ospiti (come è capitato a Leslie Fiedler, a Buffalo), perché trovato in possesso di marijuana usata da tutta la famiglia, privato dello stipendio, e diventato una *cause célèbre*. Però qualche opinione benpensante comincia a reagire così, ormai: molto meglio la marijuana (che equivale come effetto a una sbornia di vino) piuttosto che l'LSD, il quale produce modificazioni chimiche sui tessuti cerebrali molto simili alle conseguenze dell'elettroshock.

I giovani, invece, rischiano più gravemente. Una legge piuttosto tremenda accorda infatti il rinnovo dell'esenzione dal servizio militare agli studenti che dànno regolarmente tutti gli esami, e subito dopo la laurea si trovano un lavoro serio in una ditta rispettabile. Gli altri, più sfaccendati, è probabile che vengano richiamati, e mandati a combattere in Vietnam. Dunque, inesorabilmente, come in una società feudale o autoritaria, i Buoni, cioè gli Operosi, servono l'industria. I Cattivi, e i Pigri, devono invece servire la patria odiata nel fango, obbligati quindi a un tasso di mortalità molto superiore al solito.

Questa legge parrebbe fatta apposta per compiacere il lato teppista dell'opinione pubblica anziana, quella che urla: «Mandateli al fronte, quei fannulloni!». In Italia, per esempio, se ci fosse una guerra, tanti signori anziani che scrivono lettere indignate ai giornali contro l'esistenza dei capelloni, sarebbero felicissimi di vederne tanti morire ammazzati al fronte, magari in una di quelle «radiose giornate» che vedono «falciato il fiore» della Patria Gioventù, fra il giubilo incontenibile dei professionisti benpensanti che godono a contemplare Mucchi di Cadaveri (naturalmente in divisa) nei Campi di Papaveri mentre «il Piave mormorava», «fischia il sasso», «tacere bisognava e andare avanti»... Ma nel paese dei puritani e dei quaccheri abbondano invece i vecchi rigorosi e virtuosi che non hanno mai gridato neanche per sbaglio «al muro!» o «ai forni crematori!». Si scandalizzano apertamente per certe cattive pieghe recenti della Libertà nel *suo* proprio Paese. E non stanno zitti. Sono dispostissimi a combattere «fino all'ultimo» per accordare a tutti i cittadini quei diritti (anche piccoli, anche imbarazzanti) di cui loro stessi non si sognerebbero d'approfittare.

Così, in un paese dove il giusto o l'ingiusto vengono rigorosamente e tradizionalmente determinati nell'intimo della coscienza individuale (e «fare il furbo» viene considerato il peggior delitto verso la comunità e verso Dio), gran parte del lato dabbene dell'opinione pubblica anche vecchia sembra appoggiare con commozione la resistenza dei giovani in lotta per non partecipare a una guerra che ripugna a tutti. E quasi tutti, ormai, disposti a servire le proprie convinzioni politiche e morali con qualunque espediente dettato dalla necessità. Come «per far fronte a un torto». E questo torto è un deterioramento degli standard morali tradizionali da cui tutta l'America si sente improvvisamente, dolorosamente colpita.

Sono già in vendita nelle edicole i manualetti che indicano tutte le scappatoie possibili per evitare la coscrizione. E per evitarla, proclamano la necessità di ricorrere per la prima volta nella storia americana agli esecrati espedienti della furberia: dalla fuga in Canada all'abbraccio passionale (in mutandine di pizzo) al colonnello medico della commissione di leva. Pare frequente che gli studenti si riuniscano a bruciare pubblicamente le cartoline-precetto, sostenuti dall'approvazione di quel largo settore dell'opinione pubblica che si dissocia da una guerra ritenuta ingiusta. In numerose occasioni, gli oppositori della «aggressione criminosa» al Vietnam bruciano la bandiera americana di fronte a una folla raccolta, davanti alla polizia che ha l'ordine di non intervenire. Così, come non interferisce con la diffusione delle pubblicazioni anti-leva.

Tutto questo appare abbastanza straordinario: non so quale altro paese in guerra tollererebbe liberamente la propaganda contro le forze armate e il rogo pubblico della bandiera nazionale... Ma un'importanza ancora più straordinaria si scorge oltre queste prime occasioni: come se queste rivolte disordinate o riflesse contro una legge ritenuta criminosa (e contro un certo «buon gusto» patriottico-convenzionale) stessero per aprire una via sconosciuta all'umanità nella storia recente: non già l'Emergenza contro la Tirannide, ma la rivolta «legittima» (e sancita dal costume etico) del cittadino contro le leggi della propria patria ritenute ingiuste. (Cose da tragedia greca?).

Queste inquietudini sono state riassunte meglio di chiunque altro da Martin Luther King, che è sempre stato il più responsabile «apostolo» di parte cristiana in ogni «causa» dei neri per i diritti civili: oltre che candidato delle minoranze alla Presidenza. E si era astenuto da ogni intervento sul tema del Vietnam, per non mescolare le due cause, «finché non è stato più possibile chiamare un "male" il razzismo in America, eppure ignorare un "male" ancora più grave come la guerra asiatica». Dove comincia il nesso fra i due mali, si domanda King nella recente predica dell'aprile 1967, pronunciata a New York, e pubblicata su «Ramparts».

Ecco. «Anni fa, sembrava che esistesse una vera promessa di speranza per i poveri, neri e bianchi, nel programma di leggi contro la miseria. Poi è venuta la guerra, e io vedevo quelle speranze svanire e abbattersi come se fossero un banale diversivo per una società diventata pazza con la guerra; e allora ho capito che l'America non avrebbe mai più investito i fondi e le energie indispensabili per soccorrere i poveri, finché il Vietnam continuava ad assorbire uomini e risorse e denaro come una diabolica pompa distruttiva. Così ho cominciato a vedere la guerra come il vero nemico dei poveri, e ad attaccarla come tale».

Ma la guerra faceva anche peggio che devastare le speranze dei poveri in patria. Mandava i loro figli e fratelli e mariti a morire – in una proporzione altissima, rispetto al resto della popolazione – per garantire in Vietnam alcune libertà che nessuno aveva loro concesso in Georgia o a Harlem. «Così ci ha ripetutamente colpito la crudele ironia di veder morire nei telegiornali uno vicino all'altro un ragazzo bianco e uno nero, per una nazione che non è ancora riuscita a mandarli a scuola assieme. Li vediamo bruciare le misere capanne dei villaggi, in brutale solidarietà, ma sappiamo che non potrebbero mai abitare in un medesimo edificio a Detroit. Non potevo più tacere, di fronte a questa crudele manipolazione dei poveri».

King aggiunge che quando va a predicare la dottrina cristiana di pace nei ghetti neri più disperati e furibondi, chiunque gli rinfaccia: ma allora, la nostra nazione non sta forse adoperando la violenza in dosi sempre più pesanti, per raggiungere i suoi scopi? A questo punto, King ritiene che un predicatore cristiano non possa più alzare la voce contro la violenza degli oppressi, se prima non si è indirizzato chiaramente al massimo fornitore di violenza nel mondo attuale: cioè, il suo stesso governo. Sarebbe strano se un Premio Nobel per la pace, ministro di Gesù Cristo, non si battesse per la fratellanza degli uomini oltre qualunque frontiera. Così come sarebbe insensato che un leader dei Diritti Civili omettesse di adoperarsi per assicurare una vita migliore ai discendenti degli schiavi!

Il sermone di King è scritto magnificamente, come un gran pezzo d'oratoria classica. Ricapitola con pacata indignazione i temi elaborati da quella minoranza (non solo intellettuale) ormai vasta, che ha cessato di vedere nella guerra un eccitante proseguimento della corrida adorata da quasi tutti gli intellettuali d'una volta. «La guerra in Vietnam è soprattutto il sintomo d'una malattia ben più profonda nello spirito americano ... Cosa penseranno, i contadini vietnamiti, mentre noi esercitiamo le nostre ultime armi sulla loro pelle, così come i tedeschi provavano nuove medicine e nuove torture nei campi di con-

centramento europei? ... Ma una vera rivoluzione di valori ci
farà ben presto mettere in causa l'equità e la giustizia di molta
nostra politica passata e presente ... Questi sono tempi ormai rivoluzionari ... Dobbiamo passare dall'indecisione all'azione ...
Il mondo ora domanda all'America una prova di maturità che
forse non siamo capaci di raggiungere...».

Come concluderà? «Per rimediare ai nostri errori e peccati
nel Vietnam, dobbiamo prendere l'iniziativa d'arrestare la guerra». Questo, indirizzato al governo. E alla minoranza ormai vasta? King si ferma per ora alle soglie del «prossimo passo». Ma
il titolo del sermone lo lasciava già intendere. Appunto: «Decla-
ration of Independence from the War in Vietnam». (Il resto, lo
aggiungerà il Black Power).

Sulle faccende letterarie della Cia si è discusso poco, forse,
in Italia. Però si tratta della questione più agitata e più accesa
della stagione: continuamente dibattuta, perfino sul «New York
Times». E in quanto ai suoi riflessi letterari, basta osservare
che già in Italia ci si dimena e scandalizza vivacemente, quando
per esempio un editore fa della «promotion» talmente spregiudicata da acquistare interi premi letterari per poi assegnarli,
fingendoli indipendenti, ai suoi autori. Ora immaginiamo che
si scopra a un tratto che un nostro Sifar fa una politica letteraria intensa e faziosa, e determina l'avanzamento carrieristico
di taluni autori, con elargizione di premi e di recensioni favorevoli, e l'assegnazione di cospicue collaborazioni editoriali e
giornalistiche...

La Cia, si sa, è una grossa agenzia di spionaggio che comincia a lavorare durante la Guerra Fredda per combattere il comunismo con i mezzi più svariati. Organizza, per esempio, rivoluzioni o colpi di stato in Persia e Guatemala, e in altri paesi
favorisce la caduta o l'ascesa di taluni governi. Talvolta (è dimostrato) in contraddizione con la politica del Dipartimento
di Stato. Quando queste attività lentamente si svelano, gli americani si turbano per due sostanziali motivi. I fondi della Cia
sono immensi e sottratti a ogni controllo: perciò le lunghe discussioni congressuali sulle singole minuscole «voci» del bilancio nazionale diventano una farsa superflua agli occhi del con-
tribuente che ritiene il *business* un valore supremo.

Ma anche l'orrore americano per l'inganno e la bugia si scatena vivissimo quando si scopre l'attività della Cia fra gli studenti. Tanti bravi ragazzi americani con la faccia aperta e la stretta
di mano sincera sono stati reclutati nelle università in questi
anni, e sono diventati spie. Ma non spie avventurose che fanno

«sporchi lavori» in territori lontani, con pittoreschi gadgets cinematografici. Fanno le spie in casa: generalmente, fornendo informazioni su amici e colleghi, collaborando agli schedari segreti, influenzando in un qualche senso le decisioni degli organismi di cui fanno parte. In cambio, molti soldi, ottime carriere, esenzioni dal servizio militare. E lo spontaneo sdegno americano contro la corruzione e l'ipocrisia s'aggrava quando viene provato che i «canali» per la distribuzione dei fondi risultano certi sindacati, e talune fondazioni culturali funzionano come agenti di copertura.

Ma il risentimento dei letterati esplode addirittura furibondo quando si scopre che parecchi di loro venivano cospicuamente stipendiati dalla Cia senza dirlo a nessuno – attraverso sindacati e fondazioni – magari per lavorare poco, far tanti viaggi, intervenire a congressi, dirigere riviste. «Ecco perché il Tale ha cominciato a vivere lussuosamente, e non si capiva perché». «Ecco lì come mai il Talaltro parte continuamente per Parigi e per Tokyo». Rabbie feroci, specialmente fra gli esclusi: «Ma come? Nessuno ha cercato di corrompere me? Valgo forse meno degli altri?».

Fuori da tali scherzi, però, numerosi intellettuali stanno passando dei brutti momenti: come Stephen Spender, che lascia «Encounter» dopo tanti anni litigando con Melvin Lasky (che rimane), ed esposto a più d'una «brutta figura». Sapeva che i denari per «Encounter» venivano dalla Cia? Spender dice a tavola, in pochi: erano talmente scarsi, e si poteva credere che venissero da parecchie piccole fondazioni. E lo sapeva Irving Kristol, che dirigeva «Encounter» con lui anni addietro, e adesso dirige a New York una delle tante case editrici lievemente «sospette»? Si defila... In ogni caso, uno risulta piuttosto ingenuo, se non si è mai domandato di dove piovono i dollari. Se lo sapeva, invece, è imbarazzante negare. Tanto vale fare come Lasky, che rimane, implicando: l'ho sempre saputo, ma il giornale è ben fatto, e si vende.

Fino a pochi mesi fa, la faccenda era rimasta coperta. Molte imprese favoreggiate dalla Cia erano abbastanza elevate, staccate dalla propaganda più volgare. Solo pochi agenti conoscevano la vera provenienza dei fondi. E tutti gli altri preferivano non domandarselo, attribuendoli appunto alla benevolenza di qualche vago istituto culturale. Ora, però, a partire dalle rivelazioni della rivista «Ramparts», nessuno può più ignorare niente, bisogna prendere una posizione meno «spiritosa» di chi se la cava dicendo: il vero torto di un servizio segreto è quello di far scoprire le proprie trame. E sulla «New York Review of

Books», Jason Epstein (dirigente della casa editrice Random House) ha ricapitolato la «posizione» più condivisa a proposito di tutto l'affare.

Dice: verso il Cinquanta, abbiamo visto l'antistalinismo diventare una professione lussuosamente sovvenzionata per una quantità di ex-comunisti che avevano fatto tutte le loro cose giuste nel Trenta. Questa industria, apparentemente finanziata dal Congresso per la Libertà della Cultura o dalla Fondazione Ford, costituiva un vero «apparato» attraverso il quale la Cia ha messo in piedi riviste culturali di moderata sinistra in numerosi paesi, organizza una quantità di «progetti culturali» vari, tenendo occupati in conferenze e congressi i suoi «dipendenti», molti dei quali se ne rendevano conto fino a un certo punto. Molti, però, accettavano sentendosi letterati predestinati all'agiatezza e ai viaggi, agli incarichi ufficiali e ai grandi alberghi, magari nel senso calvinistico del Guiderdone ai Meritevoli. E così, «una vera comunanza di convinzioni e interessi riuniva gli organizzatori della diplomazia americana della guerra fredda e gli intellettuali ingaggiati per fare le pubbliche relazioni alla politica americana della guerra fredda». (Analoghe considerazioni circa l'espressionismo astratto, tendenza americana di rappresentanza ufficiale progressista, ai tempi del realismo sovietico. Ma anche tendenza ebraica per aggirare il divieto di raffigurazioni umane).

All'estero, dove la Cia ha sostenuto una serie di governi reazionari, ci sono cascati molti intellettuali che non capivano bene come arrivasse il denaro, ma erano molto contenti di ricevere dei dollari. All'interno, gli intellettuali americani stipendiati finivano per appoggiare uno sviluppo sfrenato di quella «corsa al potere e al denaro che è diventata il solo scopo dell'America». Anche a costo della salute o della vita dei suoi cittadini. E con la conseguenza, fra l'altro, che la spaventosa differenza fra la ricchezza americana e la povertà dei «minori» sostituisce lo stalinismo come fonte prima dei disordini internazionali. E conduce diritto al Vietnam.

I nomi che si fanno correntemente di questi scrittori stipendiati per coprire la politica della Cia sono parecchi; e parecchi sembrano – nella loro agiatezza – «casi dolorosi». Ma Epstein non fa nomi. Riassume: l'intera vita culturale di una nazione si corrompe quando un'agenzia politica ricchissima ne corrompe gli intellettuali, scegliendone alcuni in base alla loro «posizione» politica nella guerra fredda, per impiantare un «apparato» come alternativa o contraltare al «libero mercato intellettuale» dove si presume invece che l'ideologia debba contar meno del talento individuale. Come conseguenza, organizzazioni apparentemente dedicate alla libertà culturale e alla ricerca della verità si basano nient'altro che sulla dissimulazione e sulla menzogna. Gli scrittori che vi aderiscono segretamente non potranno altro che mentire ai loro colleghi, ai loro amici, sulle questioni più importanti, culturali e personali, sui veri moventi delle loro azioni. (Proprio ciò che si usava rimproverare ai «metodi» del Comintern...).

La situazione diventa obiettivamente più antipatica perché come conseguenza di questa compravendita di scrittori «viene a istituirsi un sistema di valori arbitrario e fittizio per cui alcuni titolari di cattedra vengono avanzati a spese di altri, si nomina direttore d'una rivista il tale e non il talaltro, e in genere gli eruditi o gli scrittori vengono sussidiati e reclamizzati non già per il loro merito, ma per le loro obbedienze. La colpa della Cia non è che abbia corrotto degli innocenti, ma che abbia tentato, in collusione con un gruppo di complici, di sconvolgere un libero mercato culturale».

Mettiamoci ora dalla parte dei giovani. Qualche anno fa, quando vennero pubblicate le prove delle viltà e «distrazioni» di certi nostri anziani, contro gli ebrei e in lode al duce – e noi le ignoravamo, per ragioni anagrafiche – ricordo gli urli d'indignazione e protesta, da parte degli interessati. Che diamine, non si può cambiare qualche ideologia, maturando fra il '44 e il '45, e meditando fieramente sugli intellettuali organici «già prestati al fascismo» e l'organizzazione della cultura di regime secondo Gramsci?... Quando invece si tratta del comportamento «assente» della gioventù americana attuale, occorre bene includere fra le diverse «componenti» anche questo distacco totale dalle generazioni anziane «corrotte», semplicemente ignorandole, rifiutandole, con una indifferenza disgustata peggiore d'ogni condanna.

Ma intanto, proprio la pressione dei consumatori sembra portare avanti i progressi d'una *cultura* che parte magari dalla ricerca degli antichi sapori genuini della bisnonna dimenticata, o del boa «d'antiquariato» della Bella Otero, ma insomma per la prima volta nei tempi moderni «sale dal basso» – coi suoi bisogni o coi suoi capricci – per contrastare con azioni minoritarie, magari sostenute dalle mode, la produzione progressista di massa organizzata «dall'alto» dai Grandi Magazzini della cultura di massa; Hollywood, Broadway, le grandi case di dischi, le grosse riviste come «Time», «Life», «Newsweek»...

D'ESTATE A MANHATTAN

D'estate a Manhattan, la sera fa anche più caldo che a mezzogiorno. Scarsi spettrali estremi cocktail-parties con dei poverini lasciati indietro da chissà quali risacche, e ripetono asciugandosi i goccioloni «lo si sa, che ci si va solo per dovere e per annoiarsi, ai cocktail-parties»... Ma nel rallentamento di tutte le attività si trascina per l'aria molesta la traccia delle apprensioni momentaneamente sospese per la villeggiatura.

I grandi magazzini fanno le liquidazioni di pantaloni leggeri e costumi da bagno per gambe sottili e ventri enormi, le gallerie d'arte stanno vendendo gli ultimi posters post-pop, a questi ultimi parties svolazzano nervosamente i rimasti indietro, e nelle botteghe degli scherzi a Times Square non si sono mai viste baracconate così sconce: maschere d'orrendi mostri, finti vomiti di plastica da appoggiare ai cuscini, sospensori e mutande con scritte della più triviale ansietà... Una notte di luna calante sentivo da un tetto dei cani abbandonati o assetati urlare su numerosi altri tetti.

Sembrano, nel calore semideserto di Manhattan, sbriciolate e dissolte le preoccupazioni soprattutto civiche-intellettuali che ci avevano raggiunto fino a maggio attraverso lettere, telefonate, periodici: i letterati ex- post- e neo- stanno forse bagnandosi nelle onde gelide del Nordatlantico, o rivisitando chissà mai quali parapetti. Pare dislocato altrove, lontano, fra la provincia e qualche «campus» e il Pacifico, l'autosminuzzamento nervo-

so che stritola da qualche anno i grandi temi sempre sgranoc-
chiati dalla storia culturale e sociale degli Stati Uniti: in una società e in una cultura sempre più dubbiose sulla propria identità, sempre più incerte sulle proprie autosoddisfazioni, sempre più indecise sulla qualità e sul senso dei condimenti importati – salse e idee e tessuti e apparecchietti e propositi sulla
libertà e spezie per le salse e droghe per la mente... e confuta-
zioni meridionali o anarchiche della versione borghese-prote-
stante dell'Umanesimo... e le dissimulate *vagaries* delle glan-
dole e degli istinti...

Paradossalmente, la massima ansietà estiva apparente risulta
adesso l'enorme paura newyorchese di restare senz'acqua, è
arrivata a sconfiggere l'immensa ossessione americana per i
bagni e le docce e le cure della persona. «Tirate l'acqua solo
quando c'è un vero bisogno!» insistono le tabelle appiccicate
sopra le vecchie scritte di «Tirate l'acqua *ogni volta*!»; e le scarse fontane ornamentali presso i grattacieli del Rockefeller Center ammoniscono con tanti cartelli che stanno funzionando solo con vapori recuperati, non già con acque potabili sottratte
al consumo. Addirittura, come pressione psicologica, non arrivano più in tavola quei bicchieroni d'acqua gelata che erano
la prima offerta nei ristoranti appena ci si sedeva, come la doccia calda nelle case d'amici.

Saks e i Brooks Brothers e Bloomingdale's liquidano i loro
madras e bermudas e calzetti di spugna, emblemi di un'infanzia perduta – loro e nostra – decrepita e signorile... Lichtenstein
e Warhol liquidano infermiere bionde che soffrono in crociera, prime della classe che annegano senza aiuto, e delle Kennedy o Taylor nere nere, somiglianti a topone, a talpe. Gli antiquari tradizionali liquidano nella stagnola e nella porporina
molti secoli d'arti decorative europee-asiatiche, mentre i nuovi negozietti di carte e cere e legni e latte smaltate di colori teneri e decisi spiccano assai meno dei loro corrispondenti a
Londra: perché esplodono i loro colorazzi in una società anto-
logica-eclettica che ha sempre mantenuto tutto alla moda contemporanea – giacche a righe e cravatte scozzesi e realismo sociale e Ritorno del Fantastico Romantico-Gotico – non come
nelle nostre minuscole società che divorano un solo tessuto o
una sola idea rapidamente in una sola stagione, li consumano,
li vomitano, e non ne vogliono sentir parlare mai più.

Ma come e dove svaporano d'estate le più gravi preoccupazioni à la page per la guerra nel Vietnam e i diritti civili e le libertà politiche, fra le incomprensioni che si approfondiscono

tra i giovani e i vecchi e tra gli intellettuali e i politici... La disistima reciproca, si sa, non potrebbe risultare più manifesta fra una casta letterata che si risentirebbe vocalmente per ogni giudizio commiserativo espresso nei suoi confronti dalla classe politica, e questa che ricambia la disistima dei letterati – ignorandoli. Ma un giudizio letterario espresso dal Presidente degli Stati Uniti può lasciare naturalmente indifferente uno scrittore mandarino, almeno come un giudizio politico o strategico di quest'ultimo non arriverebbe neanche all'ufficio del Presidente. Però se il Presidente conduce la nazione agli estremi rischi, questi possono toccare in qualche misura, dopo tutto, come tutti gli altri, anche il mandarinato, firmatario o no di un numero incalcolabile di manifesti e proteste politiche non tutti attendibili nel corso dei decenni recenti.

Edmund Wilson accetta un premio letterario dichiarando: «Sono felice che sia esente da imposta, almeno non contribuirà a finanziare la guerra infame nel Vietnam», Benjamin Spock e Noam Chomsky si spingeranno anche assai più in là, ma un'incomprensione diffusa divide sempre più apertamente la casta dei letterati (reduci dalle battaglie del Trenta) dai nuovi irrazionalisti che si oppongono sia alla violenza in genere sia a tutte le massime degli anziani, sia alla guerra come industria sia al radicalismo «decoroso» e *wasp*, armati soprattutto di emblemi contro cui valgono assai poco le misure d'autorità e di polizia, e pochissimo gli editoriali o la saggistica: chitarre e capelli lunghi, fino a ieri segnale d'eccentricità e adesso «cifra» e «sigla» tra le più uniformi, culto di eroi pop omologati come Dracula e Superman, e rifiuto delle cure della persona, rifugio nel mondo dell'infanzia prolungata o dei sogni artificiosi o d'una pop-pornografia paradossale e fantasiosa o di un immaginoso neo-maomettismo polemicamente pop anch'esso... le profezie confusamente perentorie sull'avvenire dei sensi e dei sessi, il rifiuto delle gerarchie culturali avvalorate dalla Tradizione... il breakdown nervoso... il vaudevillaccio svergognato... (Ma intanto, Frank Sinatra, infallibile come già con *Star Dust* e le polverine tanti anni fa: *Strangers in the Night*... E tutti i frequentatori dei nuovi men's bars gestiti dal racket: «È il nostro inno: glances, advances...». Si ripete, così: fin dal 1960 un'amministrazione democratica ha chiuso di colpo tutte quelle tantissime cantine sfrenate dove gli omacci cattivi sulla porta facevano aspettare moltissimo prima di lasciare andar già a sudare e soffrire – sempre piene, e appartenevano allo stesso racket degli speakeasies nel '29 e delle lavanderie nel '35. Le avrebbe riaperte, alla fine, proprio Johnson).

La solita Washington Square continua a sembrare un abituale Camposanto di Pisa, in queste afe boccheggianti, con qualche Trionfo della Morte di neri ossigenatissimi che petulano intorno alla fontana asciutta. E grossi poliziotti sudati li bastonano quasi burocraticamente perché chiedono o vendono amore ai passanti nel cesso. Bottiglie, merende, mucchi di cartacce, fra cimeli e leggende, sulla scena degli alteri sacrifizi dell'*Ereditiera* di Henry James, già applaudita con Eva Magni e Renzo Ricci all'Odeon milanese.

Una cupa o seccante ostinazione del decrepito, dello sfinito, dello sfatto più lercio possibile, col vago conforto d'alcuni colorini futili e graziosi e mediterranei-asiatici, sembra concentrare con squallore programmatico in questa enfiagione alternativa tutte le opposizioni agli ottimismi anche più programmatici, alle certezze allucinanti dell'America *square*. Naturalmente, risulta anche un terreno d'evasione e di caccia per *squares* travestiti, con jeans e maglioncini; specialmente la domenica mattina. Però gran parte delle inquietudini e delle disperazioni della città (della nazione?) sembrano raccogliersi ancora, madide, qui. Il look di questo Sabato del Village sembra conservarsi largamente immutato, di anno in anno. Barbe e mèches nazarene, code di cavallo sporche, jeans ritagliati e rimboccati, piedi e sandali luridi, per impegno o disimpegno...

Ma nello stesso décor ora la piazza sembra più dura, fa più apertamente paura: tra le macchine che girano intorno lentissime, lampeggiando stracariche, i poliziotti stanno fermi a gruppi numerosi, accigliati, tenendo d'occhio con apprensione MacDougal Street che si gonfia fisicamente di branchi di Piedi Nudi in Città – ovviamente sporchissimi: gambe storte, ossa grosse, sedere enorme e sporgente, bermudas slavati, piedi larghi come anatre da fumetto. (Riconoscere i sessi? Altrettanto poco educato che distinguere i bianchi dai neri...).

Non si è più giovani, non si è più giovani, no, anche se si ritorna qui per ritrovare entro pochi pochissimi anni la propria giovinezza e la giovinezza perduta dell'America – o per dire di NO – ma come pare possibile (non sarà uno scherzo maligno?) che la nostra giovinezza se ne sia andata davvero, insieme alla giovinezza dell'America?... No, no, non mi pare di averli più rivisti, i clienti *square* degli anni Cinquanta che nei locali pagavano un dollaro a testa per la loro parolaccia «personalizzata», come a Trastevere, e si lasciavano placidamente insultare, anche con diverse trovatine da avanspettacolo, bevendo i loro ice-cream-sodas battezzati con tanti nomini ridicoli – e che bei colorini! e che linguate, sul verde e sul rosa... Né mi par proprio che il centro della piazza sia musicale-gentile come parecchi anni fa: con gli allievi delle scuole progressive e degli istituti artistici cantanti come complessini hillbilly dei più aggraziati, sempre col banjo, appoggiati maldestri su enormi cosce adolescenti...

Le botteghine stanno vendendo civetterie sempre più sbrigative: dimagranti, rinforzanti, prolunganti, differenti (per differire l'orgasmo); pillole anti-bambini; bottoni (i primi bottoni) con su «Piace anche a me», «Se sorrido ho voglia»; anche tricolori con il «Baciami, sono italiano»; cinture anche tricolori, da mare, e anche cinturini da orologio, volendo; riproduzioni di Madonne di Raffaello con relativi angioletti; pamphlets che spiegano il ritorno in voga dell'eterosessualità, e come approfittarne; materiali anti-ecclesiastici; giornalini contro tutto; feticci in forma di piede; inviti per sabati nudisti con cabaret nel New Jersey; presentazioni dei primi risultati del Realismo Estetico; esibizioni di karatè; opere sconosciute e dubbie di Prokof'ev; massaggi fatti chissà da chi; forature di lobi volendo portar l'orecchino (di piume di pavone); happenings dove non sta mai succedendo niente, ogni volta che si mette dentro la testa; motociclette con accessori deliranti e kinky; ristorantini pittoreschi di un'incompetenza deprimente; fiale e vasetti per contenere gli allucinogeni; peyote benedetto per i riti della Chiesa Nativa Americana. Quasi in ogni cantina, centinaia di film sperimentali, che risalgono fin nei retrobottega, dove s'incastrano e inanellano nelle ondate dei folk-singers e dei rock-groups che si riversano fuori dal Village Gate e dal Bitter End, con qualche banjo isolato che galleggia ancora su una schiumetta di Dixieland psichedelico.

Lo stile prevalente nelle botteghine pare un'ondata Tom Jones, e *Memphis, Tennessee*: camicie blu o rosse a enormi pois bianchi e vastissime maniche a sbuffo, calzoni strettissimi oppure a bell-bottom oppure con la cintura sotto l'ombelico – comunque, fanno vedere tutto, bene, davanti e didietro – di vellutini e rigatini color senape e malva o albicocca o rosa canina, con cinture di cuoio nero e grasso alte venti centimetri, la fibbia grande come una cartolina, spesso con due maniglie da porta infisse dietro, per fare attaccare il secondo passeggero della motocicletta «... finalmente libero di seguire la Poesia...».

Li incitano agli Affari, alla Guerra, alla Famiglia, al Conformismo, e alle rispettive industrie.

Vogliono che lavorino; si sposino; mettano su casa; mettano al mondo dei figli; combattano nel Vietnam; si pettinino e si vestano come tutti i loro vicini di casa; e muoiano eroicamente oltremare – violenti e innocenti, e ubbidienti, con la bandiera in mano.

Ma loro, nell'incertezza, non fanno nessuna di queste cose. Meno che meno, *sistemarsi,* il «chiodo fisso» delle società rassegnate.

Gli obblighi sempre più opprimenti delle generazioni più vecchie, semplicemente li rifiutano – sono anche troppi, del resto: una grammatica incredibilmente tediosa – e questo rifiuto non l'esprimono con il tetro squallore dell'engagement dei Deux Magots nel Quaranta o con l'*assenza* dei beatniks nel Cinquanta, ma con un disinteresse ridente dei capelli lunghi e delle camicie a fiori, molto meno *trip* alcolico che *On the Road* o a Big Sur.

Non costruiscono barricate e non scagliano bombe, ma siedono a terra e suonano la solita chitarra. Spinti alla guerra, si buttano invece sull'amore, e invece di uccidere il Nemico s'abbandonano al Sesso Polimorfo Rock. Obbligati, in teoria, al lavoro, preferiscono esplorare l'espandersi della conoscenza sensoriale. Invitati alle nozze, negano sia la coppia sposata sia le sue compagne inseparabili, le coppie illegittime e adultere; e si costituiscono in gruppo, si spostano in branco, lasciano cadere l'orgasmo se non è *correct* e rock. Suona l'inno dei marines, per sollecitarli alla retorica patriottica? Magari s'affezionano a un marine fra tanti, minando sventatamente la disciplina degli eserciti. Invitati a riverire le Autorità, si cotonano. Per le donne, abiti sempre più corti e trasparenti. Per gli uomini, sempre più stretti e aderenti. Preferibilmente, derivati da culture periferiche o addirittura da subculture primitive. Così riesce sommamente inautentico un qualunque dialogo fra un signore in giacca di orlon e cravatta di dralon – o fra una signora con denti di resina e permanentina azzurrina – e un (o una) giovane più o meno anziano/a che *si esprime* con un «codice» di abbigliamenti birmani o maya, o con l'alfabeto umano-troppo-umano degli organi sessuali sottolineati dalla stoffa stretta o fluttuanti nel tessuto leggero, e non si sa mai fino a che punto distolti *da* o avviati *verso* i loro fini istituzionali, multilaterali.

Paiono anche imprendibili nella misura in cui si mostrano indifferenti al denaro, e agli acquisti.

... Suggestionati a rispettare i Miti del Successo, glorificato e comunque ottenuto, ora lo riversano sui cantanti capelloni (eventualmente processati per hashish) così come i padri lo decretavano ai Santi più benpensanti del Calendario e ai miliardari anche più gangsteristici dell'Automobile. Oppure, adorano idoli anche più inquieti: Burroughs, Baldwin, Albee, Ginsberg, Genet, venendo perciò rimproverati dai fautori di Nixon e di «Playboy», De Gaulle, Onassis. Continuano a lasciarsi crescere questi capelli a ciocche, indossano questi cinturoni fra il brutale e il vezzoso, non mettono le scarpe ai piedi né (scrivendo) i puntini sulle «i», non si puliscono (talvolta) con la carta; e se vengono dagli anziani consigliati o comandati di fare il contrario, non reagiscono con rivolte drammatiche o melodrammatiche o filodrammatiche. Semplicemente, dicono carinamente di sì, sempre di sì, mai di no, e poi se ne infischiano. Percossi, violentati, presi a schiaffi, pestati sotto i piedi, reagiscono con pacifismo, da buoni masochisti bene educati: e questa doppia faccia dell'uso della violenza pagana risulta un aspetto fra i più piccanti della scena americana attuale. Fino a non molto tempo fa, infatti, solo una strada era disponibile allo *square* vero o superficiale che intendesse trascorrere una vacanza d'iniziazione masochistica dentro un carcere gremito d'omacci: insultare (fingendo ira colposa e irrefrenabile) un vigile del traffico a un semaforo rosso (si va dritti in prigione, ma senza la minima infamia, perché il furor automobilistico è una passione socialmente *comme il faut* in qualsiasi società opulenta. E nelle guardine, si sa, le violenze sono inevitabili). Ora le strade si moltiplicano.

Cosa deve fare un papà o una mamma, se quando picchia un figlio o una figlia disubbidienti s'accorge improvvisamente che questo o questa stanno provando delle eccitazioni colpevoli (erezione, si bagna) a causa della percossa, proprio come s'illustra nei milioni di trattatelli in vendita in tutte le drogherie? Si sa bene come stia diffondendosi proprio al livello del consumo di massa più spampanato e spompinato questo gusto della percossa: ai tempi di Sade sarà stato un vezzo nobiliare, ora non è già più una chicca riservata ai pochi privilegiati che non possedendo un castello o un monastero si spingono fino al Maghreb con i prospettori petroliferi, ma una comodità democraticamente alla portata di *tutto* il pubblico, con le sue istruzioni e tutto, come i surgelati del supermarket.

Basta guardare le edicole: piene di piccoli periodici che consistono unicamente in piccole poste, liste di docili remissivi in

cerca di malvagi crudeli, e magari, di tanto in tanto, anche viceversa; inserzioni che offrono e chiedono bacchettate scolastiche e iniziazioni di «fraternities» studentesche e allenamen-
ti ss e capricciosità tribali e «Inquisition lore»... Saltano fuori
infatti, continuamente, con gran titoli golosissimi sui giornali,
casi picareschi o pirateschi di smascheramento di Perfidi Tor-
turatori o di Bionde con gli Stivali che sfruttano (e fanno fuori, anche) centinaia di vittime gongolanti. Ma in gran domanda risulta soprattutto la «sculacciata materna» o la «cinghiata
paterna», impartite da figure parentali posticce secondo pro-
cedure disciplinari sempre più elaborate, che conducono prima o poi al matrimonio con una moglie-madre «energica e severa», e con la clausola nuziale che il marito verrà tenuto d'ora
in poi in fasce (*sotto* l'abito *square* da ufficio o da ditta) e rim-
proverato e cambiato tutte le volte che si bagna.

(Del resto, se al figlio o alla figlia, invece di picchiarli, si negano i soldi settimanali o mensili, beati loro hanno vastissime
possibilità di farseli dare da creature orrende, in cambio di Fa-
vori Inconfessabili, ovunque).

Ora, le generazioni più vecchie attualmente viventi sembrano abbastanza spesso vagamente naziste, ovunque, anche se si
richiamano sempre più blandamente ai valori della Resistenza, del Garibaldismo, o della guerra anti-giapponese. Naziste,
eventualmente sado-Nietzsche-naziste, perché – mentre una civile persona *correct* evoca misure razziste solo se un tipico naso
o mango razziale sta entrando nel sedere di una sorella o impedisce di chiudere la porta della macchina, nonché contro i
capelloni solo se alcuni di questi gli cascano nella minestra (e
si comporta nello stesso modo per ogni altra categoria di cittadini) – non si saprebbe definire né «liberale» né «signorile»
né «mite» un padre di famiglia in completino di pettinato che
scende dalla sua media cilindrata o si affaccia dal suo tricame-
re bi-bagni per strillare *contro*, non appena scorge un capelluto
che non gli sta dando fastidio. (Poco prima del fatale '68, al
Comunale di Bologna, il pubblico stoppò la «mia» *Carmen* in-
sorgendo all'urlo di «fuori i capelloni!», perché avevamo messo ai contrabbandieri-comparse le solite parrucche del guardaroba per armigeri, popolani, artigiani, ecc. Pochi mesi dopo, i «capelloni» devastarono e saccheggiarono il ristorante
davanti al teatro dove si pranzava con Roland Barthes per le
indicazioni drammaturgiche).

Però il buon cittadino in completino non sarebbe affatto contento se chicchessia proponesse di cambiare la pettinatura a

lui o alla sua signora in tailleur, così, perché non gli garbano...
Nei nostri vecchi paesi tutti-folklore, questo potrà al massimo divertire o contristare sul piano del costume pittoresco e della metamorfosi dei tabù tribali nella mediterraneità post-cristiana, fra Guelfi e Ghibellini, Capuleti e Montecchi. Ma negli Stati Uniti, riesce piuttosto curioso osservare come le Autorità, in qualunque area, non riescano più affatto a riproporre le idee tradizionali in *punti* (anche provvisoriamente) *fermi* di fronte al pentolone di sesso, razza, arte, ironia, diritti civili, culto della droga, chitarre, cotonature, spiritualismi, Vietnam e anti-Vietnam che gli bolle davanti, sadico e pacifista e masochista e rock.

E molti reagiscono con irritazione, e furore. Magari con la violenza. Ma la violenza genera la non-violenza, e viceversa, poi dalle due nasce come nei peggiori film di vampiri il gusto della violenza attiva-passiva considerata come una chicca di consumo, prodotta dalla collettività per la collettività... e in ultima analisi... allora... civica?...

Del resto una certa rivalutazione giovanile-intellettuale delle religioni cristiane rispetto al buddhismo Zen o al maomettismo nero si deve specialmente alla nuova popolarità delle horror stories di flagellazioni e crocifissioni, alle eccitazioni promosse dai fumetti «gotici» e da filmacci come *La frusta e il corpo*. «Come comportarsi», allora, con la gioventù entusiasta che abbandona le più sofisticate fra le religioni snob-tibetane e proto-pellirosse per avvicinarsi ai Sacramenti soprattutto perché intende la rappresentazione del Calvario come un ghiotto rituale di perfetto sadomasochismo in affreschi, dipinti, sculture, video, film? Oltre che comoda metafora, per i Calvari e Apocalissi e Viae Crucis, ogni affollato sabato in autostrada?

... Però la Vecchia Alienazione pare svaporata nel Disimpegno – nel Disinteresse, nella Disconnessione, nel Distacco – entro una calata collettiva irrazionale e «mitica» verso il nero, il povero, il femminile, il bambinesco, il pre-logico... perdendo di vista i feticci appannati della società capitalistica-puritana, e i suoi post-feticci, la rivoluzione marxista e la rivolta sessuale promossa da Freud e fomentata da D.H. Lawrence e dall'orgonico W. Reich.

Già ai vecchi tempi del *Giovane Holden*, la massa studentesca negli Stati Uniti dimostrava chiaramente di gradire, come ideale, nella più vasta maggioranza, la *soluzione* del Breakdown Nervoso fra le braccia d'una sorellina piccola, piuttosto che il ritorno alla scuola e agli esami con preparazione agli incubi della vita adulta di tutti i giorni. (Sono *segni* non arbitrari né

537

vani: servono a far capire il comportamento delle nazioni, come quando una smania yé-yé della giovinezza sovietica aiuta a capire il momento in cui la Russia comincia a far parte del Mondo Occidentale).

Ma tipicamente Leslie Fiedler, osservando dalle sue cattedre la brutalità e la discontinuità e la beffarda ironia del comportamento attuale nella *massa* degli studenti nei colleges, nota che si spostano dalle forme di organizzazione sociale «tradizionalmente giudicate maschili» a quel tipo di «comunità appassionate riferite dagli antichi alle femmine fuori di controllo». Non per nulla, le caratteristiche più vistose dei protagonisti della narrativa e della cronaca contemporanee (come *Herzog*), risultano la vanità fisica, il gusto per gli abiti fantasiosi, l'interesse per la capigliatura. Basta del resto assistere alle commediole del medesimo Bellow per notare come sia ormai esplosa nella risata baraccona quella tormentosa contraddizione fra due ideali «tipicamente americani» – Violenza e Innocenza – che aveva angosciato molta letteratura statunitense con tanti passi in bilico su un solo filo fra quei due soli poli, almeno fino a Tennessee Williams incluso, e ormai superato, con i suoi cari, da un Pacifico Disincanto.

E nel cuore medesimo della società ex-protestante ossessionata fino a poco fa dalla fissazione maschile del combattimento a mano libera o a pugno chiuso contro i pellirosse o nelle assemblee degli azionisti, la sensibilizzazione alla «porno-estetica» del «porno-pacifismo» – cioè la difficile sostituzione soft dell'Erotismo alla Guerra – viene effettuata (secondo la formula, ancora, di Fiedler) da «disertori dello stesso campo», come Norman Mailer: il suo *American Dream*, ancora più di quello di Albee, clamorosamente rappresenta «l'entrata del linguaggio *anti* nel mondo borghese di massa e di mezza età».

Le conclusioni di un saggista attento finiscono così per coincidere presto con le impressioni di un turista di passaggio. Fiedler si guarda attorno in questa età dei capelli lunghi bruscamente succeduta all'epoca del *crew cut*, e nota «gesti e toni una volta tradizionalmente associati al gentil sesso, ora annessi da ragazzi inequivocabilmente maschili, che stanno impersonando nei confronti delle ragazze tutti i "tipi" un tempo caratteristici del *loro* sesso: la vamp, la civetta, la sporcacciona, la fredda calcolatrice, la vergine pura e dolorosa».

Se la società borghese protesta oltraggiata, ad ogni contaminazione dell'antropologia hollywoodiana del Trenta, l'obiezione è lì pronta, pesante: li preferite coi riccioli e il pettine, oppure con la pistola e il coltello? (Non si sfugge? O miti e docili in America, *e anche* in Vietnam, oppure belligeranti-gangsteristici in Vietnam, *e anche* in America... Tertium non datur? Sì, l'LSD?).

Però il turista di passaggio non potrà fare a meno di notare che – forse per ora – spesso hanno ricciolo e coltello insieme, almeno in certe ore e in certi paraggi. Sarà stato un caso, ma un paio di volte la sera tardi m'è capitato d'imbattermi nel familiare spettacolo del gruppetto che taglia febbrilmente la manica della camicia intorno a un braccio accoltellato molto sanguinante, su un cofano d'automobile, mentre un altro gruppetto notturno grida «get that man!» rincorrendo un cowboy chissà mai se vero o finto, diurno o notturno, a zig-zag fra gli isolati delle Cinquantesime Strade.

Intanto è domenica, fa un caldo vergognoso su tutta l'East Coast e mi sveglio alle tre perché ho fatto delle leggerezze fin verso l'alba e poi mi sono addormentato su un tetto, a St. Mark's Place. Giusto; e cool. Il cielo, me lo vedo grigio di atroci scirocchi oltre l'aria condizionata dell'Hilton e i miasmi dell'Hudson, inarrestabili... In quali Cicladi o masserie si sarà rintanato, coi suoi capelli ventosi e i cache-cols strettissimi, l'amico «Nica» Tucci, eccellente narratore eccentrico e genitore di proli teatranti? E che ne sarà del suo pentolone di *all purpose food* che scalda ogni giorno per sé e per gli ospiti nell'Upper East Side, mangiandone una piccola parte in superficie?... Dovevo chiamare a mezzogiorno un vecchio coetaneo obeso che ha una terrazza splendida sopra l'East River, coperta di pelli di zebra: sempre piena di donne da musicals e di uomini delle praterie, perché (facendo lui il produttore) girano delle pubblicità televisive in interno-esterno con gli sfondi (più che possono) delle navi e dei ponti. E dovevo andar lì a bere un bicchiere. Mi rifarà dei trionfalismi ripetendo che un pizzico di Jewish Humor è stato (come per il più illustre regista della MGM) lo strumento del «viaggio» fra Brooklyn, dov'è nato, e Manhattan, cioè il suo successo? Risponde invece al telefono che «sta per terra». Ma non è un modo di dire. Gli è slittata una vertebra, non dice come (di sabato sera), dunque dormiva con una tavola sotto il materasso, però poi è andato a finire sul pavimento, da dodici ore è lì.

È giornata festiva: quando si può anche morire: tanto, se uno chiama, non viene nessuno. Si sono sentite certe storie... No, no, assicura. È passato di lì un cowboy diretto a Hollywood, e prima di andare all'aeroporto gli ha lasciato a portata di mano del ghiaccio e il telefono. Aspetta.

Come farà ad aprirmi la porta? Me l'apre Tennessee Williams, con una gran bella giacchettina celeste uguale a quella che mi sono preso da Saks l'altroieri, e dice subito che è felice. Lo psicanalista gli ha prescritto di «fare più azione», e lui s'è sentito subito meglio, dopo che l'ha fatta. Hanno tutt'e due dei gran bei mint juleps in mano, si fanno così solo a New Orleans: dunque sono tre anni che non ne assaggio più uno. Ma tutta la menta in rametti è finita nei loro bicchieri, non riesco a portargliela via; così ricevo solo del rum con acqua gelata ma non va bene. Però poi mi dànno anche un bourbon.

Portiamo l'infortunato con la sua asse e il suo telefono in un'altra stanza piena di Bee Gees, ci mettiamo per terra, e comincia subito un disaccordo per l'Italia. A me van benissimo il Veneto e l'Emilia, la Lombardia e il Canton Ticino; a Williams piace invece solo il Napoletano; questo Les non è mai stato in Italia, però a naso tende a preferire Positano e Amalfi; e per di più continua a darmi degli imbarazzi chiedendo se ho letto e se mi piacciono e quanto i diversi libri e drammi di Tennessee, che sta lì, e non so come rispondere, con questo caldo. Così decido d'andarmene a Brooklyn. Les invita a restare; insiste; assicura che verrà più tardi una troupe di gente stupenda e meravigliosa, è tutta la mattina che telefonano. Ma io ho sempre paura che succeda come tante altre volte, da queste parti: si aspetta, si aspetta, telefonano, si perde la sera, e poi arrivano lì dei mostri. Così vado.

Da Manhattan a Brooklyn: alle sei, è annunciata sui giornali una conferenza di Tom Wolfe in una Chiesa Memoriale agli Heights. S'intitola «The Society Dropouts» e con qualche diffidenza m'interessa abbastanza, perché c'è chi lo trova simpaticissimo, altri assicurano che mi somiglia, però ho visto nel «New Statesman» delle recensioni mica tanto simpatiche; e d'altra parte, lui, non l'ho ancora letto. Due parole a Venezia, pochi giorni fa, alla Biennale, e mezza parola a un ballo: non aveva ancora preso sole, e portava una giacchina color corda.

Brooklyn Heights è sempre una vista fra le più incantevoli in città, dopo i ponti di ferro sopra le chiatte cariche e i grattacieli gotici che van giù, alle spalle di Wall Street. Questa chiesa è nei vecchi paraggi di Truman Capote, un'aula Tudor e patriottica piena di bandiere e signori e signorine che si confidano sui banchi imbottiti per chi han votato alle ultime e per chi voteranno alle prossime. Una bonzona a fioroni vende sulla porta i biglietti da un dollaro, un presbiteriano o un metodista sistema i ventilatori, un altro suona il clavicordo. Ancheggiano come pazzi. Turbanti di piquet bianco, sotto rosoni a disegni da cashmere. Molte scollature da mezza sera.

Ma sono le sei e mezza, e Tom Wolfe non è ancora arrivato. Forse sarà ancora a Venezia, come pochi giorni fa. Il reverendo s'affaccia, fa un po' di scuse per il ritardo, e due o tre bambine in mezza sera distribuiscono ciclostilate delle sue prediche recenti. Una ha per oggetto la Grande Muraglia Cinese. Un'altra, Dio. Un'altra ancora, il film e il romanzo *The Collector*.

Mi par di ricordare, Tom Wolfe a Venezia diceva che voleva andare prima a Londra. Entra un gruppetto d'arlecchini in madras: quei vestitini fatti cucendo le pezze quadrettate per versi sghembi. Esce il reverendo, e dice che Tom Wolfe ha telefonato che non viene. La bonzona rimborserà il dollaro. Corro immediatamente all'Amato Opera Showcase.

Ma intanto il signor Amato si è trasferito sulla Bowery, che come indirizzo suonerebbe (in teoria) anche più intimidatorio di Bleecker Street; però ha riattato una cantina tutta linda, e come vicino ha una stazione di servizio Gulf al posto di un certo bar di motociclisti crudeli, chiuso da un paio d'anni perché avevano cavato per mero passatempo gli occhi a un arredatore chic, e lui s'era subito ucciso con la testa nel forno a gas, trovato ancora caldo dall'amico che tornava a casa senza saper niente. La cantina ha pareti cementizie, il sipario è rosso, si rappresenta *La Forza del destino*, con cast sempre diversi, e siedono in platea i parenti degli esecutori. Non più di quaranta posti. Suonano due pianisti, diretti dal maestro Stelio Dubbiosi; e cantano Gary Varnadore, Tom Caltabellotta, Serafina Bellantoni, Boris Cristaldi, John Marsala, Ines Scimeca, Jean Cymbala, sommariamente truccati. Tutto molto sul serio. Non un sorriso. Via subito.

Arrivo in tempo, appena incominciato, al teatrino della 13th Street, dall'altra parte del Village, a due passi dall'ex-tana del Living Theater, e subito dietro il Trude Heller's, rinomato santuario del yé-yé mondanissimo all'inizio del suo tramonto: queste salette da trenta posti vengono battutissime, in questa stagione, dagli impresari dei saloncini da centotrenta seats alla ricerca di Talenti da Promuovere, in autunno. Stanno generalmente dando delle nervose parodie di cabarets vittoriani, melodrammi pacifisti, vaudevilles d'opposizione, feuilletons sincopati con dei surrealismi un po' swinging per sbeffeggiare un po' di idee fisse contemporanee. Porte cadenti, tappeto liso. Una bianca grassa e un nero magro vendono dei bigliettini che dànno diritto anche a un bicchiere di limonata rossastra, lì pronta nella sua insalatiera. La saletta, tutta una civetteria involontaria dello squallido.

Un'altalena dorata e un teloncino da cinema, appesi davanti a un siparietto Fortuny sbiadito. Muri veri, vernice gialla, bidoni da immondizie, ossi schifosi, enormi, finti. Lei è un'Adriana Asti in blusa di chiffon fucsia e minigonna di raso nero: calze, naturalmente, a rete. Lui è un lamentoso, e il play è un falso-Dugento virato sul beckettesco ma su basi preraffaellite. Va avanti troppo adagio, non ci sono più sedie. Fuori anche qui, corro di ritorno verso St. Mark's.

I dintorni paiono tutti nequizia. Bagni turchi tremendi e orribili ostelli della Salvezza; ubriaconi sui gradini, vecchie ragazze ai davanzali; e rigattieri che vendono abiti usati e piume polverose, frigoriferi e fornelli di quarta mano; a fianco del «Dom» polacco, i bicchieri rotti delle Manifatture Statali Polacche. Andy Warhol non alligna più qui. Benedetta Barzini è passata a interpretare *In the Pirandello Manner* nel loft del Playwrights' Workshop Club. Norman Mailer dirige *Ikke, Ikke, Nye, Nye, Nye* in un altro teatrino. Un Repertory abbandonato annuncia prossimamente «La festa degli stupratori», ma non è stasera. *The Dirtiest Show in Town* di Tom Eyen («For Joe Cino») è già finito, all'Astor Place. Al Public Theater si andrà presto per *Dispatches,* un rock-war musical prodotto dall'affermato Joseph Papp dall'inchiesta vietnamita di successo di Michael Herr. Per una paella esclusiva, si potrebbe scegliere tra Sevilla, Majorca, Rincon de España, Casa Laredo. Via verso St. Mark's. Anche qui uno schermo in un rettorato, passato un giardino, scavalcato tombe, sfiorata questa Basilichina di un Santo, una lapide della Regina Guglielmina, una stele a Peter Stuyvesant, attraversato un refettorio e salite le scale di legno, per entrare nel Theater Genesis. Tetro e disinvolto, questo schermaccio funziona entro un vasto grembiule di stagnola nera: riversa immagini incoerenti e violente.

Parate di soldati imbandierati, mutilati e reduci, disperati e vecchi, sventolio di svastiche e stelle di Davide, insistentemente, inseguimenti ridolineschi di poliziotti contemporanei, tabernacoli, cadaveri, reduci, ostensori, ciminiere di Auschwitz e pugni di cuoio nero che s'aprono per lasciar vedere una stella di Davide e un pugnale, cortei inseguiti nelle fogne e benedizioni nelle sale da banchetto. E continuamente, ebrei che dileggiano con ferocia i propri miti e le proprie sventure. Però, anche con ringraziamenti a un Rabbi di Newark. Lo spettacolo si intitola *The Mark of Zorro*; però, anche *Zorro* «ovvero il Vangelo secondo *the*

Mark». Perciò fra gli ostensori e gl'inseguimenti e i cortei riappaiono con insistenza sgangherati spezzoni d'antichi film di Zorro, i più grotteschi, s'alternano con le angosce dei mutilati sparsi nella Manhattan più fetida, e guadi estatici di torrenti palestinesi da parte di un Gesù Paramount, col suo seguito.

Vestiti come nel film, alcuni personaggi appaiono a un tratto fra la stagnola e il pubblico. Poliziotti crudeli, perquisizioni violente, bastonate, baci, toccamenti, abbai e muggiti come nei peggiori cartoons. L'azione riesce talmente animalesca e parossistica da sfrenarsi costantemente ambigua: l'interrogatorio riguarda l'LSD, o si tratta delle ultime pagine del Vangelo? Chi dà tutti quei baci, un apostolo o una checcona? Le voci microfonate provengono da Dio o dal Grande Fratello degli incubi fantapolitici? Le fanfare di *Cavalleria leggera* complicano semmai *quale* faccenda? Le immagini del film si riversano sull'azione, fra complicati intrecci di colonne sonore sotto le sedie. Marginalità a tutto spiano.

Gli urli di «Auschwitz!», «LSD!», «Vietnam», «Cina!» vengono intersecati e intercettati dall'ottimismo dei presentatori televisivi, ma invece del telegiornale ripetono «Amore leccami!» mentre Zorro invade il pubblico per fustigare una bambinaccia da saloon, e tutt'intorno i poliziotti eseguono una danza del ventre nettamente equatoriale, reduci e mutilati s'abbandonano a sfrenatissimi *madison* con le stampelle e le bende. Appare il Presidente degli Stati Uniti, in abito da cowboy bianco, tutto di paillettes, in braccio a una Venere «Art Nouveau» assistita da un Batman viola e capellone che distribuisce le pillole ai poliziotti, e loro invocano il Terzo Reich a tempo di shake, in una luce rossa e lilla da Trude Heller's o da Fata Confetto. Gran bel girotondo di vecchini svergognati: eseguono l'inno dei marines con piumini e rossetti, ma nel momento più atroce arriva una maga con la bacchetta magica, fa dei moralismi noiosi e di buon senso, e manda via tutti scontentissimi. The Dove Company at St Peter's Church presenta in alternanza *Strangulation* e *Asses*. Il reverendo Al Carmines propone il suo nuovo musical *Joan*, dove un coro di suore canta *Come on Joan* e *Look at me, Joan*, e arriva Giovanna d'Arco, poi appare la Madonna cantando *They Call Me the Virgin Mary*, quindi un cardinale e un vescovo e un rabbino danzano il numero *The Religious Establishment* per una Madre Superiora.

Urlerei dalla fame, è tardi e vado a Times Square, entro nella caffetteria dell'albergo Astor, credo d'avere un incubo. È veramente Arthur Schlesinger che sta servendo i mirtilli alla panna, con un sinistro sorriso e un cappellino bianco da cuoco?

No, però è un cameriere piccolo che più loscamente di così non potrebbe assomigliargli. Adesso infatti torna a giocare con il bastone di un poliziotto portoricano suo amico: «Me lo presti una sera, che devo fare uno scherzo alla mia fidanzata?».

Ma a due passi, nella cantina d'una banca o d'una posta, proprio sotto le pornografie illuminate nella 42th Street, si dànno e ridanno continuamente dei festivalini notturni coi cortometraggi di Kenneth Anger. Certi sono ingenui, certi appena osceni, certi ricordano troppo il surrealismo mediocre, certi rammentano invece come fosse difficile fare dell'avanguardia pochi anni fa. Però in certi momenti il più ghiotto, *Scorpio Rising*, riesce a combinare un collage abbastanza intrigante dei riti motociclistici californiani. Sono quasi tutti morti poco dopo il film, non per nulla: a San Francisco è facile notare che quando non fanno della «azione» troppo finta, la eseguono abbastanza pericolosa per la wellness e la fitness. Qui però è curioso osservare che sullo schermo esplodono immagini di miti e feticci intensamente, volutamente erotici-funebri: oggetto per oggetto, la preparazione d'una Valpurga (che probabilmente sarà l'ultima) di ruote, scappamenti, catene, cuoio nero, nudità improvvise e nazisti intermittenti e Gesù torturati «en passant» e ferite cosparse di salsa ketchup. Tanti Reik e Reich insieme: Theodor o Theodore, Wilhelm, Steve, il Terzo... Invece, nella sala della Cinematheque, tutte coppiette miti e giovanissime di capelloncini sereni con la ragazzina in calicò a fiorellini. Fa sempre più caldo. È ora di uscire e fare un po' di azione?

... Ma allora, dove si va stanotte? Insomma! Al cinema, a teatro, a sentir musica (o a «vederla»)? No: macché cinema o teatro o musica. Attraverseremo delle metamorfosi. Incessanti, affascinanti, e reciproche: la pittura che diventa cinema che diventa teatro che diventa letteratura che diventa musica... O viceversa... in una pluralità frenetica di combinazioni sempre più accelerate dall'esaltazione smodata per le trasformazioni dei «generi» artistici... dall'ossessione per l'uso dei mezzi espressivi «presi in prestito» dalle fonti più improbabili...

Già, la musica non pare più «solo» musica, né il cinema «solo cinema» – diventano «altra cosa» – quando si riprende la vecchia caccia alle ghiottonerie più o meno insensate. Prosegue ancora: per esempio stasera, potremmo vedere *Totò contro Maciste* e *Lo smemorato* (con Angelo Musco) al Cinema Giglio in Canal Street, e trovarci a Napoli, piazza Garibaldi, intorno al '35, con un sorbetto fine-Ottocento. Cos'è? Un'esperienza antropologica? E la versione cinematografica della *Salome* di Oscar

Wilde, con Alla Nazimova e scene e costumi tratti (nel 1922!) dai disegni di Aubrey Beardsley – al MoMA –, chissà che non anticipi criticamente il passaggio (con Andy Warhol) di una certa pittura a un certo cinema...

Rapporti anche più allettanti e paradossali, con la Musica. Se l'Amato Opera Theater e la Ruffino Opera Association continuano a presentare *La Forza del destino* e *Il Pipistrello* e *La Bohème* nei sotterranei della Bowery con tre cantanti e due pianoforti, che fanno di tutto, pare proprio che La Puma Opera Workshop si stia spingendo anche più in là: un solo soprano napoletano di ottant'anni esegue in sere successive *I Puritani*, *Il Ratto del Serraglio* e *La Walkiria*, in edizioni integrali, in lingua originale, e cantando tutte le parti. Al lontano Lincoln Center, invece, nella Library for the Performing Arts, si può assaporare una *Frau ohne Schatten* animata dalle marionette, e anche un'esposizione di cimeli e mementi della Galli Curci. E di lì, scivolare in un magazzino clandestino di nastri «pirati» e dischi senza marca, con occasioni irripetibili: tutti gli spettacoli di Toscanini a Salisburgo, la prima *Settima* di Bruckner diretta da Karl Böhm, l'addio della Melba al Covent Garden nel '26, la Callas che forse stecca a Città del Messico, la Muzio in una *Tosca* a San Francisco nel '32...

Ma è ancora niente. Ecco abbiamo un'occasione che si può incontrare solo in questo paese. La Società per il Restauro dei Grandi Organi da Cinema dà una serata per festeggiare il recupero del più grande organo del più vecchio cinema di New York. Si chiama Beacon Theater, su su per la Broadway oltre Columbus Circle; e forse è la più cavernosa e babilonese fra le basiliche cinematografiche elevate nel Venti e buttate giù, quasi tutte, nel Cinquanta. A San Francisco, anni fa, si vedevano franare una dopo l'altra, coi ventri dorati e scarlatti che si disfacevano sotto il sole. Questa invece è tenuta al buio. Lumi viola e arancione bagnano avaramente prore di cemento ed elmi di stucco e stendardi di porporina sopra le gallerie e ai lati del palcoscenico. Palazzo Brasini a Roma non è nulla al confronto. L'interno è immenso; il pubblico è smisurato; l'evento è campissimo.

Il presidente degli Organi esce a salutare, molto grasso e ordinario, seguito dal vice-presidente, molto magro e anche più ordinario, per di più cordiale e gioviale. Presenta le attrazioni della celebrazione. Come un mostro su una tromba marina sale dal basso la piattaforma con l'organo urlante, e l'organista issato su una console dorata s'avvinghia disperato alla tastiera, s'avventa a testa bassa in una gershwinata briosa, fra i boati del-

545

le vecchie. Quindi, fra strilli selvaggi, esce Gloria Swanson «in person». Il delirio è incredibile. L'occasione fra le più rare.

In veste di Maestra di Cerimonie, Miss Swanson acconsente infatti per la prima volta a mostrare i suoi pezzi privati di quel leggendario film *Queen Kelly* maledetto dal Fato e abbandonato da Stroheim e incompiuto in chissà quali cantine. Avvolta da spirali di veli di tutti i colori, spiritosa come un bersagliere, allegra fino alla smodatezza e all'eccesso, con risate turbinose e gorgogli che risucchiano l'aria, esibisce una parrucca disinvolta e rievoca sghignazzando qualche aneddoto marginale sulla lavorazione. Non nomina mai il suo affettuoso produttore di quegli anni; ma i titoli di testa gli rendono giustizia, appare un «Joseph Kennedy presents» alto come una casa.

E il film è sublime. La prima parte, montata da praticoni, è la medesima che s'incontra in qualche rara cineteca: con la regina malvagia che si aggira in gran baveri e strascichi per una reggia tipo Grand Hôtel della Belle Époque, a balconi rotondi e porte girevoli e reception nella hall e maggiordomi nei corridoi e cameriere ai piani; e frusta grandiosamente l'orfana conculcata giù per scaloni curvi tipo Opéra di Parigi, fra le risa dei corazzieri, e disperazioni dell'uffizialetto coi baffi. Ecco forse la fonte della *Semaine de bonté* di Max Ernst. Ma il vero sadomasochismo delirante si sfrena nelle sequenze inedite e non montate della seconda parte, con l'orfana nel bordello africano. Semplicemente un letto sfondato dove un'orrenda grassa agonizza fra sacerdoti neri e mediconi avvinazzati e donnacce del '20 in sfacelo; e i riti di morte si mescolano a un matrimonio fatto solo d'occhiate atroci e tic spaventevoli fra un vecchiaccio orrendo e l'orfana, davanti all'obesa. Tutto non montato, e quindi lentissimo, ma va benissimo, con l'organo che singhiozza e ruggisce... Sono momenti fra i più impressionanti nella storia del cinema e forse in quella del Dottor Schweitzer: riescono a comunicare continuamente il terrore con un'economia di mezzi incredibilmente parsimoniosa, moderna.

Rieccoci in strada, peccato: è troppo tardi per acchiappare un'altra delle tante serate memoriali e beneficenti, con tutti i mostri sacri che escono insieme dalle tenebre o dalla Florida. Alla stessa ora. Nel *Testamento di Helen Tamiris*, si eseguivano tre balletti della defunta Tamiris stessa. All'Hunter College, tutti i componenti del Dancers' Workshop di San Francisco si sono completamente spogliati in scena, fra vivissimi applausi definiti «liberatori» (ma lo si saprà solo domani, dai giornali). All'apertura d'una nuova discoteca di Trude Heller, la famosa modella Donyale Luna porterebbe soltanto le sue solite mutande di rete. Al Town Hall, per festeggiare Norman Thomas, dovevano comparire Lotte Lenya, Viveca Lindfors, Tony Randall, tante vecchie, tanti cantanti; mentre al Philharmonic Hall, con tanti altri cantanti diversi, si esibivano Martha Raye (*Monsieur Verdoux*), Connie Stevens, Billy Daniels e Leslie Uggams, per un fondo benefico ebreo... Sì, certo, ci sono sempre, in ogni meandro, i saggi indiani che trattano delle Dimensioni dell'Uomo, delle Integrazioni dell'Esistenza. Ci sono i simposi sulla Crisi della Cultura, i dibattiti sui Problemi Quotidiani, le convenzioni sul ruolo dei radicali e sulle funzioni della psicoterapia, i seminari intitolati «Perché vivere?» o «Finitela di fare gli stupidi, cominciate a esistere»... Si decide invece per un nightclub. «Plaza 9» e *Dime a Dozen*, già che si è in giacca e cravatta?

Fra le troppe scelte, scartando il «già visto» anche eccellente, tipo Eartha Kitt o Dizzy Gillespie, chi vedere, fra Blossom Dearie, la miglior cantante pop bianca, e Carmen McRae, la più brava cantante jazz nera?... Si finisce fatalmente sul più gran successo cabarettistico del momento: nel massimo tempio attuale dell'entertainment a ora tarda, il Royal Box, dentro quell'Hotel Americana che dev'essere sede dei banchetti delle mafie più sontuose, delle cosche più succulente. Qui ecco Woody Allen, il più geniale e il più commerciale fra i nipotini della scuola «amara» di Lenny Bruce e di Mort Sahl (scrive anche sul «New Yorker»...). E lì, l'insieme, come décor e come pubblico, riporterebbe a un 1950 stralunato e sbigottito. Ma lo spettacolo riesce a esibire con allucinante nettezza i due connotati più contraddittori dello spirito dello «show business» ebreo. Vecchia, morbida, grassa, con i ricciolini biondi e la scollatura pingue, Sylvia Syms si scioglie in sentimentalismi talmente sdolcinati e melodiosi, che al suo confronto Orietta Berti diventa il generale Westmoreland. Woody Allen appare invece tormentato e neurotico, giustamente vestito come se l'avessero appena chiamato dal giardino, irritabile, balbuziente. Ma con grande talento sviluppa una retorica del disagio che può arrivare anche a sottigliezze finissime, a furia di barzellette sui grilli e di ironie etniche intorno ai rabbini.

E per finire? *An Evening with God* era ieri. Stasera c'era una «Notte di Darwinismo-Cibernetica-Reincarnazione». Domani, il Carnevale della Guerra organizzato da John Arden combinando le Passioni Medioevali col più moderno Be-In. Si annuncia già: questo sarà il punto d'arrivo delle discussioni sul teatro

547

«che coinvolge il pubblico». Ma non più sperdendosi in happenings su argomenti tipo il topless sulle spiagge o gli orrori nel Vietnam. In un circo, alla presenza degli Dei della Guerra sui trampoli, durante la proiezione simultanea di tre film «d'azione», il gioco deve trascinare gli spettatori in un combattimento fra coppie così designate: una professione, una nazionalità, un aggettivo di carattere. Per esempio, «ricca monaca tibetana» contro «dentista malese pazzo» o contro «ostetrico messicano erotomane». I partecipanti vengono allenati da sergenti femminili. Il risultato, si promette, sarà «un melodramma furioso a puntate sulle peripezie d'una famiglia americana che ha per nonna il vice-presidente degli Stati Uniti». Così andiamo alla Notte dell'Amore Cosmico.

Si vede subito che è un Be-In misto. Sul portone di un altro vecchio cinema (al solito St. Mark's Place) trasformato in loft di happenings e improvvisazioni, ecco il manifesto manoscritto di un barbone nudo che si chiama Louis Abolafia e si presenta candidato alle elezioni presidenziali del '68 con il motto «Che cosa ho io da nascondere?». E infatti si copre il minimo indispensabile con un cappello. Qualche va-e-vieni alla biglietteria, che espone banane di plastica, e bottoni con su «Viva la Banana». Però il biglietto si compra non alla cassa, ma da un capellone uscente di corsa (e che evidentemente sta smerciando delle contromarche raccattate per terra). Tanti annunci ripetuti a voce e per iscritto d'interventi di tanti rilevantissimi «guru» e «superstars», da Ginsberg a Leary: ma dentro non si vedono. Un complessino rock suona sul palcoscenico, una ventina di ragazzi riposa in platea, con collane indiane e cuffiette pellerossa; e ogni tanto sale sul palco una minigonna cortissima e si sfrena in un assolo; o esce Abolafia stesso, con la sua barba, e un poncho. Ha la sua trombetta, e si unisce modestamente all'esibizione, ai margini del complessino.

La basilica è certamente sconsacrata e cavernosa: ma la funzione non è affatto grottesca o scurrile. Bruciano incensi; e ogni tanto, volano parole: le superstars non ci sono, ma verranno, forse domani; la Notte dura una settimana. Il mondo è in disordine!... Abolafia è riuscito a far penetrare i suoi quadri nel Metropolitan Museum, e ad appenderli vicino al *Pensatore* di Rodin. Bobby Kennedy non ha i ragazzi che votano, Abolafia sì... Occorre sanzionare un amore indiscriminato invece dell'aggressione pianificata, l'edonismo al posto del puritanesimo, e sostituire la vita contemplativa a quella attiva.

Gli incensi bruciano. Le banane rimangono lì. Abolafia ricompare con un mantello da Zorro. Gli mancano, si è saputo, dodici anni all'età legale minima per presentarsi candidato alla Presidenza. Forse gli basta entrare in pianta stabile in un complessino...

... E da quanti mai anni si poteva ripetere con Dorothy Parker che un'interpretazione comprende tutte le gamme dall'A alla B, discorrendo di cantanti e complessi tanto spericolati e affascinanti nei dischi, e poi quasi miserabili, deludenti, di persona?... Ora pare che la situazione si rovesci. Basterebbe il caso di Joan Baez, così melodiosa e monotona in disco, come un background invariabile; e invece, dotata d'una sorprendente ricchezza di grazie e ironie e taumaturgie e scaltrezze, non appena abbandona gli effetti tecnici e le «risorse speciali» della registrazione, e punta piuttosto sul suo magnetismo scenico di «animale teatrale» notevole quasi come Edith Piaf.

Al Village, almeno due occasioni musicali paiono (una volta tanto) straordinarie. The Mothers of Invention sono un complessino californiano dotatissimo e deliberatamente spaventoso. Quattro o cinque, con qualche donna che va e viene: repellenti d'aspetto come Rolling Stones ripescati nelle fogne, con barbe orrende e collane luride e stracci mai simpatici. Selvaggi, blasfemi, pornografici, allucinogenici. Paiono colpiti da tutte le maledizioni moderne, e decisissimi a riversarle sul pubblico.

La loro musica è eccellente. Canzoni che riuniscono la modernità e le accortezze del «sound» commerciale con un certo «uso» delle scoperte di Edgar Varèse (e dei lati incantevoli di Charles Ives), in apparenza non meno colto di Pierre Boulez, e magari più abile (perché tutto ironico) delle applicazioni orientali nell'ultima fase dei Beatles. In un cinema tutto-peluche di Bleecker Street riconvertito in luogo di spettacoli «live», appaiono come casualmente sul loro palchetto. Si mettono a posto stracchi voltando le spalle al pubblico in poltrona. Cominciano con una certa vaghezza. Poco dopo, le strutture formali si precisano sconcertanti e assolutamente impeccabili, con spostamenti d'accenti vertiginosi; e improvvisi abbandoni e recuperi di ritmi, stilisticamente ed emotivamente deliziosissimi.

Rapidi cori, nonsensi rivoluzionari, spiritosità inaspettate, veloci scorrerie di xilofoni, trivialità singhiozzate sopra una pianola d'emergenza, tempi di 3/4 rallentati e accelerati fra salti d'umore sudamericani e nordafricani; e almeno dieci canzoni che potrebbero diventar famosissime, manipolando il valzer con più sofisticazione addirittura di Ravel. La più sensazionale: *You're Probably Wondering Why I'm Here*.

The Mothers appartengono con enorme e selvaggia sapienza a un «suono» spinto molto più in là dei Jefferson Airplane di San Francisco e dei Velvet Underground di Andy Warhol. Però, si ricollega come loro alla funzione che apparentemente si sono assunta i Beatles: rianimare e perpetuare «a sorpresa» i generi canzonettistici pop più scaduti e sdati e inerti: rivalutando epoche intere. L'orchestra (o meglio Arkestra) di Sun Ra pare invece paradossalmente «discendere» da quel mondo jazz che sembrava fino a poco fa la noiosa specializzazione di un ristretto ambiente di esperti-maniaci di mezza età: un ortino come di numismatici o filatelici o collezionisti di rose rare.

Agiscono (attualmente) solo il lunedì, in una tanina torva e tetra chiamata Slug's Saloon, presso il muso di Manhattan, dove le strade del basso bassissimo East Side non hanno più numeri ma lettere: B o C Street. Niente notizie sui giornali, quantunque il complesso lavori da parecchi anni: prima (credo) a Chicago, e poi qui. È una orchestra molto numerosa, ma la vastità e la formazione cambiano continuamente, sensibilmente. La guida questo Sun Ra, un nero di mezza età pingue e silenzioso che si ricopre di simboli Inca ed elabora amplissime composizioni con titoli cosmici e astrali: «La casa del Sole»; «Altri mondi»; «Nullità esteriori»; «Di cose celesti»; «Nebulae»; «Danzando nel sole»; «Caos cosmico»; «Quando esce il sole»; «Viaggiamo sulle vie dello spazio»; «Eliocentrico»; «La città magica»; «Toni cosmici per la terapia mentale»; «Forme d'arte dalle dimensioni di domani». Nei molti dischi fanno già una certa impressione. Ma soprattutto l'esibizione è impressionante.

In fondo alla taverna di fronte ai tavolini rotondi esce l'Arkestra lentamente, con un numero di componenti che pare enorme. Tutti neri, lenti e svagati, coperti di piume e flabelli, emblemi religiosi peruviani e pagani; forse imbevuti di sostanze bizzarre; carichi di strumenti apparentemente primitivi che dànno risultati sorprendentemente elettronici. Coi loro cembali e campanelli che paiono d'osso, di stagno, di vetro, si assestano riempiendo lentamente tutto lo spazio fisico del fondo della taverna, così come dopo ne riempiranno spasmodicamente lo spazio sonoro. La loro cultura pare anche più straordinaria della sapienza di The Mothers. Eseguono ammicchi e bricolages addirittura più incredibili.

Con The Mothers, pare che Wagner e Brahms incontrino Ornette Coleman per inserirsi in un *Sacre du printemps* eseguito dalle Supremes, e franante in un *Quando tramonta il sol* ripreso da tamburelli e transistor nella civilissima Casbah di Tangeri. Sun Ra parte con flauti di Debussy che si dissolvono inorganicamente in variazioni tipo Webern ma senza principio né fine e senza struttura né sequenza. Subentra un pianoforte «che non ha più nulla d'umano», con Sun Ra stesso: mentre gli altri apparentemente abbandonati o solitari s'industriano con aggeggi «che non hanno più nulla di musicale» in una varietà di Cecil Parker estemporanei e contemporanei. Giocano le marimbe con bongos e timpani, e la celesta elettronica con cimbali spirali... Poco dopo, integrati e organici in una mitragliatrice d'odio che aggredisce il pubblico, come per distruggerlo, con esasperazione frontale di percussioni e di fiati. È uno spettacolo emozionante. La loro bandierina afferma: «Non avete mai sentito suoni simili in vita vostra». Non mente davvero.

OFF-OFF

Allora... dove si va stasera, e domani sera?

Una volta – fino a non troppo tempo fa – s'aprivano le pagine dei programmi, così vaste e ordinate, sul «New Yorker» e poi su «Cue». E di lì si spalancava quella scelta davvero favolosa di scoperte, fra Broadway e off-Broadway... fino alle prime zaffate di un off-off che non sapeva ancora d'essere tale: *The Premise* di Theodore Flicker in Bleecker Street (con lista di consumazioni a meno di un dollaro), Open Theater con *The Serpent, a Ceremony* di Chaikin e Van Itallie, «Second Stage» o «Second City» (ovvero Chicago Cabaret) con *To the Water Tower* e le musiche di Tom O'Horgan futuro regista di *Hair* («Masturbation, can be fun»... Quali problemi, su quel verso, alla Rai). Basta riaprire le medesime pagine (dove i nomi e i luoghi del teatro nuovissimo, praticamente, *non* figurano); e il raccapriccio non ha più limiti. Sembra svaporata qualunque differenza artistica e commerciale tra Broadway e off-Broadway. Tutto un medesimo Establishment, ogni dialettica spenta. Stesso tedio, stesso lutto. Come se una sola vasta piatta omogenea (e decrescente) «catena» di sale convenzionali stesse presentando un solo mercato di commedie anziane e musicals deprimenti, un trionfo totale del già visto e già sentito.

... Pagine e pagine così vaste e ordinate e così chiuse alle «strutture di minoranza»: indizi di *situazione bloccata*?

Già. «Quel» sistema americano di onnipotenza commercial-culturale evidente (o apparente) soleva imporre un tipo uniforme di confezione superficialmente accurata, ma «con dentro niente», e sostenuta con espedienti pubblicitari d'accortezza variabile – dal finto-chic al falso-intellettuale all'apertamente plateale – a seconda degli umori e delle stagioni. E soffocava agevolmente qualunque «novità» o protesta non inglobabile nella mercificazione di Hollywood e di Broadway, del grosso giornalismo e della grossa editoria. Ogni rivolta, ogni esperimento, sembrava così strangolato allo stato nascente. Oppure, languiva e periva disilluso, ignorato da tutti, quando non se ne poteva sfruttare né un aspetto pittoresco da esibire come gli indiani nelle riserve, né uno spunto di natura tecnica da «far rendere» industrialmente. Al di fuori del monopolio di fatto dell'industria culturale, non esisteva alcun tipo di struttura culturale minoritaria capace di realizzare un «ciclo completo» tipo «dal produttore al consumatore». Cioè, una struttura, un «canale», per cui uno spettacolo o un film, e magari un libro o un giornale di tipo non-industriale, potessero attraversare le successive fasi di produzione e distribuzione fino a raggiungere il loro destinatario, il pubblico.

La grossa importanza del teatro off-off e del cinema underground negli anni Sessanta consiste proprio nell'aver dimostrato vigorosamente «dal basso» una possibilità concreta di produzione e distribuzione dei prodotti culturali «di minoranza» che era sempre stata clamorosamente negata «dall'alto», da un «sistema» apparentemente spietato e strangolato, basato sulla politica dei costi sempre più proibitivi. Così, sempre più raramente, la scena culturale americana veniva attraversata da tentativi «disperati», sostenuti da una tensione individuale effimera, e destinati a spegnersi «stritolati» quasi subito... Film fatti in casa, e magari presentati con successo a Venezia o a Cannes, poi non accettati da nessun cinema americano perché troppo «diversi», magari troppo brevi. Come risultato, l'autore perdeva anche la possibilità di fare nuove cose... Spettacolini montati in quartieri sbagliati, con diversi handicap: i pochi soldi, e dunque attori modesti, allestimenti mediocri; e la vicinanza d'una quantità di spettacoli geograficamente «off», ma formalmente e sostanzialmente sullo stesso piano boulevardiero-efficiente della Broadway ufficiale, e dunque destinati a lunghi successi... Invece, in mancanza di pubblicità e di critica, i vantaggi della «presse parlée» arrivavano troppo tardi, dopo le esequie...

Anche la letteratura sperimentale barcollava davanti a due alternative. O farsi sempre più dotta, studiosa, universitaria perbenino, e dunque avallata dalle riviste accademiche, filtrando attraverso le grinfie pedanti dei New Critics invecchiati, formalisti, poi francofili. Oppure, abbandonarsi a uno Zen di paccottiglia, sbracare nel manifesto della droga per la droga, abbracciare sistematicamente anche le «cause» più screditate, finire magari in un fumettismo da guardamacchine «spiritosi».

L'assenza d'ogni tipo di struttura culturale minoritaria come alternativa possibile al monopolio dell'Industria Culturale poteva addirittura condurre a franamenti personali anche deprimenti e pietosi. Basta osservare l'involuzione di numerose figure del Cinquanta, le loro imbarazzanti altalene alcoliche fra la protesta confusamente anarchica, e la «fruizione» passiva come jongleurs autorizzati da parte di un Sistema che li fa «funzionare» come profeti pittoreschi indispensabili al color locale della Grande Società...

... Un panorama letterario invecchiato e malinconico vivacchia tuttora, costellato di romanzieri di mezza età gesticolanti con la bottiglia in mano e coi pugni tesi, per dimostrare che sopravvive ancora in questa età il cliché dello scrittore «duro» che ha fatto tutti i mestieri e tutte le guerre e tutte le corride con un coraggio bellicoso che vuol sembrare la specialità «tipica» dello scrittore americano «pugnace» da Hemingway a Kerouac a Mailer così come il risotto è una specialità milanese. Magari scambiando adesso per coraggio fisico il «bellissima, vieni via con me» gridato alla donna che passa in macchina con un suo tipo, e dunque non c'è pericolo che si fermi e dica davvero di sì... E come fanno fatica, a rendersi conto che per scrivere dei bei libri, a parte la statura artistica, «funziona» molto più il vero coraggio letterario così riversato da Gadda o da Proust nelle loro operazioni letterarie, bruciandovi la propria personalità tutt'intera, restando in casa coi propri disturbi, e non rompendo le bottiglie in testa ai tassisti, o andando in giro a dar la mano a tutti i portieri dei locali notturni.

Non si rendono conto, forse, gli autori «superati», neppure di come appaia imbarazzante e démodé il loro show di maschilità cinquantenne con la pancia. E neppure, di come basti nel loro stesso pubblico l'apparizione d'uno stilista lezioso come Tom Wolfe, perché le sue meringhe di capriccioso snobismo soppiantino proprio nel favor popolare le loro lutulente arringhe gonfie di confusi consigli mascolini che ormai suonano squallidamente paterni, e le loro patetiche nostalgie infantili per i curiosi aneddoti delle vaste famiglie immigrate con nomi caratteristici e indimenticabili, troppo più affettuosi e pittoreschi di qualunque mandolinata napoletana...

Non meno decrepita appare improvvisamente – di colpo – tutta quanta Broadway, nel suo complesso. Scorrendo i programmi, c'è da trasecolare abbastanza: sta impazzando esclusivamente la commedia leggera, efficiente e imbalsamata, insieme al musical sentimentale copertamente patriottico, con qualche lacrima per i poveri neri, e alcuni sospiri per il vecchio vaudeville. Inoltre, questa è la città dove dopo Vienna la cultura ebraica ha celebrato i suoi fasti più alti; e questo sistema teatrale ha sempre trionfato per la genialità e il talento d'attori e registi in gran parte ebrei. A Broadway, per decenni, quasi tutti: con fantastiche invenzioni «tipicamente americane». E generalmente con origini negli «shtetl» europei orientali. Mai un prodotto di genesi romana, dalla Sinagoga a Santa Cecilia, nel musical. E nemmeno dal Ghetto veneziano.

Ora, però, lo spirito ebreo sembra valorizzare specialmente gli aspetti più casalinghi e sentimentali, per famigliuole, a teatro. Respinge invece il lato «problematico», la sua inquietudine amaramente «critica» o «alternativa» che ha sempre portato avanti sia le faccende della cultura, che quelle dello spettacolo.

Un segno preciso pare proprio questo: continuando a cercare i programmi, come si faceva, soltanto nelle pagine delle riviste tradizionali, nulla li distingue più dagli orari delle radio; e si rischia davvero di perdere – non solo «il meglio» – ma addirittura il «senso» del Come e Dove e Perché nelle trasformazioni profonde attraversate dallo spettacolo americano. Contemporaneamente, infatti, sta emergendo in questi insoliti anni Sessanta una serie di «partenze» talmente nuove da rimescolare del tutto i presupposti del cinema e del teatro, e magari della musica e delle arti figurative. Magari, come impressionanti rozzezze. Certamente, con una vitalità innegabile: rimettendo in discussione non tanto taluni «generi», ma un intero «sistema» istituzionalizzato da decenni. Non già contestandolo in ripicchi polemici: ma proprio ignorandolo del tutto, agendo secondo princìpi «altri». E le diverse formazioni che emergono tutte insieme da parecchi anni duri di lavoro oscuro non (come si suol dire) «per chiudere un'epoca», ma semmai «per aprire strade nuove e diverse», si stanno saldando di fatto in un «sistema» minoritario di cui non si sognava nean-

555

che più una possibilità concreta: al di fuori d'ogni struttura di maggioranza, lontanissimo (per ora) da ogni specie d'industria culturale, giovandosi fino in fondo di canali di comunicazione autonomi in tutto, risolutamente «diversi».

Ora, non solo i modi sono «tutt'altri», per il teatro «che ha un senso», e che comincia a *contare*. Sono cambiatissimi anche i suoi luoghi. Nell'ambito del nuovissimo «sistema di minoranza» le Muse cambiano continuamente di faccia e recapito, in incessanti metamorfosi reciproche, in fondo a quartieri desolati, a indirizzi inattendibili, nelle cantine o sui pianerottoli, in atroci magazzini dilapidati, dilaniati...

Non per nulla, i giornali e i periodici dabbene non recano quasi nessun avviso per questi avvenimenti che stanno mutando i connotati culturali degli Stati Uniti; né vi inviano i loro critici, anche perché non sarebbero apprezzati o voluti. Per raggiungere il Café La MaMa o l'orchestra di Sun Ra o i film erotici di San Francisco, occorre procurarsi certi giornalini rionali di diffusione limitata a talune edicole del Village, molto più esoterici ed effimeri del vecchio «Village Voice» diventato ormai Establishment né più né meno che i suoi collaboratori Mailer e Feiffer. Talvolta non basta neanche l'«East Village Other» o il mite «The Villager», benché pieni d'inviti inquietanti, fra le istruzioni per la cucina macrobiotica e i pazientini per sviluppare il pensiero, e «tragicommedie assurde», la violoncellista col seno fuori, le «commedie liriche del '30», l'insultatore di mezzanotte, la Notte dell'Amore Cosmico, la 36 ore di protesta di John Arden, il programma *An Evening with God*...

Che cosa sarà il Teatro del Defilement, la rivista musicale *Dissension*, il cabaret *Selvaggio curioso*, la taverna del «Black Happening», gli «interludi» dei West Side Actors, il Progetto Blu, la «Mod Boogaloo Extravaganza», i Pomeriggi dei Bimbi di Toronto, *Boy Meets Boy*, *Top Girls*, *Big Bad Burlesque*, *Das Lusitania Songspiel*, *Georgie Porgie* al Cubicolo, Tony Capodilupo in *MacBird!*, *After the Rise* (*Dopo l'Ascesa*? Ma dove siamo? Ragazzi!), *It's Called the Sugar Plum* di Israel Horovitz, le commedie di Kasandra Farrell dirette da Vicenza di Maggio, le Opposizioni in Shakespeare e Schoenberg, il «festival drammatico del realismo estetico» intitolato *Arie & Anapesti*?

Si procede dilaniati fra happenings che potrebbero anche esser truffe per i turisti ingenui, titoli misteriosi che forse nascondono novità sconvolgenti e importantissime, o forse vecchie solfe vergognose. Cantine che presentano novità di Molière.

Garage che esordiscono con *Pelléas et Mélisande*. Autostoppisti in questua con due Strindberg, per pagarsi il viaggio a un Expo. Dialoghi cristiano-marxisti. Chiese che scoprono *Ubu Roi*. Cappelle che spaziano dall'*Ereditiera* alla *Celestina*. Santuari di jazz sacro o di religione spiritosa... Anche, tante commedie di cui non si sa nulla, né si saprà mai, perché rifiutano il recensore. Sembra la situazione del Cairo, dove si va a teatro molto a caso. E si può cascare su tutto, attirati non dai nomi ignoti di autori e attori e registi, ma da un titolo strano, da un manifesto bizzarro. La pubblicità ormai abbandona il termine tuttofare di «disturbing!» (cioè, inquietante); e lancia molti spettacolini come «sporchi! luridi!». Anche per il principio: non devono assolutamente piacere al pubblico, sennò il sadismo dove lo mettiamo? Ma lo stesso «New York Times», per esempio, reclamizza *Vestire gli ignudi* con lo slogan «Naked Pirandello!». Mentre Ridiculous Theatrical Company di Charles Ludlam, in *Exquisite Torture*, rifà un *Come tu mi vuoi* con parecchi travestiti «fataloni». E il «sistema» si espande anche assai *off*, producendo chicche quali *March of the Falsettos*, *Little Shop of Horrors*, *Sister Mary Ignatius Explains It All For You*, *Cloud 9*, *A Tale Told*, *The Death of Von Richthofen*...

Si può anche passare vicino a cose straordinarie, ignorarle, non sospettando, e saperlo quando è troppo tardi, rimpiangerlo per tutta la vita. Anche lasciarsi convincere da uno stendardo: «oversexed! undressed!». E trovarsi calati in un'imbarazzante minestrina di *Letto matrimoniale* e *La voce della tortora*: una gelatina di ricordi d'infanzia e animaletti di Walt Disney; una vecchia bohème spruzzata di finte spregiudicatezze alla Giulietta Masina; uno spumone di Frank Capra al lattemiele beat. E come colmo al giulebbe, il dubbio: una commediolina molto molto stupida, non sarà per caso una Metafora della Stupidità?

Neanche la guida del telefono o la richiesta al prosseneta valgono di solito per trovare i nuovi luoghi dello spettacolo. Spesso occorre proprio la ricerca personale di informazioni dirette per arrivare in fondo ai quartieri desolati, ai domicilii inattendibili, dove gli eventi più inenarrabili si producono davanti a poche persone, per una civetteria dello «slontanamento» deliberata e cocciuta. Sono luoghi *tutti diversi*, volutamente: abbandonato ormai completamente il Greenwich Village dove le strade sono una villeggiatura e una fiera, e i teatri, da tanti e tanti mai anni «off», non si distinguono più da un Durini o da una Cometa con abbonati dabbene...

Tutto sembra ricominciare da capo, con gli stessi entusiasmi di dodici o quindici anni fa, anche se le persone e le idee appaiono del tutto cambiate. Quel tanto di povero e sperimentale e ribelle che si rimestava nel Cinquanta intorno a Washington Square e a Waverly Place, adesso si è smistato molto verso le prime Avenues, dove l'«atmosfera» si è fatta improvvisamente «epica» o «eroica»; e ribolle anche molto oltre, giù giù, verso il muso desolato di Manhattan: nei più grevi *lofts*, magazzini portuali abbandonati, prigioni frananti, case e pianerottoli pericolanti, cinema sconsacrati...

Qui la fatiscenza di un paesaggio urbano dilapidato e cadente, rossiccio di muri e nero di scalette, grondante miserabile horror industriale e immense grettezze ottocentesche, carica di fortissime suggestioni ambientali ogni possibilità di spettacolo, non meno delle straordinarie diversità antropologiche. Maschere allucinanti di neri ed ebrei e messicani e sorprendenti italiani, estremamente «diversi» (e di enorme talento scenico), animano le strade e gli spettacoli, tutt'intorno al folle boom di St. Mark's Place, il «centro» dell'East Village dove attualmente «succede di tutto», ogni sera, fra i negozietti di divise e giornalini e bottoni-con-slogan e vertiginosi edifici gremiti di registi ventenni, di commediografi adolescenti... Sembra la Parma visionaria di Bruno Barilli: «Entro i suoi bastioni umidi un dedalo di straducole, porticati, tane e borghetti carichi di passione, di violenza e di generosità. Covi di anarchici e di bombardieri *ratés*, le sue osterie erano sempre piene di vociferazioni e di canti. Quando vedevi sbucar fuori dal buio delle porte certe fosche, scarne e spiritate figure di popolani, dagli occhi assonnati e biechi, facevi presto ad accorgerti che in quel clima infuriava ancora il microbo dell'Ottantanove. Immersa nel fiato torbido dei suoi cieli di novembre, questa città logora e illustre rassomigliava molto a un quartiere del vecchio Parigi».

Ha ragione Furio Colombo quando sostiene che oggi nell'East Village, a ogni porta che si apre, si rischia di cascare su un atto unico. È un sorprendente grande show fatto di centinaia di spettacoli piccoli e piccolissimi, coinvolgendo un numero enorme d'attori e autori e registi: nei magazzini e nei depositi, negli ex-cinema e nelle ex-pensioni, negli antri più improbabili. Anche con una certa importanza, in due chiese e in due caffè. Cino, padrone del Caffè Cino, si è appena suicidato. Ma Ellen Stewart, l'animatrice del Café La MaMa, ha lanciato in pochi anni 175 commedie di 130 autori giovani, e ne sta portando un bel gruppo anche in giro per l'Europa. Qui, nella sua buca di Lower

Manhattan, ai più bassi inizi di Second Avenue, la MaMa Troupe va proponendo un *Tom Paine* di Paul Foster, musicato e diretto *live* da Tom O'Horgan in omaggio a W.H. Auden. Dopo ancora l'ottimo animatissimo boschereccio *Paul Bunyan*, giovanile collaborazione «country and western» di Auden e Britten sull'omonimo gigante forestale, con figliolina Tiny e fidanzatino Slim. (Mentre da noi, aggiornatissimo sulle «astanze» e gli «attanti» di Cesare Brandi, Mario Praz canticchia: «Nell'astanza / dell'attante / deve entrare soltanto La MaMa»). In quanto alle chiese, il rev. Michael Allen ha fondato quel suo Theater Genesis appunto in St. Mark's Church, nel cuore della Bowery. L'altro reverendo, Al Carmines, detto il Kurt Weill dell'off-off, musica e dirige i programmi più disparati nella Judson Memorial Church, a Washington Square: Strindberg e Lowell, Gertrude Stein e un musical sul terremoto di San Francisco, songs intitolati *Frickadellin, Cockamanie, Pyromania, Ay Yi Yi...*

Sono spettacoli abnormi e disuguali: dal realismo più crudo alla fantasiosità insensata. Trattano tutti i temi: guerra, sesso, razza, età, politica, storia, arte, gioventù, vecchiaia. Si dànno per una sera sola, o stanno su tre anni. Si producono tutti con pochissimi dollari. E hanno in comune un fatto essenziale: vistosamente rifiutano di costituire un'anticamera a Broadway (com'era finito per diventare l'off-Broadway), e deliberatamente si pongono come vera alternativa alla produzione commerciale e costosa.

I nomi più notevoli? Jean-Claude van Itallie e Joseph Chaikin, notissimi ormai come autore e regista di *America Hurrah* che è il successo più sensazionale dell'off-off. Ronald Tavel, scenarista di parecchi film di Andy Warhol, e autore di numerosi vaudevilles «scandalosi», intitolati *La vita intima di Juanita Castro*, e *Gli innominabili stratagemmi di Indira Gandhi* (che ha suscitato le proteste dell'ambasciata indiana, per gli insulti e le inculate alle vacche sacre in scena). Con la musica del rev. Carmines, Tavel ha fatto *Gorilla Queen* che è un pastiche delirante sui film di giungle con Dorothy Lamour, ma cambiando il segno sessuale agli esploratori e alle scimmie. Sam Shepard ha rappresentato *La Turista*, nome del disturbo intestinale che colpisce gli americani in Messico, ma diventa una stregoneria crudelissima intorno alle malattie e alle fissazioni dei popoli dominanti. Paul Foster, in *Balls*, mette in scena delle vere palle da ping-pong che parlano mediante nastri registrati; e Tom O'Horgan con *Futz!* intreccia grovigli di pantomime intorno agli intrighi

559

amorosi fra un procace contadinotto e il suo maiale favorito... Hanno spesso meno di trent'anni.

Robert Brustein, che ha seguito gli inizi dell'off-off con la passione più aperta e generosa e scontenta, sostiene che il vero padre della «audacia liberatoria» della nuova avanguardia teatrale rimane ancora Lenny Bruce, quando il tragico fantasista agghiacciava i cordiali spettatori da cabaret con sinistre facezie sul cancro e la guerra, e sosteneva che tutti i guai dell'America sono cominciati perché Eleanor Roosevelt ha attaccato una brutta malattia a Chiang Kai-shek. (E l'amica Inge, da noi: abbiamo scoperto un nuovo comico bravissimo, si chiama Woody Allen. E gli amici: ma lui lo sa che l'avete scoperto?). Ma nel tessuto macabro e inquieto degli spettacolini off-off si possono intravvedere diversi altri «filoni» del gusto contemporaneo: l'amaro compiacimento nella proliferazione dei «perdenti», come insulto agli ottimismi meccanici delle ideologie ufficiali; e una debolezza ormai antica per l'oscenità «pop». Già Norman Mailer sosteneva che la miglior prosa americana di questi anni si legge sulle pareti dei gabinetti pubblici. Ora, si potrebbe aggiungere, si trova magari nei motti sui «bottoni» spiritosi-osceni: bambine, di pochi anni, tutte ridenti, con certe parole e certi 69 sul golfino... magari accoppiati coi «Christ is the Answer» dei bottoni delle loro nonne, vecchie e un po' mulatte...

Il lato che può colpire noi maggiormente, insomma, è una qualità che non si trova molto nel teatro italiano. Cioè: attori e registi di eccezionale bravura che rifiutano qualunque occasione di guadagno commerciale pur di lavorare intensamente ed esclusivamente a un impegno culturale, senza disperdersi né lamentarsi né farlo pesare. D'altra parte, persone disinteressate che fanno magari tutt'altri mestieri, ma aiutano a fondo perduto lo sviluppo di questo teatro. Dunque, nei due casi, tipi che indubbiamente «credono» in qualche cosa: vivendo magari in miserie di cui «non si ha più l'idea»... (E hanno molto spesso nomi italiani, ma non chiedono sovvenzioni).

Il fenomeno più significativo, infatti, è un presupposto che conferisce finalmente unità al pullulare delle iniziative eterogenee. Ed è il vero connotato che distingue il nuovo teatro. Non nasce, come prima (fino ad Albee), da un testo intorno al quale si riunisce un complesso d'attori. Nasce innanzitutto da un gruppo, una piccola comunità che fa vita in comune come il Living Theater, abitando addirittura insieme, attori e registi, autori e scenografi, praticamente senza soldi, e sviluppando una propria «linea di ricerca» attraverso anni e anni di duri esercizi che non lasciano tempo per lavorare «al di fuori».

Si possono certo visitare, queste «scuole» di allievi tutti volontari e tutti quotati per dividersi le spese. Stanzoni col pavimento di legno e nastri di musica. Un divano sfondato. Si paga qualche moneta, per aiutare. E prima di tutto, ecco un paio d'ore per rilassarsi e distruggere le inibizioni latenti nella personalità. Poi, esercizi addirittura disumani di liberazione e concentrazione spasmodica: ricercando nuove sorgenti di voce e possibilità di movimenti «mai visti», per conferire ai gesti e ai suoni una carica espressiva molto più vasta e violenta che in qualunque «metodo» precedente. I risultati sono ormai anche più allucinanti che per il Living Theater. E dice Elizabeth Hardwick: non sembrano neanche più attori, semmai acrobati russi.

Non somigliano, veramente, più «a niente». Solo al Living, e al teatro di Grotowski: nel rigore ritualistico, nella stilizzazione dell'espressionismo e di Artaud, nel ricorso alle discipline yoga per sviluppare le risorse dei muscoli e delle giunture, e reperire fonti insolite di sconcertanti risonanze vocali non addominali.

Si capisce anche bene «come nasca» ogni loro spettacolo: come risultante stratificata e sintetica degli esercizi muscolari e vocali della scuola. Il «copione» che ne risulta potrebbe anche comporsi esclusivamente di gesti significanti, di fonazioni articolate ma astratte. In ogni caso, non già più un vero «copione», nel senso che una simile «partitura» serve strettamente un gruppo determinato, e questo l'ha espressa come somma delle proprie esperienze specifiche. Dunque, per gli altri, è inutile.

Ma quando si sente ripetere che sono ormai sbaraccate le dighe e barriere, si potrebbe anche franare in qualche confusione. Scambiare la nuova, incredibile, libertà d'espressione per uno sfogo di pornografia scatenata, un trionfo di satira politica villana fino al tedio. Invece, è con qualche emozione che si scopre la reale portata di questo fenomeno insolito, l'abolizione d'ogni specie di censura ai danni dell'espressione artistica. L'attuale momento politico americano stimola e fomenta le indignazioni più parossistiche, infatti. Però, lo stesso «sistema» che spinge i cittadini alla collera non ne conculca minimamente le violentissime esplosioni sotto forma artistica. Si tratta forse del primo governo che considera maggiorenni i propri cittadini, e perciò si astiene dal «proteggerli» contro la Cultura? Così intanto il cinema e la pubblicistica e le arti figurative ribollono di paradossali proteste divulgate dai media e protette dalla polizia. Ma soprattutto nel teatro off-off si scatenano a caldo i più impressionanti furori.

America Hurrah (di Van Itallie e Chaikin) appare come il capolavoro di questo nuovo spettacolo della rabbia. Ma tale rabbia vi si esprime a un livello talmente elevato di perfezione teatrale, che lo si può considerare come capolavoro della nuova drammaturgia tout court. Come tutti gli spettacoli nuovi, nasce da un gruppo che in una certa fase del proprio lavoro comune esprime un copione come risultante dei propri esercizi, come somma delle proprie fantasie. Dunque il «testo» vale strettamente per quel gruppo specifico; e d'altra parte, le parole e le battute hanno un'importanza assai scarsa: inferiore, per esempio, a quella delle posizioni e dei gesti. Calibrati e millimetrati sia nei «colloqui» per assegnare jobs di bassa forza, sia individuando in un piccolo studio televisivo o in un modesto motel (popolato di fantocci) i «topoi» basici della mediocre immensa piccola borghesia proletaria invano rispecchiata dall'Open Theater e dal Café La MaMa, fra il Cherry Lane, lo Sheridan Square Playhouse, il Circle in the Square, il Judson Poets' Theater, il Martinique...

La definizione europea di «Teatro dell'Assurdo» è diventata popolare in America dopo il successo del libro di Martin Esslin con questo titolo, uscito nel 1961 e pieno di formule suggestive e semplificatrici: senso d'angoscia metafisica per l'assurdità della condizione umana, in un mondo che ha perso i suoi significati tradizionali e fa smorfie malvagie e incomprensibili; l'Irrazionale presentato invece sotto forma di ragionamento lucidissimo, tanto logico da diventare beffardo; la radicale svalutazione del linguaggio, tesa a una poesia che emerga da immagini concretamente oggettivate...

Descrizioni quindi adatte alle commedie di Ionesco e Beckett, di qualche loro discepolo inglese, e basta. Invece sia pure sotto forma di antecedenti o proseliti Esslin accoglie sotto l'ombrello dell'Assurdo praticamente tutta la cultura del Novecento, da Juan Gris a Brancusi a Günter Grass, e da Gertrude Stein a Chagall a Ezio D'Errico. Succede così che l'Assurdo fa presto a diventare anche un'etichetta applicata da impresari cinici e da critici incoscienti a un pentolone dove cuociono avanzi e frattaglie di Sartre e Camus, Brecht e Pirandello, Beckett e Ionesco e Adamov, Genet e Ghelderode, Pinter e Simpson, e dove galleggiano brandelli di dialoghi di *Alice nel Paese delle Meraviglie*, nonché risentimenti adolescenti contro la Mamma. La

Madre-Mostro, malvagia come un baritono da melodramma: da O'Neill alla Hellman a Williams ai drammaturghi nuovissimi ai musicals tipo *Gypsy* alle commedie dialettali ebraiche o nere, è lei l'imputata del teatro americano d'oggi, svillaneggiata e vilipesa perché è generalmente colpa sua se il papà si ubriaca e il figlio si ossigena e la figlia nasce già schizofrenica. Mentre la nuova drammaturgia del Se Lui Ce La Fa si viene sostituendo alle antiche problematiche sul Se Lei Gliela Dà. E così appunto la «recepisce» il destinatario, fruitore, utente (o spettatore semplice).

Al pentolone comune tutti prelevano le minestrine da servire a Broadway e fuori sotto l'insegna pomposa e generica – appunto – dell'Assurdo. E si capisce che è facile confezionare dialoghi dove a chi domanda che ore sono si risponde «trenta chilometri di purée di patate», e poi pretendere che questo simboleggi il tramonto di Tempo e Spazio, il naufragio di Causa ed Effetto, l'abbandono della Logica Tradizionale e la fine di tutte le Psicologie. Facilissimo... Come quando Orson Welles mette un'esplosione di bomba H alla fine del suo melenso *Processo*, perché si commenti «ah, ma che pensoso questo regista». Come quando in film e in storie à la page fino a poco fa un personaggio abbiente decideva di Morire (o di Vivere, o di ritirarsi dal mondo, oppure no), sedendo per mezza giornata di fronte a un sasso o a un chiodo che dovrebbe reggere significati tanto più sedicenti profondi quanto meno precisati. Proprio perché a un autore superficiale può riuscir comodo non specificare, quando ha poco da dire: una lampada accesa, si sa, risulta altrettanto «poetica» di una lampada spenta, purché venga fissata con intensità opportunamente vuota... Un personaggio piange, col suo fazzoletto in mano, perché è morta la mamma: chi non troverebbe fastidiosa una situazione così sdata? Ma se piange per niente; magari sedendo di fronte a un paracarro: questa sì può passare per poesia... Tanto, si vede quanta letteratura oggi ha l'aspetto di una fossa comune critica, nasce morta ma in compenso è a strati: se non ne ha tanti non pare seria; e scavandoli uno dopo l'altro vengono su un vecchio morto d'infarto, una madre di parto, una bambina di tosse asinina, forse magari ancora qualcuno di peste. Ha tanti strati, allora va bene, diranno l'esegeta di romanzi mitteleuropei o il New Critic americano davanti alla fossa comune. Ma che piaceri sopraffini se l'aspetto è invece quello del barattolo senza etichetta. Estratto di carne? Marmellata di mirtilli? Merda d'artista? Forse magari anche niente. Ma già l'incertezza solletica il godimento critico del recensore malato d'Assurdo. Tutto un attribuire intenzioni... Il posacenere pieno o vuoto significa questo. No, macché vuol dire quello. Tutta una vendemmia di simboli ambigui, un albero di Natale di significati equivoci... Uno di quei parties dove ciascuno porta la propria bottiglia (mentre il rovescio della poetica dell'Imprecisato sarebbe naturalmente un pacco-dono che si sa già cosa contiene: un panettone, un vasetto di mostarda, due torroni, tre etti di caramelle, e basta).

Queste immagini passabilmente abiette di cimitero culturale e di supermarket ideologico si adattano forse a una situazione che Ionesco prevedeva molti anni fa, quando uno dei suoi primi eroi soccombeva gemendo: «Parole, quanti delitti si compiono in vostro nome!». Ma è giusto riconoscere che nel cimitero dell'Assurdo vivono e si muovono in America almeno tre o quattro commediografi interessanti. Fra i ragguardevoli, si vanno a vedere preferibilmente *The Woods* e *Sexual Perversity in Chicago* e *Duck Variations* di David Mamet, *The Normal Heart* di Larry Kramer, *Fool for Love* e *Angel City* e *Buried Child* scritti e diretti da Sam Shepard. Ma il più notevole pare generalmente Edward Albee.

I suoi primi capolavori si rappresentano off-Broadway in maniera perfetta. È un Grand Guignol psicologico? metafisico? metaforico? Certo, *The American Dream* e *The Zoo Story* visti al teatrino di Cherry Lane sono un'esperienza teatrale abbastanza emozionante: esercizi nello stesso tempo verbali e di costume, carichi di nere e lugubri fantasie incestuose e solitarie, e continuamente divertentissimi; e portano molto avanti la scoperta di Ionesco che la conversazione familiare è una suite di assurde sciocchezze che rispecchiano l'assurdità del pensiero (e naturalmente mimano l'assurdità della vita stessa). Tanto più se nello schema dialettico della sotie intellettuale astratta si cala il melodramma simbolico di qualche tragica famiglia americana alla O'Neill che si scarnifica ferocemente in un inferno borghese alla Sartre (e davanti a un pubblico che in fatto di psicanalisi la sa molto più lunga di O'Neill, ma di fronte all'espediente comico della ripetizione pare disarmato come agli avanspettacoli).

Nell'*American Dream,* due coniugi di mezza età tipicamente americani, in un salotto tipicamente americano, si scambiano platitudes tipicamente americane, travestite da nonsensi alla Ionesco e alla Lewis Carroll, e aspettando qualcuno (Beckett). Entra una nonnina da *Cappuccetto Rosso,* con tante scatole, e si capisce che arriva da Ionesco anche lei: dalle *Chaises.* Ma Albee fa presto a tirar fuori le unghie, a far vedere com'è bravo da solo: e crudele, feroce, affascinato dall'orrore. Le villanie, le cattiverie che si scambiano la mamma e il papà e la nonna nella conversazione quotidiana sono terrificanti, gli sciocchi luoghi comuni di ogni convivenza familiare diventano cannibaleschi. La nonna spiega perché i vecchi diventano sordi: perché nessuno li sta a sentire. Per non sentire, la mamma si tura le orecchie; appena le riapre, la nonna è lì in agguato, urlando per assordarla, con un ghigno perfido.

La mamma fa certi meravigliosi racconti: da bambina ero poverissima, e la nonna anche perché il nonno era in paradiso. Ogni giorno andando a scuola la nonna m'impacchettava una bella scatola; e quando a mezzogiorno gli altri bambini aprivano le loro e mangiavano polli e torte, dicevo che la mia era così bella che era un peccato aprirla. Sarà stata vuota, osserva il papà. E invece no: la sera prima la nonna preparava una cena, che non si mangiava: la metteva nella scatola. Ma a scuola mangiavo la colazione degli altri bambini, perché credevano che la mia scatola fosse vuota e io non l'aprissi per orgoglio. Così si sentivano generosi, io riportavo a casa la scatola piena e la nonna mangiava tutto. Eravamo poverissimi. Ma adesso ho sposato te e siamo ricchissimi. Però la nonna è tutt'altro che ricca, osserva il papà...

Questo è l'andamento del dialogo: il nonsense mima l'odio con verve. La mamma è malvagia e isterica, minaccia sempre la nonna di mandarla all'ospizio: «Adesso vengono a prenderti col camioncino». La nonna è malvagia e molesta, finta-dolce; dice brutte parole; fa generalizzazioni petulanti. E il papà è forse più cretino che malvagio, chiede continuamente: «Sono sicuro? sono deciso? sono maschile?».

Bussano. Saranno loro. Entra una visitatrice, forse chiamata Loro. Come espediente è semplice, il rovescio delle cortesie convenzionali della visita piccolo-borghese. «Ah, che brutta casa!». «Ma che fatica tenerla in disordine...». «Dicevamo...». «Lo so; origliavo». «S'accomodi, si tolga la sottana». «Fumare? ma dove crede di essere?». Con questa stralunata in sottoveste che ascolta tutto, sbaglia tutto, e forse è *tutti,* è completo il quartetto prediletto dall'Assurdo, per orchestrare l'attacco contro i nonsensi esistenziali. L'identità dei personaggi fluttua come nella *Cantatrice chauve* o all'inizio di *Heartbreak House* di Shaw, quando tutti si domandano chi sono. Questa è una infermiera che viene a ritirare la nonna? la presidentessa di un club? una che ama le scatole? ma perché è lì? perché sono lì tutti?

Le ormai note domande-senza-risposta si accavallano perfettamente familiari e meccaniche come nelle farse con Gandusio o Dina Galli, si intrecciano coi colloquialismi volutamente banali sull'America e la politica e le donne e la vecchiaia e le malattie. «La nonna nasconde l'acqua». «Lascia stare: è rurale». «La mamma è nata malissimo; con una testa a banana...». Ma intanto vien fuori un'orribile storia di una famiglia «molto simile a questa» che aveva comprato un bambino da una donna simile alla visitatrice; ma non andava bene; così la mamma e il papà, «come in ogni buona famiglia», gli hanno tolto gli occhi e le mani e il sapete-cosa e la lingua e i piedi... Ma come ultima capricciosità, il bambino è morto.

Ecco il Sogno Americano: entra in blue jeans, stivaletti, maglietta, bello, forte, soft, uguale a tutti i ventenni americani d'oggi, sembra arrivare da Hollywood o dal bar del teatro, locale di giacconi di pelle e muscoli da palestra. Sarà l'uomo del camioncino? La nonna era sola, ora guarda, tocca, comincia a flirtare; lui le fa sentire i muscoli. È una scena profanatoria, come se un personaggio di Proust sputasse sopra il ritratto della nonna o della bisnonna; o se la nonna profanatrice sputasse sul ritratto di Proust. I miti nazionali del cowboy innocente e della vecchia pioniera intrepida si trovano di fronte per contaminarsi a vicenda: lui stupendo e corrotto e disposto a tutto; lei povera e ingorda e bugiarda. «Se avessi centocinquant'anni di meno, andrei molto bene per te...». «Vivo sempre con gente che m'aiuta... Sono bello in maniera quasi insultante, però tipicamente americana: bel profilo, naso diritto, occhi onesti, sorriso meraviglioso, il tipico ragazzo di fattoria... per i soldi faccio qualunque cosa». «Ho vinto il primo premio in una gara di torte fatte in casa, fra nonne; venticinquemila dollari». «I soldi parlano!». Ma nel momento più insostenibile la nonna scopre «qualche cosa di familiare». «Chi sei?». «Solo quello che si vede: una faccia e un corpo; e lascio che gli altri mi tocchino e ne provino piacere... faccio quello che mi pagano per fare... senza domande... ma ho avuto un gemello».

E qui la nonna ha un risvolto da regista di Pirandello: trasforma il Sogno Americano in nuovo figlio per la mamma e il papà, e in «uomo del camioncino» per sé. Se ne va, con le sue scatole, come la Blanche DuBois di Williams o una vecchia simbolica di Wilder. Il papà e la mamma palpano ben contenti il loro atroce Sogno, e se lo tengono. In fondo tutti hanno avuto quello che volevano, forse magari la felicità.

In *The Zoo Story* un uomo tranquillo siede su una panchina al parco. E peggio per lui. Arriva un giovanotto intenso e richiama la sua attenzione e la nostra con un'apertura, «sono stato allo zoo», magnetica non meno di «siamo qua in cerca d'un autore».

Il dialogo si frantuma in uno scambio di informazioni stradali; si riprende in cupe insistenze teratologiche sul cancro ai polmoni e il cancro alla bocca. Domande continue, dirette, indiscrete, invadenti. Commenti duri, aspri, che feriscono volontariamente. Dove abita, che lavoro fa, quanto guadagna. Ha due bambini? Non ne avrà altri. Perché? Si vede da come tiene le gambe. Ma niente vaffanculo: altri tempi. Dopo tante battute sui cani e i pappagalli, dove le bestie acquistano un peso enorme, la domanda «gatti?» arriva insultante come una frustata. Le neurosi più disperate esplodono in uno scambio di banalità fra estranei; e l'innocente bisogno di comunicare si deforma in una monomania morbosa: «il bisogno di parlare a qualcuno, ma non solo per chiedere dammi una birra, dov'è il gabinetto, a che ora comincia il film, tieni le mani a casa tua».

È una commedia che si distende in monologhi sempre più allucinanti: il miserabile casamento con i miserrimi inquilini descritti uno per uno, la squallida stanza con squallidi oggetti spiegati uno ad uno, l'amore che non riesce a durare più di mezz'ora. Descrizioni minuziose, insistenti, maniache, di malattie schifose e odori ripugnanti e donne orribili e animali altrettanto orribili: ipnotiche come nella *Charogne* di Baudelaire, come il «vedere l'Esistenza nella putrefazione» di Rilke. Il racconto dell'avvelenamento del cane mostruoso è un gran pezzo di retorica moderna, l'equivalente contemporaneo della Morte del Rospo o del Racconto del Diacono Martino.

Tutte le tragiche domande al Mondo e alla Vita e a Dio che sono il fastidioso luogo comune d'ogni dramma appena appena assurdo, diventano impeccabilmente legittime per Albee, inserite in un elenco d'oggetti con cui si può avere un rapporto umano (o d'amore), urlando «e si può far soldi con il proprio corpo! ed è un atto d'amore! e posso provarlo!». Ma alla fine del lunghissimo monologo sconvolgente, l'inappuntabile rovescio: fine della storia, mandiamola al «Reader's Digest». E alla domanda «perché?», la puntuale risposta di Alice secondo Lewis Carroll: «Perché no?».

Non si saprà cosa è successo allo zoo; e invece, improvvisamente, liti, insulti, minacce infantili: voglio la panchina tutta per me! E la voce della responsabilità e del buon senso diventa sciocca e suona ridicola. Poi compare un coltello; e dal coltello in poi la commedia frana. Certo, si capisce che questo

Jerry è venuto al parco per trovare chi lo uccida, sia pure in un maldestro eccesso di difesa personale; e si illumina tutta la pièce a posteriori. Ma uscendo dal gioco soltanto verbale questo Guignol perde l'equilibrio.

Al Greenwich Village, le porte seminascoste dei teatrini s'aprono di solito, effettivamente, fra negozietti assurdi che espongono polpette fritte in marmitte da cani, enormi gatte addormentate sopra libri coperti di polvere. E sono granai abbandonati, chiesacce sconsacrate, magazzini ripuliti, per lo più desolati, ma con l'aria condizionata. Pochi posti, poca gente, prezzi bassi. Il banco dei biglietti negli intervalli vende limonate. Gli attori entrano in scena dalla stessa porta del pubblico; e la scena è spesso centrale, con su quasi niente. Bambinacce e giovanottini corrono dentro nell'intervallo a metter giù qualche oggetto realistico ed economico, uno sgabello, un pacchetto di detersivo. Spesso è chiaro che gli attori vestono i loro abiti personali, e recitano con il minimo della paga sindacale, quarantacinque dollari alla settimana. Molti hanno nomi italiani, sono figli di emigrati completamente trasformati dall'educazione americana: di un'efficienza professionale e di un disinteresse impressionanti.

Fra i Giochi del Reale e dell'Assurdo che si celebrano in queste cappelle, pochi sono riusciti ultimamente così divertenti come due atti unici di Murray Schisgal magnificamente interpretati da Eli Wallach e da sua moglie Anne Jackson. *The Tiger* ha un inizio stupendo: una notte di tregenda, la bufera del *Rigoletto* in una stanzaccia devastata di New York. È la tana di un mostro, che ha appena rapito una donna per strada, e urlando minacce agghiaccianti se la porta dentro in spalla, mezza morta di paura, con un paltò legato intorno alla testa. Cosa si può desiderare di più? Appena dentro lui la siede senza slegarla, mette una sinfonia di Brahms sul grammofono, le dà un bacino. Lei supplica: la lasci andare, ha due bambini piccoli, suo marito pagherà dei soldi... No, ringhia il mostro: ogni donna che va fuori di notte merita tutto quello che le càpita. Ma io tornavo da una tombola di beneficenza, fa lei...

Altro bacino, altro disco di Brahms. Eppure vedo della bontà nei suoi occhi, insiste lei timidamente. Ma lui ghigna crudele: non c'è nessuno che sente, anche se urla; posso farle quello che voglio! Si scusa un po' per il disordine della casa; ma assicura che è comoda. Del resto, aggiunge, un uomo vive nella propria mente!

La slega, le porta via la gonna, lei rifiuta da fumare e da bere, lui sempre cattivo finge di andare in un'altra stanza, e siccome lei prova a scappare le salta addosso da un'altra porta spaventandola moltissimo. Si cambia le calze: ne ha moltissime, uguali, blu, tutte appese in fila. È una casa piena di calze e di libri: lui è un autodidatta, ha sempre disprezzato le scuole, «che sono per gli stupidi, servono solo a de-umanizzare». In realtà non ha mai potuto fare studi regolari. E sì che l'interessavano tanto i problemi della vita, della biologia, del corpo umano, l'evoluzione della specie, la genetica... Via la giacca. «È vero che il tempo è nulla» le chiede «e il principio è la fine?». Avrebbe voluto fare il professore di epistemologia e linguistica... poi è stato bocciato in francese... Sempre minacciandola, sempre ricordandole l'inferiorità della sua posizione, la obbliga a parlare in francese. Lei fa un errore di grammatica: è colpa dell'incomunicabilità, si scusa. Lui minaccia addirittura di ucciderla.

È arrabbiato con tutti: con la gente che domanda «come sta?», e non sta a sentire la risposta; la gente interessata solo nei soldi e non nei valori umani; che non ha identità né personalità; e quando si va negli uffici risponde «non abbiamo posti liberi!». È anche molto preoccupato: per l'aumento della popolazione mondiale; per la bomba H; per la scarsità di posti-letto negli ospedali; per il progresso che si vuol fare nello Spazio mentre ce ne sarebbe tanto bisogno qui sulla Terra... E sempre minaccioso tira fuori una quantità incredibile di luoghi comuni ricavati dai titoli dei giornali; li mescola a risentimenti misantropici da umiliato-e-offeso contro la società; mentre lei come automaticamente si mette comoda, gli porta via le pantofole e se le mette, s'accende una sigaretta. Adagio adagio, sempre parlandosi come fra carnefice e vittima, siedono a tavola, mangiano un formaggio, si dividono una birra, scambiano formule di cortesia in francese correggendosi a vicenda gli errori di pronuncia...

E vien fuori che lei non è affatto felice con suo marito: è ordinario, ignorante, terra-terra. Lei lo disprezza. Non vanno d'accordo. Litigano tutti i giorni. Il mostro invece fa il postino; ma per mancanza di titoli di studio non può far carriera. Se passasse però un certo esame di psicologia alle scuole serali, potrebbe forse diventare ispettore dei pacchi e delle raccomandate. Distrattamente, fra un dialogo francese e un disco di Čajkovskij, finiscono su un sofà. E alla fine combinano di vedersi ogni giovedì, per far pratica di francese e per altre cose. Lei, anzi, gli dà un compito da fare. Però ci sono già delle complicazioni: orari che non combaciano; prima della tal ora io non posso... ah, che peccato, dopo la tal ora non posso io...

The Typist è da godere quasi altrettanto. Un ufficio non tanto prospero di export-import, e questa enorme dattilografa che lo domina: grossi occhiali, rete in testa, prepotente. L'impiegato appena assunto deve rivolgersi a lei per qualunque cosa, anche per una gomma o un foglio; per forza, non è ancora pratico dei cassetti. Dovrebbe copiare gli indirizzi dell'elenco telefonico sulle buste. Ma lei s'annoia; e non tace. Pettegolezzi, massime generali, il trionfo del luogo comune: «brutto come il peccato, cieco come una talpa, rapido come il fulmine». Si spolvera; si pettina; gli fa osservazioni; gli dà consigli; non lo lascia tranquillo un attimo; piuttosto che niente gli domanda se preferirebbe perdere un milione o perdere una gamba. E il ritmo è delizioso; poche battute recitate ogni poche battute di macchina; e tutti i fatti privati che vengono fuori, banali e folli. Monologhi insensati, telefonate deliranti, intenzioni assurde e commenti catastrofici.

L'effetto è straordinariamente comico. Lui è sposato, lei no; in mezza giornata lui viene licenziato e riassunto due o tre volte; la seduce tre o quattro; appena allunga una mano ormai lei è pronta: «Vedrai come sarò buona con i bambini». Si sgridano, s'ubriacano, si disperano; pianificano una vita nuova; buttano per aria tutto. Alle cinque meno dieci sono già pronti per uscire, con su il paltò: domani sarà la stessa cosa.

Il realismo tocca il suo fondo con la nuova produzione del Living Theater, che con *The Connection* di Jack Gelber aveva già realizzato uno spettacolo lodatissimo e tutto ibrido. Cioè: una stanzaccia che è l'inferno di Sartre; aperto però verso il pubblico come il boccascena di *Questa sera si recita a soggetto*; con regista e spettatori che corrono su e giù; un'orchestra jazz che fa la sua session; e un gruppo di drogati che aspetta Godot, cioè l'Uomo col Braccio d'Oro. La trovata era di pretendere che le persone in scena non fossero attori recitanti ma veri drogati sorpresi in un momento critico, mentre rifiutano di recitare la commedia che ci si aspetta; e al posto di questa «vivono» controvoglia un documentario sulla droga a New York. Cioè la commedia che Gelber ha effettivamente scritto.

In tournée in Europa, poteva sembrare caricata. Non però nella sua sede naturale: questo sinistro quartiere di miserabili, con gli ubriachi sui gradini; la casa cadente; la porta slabbrata, senza insegne, di fianco a un elettricista; le scale verniciate di rosso fino al primo piano, scrostate; la sala d'aspetto tipo dispensario celtico; il gabinetto con l'acqua che non funziona. Questa è povertà americana vera, squallida. Le pareti sono di mattoni e le decorazioni di stagnola proprio perché manca il centesimo. Basta fare i conti: venti attori, almeno una ventina di tecnici, e centottanta posti a due o tre dollari l'uno.

La saletta degli spettacoli è nera, con lampadine nude a grappoli. Un reticolato di filo spinato divide il pubblico dalla scena, costruita come il dormitorio di un carcere di marines, in Giappone, nel 1957: e mentre i prigionieri dormono dentro il gabbione, sulle loro brande, l'entrata del pubblico riesce allucinante come se le parti s'invertissero: barbe sporche, maglioni cenciosi, bevitrici d'assenzio, vecchini vampireschi con tre paltò. Lo spettacolo si intitola *The Brig*: di Kenneth Brown, diretto da Judith Malina, con scene di Julian Beck. Ed è molto « sui generis ». Dunque, OK.

Poliziotti vanno e vengono. Improvvisamente accendono luci accecanti, svegliano i prigionieri a pugni nello stomaco, obbligandoli a ripetere urlando: « Sono un porco, signore! ». Ridotti come automi tremolanti s'infilano i calzoni, s'allacciano le stringhe, rifanno i letti. Appena a posto, i carcerieri li ributtano per aria con gioia malvagia da sorelle cattive di Cenerentola. Tutto da capo. Il più tremendo, secondo il programma, si chiama Chic Ciccarelli.

L'azione è ridotta a questo: che per terra sono tracciate in tutti i sensi delle linee bianche ad angolo retto. Ogni due metri ce n'è una. I prigionieri non possono attraversarle se non dopo avere urlato a un carceriere: « Signore, il prigioniero numero *** chiede il permesso di passare la linea bianca, signore! ». L'altro finge di non sentire, lo prende a pugni e a calci; lo fa urlare più forte. Poi urla a sua volta: « Passa! ». L'effetto è piuttosto impressionante: sono quindici, urlano tutti insieme per almeno tre ore, chiamandosi per numero, fra rumori realistici assordanti che sostituiscono praticamente le battute. Per quarti d'ora interi l'azione è un frenetico lavar pavimenti, con fragori di secchi e spazzoloni, getti d'acqua saponata sulle prime file di spettatori, urli furibondi. È un presepio di sadismi, la scuola di *Justine*, l'orfanotrofio di *Oliver Twist*. Calci, pugni, pestate di piedi, mutande, scarponi. Bidoni d'immondizie sulle spalle, e girare di corsa intorno alla baracca. Il bidone rovesciato addirittura in testa, uno rimane imprigionato sotto, e gli altri obbligati a correre intorno battendovi sopra. Decine di piegamenti appena mangiato. Crisi epilettiche e camicie di forza. Tutti in ginocchio. I sottufficiali che urlano in piedi sui tavoli. La lettura collettiva del manuale militare. La rasatura collettiva. La fumata collettiva. Se sfiorano per sbaglio un carceriere, percossi, bastonati, appesi alle reti metalliche, pugni nella pancia, presi per il collo, costretti con il naso per terra come galline. E prepotenze imbarazzanti, con brandelli di dialoghi che ricordano certi gangsters di Hemingway. «Mi ha toccato! Mi attacca le sue malattie!». «Hai lasciato cadere la vanga! Per un delitto simile ti ordino di morire!». «Vorresti cambiare la tua faccia con la mia, eh? Vorresti prendermi a calci nel didietro, eh? No? Allora menti!». E giù botte: è una specie di rituale alla Genet, ma con ossessioni igieniche e superomistiche molto americane.

Dopo dieci minuti, il senso si è capito: il meccanismo della punizione fisica degrada la personalità umana di chi è punito e di chi punisce. Va bene. Ci si domanda quando comincia la commedia. Ma dopo un'ora è chiaro che la commedia è tutta lì. Dopo due ore ci si abitua al rumore, e ci si annoia anche abbastanza. Lo spettacolo è sì un'esplosione mostruosa di attività fisica, d'una brutalità incredibile. Le percosse sono autentiche, il dispendio muscolare enorme: il programma del resto avverte che sono stati necessari diversi mesi di rigoroso addestramento atletico. Le urla e i rumori sono anche pazzeschi; e le mortificazioni inflitte ai prigionieri scavalcano le aspettative più efferate del Divin Marchese. A cominciare dall'olfatto, per i goduriosi più vicini. Tutto questo però non ci dice ancora «che cosa» sia lo spettacolo, ancorché perfettissimo da vedere.

È dunque un divertimento sadomaso di tendenza paradossalmente travestito da spettacolo pubblico? È una forsennata applicazione dei pregiudizi della «scuola obiettiva», una campagna per distruggere la parola con l'aiuto del gesto? Non sarà un'allegoria mistica del dramma del Calvario? O l'Inferno di Dante nei film di Totò? La *Pia de' Tolomei* rappresentata dalle filodrammatiche? L'equivalente yankee delle barzellette sui militari di Cuneo che spazzano i cessi reggimentali? Ma un sospetto molesto m'ha perseguitato per tutta la sera: il carcere è la casina di marzapane nel bosco, i prigionieri sono Hänsel e Gretel, i carcerieri sono la strega che li vuol cuocere al forno. Siamo venuti a vedere una fiaba. Dopo tutto, drammaturgicamente, cosa distingue questi marines conculcati da Pinocchio nella padella del Pescatore Verde, da Biancaneve percossa dalla Matrigna, dalle Due Orfanelle picchiate dalla megera Frochard? Non per nulla anche nelle fiabe occorrono le parole magiche per attraversare le porte. E figurativamente, quindici marines in mutande che cantano *Halls of Montezuma* strofinando i pavimenti possono apparire convenzionali o eccitanti né più né meno della servetta in gonnellino corto delle pochades francesi. (Avendo appena visitato i dormitori dell'YMCA e i «campi» dei marines fra la California e il Middle West. E lì: «Ecco l'ultimo vero culo americano! Il culo maschio tradizionale e autentico! Purtroppo fra non molto non ci sarà più, travolto dai movimenti di liberazione! E cosa ci metterete, al suo posto?»).

Tutto decisamente sexy, invece, *Fortune and Men's Eyes* (di John Herbert, diretto da Mitchell Nestor), ormai celeberrimo e affollatissimo, «in una cella dormitorio entro un'istituzione penale canadese». Qui, con viva efficienza, capovolgimenti rapidi e intensi di situazioni carnali realistiche, psicologiche, e isteriche. Magari decadenti. Come se nel climax di un confronto muscolare fra «cattivi» elisabettiani storici, i contendenti andassero a prendersi una doccia.

Qui, un ideale «pendant» viene puntualmente provvisto da *Women Behind Bars* (di Tom Eyen, diretto da Ron Link) su un innominabile carcere femminile iniquamente dominato dalla famigerata Divine, celeberrima per le turpi sconcezze perpetrate in film vergognosamente «cult» di John Waters, quali *Mondo Trasho* e *Pink Flamingos*. Fra le maltrattatissime prigioniere d'ogni età e tendenza figurano collaboratrici di Lindsay Kemp e Andy Warhol. Nei ruoli di «innocenti violentate dal sistema», e già interpreti di *Miss Nefertiti Regrets* o *The Dirtiest Show in Town*. Nel minuscolo Truck and Warehouse Theatre, gli effetti appaiono esplosivi, quasi.

Sarebbe difficile trovare uno spettacolo più opposto, come intenzioni e come risultati, del maggior successo off-Broadway negli ultimi anni: *Les nègres* di Genet nella magnifica produzione della St. Mark's Playhouse. L'eloquenza a cui torce il collo il Living Theater trionfa qui in altari di simbolismo fastoso e di clamorosa retorica del Grand Siècle su cui viene macellato ogni realismo con selvaggio furore... Mentre, bizzarramente, nell'una e nell'altra produzione i buoni sentimenti ostentatamente estromessi dalla porta rientrano in punta di piedi dal buco della chiave o del culo: sono spettacoli per voyeurs liberali? Ultimi Fuochi di un Grande Culo Americano Storico ormai prossimo all'estinzione e ai coccodè?

Qualche anno fa ne avevo visto l'edizione francese basica di Roger Blin, ma sotto la suggestione di esegesi di Sartre e d'altri così più macchinose della commedia, che m'ero perso nella pompa ipnotica delle metafore solenni. Avevo capito pochissimo, nella baroccaggine. Invece basta veramente badare al testo e seguire lo spettacolo come chiede l'autore: una rappresentazione di clowns che mimano l'uccisione dei bianchi da parte dei neri, in un delirio di travestitismo frenetico.

Recitata da neri americani, in inglese, la pièce prende certo un senso più limitato e preciso: la sontuosa esasperazione di Genet sarebbe più universale. Ma in che odio impeccabilmente omicida si risolve l'irritato «coup de grâce» francese in una terra dove i bianchi e i neri non si scannano soltanto in teatro o alla corrida. E come sembra trovare una forma definitiva nella versione inglese, tutta diretta. Le cose dette qui sono quel che sono: mentre in francese e in italiano, retorica aiutando, possono anche voler dire il contrario.

Il teatro è ovale, grigio scuro. Il palco, una piattaforma con scalette come prescrive il testo. Costumi e maschere giustamente fantasiosissimi; e una passerella semicircolare su cui entrano i commedianti con una gavotta, dileggiando il pubblico pronto; e poi stordendolo con la magnificenza del rituale e l'insolente eleganza delle sopraffazioni. Frac, maglioni, scarpe di gomma. Cassette da lustrascarpe e catafalco in primo piano. Una continua altalena di volgarità e terrore, di ripugnanza e dannazione. Il tono sta sempre virando bruscamente dal lirico al beffardo, dal turgido al clinico. Il nero grasso diventa una bianca magra. Il ballettaccio interferisce con le esplosioni di ferocia, i trucchi magici con i Kyrie eleison della processione. Dal parto curioso nasce una marionetta, e dalle esecuzioni capitali dei numeri musicali tipo Lena Horne o Cab Calloway a Parigi.

Le battute famose sono sempre là. «Il color nero una volta era un peccato: ora è un delitto». «Siamo come "loro" vogliono che siamo». «Con tutta l'acqua che abbiamo consumato per battezzarvi, ingrati!». E lo spettacolo, diretto da Gene Frankel con una meccanicità misteriosamente affascinante, appare perfetto.

Un bel colpo di teatro vecchio si celebra però al Village con la riduzione in piccolo del *Deer Park* fatta da Norman Mailer stesso. Tutti i personaggi in scena, su archetti praticabili: illuminati di colpo, all'inizio, come negli spettacoli di Patroni Griffi. Il protagonista dice le didascalie al pubblico, poi si butta nelle azioni: fumetti, monologhi interiori, flashbacks. Lo sfondo luccica; le pettinature femminili fanno Old Hollywood; gli attori vengono centrati da fari a colori quando vengono avanti. Spot grossi e piccoli continuano a spegnersi e accendersi sui luoghi deputati con monotona varietà.

Le vignette sono di poche parole: sketchettini di poche battute. Due luoghi comuni, e via. Hollywood, ahi, quanta Hollywood. I produttori, le attività anti-americane, i conflitti fra la Coscienza e la Sceneggiatura. Il sesso, e il bere, e la droga: tutto, modello 1950. E come suona antico: un po' di «Playboy», un po' di Arthur Miller, un po' di straniamento da night-club. Come se non bastasse, le didascalie di tempo e di luogo puntualizzano che siamo «non in un Posto, ma in una Mente, in un Animo, e forse all'Inferno». Così non si sa più se ridere «prima» o piangere «dopo» una tale Caduta. Eppure il protagonista è Hugh Marlowe. E «The New York Times»: «Endearingly wicked!».

A questo *Deer Park* manca proprio il pubblico. Affolla invece in maniere spasmodiche lo spettacolo *Charlie Brown*, che va molto al di là della Leggendaria Efficacia tradizionale. Semplicemente: la Perfezione in Terra. In un teatrino nel cuore dell'East Village: dunque in territorio off-off. Ma l'allestimento è riccamente professionale, con centinaia di riflettori che ne fanno uno spettacolo semplicemente «off».

Prima di tutto: i personaggi e le tecniche e i «tempi» e i «tagli» e il gusto e magari l'ideologia del famoso fumetto sono realizzati con un cast di precisione allucinante. La somiglianza dei ragazzi coi personaggi di *Peanuts* sembra arrivare addirittura «oltre»: chissà, alla psicologia, alla psicoterapia... Ogni «istantanea», tagliata con vero rigore, usando elementi scenici ben colorati, d'una semplicità adorabile. Le ingenuità, sapientissime; le ragazzine, sgraziate, e apparentemente di nove anni; Linus e Charlie Brown, verosimili e dunque incredibili: somiglianze pazzesche; più stupendo di tutti, il cane.

E tutto, sul serio, impressionante. E non solo le facce, i gesti, le voci. Addirittura: la polifonia addominale.

La casa-madre del New American Cinema è il sotterraneo di un ufficio postale a pochi passi da Times Square, subito sotto il viluppo delle librerie del sadismo e dei giornalai della vergogna. Il nome è ormai celebre: Film-Makers' Cinematheque. Sala ordinaria, stucchi bianchi-sporchi, sbaffi sangue-di-bue. Ma un pubblico piuttosto straordinario, tipo «da vedere per credere»: dal beat «completo di tutto» alla hippie «che non si priva di nulla», dai direttori dei Musei d'Arte Moderna ai vecchini morenti in paltò. Qui, secondo le regole di Jonas Mekas, patrono e manager della Cooperativa, si mostra pubblicamente almeno due volte qualunque prodotto dei molti registi suoi aderenti. «Affrontino il loro rischio!». Se va bene, può essere il trionfo: è il caso di Andy Warhol. Altrimenti, meno se ne sente parlare e meglio è. Dunque, da parte del pubblico, applausi e fischi come a teatro o alla corrida. Commenti, polemiche, vociferazioni di «bis!». L'arte del film sembra rinascere ogni sera.

Il cinema (in fondo) stava diventando un arnese arcaico e in disuso. Come la radio o il treno. I clienti sono diminuiti costantemente. Di anno in anno cadevano demolite le immense cavernose basiliche dove trionfarono in un décor allucinante i grandi film delle Epoche d'Oro, «come se ne facevano una volta...» (e come il pubblico non ne vuole più). Basta entrare in una qualunque sala di New York. Quasi completamente vuota. Anche per i Grandi Successi costosi e tradizionali tipo *Cleopatra*. O «calamità finanziarie» come *At Long Last Love*.

Ma un entusiasmo cinematografico straordinario sta esplodendo proprio a New York in queste stagioni. Come se l'arte del film fosse una scoperta nuovissima, eccitante, carica d'incredibili possibilità. Come se la macchina da presa fosse un vero organo fisiologico «in più», ormai saldato al corpo umano con tutte le sue capacità sensorie e allucinatorie... A costo di superare le possibilità fisiologiche attraverso lo stimolo chimico deformante, visionario... Come se i film già fatti in passato, tutti i film, la loro esperienza, le loro tecniche, i loro effetti, le loro associazioni inevitabili, non significassero – davvero – niente. «The Age of Aquarius! That's *me*!».

Ormai, comunque, mentre da una New Hollywood si attendono *Easy Rider* e *Bonnie and Clyde* e *Five Easy Pieces*, ci sono più di seicento film all'anno, fra lunghi e corti, prodotti solo a New York. Una etichetta comune: New American Cinema. Connotati: entusiasmo, violenza, tensione; improvvisi languori; e magari, parole-chiave come *involvement, subversive, ambiguity, shabby, crisis, dropout, dealing dope, getting persecuted, run-and-gun, know-nothing, drifting, alienated, insane, inmate*... Macché più buffi milionari e maggiordomi, segretarie canterine e galanti... Piuttosto, un independent individual on the road assoggetta il Sistema, non già viceversa... E una costellazione di nomi nuovi: Jonas e Adolfas Mekas, Andy Warhol, John Milius, Stan Brakhage, Stan Vanderbeek, Gregory Markopoulos, Bruce Conner, Peter Goldman, Ed Emshwiller... E intorno, e dietro, gli antecedenti e i compagni di strada, il passato prossimo e la leggenda: Marie Menken, Robert Breer, Harry Smith, Robert Nelson, Ron Rice, Kenneth Anger, Taylor Mead, Peter Kubelka, Jerome Hill, Shirley Clarke...

Emerge con questi un cinema risolutamente «minoritario», assolutamente «d'autore». Dunque, direbbe Pasolini, un cinema «di poesia», soggettivo, personale, curiosamente contrapposto alla prosa del film industriale di serie, alla sua routine cinquantennale che ha saturato generazioni di spettatori... Battezzato «new» come se tutto il resto fosse decrepito, e «underground», con quel tanto di piccante che si associa a ogni attività clandestina «sotterranea»... Ma questa struttura di minoranza costituisce ormai il fatto spettacolare (artistico e organizzativo...) più cospicuo dei nostri anni: insieme al teatro *off-off*.

Moltiplica le sue salette; e le riempie. Nel paese dei costi «proverbialmente esorbitanti», sempre crescenti, e dell'industria culturale più stritola-tutto, dimostra trionfalmente che si può benissimo girare un film – tantissimi film – con pochi dollari, e in poche ore. Senza troupe. Basta una piccola cinepresa, un po'

di pellicola semiscaduta; (dimenticare tutti gli altri film, raccomanda Mekas); uscir per strada; e GIRARE... e subito, raggiungere il pubblico... E procedere, volutamente, a valanga, a piovra... con una produzione sterminata... e conquistare fiancheg-
giatori entusiasti, finanziatori, e invadere come «fatto di punta» con documentazioni larghissime le pagine dei giornali popolari, e dei più schifiltosi.

L'organizzazione è notoriamente semplicissima. Una cooperativa di autori e distributori produce liberamente i propri film
secondo un'intesa di massima, reinveste buona parte degli utili nella produzione, e presenta ogni nuovo lavoro «a caldo» in
alcune salette consorziate, che cambiano programma continuamente. Ma in questo ambito comune, gli autori e i prodotti del
Nuovo Cinema non saprebbero diventare più disparati di così.
C'è dentro di tutto, in questi film, così dissimili nelle intenzioni stilistiche e ideologiche; soprattutto, diversissimi come maturità e come durata. Dai pochi minuti alle molte ore, dall'analfa-
betismo riprovevole alla sofisticazione geniale, alla reazione sentimentale automatica come un riflesso salivatorio.

Si può capitare, di volta in volta, sulle sorprese più incongrue.
Spiritosaggini grafiche e corsive vagamente ottocentesche; surrealismi nati ieri; esercizi in bianco e nero espressionistici o
astratti; collages di vignette che rammentano Longanesi e For-
nasetti. Colorazzi foschi e sporchi; città disumane al tramonto;
un Gange; operazioni chirurgiche sordide; casamenti dilapidati. Accelerazioni di ritmo. Mandrie, danze di indiani. Figurette
del Trenta: un treno merci, un charleston, perle, amori, torrenti, corse d'automobili. Due abbracci, un paio di piedi, un
gabinetto, un frigorifero aperto, tanti incontri sessuali, dune
sabbiose, neon notturni, arabeschi alla Pollock... Attacchi politici, con uso ironico del suono: erotismo, collages, Eisenhower,
cinema sul cinema, flashbacks tipo Nizza & Morbelli («Van le
Kätchen con le Gretchen a passeggio sotto i tigli / Professori in
tuba e occhiali vanno a spasso con i figli»)... Ammicchi spiritosi: cartoons, organetti, giostre, uomini di Stato che escono dalla bocca delle pin-up, e dietro ciascuno un fondale che non gli
pertiene. O lo dileggia. Desolazioni urbane continue, atti gratuiti, vecchie canzonette, acrobati, tanghi, tuffatori, pattinatori,
aerei, barbe, Nixon, Ridolini, corse pazze...

Mai, però, un oggetto o un'immagine diventano «simbolo»
o «metafora» di alcunché. Stanno a «significare» ciò che sono, e basta; anche se, naturalmente, una volta abolita la domanda «ma cosa vuol dire?» (vuol dire *quella cosa lì*, nient'al-

tro), non «contano» affatto i materiali in sé, ma l'uso e l'attività che li muovono. «Easy».

... E dietro, costantemente, alcuni miti precisi: «raggiungere un certo pubblico che...», «prendere a prestito le tecniche di...», «appropriarsi delle possibilità espressive della...» ripetitivamente. (E lì, si può mettere di tutto). Questo fa tipicamente parte del grande sogno dell'arte americana contemporanea. Cambiare arti, tecniche, mezzi d'espressione. Immetterli da un'arte a un'altra, metamorfosando la pittura in cinema, questo in teatro, e questo in poesia, e questa in musica, diventando comunque – tutti, tutte – «altre cose»... Una fungibilità e intercambiabilità incessante fra persone, strumenti, funzioni... Tutti alla ricerca inesauribile di una propria «identità»... Ma qui, in più, un entusiasmo divorante. Sembra straordinario che si possa comunque aprire la strada a tante esperienze cinematografiche nuove e diverse, con tanta facilità. Però è verissimo: le possibilità ormai sono alla portata di chiunque.

Tra i film abbastanza rappresentativi che hanno «passato le linee» invadendo anche qualche sala «fuori circuito» come spiritosi e bambineschi «concerti di *gags*», *Chafed Elbows* («Gomiti sbucciati») di Robert Downey strimpella con qualche sospetto di buonumore intorno alle più modeste o triviali peripezie nella formazione sentimentale sguaiata e pecoreccia di un candido di città, che vede tutte le cose – nella loro stranezza – «come se fosse la prima volta». Anche perché si trova costantemente esposto a tutte le suggestioni su un medesimo piano. Lo stesso spunto, cioè, di un altro catalogo di stupori adolescenziali, la *Passione di uno qualsiasi*, messo in scena a Roma anni fa con una verve meno visiva e più amara da giovani autori «di minoranza» specializzati nel ravvisare il vero Nonsenso sotto il finto Buonsenso.

Il giovanotto stupefatto del film di Downey erra e gira seguendo una linea bianca dipinta storta nei vicoli ciechi, fra ritratti orrendi di Johnson dappertutto, in un collage smisurato delle pressioni esercitate dal potere, dalle Chiese, dalla stampa, dalle donne, dal cinema, dalle bibite, dai cosmetici, dalle culture, dai fumetti, e dai loro effetti disordinati e confusi sui cittadini d'animo semplice. Vecchini calvi danzano come baiadere, la mamma con parrucca di rafia e il cuore dipinto gli dice «non andare con le teenagers», Johnson mostra la sua ferita ai bambini che sghignazzano, le vecchie ballano il surf, Bob Kennedy cammina sulle acque e tenta di far dei miracoli, le guardie rosse di Mao dicono «il mio nome è Maria Vergine, però puoi chiamarmi solo Maria...» confondendo sempre più protervamente le immagini della pubblicità e delle ideologie. La Nonna dell'Anno, Hitler, Whitman, Gesù, il whisky, la polizia, Ginsberg, il sadomasochismo di massa ormai digerito e cacato, il «camp» familiare, il cuoio nero casalingo, l'omosessualità prima e dopo i pasti, l'LSD anche per i bambini... Tutti avviluppati in slogan e marchi di fabbrica, a partire dalle magliette e dai bottoni: «Mary Poppins si droga», «Il generale Westmoreland è una bambola», «Dio non è morto (sta benissimo in Argentina)».

È un film intensamente metropolitano: fitto di nomi e riferimenti di New York, con collaboratori dai nomi affascinanti (Guy Terone, Frank Verdicchio) e una serie di gustosi espedienti economici. Un doppiatore fa 34 voci, tutte improbabili; e una stessa signora non giovane fa la mamma del protagonista, e anche tutte le altre parti femminili. Così, quando le teenagers lo assaltano, la mamma lo sposa, dormono sotto i giornali, lui la uccide con una bottiglia di coca-cola, poi viene sottoposto a isterectomia, e partorisce un mucchietto di dollari. (Già, da bambino aveva ingoiato una monetina).

L'eroe è risolutamente passivo. Tutti lo aggrediscono. Tutto gli «càpita». Va in chiesa, e trova una fiutatrice di calze, che gli offre 5 dollari per annusargliele. Per strada, un pornografo lo accosta per offrirgli delle fotografie «audaci»: Bertrand Russell in un bagno turco. Viene firmato «A.W.» (cioè Andy Warhol) da un pittore pop che lo promuove oggetto d'arte e gli ingiunge di recarsi al Museo d'Arte Moderna. Finalmente, una buona battuta: «Sono come un film d'arte, io; non ho dissolvenze, ma ho tanti effetti speciali».

Tutto diverso, Gregory Markopoulos. Tutto immagini colorate. Tutto eleganza formale calda e preziosa, scura e decadente, con rapidi montaggi paralleli, multipli, subliminali... Dormire nudi in una pelliccia cosparsa di rose rosse. Scegliere tante cravatte di raso e velluto, baciando l'aspide di Cleopatra. Fumare appassionatamente disincantati, in abito da sera, il piede dorato su un tappeto persiano coperto di vestaglie cinesi...

Himself as Herself (lui come lei) si annunzia tratto dalla misteriosa *Séraphita* di Balzac, su un ermafrodito. Un protagonista molto somigliante a Gianni Morandi, molto elegante, solo per tutto il tempo con se stesso, si vuole un gran bene. Molto vistosamente, con molto spleen, fra immagini molto ricche, colori scuri «che emanano luce». Sembra la scuola di San Francisco, psichedelica «al di là dei sogni». Si scopre con sorpresa, in qualche esterno, Boston. Finalmente, il narciso si pente (non si sa di che cosa) in una cattedrale estremamente decadente.

Emerge spesso in questi film una subcultura specifica, con connotati precisi. È tutta visiva, basata sulla televisione, sui fumetti, magari sui vecchi film del Trenta rivisitati alla televisione. Ma ignora il libro, prescinde dal giornale. I registi giovani non amano leggere; o almeno, non «leggono» secondo i canoni della cultura tradizionale. Emergono, poi, dagli slums, dagli immigrati. E qui il caso più interessante sono i gemelli Kuchar: giovanissimi, entusiasti, curiosamente pingui, sempre vissuti nel Bronx, sperimentando fin da ragazzini con le loro macchinine da pochi dollari, e usando come attori i vicini o la zia, in filmini bizzarramente sessuali, ne facevano due o tre al giorno. Ne fanno sempre: curiosamente casalinghi, alla Camerini, ma con sviluppi fumettistici paradossali. E l'eroina sexy è sempre l'anziana zia, un'Assia Noris settantenne, ossigenata e obesa... Ecco, con i Kuchar emerge non soltanto il sesso degli slums, ma un'intera «sub-antropologia»; e tende a diventare altra cosa... articolo, saggio, poesia, racconto... però, sul terreno dell'espressione visiva.

Invece, i prodotti californiani non collegati alla Film-Makers' Cooperative, e dunque avversati e «spurii», si possono trovare nel cuore dell'East Village, in un antro chiamato Gate Theatre, governato dal regista Tambellini, e francamente specializzato in programmi con titoli tipo «Erotica-neurotica», abbastanza diffusamente reclamizzati, e anche incredibili, se si pensa che poi basta acquistare il biglietto, ed entrare.
Oltre ai soliti esercizi in bianco e nero, surreali o astratti o espressionistici, e alle fonderie d'acciaio 1930, e alle avventure della zia grassa tra i comodini e i comignoli, qui si guarda molto all'Oriente, magari importando tediosi esercizi registici di pazienza giapponese. Sovente, in una terra di nessuno fra Los Angeles e Tokyo, popolata di fantasmi e di violenza, si svolgono misteriose e fumose vicende di frustrazioni e trasgressioni sessuali, con punizioni e castighi, o semplicemente omicidi gratuiti. Spiagge ventose, vicoli ciechi, stanzette slabbrate; incontri mortuari; elegie piovose e crudeli. Anche goffaggini: disegnini animati tipo una ditta di pubblicità non tanto brava. (Tornano così in mente le prime ricognizioni sul cinema orientale dell'amico produttore Nello Santi. Vantava la scoperta di ignoti e geniali registi giapponesi: Orina Sumuri e Kakapoko Kifapokomoto. Arrivando a Pechino dopo lunghe trasferte, e voglioso di

dormire, garbatamente rifiutò l'offerta di una compagna notturna. E i premurosi ospiti cinesi: «Flocio?»).

Le cose più originali di San Francisco magari si chiamano *Bordello*, ma almeno portano avanti con la coerenza del delirio il sogno dei poeti e dei pittori che cercano di «espandere le possibilità» sia della propria coscienza, sia del mezzo espressivo. E lasciano sontuosamente invadere le loro esperienze formali da quell'orgia di colori violenti e scuri che costituisce da decenni l'atmosfera tipica d'una città congegnata apparentemente da un Rubens della Belle Époque. Magari, sognando Tangeri al culmine del «viaggio» psichedelico. Allora, l'esperienza visionaria si affolla di stoffe e facce cariche di tinte, grondanti pittura. Pizzi, turbanti, veli, sputi, baci, perle, penne di struzzo, bocche, piedi. Gli stracci di Carmelo Bene: colorati, dorati, polverosi. E petali sgargianti, fegati sanguinanti: grovigli di corpi parati e nudità vistose, violente. Violente, anche, le ingenuità: fra le candele e gli ananas e le peonie e il sangue e le vecchie stoffe e le facce dipinte e il cannibalismo e le metempsicosi e le metamorfosi. (Nicolas Roeg e David Bowie li sfruttarono poi in un film assai *weird* e scostante, *The Man Who Fell to Earth*, su un alieno drogato e cheap che finisce malissimo in una Londra decadentissima).

Sono film che possono sconcertare per la loro ingenuità. Le Immagini si sostituiscono al Romanzo. Magari, prendendo le tecniche della poesia, gli effetti della pittura, i luoghi comuni del '35, o le forme e le strutture e i procedimenti della musica nuovissima... Possono risultare sprovveduti e irritanti: macchina che salta, inquadratura che balla, luce negli occhi con frenesie godardiane; rapidità, lungaggini, vertigini... Indubbiamente, sovente, infantilismi dispettosi, oscurità ostinate, allusioni criptiche, come riservate a club di «iniziati», in un ghetto sprofondato nel mistero... Ma questi vari capricci non bastano a condannare la percentuale di questi film che si salva e redime giacché non vuol costituire assolutamente un'anticamera a Hollywood. Si pone, al contrario, con energia, come «sistema alternativo», rispetto a Hollywood.

Film, infatti, che valgono specialmente come «proposte». Hanno un senso in quanto punti di partenza. Forse importanti per la loro funzione di abbattimento impetuoso d'ostacoli, d'apertura di nuovissime strade... E da ogni punto di vista, si tratta di operazioni insolitamente *economiche*. Le imperfezioni funzionano sempre «nel senso giusto», e mai *contro* il senso del film: scorrettezze sempre recuperate e annesse, proprio in quanto – deliberatamente – mai, mai, l'inquadratura deve riuscire (convenzionalmente) «giusta», «combinabile», secondo le Regole del giraggio, o i Canoni del montaggio... Piuttosto, invece, si tratta qui di scoprire sperimentalmente le più vaste possibilità espressive di un certo mezzo tecnico, dopo aver buttato via tutte le regole, tutti i modelli... Non per niente, è un moto che parte (per così dire) «dal basso», cioè dalla cultura delle periferie, degli slums, degli ultimi immigrati, dei fumetti. Più che respingere i «precetti» della cultura tradizionalmente «alta», accademica (o magari industriale: gli editori, i produttori, i giornali...), veramente, il Nuovo Cinema, quei precetti, li ignora... Magari, poi, una volta scartati o aggirati i «valori» convenzionali, si infatua per linguaggi che «vogliono dire» (secondo una certa convenzione) tutt'altre cose, hanno già significati precisi, associazioni determinate: come certi artifici tecnici che possono venire intesi, da decenni, *solo come* «flash-back», oppure «comunicano» inevitabilmente «... e passarono le stagioni»...

Dunque, spesso effetti casuali. Raggiunti non volontariamente. Però, vanno benissimo. Ricercati apposta, non aleatoriamente, chissà quanto costerebbe ottenerli. E sovente, risultati arcaici. Magari, equivalenti alle parole in libertà dei futuristi, più che alle dissoluzioni della musica post-weberniana. O magari, ripercorrendo senza saperlo – senza «essere obbligati» a saperlo... – esperienze già digerite dagli espressionisti tedeschi, o dalla pubblicità Ferrania del '40: fuochi artificiali, lo spruzzo sullo scoglio controluce, forme astratte in bianchi-e-neri geometrici su un ritmo d'acciaieria e fonderia...

Tentiamo di riassumere le direzioni più spericolate, e disparate, verso le quali entusiasmo e violenza spingono questo Nuovo Cinema?

Un uso protervamente antirealistico del realismo: «battendolo in casa», svillaneggiandolo sul suo stesso terreno.

Una prospezione delle neurosi tipicamente metropolitane. Svariatissime frustrazioni amorose, perpetrate con qualche isterismo dal sottoproletariato intellettuale. Sempre un letto, una spiaggia. Sempre la Bomba. E strade dilapidate, vicoli frananti, cimiteri di macchine. Il lato spaventoso della Grande Città: *tentacolarissima*, però non di rado assaporata con un Gusto dell'Orrido simile all'attrazione dei romantici per le rovine e le grotte. (Non per niente, i protagonisti hanno sempre le barbe).

Una protesta politica, di fondo anarchico-satirico. Magari, ottenuta con l'eloquenza nuda e facile del mero schermo: lì, tutto bianco, oppure tutto nero. Una polemica contro le pressioni del «sistema»: a costo di sbeffeggiare con spiritosità un po' goliardiche tutta la società americana e i suoi miti, l'industria cinematografica, il commercio culturale. (O quel «colmo del sadismo»: ribattere NO al maso).

Un recupero più o meno volontario e cosciente dei modi dell'Avanguardia storica: «riattaccandosi» a una corrente, o «portando avanti» una linea. Anche, recuperando un passato prossimo americano specifico, abbastanza diretto, eventualmente folle e rifiutato dagli immediati predecessori.

Un innamoramento frenetico per il «medium» tecnico. Sia per una fissazione alla McLuhan: la discussione intorno ai mezzi «caldi» e «freddi». Sia per sperimentare attraverso una macchina da presa «fisiologica» le possibilità della «espansione dei sensi», esplorandone la sensibilità e le allucinazioni.

Uno sfruttamento sfrenato delle possibilità non soltanto politiche ma soprattutto erotiche offerte dall'attuale mancanza d'ogni censura poliziesca «di costume». Dunque, continuamente, nudi maschili e femminili, da ogni lato e in ogni fase, molto più vistosi e molto più moderni che nei vecchi retrobottega di Pigalle.

Un rifiuto, addirittura, della macchina da presa. Parecchi lavorano direttamente sulla pellicola. Sovra-espongono; sotto-espongono. La dipingono. Mescolano, grattano, raschiano. La schiariscono con la candeggina. La cuociono nel forno di casa.

Anche, naturalmente, molte rozzezze, goffe e sempliciotte. Molti risultati paiono deludenti, perché non sembra lecito, in questo paese, oggi, riuscire così scadenti tecnicamente e attorialmente, nonostante gli alibi della povertà e le motivazioni della protesta. (Anche i filmini più porno paiono spesso interpretati da imbranati imbarazzati).

Ma poi, si vanno a vedere certi film apparentemente rivoluzionari, e tecnicamente perfetti, come il *Marat-Sade* di Brook, e l'*Ulysses* di Strick, e allora il lavoro di Brook pare gelido, con le sue inquadrature nette, precise, chirurgiche, svizzere, inadeguate a «tirar dentro» gli urli e i furori che erano il massimo fascino del suo spettacolo teatrale a Londra. L'*Ulysses*, addirittura, sembra una riduzione accurata e diligente del romanzo di Joyce, eseguita da Comencini o De Sica. E si esce da quel nitore carichi di rammarico per l'occasione perduta: come sarebbe stato più giusto, stilisticamente, trasporre i deliri dei pazzi di Charenton, e i flussi oscuri dei vagabondaggi in quella tale Dublino sognata, nelle immagini ondeggianti e sfuocate del cinema *underground*...

Non esiste neanche un barlume di critica che accompagni e fiancheggi il lavoro creativo? Ma importa poco, ai giovani filmanti, come ai giovani teatranti. Non solo mostrano un vivo orrore pragmatico per ogni «astrazione», una ripugnanza così decisa per il discorso «teorico» – e per la cultura scritta – da rifiutare qualunque dichiarazione di poetica, ogni discussione di «idee generali». Addirittura, lo si ripete anche noiosamente, i registi giovani non amano leggere, perché appartengono a una diversa «cultura»: tutta visiva. Così, il Tradizionale Empirismo Anglosassone pare toccare un estremo ormai radicalizzato, in questa sua ultima metamorfosi, che volta serenamente le spalle all'Europa, alla sua cultura, alle sue terminologie, e (definitivamente) ai suoi «film d'arte»...

«Se ne parla dopo, se ci rimane fiato, al bar, con una birra davanti. In ufficio si discute d'affari: e gli argomenti "artistici" vengono tenuti deliberatamente fuori. Così qui non si fanno discriminazioni di tipo estetico o ideologico!». Non siamo a un'assemblea di finanziatori della United Artists. Queste sono esclamazioni di Jonas Mekas; e pare bizzarro che la sua esile figura di Giovanni Battista fiammeggiante e profetico del New American Cinema debba proclamare dei filisteismi pesanti, degni piuttosto di quei tycoons in jet privato, che invece da qualche tempo discutono vorticosamente di estetiche e di ideologie, se non addirittura di mistica.

Mekas parla spiritato e intransigente. Ha una quarantina d'anni, è lituano, regista, poeta, critico, ma prima di tutto dev'essere un eccezionale organizzatore. La sua impresa, questa Cooperativa di Filmmakers («non si dice più registi!»), appare davvero speciale: e non soltanto perché venendo a capo di anni e anni di litigi riesce a mettere d'accordo una pluralità di individui difficili, imponendo con prepotenza anche i loro prodotti più singolari. Fino a poco fa, nulla riusciva a esistere al di fuori del «sistema». Secondo i più spietati clichés sull'industria culturale, questa schiacciava qualunque *outsider*. E la scena culturale americana veniva attraversata da tentativi disperati, sostenuti da una tensione individuale effimera, e destinati a spegnersi quasi subito. I «nostri» arrivavano, sempre troppo tardi, a un autore avvilito e spompato; e più spesso, non arrivavano affatto.

Il senso dell'operazione di Mekas va dunque al di là della portata della Cooperativa. Dimostra scompostamente errata ogni ipotesi di sociologia culturale per cui nessun «canale di minoranza» riuscirebbe a funzionare efficacemente al di fuori o contro le strutture dei monopoli intellettuali-commerciali. Perciò, importa relativamente poco se molti risultati sono deludenti, per ora; e certi film appaiono vergognosamente scadenti, al di sotto d'ogni pretesto di «contestazione». Però, sembra incredibile che si possa comunque aprire la strada a tante esperienze nuove e «diverse», con tanta apparente facilità. Distrutto per sempre il mito del film ad altissimo costo, fondato sui presupposti di una tecnica industrialmente perfezionata. Chiunque, ormai, ha la possibilità di fare i propri film, e di vederli distribuiti fino a raggiungere il loro destinatario, il pubblico. Ecco la portata della «rivoluzione» di Mekas, il senso del motto continuamente ripetuto da tutto l'Underground: bastano pochi soldi, macchina e pellicola, uscire, e girare.

I suoi princìpi sono precisi. Una caparbia volontà di lavorare «da indipendenti», eliminando la figura comoda o scomoda e comunque invadente del Produttore. Al suo posto, neanche un regista: un Autore. E come sta attento, Mekas, a chiamarlo accuratamente Filmante: *Filmmaker.*

La sua nuova retorica: occhio e obiettivo uniti in un «gesto» poetico unico – in una «copulazione» di sguardo, mezzo, immagine.

Appassionato e dogmatico: non ammette contraddizioni. «I film "nuovi" sono tutti bellissimi, perché tali. Quelli di Hollywood, tutti orribili e infami, in quanto di Hollywood». Non sente dubbi: «Finora non abbiamo mai fatto sbagli!» (ed è vero, in fondo). Come massima vittoria, il trionfo dei film di Warhol; lo sfondamento nella produzione e distribuzione industriale. «Prima di *Chelsea Girls*, solo venti cinema prenotavano i programmi della Coop; ora più di duecento li chiedono, e ottengono i film di Warhol solo a condizione di proiettare anche gli altri». Si sa poi che le grandi case di Hollywood offrono a Warhol grosse somme per produrre e distribuire i suoi film, ma lui rifiuta: vuole avere il suo script, i suoi attori, e poi vuole sfruttare i suoi film da sé. «Occorre resistere! Restare coerenti, opporsi alle tentazioni! Mai fatti errori, finora. Dunque, continuare!».

E cioè? «*Sempre* lo stesso precetto. Uno solo: non date retta a nessuno, prendete la cinepresa, uscite, e girate!».

Una obiezione: però, presentare questo grosso «pacchetto» di film di valore così disuguale non può essere pericoloso, ai fini del successo? Il pubblico adesso arriva, incuriosito dalla gran pubblicità. È giusto deluderlo facendogli vedere anche tanti film incompetenti o anche orribili?

Risponde: «Che abitudine accademica europea! Che pigrizia mentale conservatrice tipica! Volere solo il prodotto finito! Leccato! Morto...». Replica, con pazienza: non si respinge niente per principio, chi siamo noi per metterci lì a giudicare? Si dànno a tutti uguali possibilità per un test, un giudizio pubblico. A chiunque. Ogni film, lo si presenta un paio di volte a un pubblico piuttosto specializzato. E lì, si vede: o passa, e cresce; o cade. Però, mai discriminazioni. «Siamo 238 registi, si fanno decine e decine di film ogni mese, anche più di cinquanta, seicento film all'anno... Cosa abbiamo in comune? Solo il fatto che facciamo film, che siamo filmmakers. I veri pericoli sono tutt'altri: i pericoli della carriera, le tentazioni di Hollywood... Per esempio: metterci a fare film alle "loro" condizioni».

Aggiunge Louis Brigante, che dirige la distribuzione dei film della Cooperativa: «Intanto, si distrugge il mito del cinema esclusivamente costosissimo, vicolo chiuso di clichés meccanici nelle mani degli "addetti" al Sistema. Si rivendica la libertà di esprimersi senza vincoli o legami, per i poeti che preferiscono la creazione artistica al grosso guadagno immediato. Fra di loro, magari, nessun punto di contatto, se non il presupposto fondamentale: liberi tutti da qualsiasi controllo industriale sui loro lavori».

Siamo in un povero ufficio, spoglio e allegro. Brigante dice: «Il primo problema era naturalmente "come" far vedere questi film. Ormai è una storia lunga: ma i nostri sforzi per la distribuzione dei film "underground" sono cominciati rivolgendoci a gruppi specifici di spettatori potenziali: cioè, nelle università; anche per mezzo della rivista "Film Culture" di Jonas Mekas. Ci siamo trasformati in commessi viaggiatori, organizzatori di mostre permanenti... Sono poi intervenuti alcuni produttori tipo "angeli": cioè sottoscrittori di quote parziali, come si fa col teatro. Finalmente, la Cooperativa. Prima, solo come distribuzione; ma ora, una quota dei proventi viene reinvestita – come regola – nella produzione di nuovi film. Aiutiamo ogni progetto dei nostri soci che presenti un minimo d'interesse. Addirittura, con un anticipo di fondi sui lavori già iniziati. In genere: 75 dollari per ogni dieci minuti di film. E ci si sta dentro, se si pensa che sono film che non richiedono montaggio».

Altri operano già secondo gli stessi princìpi, in California e in Canada. E la Cooperativa, attualmente, si occupa di questi circa seicento film all'anno, di varia lunghezza. Come base, ancora senza profitto. Cioè, i soldi guadagnati tornano il più possibile alla produzione. Ma stanno già apparendo organismi concorrenti. Il più grosso è animato da un critico, Amos Vogel, evidentemente nemico di Jonas Mekas perché non manca mai d'attaccarlo su varie riviste (su «Evergreen», per esempio, lo accusa di ingenuità, infantilismi, confusioni, pasticcionerie). E Mekas, d'altra parte, storce molto il naso quando sente il suo nome. Vogel dirige il festival cinematografico al Lincoln Center; e per di più ha ceduto una sua florida cineteca, il Cinema 16, alla casa editrice Grove Press, che pubblica appunto «Evergreen». E produce anche spettacoli *off.* Grove Press ha molti soldi, del suo proprietario bizzoso e simpatico, Barney Rosset, assiduo dei festival letterari europei. E Rosset ha acquistato un locale, il Renata Theatre, nel Greenwich Village, come sede di shows sperimentali; e stampa già tanti programmi dell'off-Broadway. Con l'acquisto del Cinema 16 diventa un concorrente ingombrante sul terreno del New Cinema: il catalogo comprende infatti una quantità di titoli piuttosto ghiotti, anche se non più nuovissimi, da Brakhage a Vanderbeek a Maya Deren a Markopoulos a Emshwiller, a una scelta eclettica di stranieri che va da Franju a Peter Weiss, da Resnais a Kluge, perfino un po' di Chaplin – destinati a competizioni accanite sul mercato (ormai enorme) dei cinema universitari e degli «amatori» privati.

Ascoltiamo ora un critico anziano. Brendan Gill, recensore cinematografico del «New Yorker», siede con giacca di tweed e pipa in un grazioso ufficio disordinato, quasi londinese, nell'angolo panoramico di un altissimo grattacielo su Madison Avenue. E non ama davvero i nuovi modi di far cinema. «Amo i prodotti tecnicamente ben fatti! E anche Godard li ama!».

Invece, l'Underground... «Deliberatamente sciatti, confusi, per una goffa polemica!... Una volta superate le scempiaggini pornografiche dei quarantenni attuali, loro saranno visti come figure di pionieri che hanno aperto le porte ai ventenni, e questi almeno saranno una generazione bene equipaggiata tecnicamente».

I veri film «underground»? Ma sono i film di categoria popolare per gli Stati del Sud, ride Gill. «È una situazione come in Italia: sono film canori o avventurosi o strappalacrime, e nessuno li vede, quantunque fatti a Hollywood, perché non compaiono nelle grandi città, escono direttamente in ultima visione. Però, come la televisione, possono servir bene per insegnare il mestiere ai giovani: ed è così che succede. I più dotati ora partono dai film di serie B».

Insomma, brontola, non si capiscono più bene i confini tra Underground e Overground. Tutto dipende da «come nascono» i vari film. «Intendiamoci: io detesto le melensaggini per le famiglie, tanto vero che non vedo più di due film di Hollywood all'anno. Ma è già un risultato vantaggioso, quando càpitano due buoni film all'anno. Per esempio, rispetto alla narrativa: quando mai si vedono due romanzi decenti in un anno solo?

«Spero che le novità possano funzionare, naturalmente. Però, nell'ambito di Hollywood. La povertà programmatica degli amici di Mekas – vivere di solo riso, e un fagiolo ogni tanto – mi pare tutto sommato sprovvedutezza. Si fanno dei pasticci, e nient'altro. Certo, ci vorrebbero anche più cinemini di dimensioni giuste. Ma tutto dipende dai banchieri di Wall Street. Sono loro, in qualunque cosa, che devono dare il via ai produttori in California. Però, stavolta, non si sono ancora decisi».

Adolfas Mekas, fratello di Jonas, capo del New Cinema, è autore da parte sua di *Hallelujah the Hills,* un film garbato e divertente, pieno di gags un po' bambineschi, fra Godard e Comencini, Jacovitti e Truffaut. Insomma, una birichinata, carica di graziose nostalgie per i vecchi «shorts» d'azione, e di ammicchi alle più reputate maniere cinematografiche attuali. In fondo, si scorge qui un gusto che americani e inglesi sanno definire in tanti modi – *spoofing, debunking, lampooning* – mentre noi dobbiamo accontentarci di «presa in giro», che intanto non è la stessa cosa, e poi suona male. Cosa «prende in giro», Adolfas? Tanti vecchi film commerciali e banali, recuperati alla televisione a notte alta: avventure, guerre, foreste, miniere, giungle, cacce, minatori, banditi, toreri, con anche passione, seduzione, gelosie e rinvii... Tutto rimescolato: a Hollywood non sarebbero davvero possibili certi suoi scherzi, l'oltraggio scurrile alla Famiglia a Tavola, l'agguato pecoreccio nel cimitero patriottico, il sedere nudo trascinato nella neve per effetto comico alla Ridolini, e una torta di compleanno, con le sue candeline accese, navigante per ruscelli da salmoni, e sparata con la carabina dalle due rive come se fosse un Sioux...

Adolfas pare anche il più esuberante della Cooperativa dei Filmanti. Beviamo tante birre in una taverna ebrea-irlandese sulla 7th Avenue, in un mare di conversazioni agli altri tavoli. Che equivoco, dice, la parola «indipendente», nel cinema americano: come quando si parlava degli «indipendenti» di Hollywood, tipo Preminger, come se fossero contrapposti al «sistema», che ha tutti i poteri, mentre si trattava esattamente della medesima solfa... Ma adesso, finalmente, basta con quei film finti-indipendenti chiamati anche «d'arte», europei, o alla maniera dei film «d'arte» europei, odiosi, pretenziosi, inguardabili...

Sentiamo allora qual è la sua situazione attuale.

«Prima, ho lavorato con un produttore piccolissimo. Poi, per un certo periodo, da solo. Ora sto trattando con cinque produttori grossi; e dappertutto, gran porte aperte, tutti sembrano disposti a dar gran soldi, ad assicurare che si asterranno da qualunque controllo produttivo. Capiscono anche loro che ormai c'è un mercato... Ma bisogna provarle, queste promesse! E io, non ci credo. Pochi anni fa, gli stessi ti chiudevano le porte in faccia. Adesso, feste: ma rimangono pure i problemi di mercato, contabili, da ragionieri. E loro, non posso credere che rinuncino a esaminare ogni giorno i materiali girati: non ci riesce neanche Truffaut, a momenti, a evitarlo... E dunque? Lavorare nel sistema? Bene. Ma solo a patto di non sopportare supervisioni. Tentare... Proprio per il vantaggio del grande "studio", delle macchine...

«La massima solita: prendete la macchina da presa, non ascoltate nessuno, andate fuori, e girate? Ma la maggior parte di questi ragazzi non sa nulla di tecnica e storia del cinema. Non è che respingano talune cose: la dissolvenza, il montaggio... Le ignorano. Certo, non bisogna ripeterlo troppo, per mantenere un clima favorevole, pieno d'entusiasmo creativo... All'università, attualmente, i ragazzi scelgono la carriera del cinema. Però, qualche anno fa, era tutto più difficile. Bisognava cercar soldi... Ora la Cooperativa li anticipa: 75 dollari per dieci minuti di film. Anche perché sono muti, e non montati... Fatti tra amici, ragazze... Qualcuno lavora, qualcuno è ricco, qualcuno ci crede!... Ma c'è anche chi ha un film allo stabilimento di sviluppo e stampa, però non ha soldi, e non può ritirarlo: neanche vederlo! Allora si chiede aiuto con gli annunci sui giornali, i mesi passano... Certo, si potrebbe tentare la formula della società a responsabilità limitata, come a Broadway: vendere azioni d'uno spettacolo tramite un agente. Ma tutti hanno perso soldi ormai, con quel sistema, non si trovano più investitori "commerciali"».

«Programmi artistici? Non ne parliamo.

«Non abbiamo nessuna politica artistica in comune. Davvero. Siamo tenuti insieme dalla mancanza di soldi. Uniti per questo: senza litigare. Del resto Jonas fa il dittatore, decide tutto lui. Ma è indispensabile che si faccia così: di litigi ce n'erano sempre stati tanti, negli anni scorsi; e non si concludeva niente, infatti. Per più di dieci anni, i dibattiti artistici hanno paralizzato ogni produzione. Adesso, quindi, basta. Discussioni, sì, ma esclusivamente tecniche: organizzazione, distribuzione, finanziamenti. A un certo punto, se non ci si limita a discutere solo di tecnica e di soldi, non si fa un passo.

«Occorre approfittare di questo momento favorevole. L'interesse dei produttori per noi rappresenta un periodo evidentemente transitorio. Va usato per estrarne denaro. Coi grossi, o adesso, o mai più. Ma i tycoons continuano a rimandare, a prendere l'aeroplano...

«Lo sviluppo dovrebbe essere a piovra. Prima c'è stato "Film Culture". Poi la distribuzione: introdursi nella distribuzione era indispensabile, per farsi conoscere sul proprio terreno (anche se i *veri* "underground" rimangono clandestini, senza la minima intenzione di farsi strada nei circuiti commerciali. Solo a New York, sono più di trecento, questi "clandestini"). Poi la produzione, fondando continuamente sezioni nuove. E di lì, sta nascendo una società finanziaria di cui ci occupiamo adesso, proprio un Bank Trust per finanziare la produzione dei film nuovi.

«Critici? No, no, niente. Non come in Francia. Non c'è nessuno che ci segue, nessuno a cui dar retta. Del resto, ai francesi piace tanto chiacchierare; e quindi scrivono, scrivono, scrivono... Noi, no.

«... Ma non credo che il sistema cambi politica, poi, alla fine. Tutt'al più, assorbirà qualcuno individualmente: come sempre. O comprerà un successo già fatto. Invece, è facilissimo invadere la distribuzione. I distributori non hanno princìpi estetici. O morali. (Le fissazioni dei produttori...). No: badano solo ai soldi. E *Chelsea Girls* viene acquistato appunto in quanto fa più soldi di tanti altri film.

«Non credo nel cinema di simboli. Per me, un bicchiere è un bicchiere, non deve significare tutt'altre cose. Odio l'atmosfera dei film di Antonioni e di Bergman, e in genere dei film europei. Mai sopportati, spaccano l'aria, hanno degli strani atteggiamenti verso la vita. Ejženštejn no, aveva altre attitudini, un vero attaccamento per la vita. Ma i film "d'arte" europei che ci arrivano... Vecchi, vecchi. Vecchissimi! ».

E lui, cosa vuol fare?

«Un film su uno che rifiuta la chiamata alle armi: senza toccare proprio la "vita", ma gli aspetti "laterali"... Però, non con un metodo diretto, televisivo, ma con realismo... e con qualche inserzione di documentari... Mentre Antonioni o Godard o Bergman, preoccupati delle loro filosofie medioevali, qui, chiacchiererebbero, chiacchiererebbero, intensi e annoiati, riprendendo magari a lungo una ricca macchina spider...».

Tutte le questioni riconducono ai canali d'espressione possibili per le minoranze.

«Andiamo a Montréal, un pullman di cinquanta registi, carichi di pellicola, faremo orge di film... A Mexico City ci chiamano: aiutateci! fateci vedere!... Fatti anche strani: un'accademia navale che chiede il film di *The Brig*! Sarà l'intimidazione, il fascino dell'enorme pubblicità che ha avuto? Kalamazoo... Kalamazoo!!!... chiede conferenze sul nuovo cinema; e i registi si trasformano in ambasciatori nelle varie città del Midwest, con valigie di film. Perfino le chiese. I monasteri francescani domandano film underground... Li proiettano a Madison Avenue, nelle salette private delle società pubblicitarie... Poi, magari, a loro non piacciono...

«Ma ai giovani sì. Immediatamente. La nuova generazione è tutta diversa. Aperta, curiosa, insoddisfatta... Accettano senza criticare ciò che è nuovo, "generazionale", apertissimi anche a tutto ciò che sembra "difficile"... Fra dieci anni... Ecco, come occorre costruire questa rivoluzione "underground"... Sono passati, finiti, i tempi dei film "d'arte" all'europea!...».

Le «piccole riviste» radicali-ma-non-giovanili sembrano ormai pienamente impiegate nella disapprovazione della «cultura» sub-antonionistica: «il Bel Quadretto *più* Simbolo che "significa" Arte!»... «ogni particolare che *deve* rappresentare l'Angoscia Esistenziale Moderna!»... «e sempre, i particolari decorativi o giornalistici usati simbolicamente»... «scambiare le indossatrici di "Harper's Bazaar" per tragici simboli di vuotaggine e sterilità e non-verità della Vita Moderna»... «... l'ossessione per la Metafora»... «vivono all'Ultima Moda, e parlano "come se" volessero santificarsi»... «e le mini-orge saranno *hip* e *with it*, però "rappresentano" una condizione di malattia spirituale in cui la Gente Moderna vive e si brucia nella sensazione dell'Attimo Fuggente»... «anche se in realtà è gente più interessata a vedere e fare delle belle fotografie che non a domandarsi *cosa significano*»...

Vorrei chiedere qualche opinione sull'Underground Cinema a un eccellente «precursore»: Richard Leacock, massimo «indipendente» del Cinquanta con diversi film «documentari» nell'originario senso di «presi dal vero», e premiato numerose volte, anche a Venezia. Sta in un ufficio rude e pieno d'attrezzi, fra tanta gente in movimento: nelle strade aspre e dure fra Times Square e Madison Avenue. Ha un socio documentarista più giovane, D.A. Pennebaker, aggressivo e deciso alla maniera di certi «moderni» inglesi.

Dice Leacock: «Dieci anni fa, si subivano le tentazioni della televisione. Adesso, assolutamente no. Si è visto come rende più piatto, più semplice, più trito e triviale, qualsiasi argomento. Esclude i più scottanti. Smussa anche i temi "accettati". Poi li rende – paradossalmente – non vivi ma morti.

«Sarà, forse, anche colpa della gente che "fa" la televisione: tipi poco interessati, e poco interessanti; menti modeste. E concludono anche poco, nella loro mediocrità... Ma intanto è un "mezzo" che – tipicamente – *non ha futuro*».

Leacock si spiega chiaramente. Agli inizi, la televisione era sorta come mezzo in grado di «dare» ciò che nessun altro strumento poteva allora fornire: l'attualità, a caldo, nel suo formarsi. E lì si è assopita, mentre sono stati tali, i progressi, per i libri, e i quadri, e certi film... tali salti avanti nella libertà d'espressione, per esempio contro i tabù sessuali o politici... che oggi la situazione si presenta tutta ribaltata.

«La televisione sonnecchia offrendo trattenimenti familiari, e gli aspetti più marginali, più macchiettistici, dell'attualità. Limitata a riprodurre l'irrilevante, tacendo sulle grandi questioni che agitano oggi tutto il paese: la politica presidenziale, il Vietnam, i neri, i diritti civili, il sesso, la droga, le nuove abitudini, le strade prese dalla gioventù. Tutto questo si trova invece in certi film, in certi giornali, perfino in certe manifestazioni artistiche... Mai in televisione. Ecco perché la guardano i genitori, i vecchi, le nonne, le zie, mentre i giovani la respingono. La respingono anche perché si stufano di stare in casa... Così come respingono i film melensi di Hollywood, e i grandi giornali illustrati che raccontano favole per i bambini di mezza età».

Si potrebbe aggiungere: l'interesse più vivo della televisione americana, negli anni scorsi, sia per il teenager americano sia per me che arrivavo nel paese di tanto in tanto, era soprattutto concentrato sulle trasmissioni dei vecchi film del Trenta. Magari, per una curiosità ridicola e «camp». Però, certamente, le prime volte che si vedevano, questi melodrammi di polizia e giungla e sottomarini e Bette Davis e conquiste indiane e allegri vagabondi e tribù conculcate e Mae West e alligatori nel cespuglio riuscivano così affascinanti, nel loro orrore, da divorare ogni attenzione. (Mai dimenticato, ad esempio, né mai più rintracciato, un *Dante's Inferno* del '35, con Rita Hayworth debuttante). In qualunque situazione, casa o albergo o party o bagno turco, si dimenticavano completamente gli astanti e la conversazione. Poi, sarà successo ai teenagers quello che è capitato a me. Tanto tanto bello, però non se ne poteva più. E il televisore ha cominciato a rimanere spento, ai piedi del letto.

Leacock, di origine inglese, riprende: «La cosa che tutti fanno incessantemente notare, in questo momento, è che fra non molto metà della popolazione americana avrà meno di venticinque anni. Sono loro, la nostra clientela, non il pubblico della televisione o di Hollywood, che muore man mano, e non viene sostituito. Si comincia intanto a capire che qualunque discussione d'attualità, una volta prerogativa tipica della televisione, ora funziona meglio sottratta a questo mezzo invecchiato, e affidata ad altri mezzi che invece sono improvvisamente ringiovaniti. Alla televisione funzionano bene soprattutto i grossi drammi familiari a puntate, gli affari di cuore fra medici e infermiere: e meglio ancora se importati dall'Inghilterra...».

E in quanto al cinema?... «Be', il cinema, si sa: è cominciato come baraccone delle curiosità e delle meraviglie... sviluppato per farlo piacere a più gente possibile... sempre più gigantesco e banale... Ma nessuno sembrava prevedere una cosa che è sempre capitata: regolarmente, ogni 40 o 50 anni, sorge una generazione con interessi tutti diversi dalle precedenti. Sta capitando appunto adesso: e per l'appunto il cinema ha una cinquantina d'anni... Ma gli industriali del cinema non hanno capito una cosa fondamentale. I giovani si sono impossessati dei dischi con tanta passione perché i ragazzi s'interessano soprattutto delle cose fatte da loro e per loro. Gli industriali della canzone e della moda rock l'hanno capito molto bene, questo interesse dei giovani per le cose prodotte dai loro coetanei. Ma gli industriali del cinema e della televisione non se ne sono ancora resi conto; e continuano a produrre film o programmi confezionati da brava gente di mezza età lontana come la luna dalla massa dei giovani, che infatti voltano puntualmente le spalle a quei film, a quei programmi.

«Essere i primi, a capire questo: che possibilità fantastica! I giovanissimi hanno molto più buon gusto di qualche anno fa: basta vedere come si vestono. E non per niente l'industria dell'abbigliamento in tutti i paesi è molto più avanzata dell'industria culturale. I ragazzi sono molto più svegli e più svelti, molto più informati: non si sa come... Non leggono "Time" e "Newsweek", non guardano un solo giornale, disprezzano la televisione (dicendo: "È roba da genitori"...), eppure sono stranamente informati su tutto, al corrente di tutto, sanno benissimo per istinto che cosa va bene per loro, e cosa no... non sbagliano un colpo!». E qui si direbbe che Leacock stia dando una dimostrazione delle tesi di McLuhan sulle attitudini dell'uomo contemporaneo a «fiutare» una moltitudine d'informazioni senza ricorrere alla parola scritta, ma piuttosto alle capacità sensoriali dell'uomo della giungla, col suo tam-tam o passaparola.

E la sua posizione personale? «Ah... Pennebaker, lui, sa benissimo cosa fare. Il suo programma: invadere col cinema il teatro, attraverso la fittissima richiesta delle università, e i circuiti dei film cosiddetti "d'arte", ormai un po' languidi per il fallimento dei film "all'europea", che ormai non interessano più nessuno. Presso il pubblico universitario, cioè presso la clientela di domani, non esistono affatto le solite dannate pressioni commerciali; e le reazioni sono del tutto imprevedibili...». «Creare un mercato: la situazione si spiana!» esclama molto allegro Pennebaker: «Avere a che fare soltanto con i giovanissimi, a cui non importa più niente né di Hollywood né della TV! Loro sì fanno grandi pressioni e grandi richieste, ma nel senso giusto! E anche i distributori cominciano ad accorgersi che qualche cosa succede, e seguono senza capire il movimento, cercando di inserirsi nei vantaggi. Così come non capivano niente qualche anno fa, quando la produzione imitava malamente i film europei di successo intorno al Cinquanta, e non funzionavano: sempre per un'idea sbagliata di che cosa sia in realtà un pubblico "specializzato"...». Adesso intanto Pennebaker sta completando un film documentaristico-artistico su Bob Dylan, e lo rifiuta ai distributori commerciali. È una sua esclusiva: l'unica volta che Dylan si sia concesso; e dunque Pennebaker intende sfruttare lui stesso il film con il pubblico universitario.

Leacock sorride, ma da parte sua aggiunge: «Io invece mi sento imbarazzato, non ho tutte queste sicurezze, non so più veramente cosa sia giusto fare»... Ha (come si dice) «lottato» negli anni duri in favore di alcuni princìpi: l'osservazione diretta della verità, senza «preparare» gli attori, senza scrivere sceneggiature. «Cioè, la poesia dell'osservazione... che poi è diventata un'altra cosa, nel cinéma-vérité dei francesi...». Ma si sente sorpreso, sorpassato. Credeva che non fossero possibili questi sviluppi «minoritari» di un cinema «fuori del sistema»: e invece lo sono, e proprio in America... «... Per una strana flessibilità dell'America, del "sistema" americano, che sviluppa adesso diversi canali, diversi livelli, prima impensabili»... Nessuno, soggiunge, ha intanto trovato il modo di far molti soldi, così. Tutti fanno altri mestieri; e anche i più noti, come Shirley Clarke, incontrano parecchie difficoltà. Da parte sua, fa lavori commerciali, lui: ultimamente un documentario su Stravinskij, commissionato da una televisione tedesca. Ma avrebbe una gran voglia di «documentare» i processi di New Orleans, se mai si faranno: impostando tutto sulla figura di Clay Shaw come caso esemplare. Ecco: cosa càpita a un grande accusato (per l'uccisione di Kennedy a Dallas!), oggi, in America, in tutte le fasi, in tutti i particolari, dall'accusa alla preparazione del processo fino alla sentenza... a costo di non proiettare nulla del film fino appunto alla fine del processo.

Finalmente non soltanto perché *Chelsea Girls* è il successo più straordinario della stagione (ed era costato pochissimo), il personaggio cinematografico indubbiamente più «pazzesco» è adesso Andy Warhol. Anche perché facendo il pittore o il regista «funziona» sostanzialmente come impresario e come critico. Il quadro famoso della Campbell's Soup, infatti, non era tanto un «fatto» artistico, una tela «rappresentante» una esatta riproduzione a colori del barattolo della zuppa condensata più diffusa negli Stati Uniti. «Tipica» come la bandiera americana dipinta da Jasper Johns. Si trattava, piuttosto, di un microsaggio che facendo pubblicità a un prodotto di consumo proponeva con netta evidenza i princìpi-base della Pop Art... Uscire violentemente dalle variazioni intorno all'espressionismo astratto, con una trovata alla Marcel Duchamp. E dunque, svellere un frammento di realtà dal suo contesto reale: non certo per rappresentare un «dato» reale utilizzando un certo oggetto industriale d'uso; ma per promuovere a fatto artistico quel «qualunque» oggetto reale privilegiato dall'attenzione artistica... E questa semplice operazione di «cult» basta a trasformare praticamente il nostro modo di guardare l'arte, quando non solo gli orinatoi di élite ma soprattutto i jeans di massa aumentano di valore se astutamente e opportunamente griffati. E vendono, come le zuppe quotidiane, immensamente più che le industrie dei poveri vecchi orinatoi.

Ecco dunque subito un caratteristico effetto della Pop Art: si può così parlare di «morte pop», e non già romantica o realistica, circa la fine di un umanista già celebre addormentatosi su una spiaggia a Fire Island dopo qualche abuso di prodotti.

All'alba arriva una macchina per sistemare il bagnasciuga, non lo vede, lui non si sveglia, lei lo afferra con il suo mucchio di sabbia e lo affonda in una buca da livellare... Ma anche dire «la macchina non lo vede» è un risultato di modificazioni pop. La generazione anziana arrivava a dire «una macchina voleva investirmi». Pare normale che i giovani dicano correntemente «s'è fermata una macchina, e m'ha detto se...».

Sono ancora mini-saggi, in fondo, i primi film di Warhol, intitolati *Sleep* o *Empire*, perché fotografano, immobili, un uomo che dorme per alcune ore, o l'Empire State Building ancora di più. Dunque, secondo le pubblicazioni specialistiche, «Totally boring except to the initiated». Nonché, almeno *Empire*, ripreso proprio da Jonas Mekas. Ma così, questo successo commerciale strepitoso di *Chelsea Girls* pare basicamente un trionfo della pittura più saggistica.

Il vasto pubblico verrà allora attratto specialmente dalle circostanze, o dai materiali. Qui Warhol sembra altrettanto astuto che Godard o Pasolini quando fondano le loro operazioni stilistiche sopra materiali di collaudatissima «presa» come il triangolo coniugale e il Vangelo. (Che è, in fondo, come servir cibi «del mercato» agli ospiti d'una colazione d'affari). Warhol mostra invece, con indifferenza, il «proibito», il «perverso», il «bizzarro» – materiali dopo tutto «pop» in quanto prelevati dalla realtà *matter-of-fact* – molto più estesamente che in qualunque «audacia» cinematografica tentata finora.

Si potrebbe addirittura scambiare *Chelsea Girls* con un documentario abbastanza «nero» sulla vita d'albergo cheap, vigorosamente «porno» anche più delle pubblicazioni vendute a Times Square, e presentato in un normale cinema per un incredibile errore e non per la liberalizzazione dell'Espressione... Però, questo cinema prende obiettivamente atto di qualche realtà «inaudita» che esiste «in natura», solo per usarla del tutto antirealisticamente. Protagonista del film apparirebbe infatti il sadomasochismo di massa americano contemporaneo, se non risultasse poi (come sempre) che quale vero personaggio emerge la Struttura, conferendo un senso e un'unità e una fisionomia ai materiali più unilaterali e imbarazzanti.

La novità formale più appariscente riguarda il doppio schermo: largo, tipo Cinemascope, e diviso nitidamente a metà da due proiezioni contigue e continue di vari frammenti lunghi in media un quarto d'ora, ma non coincidenti come durata. Coincidono, semmai, come sesso, dal momento che la metà destra dello schermo viene occupata da vicende per lo più femminili, mentre quelle grosso modo maschili si svolgono a sinistra. Sui due schermi si potrebbe segnare «uomini» e «donne» come sulle porte dei gabinetti; e si potrebbero raggiungere delle complicazioni sistemando quattro schermi intestati come le porte dei gabinetti nel Sud: uomini bianchi, donne bianche, uomini neri, e donne nere.

Gli episodi appaiono piuttosto insoliti, difficilmente raccontabili. Una stanza di signorine (presumibilmente nel Chelsea Hotel) con una prepotente che addestra una docile a ripetere delle didascalie profanatrici dell'infanzia in villa, mentre una ribelle viene tenuta legata con le cinghie sotto una scrivania e si lamenta molto, e una svagata siede su un davanzale rispondendo al telefono; e si capisce che sono telefonate che arrivavano casualmente in quell'ambiente lì durante il giraggio. Un'altra stanza di giovanotti, che hanno preso evidentemente delle sostanze, e chiacchierano semiaddormentati o troppo svegli, ricevono travestiti invadenti, rimestando le suppellettili «smandrà» della stanza. Una mamma di tipo messicano verbosissima (che è poi Marie Menken) fa degli attacchi a un figlio distratto in presenza d'una ragazza attentissima, tutti in letto, e un po' inveisce, un po' sbraca, e finalmente accetta anche da mangiare. Un'anziana corpulenta in blue jeans vocifera mentre si fa cotonare da un parrucchiere esaurito; e intanto si sbrodola, si fa iniezioni attraverso i jeans. Finalmente, un allucinante papa-beat del Greenwich Village, ubriachissimo, somigliante a Leonard Bernstein, inventore della Vera Confessione Istantanea sotto le telecamere, alle prese con una passante assai sboccata.

Raccontati sommariamente, questi episodi possono magari sembrare un sogno veristico di Zavattini; o una «presa diretta» di realtà ancora calde, esposte o impersonate da figuranti della «vita vissuta». In realtà, l'operazione cinematografica di Warhol riesce altrettanto «critica» (e antirealistica) che il quadro della Campbell's Soup: proprio partendo dalla giustapposizione «sfalsata» dei diversi brandelli di Vita Vissuta, oggetti più che «pop», addirittura «popissimi», una volta prelevati dalla Realtà e usufruiti come meri materiali, accostati sugli schermi contigui con effetti di reciprocità assai singolari... Ed eccentrici infallibili «sincroni», come ci si può divertire a provare, con qualunque *cd* casualmente azionato insieme a un video muto: effetti comunque garantiti, sia con Bach che col rock... O come i più disparati brandelli d'Arte Vissuta giustapposti e

sfalsati e usufruiti quali «nuovi materiali» *altri da sé* in quei clamorosi «assemblages» pre-pop che sono i castelli di Ludwig di
Baviera e la Basilica di Lourdes.

Come vengono fatti, questi film? Usando amici, conoscenti,
attori semiprofessionali, facce straordinarie trovate per la strada o fermate nei ristoranti; «girando» nei loro appartamenti,
o nello studio di Warhol, che poi non dà troppe istruzioni a
questi personaggi. Sceglie dei tipi umani mediamente sconvolgenti, li «prepara», li rilassa, li mette in una determinata situazione. Una volta in moto la macchina da presa, è straordinario
come nessuno vi guardi dentro, anche se le inquadrature durano venti minuti, mentre lui siede a leggere i giornali, e la
macchina va avanti finché c'è pellicola, e si appropria di materiali ritagliati da un realismo dove lo zavattinismo rustico è diventato artifizio post-Dada, con risultati più espressionistici del-
l'espressionismo, più astratti dell'astrattismo, e passando naturalmente attraverso l'abituale Duchamp.

Brandelli di autobiografie fumettistiche disperate, e «incor-
niciate»: mitomani che si gonfiano lutulenti, espansioni interminabili, disillusioni bisbigliate, alterchi esasperati, contestazioni e rinfacci, fra ragazzacci ubriaconi, travestiti uomini e donne,
vecchie che si frustano sotto gli emblemi religiosi. E indifferenti profanazioni di miti («La famiglia Kennedy?», «Ah, che meraviglia!»), in un'America paesana, mediterranea, spagnola,
messicana, italiana del Sud, fitta di collanine e rosari e mammo-
ne e figli vaghi o perduti che conservano un lineamento napoletano in una corporatura ormai americana tipica. Esercizi di
non-comunicazione reciproca: estranei vanno e vengono; e si
svillaneggiano reciprocamente: come bricolando coi resti inco-
noscibili di qualche civiltà scomparsa: oggetti e segni pressoché
etruschi, ormai, di cui si è perduto l'uso e il senso...

Ogni tanto il «fuoco» si sfuoca, o entra troppa luce nella pellicola. Ma lo si sa da Godard, ormai, come funzionino nel senso del film (e mai contro) gli accidenti «formali» causati da
ogni imperfezione tecnica. E tutto il Baby American Cinema
quivi «ci marcia parecchio». Spesso entra in campo una mano
di qualcuno che assisteva alle riprese, con una birra; o arrivano le telefonate; o rumori di traffico dalla strada; visite forse
impreviste. O addirittura, ogni tanto, un brano a colori: e allora entra sulle sue vecchie zampine la Pittura...

Qualche passo indietro, adesso. Warhol, lo si vede generalmente di sera in uno dei suoi locali, salacce yé-yé che gestisce

e lancia una dopo l'altra col suo complessino The Velvet Underground (tipo dei Rolling Stones più accalorati e frenetici), e la cantante «fatalona» Nico, e proiezioni allucinatorie-psichedeliche alle pareti, delicate e coloratissime (e sconvolgenti: qualcuno si sente male), magari con riflettori azionati dalla bellissima Benedetta.

(Dietro di lei, impossibile non scorgere le familiari fisionomie della «terribile» Giannalisa, madre anche di Giangiacomo Feltrinelli, e del babbo «Gibò» Barzini che filosoficamente mi ripeteva: «Noi continuiamo a segare il ramo su cui siamo seduti». Gibò, poi: «Ma non ti ricordi quando prima di entrare in via Condotti ci si facevano lucidare le scarpe?». E a Fiumicino, casualmente: «Se non dico a te che vado all'Aia, all'Hôtel des Indes, a chi poi lo racconto?». Mentre Giannalisa: «In Yucatán, semplicissimo. Sulle piramidi nella giungla, ti fai calare dall'elicottero in cima. La sera, l'elicottero torna, e con la stessa scala di corda ti ritira su»).

Poi Warhol li abbandona, questi locali, come ha fatto col «Dom» per trasportarsi al «Gymnasium», magari abbandonando anche il suo nome: proprio vendendolo al locale, che comincia a chiamarsi «Andy Warhol». In un vicinato di celebri saune muscolari e carnose, affollatissime. E bisteccherie con «retri» gustosissimi, prima del flagello dell'Aids. Per firmare i suoi quadri chiama qualcuno (la firma è un feticcio...) e gli fa scrivere «Andy Warhol» in un angolo.

Ha capelli quasi bianchi, un nasetto spugnoso, emana dei riflessi d'argento, e parla talmente piano che non si capisce quasi niente. L'età, non si sa. Forse è vecchissimo, e forse è mio coetaneo, del Trenta. Siede nel suo studio, The Factory, un magazzino vastissimo foderato di carte pendule, dopo un ascensore-merci argentato; e come sempre qui si viene assaliti da invidie per le possibilità ambientali visionarie offerte da una città così grandiosamente dilapidata. Nessun arnese di bohème convenzionale, tipo Porta Portese, in questo loft duro e solenne. Macché tovagliette o abat-jours. Suppellettili da asta giudiziaria, paratie divisorie, gente seminascosta che lavora o visita, al magnetofono la *Semiramide* di Rossini.

Non dice: ho distrutto il montaggio, sembrava un pilastro del cinema, e invece se ne fa a meno. Non dice neanche: invento strutture non più reali ma mimetiche, con vasti margini di aleatorietà nelle vicinanze e nelle sovrapposizioni. Dice: non giro mai una scena più di una volta; che mito ridicolo, il «rigirare» una scena venti o trenta volte! Aggiunge: vero è che si continua a fare ogni volta lo stesso film... Si corregge: però, veramente, ogni inquadratura rigirata poi diventa un nuovo film, tutto diverso.

Since, il suo film nuovo, potrebbe anche riuscir più lungo di *Chelsea Girls*, che dura sette ore divise per due schermi, dunque in tutto tre ore e mezza. I materiali girati sono sempre abbondanti, e riusabili. Ma questo film risulta diverso per due aspetti. Invece che in bianco e nero con immagini contigue sullo schermo, è a colori con immagini sovrapposte. Dunque, trionfalmente pittorico. E dimostra ancora più violentemente che la somma di due realtà fotografiche non produce poi una realtà doppia o una terza realtà...

Si stende un lenzuolo come schermo nel camerone, gli ospiti più disparati vengono a gettarsi sui divani sparsi. Warhol siede ai due proiettori, con una cesta di «pezzi» davanti, e con l'aiuto di Gerry Malanga, premuroso e carino con tutti.

La struttura iniziale è un lungo monologo su cui si sviluppano delle invadenze. Ivy Nicholson riesumata da due decenni di non-carriera (forse per «significare il Passato»?) monologa volubilmente su uno sfondo viscontiano ricco e scuro: argenti, giade, abat-jour, velluti, zebre. Chiacchiera interminabile su mariti e sorelle e abbandoni a Teheran. Poco dopo, altre immagini le si sovrappongono. Una cattedra sovrastata da un cowboy-giudice in cappello nero che arringa una coppia su un pavimento di legno: slip di leopardo, baby-doll di velo, calzette, costumini; e ogni tanto, nel rimestare, cambia lui oppure lei, ma un bambino piccolo li attraversa ostinatamente, zampettando. Scompare poi Ivy per lasciar posto a indossatrici su sfondi di drogheria, poi un giovane profetico vagamente tartaro, con un suo monologo esoterico e cosmico. Oppure scompare la cattedra coi suoi personaggi, e si sovrappone a Ivy o alle indossatrici un braccio-di-ferro tra bianco e nero. O a una losca merenda chiaramente girata in un brutto bar una sera tardi, tirando giù la saracinesca e spogliando tutti i clienti, una ventina, giovani e vecchi, magri e grassi: disinvoltissimi, senza mai guardare in macchina, qualcuno con su le calze o il cappello, si versano caffè e birra, mangiano, fumano, parlano – chi c'era, c'era – e sul bianco della pelle e delle pareti, con qualche getto rosso di salsa, correggono cromaticamente lo scuro della cattedra o del divano di Ivy, che riappare di tanto in tanto con il suo monologo post-matrimoniale monotono.

Andy siede sperimentando, come a un'esecuzione musicale aleatoria. Alza o abbassa o smista le diverse colonne sonore, sovrappone i «quadri» con intensità variabili; decide quali «pezzi» infilare successivamente in ciascuna macchina: evidentemente sperimentando un missaggio definitivo. E sono operazioni affascinanti: cambiando di senso ogni volta, in combinazioni infinite, il film risulta non meno ambiguo di un quadro di De Staël o d'una poesia di Yeats. E riesce indubbiamente avvincente questa esecuzione di tipo musicale, con le sovrapposizioni improvvise e gli stacchi bruschi, di «quadro» e di suono, regolati dall'autore alle macchine come a una tastiera musicale. Ma basta che arrivi una telefonata, lui va a rispondere, e l'incanto del missaggio si spegne.

Poco dopo, arrivando a Roma, Andy viene portato da Fiumicino alla camera ardente della madre del principe mecenate che sovvenziona le mostre. Andy si limita a qualche polaroid della salma. Poi tace per giorni e per sere. Come, contemporaneamente, Toni Bisaglia, potente nei governi e in Veneto ma zitto per settimane prima di intervenire nelle conversazioni della «society capitolina».

Sempre più *boring* – secondo i manuali di cinema – i tardi film di Warhol venivano prodotti da Carlo Ponti e girati in economia da Paul Morrissey e collaboratori nei Castelli Romani, con promettenti cantantini rock della Renania-Westfalia bravamente accuditi da Paola Rolli, cognata genovese di Gaio Visconti.

In seguito, al Ballo Volpi veneziano per il debutto di Olimpia Aldobrandini, Andy prevedibilmente lanciò i blue jeans impeccabili sotto la giacca da smoking e lo sparato da sera.

Qui tutto chiuso, naturalmente, d'estate. Tranne i teatri. Come per ripetere che a Broadway tutto è perduto tranne l'onore e l'amore. O anche per avallare lo slogan turistico ripetuto dai festoni e dalle bandierine: «New York è un Summer Festival». Forse perché le trasformazioni della drammaturgia e dello show business si risolvono in efficaci corroboranti per Broadway e off-Broadway e off-off-Broadway... Oppure, anche, perché il professionismo dei teatranti opera a livelli di efficienza elevatissimi. Anche Roma, dopo tutto, potrebbe (toutes proportions gardées) risultare un gran bel festivalino estivo, se vi recitassero contemporaneamente, come a New York in questi mesi, non già dei vanesi scellerati ma professionisti serissimi tipo Ginger Rogers e Lauren Bacall e Henry Fonda e Julie Harris e Ray Milland e Angela Lansbury e Gwen Verdon e Lee Remick e Vivian Blaine. Probabilmente il pubblico andrebbe agli spettacoli come d'inverno: purché non presuntuosi, non noiosi... E a Roma, d'estate, fa molto meno caldo che a New York.

Però, che senso ha (allora) rivisitare in un luglio casuale lo «spaccato» d'una Broadway che ripercorre da decenni un suo sfibrante Giro dell'Oca fra le caselle del Salotto e della Barricata e della Stanza da Letto e dell'Assurdo – e viceversa? ed estendendosi all'off-Broadway? Che esempi e che lezioni si possono prender su e portar via da una grandiosa industria dell'Entertainment *In In* che prospera normalmente accompagnata dalla lamentela «mai vista un'annata più schifosa»?... Finiti i mostri sacri, si passa da un divertimento all'altro, con parecchie grosse soddisfazioni d'una inutilità impressionante. E si viene via soprattutto consolati dai paragoni inevitabili.

(Mai, o quasi mai, come in Italia, il fasto coi debiti e l'intimidazione ideologica adoperati per mascherare il narcisismo mediocre e l'incompetenza presuntuosa. In una catastrofe di dementi. Pochissimi, pare, ricatti sentimentali o mozioni alla concordia nazionale per salvare le mediocrità imbarazzanti o le «prestigiose» vanità irresponsabili. Assenti, felicemente, i difetti più tetri nella teatralità italiana: la presunzione nazionalistica del «siamo primatisti mondiali, e l'Estero ci invidia»; e all'opposto, la convalida sistematicamente ricercata mediante le lodi estorte all'Estero, vantandosi delle medaglie e pergamene ottenute alle Esposizioni Internazionali come certi formaggi sottosviluppati, certe acque minerali della Belle Époque...).

Invece, dopo tutto, a Broadway, dietro l'impeccabile superficie del professionismo scrupoloso – spettacoli brevi, svelti, messi su con poco e perfettamente funzionanti, attori che recitano e ballano e cantano con una bravura *media* impensabile dalle nostre parti neanche sul piano del Miracoloso – la competenza trionfa a spese dell'autocompiacenza, il Funzionale rispetto al Vanesio, e la Dignità sopra tutto. Si capisce: nei paesi dove la cultura è un mito e le ideologie una barzelletta, e messe insieme servono come alibi per le operazioni più inverosimili, e nessuno rischia mai nulla, potrà sembrare normale «migliorare» Shakespeare con fiocchini melensi e interpolazioni gaglioffe; e anche svilire al livello del rotocalco i problemi più seri, in un tripudio di sarte engagées e addobbatori firmatari di manifesti contro guerre o problemi che non li riguarderebbero, comunque, mai. Invece, in un paese dove le idee vengono ancora prese, da parecchi, sul serio, e le guerre o le bombe vengono prodotte in casa con gravi pericoli concreti per un buon numero di cittadini, si nota un pudore vivissimo nell'affrontare le questioni veramente grevi sul piano della civetteria ideologica, della passamaneria civica, della svenevolezza «impegnata».

Naturalmente anche in America gli Arthur Miller continuano a rimestare gli equivalenti ideologici-estetici dell'*Assedio dell'Alcazar* per le maggioranze ebeti; e i loro zelatori, lì pronti con il boomerang dell'accusa di qualunquismo per chiunque sostenga l'indipendenza del teatro (o della pittura, della musica, della poesia) nei confronti della cronaca d'attualità, del moralismo che domina il conformismo, del *commento*: come se ogni teatrante, oltre che definirsi Vate a Tutti i Livelli, dovesse per di più usurpare alla leggera l'«ufficio» del politico e del filosofo, del sociologo e del predicatore quaresimale; e come se il *tema* trattato redimesse la *qualità* del lavoro... (Però l'equivoco, lì da loro, pare meno probabile. Anche se la pensosità ha i suoi limiti, ovunque).

Così, indubbiamente, gli spettacoli di Broadway più dignitosi e felici risultano di stagione in stagione proprio quelli confezionati da praticoni bravissimi che si guardano bene dallo svillaneggiare i Problemi. Si attengono piuttosto alla funzione istituzionale del teatro, l'Entertainment. Finiscono dunque per offrire perfetti equivalenti non già del Trattato o dell'Editoriale o della Conferenza, ma dell'*Elisir d'Amore* o dell'*Italiana in Algeri*. Dimostrano quindi nei confronti del teatro lo stesso riguardo che animava indubbiamente Mallarmé e Leopardi rispetto alla Poesia, quando non usavano i loro versi come veicoli su cui far viaggiare la vibrata protesta o l'indignata allusione a proposito di tale o tale Evento Contemporaneo; e sopravvivono anche perché non adibivano la Poesia a funzioni subordinate o ancillari.

Del resto, non si insiste probabilmente abbastanza sulle somiglianze sorprendenti fra il musical, prodotto americano *tipico*, e il nostro melodramma delle epoche buone. A tutti i livelli... Stessa forma, stesse funzioni: enorme trattenimento popolare-musicale con alternanza di recitativi e ariosi e romanze e duetti e concertati e cori, e ouvertures e interludi e interpolazioni di balletti e immensi finali, trionfalissimi. Grossi talenti musicali impegnati nella stesura e nell'esecuzione. Però, anche carriera effimera in quanto perfino i massimi capolavori vengono consumati in un paio di stagioni da un pubblico ingordo più di novità che di riesumazioni. Tuttavia, canticchiando all'uscita le arie imparate lì per lì, e poi evidentemente rimemorandole a lungo. Insomma, un'energia talmente sgargiante da respingere spesso diverse altre arti contemporanee in angolini defilati e privi d'interesse. (È capitato alla letteratura italiana dell'Ottocento, mortificata da Rossini e Bellini e Donizetti e Verdi così come quella del Novecento è stata umiliata dal cinema... Dunque, l'atteggiamento più giusto per il turista letterario in circospetta visita a Broadway non sarà troppo dissimile da quello di Stendhal a passeggio a Milano, e goloso di Rossini e Taglioni oltre che di sonetti o risotti).

Così al Lincoln Center, accanto all'aula sinfonica e al nuovo Metropolitan, il nuovissimo New York State Theater pare la sgargiante parafrasi pop d'uno smisurato cinema di prima visione del Trenta che vuol rifare il più strepitoso teatro d'Opera dell'Ottocento. Rosso, bianco, dorato, sberluccicante, vastissimo, diretto da Richard Rodgers, riprende con affetto i classici del musical e li ripropone «criticamente» alla nazione con gli allestimenti originari e magari i primi interpreti. Allora trovar lì oggi Ethel Merman che interpreta come vent'anni fa *Annie Get Your Gun* darà veramente la stessa sensazione che arrivare in Italia e imbattersi in una *Lucia di Lammermoor* con Toti Dal Monte? Comunque, tutti in platea svergognatamente cantano, singhiozzando, appena l'orchestra accenna nell'ouverture le canzoni più famose: *Doin' What Comes Natur'lly, The Girl That I Marry, They Say It's Wonderful, I'm An Indian Too, Anything You Can Do*, soprattutto *There's No Business Like Show Business*. Questa è l'America che abbiamo (dopo tutto) molto amato. Giustifica tante di quelle commozioni...

Come un'*Aida* a Verona. Travolge ogni difesa ragionevole, abbatte ogni baluardo critico. Tanto più, ogni sgangheratezza luccicante riesce in questo momento a presentarsi come irrimediabilmente, inappuntabilmente pop: e dunque recuperata e redenta. Si apre il sipario, luci e materiali colorati di un brillio quasi insostenibile: come nelle sale americane alla Biennale, tutte colorazzi squillanti e luci senz'ombra. «Questo è un albergo dove tutti corrono dietro alle donne su per le scale... a cavallo!». Come operano ancora, le vecchie battute baraccone, e la splendida partitura di Irving Berlin, e i baritoni svelti di gamba col ciuffo cotonato, e il coro di bambinacce squittenti impeccabilmente dinoccolate nelle gonne troppo vaste di goffo calicò a fiorellini...

Finalmente – sparo a una colomba su un cappellino, e subito fuori un leprotto – arriva lei: la gran donna continua a dimostrare un'energia tipo Churchill, tipo Kruscev, anche se poco sembrerebbe distinguerla ormai da Lola Braccini, da Isabella Riva. Però la voce squilla argentina e concertina come nei dischi vinili di vent'anni fa: come una tromba o un corno acutissimo, senza il minimo microfono fa vibrare le appliques «op» e la bandiera americana nella sala immensa. È, in fondo, la Voce dell'America: un po' stanca, non troppo appannata. Anche una Voce tipo Callas. Questa Annie è una patria: così come è una Patria quella *Traviata* indimenticabile.

Fra i musicals, questo è veramente una *Sonnambula*, un *Barbiere di Siviglia*. Il suo pecoreccio è ancora tutto lì, stilizzato e vigoroso. Ma c'è tanto autunno, nelle voci e nell'orchestra, nella struggente inutile bellezza americana delle voci, delle gambe, dei denti, dei movimenti, degli occhi.

Arriva il Gran Numero, il leggendario quartetto: isolato contro un sipario color blu pentola, anzi color «Visitate la Perla dell'Adriatico» del più puro Trentacinque. Però anche il colore del cielo negli arazzi di Lichtenstein. Dopo tutto, il *plot* di tutti questi musicals è la solita storia del brutto anatroccolo. E vengono recuperati con un gusto grafico squisitamente à la page i manifesti del circo viaggiante di Buffalo Bill in treno da costa a costa, su vetture piene d'indiani che fanno il bucato e sciantose che strillano fra le cuccette. Nello spirito dei dischi di Jeanette MacDonald e Nelson Eddy ripubblicati adesso con spropositato successo, la Merman canta ancora sul vagone-letto (l'ha già cantata per millecinquecento repliche, vent'anni fa) la sua *Moonshine Lullaby,* per addormentare i quattro fratellini a ritmo di slow-fox, mentre i camerieri neri fanno coretto e balletto in giacca bianca e salvietta sul braccio. (Come perfetto risvolto, alla fine dello slow-fox lei spara alle lampade con il fucile). E sono ancora strepitosissime le danze e i canti degli acrobati indiani, mentre lei buffona incantevole gira spersa e rintronata e urlando «Siouuuuux!» tra i fuochi del bivacco, poi fra gli incontri di Buffalo Bill e Toro Seduto in sede di show business... Potrebbe anche sembrare le Tribolazioni di Dina Galli alla Presa di Addis Abeba. (Tutto il pubblico pesta ritmicamente i piedi per tutta la durata della danza indiana).

Nuovo gran numero: il giro acrobatico della motocicletta sul filo, gelidamente risolto con luci intermittenti e lampade puntate sul pubblico. E lei, mai così divertente come quando esce finalmente addobbata da bellissima, in abito di specchietti neri a un ballo tutto rosa e arancione, e aggressiva come ai tempi di *Gypsy* e di *Call Me Madam.* Ma che imbarazzo, per il pubblico d'oggi che legge attraverso le righe, la confessione sentimentale del protagonista cowboy ciuffettone alle prese con il Sentimento, poi con l'Amore, e finalmente col Sesso. In *My Defenses Are Down* si rende conto («sto perdendo ogni resistenza...») con lenti progressi d'amare dopo tutto il sesso femminile, si turba fortemente e pochi istanti prima del finale gli balugina dopo tante vicissitudini la possibilità d'amare proprio Annie. Però questi couplets e romanze degli anni Quaranta parafrasano con precisione assai singolare le più impressionanti statistiche sul comportamento sessuale dell'uomo americano, pubblicate abbastanza più tardi, e da allora dolorosamente presenti nel fondo dei subcoscienti. (Secondo Christopher Isherwood, e i suoi amici, tutti gli americani sarebbero in fondo cowboys

607

omosessuali frustrati; e una qualunque notte in qualsiasi YMCA ce lo confermerebbe).

L'imbarazzo più forte arriva con questa romanza della resa definitiva al matriarcato da parte del baritono cotonato, nella tradizione di Richard Burton e Robert Goulet. È un'anticipazione già allucinante della saggistica alla Leslie Fiedler sulle allegorie letterarie della marcia verso la passività del sesso maschile negli Stati Uniti. Ma in fondo alla platea una bionda cicciona, cinquantenne, altissima, prima urla le parole della canzone, poi schiamazza per proprio conto. E prima, tutti si pensa a una trovata registica di cattivo gusto. Ma lei poi schiaffeggia le mascherine di colore. Quindi si dibatte fra gli infermieri che la portano via sollevandola per le braccia e le gambe. Non era un gag, era un'ubriacona.

Certo, può anche riuscir doloroso ripiombare nella routine della «tipica commedia di Broadway», lasciando queste regioni privilegiate di grazia perdurante: la Merman funziona stupendissima perfino nei momenti patetici: la sala oppressa da luci calamitose, e lei che esegue delle perplessità di cuore in mezzo al gran palco deserto e dolente... È adorabile perfino il nuovo «numero» composto da Berlin per questo revival di *Annie*: sotto forma di cinque «bis» sempre più estroversi e scatenati... Memorie di *Gypsy*, fondamentali e incancellabili...

Doloroso, o fastidioso, poi, ripiombare sul terreno delle ficelles drammaturgiche, perché anche in una commediola irlandese e rinfrescante e simpaticamente accolta da tutti – *Philadelphia, Here I Come!*, di Brian Friel – si può ri-incontrare, nelle scene tutte «costruite» su un testo tutto-mitezza, la tradizione dei Sogni d'Evasione accoppiata alla convenzione dello Sdoppiamento, nell'ambito della retorica sentimentale irlandese. Al riparo di ombre formidabili – il giovane Joyce e il giovane Synge, Parnell, Yeats, O'Casey, John Ford e John Kennedy – nonché di tanti leggendari attori dublinesi e registi dell'Abbey e del Gate che facevano e fanno centinaia di spettacoli all'anno, un giovane trepido passa la sua ultima sera nel paese dei leprechauns benigni interpretati da Barry Fitzgerald, prima d'imbarcarsi per gli Stati Uniti. «Filadelfia, arrivo io!».

Ma Thornton Wilder colpisce ancora! Il ragazzo trepido si sdoppia in un fantasioso tipo Walter Mitty o Billy il Bugiardo (vedendosi cowboy, motociclista, direttore d'orchestra), e un folletto che fa in falsetto dei commentini da arguto vecchietto. Con l'aiuto della Fidanzatina Sollecita e del Padre Sicurissimo, Sognatore e Spiritello riescono ad accumulare un ammasso spaventevole di luoghi comuni teatrali: fra ironie bonarie e accenti dialettali, caratteristi in visita e tante tazze di tè, e tutte le battutine, sempre per il verso giusto, e mai in contropiede. Ci sono perfino i flashbacks con luce azzurrina e musica di Debussy. (Come se alcune vecchie regioni europee ristrette e morenti – Irlanda, Galizia, Sicilia – continuassero a esser fonti di nequizie inarrestabili per i grandi e deboli Stati Uniti...).

Una grande allegria però: i successi più strepitosi della stagione, i musicals che verranno replicati per anni e anni e imitati da noi con ritardo, sono ispirati a due eroi affascinanti come Don Chisciotte e Superman. Molto consolante, poi, trovare che questo *Man of La Mancha* (opera di «professionali» magari non troppo letterati: Dale Wassermann, Mitch Leigh, Joe Darion) riesce uno spettacolo addirittura all'altezza del gran romanzo dal quale è tratto, e realizza anche un tour de force fra i più impensabili: presentare almeno quindici canzoni incantevoli in omaggio a Cervantes, e coincidere inappuntabilmente con uno splendido saggio di Maurice Blanchot: «Se vi è una follia di Don Chisciotte, a ben rifletterci, esiste una follia ancora maggiore di Cervantes. Don Chisciotte non ragiona, ma è logico; pensa che la verità dei libri valga anche per la vita; si mette quindi a vivere come un libro, avventura meravigliosa e deludente, perché la verità dei libri è la delusione. Ma per Cervantes, le cose vanno ben diversamente, in quanto per lui non si tratta di scendere nella strada come fa Don Chisciotte per mettere in pratica la vita dei libri, ma s'affaccenda proprio in un libro, senza lasciare la biblioteca e non facendo altro, vivendo, agitandosi, morendo, che scrivere senza vivere, senza muoversi né morire. Cosa spera di dimostrare? Si prende per il suo protagonista, che da parte sua si prende non per un uomo ma per un libro e tuttavia pretende non di leggersi ma di viversi...».

Il musical ha questa stessa trama. S'arriva all'ANTA in Washington Square, immensa baracca prefabbricata come un dormitorio militare a Livorno, una mensa a Vicenza, pienissima di gente in nylon e di tubi che abbassano la temperatura di venti gradi rispetto all'esterno. Scena nuda senza sipario. Quinte che scorrono a coprire e scoprire l'orchestra divisa in due gruppi simmetrici e stereo. Colore uniforme grigio-blu. Riflettori tutti fuori molto più voluti e invadenti che per un Brecht, includendo le lampade rosse delle uscite e dei gabinetti. Nell'anfiteatro degli spettatori, una piattaforma a quadrifoglio inclinato con passaggini e scalette, inferriate, pozzi. Cala dal soffitto una lunghissima passerella; e per questa scala molto più alta di quelle discese da Wanda Osiris precipita con il suo baule in carcere il povero scrittore Miguel de Cervantes, e trova sulla piattaforma una Corte dei Miracoli clamorosa e miserabile. Lo assalgono, lo spogliano tutto. Difende disperato la cassetta dei trucchi teatrali, e il manoscritto del *Don Chisciotte*. Per salvarsi, e provarsi poeta, ne racconta la trama ai prigionieri; e in un «numero» strepitosissimo, indimenticabile, mentre inventa paesaggi e avventure solo con le parole e le luci, e bricolando con i pochi stracci che «potrebbero» trovarsi in qualunque carcere, molto più dilapidati che per una Madre Coraggio, trasforma i prigionieri nei personaggi del romanzo, e diventa lui stesso con pochi tocchi di trucco, a vista, un Don Chisciotte allucinante al galoppo cantando su un cavallo con la testa di pezza, in compagnia di un Sancho che è uno di quei favolosi commedianti ebrei di Brooklyn con la pappagorgia tremula e l'occhione basedowiano sporgente e lucido, e un'abilità pazzesca per i falsetti.

Richard Kiley e Irving Jacobson sono due magnifici protagonisti inseguiti dai fari nella penombra blu e da un coretto di mulattieri, baritoni slanciati che cantano caprioleggiando sulla piattaforma semi-centrale con prodigiose abilità muscolari e vocali, tutta una mescolanza entusiasmante di Brecht e Vilar e Harlem Globetrotters. C'è una servaccia bravissima, Joan Diener, e Robert Rounseville (già *Rake* di Stravinskij) nei panni di un frate caravaggesco accompagnato da proiezioni di rosoni nei terzetti della confessione che ripetono come ritornello infinite varianti di «lo so, lo so, mia cara». Le canzoni sgorgano spontanee e necessarie dal contesto, e portano avanti l'azione: l'incantevole *beguine* della fedeltà, di Sancho, «I like him!»; i duetti fra Aldonza e i cavalli; le splendide risse dei mulattieri; gli specchi e le proiezioni fra cui si ripresenta il nemico Dottor Carrasco sotto diverse forme – e l'urlo di Don Chisciotte: «I fatti sono nemici della verità!».

Gli spogliarelli incidentali femminili e maschili citano il Robbins delle annate migliori, ma nessuno comincia ad applaudire dopo il numero impressionante di Aldonza rovesciata divaricata legata frustata. Subito dopo, una stupenda discesa d'inquisitori barocchi mascherati... È uno spettacolo vertiginoso e bruciante, lascia incantati per la magnifica efficienza del cast (cantano tutti eseguendo movimenti d'una difficoltà pazzesca, Don Chisciotte e Sancho ballano anche benissimo) e per una felicissima integrazione di componenti che esplode nello stesso tipo d'intensa commozione irresistibile ottenuta da Brecht nelle ultime scene della *Madre Coraggio* o altre Madri: Don Chisciotte viene sconfitto nel meraviglioso duello contro gli specchi, e l'Inquisizione si preoccupa delle eresie possibili di Cervantes, però anche i prigionieri vogliono processare Cervantes, perché il romanzo non ha una vera fine. Così Don Chisciotte agonizza nel letto tra i familiari, e Sancho vanamente arriva con una nuova *beguine*, «quattro chiacchiere con il moribondo». Ma Aldonza gli ricanta con furia la sua prima romanza contro la Realtà, e Don Chisciotte che stava soccombendo appunto di fronte ai Fatti s'avventa in un Momento Magico non meno stupendo della Morte di Kattrin per Brecht: balza dal letto in camicia scomposta e pupille sbarrate – riprende come Madre Coraggio la strada e la canzone – e muore in una rumba freneticamente nemica del Reale, e del Realismo. Ma la vera fine è che s'identificano e coincidono la ricerca avventurosa di Don Chisciotte e la ricerca romanzesca di Cervantes (come sostiene Blanchot); e infatti Cervantes smette i panni del suo protagonista libresco, abbandona il carcere e i prigionieri e il teatro ANTA e gli spettatori newyorchesi, risalendo con i frati dell'Inquisizione la scalinata alla Osiris – salvo!

Adesso, al teatro Alvin, nel fegato della Broadway più sgangherata e varicosa. La decrepita basilica dei massimi musicals degli anni Trenta e Quaranta è attualmente gremita d'una folla festiva carica di noccioline che viene a vedere *It's a Bird... It's a Plane... It's Superman!...* E si toglie allegramente le scarpe davanti al fremito del sipario. Tutti bambini in madras e bambine «op». Mi trovo in fondo alla prima fila, nei penultimi posti. A destra ho un bambinone in giacca rossa con la girl friend in occhiali. A sinistra, una vecchia ilare e azzurra che fa subito amicizia, attraverso la ringhiera dell'orchestra, col percussionista che si dimena tra il glockenspiel e le maracas, una parafrasi del Cole Porter di *Anything Goes* e una metastasi del Loewe di *Camelot*.
Sopra un colpo alla banca splendidamente coreografato da Ernest Flatt piomba intanto a volo fra giubili inarrestabili Superman in persona abbigliato come nell'arcaico fumetto, mantellina scarlatta e calzabraga blu. È un uomo immenso, Bob Holiday, con una gran voce di basso-baritono: un Giulio Cesare di Händel travestito da vigile del fuoco. Subito, come un Sarastro del Bronx, solleva le automobili con una mano sola; danzano le cabine telefoniche interurbane, con precisioni incredibili; e i grattacieli si spalancano per lasciar scorrere avanti la redazione del «Daily Planet», completa di redattori in visierina e segretarie efficienti alle macchine dattilografiche.

611

Superman tiene delle prediche addirittura inquietanti. Nelle sue canzoncine-programma di raddrizzamento dei torti si esprime come un candidato repubblicano ancora un po' eisenhoweriano; e tenta sì di rivestire di glamour l'invito all'ubbidienza conformistica ai parenti e ai superiori, però con qualche zaffata di San Vincenzo De Paoli. Viene dall'Altro Mondo sostanzialmente per incitare grandi e piccini a riverire le Autorità. Però le smodatezze in scena sono un godimento smisurato, suo malgrado: *beguines* di dattilografe ninfomani ammiccanti ai Rolling Stones, duetti d'impotenze fra l'uomo enorme e soubrettine che accanto a lui diventano delle nanette golose, sambe e raspe di vetturette fra i semafori, reattori nucleari che emergono trillando come telefoni occupati dal Massachusetts Institute of Technology, fra sagaci applicazioni di colonne sonore da thrilling e uso *Frau ohne Schatten* di Richard Strauss.

Gran numero: lì in mezzo ai reattori ha la sua tanina gotica lo Scienziato Pazzo: Faust, più Agrippa (occultista), ma anche Premio Nobel mancato atomico-psicanalitico, macchina genocidi vendicativi ingaggiando una troupe di cinesi malvagi: tradizionalmente dialettali e lavandai e ti-pi-tin, ma per di più emissari jamesbondeschi di Mao sbarcati da un sottomarino a reazione.

Acrobati d'una brutalità impressionante, al suono d'antiche calliopi eseguono prodigiose destrezze fra i gatti morti nella biblioteca ragnatelosa e i reattori che ronfano accendendo minacciose lampadine gialle e verdi. Rapiscono e stordiscono tutti. Non si può sconfiggere Superman con le armi da fuoco? Gli iniettano dei complessi freudiani-americani. E ovviamente, mentre Superman si lecca le ferite sentimentali nella sua casina tutta a poltrone di skai, lampade della Rinascente, bandiere americane, ritratti di Washington, e bicchieri di latte, la ragazza che s'intrufolava nelle situazioni viene catturata e legata a un ciclotrone, dove canta: «Potete legare le mie mani, ma non il mio spirito, Superman mi salverà ancora!». Quali inverosimili rassomiglianze con l'Antlium, la tremenda pompa venerata e contestata da *Les Antliaclastes* d'Alfred Jarry. Regìa perfetta di Harold Prince, come poi per il recupero-rilancio dell'illustre e sfortunato *Candide* di Bernstein, caduto e dato per defunto ben due decenni prima.

Gran trovate e stupende chorus-girls, d'abilità miracolosa. Un madrigale: «Tu sei la donna per l'uomo che possiede già tutto»... E rovesciamenti incantevoli di temi convenzionali: la ragazza canta al vanesio: «La prima volta che ti sei visto, ti sei innamorato di te...» e i tip-tap d'alleanza fra il giornalista ambizioso e lo scienziato cattivo: «Tu hai ciò che mi manca per raggiungere la felicità».

Finalmente, in una struttura a tanti livelli, divisa in vignette coloratissime alla Lichtenstein, fra lotte sublimi come in un Ridolini cantato e danzato, colluttazioni e cascate di jongleurs morenti che strillano «wow!» tra scintillone orrende, lo scienziato pazzo agonizza col cuore trafitto da un'onorificenza maoista che nascondeva uno spillo avvelenato, e mentre i cinesi vengono sbaragliati soccombe indirizzando contrito un valzer lento pacifista a Sua Maestà il Re di Svezia, confidando in un Nobel postumo.

Spesso poi nasce a Broadway un Mago – attore o autore o regista (Brando, Kazan, Albee). Sbalordisce, all'inizio: trasforma a grandi unghiate nervose i manierismi d'una routine «che non sarà mai più la stessa». Presto si stanca. Muore: e diventa Mito. Oppure va a occupare un seggio senatoriale nel paradiso «esclusivo» dei Mostri Sacri: i Lunt, le somme Tallulah, Rosalind, Ethel, Ginger, Bea Lillie. Cult, cult.

Il Mago successivo ad Albee, come ognun sa, è Mike Nichols: fiorito dopo anni di sofisticato cabaret come regista di boulevard felicissimo. A parecchi suoi spettacoli il successo assicura durata, e la durata cambiamenti di cast numerosi. Si stanno tuttora replicando, in un grappolo di teatri contigui. Sia pure visitandoli, così, dopo che i protagonisti originari sono stati rimpiazzati da numerosi successori, costituiscono tutt'insieme il fenomeno più vistoso di queste stagioni in cui la Creazione si ripete o tace.

Due hanno anche lo stesso autore, Neil Simon. Fra questi, *The Odd Couple* è già il più famoso. Un fumo densissimo sbatte in faccia al pubblico. Dal momento che dissipandosi rivela alcuni mariti discinti e accaniti nella partita del sabato sera, parte una risata che travolge il pubblico senza cessare fino all'ultimo sipario (aumentando, caso rarissimo, di fragorosità nel secondo e terz'atto). È estate, è New York, e questo appartamento d'una classe «senza classe» è arredato con un naturalismo borghese tanto sovraccarico da riuscire molto più allucinante di un Nulla stilizzato: anche prima di ravvisare in quel «condensato» di vignette sociologiche attuali tanti oggetti protagonisti uno per uno di gags sapienti e sventati nel gusto della Commedia Allegra del Trentacinque.

Miti e provinciali, sentimentali e disposti a ogni piccola violenza, questi mariti estivi e borghesi e variamente abbandonati dalle mogli (che telefonano solo per reclamare assegni abbondanti e solleciti) si dimenano fra getti di coca-cola molto più violenti che in natura (e asciugati con sandwiches come spugne) nel falso realismo d'una commedia dell'assurdo – che però fa «morire (inesauribilmente) dal ridere». Torpido e collerico, ingrassato come un centromediano in malora, semisoffocato da ondate di popcorn che esplodono dai sacchetti come da fontane del Bernini, Pat Hingle riassume in qualche telefonata o «a parte» un catastrofico Digest di quindici anni di illustri O'Neill e Inge fin troppo pensosi, a cui lui stesso partecipava sul serio. E il suo compare Eddie Bracken riassume a un livello opaco e pedestre tutte le timorose allergie che devastano l'americano «disturbato».

Sono deliziose finezze. Piega la giacca pedantemente, sorride volubile a se stesso, piglia un sandwich, lo apre, lo richiude angosciato, e gli si spalmano sulla faccia tutte le amarezze di Blanche DuBois. Vuole una coca-cola, ma c'è solo seven-up. Dice piano «peccato, avevo voglia di coca-cola, non di seven-up», s'avvicina casualmente alla finestra aperta, e tutti strillano, spaventandolo orribilmente. Credevano che volesse buttarsi. Ma non era vero. Si avvia al gabinetto, e tutti a chiedergli urlando «quanto pensi di starci?». E lui, dimesso: «il tempo che ci vuole». Si chiude dentro e scoppiano dietro la porta dei pianti disperati. L'avrà fatta tutta?

Questi compagni di poker – giornalisti sportivi e compilatori di telegiornali – sbraitano e s'inseguono e abbaiano come cagnacci di cartoon di Hanna & Barbera, in un avvilimento di calzoni appesi alle librerie e bottiglie semivuote sotto i cuscini e dita sporche di burro. Mariti tipici con la moglie in villeggiatura? Grassoni atroci col revolver alla cintura, o striduli filiformi e isterici: bastano pochi minuti, e le loro magliette e i calzoni e le scarpe di gomma sbrodolati come strofinacci finiscono dopo un po' di «azione» molto più lerci e dilapidati dei mantelli della convenzione brechtiana dopo settimane di candeggina. Ma oltre il gran divertimento che suggerisce un senso comunque ritrovato delle funzioni comiche del teatro, sfilano sotto forma d'ammicco strepitoso o affranto i temi più battuti dalla saggistica americana attuale, il «non farcela», la Mancanza d'Identità.

Felix rimane a dormire in casa di Oscar perché è tardi e ha bevuto e fa caldo ed è stato abbandonato dalla moglie, mentre Oscar deve continuare a spedire assegni alla moglie separata. Ma il sipario della seconda scena non s'alza più su quel porcaio. La scena è sempre la stessa, ma in un eccesso di realismo delirante le qualità positive di Felix hanno trasformato l'appartamento in una parodia di virtù convenzionali: l'Ordine, la Pulizia, il Rispetto per gli Orari, la Buona Sana Cucina, l'esaltazione a tutti i livelli del Domestico e del Casalingo. Il divertimento esplode rimuovendo con cura ogni doppio senso sessuale, così come non ne esistono nella *Zia di Carlo*. Felix non si veste da donna come Macario o come Jack Lemmon, però agisce totalmente come una signora piccolo-borghese dignitosa e rispettabile, con la fissazione del «granello di polvere». Il suo Regno è la Cucina. Non siede sui divani per non sciuparli, non può dormire se non è data giù la cera, gira per le stanze con piumini e scopini per eliminare la cicca o la briciola, sgrida bisbeticamente Oscar se torna a casa in ritardo («la minestra è troppo cotta! in questa casa sfacchino solo io!»), e lo piomba nelle perplessità più sconfortanti. (Sono obbligati a mangiare in casa per risparmiare, per pagare gli alimenti alle mogli...).

Sono due maschere della grande tradizione, il dramma neurotico del Cinquanta sovrapposto all'Hollywood della Commedia Artificiale, come in *The Seven Year Itch* di Billy Wilder. Si sbagliano, ogni tanto: si dànno la buonanotte col nome della moglie. E la partita del sabato va avanti ormai fra ordinari allibiti e fuori di sé, in una casina tutta linda, sgridati da un padrone di casa che è una massaia ossessionata da centrini, piattini, tovagliolini. Le emozioni si riassestano così su binari impensabili, i conti della spesa, la televisione in poltrona, la tavolina apparecchiata con garbo, il terrore della macchia sulle fodere, la convinzione che la felicità sia raggiungibile con la pratica assidua delle virtù caserecce. Un disastro: la sera che Oscar riesce a tirare in casa due gallinacce inglesi di deliziosa scioccaggine, dopo un gran spignattare in cucina Felix osserva i tre dalla poltrona a dondolo come una nonna benigna; e finalmente li fa piangere con i ricordi strazianti della famigliuola perduta. Un accumulo d'imbarazzi perbenino, presto surreali a furia di stupendi gags visuali e fonici e di cinguettio: singhiozzi da Ecuba su una bistecca bruciata, come se fosse un familiare morto, e fuga dell'abbronzata litigiosa e della rossa col raffreddore... Fino alla battuta: «Pulisco la cucina, mi lavo i capelli, e vado a dormire subito: esci tu, se vuoi».

Il terz'atto si srotola naturalmente come un catalogo di dispetti boccacceschi – piedi sui divani, spray nella minestra, mozziconi raccolti in strada e buttati sulla moquette – e rinfacci e gelosie e telefonate di controllo in ufficio. «Va' nella tua stanza!». «No, pago l'affitto, e vado in tutte le stanze che voglio!». «Sono stufo di sentir l'odore dei tuoi spaghetti!». «Non sono spaghetti, ignorante, è bambù!». «Ecco, adesso è spazzatura nel secchio!»; e fuga di Felix con una valigia piena di padelle, per andare a vivere con le due ragazze (fino alla fine un superbo divertimento) e ottenere finalmente una cucina tutta per sé, dopo una straziante rievocazione di ricordi sentimentali e di piattini esotici.

La stessa vena, in *Barefoot in the Park*. La soffitta celeste piena di valigie celesti dove vanno a vivere appena sposati il giovane avvocato preoccupato e la ragazzaccia capricciosa figlia tutta jeans d'una mamma tutta «Vogue» offre altri ghiotti pretesti di grossa comicità «oggettuale» sul contrasto fra l'appartamento «prima» e «dopo». Lei è una Vitti, e lui un Peppard, giovani giovani e carini carini. La trama è un'inconsistente sciocchezzina, ma i gags di Nichols spiritosi e continui. Lei mette il vaso coi fiori sulla stufa e le cravatte nell'elenco telefonico, prepara i martini con un gin e un altro gin, e parlano tutti a una velocità pazzesca. Stavolta le valigie contengono legna per il camino, e lei tenta d'accenderla direttamente con l'accendino. Il cinquantenne rauco e latino esclama alla mamma in stola «vorrei avere dieci anni di più, perché ai cosiddetti vecchi svergognati le cose van tutte meglio»; e riesce ogni volta divertentissima la spiritosaggine della salita senza ascensore. Ogni qualche battuta, entra qualche nuovo personaggio distrutto dalle scale a piedi, stravolto e senza respiro, oppure con fiatoni e muggiti selvaggi, e ci vogliono dei minuti per placarlo. Ci sono poi tutti i gags del freddo. La casa si trasforma sempre più scioccamente: paraventi di vimini, mobili di bambù, poltrone vittoriane, divani neogotici, letti da scavalcare per raggiungere la porta... Sono commedie molto «urbane», piene di riferimenti a posti e fatti di New York familiari agli spettatori.

Ma forse, in realtà, si tratta d'una commedia sull'America patrizia e anglosassone, disturbata e travolta dalle follie e leggiadrie e sciocchezze degli ultimi immigrati: un'allegoria delle magioni puritane dei James e delle Wharton invase da padelle e sangrie e fiaschi di Chianti e pasta Buitoni...

Nei pochi minuti che ho visto di *Luv*, la gaia barzelletta di Schisgal mi sembrava realizzata da Nichols più aspra e svelta che nella produzione italiana. Ma mi pare molto ragguardevole il suo film di *Who's Afraid of Virginia Woolf?* Sopra e intorno un assemblage d'oggetti sparpagliati e deprimenti, la macchina gira gira distratta e sognante come in certi René Clair, ma viene praticamente inventata una diversa inquadratura per ogni battuta: dai campi lunghissimi stravolti con artificiosissime luci «da commedia», ai primissimi piani in moto vorticoso. E paradossalmente, il film diventa statico e teatrale solo quando si esce da quella stanza. Infilando scarpe sotto i cuscini, piatti sporchi negli armadi, camicie e mutande fra l'insalata e i grissini, spostando carte in disordine da un tavolo a un tavolino, e spargendo cicche fra gli idoli polinesiani e i romanzi di Günter Grass, Elizabeth Taylor recita benissimo, tra l'Elsa Morante e la Simone Signoret. Un suo lunghissimo assolo, una camminata che è un'inquadratura di molti metri, indica semplicemente che finezza di risultati poetici riesce a tirar fuori Nichols da un prato illuminato e una donna e un albero e la luce di posizione di un'automobile che brilla a intermittenza, e come commento musicale semplicemente il tintinnio del ghiaccio che si scioglie nel bicchiere.

La Taylor reciterà benissimo anche in teatro, con *The Little Foxes* di Lillian Hellman.

E il teatro vecchio...?

A Broadway, scoraggiato dai titoli, dai temi, dai cast. La Leggendaria Efficacia, a questo punto, diventa solo allucinante, applicata come una ventosa al Luogo Comune.

Ho tentato un grande musical. Dal di fuori, assai attraente: *Cabaret,* con Lotte Lenya, tratto da *Goodbye to Berlin* di Christopher Isherwood. Poche cantanti, pochi romanzieri, si trascinano dietro da tanti anni un affetto così singolare e ostinato, quasi un *cult*...

... Ma che vergogna! Intanto, un pubblico molto vecchio e tutto contento; e per questa platea di sessantenni giulivi, una caramellona confezionata apposta, da un boulevard che «deve» morire con loro. Non per nulla, prima della guerra, i teatri di Broadway erano tre volte tanti.

Il romanzo di Isherwood era splendido. Catturava uno stato d'animo e un'atmosfera «irripetibili»: i poeti inglesi del Trenta, in gaia trappola fra Marx e Freud, e gli allegri giovanotti, nella Berlino delirante fra Hitler e Brecht... Anche il plot era affascinante, tant'è vero che aveva già germinato una commedia e un film, *I'm a Camera,* nonché un'aperta imitazione di Truman Capote, *Breakfast at Tiffany's.*

Ma per Isherwood e per Capote l'intera storia ha un senso e un sapore preciso. La capricciosa amicizia fra lo scrittore «difficile» e la ragazza «facile», svampita e adorabile, funziona come extravaganza astratta, e complicità da *Così fan tutte,* proprio in quanto non c'entrano i sentimenti, lui è culo, e così il sesso è fuori questione, come nelle convenzioni dell'opera buffa. (Ancora dopo la guerra, Auden mi aveva dato l'indirizzo di qualche gaio locale proletario di là, con incontri di boxe nel retro).

Invece, tutti gli sforzi dei produttori di Broadway sembrano indirizzati a prendere delle trame «diverse», e a trasformarle nella Solita Solfa, a costo di cambiare il senso dei luoghi e il «segno» dei personaggi. Così il morbido poeta inglese nella tragica Berlino del Trenta diventa uno dei tanti bravi ragazzi americani ottusi e «tipici» che s'installano in un luogo di villeggiatura esotica per scrivere un bestseller, e lì s'innamorano della prima bambolina che incontrano, apparentemente frivola ma in realtà con un cuore grosso così. Si vogliono bene, stanno tranquilli, sono contenti in mezzo a bizzarri indigeni; e la loro favoletta si può trasformare in qualunque film uguale a tutti gli altri film della categoria *Suzie Wong*.

Lo spettacolo è indecoroso. Sfrutta l'espressionismo tedesco per avvilirlo in un avanspettacolo fitto di numeretti 1925, tutti brutte imitazioni da *Gypsy*: lo strip-tease «ironico», la giapponesina con suoni di xilofoni, la parigina con una torre Eiffel in testa. Anche un nazista mite, e dei poveri ebrei vittime vagamente umoristiche. Mascalzonata suprema: la trasformazione-svisamento del personaggio di Fräulein Schneider in una vecchia zitella grottesca che esegue goffe smancerie matrimoniali con un vecchio ebreo dialettale, come contrappunto anziano-patetico-macchiettistico alle melensaggini sdolcinate della coppia giovane. Era la parte destinata a Lotte Lenya. Ma dopo qualche giorno ha abbandonato lo spettacolo: immagino per mortificazione. Sui programmi era annunciata una lunghissima malattia. Al suo posto, ho trovato una di quelle caratteriste che «ci dànno dentro». Ma come «Master of Ceremonies» (nonché Kapellmeister quasi brechtiano), il sensazionale animatore-agitatore Joel Grey tiene su l'intero spettacolo.

Broadway rimane un territorio senza guide: si sa come sia rara la critica drammatica in America. Tra le luminarie da fiera della vecchia Times Square e le tavole calde e i negozi di «scherzi divertenti» e i cinema di film nudisti e le predicatrici che strillano contro il Peccato, di anno in anno i «generi» fissati dal canone commerciale si offrono al pubblico suburbano consolanti e immutabili, anche per assicurare il recupero dei capitali investiti dagli impresari. La commedia sentimentale domestica e digestiva (e «carica d'umanità»), con una lacrima e tanti dolcetti, tutti i personaggi simpatici e carini, generalmente «adatti ai bambini», e un autore che soffre d'arresto di sviluppo emotivo: crepuscolari « cuor d'oro » che fino a una certa età fanno delle esperienze vere, e una volta fissato un tema cessano di vivere per rielaborarlo ad uso turistico.

Ecco la biografia romanzata della sordomuta-prodigio o del quartetto vocale perseguitato o di un buon sindaco o d'altri caratteri cordiali e locali e soprattutto medi: così al dramma del personaggio « immaginario » contro il Destino avverso si sostituisce la conquista del Successo da parte di un eroe casareccio, « un vero americano che potrebbe essere ciascuno di voi ».

Riecco la commedia elegante, da salotto: tappeti e trumeaux, paltò di cammello e vestaglie di broccato, perle, champagne, caviale, Bermude, vecchie signore che gorgheggiano con vecchi giovanotti, e un vecchissimo pubblico felice vedendo Charles Boyer in smoking di velluto e parrucchino biondo fare il guancia-contro-guancia sotto un abat-jour con Claudette Colbert in princesse di Balmain, al suono di *Mademoiselle de Paris* e fra le birichinate del cameriere filippino.

Ancora i tormenti nervosi di un'ubriacona che si droga in un Vecchio Sud franante dove ciascuno possa riconoscere casa propria e se stesso fra le eterne maschere del Vecchiaccio imperioso e lurido, del Giovanotto puro e contaminato, della Bella Figlia perduta e sofferente e non più giovane. Magari anche male operata all'utero.

Sempre il « teatro nel teatro », ma non nel senso di Pirandello: proprio commedie che trattano di altre commedie, musicals intorno alle prove di un musical, attori in parti di attori, spettacoli che provano come la realtà persa di vista venga sostituita dal narcisismo di un mestiere convinto che tutto il mondo si limiti al mondo dello « show business ».

La commedia « pulita-sporca », o « sexy senza sesso », cioè scollacciata ma per famiglie: la risposta di Brooklyn a *Occupe-toi d'Amélie*. Soltanto, invece di un granduca in mutande nell'armadio di una cocotte, col suo uffizialetto geloso sul pianerottolo, si trova ghiotta e titillante, per esempio, la situazione di due coniugi sessantenni che hanno improvvisamente un bambino; o un papà playboy che torna da Montecarlo per distogliere con i suoi vezzi la figlia ingenua da un matrimonio sbagliato; o un marito e una moglie non giovani che sfiorano ciascuno per proprio conto l'adulterio francese ma senza commetterlo; e poi tornano alla loro casina più contenti di prima. Su pretesti simili, tre ore di ammicchi finti-salaci.

Il dramma « poetico », cioè un falso-Milton che si svolge nel Nulla, con Dio e il Diavolo e il Fisico e lo Psicologo che si scambiano intimazioni tipo « Dio è storia! », « La storia è giustizia!», «Dio è giustizia!», «Il tempo è storia!». Tutto un ping-pong di versetti con funzioni catartiche: come per assolvere a furia di noia la coscienza colpevole dello spettatore che si vergogna d'essersi divertito a *The Music Man* o *Destry Rides Again*. O di essersi addormentato «mentre piano piano, senza fare confusion / viene l'Alienazion».

Spesso anche la giapponeseria o cineseria: col suo fior di loto, archi bordati di pizzo come sottogonne, le lanterne coi dragoni, i campanellini di Chinatown, la luna che ride di lassù, tutto un Sayonara goldoniano con bizze e princisbecchi fra innamoratini.

In verità, gli Stati Uniti non hanno mai avuto una vera drammaturgia: così come non sono mai riusciti a creare un vero formaggio, nonostante gli sforzi del grande paese per produrre l'uno e l'altra. Si sa fin troppo che i veri autori delle commedie americane sono gli impresari e il pubblico (formato di coppie suburbane in visita a New York, con la solita moglie che brama la «serata fuori» e il consueto marito che anela al relax). E gli autori che le firmano, non è un caso che abbiano poco in comune con la buona letteratura, almeno nel senso in cui vi partecipano piuttosto Ibsen e Shaw e Wilde e Pirandello e Camus. Non per nulla le avventure di Miller e Williams nella poesia e nel romanzo sono paragonabili per flop solo alle commedie di Hemingway e Fitzgerald e Wolfe; e nell'economia di uno spettacolo qui il testo non ha molta più importanza delle luci e dei movimenti e degli «effetti». Infatti il «genere» teatrale più riuscito e felice in America è sempre stato quello composto e collettivo del «musical», originale e locale e «tipico» come il melodramma in Italia; e la sua epoca d'oro è stata stupenda, si è stati fortunati a vederne la fine qualche anno fa.

Ma tornando a rivisitare Broadway tardivamente, in un panorama decrepito e sempre uguale, le sole novità che possono colpire sono due tendenze non si sa fino a che punto significative: l'approdo dell'Assurdo a Times Square e la solenne riproposta di Eugene O'Neill come Massimo Drammaturgo Nazionale.

I fatti dietro la drammatica ripresa di *Strange Interlude* – dopo trentacinque anni – sono che al Lincoln Center in costruzione verrà presto ospitato un teatro nazionale tipo Comédie Française, affidato all'Actors' Studio. Quindi gli attori che fanno capo a Lee Strasberg, in concorrenza con una formazione simile annunciata da Elia Kazan, si sono impegnati in questa breve stagione, insieme anticipo esemplare dell'attività futura e dimostrazione polemica contro gli impresari commerciali.

O'Neill è stato scelto per il primo spettacolo, inevitabilmente: come massimo autore d'America, e tanto più che il regista della compagnia, José Quintero, da molti anni lavora con ottimi risultati per una rivalutazione critica del suo teatro. A cominciare dal dramma postumo *Long Day's Journey into Night*, attraverso altri semiperiferici come *Desire Under the Elms* o *A Moon for the Misbegotten*, questa opera di ripresentazione «esemplare» raggiunge così oggi i disperati monumenti «centrali» di un drammaturgo fra i più infelici: proprio perché un Fato malvagio lo condanna a personificare l'eroe intellettuale tipico d'una certa cultura positivistica che prende di petto il Fato e le idee e il linguaggio, e farraginosamente divora Eschilo e Strindberg, Shakespeare e Hugo e Freud, ma senza assimilarli né digerirli li risputa fuori a pezzetti, in una broda spesso ripugnante di battute tormentosamente mal scritte. Molto meglio (sempre con regìa di Quintero, anni addietro), la recitazione della scrittura di Thornton Wilder, in *Our Town*, altro classico, al Circle in the Square.

Sono le commedie peggio scritte nel mondo? Basta aprire o ascoltare a caso. Immensi, puzzolenti fumetti escono dalla bocca di Nina, la protagonista, che *dice fra sé e sé, come se ripetesse le parole di un'intima ragione di vita*: «Non è il figlio di Ned!... né di Sam!... è mio!... ecco!... di nuovo!... lo sento vivere!... muoversi solo nella mia vita!... e la mia vita si muove nel mio bambino... respiro nel flusso che sogno e rendo il mio sogno alla marea... Dio è Madre... (*con improvvisa angoscia*) ... Oh, pomeriggi... cari, meravigliosi pomeriggi d'amore, con te... perduti... spariti per sempre!...». Oppure, ancora Nina, *si alza come un automa e calcola tra sé e sé*: «Bisognerà ingraziarsi Charlie... non mi sento al sicuro»; come una Rosaura che si ricompone: «Giusto Cielo, ecco Florindo!... occorre dissimulare!». E Marsden *si vergogna tra sé e sé*: «Perché dunque ho cercato di ferirla?... la mia Nina!... e pensare che sono più vicino a lei che a qualunque altro!... darei la vita per farla felice». E Darrell, *i cui pensieri, amari e disperati, sono quelli di un uomo con le spalle al muro*: «È orribile!... Sam crede che io sia l'uomo migliore del mondo... e io gli faccio questo bel servizio!... come se non ne avesse passate abbastanza...». In che cosa mai si distingueranno questi dal «non so chi mi tenga dal fare uno sproposito» di un Tòdaro o di un Canciàn?

Ecco, i nove atti di *Strange Interlude* sono tutti scritti in questa maniera impressionante, abusando sconciamente dell'«a parte» dei guitti ottocenteschi non per spaccare la convenzione veristica ma per renderla in pratica più greve e ridicola, anche se si capisce che l'intento era invece di moltiplicare profondità e poeticità attraverso più «piani» di rappresentazione. Ne risulta piuttosto una serie di romanze e cabalette, una forma drammaturgica impostata sul «recitativo e aria», sul duetto con i trasalimenti: antidrammatica perché ogni personaggio non si rivolge quasi mai agli altri, non dice quasi nulla in forma diretta. Spiegano; si spiegano; rimembrano; informano sugli antecedenti; e verbosissimamente, tentando di fare della poesia; come se una somma di «a parte», in una commedia naturalistica, potesse costituire dialogo.

Ricordanze, memorie, chiarimenti non richiesti traboccano dal testo, abbondanti come i commenti sul plot forniti dai servi nella commedia classica, e negli «ora facciamo un passo indietro» dei feuilletons: «ma mentre la nostra eroina si rifocilla, provvisoriamente al sicuro nel tinello della buona ostessa, v'è chi trama nell'ombra nell'antro della fattucchiera». Pare il quartetto del *Rigoletto*, però senza musica ed eseguito come *Il castello del cappellaio*. E come tecnica drammaturgica siamo alla scena della narcotizzazione nella *Lodoïska* di Cherubini, con sostituzione di vini drogati, e due gruppi d'armigeri travestiti da santi romiti in due angoli di un corpo di guardia, sbirciandosi di sottecchi per vedere se gli altri bevono il filtro: «Là! Là! Mi par che faccia effetto!», «Là! Là! Non hanno alcun sospetto!», «Là! Là! Fra poco sono a letto!», ecc.

Cosa si può mai fare con un testo simile, questa operona positivistica anglosassone, questo equivalente vittoriano della *Forza del destino*, questa risposta del New England al *Ballo in maschera*, con una psicologia alla Salvatore Cammarano e un linguaggio che pare una brutta traduzione da F.M. Piave? Il prodigio di Quintero e dei suoi magnifici attori è che non l'hanno affrontato «dandoci dentro» oppure ingoiando il testo, ma lo risolvono recitandolo com'è scritto – e facendolo sentire tutto – pulitamente e senza enfasi, senza far notare le differenze fra le battute dirette e quelle «interiori», sorvolando sulle insistenze drammatiche più pesanti, come quando si prende a braccetto un ubriaco, per farlo passeggiare con finta disinvoltura. Il risultato è che questa magnifica recitazione lotta contro il testo cercando di nobilitarlo senza far sentire lo sforzo. E certe volte riesce a obliterarne la rozzezza, presentandolo come una fantasia funeraria sopra un fagotto di luoghi comuni borghesi americani. Ma non di rado ne mette in evidenza le debolezze e gli espedienti in tutto il loro orrore: la psicologia rudimentalissima, laboriosamente costruita sui manuali di divulgazione popolare. (Basta mezza pagina di Freud per renderla ridicola: mentre la scoperta della luce elettrica *non* diminuisce affatto

622

la poesia di Poe... e Proust *non* fa sentire «superato» Victor Hugo...). E una filosofia che quando affronta la Vita o Dio dà l'impressione di un abate Zanella che adoperi le conchiglie fossili per farsi delle collane «fantasia». È una poeticità basata su «evocazioni» tipo: «Avevamo giurato di non aver figli, e per due anni non dimenticammo le precauzioni... poi, una sera... un ballo... un punch... un chiaro di luna... oh, quel chiaro di luna!... che piccole cause hanno spesso i fatti più gravi!». E l'ossessione monotona sulla madre funesta, che è poi realmente la versione tragica delle barzellette sulla suocera tra i commessi viaggiatori. E gli svantaggi dell'America, e della famiglia americana, e del lavoro americano, e degli altri miti nazionali... Come se veramente la Nemesi pseudo-greca dei suoi drammi condannasse il povero autore anche ad anticipare tutti insieme i clichés più volgari e noiosi dei futuri drammi esistenziali e psicanalitici di Hollywood.

Scenicamente, Quintero ha disposto fondali di tappezzerie liberty ingrandite, scure, a ramages; mobili vittoriani realistici, paralumi di antiquariato. I cambiamenti sono a vista: gira la piattaforma e calano gli scenari. L'illuminazione, teatrale e falsa, con spot che seguono gli attori dalle barcacce, come al varietà. La recitazione è realistica, stilizzata, come in un dramma ibseniano su un gruppo di ottusi annebbiati che cercano di *capire*. Naturalmente, in un'epoca abituata a drammaturghi che si ispirano consapevolmente alla filosofia, fa un po' senso vedere questi personaggi che girano fra vecchie tappezzerie isolati dal loro riflettore, e recitando carte da cioccolatini: tutta una filosofia Pernigotti, uno «Zeitgeist» Perugina... E si capisce che la stilizzazione trova il limite d'una certa meccanicità, per forza, quando le battute invece di *rappresentare* direttamente tipo «Amami Alfredo» suonano indirette e descrittive tipo «Mi chiamo Margherita Gautier, malata d'un male che non perdona, e con dispiaceri da parte di un giovanotto ingrato», se non addirittura «Sono Brighella e ho perduto il baule ma buon per me il vecchio babbeo non s'è accorto di nulla».

Geraldine Page è sublime. Neurotica e cantante e ravagée fin dall'inizio come un'eroina di Donizetti; anche se Nina Leeds è una noiosa impostata dall'autore come una Leonora da melodramma a cui ne càpitano più che a Lana Turner e Susan Hayward in quei film catastrofici dove tutti scoppiano a ridere a ogni telegramma che annuncia nuovi infarti e divorzi. Ibsen se la cavava con molto meno; ma a Nina càpita tutto: padre geloso, fidanzato morto in guerra, buttarsi via tipo *Ponte di Waterloo*;

corteggiatore simpatico ma legato alla mamma; marito sempliciotto e povero, ma poi ricco e sicuro di sé; la Maledizione degli Evans, per cui guai ad aver figli; la rozza fantasia floreale di
scegliere allora un altro padre per il proprio bambino; e sarà
un Dottore che nulla distingue da un Ingegnere di «Bolero
film»; e tutta un'incomprensione ventennale fra lei e il figlio e
il padre vero e quello finto e la ragazza del figlio e l'antico corteggiatore e il fantasma della sua mamma. Ma con che agio superbo lei passa attraverso isole di felicità e di disperazione, e
scontri d'amanti colpevoli, dai tormenti semplificati delle prime scene fino alla buona commedia moderna sul ponte dello
yacht, dove ciascuno monologa per proprio conto affrettando
la conclusione dell'epoca teatrale che va da Pirandello a Wilder; e lei in veli e turbanti e plaids alla Marlene Dietrich si lascia stupendamente affondare in un'acre vecchiaia gonfia di
recriminazioni amare.

Meravigliosa, quasi sempre. Ma il più bravo di tutti è Pat
Hingle: giovane e vecchio, ansioso e sicuro, trepidante e volgare, goffo come un amico grasso di Harold Lloyd e finissimo
nell'identificarsi con le diverse fasi del personaggio e gli umori delle varie epoche, come se la parte mostruosamente complicata di Sam Evans fosse stata composta sulla misura esatta
delle sue capacità espressive. E ottimo subito dopo riesce Ben
Gazzara, uno di quegli attori che «scavano» il personaggio: visibilmente, ma con che acutezza vien fuori questo medico mondano anche un po' Dottor Sottile, disinvolto e tarlato dai rimpianti molesti del cuore.

William Prince fa invece quello che può alle prese con il personaggio di Marsden. O'Neill lo vorrebbe simpatico: altrimenti
non si spiega l'attrazione di Nina per decenni. Però l'opprime
con battute seccanti e macchiettistiche: sempre la stessa frase
d'entrata sulla mamma che non sta bene, perché sia ben chiaro che come prescrive la psicanalisi da scuole serali chi è attaccato alla mamma sarà indeciso in amore. Ma è un vecchio espediente comico da vaudeville: se un caratterista entra ogni volta
esclamando «Stiamo attenti a non perdere il treno» o «Avete
visto dove è andata mia moglie?», dopo due o tre volte il pubblico riderà a ogni ripetizione.

Betty Field, la madre di Evans, è la mamma o la zia dei film
con la ragazza neurotica «con cui non si può mai star tranquilli»; però truccata come una regina da balletto; e recita alla Ka-
tina Paxinou, perché l'autore la carica di più presagi e visioni
e segreti di famiglia che non una vedova di Euripide o una go-

vernante di Charlotte Brontë. Azucena è una spensierata di Franz Lehár, al confronto. Ma la scena delle rivelazioni fra le due donne, a base di suocere matte e di zie imbavagliate in solaio, è ridicola per le stesse ragioni del mio professore di greco quando commentava *I Persiani* di Eschilo: il sogno di Atossa è tragico perché fatto dalla madre di Serse; fatto da nonna o zia o cugina riuscirebbe grottesco e satiresco (lì infatti si frana, volendo far troppo gli spiritosi con i tragici greci e confondendoli con il *Padrone delle ferriere*).

Compaiono anche Geoffrey Horne, come un buon jeune premier; e Franchot Tone, con faccia da bambino truccato da vecchio padre. Gli ultimi atti sono forse i più seri: con meno fato greco e più tragedia americana. Però alla fine se si analizzano i colpi di scena più efficaci, uno si rende conto che è una drammaturgia da Buridano, basata su dilemmi artificiosamente gonfiati – Nina tra l'amante e il figlio, il figlio tra la madre e la ragazza – e rifiuti esageratamente scultorei. Non per nulla il pubblico, anche quello che piange ai primi atti, finisce per divertirsi a ogni nuova sciagura che grandina sugli infelici. E un momento fra i più soddisfacenti della serata è l'ora d'intervallo fra il quinto e il sesto atto, con pranzo eccellente da Sardi's (in compagnia di Anita Loos! ma dove c'è un buffet, la potentissima Diana Vreeland si alza per servirla), fra le caricature di vecchie celebrità alle pareti e le ingiurie dei camerieri tutti italiani alle celebrità nuove, che non capiscono e ricambiano con altrettanti sorrisi l'insulto romano e il dileggio siculo.

Who's Afraid of Virginia Woolf? è la più recente commedia di Albee: la sua prima in tre atti, su misura per Broadway. Gran successo di pubblico, esiti critici molto dubbi. Elogi soprattutto per la sua «onestà». A me pare brutta: lo stesso cedimento di Ionesco quando allarga per un teatro commerciale in tre atti pieni di ripetizioni e volgarizzazioni la grazia perfetta dei primi atti unici (che sono la misura giusta per un Assurdo senza «plot»).

La sotie surreale sulle contraddizioni della vita umana s'annacqua così in un mare di osservazioni sociologiche «dal vero» sulla vita dei professori universitari: luogo comune ormai fra i più insopportabili, perché in ogni città americana c'è una università, e milioni d'intellettuali vi insegnano, tutti intenti a produrre racconti e romanzi e commedie sulla vita degli intellettuali nelle università. Il gioco selvaggio di ripetizioni e nonsensi viene dunque ridotto alle misure naturalistiche della commedia borghese; e si capisce che la ferocia meccanica della comicità

astratta perde molti colpi applicata alle convenzioni del boulevard: come se Beckett venisse riscritto da P.G. Wodehouse.

Le domande indiscrete, le interazioni irragionevoli, i vuoti in-
spiegabili, le curiosità insensate, le furie illogiche ci sono sempre, con le solite insistenze su particolari fisiologici irrilevanti e
imbarazzanti; e rinfacci dispettosi, e liti volute: ma tutto spiegato, facilitato, sottolineato da notazioni di costume che immiseri-
scono ogni impennata «assurda». E non per niente la scenografia è rigorosamente realistica.

L'idea di gente che tormenta se stessa e tormenta anche altri chiusi nella stessa stanza è tutt'altro che volgare: è di Sartre;
e O'Neill con uno spunto assai simile aveva fatto il *Long Day's
Journey into Night*. Ma questo era un romanzone veristico dove
succedeva tutto, mentre Sartre in *Huis clos* aveva avuto l'accor-
gimento di murare le porte e far durare la pièce meno di un'ora
(come *La cantatrice chauve*). Albee ha invece due coppie d'insegnanti, una giovane e una anziana; non so come il testo spe-
cifichi i sessi, ma nella rappresentazione i personaggi sono ben
bilanciati: la coppia «nuova» (un ex-atleta biondo e ambizioso,
una bambinona soffice ma soggetta a gravidanze isteriche) dopo un party finito a mezzanotte vengono a bere dai due colleghi «arrivati»: una magra furente figlia del vice-rettore, e un
fallito con la pipa, finto-stoico e neurotico. Per tre atti che durano quattro ore, invece di andare a dormire come obietterеb-
be un verista filisteo (qui le porte *non* sono murate), i quattro si
insultano con battute paradossali e facili, con un pubblico che
si diverte come a un Fraccaroli-Besozzi. Ma il tono è sempre
uguale, unilaterale e noioso, perché naturalmente una commedia di repliche verbali e non di fatti è un rotolo che si può svol-
gere o tagliare a piacere; può durare quattro ore come una o
dieci; al di là di un certo limite la misura è arbitraria.

I quattro ottimi attori mimano figure d'amore e odio chiamandosi bastardo e assassino, e ripetendo che è tutto un gioco; ma è una commedia d'amore e odio senza amore, di lotta
fra i sessi senza veri sessi. Ambizioni affiorano, meschinità vengono a galla, cattiverie saltano fuori, moltissime, continuamente, con regolarità; ninfomania e schizofrenia, isterismo e impotenza, bere e non capirsi, far male l'amore e dichiararsi guerra.
Interrogazioni villane. Iterazioni irragionevoli. Vuoti angoscio-
si. Furie illogiche. Imbarazzi fisiologici. Dispettosi rinfacci. Curiosità insensate, furiosamente meccaniche, e perciò destinate
all'eccesso esegetico, o a una sonnolenza specifica. Innumerevoli orrori del repertorio e del *campus* vengono elencati diligen-

temente, pedantemente, minuziosamente, scegliendone gli a-
spetti più paradossali. Ma Uta Hagen o Arthur Hill non paiono indimenticabili. Dopo dieci minuti si è già capito tutto; dopo un'ora sembra che ne siano passate sei. Ah, qualche taglio.
Dopo il secondo intervallo non si ha la forza di rientrare in teatro. Oltre tutto qui Albee diventa più verboso di Claudel; e dietro Beckett esiste almeno una certa filosofia, ma al di là di questa commedia s'intravvede tutt'al più una caricatura di Strindberg fatta da Charles Addams, con Crudelia o Morticia, e le
barzellette «cattive» di qualche anno fa, tipo «smettila di girare intorno, sennò t'inchiodo anche l'altro piede».

Altra istanza di come fa in fretta l'Assurdo a franare sorprendentemente nel boulevard è un'astuta farsa tipo *Arsenico e vecchi
merletti*: *Oh Dad, Poor Dad, Mamma's Hung You in the Closet and I'm
Feelin' So Sad*, di Arthur Kopit, il più simpatico rappresentante di
una generazione agiata e viziata attualmente alla moda: alti,
bruni, eleganti, educati a Harvard, con ville a Long Island e automobili sport e viaggi in Europa e serate a lume di candela con
ereditiere belle e chic nei night-clubs di Manhattan. Ci si incontra all'Oak Room del Plaza, infatti. Tanto più ghiotto, quindi, su
un piano sociale e mondano, questo attacco alle Madri sferrato
nel cuore della Buona Società. E infatti Jerome Robbins ha messo su intorno alla grande Hermione Gingold uno spettacolo
giustamente piccante e smorfioso, molto rassicurante per ogni
pubblico: non si esce mai dal vaudeville dove ogni personaggio
è una macchietta che danza e strilla e fa lazzi comicissimi e «non
ha nulla di umano», mentre ogni deformazione del reale tira
solo a strappar la risata.
La presentazione è a cartoni animati, come le réclames «i-
roniche» al cinema. Un balletto di camerieri da rivista. Due folli caricature surreali, una madre che è un pipistrellone di faille
nero con frange di scimmia, con le insensate gerarchie di valori della Lady Bracknell di Wilde, le spietatezze della Vecchia Signora di Dürrenmatt, e in più i frills delle vecchie eccentriche
tradizionalmente adorate dai pubblici anglosassoni, da Estelle
Winwood a Margaret Rutherford; un figlio balbuziente e tre-
mante in calzoncini bianchi da Piccolo Lord Fauntleroy, praticamente il povero Ognuno americano immaturo e tormentato
dalla Madre e dalla Ragazza. Poi, un trovarobato imponente
d'oggetti «spiritosi»: mazzi di dollari incollati a fisarmonica,
seggiole che camminano da sole, bara con mummia dentro, o-
rologi a cucù che fanno versacci, simboli ovvi di rapacità come
piante carnivore e pesci piranha, collezioni di libri e monete e

627

francobolli che si prestano a battute comiche da rivista goliardica: «Solochov, Alain-Fournier, Alighieri... amici miei...». «Ecco una piastra del 1879: ottima annata per le piastre».

Arrivano presto gli altri due: il pomposo Commodoro che flirta con la madre in vestaglia trasparente, però con un blando dialogo alla Coward che fa ridere pochissimo, e un lungo monologo programmatico di lei addirittura fiacco, drammaturgicamente e poeticamente. Poi finalmente la Bambinaccia, altra nipotina di Ionesco: in rosso, con trecce e nastri, calzine di filo e scarpine di vernice, sconciamente imbellettata, petulante e aggressiva; e cerca di sedurre il figlio saltando oscenamente sul letto-sacrario della madre, con la mummia del padre che cade dalla bara a braccia avanti ogni volta che lei si toglie una sottogonna urlando sfrenatezze da Wedekind con vocine acutissime. Di fronte all'ultima gonna, il figlio preferisce ucciderla; e quando la madre rientra dalla spiaggia (esce ogni notte a picchiare le coppie), non le rimane che togliersi la sabbia dalle scarpe, e chiedere severamente di fronte ai morti e al disordine «vorrei proprio sapere cosa significa tutto questo».

(A Roma, poco dopo, fu eccellente l'interpretazione di Laura Adani, diretta da Mario Missiroli con scene di Gastone Novelli, alla Cometa).

Però, gli spettacoli più belli di Broadway sono sempre stati i musicals «tipicamente americani»: esemplari prodotti di collaborazione fra numerosi ingegni, di un divertimento enorme, di una vitalità pazzesca, di una perfezione formale da fare urlare dall'entusiasmo come il melodramma italiano dell'Ottocento. (Lo stesso rapporto: Arthur Miller nei confronti di un buon musical fa la figura di Vittorio Alfieri paragonato a Giuseppe Verdi). Da *Oklahoma!* a *My Fair Lady*, oltre tutto, di un gusto sempre più sofisticato, al corrente con la cultura, le mode, la vita; con ricostruzioni di costume ricchissime, musiche sempre più scatenate, piene di perfida sapienza e d'intelligenti citazioni dei decenni passati, fino ai due capolavori: *West Side Story* e *Gypsy*. Per Bernstein e Robbins, che astuta e affascinante contaminazione fra Shakespeare e antropologia e zarzuela e Ben Shahn. Molto più magnetica e magica che nel film: balletto astratto e scenografia realistica e Puccini in agguato...

... Rex Harrison inflessibilmente *debonair* nel suo squisito *Sprechgesang* fra sublimi toilettes di Cecil Beaton, dame lilla e azzurre che sorbiscono inimitabili cioccolate in imprimés floreali, colonnelli «che stanno bene in frac», pescivendoli cockney epigoni dei portieri shakespeariani nel mercato ortofrutticolo del Covent Garden che negli anni Cinquanta si viveva come le Halles a Parigi o i Mercati Generali romani... Ma basicamente in *My Fair Lady* non si rivede tanto una *Ninetta del Verzee* del Porta o *La Prisonnière* proustiana. Nell'ambiguo scapolo che si porta in casa una minorenne del popolo coi pretesti della filologia e della fonetica, i lettori di Pasolini ritrovano il professorino che batte tra i «fiji de na mignotta» e i «mortacci sua» al Monteverde e al Ferrobedò...

Nonché battute rapidamente storiche. Mai più trovato niente di paragonabile alla Merman, nelle riprese anche più tardive di *Gypsy*. Cose da Callas, Feuillère, Gustaf Gründgens... «Il mio lavoro sono le mie figlie!». «Ma le bambine diventano donne!». «Non lo sono, e non lo diventeranno mai!»... E quali demoni vengono fuori «maudits» nel sinistro strip-tease finale, finto, della gran madre furiosa, gelosa, delusa, prepotente...

La forza di questi grandi musicals sarà che anche sotto apparenze di evasione e «magia» se la stanno prendendo continuamente con qualche aspetto preciso della realtà contemporanea. Con una certa audacia di contenuti, un fiato abbastanza epico, una libertà passabilmente crudele. Sono poi enormemente divertenti. E si capisce che raggiungono successi di pubblico pazzeschi. Fra i grossi spettacoli popolari risaltano però quelli che mirano oggi ai temi più spregiudicati, meno cheap.

How to Succeed in Business Without Really Trying batte su una fissazione fra le più ingombranti e ossessive del costume americano d'oggi. L'arrivismo aziendale, lo snobismo della «casta dirigente», il dimenarsi in un mondo di grandi uffici dei Rastignac in flanella grigia per arrivare «at the top». E i manuali che insegnano come si fa. Ecco la mania nazionale della parola «executive» usata come talismano passepartout per tutte le mode e le pubblicità «persuasive». Abiti da «executive», scarpe da «executive», vacanze e automobili e ristoranti da «executive», cartoncini d'auguri e giochi per famiglie tutti ormai impostati su variazioni intorno a questa solfa. Lo spettacolo s'apre non per nulla con il protagonista Robert Morse che canta *Come aver successo*, manuale alla mano, convinto di riuscir subito. Su il sipario: e dietro di lui ce ne sono tantissimi, tutti uguali, manuale alla mano, che cantano la stessa canzone.

Morse è il trionfo dello spettacolo. Forse il migliore attore musicale del momento. Piccolo, forse vecchio, con una faccia tra Robert Kennedy, Mickey Rooney e il ragazzino della copertina di «Mad». Finto-buono, finto-perbene, finto-dolce. In realtà volpino, nascondendo un ghigno malvagissimo. Come fattorino d'ufficio si rannicchia come un gattino, un serpente travestito da agnellino, una faina che vuol passare sotto la porta del pollaio. Fa dei sorrisetti da bravo bambino, falsissimi. Si abbandona contro la spalla dei capiufficio strofinando il ciuffo come un animaletto di Walt Disney che cerca protezione, come un cucciolo che si lecca e si accarezza. Tutta una cagnolineria con la faccia e la lingua e il ciuffo e le orecchie. Compone così un ritratto agghiacciante del cinismo e dell'ambizione e della crudeltà disonesta e senza scrupoli che si possono normalmente nascondere dietro la faccia aperta e pulita del «bravo ragazzo» americano medio. E l'intero musical non è che una parabola scintillante e festosa di una scalata «at the top» gangsteristica e paradossalmente rapidissima di un Julien Sorel da Madison Avenue.

Il noiosissimo mondo dei grandi uffici e dei conflitti carrieristici in un'infinità di romanzi e di racconti tutti uguali diventa allora quasi affascinante. Cori mattutini di segretarie efficienti, ballettoni di dattilografe con carte carbone, gighe dell'intervallo per il caffè, marce di impiegati affettati a passetti, grossi sigari direttoriali, telefonate «personali» della mamma del capo del personale, lamenti serali di «è stata una giornataccia» in fila davanti agli ascensori. E in mezzo, una vera chicca: nei panni del direttore generale, Rudy Vallee, incantevole come negli anni d'oro di Joan Davis e Martha Raye. Beato lui, è rimasto uguale al miliardario in pince-nez di *The Palm Beach Story* che vent'anni fa accoglieva nella sua cabina Claudette Colbert fresca come una pesca, inseguita in camicia da notte per tutto un treno di vagoni-letto, con cani e fucili, dai vecchi soci ubriachi del Club della Quaglia.

Facendosi strada a gomitate e sorrisi, respingendo in vista della carriera le avances delle dattilografe che cercano di portarlo al ristorante, fischiettando gli inni del college di tutti i superiori, Morse imita sfacciatamente gli hobbies del direttore generale: il gioco del golf, e il tricot eseguito in maniera maschile («due dritti, tre rovesci», in tono rude, lavorando copri-mazze da golf a ciuffettini celesti). Resiste all'amante di lui, una vamp carica di volpi che cerca di sedurlo. Si difende con gli stessi gesti surreali dell'annegato portato a riva; si confonde; la chiama «Sir»; ma finisce per avviarla all'ufficio di un vice-direttore rivale, che allunga la mano e viene prontamente trasferito. Sventa congiure nei lavabi; sorprende consigli direttivi; vola con arpe (in una sequenza del sogno) intorno alla poltrona direttoriale. Deve, certo, combattere contro un rivale smorfioso e capricciosissimo che nulla distingue dalle sorelle cattive di Cenerentola, con trame di mamme e zie che lo appoggiano (sarcasmi anche qui orribili alla mamma). Ma reagisce pronto.

Finisce, naturalmente, direttore generale. E la musica sarebbe banale, il décor fa piangere, le canzoni vengono ripetute fin troppo, il secondo tempo rifrigge molte cose del primo. Ma Morse e Vallee e il resto del cast s'avventano con tanta verve nel dileggio dei miti che lo spettacolo riesce molto da godere.

C'è un duetto della linea aziendale, tra il fattorino appena assunto e il vecchio impiegato con quarant'anni di servizio, che è puro Olmi: «La tua faccia è una faccia aziendale, il tuo cervello è un cervello aziendale...». «Tutto aziendale, sì!... Gli hobbies, il tempo libero... la vita!». Pare la rivista «Il Menabò» cantata dal Quartetto Cetra, con Paolo Volponi e Ottiero Ottieri che dànno la mano a Katyna Ranieri e a Nico Fidenco... E il finale del primo tempo è un gran bel party aziendale, con ogni segretaria che si è comprata un modello francese «esclusivo», e poi sono tutti identici; ne ha uno perfino la vecchia segretaria del direttore che di solito è tutta sulla scarpa bassa, il capello corto, la sahariana da fiduciaria del fascio. Ma appena arriva la vamp, con su lo stesso modello, coro di tutti gli uomini: «Oh, che bel vestito!». Il finalissimo si prende invece il gusto di profanare anche il mito supremo, la Riunione del Consiglio d'Amministrazione. In camera di consiglio il Presidente fa dei tip-tap con i fattorini, le vecchie segretarie saltano sopra i tavoli a ferro di cavallo, e gli «executives» («senior» e «junior») cantano come un pullman di sciatori in gita aziendale al Pian dei Resinelli.

Tutto diverso l'altro grosso successo di questi mesi, *A Funny Thing Happened on the Way to the Forum*, folle pastiche di commedie di Plauto, di George Abbott, autore di spettacoli dotati sempre di un ritmo stupendo: spesso divertimenti fantasiosi che fanno delle ironie sul presente fingendo di svolgersi «nella notte dei tempi». Come l'indimenticabile *Once Upon a Mattress*, tratto dalla fiaba della Principessa sul Pisello. La farsa plautina s'apre con una quantità incredibile di invenzioni visive per presentare i personaggi: un gran balletto di porte e finestre, di battenti e persiane; sipari in controtempo, gonne che cascano a ogni squillo di tromba, cappucci che diventano stole, cuffie che diventano reggipetti, tutto si trasforma in qualcos'altro. Gambe finte alle finestre, sempre qualcuna di meno o di troppo, schiaffi da circo, capriole da jongleurs. Tutto un arrampicarsi sulle spalle, sparir nelle buche, riapparire sui tetti... Un mirabile repertorio di fantasie registiche; ma anche un magnifico protagonista, Zero Mostel, specialista di Joyce e Beckett passato a fare lo schiavo Pseudolus come un Vittorio Caprioli sessantenne ed enormemente grasso, agilissimo e tremolacchiante, stordito e ironico, pieno di trasalimenti e sorprese, furie e abbandoni, ammicchi e languori improvvisi. Labbroni spalancati, tripli menti agitati come bargigli, occhioni sporgenti col potere di far leggere al pubblico ogni pensiero prima che venga espresso. Si fa delle minestrine in tasca. Litiga con l'altro servo Hysterium, suo amico-nemico. Dice delle severità agli spettatori. E nei momenti d'imbarazzo lucida un capitello con il suo straccio, come quando Chaplin «fa finta di niente». «Seguite quell'uomo!» ordina il capitano ai soldati; e Pseudolus rifà il vecchio gag delle false partenze, con gli errori, le giravolte, le cadute, i passi insensati, gli sportelli che sbattono in faccia.

In una Roma che pare una Magna Graecia fra Guttuso e Gentilini, con un'infinità di vecchi caratteristi di Frank Capra sotto folli piume finte e parrucche deliranti, ciniglie e fustagni e braghe di tappezzeria, la situazione basica sarebbe la solita: giovanotto sventato e sentimentale con padre svanito e soprassalti da «vieux gaga», e madre autoritaria e ingorda che fa la matta con un Miles Gloriosus che pare Danny Kaye vestito da Escamillo. E lei, figlia di generale, è una disinvolta abituata a trattare con gli ufficiali che partono per Cuma o tornano da Siracusa. Ma lui la scambia per padrona della casa di fronte, luogo di danzatrici con tenutario che va ogni mattina in Senato a fare i suoi ricatti. E ha appena comprato una fanciulla rapita dai pirati... Ma le trovate sono ghiotte; ricettari di talismani semipornografici, fatture di «pozioni per le passioni», filtri per far venir sete, la pratica magica dei «sette giri intorno ai sette colli», saluti e parate di soldati grotteschi: un gran bel pasticcione d'odori plautini e surrealtà di Alice e pizzicotti agli Stati Uniti d'oggi.

I «numeri» belli sono tanti. Un duetto dolcissimo fra il giovanotto e la ragazza, vergini tutt'e due: «Non so il tuo nome, però hai delle belle gambe». «Anche tu, anche tu, anche tu!». «Per noi non ci sarà mai felicità...». «Dovremo imparare a essere felici senza!». Una canzone delle «impossibilità delle diverse età», fra padre e figlio. Un gran bel quintetto di vecchi: «Ogni uomo dovrebbe tenersi in casa una ragazza che lavora»; e ne entrano continuamente, per aggregarsi con variazioni, che sono poi descrizioni dei lavori che dovrebbe fare la ragazza in casa, stanza per stanza.

Parecchi numeri sono tradizionali in questi spettacoli, per esempio il dialogo a gesti fra muti che si fraintendono. Il padre muto spiega il matrimonio al figlio ingenuo con segni di fiori e api e pollini; e lui finisce per comprargli un vasetto di miele. Un altro padre ha perso una figlia e la descrive disperato, ma nessuno capisce giusto: «che figlio strano deve aver perso!». Il numero di strip-tease è poi frequente, perché dopo quelli favolosi di *Gypsy* i musicals cercano di annettersi qualche spogliarello sfrenato e stupendo. Viene inserito nel plot e variegato da lazzi comici per depotenziare la tensione erotica da night-club. Così la risata esorcizza la carica sexy dello slip di tigre, e lo rende palatabile per le famiglie. Siccome poi in ogni spettacolo americano la casa allegra viene travestita da locale di spogliarelli, qui presentano coi nomi tipo Tintinnabula e Panacea e Vibrata delle cortigiane latino-esotiche tutte da godere: l'indiana con treccia in garofani e sonagli alla caviglia; la nubiana a conchiglie; le gemelle astrologiche a pagodine di chiffon; la nera a noccioline; la rossa in cuoio bianco e ottoni lucidi.

Le ragazze ricompaiono in veli neri a un falso funerale che è una baracconata più frenetica d'una marcia dei bersaglieri di Totò; e con urli e lamenti farseschi fanno le Eumenidi sexy, le Fenicie da «Crazy Horse», in uno scambio di persone totale. Tutti i personaggi travestiti, corse, urtoni, baci d'addio rifiutati perché è scoppiata la peste; strilli di eunuchi sui tetti; inseguimenti di cortigiane fuggite; madri di famiglia prese a calci nel sedere; gargarismi di macumbe erotiche. Hysterium in abiti di nubiana urla «devo liberarmi di questi vestiti!»; ma non ci riesce: quindi, percosse con fruste d'oro da un vecchio licenzioso, e minacce dai soldati per farsi dire dove ha sotterrato una pentolaccia di monete. Pseudolus, travestito invece da eunuco, pesca nel torbido nella casa allegra. Una matrona vecchissima, sulla porta, assicura: «No, davvero, non conosco questo indirizzo». Il vecchio che fa i sette giri passa sempre più spesso e più stanco. E l'agnizione classica non si può fare, sembra: la vergine rapita e ritrovata è invece un vecchio senatore travestito da bambinaccia per certe sue trame; e si sgola a urlare: «No, non sono una danzatrice etrusca!» di fronte a un vecchio padre in lacrime, deciso a riconoscerlo come figlia adorata rapita con quello stesso medaglione al collo. Così alla fine la quantità di agnizioni è più pazzesca del solito: tutti finiscono sposati o riconosciuti o liberati, con una strip-teaser in premio.

The Boys from Syracuse è la ripresa di un altro Abbott di molti anni fa, con le deliziose musiche di Rodgers (fra cui *This Can't Be Love* e *Falling in Love with Love*) e la stessa funzionalità scattante. Lo spettacolo è felicissimo, in un teatrino: una Siracusa tipo una *Bisbetica domata* di Strehler, ma con vigili di New York; due sorelle elegantissime in veli di nylon, fra palme e clessidre e ancelle che ricamano assurdamente cretonnes; delle Else Albani, dei Paoli Panelli. Cortigiane che entrano da tutte le parti, con un ritmo favoloso; in tacchi alti di specchio, braghe turchesche, ciglia e ombelichi d'oro, cimbali, frange, codine di ermellino, baci sulla spalla, piume di struzzo viola, matite a ombrellino per registrare gli impegni. E tutti gli scambi di gemelli previsti da Shakespeare nella *Comedy of Errors*. E gran travestimenti insensati: vigili che fanno boleri acrobatici in abiti da *Coppélia*, eunuchi in cuffia d'oro che buttano le ragazze dalla finestra, folli quadri mitologici con corse di Amazzoni e un Pigmalione vestito come Marcello nella *Bohème* che porta una Galatea pesantissima in tutù da *Lago dei Cigni*, cantando la Cavatina del *Barbiere*.

Niente male è un risveglio delle signore della notte la mattina presto: catini d'acqua sporca e cuscini sullo stomaco, scarpe in mano e parrucche di traverso. E molto bene il mago che fa suffumigi leggendone le formule nell'atlante dell'Encyclopaedia Britannica, la sacerdotessa pitica in costume di Pierrot viola, e un ritrovamento di gemelli che si risolve in un balletto tipo Shirley Temple col maggiordomo nero sui gradini della scala.

Non divertente è invece un altro musical che passa per efficientissimo dal punto di vista del «mestiere»: *She Loves Me*, con Barbara Cook e Daniel Massey. È un'evasione tzigana, quella via budapestina al vaudeville che impazzò negli anni Trenta con Elsa Merlini e Ivor Novello, e sopravvive oggi nelle operette con Marika Rökk a Berlino-Ovest. Tutto un calendario da parrucchiere: strada civettuola, mattino, vecchino galante coi baffi, garzone in bicicletta, canzone del buongiorno. Seduttori europei e donne fatali da *Cavallino Bianco*. Nell'interno della profumeria, su le tende, fuori i piumini, e dentro le clienti in volpi; innamoratini con lettere furtive; padre che ricorda la giovinezza con il suo sorriso e la sua lacrima; valzer tipo «mentre singhiozza un violin / l'eterno valzer divin»...

Elegante, fuori dal tempo, sciocchissimo. Autunno, con foglie che cadono. Inverno, con ghiaccioli. L'amore, significa lasciar cadere i pacchetti. La malinconia, è un carillon. L'intrigo è che lui e lei si sono conosciuti attraverso un annuncio sul giornale, come De Sica e Maria Denis in *Pazza di gioia*. Ma non si sono mai visti, pur lavorando nella stessa profumeria! Si scrivono! E vivono vicini! Tutto il giorno! E non lo sanno! Quindi gran confidenze, con tutto il personale che partecipa, intrighi, impedimenti, ripicchi. Viene il giorno dell'appuntamento... Ma non so cosa succede poi, ho piantato lì.

A *Riverwind*, invece, definito come «una cosina fresca», sono entrato a metà. E ho trovato una commediolina alla Deanna Durbin, in un teatrino cadente, polveroso, provvisorio, scosso dai treni della metropolitana e dagli sciacquoni dei gabinetti. Un bosco, un ruscello, due casine, un'altalena; una coppia spensierata e una coppia con problemini. Sentimentali amarognoli, ma ingenuamente. Non capiscono mai cosa succede. Nessuno si accorge dei propri sentimenti, se non viene aiutato da un altro, con deboli cabalette nel corso delle quali scopre finalmente cosa prova. Oppure con dialoghi fra usignoli e stormir di fronde, tipo: «Mi è capitato qualcosa... qui, stamattina... ho pensato a te... a noi due... sono cambiato, Virginia... tutto cambierà...». Accanto agli spettacoli «adulti», ce ne sono ancora parecchi, di questi.

Questo pubblico americano è buonissimo, generosissimo. Ama il successo, adora la resistenza, l'oltranza, il non mollare, il tiremm innanz. E venera appassionatamente i suoi miti, le sue «stars», le sue «personalities», anche se stanno lì immobili e fanno poco più di un «ah» o di un «bah»: l'importante è che si mostrino «dal vivo», come nella Notte degli Oscar, per ricevere l'applauso fragoroso che conferisce carisma e rinfocolerà la carriera. Ma l'entusiasmo collettivo si espande fragoroso e smodato nei casi di abnegazione indomita e intrepida, anche a proposito di sciocchezze, purché tutte concentrate e fissate sul Durare e sul Farcela. E l'indulgenza si spinge facilmente al Trionfo, quando le più rinomate dive del cinema, superato il mezzo secolo, passano ad applicare il loro Darci Dentro ad altre attività per cui non sarebbero attrezzate, quali la letteratura o il teatro. Casi da paragonare all'ascensione di Reagan? O ai volumi autobiografici di Britt Ekland e di May Britt?

Per una singolare sorte produttiva, Lauren Bacall – che con la sua figura ossuta e il profilo tagliente potrebbe far benissimo la Falciatrice in una parabola medioevale di Bergman – ripropone invece in «musicals» cavernosi e macabri, e pochissimo musicali, alcune interpretazioni cinematografiche illustri: Bette Davis in *Eva contro Eva* (anni fa, con *Applause*), e Katharine Hepburn in *Woman of the Year* adesso. Operazioni che ambiscono alla «riscrittura», addirittura, e non si paragonano già alla tradizionale pratica per cui nelle parti più succulente si provano successivi attori diversi. Ma è quasi paradossale che la trama di questa trionfale *Donna dell'anno* sia poi una rinuncia alla Carriera in favore della Domesticità: proprio il contrario di quell'applaudito Darci Dentro professionistico...

La Donna dell'Anno sarebbe infatti una di quelle giornaliste «schiacciasassi» tutte tese e protese e spietate nella carriera e nel successo, grande intervistatrice dei Grandi, da Madre Teresa di Calcutta a Kissinger, con telefonate dalla Casa Bianca, deferenza e invidia dei colleghi, rubriche alla televisione con immenso indice d'ascolto, piglio, grinta, aggressività, anche nei nonnulla, attitudine a «mettere a posto» gli interlocutori non tanto facendo domande e porgendo orecchio a risposte ma «dicendogli il fatto loro» con perentoria raucedine, con feroce arrivismo, e una bersaglieresca prontezza nel sacrificare ogni angolino di privacy o di relax propri e altrui in nome della Retorica del Mestiere. Anche se poi tanto spreco di energie e tanta ostentazione di professionalità risultano chiaramente sproporzionati: il grande scoop al quale sacrificherà la «prima notte» nuziale è poi un'intervista a uno dei tanti ballerini russi che scappano dal Bolshoi per stabilirsi a New York, cioè un evento fra i più ripetitivi nelle recenti cronache gay.

Lei appare già applaudita e imbalsamata, la sera del Premio appunto, luccicante e cantando «maschio sciovinista figlio di puttana» con voce di nonna alcolica e risentita davanti a un sipario arricciato rosso dentro un arco di lampadine. Si muove con cautela. Tra luci basse e rosse, pare un travesti che rifaccia Irma Gramatica o Alda Borelli, quelle invitte rigide che facevano Ibsen come Niccodemi, e Niccodemi come Ibsen, sempre con una baionetta nella spina dorsale. (O forse è la Nonna dell'Anno?). Su carrelli che scorrono quatti (madeleine! madeleine! come nelle stesse piattaforme portate trent'anni fa dai vecchi registi di Broadway negli spettacoli della Compagnia Vivi Gioi), ecco i radiosi arrivi all'ultimo momento della Grande Giornalista allo studio televisivo per il telegiornale mattutino in diretta: ma sembra un genio dell'improvvisazione incompetente in occasioni professionali mediocri (un commentino ogni mattina alle sette e mezza? sono cose da Donna dell'Anno? mah). Ma intanto, in una partita a poker fra vecchi amici modesti durata oltre l'alba nello studio di un cartoonist da una «striscia» al giorno, antipatie maschiliste per la commentatrice saputa e saccente che troppo la vuol sapere lunga su tutto. (Né spengono il televisore, che sarebbe così semplice, stanno lì a commentarla, fra valzerotti di maschilismo contro le ostentazioni di femminismo). Così, intanto, monologhi d'attore – Harry Guardino – col gatto protagonista dei suoi cartoons, che appare su grande schermo: come quando, nel vecchio *Fantasia* di Disney, Leopold Stokowski vero stringeva la mano a Topolino.

Presto la famosa colonnista si invaghisce del rustico cartoonista: ne risulta – al di là delle intenzioni produttive – una cotta fra anziani, un idillio della terza età, fra discussioni inani sul futuro del rispettivo lavoro. (E certo, c'è una vecchia regola teatrale per cui non si deve interpretare la teenager Giulietta se non si hanno quarant'anni e la corrispondente esperienza: sennò si produce una discrepanza audiovisuale fra i musini freschi e le battute «vissute» di Shakespeare... Ma è anche imbarazzante imbattersi in una signorina sui sessanta che cinguetta piani di matrimonio e carriera con voce attempata).

Secondo i rigidi canoni convenzionali, i due si incontrano per caso, si trovano antipatici e se lo dichiarano quasi abbaiando (lui le aveva fatto addirittura un cartoon contro). Ma presto si arriva al dialoghetto melenso fra luci basse, alle confidenze avvinazzate sui matrimoni precedenti, e un tenero ballo-a-due «vecchio stile» con dietro i gatti che mimano sullo schermo – mentre lei non cita più Solženicyn in vista di un'intervista, bensì Kierkegaard, «come è assurda la vita». E lo va addirittura a cercare nella taverna alla buona dove si intrattiene con giocatori di carte, sportivi col berrettino, e il barista che la sa lunghetta. Tutto sul sicuro, collaudato, niente di nuovo, tutto appartenente al repertorio: anche il segretario di lei, naturalmente un po' checca, e la fedele cameriera, naturalmente brontolona, con accento tedesco («tutto schnell schnell in questa casa, tranne gli aumenti di stipendio»).

Ma lei sempre aggressiva, sempre cavernosa, sempre ad alto voltaggio, mai riposante, mai rilassata, incessantemente impegnatissima in «discussioni di lavoro»; ed evidentemente incapace di organizzare il proprio tempo. Dunque, cantilena delle serate già tutte prese da incontri professionali (ma non è un vero cantare: piuttosto, un parlottarsi addosso dentro un fondale di valzerucci), e l'inopinata decisione di maritarsi, per stare un po' insieme. Però lo champagne nuziale verrà bevuto dal marito e dal russo fuggito, mentre lei ticchetta alla macchina da scrivere.

Si sono conosciute signore che conducono personalmente imperi finanziari, eppure sono fuori quasi ogni sera a pranzo, freschissime, dicendo che durante il giorno hanno fatto poco o niente. Lei no: fa assai pesare il suo lavorar troppo, interviste e rubriche vengono menzionate fino all'incubo, tratta male il marito, incominciano presto i bisticci e i ripicchi noiosi, e anche le villanie tipo «cosa puoi avere di così importante da fare, tu», buttargli via i vestiti, comprarglieli nuovi senza chiedere come li vuole, combinargli ricevimenti utili ma insopportabili, e se lui domanda «dì a tutti che ho un altro impegno», rispondergli «e chi vuoi che ci creda?». Una megera. Una rompiballe.

Non-coreografie modestissime, con movimenti elementari e banali; e lei, fumante di energia ma non nata per la danza, quasi immobile in mezzo. Duettini fra il segretario e la cameriera, che commentano tradizionalmente i malintesi padronali, mentre lei corre come una mentecatta da una serata d'onore a un premio a una cerimonia a una coppa, ingordissima di riconoscimenti e affermazioni. Sempre prontissima, sempre pettinatissima, sempre tesissima e disposta a tutto, con l'ostentazione del mai riposarsi, l'orgoglio del non dormire; avvinghiata ai soldi, alla carriera, al successo, alle cause per indennizzi e risarcimenti; petulante, arrogante, implacabile, incapace di un sorriso non meccanico e infliggendo agli altri tutto il proprio stress.

Lui si rifugia nel suo bar, lei lo perseguita col «dobbiamo parlare, parliamone, perché non vuoi parlarne». E non si capisce neanche per un momento che cosa li potesse spingere insieme, se non la solitudine e la superficialità. «Ho scritto un libro...» canta lei, ed è un libro di quelli che insegnano tutto, come arricchirsi, come tenersi in forma, come farsi degli amici... Ma non funziona proprio. Il russo torna in Russia, spiegandole che il lavoro non è tutto, c'è la vita! (E lì, danza russa, di quelle sulle ginocchia che strappavano l'applauso obbligato nelle vecchie riviste, e anche qui). E continuano a ritornare le vecchie scene e le situazioni già viste, giacché è cosa ripetitiva.

Ma dopo una visita all'ex-marito che vive molto semplicemente in Colorado con una nuova moglie – bravissima e applauditissima in una tiritera lagnosa sulle cose meravigliose nella vita rustica: il numero migliore dello spettacolo – la gran rompiballe annuncia di sorpresa nel suo programma televisivo la decisione di ritirarsi in casa e cucina. Come se non fosse possibile gestire insieme marito e carriera. E come se non fosse un po' imprudente ritirarsi dal lavoro alla vigilia della pensione. Nel finale, tornano i cartoni animati dei gatti. Ma non ci spiegano che cosa faranno adesso quei due. Bambini? A sessant'anni? Oppure i pensionati, su una veranda a Miami?

Se però la Bacall risulta affranta da questa lotta contro un non-testo, un'altra «personality», Elizabeth Taylor, sembra esausta dallo sforzo della non-recitazione. Sarà una coincidenza con l'èra Reagan se Broadway prospera e le vecchie volpi tornano fuori? Questa combinazione – *Little Foxes* – fra Lillian Hellman e la Taylor, certo, ai tempi del maccarthysmo sarebbe parsa improbabile, quando l'una era l'epitome di tutte le abnegazioni indomite della sinistra in odor di stalinismo, e l'altra era mascotte e feticcio della middle class più cioccolatosa e dolciastra. (Del resto, da decenni Brecht è un monumento sul quale i passanti generazionali lasciano graffiti e magari sberleffi. E Dario Fo, come già il Carducci nell'Italia della Regina Margherita, si studia nelle università meritocratiche, si traduce e si premia all'estero, si include nelle antologie).

Con l'ombra di Bette Davis sempre sullo sfondo, *Piccole volpi* è un vecchio dramma positivistico che pare il nonno dei *Corvi* di Becque. Ecco applaudito a scena aperta un fastoso salotto rossastro (fra il magenta e il vinaccia e il pulce, colori caratteristici per il fasto internazionale nel decennio in cui Parigi, per guerra prussiana e Comune, aveva cessato di esportar moda-novità, e il gusto americano doveva arrangiarsi da solo). Ivi maggiordomo e cameriera neri spiegano presupposti e antefatti come nel vecchio teatro inglese; e viene a spiegare un po' anche l'eccellente Maureen Stapleton, cognata bonaria e ansiosa, con recitazione simile a una Rina Morelli corpulenta in una *Filumena Marturano*.

Di là c'è un pranzo di famiglia; ed ecco venirne la Taylor, in pizzo rossastro e con la massima cotonatura mai vista. Gli avidi congiunti le si dispongono vistosamente intorno, tipo sciacalletti, in conversazione microfonata e alticcia, su parecchie poltroncine sparse in un atrio-salotto con un solo divanino. Come casa facoltosa, è strana: l'ingresso è un corridoio tortuoso, il vano-scala serve come soggiorno, la tavola non viene sparecchiata dopo il pasto malgrado la servitù di colore, né viene chiusa la porta della sala da pranzo (forse per segnalare che sono degli ordinari?). Parlano solo di interessi, di soldi: è un feuilleton naturalistico sulle eredità contese; e si tratta di far tornare a casa il ricco marito di Regina, la Taylor, malato in clinica, per cavargli con qualunque mezzo le grosse somme necessarie e urgenti per le speculazioni e i debiti dei fratelli di lei. (Non si muove dunque passo, né si batte chiodo, al di qua del *Padrone delle ferriere* e del *Romanzo di un giovane povero*). Complicate e verbose transazioni: prestiti, garanzie, scadenze, coupons, non si parla d'altro, noiosamente, con l'accento del Sud. Ma lei, con la sua vocetta: «Farò la gran vita nel gran mondo!». (Incominciando a cinquant'anni? Mah).

Molte Liz nel pubblico: tutta una generazione di occhioni viola e ricciolini neri sulla fronte. Ma la recitazione della Taylor debuttante è curiosa e simpatica, perché è un birignao «classico» stranamente moderno. Non, cioè, un birignao proveniente dalla tradizione, dalla scuola, dalla storia, dalla biografia, dall'esperienza o magari dall'essenza. È uno di quei neo-birignao contemporanei costruiti e impostati meccanicamente, da registi come Ronconi a Prato, e affidati ad attori che hanno tutt'altra formazione e una diversa storia, anche non privandosi di effetti facili e sicuri: il passaggio repentino dalla soavità affettata alle urla prepotenti, appoggiature e carrettelle ben note e garantite. La commedia è già tutta smaccata e scontata nel testo, e la regìa sottolinea ed enfatizza: ci si aggira come rapaci inquieti fra Sardou e Bernstein, ed ecco i segreti foschi nelle famiglie abbienti, i matrimoni combinati, i misteri delle cassette di sicurezza, e che bene gli schiaffi coniugali in fine d'atto, con la cameriera nera testimone silenziosa di misfatti.

Vanno a letto tardissimo dopo cene abbondanti, e si svegliano prestissimo per breakfasts interminabili, sempre discorrendo noiosamente di investimenti e di debiti. Continue scene-madri intensamente affrontate. Caratterizzazioni di cattiverie approfondite con cura bambinesca. L'arrivo del malato (Regina ha mandato la figlia affezionata, per convincerlo) è l'epoca eroica di Ruggero Ruggeri, nonché di Giulio Stival, Giulio Oppi, Giulio Donadio. Ma gli altri saltano addosso all'infermo come nel teatro dialettale: Govi, Musco. E non sottili, anzi grevissimi. Al confronto, i libretti «veristi» di Mascagni e Leoncavallo risultano lievi come soufflés. Ecco le scadenze febbrili delle cambiali disonoranti! Ecco il cardiopatico ricaduto nelle sgrinfie della megera. Eccoli lì, che si scannano fra consanguinei! E finali d'atto con «crepa! e dunque crepa, ché non aspetto altro!».

Che drammaturgia. Cose che la D'Origlia-Palmi non fa più da un pezzo (ahimè). E melodramma strappalacrime, con la zia Stapleton corpulenta e ubriacona che singhiozza alla nipote: «Tu sarai anche più infelice, perché almeno io ho una mamma da ricordare con affetto!». Rapporti tutti asprezza e durezza: «Non mi piace, mio figlio! È uguale a suo padre!». «E ti costringeranno a sposare quello!». E giù vendette a lungo covate, e avanti con le minacce e i ricatti sui soldi. Coccoloni vistosissimi con sintomi clinico-realistici, la mano al petto, l'urlo soffocato, l'occhio che strabuzza, lo stramazzar plateale. E lei, con la sua vocina, come in un *Piccolo mondo antico* o *moderno* rivisitato da Patrice Chéreau: «Ho sempre avuto per te solo disprezzo, ti ho sposato per solo interesse». Indifferente, insignificante, composta, calma, col suo piccolo birignao «fabbricato» dentro l'impianto pesantemente naturalistico... La famosa scena delle pillole (lei le allontana dal marito che rantola nella crisi fatale, e Bette Davis la risolveva nel celebre film in marmoreità statuaria) è un iper-Zacconi che va al di là di *Teresa Raquin* con gli spasimi agonici della paralitica muta, per raggiungere finalmente il «lo farò morire di sete!» della Regina di Biancaneve nei confronti del guardiacaccia che le ha riportato – in apposito cofanetto – «il cuore di un capretto». È l'èra delle megere! (Bellezze, ex-bellezze, presenze, carismi, icone, dive, miti, stars, personalities; però anche attrici? Mah). E intanto l'agonizzante casca, ricasca, sale gradini aggrappandosi a Sardou, a Henry Bataille, crolla, accorrono i servi neri, sopraggiunge la piccina in pellegrina... E insomma, come dicevano le nonne e bisnonne in campagna: dopo una certa età, è prudente non far le scale, e dormire al pianterreno.

Lillian Hellman pare un Matarazzo o Mattoli più andante. Fa sul serio quei melodrammi «camp» alla Douglas Sirk che divertivano tanto sia ai cinema pomeridiani di ieri sia alle attuali TV notturne: *Donne e veleni, Amanti crudeli, Magnifica ossessione, Come le foglie al vento, Fiori nel fango...* Spesso con una Patricia o una Dorothy che danzano selvaggiamente fra grammofono e bourbon infilandosi ninnoli o pannocchie qua e là, mentre un riverito Grandpa stramazza per le scalee d'una magione sudista fra le braccia di un Rock o Bob con berrettino girato. E qualche solita Jane o Jean o Joan o Lauren, fidanzata di un maniaco a corto di invenzioni, tira su naso e laringe in una serie di profili più o meno guitti.

Così, intanto, giù abbondanti e insaziabili liti e accuse fra congiunti stretti! Sempre minacce! Nuovi ricatti! Regina – volpi contro volpi – diventa una vera belva: il birignao si fa gelido quando diventa creditrice dei fratelli, vuole il 75% con vocine e con vociacce, e la cotonatura sempre a posto (nella definizione degli stylists: «pompadour»). Ma la figlia le si rivolta contro, anche più volpe – è il contrappasso! – ribattendole addosso le stesse angherie da lei inflitte al marito. Che giuggiole, quelle battute da vecchio melodramma, su e giù per la scala importante. «Non vogliamo essere cattive amiche, vero, Alexandra?». «Dormi, ti prego, Alexandra, stanotte, con me». Ma la piccola è peggio di lei. «Sei *tu*, ad aver paura, vero, adesso, mamma?». E Liz risale la scalea, maestosa e distrutta, ma con la sua pompadour impassibile. Come arrivando – cotonatissime da un maestro parigino – lei e Grace Kelly in piedi sulle lance, sotto la pioggerella autunnale, nella gran ressa acquatica davanti a Ca' Rezzonico per l'estremo Gran Ballo in costume e in maschera, nel fatale 1967. (Però, in seguito, comme-

die come questa possono venire interpretate chez nous soprattutto da Paolo Poli).

Più in là – dopo innumerevoli altri spettacoli che prolun-
gherebbero questi referti – ancora l'eccellente regista Harold
Prince e il sensazionale fantasista Joel Grey trionfalmente esu-
meranno alla New York City Opera la rarissima opera *Silbersee*
(qui *Silverlake*, cioè «Lago d'argento») di Kurt Weill. «Una
fiaba invernale» su libretto di Georg Kaiser, rappresentata a
Lipsia nel febbraio 1933: tre settimane dopo l'ascesa di Hitler
al potere, e tre altre prima dell'espatrio definitivo di Weill.
Tutto molto riorchestrato, adattato, tradotto. Ma un vecchio
editore che assisté a quella «prima» non la trova molto infede-
le: solo con un finale troppo ottimistico, all'americana. A noi
parrà piuttosto di ritrovare l'aura «anni Quaranta» delle edizioni Rosa e Ballo. Dirige Julius Rudel.
    Ci si ritrova mirabilmente in una «parabola esemplare» fra
Chaplin e il *Puntila* brechtiano e i fantastici mostri della Nuova Oggettività fra Grosz e Dix. Uno stupendo sistema polivalente e multiplo di pannelli luccicanti e senza peso, con infinite possibilità di trasparenze e dissolvenze e riflessi, e una perfezione tecnica incessante, leggerissima. Davanti ad alberi spogli
di «monete del papa» bianche e secche, il Lago d'Argento sarebbe una piscina-giocattolo con interno di plastica scintillante; e anche una comunità di barboni buoni che vorrebbero bruciare la Fame in un falò, fra brusii vibrati e incalzanti. Però la
Fame erompe rossa e medioevale dal fuoco, e mima ogni azione malvagiamente.
    Guidati da Severin, un leader corpulento e barbuto come i
nostri Curcio e Pavarotti, i barboni invadono un elegante negozio nella città dei ricchi, dove due commesse in permanentina platinata spiegano la domanda e l'offerta e il plusvalore
della merce in uno splendido duettino melodico-acido a zaffate di valzer e tanghi. Ma durante l'esproprio proletario, eseguito come un quadro di Ben Shahn, l'omone si invaghisce di
un ananas; e due luci acutissime fanno toccanti primi piani
del faccione e del frutto, mentre struggenti cori interni evocano spiagge esotiche, palme, Dorothy Lamour.

Tutti fuggono con succulente vivande nei sacchi, e si salvano, tranne l'omone che incappa, col suo ananas, in un dazio
militare terribile, dove enormi ufficiali intimano di sparare sul
ladro a un omino piccolissimo, la guardia Olim: appunto Joel
Grey, non solo chapliniano ma autoritratto macilento di Egon

Schiele. Con le due mani sulla pistola, tremando, l'omino spara, ferisce a una gamba l'omone, e quindi si abbandona a rimorsi strazianti.

Ma arriva un sontuoso Messaggero, come nel finale dell'*Opera da tre soldi*: annuncia all'omino che ha vinto un enorme primo premio alla lotteria, dunque entra a far parte della classe agiata. Gli consegna un manualetto per ricchi, stuoli di camerieri lo abbigliano in frac (su tangacci da Mackie Messer nel bordello). Ed eccolo proprietario di un castello venduto da una perfida nobile impoverita, che rimane come direttrice di casa e di signorilità, macchinando trame vendicative.

Olim corre all'ospedale (tra medici alla Christian Schad) a prendere Severin azzoppato, e lo porta al castello senza dirgli perché. Ecco dunque una tipica coppia chapliniana e brechtiana (Puntila e il servo Matti): l'omino buono che è un ricco expovero, e l'omone trattato da ricco senza esserlo. Ma cupo e inconsolabile. Non gli piace niente. Rifiuta tutto. Vuol solo ritrovare chi gli ha sparato. E l'omino trema. Pranzi da *Borghese Gentiluomo*, balli di cuochi con manicaretti, anticipi musicali del *Rake's Progress* di Stravinskij. Macché: l'omone in poltrona a rotelle prende a coltellate perfino gli ananas più mirabolanti.

Arriva al castello una poverissima Micaëla da *Carmen*, in pellegrina da *Due Orfanelle*, assunta dall'omino perché consoli l'omone, e ricattata dalla malvagia perché ne scopra i segreti. Lei suona dolcemente l'arpa, ma non commuove Severin neanche con la danza dei panini di Charlot sulla tavola, che diventa un fox-trot dell'omino con la Fame. E quindi, con uno di quei gran gesti che legavano l'espressionismo all'antinazismo, ecco una *Morte di Cesare* anti-hitleriana per arpa e contralto: svillaneggiamento della *Morte di Cleopatra* di Berlioz in stile *Jenny delle Spelonche*. Fra trattenimento e incubi, il gran banchetto funestato appare ben modellato sul *Macbeth* verdiano. (Provocando il precipitoso esilio del compositore).

Olim agitatissimo si lascia sfuggire con la vergine commossa che fu lui a sparare. Ma la tremenda origliava dietro la plastica, e prepara trame notarili per riavere il castello col suo sconcio amante, vecchio porco uso Weimar, grugnendo «Siam volpi! siam tigri! i poveri sono conigli!» tipo «Soldati e bombe» nell'*Opera da tre soldi*. Ma i poveri irrompono, liberano la piccina reclusa («non son coniglietta!»), e Olim imprigionato fra trasparenze glaciali che fanno gabbia di Eichmann ridisegnata da Francis Bacon. Ma intanto i barboni rivelano a Severin che il suo feritore è il suo benefattore!

Ormai, però, l'omone e l'omino sono diventati talmente amici che scatta un duettone di solidarietà proletaria autentica. Altro gran momento teatrale, tango fra i due, l'omone su un piede solo per colpa della ferita. «Lo vuoi tu questo castello?». «Fossi matto, non vogliamo castelli!». E partono con solo un sacco d'argenteria.

Ma verso il Lago d'Argento, ecco la foresta e la nevicata del *Cristallo di rocca* di Adalbert Stifter. L'omone non ce la fa più, e l'omino lo ricopre col sacco, buttando via i candelabri e le appliques. Ed ecco il Lago, gelato, con la piccina che li aiuta intrepida, gli amici li circondano, la Fame soccombe alla solidarietà umana, sorge un grande meraviglioso albero carico di frutti luminosi, e il pubblico si commuove. Cosa che Brecht non avrebbe certo amato, ma tutti gli autori di «fiabe d'inverno» invece sì.

Sì, soprattutto la musica ha i suoi fatali oggetti di «cult». Benedetti Michelangeli, la cui fama si accresce ad ogni concerto che non fa. (Oppure fa, ma con Celibidache a Monaco). Magda Olivero, inseguita nelle estreme apparizioni (dal Metropolitan a Verona) da una setta d'ammiratori più esclusivi e segreti dei «vedovi della Callas». Carlos Kleiber, già bene avviato a una fama di lupo solitario che esce dalla tana solo quando ha fame, magari a Cagliari...

Ma Vladimir Horowitz è stato la Greta Garbo del grande concertismo novecentesco, e la sua riapparizione in pubblico dopo decenni di eremitaggio a Manhattan sprizza ancora il virtuosismo demoniaco della gran tradizione sulfurea dei Paganini o Liszt. Anche con qualche Belzebù russo in più: quelli del *Maestro e Margherita* di Bulgakov, e diavolini assortiti di Belyi e Sologub. Però la nuova magia leggerissima e quasi «casual» del vecchio incantatore dissolve e dissipa le accensioni e gli abbandoni dei virtuosi decadenti (come lui stesso, un tempo, o magari or ora). E come civetteria sapientissima offre piuttosto la quotidianità del trascendentale. La freschezza di una «prima esecuzione rivelatrice» di Chopin. La profondità nitida e soave del far sentire «tutto ciò che c'è dietro»: per esempio, con tocco e pedali sofficissimi e astuti, la finta semplicità perentoria del cosiddetto *Sogno* di Schumann.

Protagonista, neanche più la tecnica; e men che meno le «emozioni», circonfuse di fantasmagorie al crepuscolo; ma, eminentemente, il suono. Quale storia interna del suono pianistico rivisitato, anche all'indietro.

I programmi di Horowitz... Al Lincoln Center, davanti a un

pubblico un po' zarista, un po' ebreo, un po' beatle, un pochino post-moderno, il suo menu ricorda certi pranzi di cuochi
virtuosistici e passionali: venti antipastini squisiti, seguiti come
bis da tre mirabolanti desserts fra il vertiginoso e il Kitsch (e
probabilmente composti non da Skrjabin o Rachmaninov ma
da «Volodia» medesimo). Ed eccoci sulla strada maestra di Mosca o Pietroburgo nel cinema più delirante... A Londra, dopo
avere attaccato un *God Save the Queen* alla maniera di un discepolo beethoveniano diligente di Wilhelm Backhaus, per l'ingresso del principe Carlo, il leggendario e scherzoso concerti-
sta esegue sei sonate di Domenico Scarlatti come se un allievo
intelligentissimo di Maurizio Pollini svolgesse un corso appunto su Scarlatti quale anticipatore geniale e feriale del primo
Beethoven e dello Chopin meno serale, ove un cristallo di remoto clavicembalismo scintilla, e talora fiammeggia, in taluni valzerini accantonati... E di qui potrà divampare il mefi-
stofelico Rachmaninov della *Seconda Sonata*, alla Scala, fra uragani di applausi «carismatici»... Però intanto è stato indicato
che ci si sta avviando, volendo, non solo al pompierismo e al
technicolor ma a certe rarefazioni della Nuova Musica post-
viennese...

«... E pensare che Trotzkij li chiamava i migliori figli della
Rivoluzione: Horowitz, il violinista Heifetz, il violoncellista Pia-
tigorskij» sorride Isaiah Berlin, nell'intervallo. Aggiungendo
subito: «Aveva ragione Trotzkij». Ma l'ultima volta che incon-
trai Horowitz dopo i trionfi, sedeva con la moglie Wanda Toscanini e il suo agente da Mortimer's, un ristorante molto yuppie
presso Madison Avenue. E proprio al primo tavolino in vetrina, osservando divertito i frivoli di mezzanotte che se lo indica-
vano. Era senza neurosi, vispo come un folletto, e quando gli
ho fatto gli auguri di Pasqua Russa ha risposto allegro: «Ma
la stiamo già festeggiando!». Era infatti un Giovedì Santo. Però Wanda non ne poteva più. «Aiutatemi a convincerlo, non
vuole andare a dormire».

TRENTA POSIZIONI

LIONEL ABEL

Lionel Abel ha passato qualche settimana a Roma: la trova una città passabilmente prosaica, e morta. Triste quasi come la Parigi di De Gaulle, anti-americana, euforica: ed entusiasta per tutti quei meccanismi e «gadgets» di tipo americano, di cui però gli americani si sono già stancati, «perché li hanno avuti a suo tempo». Londra, allora? Dopo tutto, da qualche tempo gli influssi più insistenti in fatto di «gusto», «stile», «disegno», ci arrivano proprio dall'Inghilterra: magari usando come veicolo film o canzoni improbabili. Ma «non solo ogni uomo della strada americano, addirittura ogni intellettuale americano» dice Abel «trasecolerebbe oggi sentendo definire l'Inghilterra come "centro" o "origine" di qualunque fenomeno. Per noi non esiste: vecchia, patetica, superata, a pezzi... Semmai un pochino di positivismo logico inglese è penetrato nelle università provinciali americane: ma pochino...».

L'autore di *Metatheatre* è un altro rappresentante tipicissimo di quella intellighenzia newyorchese «irregolare» passata dalle proteste trotzkiste degli anni Trenta ai difficili rapporti con una cultura di massa tanto più «ufficiosa» quanto più agghindata con le maschere del non-conformismo. E la collezione della «Partisan Review» o di «Commentary» ne risulta uno specchio altrettanto fedele che *The Group* di Mary McCarthy per le ragazze di Vassar: inappuntabilmente aggiornato alla discussione delle ultime «cause», dal processo Eichmann alla politica sul Vietnam, dalla disillusione per il realismo alle diffidenze per l'Assurdo.

Come la maggior parte di questi letterati, vive a New York («che non è affatto una città decadente») acquistando dalla gran macchina delle collaborazioni giornalistiche e dell'insegnamento universitario quel tanto di tempo e di libertà che gli serve per scrivere i suoi saggi e le sue commedie, o per viaggiare. Lì il grosso vantaggio è che i corsi all'università (insegna Letteratura drammatica) si possono tenere liberi e saltuari, senza esigenze gravose d'orario o di carriera: mentre la messa in scena di una commedia non presenta difficoltà o ridicolaggini superiori a quelle per la pubblicazione di un libro. A Roma, come anche Bellow e De Kooning, Abel traversa itinerari fissati: vede spesso Paolo Milano e Chiaromonte, incontra Praz e Baldini, va a trovare Moravia. Ma non è mai stato a teatro: i suoi amici gli sconsigliano uno spettacolo dopo l'altro.

La sua teoria del Metateatro è abbastanza nota. Include e spiega i molti drammi diversi della Tragedia «classica», in quanto «opere teatrali intorno alla vita vista già teatralizzata», con personaggi «non colti dal drammaturgo in posizioni drammatiche così come potrebbe coglierli una macchina fotografica, ma perché essi stessi "sapevano" d'essere drammatici prima ancora che il drammaturgo li notasse. E chi li ha drammatizzati originariamente? Il mito, la leggenda, la letteratura passata, essi stessi: rappresentando per il drammaturgo l'effetto dell'immaginazione drammatica prima che lui cominciasse a esercitare la propria; e d'altra parte, a differenza dei personaggi tragici, sempre consci della propria teatralità». Come Tartufo, Amleto, il Faust di Marlowe, il Padre dei *Sei personaggi*, il Prospero della *Tempesta*, il Sigismondo della *Vita è sogno*; e addirittura Don Chisciotte. Tutte figure ridotte a fare del «teatro nel teatro» dopo che le sole Furie veramente tragiche del teatro universale sono state pacificate da Eschilo alla fine dell'*Orestea*...

E il *Macbeth*, non è una tragedia? «Le streghe sono furie più ambigue, più simboliche, più letterarie...». E i drammi di Ibsen? «False tragedie, confezionate sovrapponendo il realismo a Sofocle; e poi un vero tragico non deve esprimere idee. Una vera tragedia è al di là del pensiero». La più gran tragedia mai scritta? «*Bérénice*, anche una delle più semplici, e senza che muoiano i protagonisti: ma il meccanismo è perfetto». E *Phèdre*? «Grande e difettosa: lei sembra già morta all'inizio, e gli interventi degli dèi sono confusissimi».

Ma Abel applica volentieri ai drammaturghi contemporanei – Eliot, Beckett, Genet, Gelber, e preferibilmente Brecht – le sue regole per distinguere la Tragedia dal Metateatro. La prima dà fortemente il senso della realtà del mondo; ne riflette e glorifica la struttura, mostra l'esistenza umana vivida in quanto vulnerabile da parte del Fato; fa da mediatore fra l'uomo e il mondo; non può operare senza presupporre un Ordine... Mentre il secondo ravvisa nel mondo una proiezione dell'immaginazione, esalta la riluttanza di questa ad accettare immagini «definitive» della realtà, rende la vita analoga al sogno perché indipendente dal Fato, respinge ogni realtà eccetto quella creata o improvvisata dalla fantasia. Ma questo rifiuto del realismo, questo trionfo dell'artificiale, gli chiedo, in che misura si riconnette per lui allo spasimo formalistico che sta soffiando attraverso la letteratura?

«Approvo Šklovskij per le stesse ragioni espresse a suo tempo da Trotzkij: è l'unico formalista con cui valga la pena di discutere. E da parte mia scrivo dei drammi nettamente antirealistici. Ma adoro i romanzi più realistici: Balzac, Flaubert...».

«Ma Balzac non è un visionario? E Flaubert il massimo formalista? Che non ci senta la McCarthy...».

«... e mi piacciono molto Maupassant e Zola, mi viene anche il dubbio che Dreiser sia un romanziere grandissimo...».

«E fra i contemporanei americani?».

«Bellow, naturalmente! e anche Mailer, nonostante tutto. Ma non mi pare un'epoca tanto buona...».

Cosa fa allora? Due libri in preparazione, sui due filoni della tragedia nei suoi rapporti col realismo, e del metateatro nella linea del *Peer Gynt* e del *Don Juan in Hell* di Shaw. Come riflessioni-base: una catastrofe non è seria se le sue cause si potrebbero curare vantaggiosamente con un trattamento psicanalitico. Hegelianamente, un autore non deve «spingere» i suoi personaggi verso l'orrore, ma «trattenerli». Se li spinge troppo, non si ha più la tragedia ma il melodramma.

Perché allora non fa uno studio dell'Opera italiana? (Non fa altro che *spingere*). No, non gl'interessa. Neanche Verdi? No. E quel teatro contemporaneo dove per i disturbi non occorre neanche una cura psicanalitica ma basterebbe un alka-seltzer? «Non ho voglia di discutere Albee».

E del resto, prima ancora dei libri drammatici, sta preparando un volume su Sartre. Uno studio teatrale? «No, un ritratto completo dell'intellettuale più significativo del nostro tempo».

WOODY ALLEN

Fino a pochi anni fa, Woody Allen era un geniale comico da cabaret tutt'altro che delizioso, anzi volutamente angoscioso. Interpretava inesorabilmente se stesso, rappresentandosi quale brutto goffo esasperato ragazzo ebreo di Brooklyn giunto alla sommità dei più raffinati studi rabbinici solo per franare preda lunatica e gracchiante di tutti i più stravaganti disturbi immaginati dai discepoli eretici del Dottor Freud, per i traumi e le frustrazioni della convivenza umana e culturale a New York.

Il suo successo in allucinanti night-clubs imbottiti come giganteschi bomboniere era dunque un fatto squisitamente urbano, metropolitano. Lo sostenevano un'eccellente tradizione locale di teatro comico *yiddish*, caratterizzato e «dialettale» come quello dei De Filippo, e insieme un gusto saturnino per le citazioni alla moda «obbligatorie» fra l'intellighenzia cosmopolita, accompagnate da spiritati sberleffi, irrefrenabili. Infine, un temperamento parossistico – e aforistico – paragonabile al sublime Groucho Marx. («Non riesco a credere nell'aldilà, però è meglio portarsi dietro un cambio di biancheria». «Mi hanno tirato una Bibbia. Mi ha salvato la pallottola che tenevo sul cuore». Può venire in mente addirittura Karl Kraus...).

Ma la fama di Woody Allen si accresce presto in parecchie direzioni, con le apparizioni televisive, le commedie a Broadway, le collaborazioni letterarie al «New Yorker»: parodie sul sesso, sulla morte, sui film dell'alienazione. Poi i primi film «d'autore»: *Take the Money and Run, What's Up, Tiger Lily?*... Era pura delizia *Bananas*, un frenetico «torte in faccia» su paradossali dittature sudamericane. E poi addirittura il trionfo, con due opere nuove a distanza brevissima.

In *Play it again, Sam*, il titolo non c'entra, e non c'è dentro quasi niente. Come nei film di Totò. C'è lui, un gran comico, e basta, ma la canzone che questo Sam dovrebbe suonare ancora sarà certamente un motivo degli anni Quaranta, giacché il protagonista è posseduto da un feticismo per l'Humphrey Bogart di *Casablanca* molto affine alle ossessioni Kitsch di Manuel Puig per la Rita Hayworth di *Sangue e arena*. In un appartamentino molto disordinato di San Francisco, l'omino represso viene abbandonato dalla moglie con mortificanti dileggi che finiscono in un «niente di personale, s'intende». Ma lo consolano due care consuetudini. Ha una giovane coppia d'amici: marito molto indaffarato, molto al telefono per comunicare i numeri successivi dove si può chiamarlo durante la serata o il weekend; e moglie graziosa con un gran daffare per trovargli una brava ragazza, prima di finire per cascarci lei.

Inoltre, l'adorato fantasma di Bogart lo visita continuamente, suggerendogli modelli di comportamento da «duro», con esiti catastrofici. Basta vedere che virtuosismi di gran scuola comica riesce a fare Allen asciugandosi i capelli col phon vicino a un armadietto troppo pieno di medicinali; o cosa gli càpita durante una disinvoltura al grammofono, con puntina che scivola sul disco e disco che scappa dalla busta come un piatto volante. Fra i momenti più convulsi dal ridere, gli sforzi per far tacere un carillon dentro un pacchettino mentre l'amico gli fa una confidenza intima; lo sfogo di Viva, superstar pornografica di Andy Warhol, che si avvinghia ai divani dichiarandosi ninfomane insaziabile, ma non appena lui la sfiora con un dito lo gela: «Ma per chi mi hai presa!». E nel finale, rimescolato con quello di *Casablanca*, all'aeroporto di San Francisco lui si congeda tristissimo da Ingrid Bergman nel vecchio film, mentre i due amici decollano oggi con un apparecchio a elica...

La più recente extravaganza di Woody è un successo immenso. Si chiama *Tutto quello che avreste voluto sapere sul sesso ma non avete mai osato chiedere*, come lo sgangherato bestseller di un Dottor Reuben, e ne sbeffeggia i capitoli più mentecatti con una verve che devasta l'intero filone librario della divulgazione portentosa. Il film ha parecchi episodi non indegni degli incomparabili Fratelli Marx.

In «I travestiti sono omosessuali?», un baffuto commerciante identico a Gino Cervi nei panni di Peppone va a colazione con la moglie e la figlia dal fidanzato di questa. Mentre i futuri suoceri parlano di come ci si veste in crociera e degli interessanti manufatti acquistabili dai primitivi, lui scappa di sopra col pretesto del bagno, apre gli armadi, indossa gli abiti della signora, e comincia a passeggiare felice davanti agli specchi, in cappello e borsetta, dandosi delle vigorose aggiustate alle mutande di satin. Ma per un timore improvviso casca in giardino, e viene subito scippato da un teppista in motoretta. Si trova dunque al centro dell'attenzione, in un crocchio di poliziotti accorsi e di signore che si lamentano della delinquenza del giorno d'oggi. Mai stato così felice! In falsetto, coprendosi i baffi, condanna la mala educazione dei giovani, e torna soddisfatto alla sua colazione.

In «Esiste la sodomia?», un importante medico internista riceve un paziente insolito, un pastore armeno venuto in visita dai parenti a New York, e disperato perché amava teneramente e ricambiato una pecora, Daisy, l'aveva anzi portata in America con sé, ma da qualche tempo lei non lo ama più: lo si intuisce da mille piccoli particolari. Prima stralunato, il medico s'invaghisce a sua volta della pecora Daisy, la porta via scorrettamente al pastore, e comincia con lei una vita di lusso. La conduce nei grandi alberghi, dove ordina champagne, caviale, ed erba fresca; le regala calze nere e collane di diamanti, finché la moglie si insospettisce (lo vede distratto, lo scopre che accarezza un golfino di lambswool...), e lo fa sorprendere in flagrante adulterio da poliziotti e avvocati. Al processo viene condannato, perché vien fuori che la pecora ha meno di diciotto anni. Rovinato, il poverino discende tutti i gradini della scala sociale, e finisce sui marciapiedi della Bowery, fra i barboni, a ubriacarsi con lo spirito per lucidare i mobili.

La comicità maniacale delle invenzioni di Allen sembra inesausta, non appena si avvicina al sesso. Ha uno sketch medioevale col buffone di Corte che non riesce a far ridere, perché ripete al re: «Che cos'è un nero-bianco, nero-bianco, nero-bianco? una suora che ruzzola per le scale!». Però desidera pazzamente la regina, la stordisce con un succo di pompelmo affatturato e fumante, ma la cintura di castità non si apre; e prova prima con un temperino, poi con un attizzatoio, poi con un'alabarda... Ha uno sketch italiano, girato come Antonioni, con persone molto lontane fra loro che si sussurrano delle profonde sciocchezze contro pareti chiare molto eleganti e soprammo-

bili di design modernissimo: si tratta del dramma d'una signora
che riesce a provare qualcosa per il marito solo in pubblici esercizi estremamente affollati, in casa no... E c'è lo sketch dello
scienziato pazzo, con John Carradine in un maniero vittoriano
pieno di strumenti demenziali come il laboratorio di *Metropolis*:
tenta di trasferire il cervello di una lesbica nell'organismo di un
impiegato ai telefoni, ma scoppiano le bombole nell'allevamento dei piccoli Frankenstein, scappa tutto il silicone, e gonfia un
enorme seno femminile, alto decine di metri, che incomincia a
percorrere le campagne spargendo morte (spruzzando latte), e
la polizia non riesce a capire dov'è finito l'altro. «Non vanno a
due a due, di solito?» si chiede lo sceriffo perplesso.

Il finale – «Cosa succede durante l'eiaculazione» – è un trionfo del surrealismo applicato alla fantascienza. Ecco l'intero corpo umano visto come immensa organizzazione tecnologica: nel
cervello, una équipe manageriale di ingegneri in camice bianco, circondati da cruscotti e pulsanti, e l'irruzione ogni tanto
della Coscienza in vesti di clergyman. Con quadranti e telefoni
comunicano le disposizioni alle squadre ai gangli: gasisti e i-
draulici in canottiera, che bestemmiano azionando carrucole
e aggiustando tubi nella melma. Tutti sereni in tuta bianca, come paracadutisti ottimisti, gli spermatozoi attendono il lancio.
Solo Woody recalcitra terrorizzato. Borbotta: «Ho saputo certe
notizie sull'uso dei contraccettivi...».

DJUNA BARNES

Quando si lesse per la prima volta *Nightwood* (*Bosco di notte*, anni Cinquanta), ecco la sensazione esaltante di incontrare una Signora del Birignao paragonabile agli esiti supremi di Andreina Pagnani e di Tina Lattanzi. Che preziosità! Che signorilità! Che rastremazione! Che dolorose torsioni del labbro e del mignolo con ciglio impassibile! Che Chanel N° 5 o 6 o 7! E che sprezzo americano e altissimo di ogni senso del ridicolo! Come quelle leggendarie dame biaccate ormai tutte morte che dormivano fra lenzuola nere e aspersori e incensieri e battezzavano con la Cerasella di Fra Ginepro le canine chihuahua chiamate Miss Piss, già in Schiaparelli da gran sera fin dalla Marina Piccola a mezzogiorno! E i vari Bubi e Bebi: «Tutte amiche nostre carissime! Sempre ubriache di fernet!».

Ah, la sensazione di trovarsi in un gotico elisabettiano-eduardiano al Grand Marnier con Karen Blixen e Ronald Firbank e Anaïs Nin, fra musiche di Sam Barber, regìe di Menotti, scene trompe-l'oeil di Eugene Berman, costumi ed *en tête* da gatti di Lila de Nobili, e recensioni di Truman Capote su «Vogue» con menzioni di Jacqueline de Ribes e Bataille e Beckett! Ah, il fremito e lo spasimo di recuperare le vacanze remote dei post-surrealisti che abbandonavano Montparnasse allo sbocciare dei gelsomini e affittavano in Corsica torri saracene del tipo «chi la fa la getti» fra gli uliveti (giacché rigorosamente prive di WC); e lì indossavano camicioni candidi e rustici, accendevano le candele, rapivano le bambine, riempivano vulve con lamponi alla crema, si mascheravano da buoi... E passavano il Ferragosto fantasticando di bagni nell'alkermes, shampoo con la chartreuse, docce con la pipì al lume dell'Orsa Maggiore...

Ahi, quante galoppate disperate e scarmigliate nella bufera, tra scogliere e brughiere e torbiere in Scozia e Bretagna, trascinate o sospinte dall'imperdonabile ma imperdibile *Secondo Concerto* di Rachmaninov, fino al miraggio o abbaglio di un «Herald Tribune» internazionale (per pulirsi), ma invece era una camicetta-novità, imprimée...

In seguito – ahi, non esser mai riusciti a proseguire oltre le prime pagine – sempre della Barnes vi fu il portentosissimo dramma in versi *The Antiphon*, appartenente a un periodo di titoli quali *The Anathemata* e *In Parenthesis* (di David Jones), tutti in versi intarsiati o in prosa ritmica capitonnée e macramée, tutti pubblicati da Faber & Faber per lo più con prefazioni e risvolti di T.S. Eliot, nonché recuperi di Britannie preromane e misticismi metafisici sotto le bombe del Blitz, e volentieri con l'indagine concettistica che impazza sotto l'abile magistratura di quello scordato strumento là, il Cuore.

The Antiphon, piuttosto somigliante a *The Family Reunion* di T.S.E., incomincia con didascalie «fini» puntigliose come un catalogo di Sotheby's: gradini vuoti che conducono nel Nulla, però in una magione padronale; portali senza porte, finestre gotiche senza vetrate; balaustre da cui pendono bandiere, gonfaloni, berretti scozzesi, nastri, e «ogni sorta di costumi scenici». Inoltre: lunghe tavole, seggi, mezzi grifoni che furono carrozzini da giostre, pesanti candelabri, vaste zuppiere, campane da coprifuoco in ottone, maschere da carnevale dorate e ammaccate, manichini, abiti reggimentali, leggii musicali, strumenti a fiato e ad arco, custodie di fucili, maschere, giocattoli, statue rotte umane e animaliere, un colonnato in rovina, un asino seduto, ecc. Poi, endecasillabi affini al più altero Alfieri, in duetti «sublimi» che l'attenzione si rifiuta di seguire, così come quando ci si impone di apprezzare un sopraffino *Werther* di Massenet; e la mente – dalla sua «sfera superiore» – impone, trucida: è fine, è prezioso, è squisito, è beige. Eliot loda la grande riuscita stilistica: bellezza del fraseggio, brillantezza di spirito, qualità d'orrori paragonabile a una tragedia elisabettiana... Ma nonostante Eliot, Lionel Abel osserva che questi personaggi praticamente non si parlano e non dialogano, intenti come sono a sottilizzare e distillare pensieri e sentimenti adeguati a norme retoriche per niente drammatiche... Così l'orecchio e la natica e il cuore si rifiutano, talvolta insieme.

Se oggi Gertrude Stein può apparirci talvolta come una vivandiera dei cubisti, sempre alacre e pronta col conforto di un frizzo fresco o d'una minestra calda, allora Djuna Barnes potrebbe sembrare una manicure del surrealismo: tutta lacche brillanti, forbicine crudeli, tagli netti di mezzo millimetro, «per chi mi prendete, Milord, io dei piedi non mi occupo certamente!» e «ahi ahi, la pipita!». Non si scorge davvero un limite ai bizantinismi delle americane «preziose», quando si propongono di superare Henry James in tanta squisitezza senza ironia. Senza un frullo né un frillo intarsiano ametiste e tormaline e mandorle candite, tutte insieme, con un'intensità quasi dolorosa. Però lo spasimo della torsione finisce per ottundere qualunque senso del grottesco.

Djuna appare capace, con quei pennellini e quegli smalti rosa e viola e verdi e neri e mauve, di fare dei piccoli Fortuny e Lalique, dei grossi Fabergé. Da una certa distanza: «Ecco un Léonor Fini!», magari si esclama. Eppure, poi, da vicino, ci si accorge che quel Fini risulta composto, oltre che col campionario degli smalti per unghie e con le sgocciolature delle candele colorate, anche con gioielli Burma e liquori Bols. Rubini e smeraldi e topazi e crisopazi d'una plastica vetrosa, con perle da duty-free shop; e crème de menthe e crème de cacao e abricot-brandy e Parfait Amour e Danzigwasser (con pagliuzze argenteo-cangianti in sospensione) – mentre almeno la baronessa Blixen sembra operare con Bénédictine e Drambuie, o con champagne su ostriche e astici, oltre che col miglior Maraschino di Zara, fra teschietti esclusivamente d'avorio.

Questa prosa di Djuna Barnes è un manufatto artefatto, laborioso e «d'epoca» come una lampada Tiffany o un falso uovo di Pasqua Vieille Russie. Leggere, o rileggere, *Nightwood*, oggi, equivale a sorseggiare un flacone di Vétiver, a fare un bagnoshampoo in un Martini-Chanel, infilandosi finalmente una supposta di Cartier. Apparve tra smisurate estasi nel '36 dopo una gestazione presumibilmente trentennale da parte di un'autrice nata nel '92 e passata attraverso tutte le tappe più «giuste» e obbligate degli anni Venti: vita a Parigi con gli emigrati più chic, nei dintorni di Sylvia Beach; dediche a Peggy Guggenheim; pochi racconti pubblicati sulle rivistine più sofisticate e più «piccole»; pochissimi atti unici rappresentati alla Provincetown Playhouse con Miriam Hopkins adolescente o con Bette Davis bambina; una plaquettina stampata a Digione; un volume intitolato *A Book*, ripubblicato molto, molto corretto col titolo *A Night Among the Horses*...

Letto oggi, «fuori epoca», in una traduzione forzatamente semplificata, *Nightwood* può anche irritare, far ridere, far pietà, o far riflettere su che cosa ne avrebbe cavato l'Autore del *Palio dei buffi*. È un macabro labirinto moderno-antico, spettrale e levigatissimo, come certi quadri di Dalí che non si distinguono da certi abiti di Balenciaga, o viceversa.

Come *tour de force*, risulta indubbiamente spasmodico, e come *tour du propriétaire*, non si vive più. Certamente la Barnes si è affaticata e arrabattata moltissimo, e ha speso terrificanti tesori d'applicazione, nel congegnare i suoi sortilegi morbosi, le tensioni fra immagine e stile, le continue esclamazioni in francese e italiano e tedesco, i nomi veri e i nomignoli «ben trovati, ah», i complicati pastiches fra Amburgo e Pietroburgo, tragedia elisabettiana e *Waste Land* e omelette *aux fines herbes*. Non ha mai captato qualche intimazione del futuro culturale, e lascia cadere i nomi delle più banali strade di Parigi, come sottintendendo chissà quali ghiotti fascini esclusivi e segreti (e come certi americani pirli a Roma: «Via de' Coronari... mmmmmm!...»); però non prevede mai quale strada imboccherà la letteratura... Ha sperperato tutta l'abnegazione rifiutandosi ogni auto-ironia; e – ahimè – where has all the Noce Moscata gone?... E tuttavia, lei vince una sua minuscola battaglia: non diventa mai ridicola (proprio come quelle velate che riuscivano a non sudare mai neanche al mare), anche se crede di lavorare con lapislazzuli e malachiti, mentre ha in mano soltanto fondants con la mentina e un mezzo bicchierino di Cointreau.

Anzi, ha saputo guadagnarsi un suo culto fanatico e lusinghiero da parte dei vecchi lettori cosmopoliti di «The Little Review» e di «Vanity Fair»; poi, la devozione di *fans* disparati e distinti come Élemire Zolla e Dag Hammarskjöld. Soprattutto è riuscita – Djuna, coi suoi fondants, e nonostante un lavorio da orologeria svizzera «fissata» nei cronometri più piatti e più costosi del mondo, però con quadrante di diaspro sanguigno, e sfere magari di bambù – a comporre un suo «piccolo capolavoro» (finalmente!) paragonabile a certe riuscite perfettamente *uniche*, ma apparentemente sventate e casuali come un soufflé: *Il ricordo della Basca, L'armata a cavallo, Le diable au corps*...

Un volo di marrons glacés e pralines e fondants si leva allora ad apertura di quest'altro «Bas-Bleu colpisce ancora!» che è *Spillway*: libro impressionante perché sono nove racconti scritti in novant'anni, mentre certe vecchie milanesi acquistando

« tre etti al Triple Sec dal Galli » ottenevano in fondo confetterie assai simili: «Il giardiniere innaffiava le piante all'imbrunire, come inebriato, perché nell'immobile splendore dei giardini del castello egli beveva la scura, ingombrante maestà di una Versailles»... «La cagnolina, troppo vecchia da tempo per alzarsi dal suo cesto di chintz increspato»... «Una vetrinetta barocca conteneva miniature di fratelli e cugini; guance rosate, capelli lunari, bambini senza sesso sorridevano nel bric-à-brac»...

«Qualche volta il sole colpiva un cristallo, che di rimbalzo gettava sul soffitto un'ala fredda di fuoco». (Questo sarà almeno John Donne?)... «I suoi giovedì la principessa si levava alle tre e si vestiva davanti a un lungo tavolo di quercia, luccicante di bottiglie sfaccettate». (Mentre la marchesa, uscendo alle cinque, sarà arrivata chissà dove alle sei? Amanti magari intriganti, inquietanti, graffianti, devastanti? O, almeno, interessanti?). «Gli spartiti, abbandonati l'uno sull'altro, erano per soprano. Uno era aperto su un *Liebeslied*»... E finalmente, un Bacio Perugina: «L'"andare dritti verso l'orrore"... questo è amore». A Sanremo, a Sanremo, direbbero le Tre Sorelle.

SAUL BELLOW

A Spoleto, bastano due leggeri atti unici dell'autore di *Herzog* per demolire quel poco che pareva in piedi di Tennessee Williams e della sua fastidiosa «maniera», in un gemellaggio strepitoso e felice di due «modi» assai differenti di Umorismo Ebreo. A Broadway, infatti, sia la commedia più o meno «straight» sia il musical (e anche parecchi film di Hollywood) venivano in molti modi infiltrati o invasi da una tradizionale influenza vernacola perfettamente analoga alla penetrazione napoletana negli spettacoli italiani d'ogni tempo e genere.

Clamoroso e domestico, ridanciano e casereccio, anche un po' pecoreccio, fondato sugli espedienti, ma rigidamente convenzionale: ecco l'umorismo «tipicamente ebreo di Brooklyn», tutto nonnini in babbucce paradossalmente affezionati al loro piccolo mondo dell'Ottocento in Galizia, e mamme gaglioffe dal gran cuore e dai vasti coccodè, e bambini numerosissimi intorno a gran pentole di minestra in cucine troppo piccole... E minuziosissimi codici ancestrali di comportamento da sfiorare o infrangere come presupposti di commedia... E le misteriose favolose creazioni alate dell'immaginazione chagalliana del Ghetto...

Attraverso una fioritura sorprendente di dialoghini spiritosi e di bravissimi caratteristi, come Zero Mostel e Molly Picon, la loro enorme allegria straripava poi flagrante nella commedia e nel musical, magari con regìa di Jerome Robbins. Animava interi cicli televisivi, tipo *The Goldberg Family*. Enormi occhioni basedowiani, spropositate pinguedini tremolacchianti. Riduzioni da Joyce, Cervantes, Sholem Aleykhem, Plauto. Si infilava in numerosi film di Hollywood, anche con Frank Sinatra. E perfino nei cerimoniali più «all-American», come il gigantesco elefantesco *Hello, Dolly!*, scatta collettiva la risataccia immensa del pubblico dopo lo strillo apocalittico di Carol Channing o di Mary Martin «Hello! I'm Dolly Levi!» (pronunciando «Livvaa-ài!» nel più smodato Jewish Accent di Brooklyn), e saluta un «effetto» teatrale equivalente a un'eruzione etnica di Totò...

Frattanto, nella *parlerie* letteraria degli Stati Uniti d'oggi – gran concerto di solisti e virtuosi e complessi vocali dai più disparati accenti etnici e regionali e culturali – il più riconoscibile e preciso degli accenti indubbiamente arriva da un ragguardevole gruppo di scrittori ebrei, come Bernard Malamud o Isaac Rosenfeld: autori «urbani», «educati», cioè fortemente intellettuali (e dunque angosciati, frustrati, come perseguitati, intensamente minoritari) di inquieti racconti innervati da un nervosissimo humor... *cool* come il cool jazz, *dry* come il dry martini... E appaiono come i principali stimoli dell'intelligenza alta o middlebrow americana recente; e a tratti (così vitali, così mortuari, centralizzando il già marginale...) una struttura portante nella continuità culturale degli Stati Uniti...

La gran trovata di Bellow – accoppiare i filoni – ha in fondo natura d'Invenzione: avventure sgangherate e improbabili piombano su coppie emblematicamente catastrofiche, riassumendo in scarse battute calcolatamente nonchalantes i miti e i luoghi comuni e le bestie nere della sociologia e della psicologia americana d'oggi, e della drammaturgia che ne ricava ovvie pensosità a buon mercato. Con che verve eroicomica, anche nella sua letteratura teatrale, Bellow sgranocchia e dilania come materiali d'elezione i clichés più vili e ridicoli della pubblicistica alta e bassa degli Stati Uniti... E gran bel colpo d'esuberanza, per un autore così geniale, fare interagire la frigida eleganza intellettuale e la baracconaggine da varietà scatenato, inventando sgargianti e spassose possibilità di Semiserio Contemporaneo sulle rovine d'una letteratura talmente angosciata e problematica, ormai, da franare apertamente nel ridicolo involontario.

La sua farsa moderna sa spingersi fino al limite della frattura esistenziale, assemblando tutti i dati concepibili e tutte le teorie probabili intorno alla condizione umana *civile*, così pateticamente sprovveduta, così comicamente indifesa... Esplorando ogni probabilità di follia, raccogliendo ogni brandello di saggezza, fra il dramma sarcastico e la tragedia sardonica: pietà ironica e mansuetudine verbosa, spiritata vanità intellettuale e vocazione esibizionistica al martirio, ansioso magistero sulle idee maestre del secolo e tendenza irrefrenabile a ridistribuirle sotto forma di sciocaggini di gran classe... L'abrasivo disincanto del «clan» dotato di sensibilità più adulta in una società tutta infantile... E l'acuta vulnerabilità nei confronti dell'amor sensuale e sentimentale... E le decisioni esistenziali prese sui cinquant'anni, però frustrate da accidenti dolorosi e grotteschi... in una galleria di ebrei trapiantati in America, urbani ma picareschi, prossimi ancora alla tradizione *yiddish*, però già vittime delle più svariate manie metropolitane... dentro e fuori una certa società, come il Leopold Bloom di Joyce, come lo Zeno Cosini di Svevo, magari come l'omino di Chaplin... finché l'incomparabile signor Moses Herzog soccombe a un paradossale collasso psico-somatico, forse freudiano e forse mozartiano, in un delirante sventolio di proliferanti missive, indirizzate – dissennate e lucidissime – ai congiunti e agli amici e ai più variopinti destinatari: dal Generale Eisenhower a Heidegger, a Spinoza, all'Herr Professor F. Nietzsche, al Rev. Padre Teilhard de Chardin... al suono di spifferi mozartiani... «Nel momento / della mia cerimonia / ei godeva leggendo, e nel vederlo / io rideva di me, senza saperlo»...

... Quando il Maestro passa poi – leggermente – nei pressi del teatro, bastano pochi atti unici «fatti (apparentemente) di nulla» per demolire i resti dilapidati della fastidiosa «maniera» degli anni Cinquanta, l'Era dei Falsi Problemi... E come ridono di gusto, Bouvard e Pécuchet, insieme ai satiri e agli enciclopedici delle massime letterature, da Rabelais a Lichtenberg, mentre questo loro nipotino di Chicago rifiuta di spampanare per ore e ore di finta profondità e falsa angoscia i totem e i tabù su cui prosperavano le immense macchine pretestuose e anfananti dei Tennessee Williams e degli Arthur Miller... e molto più seriamente, più responsabilmente, *riduce* invece i più spropositati terrori e tremori nel «giro» strizzato di pochi minuti d'enorme divertimento...
... Fra il miliardario ottantottenne tenuto su con gli ormoni e le irritazioni, e l'anziana donnaccia che ostenta abilità culinarie e inquietudini cosmocomiche per farsi prendere in casa, e sfuggire alla sorella con le gambe rotte e al nipote che ha cambiato sesso... O fra lo scienziato atomico Premio Nobel e consigliere di Johnson, e la corpulenta anziana moglie del callista, carica di disperate rispettabilità piccolo-borghesi, che rifiuta

sempre più debolmente di mostrargli – in un alberguccio di Miami, nell'intervallo fra il ciclone Hilda e il ciclone Deborah – quel certo neo che gli aveva procurato un'estasi irripetibile durante i giochi infantili di trentacinque anni prima...

Bellow fornisce oltre tutto dei grossi pretesti a una grossa attrice: splendida, Shelley Winters, prima come una Giulietta Masina spiritosa e balbuziente, poi come una Ingrid Bergman rimbambita, gallinona varicosa in capelli azzurri e stola accarezzata e borsa rosa piena di carte da «solitario»...

Saul Bellow passa ora per Roma fresco e ridente, arrivando dall'Africa e diretto in patria, dove lo aspetta la prima grossa controversia letteraria degli anni Settanta. A cinquantacinque anni compiuti, nel suo semi-ritiro di Chicago, ha appena prodotto un nuovissimo roman philosophique immediatamente accolto come una bomba ideologica-eroicomica alle spalle della giovanilità corrente, e perfino dell'ormai assestata Silent Generation...

Mr Sammler's Planet esamina gli Stati Uniti d'oggi, e tutti i loro problemi più bollenti, da un punto di vista addirittura «al di là» della sapienza europea più antica e più scettica... «Si tratta di un ebreo polacco molto vecchio, che è stato letteralmente sepolto vivo, dai nazisti, nel '41, ed è strisciato fuori dalla sepoltura; e ha ripreso a vivere, ma senza una vera voglia di esistere...» spiega Bellow, molto calmo e serio. «E questo sopravvissuto, oggi, a Manhattan, giudica il nostro tempo, i contemporanei, e l'America, come dall'oltretomba... Però involontariamente riprende a vivere, per la forza della sua coscienza individuale...».

Il vecchio campa male, alle spalle di un anziano nipote che sta morendo in clinica; e finge di lavorare a una memoria su H.G. Wells, che ha conosciuto a Bloomsbury tanti anni prima. Però non fa niente; e va quasi ogni giorno alla biblioteca pubblica soprattutto per star tranquillo e leggere il giornale. Si trova in mezzo agli squallori e alle violenze e ai conflitti della spaventosa metropoli fatiscente; e osserva, medita, riflette... E Bellow si immedesima con forza nella «tesi» del suo protagonista, la riaffermazione della personalità umana nei confronti delle diverse vessazioni che tirano a mortificarla nel nostro secolo. «Da un lato, i politici come Lenin e i drammaturghi come Brecht sostengono la doverosità della subordinazione dell'individuo alla collettività, o addirittura il sacrificio strumentale del singolo per il bene ipotetico di una società futura. D'altra parte, ecco il pessimismo umanistico dei poeti eleganti come Eliot e Valéry, così scettici e così depressi sull'esito del conflitto fra la sensibilità individuale e l'Oggettivo...». Spiega ancora: «Questo tipo di alienazione sarà stato possibile nel Medio Evo per ragioni fortemente religiose, e posso comprenderlo bene. Ma nel nostro secolo, non vedo come giustificarlo... Dopo tutto, la coscienza della personalità umana è una conquista tutt'altro che antica, per le masse: fino a due secoli fa erano servi, contadini, operai... ma non certo persone umane...».

New York, metafora dell'America, viene vista in questo romanzo come un'antica metropoli alessandrina, più franante di Napoli e più decrepita di Salonicco, attraverso gli occhi non già di un giovane americano, ma di un vecchissimo europeo «che è già stato morto»... Cosa ne pensa Mr Sammler? «Già. La forza politica del vecchio ceppo anglosassone è sempre stata scarsa, nonostante le apparenze. Però l'America è un paese dove è impossibile concepire la Rivoluzione: al contrario dell'Europa, giacché la Rivoluzione presuppone il feudalesimo, e questo fenomeno in America non è mai esistito. Quindi mancano le *basi*... Tuttavia, l'unico politico *riuscito*, negli Stati Uniti, è stato Roosevelt: perché aveva piglio, perché aveva un programma forte e concreto, ma anche perché si presentava come patrizio facoltoso, membro dei clubs più signorili; e paradossalmente, istintivamente, le masse credevano in questo signore con tanta pratica di yacht e di golf; e si fidavano... Perché questo non è mai più riuscito a nessun altro, e meno che meno ai Kennedy? Perché si fondano su tradizioni sociali e culturali molto più recenti e più fragili; ma anche perché dànno costantemente l'impressione di "non avere in mano niente". Infatti il Pentagono fa la propria politica, le industrie fanno i propri comodi, le città si sviluppano caoticamente, e tutti i servizi pubblici sono in stato di collasso».

Mr Sammler non nasconde davvero la sua antipatia per i giovani d'oggi. Ma vorrei soprattutto sentire quali sono i nessi profondi tra Bellow e uno scrittore che gli rimane tanto affine, Italo Svevo. Risponde subito: «Mi sembra ammirevole nell'individuare una costante di tutto il mondo borghese contemporaneo, l'adolescenza lungamente protratta, nella *Coscienza di Zeno*, e la vecchiaia precoce, in *Senilità*, e il rapido passaggio dall'una all'altra nell'uomo contemporaneo incapace di vera maturità perché privo di modelli di comportamento *adulto*». Questa è una fissazione di Mr Sammler: la diffidenza verso la giovanilità come culto e come moda. Bellow riflette: «Si tratta, a ben guardare, di uno stesso fenomeno, che si presenta agli inizi del secolo in Inghilterra come smania ottusa per lo sport fine a se stesso... E in Francia come curiosità di figli di papà desiderosi di sperimentare direttamente la violenza imparata sui libri, magari di Sorel: dunque Malraux in Indocina, e Montherlant alla corrida... E perfino le infiammate prefazioni di Sartre ai testi di Frantz Fanon... Però, anche le trovate dei surrealisti, le provocazioni Dada...». Riflette: «Però, a ben considerare, tutto il grande humour moderno è basicamente giovanile, studentesco: consideriamo Jarry, per esempio... E perfino Joyce è notevolmente goliardico...». Soggiunge: «In America, invece, la generazione uscita dalla Grande Guerra e dalla psicanalisi finiva per sentirsi talmente compressa dall'autorità dei genitori che ha stabilito di comportarsi coi propri figli secondo la permissività più liberale. Come risultato, questi figli ritengono che "tutto ci è dovuto". Ma qui, lungo le generazioni, si sviluppa una speciale neurosi giovanile. Proclamano l'Amore, però praticano apertamente la Misantropia... E la gioventù americana mi sembra oggi molto chiusa... E non mi sembra affatto un risultato felice l'avere espulso dalla propria area affettiva i Genitori per immettervi i Neri, e finalmente perseguitare i Vecchi per estrometterli al più presto dalla Vita...».

(A colazione, a casa, l'ho seduto accanto a una splendida amica triestina, di lungo corso. E lei, dopo: «Uno di quei magnifici corteggiatori tipo Mitteleuropa, come non ce ne sono più»).

Quanto varranno, nel modernariato, *Collected Stories* e *Feminine Wiles* e gli altri volumi di Paul e Jane Bowles, pubblicati negli anni Settanta da Black Sparrow Press a Santa Barbara, con prefazioni di Gore Vidal e Tennessee Williams, e comprati autografati nelle piccole librerie d'allora?

Per un tardivo eventuale omaggio a Paul Bowles, ora mi permetterei di proporre un ascolto delle sue misconosciute composizioni musicali, che sono più belle dei suoi libri, e soprattutto più spiritose. Sono incantevoli perché afferrano con disinvoltura rigorosa e apparentemente «casual» il vero spirito geometrico e ironico delle avanguardie più mondane degli anni Trenta: soprattutto la grazia acidulata di Francis Poulenc, ma anche il Satie più da cabaret. (E non per niente Christopher Isherwood, in omaggio all'amico, e per nostalgie berlinesi comuni, chiamò Sally Bowles la sciantosa da cabaret in *Goodbye to Berlin*. Mentre quando si soggiornava a Tangeri, e lì si andava in tanti posti, anche con amici compositori, non veniva in mente di ricercarlo).

Sono due i compact fondamentali, e il migliore è prodotto in Germania: *Migrations* (Largo 5131). L'altro è americano: *The Music of Paul Bowles* (Catalyst 09026-68409-2). Ma in tutt'e due c'è la vera gemma: il *Concerto per due pianoforti, percussioni e orchestra*, composto negli anni Quaranta per il celebre duo gay Gold-Fizdale, anche biografi di Misia Sert, con soffi maliziosi di musica «etno» tangerina. E risale alla Germania prenazista di Isherwood la *Sonata per oboe e clarinetto*, apparentemente cubista e infatti composta nella casa dadaista di Kurt Schwitters a Hannover (e sembra già di sentire Ligeti). Alla Costa Azzurra salottiera appartengono invece la *Sonata per flauto e pianoforte*, e le romanze da *Anabase* di Saint-John Perse. Ma qui si sente come del Sauguet, dell'Auric asprigno. E tornano in mente i concertini dei «Six» a Venezia, da Lily Volpi: con baritoni leggeri, sopranini spinti, pianisti da camera d'avanguardia negli anni Venti... Magari, la storiella di Poulenc che dopo il primo atto di una noiosa «prima» di Milhaud lo va a salutare nel palco, già in paltò: «Vous restez?».

I pezzi mirabili degli anni Trenta sono piuttosto americani: *Music for a Farce*, sublime colonna sonora «live» per un film comico muto in bianco e nero proiettato durante uno spettacolo teatrale. (Siamo al mito di *Entr'acte* di René Clair, più i «Keystone Cops»). E una *Suite per orchestra da camera*, delicata e pungente come un gin-and-tonic; e forse reminiscente della squisita astringente *Jazz Suite No. 1* di Šostakovič (del 1926). Negli anni Quaranta, ecco la sgargiante suite *Pastorela* con sfacciati idilli e sarcastici tromboni e maracas messicane e western, come nei tanto imitati balletti di Aaron Copland (*El Salón México*, *Rodeo*...) e nei massimi film di Sergio Leone. E il motivetto che accompagnò la scrittura del *Tè nel deserto*: un *Valzer notturno* per due pianoforti, evocativo come i *Valzer nobili e sentimentali* di Ravel (mentre il suo vero meraviglioso valzer appartiene alla suite «farsesca», ed è un sincero autentico omaggio alle grandi nostalgie di Richard Strauss nel *Rosenkavalier*).

Le composizioni maggiori paiono più disuguali. C'è una pseudo-zarzuela *The Wind Remains* su testi di García Lorca, rappresentata nel '43 al MoMA di New York da Leonard Bernstein e Merce Cunningham, ma pare un dialoghetto con l'*Histoire du soldat* di Stravinskij; e potrebbe servire al posto di questa per gli esperimenti di regìa creativa e trasgressiva alla faccia dell'autore. Così come le musiche di scena per la *Salome* di Wilde e l'*Ippolito* di Euripide, composte dall'ultraottantenne Bowles sul synthesizer di una scuola americana a Tangeri, ma poi trascritte in arrangiamenti approvati e suggestivi. Brani brillantissimi e allegrissimi. Ma forse ha riusato pezzi giovanili.

Intanto continuano a venire ignorate le trascrizioni per due pianoforti del tradizionale *gamelan* così virtuosistico, *Balinese Ceremonial Music* di Colin McPhee: tutta una vita e una carriera coetanee, prima a Brooklyn nello stesso condominio molto gay di Bowles e Auden e Britten e gli altri, poi non nella frequentatissima Tangeri ma nell'allora remota Bali. Rimane un diario eccellente, *A House in Bali*, di McPhee. Che osservò e ascoltò il *gamelan* nella sua patria, nei villaggi senza elettricità tra le fiaccole, come ci capitò ancora negli anni Settanta – tuttora senza elettricità né biglietti d'ingresso – e non in un padiglione espositivo coloniale, come forse già Antonin Artaud nei primi anni Trenta a Parigi.

Riascoltando i dischi di Copland, intanto, per prima cosa ci si chiede ormai solitamente come mai tanti geniali compositori provenienti da «shtetl» ebraici abbiano assimilato o inventato una musica americana così effettiva. (Come del resto Antonín Dvořák, ceco, da Praga. Mentre da Roma, nonostante una Sinagoga importante e Santa Cecilia, poco o niente). E poi, come mai, anche in Copland, odi e celebrazioni di illustri americani nati e morti fra Kentucky e Missouri suscitano moti così viscerali e sentimentali fra vecchi e bambini non solo americani ma nel resto del mondo? Mah?

Per curiosità o esperimento, però (come quando a casa venivano Gadda e i Bellonci, e si ascoltava una varietà di dischetti a 45 giri da tante diverse origini), si potrebbe proporre l'ascolto alternato del Bowles più seguace di Copland con gli *Stücke* di un maestro influente come Adorno. (Sono pubblicati da Wergo sotto una copertina di Kandinskij, e furono eseguiti a cura di Sylvano Bussotti a Roma per commemorare l'autore poco dopo il decesso. Possono forse dare, a taluno, una sensazione di musica per ascensori?).

RAY BRADBURY

I nostri pericoli sono due e sono tremendi, il commercialismo e l'intellettualismo, dice fermamente Ray Bradbury, appena seduti a colazione. È il maggiore scrittore di fantascienza al mondo, l'autore di *Fahrenheit 451*. Abita felicemente a Beverly Hills. Sta preparando con un ottimo regista un enorme film da *The Martian Chronicles*, da girare nelle città morte del Medio Oriente. Mangiamo in un fastoso ristorante di produttori di Hollywood. Eppure nel pragmatismo appassionato di tutto quello che dice, oltre che l'antica sollecitudine umanitaria degli autori di Utopie si sentono fisicamente rivivere in una versione americana contemporanea due «linee» tradizionalmente inglesi di generosità per gli altri prima che per se stessi.

Una, quell'ombrosa minoranza di moralisti puritani alla Orwell, alla D.H. Lawrence, alla Dr Leavis, a cui non piace niente, non va bene niente. Non salvano niente. Ma il loro tormentoso e profetico «rappel à l'ordre» scuote e riempie di rimorso la coscienza inquieta del «clan dirigente» scettico ed epicureo che ha in mano la «stanza dei bottoni» del mondo della cultura, fa i propri affari, si gode i propri facili successi, e con tutto questo spera ancora di riuscire a salvar l'anima. L'altra è la linea dei buoni vecchi zii liberali alla E.M. Forster. Possono magari disprezzare ingiustamente Conrad; compatire dall'alto in basso Firbank e T.E. Lawrence; far salamelecchi di fronte a Virginia Woolf. Il loro limite può esser quello di non osare spa-

670

lancare gli occhi sulle contraddizioni e le violenze e i drammi del mondo moderno. Però credono in assoluta buona fede nel valore edificante e illuminante della letteratura, nello «spezzar le barriere», nel «capire», nel «connettere». E come G.B. Shaw o Angus Wilson possono trasformarsi in santi laici dell'etica laburista.

Ma Bradbury è un intellettuale progressivo americano che scrivendo di marziani e di mostri fa in pratica della Realpolitik. Biondo, pesante, energico, parla con gran calore e una tremenda forza di persuasione. I camerieri sfiorano pallide candele con le loro enormi bistecche. Continuiamo un'altra sera, a un party molto professionale in una casina marziana su palafitte, interamente di cristallo sul cocuzzolo d'una montagna a crete, sopra il tratto prossimo al mare del Sunset Boulevard; e un'altra sera ancora, a una recita per inviti di tre suoi atti unici con una troupe d'attori-cowboys della televisione che praticano il teatro di idee non remunerato come un contravveleno: per non atrofizzarsi l'anima a Hollywood.

Yesterday, Today & Tomorrow... In un desolato studio ex-RKO, e ora ex-Desilu, fra terreni vaghi adibiti a parcheggio e baracchini di fruttivendoli: ma si comincia tardi perché mancano le lampadine rosse dell'uscita di sicurezza, e i poliziotti di guardia le pretendono. Pubblico scadente. Però se lo spettacolo va bene potrebbe venire acquistato da un teatro professionale, produzione e tutto.

A Medicine for Melancholy. Un mosaico di bizzarra poesia convenzionale che però non somiglia a nulla, tagliato nella struttura spietatamente svelta di uno sketch radiofonico. La ragazza malata è visitata da tutto il paese, che offre rimedi vani. Siamo nel Settecento. Lo spazzino suggerisce di esporla al lume di luna. Arriva un Trovatore. Dialogo vagamente alla Christopher Fry, *The Lady's Not For Burning.* La cura, andare a letto. La mattina i parenti la credono morta. Invece è guarita: una conclusione da *Novellino* sterilizzato e patafisico.

The Wonderful Ice Cream Suit. Un gruppo di disoccupati stracciati, convinti che senza bei vestiti non si possono avere amici, si quotano per comprare un abito in società. Lo indossano a turno, fra infinite preoccupazioni e raccomandazioni e variazioni sul *Sartor Resartus* di Carlyle. E ciascuno si trova indossandolo variamente modificato: una filosofia da «grottesco», mai realistico e con curiosi strappi fumisti e lampisti. (Ci sarebbe già un'opera di Zemlinsky, *Kleider machen Leute,* su questo stesso tema: un garzone di sarto licenziato con un solo bel vestito e senza soldi si reca in un altro villaggio alpino e nella locanda viene omaggiato dai maggiorenti che lo credono un gran signore. Quando però poi viene svergognato e svillaneggiato, la più ricca ereditiera del paese decide di sposarlo).

The Pedestrian. Un vecchio davanti alla televisione. Viene a prenderlo un amico, indossano abiti neri per uscire. Luci astratte e rumori astrali: un'aria di spedizione, ma guardano le stelle, ascoltano i grilli. Sono gli unici pedoni: fuorilegge, perché ormai è vietato uscire senza automobile. Spaventati dal passaggio della macchina della polizia, paura d'essere scoperti. Finalmente, investiti da un faro, interrogati da una voce lontana, arrestati. Ma l'auto della polizia è vuota, la voce è un disco: sono le stesse macchine che fanno osservare la legge.

I pericoli del commercialismo, insiste: cioè far cose che non piacciono, di cui non si è convinti, per obbedire al produttore, per compiacere l'editore, per fare un favore al direttore di giornale... E i pericoli dell'intellettualismo? Lasciarsi influenzare dagli autori che si ammirano, dai libri che si amano, dai giudizi dei colleghi che si stimano... O anche illudersi di salvar l'anima facendo un «secondo mestiere» sedicente intellettuale, tipo l'insegnante. Sono molto contrario a un secondo mestiere di natura letteraria, spiega: drena le migliori risorse, porta via troppo tempo se fatto con onestà, in complesso abbassa e diminuisce il potenziale creativo. Senza contare – aggiunge – che non credo affatto all'insegnamento della letteratura. Càpita non di rado, in America, che lo scrittore celebre sia avvicinato da madri ansiose che gli chiedono consigli per un figlio con tendenze letterarie. La risposta onesta è una sola: comprargli una macchina da scrivere. Poi, che si arrangi. Le lezioni private del Premio Nobel non giovano...

Qui lo si sente non meno decisamente empirico di tutta la generazione di scrittori americani autodidatti alla Sherwood Anderson, uomini che «si sono fatti da sé», come gli industriali loro coetanei. Oggi, i futuri letterati e i futuri uomini d'affari non vendono certo il popcorn agli angoli delle strade: fanno i loro compiti in classe di «letteratura creativa» o di «ricerche di mercato» in due istituti adiacenti dello stesso college. «Ma io ho proprio venduto i giornali per strada, per tre anni» dichiara fieramente Bradbury. «Da ragazzo; piuttosto che lavorare in una banca e far magari carriera come dirigente. E sono convinto che invece di frequentare le classi di letteratura s'impara molto di più nelle biblioteche pubbliche. Anche solo passeggiando e leggendo i titoli negli scaffali; e annusando i libri; e aprendone uno ogni tanto».

Ha un momento talmente pratoliniano, che gli domando se sta da molto tempo a Los Angeles. È venuto qui a tredici anni dall'Illinois, vicino a Chicago, durante la Depressione, risponde: suo padre era uno dei molti milioni di disoccupati, e qui la vita costava meno. Però diffida sistematicamente dei pericoli d'una grande città come New York. Eventi culturali a tutte le ore, anche abbastanza attraenti, «da non perdere»: mostre, concerti, spettacoli. E in più il «giro» letterario, tutti che si conoscono, e telefonano e invitano: il pettegolezzo, il farsi vedere, il non poter dir sempre di no, il gioco del prestigio basato sul numero delle «presenze»... «Uno scrittore, bisogna che abbia un giroscopio dentro, che lo avverta quando sta perdendo tempo, fa cose non giuste, vede gente sbagliata... Dopo tutto, sono le qualità umane che contano: non l'ambiente. Perciò è un luogo comune superficiale dire che siccome si vive a Los Angeles si devono fare per forza delle cose ignobili per il cinema o la TV. Ci si abitua perché ci si sta bene, e si può lavorare in pace...».

Lavora tanto? «Tutto il giorno, da quando avevo sedici anni. Ogni racconto, in media, lo scrivo in una giornata. Poi lo metto da parte; magari per anni; lo riprendo; lo riscrivo: finché non trovo "la riga decisiva". Tante volte il guaio è di non saper da che parte cominciare: quattro o cinque idee al giorno – ma non si possono scrivere quattro o cinque racconti al giorno...».

S'accende e scoppia di gioia parlando dell'entusiasmo di lavorare: «magari occupandosi della morte, ma con una vitalità tremenda come faceva Goya». Proprio dopo questo paragone con Goya, fatto in un articolo di giornale di parecchi anni fa, gli è arrivata una lettera di Berenson, che cominciava così: «Questa è la prima lettera da "fan" che scrivo in 88 anni». Bradbury è venuto a trovarlo in Italia; e hanno passato molti giorni insieme. «Mi ha svelato il Rinascimento... ha allargato le mie prospettive... mi ha dato una consapevolezza... come prima Huxley qui in California... e più tardi Russell a Londra... sono loro gli amici più cari...».

«... E questa Los Angeles, che esiste praticamente solo da questo dopoguerra, sviluppandosi in maniere folli, in fondo sta attraversando un fenomeno molto simile a un Rinascimento. È il suo turno: come quando l'Italia e l'Olanda insegnano la pittura; e poi la lezione passa da Parigi a New York, che comincia a insegnare a sua volta...». Anche per questo ritiene che sia giusto vivere qui. Ripete continuamente la frase «perché so bene quello che voglio!».

«Influenzare una comunità mentre si sta formando!... Agire per il loro bene, prima che se ne rendano conto!... Aiutare a costruire il nuovo Rinascimento!... Coi libri, coi saggi, certo: ma anche con racconti sulle riviste, con articoli sui giornali... servendosi di ogni mezzo d'espressione: cinema e teatro, radio e televisione... Scrivere oggi di trasporti pubblici e di gallerie d'arte, di pubbliche relazioni e di pianificazione urbana, è un modo pratico d'insegnare a "essere umani"...». Per questo trova inutile e irrilevante la letteratura dell'assurdo; e deplora piuttosto che non esista in America il teatro di idee.

È chiaro che il famoso narratore d'affascinanti miti fantascientifici si considera soprattutto un saggista che ha scelto di esprimersi in una forma simbolica immediata e diretta, come Butler o Swift. «Se scrivo "automobile" o "ascensore", tutti capiscono, senza spiegare la carrozzeria e i carburatori, senza dover riepilogare ogni volta il funzionamento del motore a scoppio... E non aver paura di bagnarsi! Entrare nel fiume, non stare come spettatori sulla riva, se si intende influenzare le masse per il loro bene! E provare ad amare la chincaglieria, la mediocrità... Non disprezzarla; e non rifiutare di capire il senso dei "comics", delle pubblicazioni popolari... La rivista "Mad", per esempio, nelle sue forme vignettistiche e paradossali si occupa degli aspetti sconcertanti della vita americana di oggi più profondamente delle riviste "serie"... radicali o accademiche (a cui peraltro collaboro), ma tutte così lontane dalla realtà, incapaci d'ironia... Come del resto la maggior parte degli scrittori americani: "seriosi", acritici magari, intellettualmente modesti... Però come si prendono sul serio, come si amministrano: scrivono poco, e sempre con l'aria di autori maggiori che "per il momento" pubblicano soltanto opere minori...

«È vero che, poveretti...» riflette, a proposito d'alcuni suoi colleghi «spesso sono oppressi da problemi personali talmente gravi che non c'è da meravigliarsi se non vedono la realtà, o la vedono stravolta. Nessuno che si degni d'occuparsi di fantascienza, però: come se fosse un "genere" inferiore o folle... Mentre per esempio "fantascienza" significa la scoperta dell'America o l'invenzione dell'automobile, la sua influenza sulla vita di tutti i giorni... Come l'automobile può modificare i rapporti amorosi, gli affetti familiari, la struttura stessa della famiglia... le influenze che può avere sulla sociologia del lavoro... il fatto stesso che in questa città il pedone sia considerato una bizzarria... E senza contare il largo margine d'imprevisto, di aspetti incompetenti o grotteschi, in ogni scoperta, da Colombo a Cortés... E la conquista dello Spazio! Nessuno si occupa delle trasformazioni straordinarie che avvengono in conseguenza della conquista dello Spazio: in filosofia, in psicologia, nelle arti, nella teologia stessa (discorsi come quelli di Pio XII sullo Spazio sarebbero stati inconcepibili cento anni fa)...

«E i problemi che ne sorgono?... Per esempio si vive talmente condizionati dall'aspetto esteriore, che per molti di noi un nero sembra appartenere addirittura a un'altra razza... E se in un altro mondo si trovasse un'orribile razza di ragni con tre teste, che vivessero però eticamente... umanamente... cristianamente... Saremmo disposti a distruggerli perché non conta l'essenza "umana" ma il loro aspetto?...».

Non per nulla un progetto che medita è affascinante: un romanzo su un papa spaziale, che parte dal Vaticano per il Cosmo alla ricerca della Verità, con la sua astronave. Quantunque si dichiari «un battista rinnegato», si confessa affascinato dalla teologia cattolica: ma soprattutto dai problemi teologici-spaziali; così come la filosofia lo attrae sotto specie di questioni metafisiche-spaziali... E pare veramente una malvagia ironia che la radio annunci l'arrivo del presidente Kennedy in elicottero sul tetto del Beverly Hilton, l'albergo qui di fronte, a pochi metri. Sembra una situazione alla Bradbury: si sentono i motociclisti del servizio d'ordine sul boulevard, poi il rumore dell'elicottero che scende...

Cambiamo ancora discorso. Battiamo sugli scrittori «che si vendono», il fenomeno americano e italiano d'autori che approfittano del benessere non per dedicarsi con calma a opere disinteressate, irrealizzabili in tempi di strettezze, ma per guadagnare in fretta sfruttando cattivi bestsellers o servendo i produttori cinematografici. Lo trovo severo: «Uno non si vende se proprio non vuole. Bisogna vedere se ha personalità, se ha spina dorsale... a che tipo di successo tiene...». La vita morale, l'integrità professionale dei letterati: sono temi che lo attraggono, magari mescolandoli a una certa sua tematica psicologica e religiosa (la speranza, la compassione, il perdono) al di là dei soliti schemi puritani o cattolici-irlandesi. È proprio questo interesse per una problematica non sbrigativa (come nel caso di un brusco divorzio) ma più sottile (per esempio, la ricerca delle cause e del senso di un fallimento matrimoniale) che ravviva la sua curiosità per certi aspetti del cattolicesimo romano: la sua saggezza, dice molto seriamente, nel rendere «quasi» indissolubile il matrimonio, per esempio. E non per niente un altro romanzo breve che ha in mente suona come una variazione puritana-cattolica sul «tema internazionale» di Henry James o di Mario Soldati: un americano felice che vuol saggiare la solidità del proprio sistema morale, e va in pezzi nella Via Veneto della Dolce Vita (che rimane sempre una gran trappola per gli scrittori americani: realisti, fantascientifici, e «tutti quanti»).

LOUISE BROOKS

Dalla Jazz Age degli Scott Fitzgerald al gelido espressionismo animale e vegetale di Frank Wedekind: bel colpo, e assai raro, mantenendo intatta l'innocenza fresca e distruttrice di Lulu, Spirito della Terra e Vaso di Pandora. Ma quasi nessuno ha mai visto il celebre film di Pabst negli Stati Uniti; e la sua protagonista leggendaria, Louise Brooks, oggetto di culto in Europa con la sua frangetta a caschetto di lacca, visse ignorata per decenni fra gli americani, finché non fu «ritrovata», settantenne, da Kenneth Tynan, trasferito da Londra nel clima californiano più secco per sfuggire all'enfisema che però lo uccise poco dopo.

Tynan la intervistò lungamente a Rochester, dove Lulu vecchina abitava presso la casa-madre della Kodak, guardando vecchi film e preparando occasionali articoli per rivistine di spettacolo; e dal suo «profilo» subito celebre (uscì sul «New Yorker», poi nel volume *Show People*) nasce questa *Lulu in Hollywood* della Brooks stessa.

Sono sette saggi di memoria, splendidi e brevi, sul feroce tramonto del cinema muto, quando le dive avevano vent'anni e i loro registi (Hawks, Wellman) non più di trenta, e l'industria subiva traumi sinistri per l'avvento del parlato e del potere delle banche sopra i produttori «tycoons», folli e spensierati. Ma l'obiettività addirittura minerale dello sguardo e del giudizio va oltre l'«io sono una macchina fotografica» di Christopher Isherwood: sembra addirittura che l'autrice sia la Lulu dode-

677

cafonica di Alban Berg, magari al castello di Randolph Hearst e Marion Davies.

La ragazza veniva dal Kansas, da una famiglia indipendente e libresca; ma nasce a New York come ballerina diciassettenne, allieva di Ruth St Denis e Ted Shawn, compagna di Martha Graham – il meglio – poi dentro e fuori le Ziegfeld Follies e altre Follies, sempre ben remunerata con pellicce e gioielli da brillanti giovanotti di Wall Street che stanno inventando la café society. Gira parecchi filmetti, quando ancora si faceva cinema a Long Island; ma presto si trova a Hollywood, indipendente e indifferente, impopolare, isolata, finalmente scacciata. Perché?
Le sue spiegazioni, qua e là, paiono categoriche ed evasive. «Nessuna carriera al mondo somigliava maggiormente alla schiavitù. Un attore poteva solo scegliere se firmare o no un contratto. Se non firmava, non diventava una star. Se firmava, diventava un servo di chi lo pagava. Non poteva scegliere quando e come e con chi lavorare. Doveva passare le giornate sotto il controllo non solo del regista, ma di sceneggiatori, operatori, guardarobiere, uffici stampa. E siccome la pubblicità è la linfa vitale del divismo, questa doveva invadere tutta la vita privata per animare la curiosità e l'invidia che attrae tanta gente nei cinema».
Puntigli, orgogli, nostalgia per Manhattan, antipatia per il «sistema», piccoli colpi di testa, leggerezze fatali. Dormiva con parecchi simpatici, ma con nessun potente. Rifiutò lei sola una diminuzione di paga durante la transizione al parlato. Rifiutò di doppiarsi in un film girato muto, perché stava divertendosi altrove. Il sistema la definì caratteraccio, vociaccia. Paramount la licenziò nel '28. La chiama subito Pabst. Lei non l'aveva mai sentito nominare, lui l'aveva vista in *A Girl in Every Port*, e soprattutto non voleva Marlene: «troppo vecchia e troppo ovvia, bastava una sua occhiatina sexy, e *Lulu* diventava un burlesque». Così, «a Hollywood ero una sciocchina carina, con un fascino che calava negli studios ad ogni aumento di lettere di fans. A Berlino, scesi dal treno per incontrare Pabst e diventare un'attrice». Con Pabst girò ancora *Diario di una donna perduta*, in Germania. La sua carriera finì a venticinque anni.

Ma raramente si incontra una lucidità così «oggettuale», e tecnica. «Pabst non teneva mai discussioni di gruppo, diceva separatamente ad ogni attore cosa doveva sapere sulla scena. Per lui, tirarsi dietro la tecnica della recitazione teatrale, che congela in anticipo ogni parola, ogni movimento, ogni emozione, era mortale nel realismo cinematografico. E il dialogo veniva definito alle prove. Con un attore intelligente, si diffondeva in spiegazioni esaurienti. Coi vecchi gigioni, usava la lingua del palcoscenico. Ma con me, come per magia, mi saturava con una sola emozione chiara, poi mi lasciava libera. In effetti, incoraggiava la tendenza degli attori all'odio reciproco, così conservavano le loro energie per il si gira».

Vignette assai «cool». L'elaborata distruzione di Lillian Gish, troppo originale e troppo popolare, da parte della MGM, che esige dipendenti, non artisti. La solitudine di W.C. Fields, geniale e incompreso, che recita con tutto il corpo come in teatro, mentre ogni primo piano gli sottrae effetti comici. Humphrey Bogart, che dopo anni di insuccessi con le buone maniere, decide di «consacrare tutto il suo tempo fuori dal set ai giornalisti che gli inventano il personaggio di Bogey». E siccome Clark Gable aveva successo con le orecchie a sventola, «Bogey praticò ogni sorta di ginnastica labiale con sbuffi, smorfie, storcimenti e nasalità, finché il suo sobbalzo doloroso, la sua occhiata di sbieco e il suo ghigno demoniaco non divennero i più perfezionati dello schermo. Solo Erich von Stroheim lo superava nel tic del labbro»...

W.S. BURROUGHS

Ecco un romanzo fra i più belli di questi anni, dopo *Il Maestro e Margherita* di Bulgakov e *Insaziabilità* di Witkiewicz: ma occorre avvertire subito che *The Wild Boys* per la rigorosa precisione metallica dei suoi intarsi verbali è perfettamente intraducibile, come Mallarmé, come Valéry, come riorchestrare una composizione di Webern.

Il successo tecnico, stilistico, è impressionante. Burroughs parte da una spinta di fantascienza picaresca, come il Burgess di *A Clockwork Orange,* attratti tutt'e due da una voglia matta e perversa di confutare le previsioni del futuro secondo Huxley e Orwell. Macché mondo nuovo spietatamente automatico e cibernetico! Tante celebrate divinazioni si appoggiavano infatti all'anacronistica credulità in un perfetto funzionamento di macchine sempre più complesse, con una disumanizzazione sempre più asettica dell'uomo e della donna. Semplicemente, non prevedevano che le macchine funzionano malissimo, si rompono continuamente (basta vedere come tira avanti New York, e, nel suo piccolo, Fiumicino), e che è presuntuoso segnare limiti alla cialtronaggine e alla «zozzoneria» della natura umana. E nemmeno sognavano, quelle prestigiose sintesi, che già ben prima del 1984 fenomeni quali la conflittualità, l'assenteismo, e tutta una serie di disturbi fra l'indisposizione femminile e la paranoia automobilistica avrebbero messo pesantemente in crisi i rapporti fra uomini e macchine, e tutti i loro sviluppi possibili.

A Burroughs non interessa affatto congegnare un fantasioso idioma anglo-russo come quello dei ragazzacci di Burgess e del film di Kubrick, intanto perché sembra convinto che in futuro di giochini verbali se ne faranno pochissimi: si starà zitti, per lo più. E poi, francamente, non gli interessa proprio la vecchia «trama». Gli importa piuttosto di visualizzare con la più spietata freddezza una collezione di fissazioni sceltissime, erotiche ed esotiche, ricorrendo a vertiginosi virtuosismi di taglio, montaggio, assemblage e collage.

The Wild Boys sembra dunque un'illustrazione esemplare del metodo esposto da Roland Barthes nel saggio famoso sull'Attività Strutturalista, poco addietro. Due operazioni: taglio e montaggio, appunto. Prima, cioè, ritagliare i frammenti di un simulacro, unità significative appartenenti a uno stesso discorso attuale, o a una medesima classe virtuale. Quindi, ricomporre con questi frammenti mobili un simulacro analogo e dissimile, giacché l'attività strutturale e funzionale del montaggio ha messo a punto un oggetto nuovo, o sta manifestando una nuova categoria di quel manufatto.

Com'è buona regola nell'alta retorica e nella bassa cucina, Burroughs parte qui da una quantità limitata di ingredienti per raggiungere un enorme numero di combinazioni. Dispone di questa felice partenza fantascientifica, e di una ricca esperienza teppistica fra il Marocco e il Messico. Computer ben temperato, ed efficientissimo trovarobe, congegna dunque un 1976 e un 1988 senza più benzina in un mondo invaso da un gangsterismo frenetico, da fellinismi e buñuelismi intermittenti, e da prevedibili sviluppi della moda stracciarola: «Abiti da barboni della Bowery apparentemente macchiati di orina e di vomito ma esaminati da vicino si rivelano fitti ricami d'oro fino, cappelli di feltro stagionati su vecchi drogati, abiti di seta gialla da coolies cinesi, completi alla Graham Greene per agenti segreti e malandati che sono cattivi cattolici in missione senza crederci troppo...».

I ragazzi selvaggi vivono in branchi nel deserto marocchino, si riproducono ritualmente per partenogenesi, esercitano le crudeltà più vistose, e stanno conquistando l'Africa e il mondo nonostante l'intervento dei governi e il disappunto dei turisti. Di tutto questo, a Burroughs importa poco. Nell'abilissima costruzione del suo manufatto, riversa piuttosto brandelli di fumetti eccezionalmente Kitsch su misteriosi templi indiani e agenti della Cia tutti d'un pezzo; osceni album pornografici sulle prodezze dei bambinacci messicani marchette; battute patriottiche di colonnelli appartenenti sia alla tradizione di Kipling sia alla maggioranza silenziosa del Middle West; rozze tenerezze fra taglialegna alla Jack London; preziosi sentimentalismi «anni Venti» fra giovinetti dorati alla Fitzgerald; ispezioni cliniche e dermatologiche; quadretti dell'orrore su una Monaca Verde che tortura i piccoli focomelici; e molti, molti altri ritagli e rifiuti di filmini di quart'ordine e di paperbacks da edicola losca, con un gusto dello spaventevole mortificante molto più perentorio di ogni fantasia di Andy Warhol.

Con un'iterazione che sembra teorizzata, anche questa, da Barthes («una parola può essere erotica a due condizioni opposte, ambedue eccessive: se viene ripetuta a oltranza, oppure al contrario se è inaspettata, succulenta per la sua novità...»), passa e ripassa continuamente nel fittissimo tessuto dell'assemblage il *flash* ossessivo di una sodomia stilizzata, ricorrente come una cellula sonora privilegiata in una composizione seriale. Ma forse a Burroughs interessa soprattutto lo *sguardo*, in cui il narratore si identifica programmaticamente, totalmente, smascherando, ribaltando i pregiudizi del Nouveau Roman: volta a volta obiettivo fotografico e cinematografico, occhio d'avvoltoio, o di pesce, polaroid indiscreta, zoom malevolo, pupilla di voyeur incollata al buco della serratura o alle macchinette del *peep show*, con un'attività inesausta e febbrile di cambiar lente e di mettere a fuoco. Il risultato è strepitoso.

Anni e anni dopo, a un'infelice mostra-vendita romana di suoi modesti quadri e schizzi vari (in un'ottima galleria di Piazza Mignanelli), ho provato inutilmente a parlargli. Era del tutto «andato» o «stonato», malgrado l'occasione di promotion e vendita. Mutismo. Nessun suo accenno, fra gli scoraggiati astanti («nella astanza», si usava dire allora) a un pranzo dai galleristi, dopo. Eppure si offrivano in commercio operine opinabili, però sue, benché passate di moda. E magari qualche anziano visitatore era in vena di frugali acquisti come investimenti. Macché. Assenza.

Allora, più cortesi memorie. Il compìto e sentito «Thank you» di Beckett dopo un totale e richiesto silenzio al suo fianco, in una prolungata e animata prova da lui diretta di *Waiting for Godot* ai Riverside Studios londinesi, con gli ex-detenuti californiani di St. Quentin – Estragon e Vladimir ad Alcatraz! –, quando ormai erano morti i suoi registi fiduciari, e dunque si sobbarcava alla fatica di correre sgolandosi e agitandosi continuamente in palcoscenico per spiegare e illustrare a quegli americani del tardo Novecento i lazzi e i gorgogli del tradizionale varietà pecoreccio nelle periferie londinesi, un secolo prima: le annate germinali di Chaplin, evocate in *Limelight*. E il grande flashback sardonico e guitto di Laurence Olivier nell'*Entertainer* di John Osborne... Togliendo qualunque sospetto di pensosità o profondità. Che lezione di stile. Come star vicini a un Vate che spiega gli storici «vieni avanti cretino» dell'Ambra Jovinelli ai detenuti immigrati di Rebibbia.

TRUMAN CAPOTE

Truman Capote ha sempre fatto anche dell'ottimo giornalismo letterario. Quel « New Journalism » degli scrittori che impiegano la piena orchestra degli strumenti della « fiction ». Certe sue cose, come il celebre ritratto di Marlon Brando in Giappone, uscito molti anni fa sul « New Yorker », sono fra i migliori reportages lunghi di questi tempi; e vanno benissimo anche quando in seguito ricompaiono in volume. Anzi, dopo *The Muses Are Heard* (1956), sulla tournée di *Porgy and Bess* nell'Unione Sovietica, Paolo Milano mi spinse a comporre *Le Muse di Spoleto* sul Festival allora in preparazione. « Il reportage non è affatto diverso dalla letteratura creativa » dice lui stesso. « Se un narratore fa uso del suo talento nel giornalismo, lo renderà interessante né più né meno dell'opera di fantasia ».

Un'intervista di « Newsweek » illumina i particolari di questo genere di lavoro, a proposito di un nuovo reportage, che sarà poi edito in forma di libro. Alla fine del '59 un proprietario terriero di Garden City, Kansas, viene ammazzato in casa sua con tutta la famiglia; e il « New Yorker » manda Capote sul posto a fare un « servizio ».

Lo scrittore si porta dietro un'altra scrittrice, Harper Lee, come assistente; si ferma a Garden City sette mesi; assiste al processo e alla condanna degli assassini; intervista tutta la gente del luogo che vuole, dal momento che ha l'intenzione di fare piuttosto un ritratto d'ambiente che non la cronaca di un fatto di sangue.

Si porta tutto il materiale in Svizzera. Ci lavora sopra un anno e mezzo abbondante. E poi è tornato nel Kansas per fare nuovi supplementi all'indagine, intervistando altre persone.

Un paio d'anni fa, del resto, anche Arthur Miller aveva spiegato su «Esquire» come nascono le sue opere. Mesi e mesi di travagliati pensamenti, durante i quali evita la gente, non dà appuntamenti, vive in campagna, non indossa cravatte, e si nutre in maniera frugale. Poi, con l'aiuto di alcune segretarie, scrive alcune migliaia di pagine. Queste, le riduce (mettiamo) a tre. Riprende; e le tre ridiventano tremila. Poi le torna a condensare, e quindi a dilatare di nuovo, per tre o quattro volte. Finalmente, dopo qualche anno di gestazione titanica, nasce *A View from the Bridge* o qualche cosa di simile.

Questi sforzi m'impressioneranno sempre. Sappiamo bene che Dumas aveva tanti «neri» e che in un magazine americano contemporaneo è probabile che a un testo di non più di dieci righe abbiano messo mano non meno di venti redattori. Lo si sa che Manzoni o Musil impiegano una vita per scrivere un libro solo, e che invece a Stendhal o a Dickens bastano poche settimane. È noto che per fare il medesimo articolo molti europei se la sbrigano in un giorno o due, mentre parecchi americani domandano sei mesi di tempo. E Moravia (tutti lo sanno), non solo è più bravo come scrittore ma produce anche infinitamente di più, è subito disponibile quando qualcuno gli chiede un po' del suo tempo o della sua prosa, mentre un americano che scrive dieci pagine in un anno dà appuntamenti solo a distanza di mesi o settimane.

Tutta questa gran malinconia non viene davanti alla larghezza di mezzi o all'abbondanza di tempo, paragonate alla miseria di tanti risultati odierni. Si stringe il cuore piuttosto nel vedere oltre al tempo e ai mezzi buttati via anche quello straordinario spiegamento di tormenti creativi e dichiarazioni programmatiche, di abbigliamenti bohème, modi di vivere alternativi, barbe e pettinature e occhialini tondi simboleggianti anticonformismo... E poi nascono dei prodotti perfettamente prevedibili, multipli, asettici, confezionati in cellophane e pronti per essere immediatamente smerciati a Hollywood, a Broadway, o al Club del Libro del Mese, già adattati come sono al gusto dell'ultimo della classe e alle edicole degli aeroporti.

«Quanti pantaloni di velluto inutili, quante barbe alla nazarena sprecate, quanta marijuana consumata, quante corruzioni di minorenni buttate al vento, e quanti esilii agli antipodi ci si potevano risparmiare... per così poco!» vien voglia di dire, parafrasando per una circostanza tanto più leggerina una tremenda frase dell'orribile Malraux, pronunciata nel 1948 contro i comunisti dall'alto del Rassemblement gaullista, e che adesso gli sta tornando addosso a boomerang: «Ah! que d'espoirs trahis, que d'insultes et de morts, pour n'avoir fini que par changer de Bibliothèque Rose!».

Negli anni Sessanta, dopo il successo di *In Cold Blood*, Truman Capote fece un giro in Italia con una anziana signora, la moglie del giudice in quel famoso processo, e venivano chiamati «Trummy and Mommy» dagli Agnelli e a un bel pranzo sull'isola Tiberina, a casa di Judy Montagu e Milton Gendel, dove tra Princess Margaret e Bob Rauschenberg e Diana Cooper e Marlon Brando e Kay Graham gli scrittori visitanti erano per lo più Noël Coward e Peter Quennell e Harold Acton e Cyril Connolly.

Ma nella Dolce Vita romana e a Spoleto erano anche in giro Jennie Crosse e Iris Tree, figlie di Robert Graves e Beerbohm Tree, e goderecci corrispondenti culturali di giornali inglesi, nonché frivoli segretari dell'austera principessa Caetani a «Botteghe Oscure».

Come gourmet, Trummy amava il ristorante Nino in via Rasella (mentre Mommy preferiva i posti coi centurioni e le fiaccole fuori). E in quei giorni il suo migliore amico italiano era Alfredo Todisco.

Più in là, un'estate in una cala di magnati a Maiorca, dove «c'erano gli Agnelli e i Brandolini e i Fierro e Audrey Hepburn e insomma tutti», si giocò una sera a tirar fuori il proprio ideale segreto. Dissi: andare ogni sera in un locale straniero diverso, sconosciuti, ed entrare in competizione con tutti quelli che sono lì. Ma Truman: rinchiudermi in un faro inaccessibile con la persona prediletta (che stava lì, e non suscitava desideri).

«Da dove arrivano questi meravigliosi meloni?» chiese Trummy per cortesia a Donna Marella, su uno yacht degli Agnelli. E «Princess Luciana», che stava leggendo un libro sulle grandi famiglie americane: «All Mellons come from Pittsburgh».

Quando poi Diana Vreeland ci chiedeva articoli per «Vogue», lui ne cominciò uno con «Se vi trovate a fianco di Gianni Agnelli che guida a precipizio giù per le curve in montagna...».

La volta estrema fu un autunno di non molti anni dopo, comunque prima dell'Aids, a Fire Island. Si passeggiava la mattina sulla gran spiaggia, maestosa e dura, davanti alle villette nuove che si affollano distruggendo la vegetazione d'edera velenosa e cespugli complici e canneti galanti fra le «beach-houses» illustri. In forma di fungo o televisore o scarpa severa di Mies van der Rohe, ai Pines. A Cherry Grove, invece, un frou-frou di ciaffi Palladio-Satyricon fra Eugene Berman e Christian Bérard.

In una delle nidiate di commessi in costumini, agitati dai fremiti delle salviette, sedeva tutta vestita in completo crema tipo Sud e con un panama crema questa piccola e gonfia creatura, come un ritratto di famiglia di David Hockney, e faceva gesti vasti e vaghi di riconoscimento e saluto un po' a tutti. Si commentò: somiglia a Truman Capote. Altri disse: tutto è possibile, ma non può essere.

Nel pomeriggio, al famoso tea-dance del Boatel dove si lanciavano le camicette e le mutande e la disco-music che poi esplodono in autunno a New York e rimbalzano in Europa, era lì che ripeteva sempre tutto vestito il suo gesto affabile identico, fra parrucchieri e modisti in bermudas; e si confabulò con rimorso «andiamo a parlargli». La vocetta sembrava un'imitazione e i contorni della faccia apparivano diversi, solo la statura era rimasta la stessa, molto bassa. Incominciò a ricordare gentilmente le belle sere passate lì insieme l'estate prima, mentre invece non si tornava sull'isola da qualche anno, e certamente non lo si era mai visto lì. Egon Fürstenberg decise: non mi sembra Truman.

Si concluse: è un sosia di Truman che si traveste da Truman per socializzare. (E invece forse era proprio lui; e dentro quell'involucro da Infernale Quinlan di Orson Welles viveva ancora il giovane Truman delicato e ritroso che aveva incantato Goffredo Parise a Rapallo. Ne scrisse poi sul «Borghese» di Longanesi).

Answered Prayers gli somiglia di più. Lacerti di «chroniques scandaleuses» con pesante sperpero di talento e fatica per recuperare tratti di grazia stilistica, e applicarla ai pettegolezzi dei «beautiful people». Residui, pare, di un'opera voluminosa che mirava addirittura a Proust e non ha preso invece le misure più giuste dei romanzetti «a pannelli» di Isherwood, come *Down There on a Visit.* Magari, competizione elegante con la sapiente perfidia saggistica di Gore Vidal. E forse un sogno: oh, poter essere un altro.

Molti nomi veri, certo. Dunque un problema: ci piacciono molto i diari pieni di persone reali; ci piacciono forse di più i romanzieri che le trasformano perché «sanno inventare», come Aldous Huxley ed Evelyn Waugh. Ma il mix fiction-verità può presentare gli inconvenienti dell'ibrido. E le esperte di moda e mondanità sono spesso malvestite.

(Su «Truman Capote e il suo mondo» è assai più estesa la mia introduzione al suo Meridiano Mondadori).

BRET EASTON ELLIS

«Uffa!» è stato spesso un motto dei ventenni del Novecento. Taluni (corsi e ricorsi) poi esprimono vitalismo nel culto della mitragliatrice falloide. Altri esercitano lo sperimentalismo impegnandosi nel campionato delle avanguardie di élite. Certi vivono l'immersione ideologica o il sonnambulismo dell'utopia. Giovani borghesi demotivati, invece, diramano periodicamente il manifesto dell'apatia. Non «come siamo cattivi!», ma «guardate quanto siamo indifferenti». Come quelli celebri di Moravia: alla fine di quegli anni Venti che non promettevano niente di buono, malgrado il maquillage che ne fu fatto in seguito. Secondo una canzonetta d'epoca: «Ma di quello che si dice, / che sussurrano gli amici, / e che mormora la gente, / non me ne importa nieeente!»... Subentra dunque («cazzo!») una certa rassegnazione.

Gli indifferenti già moraviani riappaiono sorprendentemente identici nella Beverly Hills miliardaria e assolata d'oggi, esprimendosi in quell'idioma «cool» accuratissimo nei minuscoli gesti insignificanti (su il dito, giù il piede, tic al naso, attenzione alla sigaretta, al pulsante, alla maniglia, ecc.) che è la riduzione della vecchia «école du regard» del Nouveau Roman francese alla sceneggiatura da telenovela internazionale, poi presentata anche in Italia. Un po' di Actors' Studio. E in più, tante marche e griffe di moda pronta e intensamente pubblicizzata nello shopping dei ragazzini.

Il protagonista di *Less than Zero* – «Meno di zero» – del ventenne Bret Easton Ellis torna a casa per Natale dopo qualche mese in un college sulla East Coast. Riprende «la solita vita» fra gli amici di scuola e la famiglia sparpagliata, con molto girare, molto lasciarsi andare, niente intervenire. Molte macchine, molte case, molti video-clips sulla MTV, molti luoghi notturni, molti occhiali da sole. Poco mangiare, pochissimo bere, anche anoressie e collassi. Moltissimi soldi. Moltissima indifferenza. Innumerevoli scatoline e bustine. Indirizzi sopra indirizzi, senza però spingersi più lontano di Malibu e di Palm Springs. E quel vecchio sicuro artificio della Rivisitazione, che conferisce Distacco al narratore.

Tutto molto laconico, ostinatamente fattuale, rigorosamente futile. Dialoghi afasici. Al massimo: «Bob, questo è Tom; Tom, questo è Bob». Frasi fatte economiche con nomi di strade, negozi, ristoranti, marchi di automobili, di vestiti, di prodotti diversi; e soprattutto di polverine e di pillole, rimescolate e usate con esuberante varietà farmacologica.

Tutto il contrario delle laboriose descrizioni di sesso casereccio da parte dei veterani dell'erotismo: quelle salumerie di pudende spiacevoli fra persone poco attraenti in ambienti privi d'interesse, che il lettore-indifferente d'oggi «salta» (giacché eventualmente interessato ai pochi brani che denotano «saper scrivere»), così come si salta il filmetto sempliciotto in Super-8, si salta la spiaggia nudista dei ciccioni in roulotte. *Less than Zero* viene invece «tenuto basso», con grande parsimonia titillante, tipo «La sventurata rispose», oppure «La vita ricomincia», dove Alida Valli borghese dabbene con marito in guerra faceva una marchetta per sfamare i piccini, filosoficamente giustificata da Eduardo De Filippo, tra le solite privazioni e chitarre napoletane. Così un certo Grand Guignol che monta come svogliato verso la fine (un film con assassinio autentico, una bambina strapazzata da spacciatori, una marchettoneria scolastica con parecchia eroina) fa un suo effetto «segnaletico», meglio che non gonfiando l'espressività per denotare lussuria.

Less than Zero è anche una guida efficace per vacanze tra le più intelligenti, di quelle proprio «da non perdere». Basta seguire le sue continue indicazioni, che non sbagliano un colpo, e coincidono con quelle sempre raccomandate dai residenti di Hollywood. Ecco per esempio Ma Maison, ristorante da produttori televisivi con giardinetto un po' smorfioso e anziano, e un cuoco che ammazzò in un raptus la figlia dell'ex-produttore oggi narratore mondano Dominick Dunne, il quale raccontò la vicenda su «Vanity Fair». Ecco il classico Polo Lounge con un patio rosato da Castelli Romani e telefoni continuamente portati ai tavoli tra le solite sfilatine di moda e le antiche dive e il solito vecchio gioco di indicare agli amici turisti i sosia dei nuovi divi, finché il visitor scopre estasiato che sono tutti veri.

Ecco il più recente Spago, spaghetti e pizze e pesce per i divi dei «serials» con tutti i fotografi fuori, nonché Manuel Puig in città per il lancio del *Bacio della donna ragno*. E il Dome, con il gran bar rotondo ove ciascuno interpreta un proprio personaggio da telefilm. E Morton's, sempre con parecchie Rolls-Royce fuori, probabilmente noleggiate, e camerieri sempre più belli (ci si fidanza con i camerieri di Morton's, in *Less than Zero* e anche nella realtà, finendo nella cronaca locale), e conti sempre più cari, e cibi sempre più andanti...

Basta del resto aprire le ante gotiche sui canali televisivi (preferibilmente allo Chateau Marmont, nell'appartamento attiguo a quello ove perì John Belushi), per incontrare casi stupendi nelle «situation comedies» della tarda mattinata. Il cantante rock che sta perdendo la voce. La chimica profumiera che ha scoperto un aroma inaudito, ma una gelosa le ruba la formula. Il marito esploratore che torna a casa con un serpente al collo e trova lei sistemata con un gioviale anche simpatico ai due piccini...

Qualche cenettina, peraltro, in piena West Hollywood, nella bella villa (su un viale di palme altissime) di una celebre star televisiva che ha un programma quotidiano di cucina fine; e quindi è colma di cibi squisiti. Essendo la vecchia ragazza di Burt Reynolds, che abita lì e sta girando l'infelice *At Long Last Love* col nostro amico Duilio Del Prete, compagno dell'amica Edmonda Aldini, talvolta si pranza volentieri da loro. Il film diretto da Peter Bogdanovich è un tentativo di rivivere fra danze e specchi gli anni Trenta di Fred Astaire e Ginger Rogers e Cole Porter. Molto bianco-su-bianco e nero e argento, con parecchie ovvie paillettes. Ma si gira in un cortile che è un buco, rimasto alla Fox dopo la costruzione dei fitti grattacieli adiacenti. Il risultato non sarà propizio.

Acquistando settimanali come «Us» e «People» ci si trova subito ragguagliati sui tempestosi sviluppi recenti nella biografia degli interpreti, e le loro dichiarazioni continue di come si sta bene in campagna, al camino, con una persona sola, coricandosi presto...

... Mentre la sera, basta andare nei locali segnalati da *Less than Zero*, ed ecco tavolate di protagonisti della tarda nottata, molto sovreccitati... E discoteche dai cessi onde sgorgano piccini e piccine con le narici in fiamme... Ma ecco (sempre in *Less than Zero*) il multicinema del Beverly Center dove si è appena visto *Prizzi's Honor* fra il ristorante russo e quello giapponese. E il negozio di Rodeo Drive dove si sono comprati i pantaloni fighetti. E la trattoria sul Santa Monica Boulevard dove si è mangiato un hamburger qualunque.

Le fonti di questa letteratura sono invero le riviste di moda *camp* nate dal vecchio tronco di «Interview» di Andy Warhol: i creatori d'abiti effimeri, le boutiques di abbigliamento fuggevole, i luoghi precari dove le celebrità transitorie vanno per vedere e farsi vedere. Molte citazioni degli inserzionisti, e dei loro prodotti, nella parte più o meno redazionale. E nessuna memoria culturale più antica di Warhol, alle spalle. Ma il giovane Holden dei tardi anni Ottanta sta proprio uscendo di qui (e dopo reggimenti di imitatori di Borges, nemmeno sapendo chi sia quell'argentino). Così come vengono fuori non da un «immaginario» ma dalla «pratica dell'immagine» – moda, televisione, pubblicità, giornaletti, ecc. – i nuovi pittori dell'ondata venditoria di David Salle e Julian Schnabel, cui si possono appiccicare targhette di transavanguardia, o decostruzione, o «metafore», o come tu mi vuoi.

FRANCIS SCOTT FITZGERALD

A lungo i nomi di Proust e di Fitzgerald si sono presentati insieme, nei miei sogni studiosi e nelle mie mitologie affettive. E non avevano proprio nulla del «classico-moderno», allora, quei nomi.

«Adorabile» oppure «incantevole» sembravano – anzi – in quegli anni sciocchini i termini critici più cari e più adatti per lo charme incorrotto di *The Great Gatsby* e di *Tender is the Night*, morfologie così musicali della Riviera e della Jazz Age... Chi avrebbe immaginato tanti spasimi umani, tormenti stilistici, e addirittura disperazioni mortali, dietro riuscite così perfettamente felici, così apparentemente senza sforzo?... Ma sono bastati pochi anni perché la figuretta sperduta e sbattuta del povero Scott acquistasse – criticamente! – una eminente statura spirituale, carica di tragica dignità, accanto ai risultati poeticamente altissimi dei suoi romanzi migliori.

Il momento della verità è venuto prima col volume di inediti *The Crack-Up*, così sorprendente, e in seguito con la pubblicazione dell'epistolario, che spezza il cuore. Come nel caso esemplare di Proust, e a differenza del «tutto finto» in Hemingway, un'apparente frivolezza «deliziosa» immediatamente si dissipa, non appena cominciano le sciagure, e un'inaspettata grandezza morale si rivela presto autentica, salvaguardando (a prezzo della vita) un'Arte che rimarrà incontaminata.

Così, mentre l'incanto dei romanzi sopravvive intatto, emerge dalle lettere un vero piccolo eroe contemporaneo: coi suoi struggenti abbandoni, con la sua dolorosa insistenza sulla responsabilità personale dell'uomo adulto, con la sua ostinata mancanza di presunzione intellettuale, questo autoritratto involontario così patetico e così stoico di Scott Fitzgerald fra libri e lettere finisce per cancellare quel certo «personaggio» e definire compiutamente un Autore. Ecco qui infatti, oggi, un eccellente Classico Moderno, segretamente convinto che il proprio «self» appartenesse soltanto all'Arte della Letteratura.

Aveva incontrato una volta per tutte ciò che chiamava ostinatamente «l'intensità dell'arte». E poi rifiutò sempre, con viva naturalezza, ogni Kitsch e ogni Ersatz, giacché i suoi standard qualitativi erano stati fissati una volta per tutte da Dostoevskij, da James, da Conrad, da Flaubert. E non intendeva affatto declassarli degradandosi... E giacché tutta intera la società che determinò la sua formazione umana e la sua educazione culturale privilegiava smodatamente l'Istinto sopra ogni altro valore, allora diciamo pure che forse non criticamente, eppure molto istintivamente, i suoi giroscopi interiori e i suoi paragoni immediati lo riferivano alla letteratura più alta, mai ai sottoprodotti. E che non si tratti di un argomento troppo lezioso lo conferma tutto il confronto con Hemingway, con la sua immaturità emotiva, la sua tirchieria bambinesca, le sue misere vanterie, e soprattutto con quel triste traslato della masturbazione adulta che è la pesca infantile finta-innocente ancora più deprimente quando ci si porta dietro un bambino piccolo per insegnargliela; e ancora più sinistra quando il pesce da pescare si rivela alla lunga nient'altro che un'imbarazzante metafora...
C'è una frase rivelatrice di Poesia, proprio in *The Last Tycoon*: «Ho guardato indietro mentre attraversavamo le cime delle colline [«the crest of the foothills», cose da Gerard Manley Hopkins...] – con un'aria così chiara che si potevano vedere le foglie sui monti al tramonto [«sunset mountains», cose da John Donne...] a due miglia di distanza. Ci si sorprende, qualche volta: appena aria, aria senza ostacoli né complicazioni [«unobstructed, uncomplicated air», cose da Shelley...]».

Guardando oggi indietro, attraverso le ondate culturali dei Decenni Dispari – impegni sul New Deal e la Guerra di Spagna nel Trenta, engagement fra Guerra Fredda e Corea e Foster Dulles e Sartre nel Cinquanta, politicizzazione totalizzante nel Settanta, con vecchi problemi «sempre freschi» e anziane tematiche «come nuove»... –, la grazia incomparabile e remota e sempre nostra contemporanea di Scott Fitzgerald costantemente ci appare non soltanto limpida «senza ostacoli né complicazioni» come il cristallo e lo champagne: anche classica e romantica insieme e «attuale» come Catullo, come Leopardi, come Coleridge... anche se innocentemente ogni sua attenzione si fissava sugli aspetti più stagionali e labili del *suo* tempo, né più né meno come capitava a Balzac e a Dostoevskij e a Proust, che «storicizzando l'Effimero» finiscono per creare diamanti, e non giornali di ieri mattina, o biglietti usati del tram.

Poche volte un fallimento apparente doveva coincidere con una leggenda autentica e una tenerezza duratura per questo giovanotto indifeso venuto fuori da un Minnesota qualunque con un curriculum abbastanza banale in due o tre scuole e nell'esercito, però grazioso da vedere e provvisto di un certo fascino, autore prima di un paio di romanzi non troppo «ben fatti» e di grosso successo, ma poi impara a scrivere, e a vivere in maniera incantevole, pagato con somme sempre più favolose per certi raccontini apparentemente da niente, sposa quella tale Bella fatale, partono insieme per un'esistenza di parties e villeggiature incantate in patria e a Parigi e in Riviera, e disperatamente bevono, nasce una figlia, nascono altri romanzi sempre più puri e spezzati, e per anni rappresentano un vero mito, ma poi i due cominciano a loro volta a spezzarsi, le fortune cambiano, e loro finiscono molto male, ciascuno da solo, lontano dall'altro... E poco dopo, il primo di tutti i «revivals» riporta fuori con foga affettuosa e frenetica insieme al charleston e alle cloches e alle gonne a frange proprio i romanzi di Fitzgerald esauriti e mai più ristampati per quel disinteresse degli editori e del pubblico che aveva finito per disintegrarlo a Hollywood: pochi documenti sulla carriera di uno scrittore sono più strazianti delle sue lettere alla figlia a proposito dei libri «che nessuno vuole più», e fra questi *The Great Gatsby*...

Senza passare per la Nostalgia o il Revival o le Voghe, sarà proprio la «musica» incantevole e lieve di quei romanzi dimenticati e riscoperti a inseguirci attraverso i decenni: senza un Problema, senza Idee Generali, così ingenuamente snob, e così perdutamente sentimentale, sull'orlo del neoclassicismo allora appena cominciato in Europa... E quando passa la «cotta» inevitabile, si continuerà certamente a volergli bene non già come a un maître-à-penser ma come a un fratello morto troppo giovane e interamente innocente, in anni irripetibili, quando bastava un dono di grazia irrazionale...

E allora importa relativamente poco se l'incompiuto *The Last*

Tycoon, una volta finito, potesse riuscire o no la sua opera più perfetta: probabilmente no, data la sconcertante scelta della ragazza Cecilia come punto di vista da cui narrare la storia, forse mal suggerita da una sollecitudine per il mondo emotivo della figlia, pressapoco di quella stessa età, però avvio obbligato a una serie di vignette collegate solo a prezzo di forzature incoerenti nella struttura «logica» dell'organismo romanzesco... E tuttavia, senza badare alla «confezione» (*ben fatta* o no) del romanzo, da un'osservazione ravvicinata del suo «stile» emerge un progresso qualitativo miracoloso, parallelamente al fallimento e all'insuccesso, fino a raggiungere una trasparenza perfetta in quella tenerezza gentile e un po' estenuata che sembra possibile solo a chi ama tanto le donne e il «romance» della vita; la vera grandezza dello scrittore appare indubbia nelle conquiste che ha fatto passando in poco tempo dalle piccole cose passabilmente grezze degli inizi alla malinconica fermezza dei libri riusciti – usando poi sempre i medesimi materiali.

Sarà una malvagia ironia, però si ripete ogni volta, quando escono imponenti e splendidi gli epistolari dei grandi scrittori dopo la loro scomparsa – «i libri che l'autore impiega una vita a scrivere, e non vedrà mai» – ricevendo attenzioni sia erudite sia finanziarie molto più cospicue di quante ne toccarono all'autore in vita e alle sue opere più care. Lawrence e Joyce muoiono misconosciuti, disperati, inquieti per una malattia o una recensione, preoccupati per un libro che non si pubblica o non si ristampa, battendosi per piccole somme di denaro. Pochi anni dopo, in sontuose rilegature e a prezzi altissimi, ecco i volumi di centinaia di pagine che raccolgono a cura di grandi editori magari con il contributo di università e fondazioni pezzetti di carta con intestazioni di Taos o Trieste, buste datate 1916 o 1938, le testimonianze di quelle lotte e quelle preoccupazioni. «Sono desolato di dovervi ancora disturbare con una richiesta...». «Farò in modo di restituire l'anticipo...». «Col ricavato della vendita potremmo passare qualche giorno in montagna...». «Il medico dice che dovremmo aspettarci una brutta sorpresa...». «Ti mando due sterline: sta' attenta a spenderle...».

Dopo Lawrence, dopo Joyce – e dopo Wilde, Yeats, Wolfe – sta ora toccando a Scott Fitzgerald. A cura del suo biografo Andrew Turnbull è uscita la raccolta delle sue lettere: la «storia di un fallimento» in seicento pagine rilegate in tela marrone. E subito i maggiori giornali le dedicano i loro spazi migliori, l'opera dei loro critici più fini; e si paga per acquistarla un prezzo venticinque volte superiore a quello sborsato a suo tempo per *The Great Gatsby* in paperback. Com'è? Affascinante, sconvolgente. Forse il più bel libro di Fitzgerald: bello almeno come *The Great Gatsby* e *Tender is the Night*.

Di solito la carriera di uno scrittore è una graduale conquista di consapevolezza e di maturità, o un graduale tramonto dopo i primi «exploits» d'originalità e di freschezza. Fitzgerald è singolare anche per la spettacolarità della sua ascesa e della sua caduta. Ma non le ha *interpretate* quale «personaggio di se stesso» come gli Hemingway o i D'Annunzio (e magari anche i Thomas Mann), autori per cui la Vita si confonde con l'Arte e tutt'e due *fanno spettacolo*. Ha identificato anche lui l'Arte con la Vita: ma alla maniera di Proust, di Musil, di Forster. Pagando di persona, e non facendo mai dello «show business» in nessuna delle fasi in cui si può dividere la sua esistenza, e che forse non sono due sole, Ascesa e Caduta (in coincidenza rispettivamente con gli anni Venti e gli anni Trenta), ma più probabilmente tre: una gioventù brillante e passabilmente incosciente fino al 1925, con quei primi libri «adorabili» e un po' scemini (*This Side of Paradise, The Beautiful and Damned*); una improvvisa maturazione critica e umana intorno all'*annus mirabilis* dell'esplosione di *The Great Gatsby*, dell'incontro con Hemingway, della scoperta della Riviera. Di qui fino alla crisi del '29 e alla follia di Zelda (pochi mesi dopo), un periodo «incantato» – insieme irreale e alcolico – di successi rapinosi e drammi dissimulati, tra la Francia e la California, ponendo già le basi di tutte le tragedie seguenti ma anche di *Tender is the Night*. Finalmente, l'ultimo decennio di amarezze e disillusioni, su cui si è tanto esercitato il virtuosismo dei recenti biografi: la solitudine, la povertà, la moglie in clinica e la figlia in collegio, i libri che nessuno ristampa e le mortificanti sceneggiature alla MGM, l'amante Sheilah Graham, *The Last Tycoon*, la bottiglia, l'infarto.

La struttura del volume non segue la vita di Fitzgerald nel suo «arco», perché il curatore non ha disposto le lettere in ordine cronologico (come fece per esempio Stuart Gilbert con l'epistolario di Joyce anni fa), ma ha preferito ordinarle a gruppi, secondo i destinatari. Si aprono così con cento pagine di lettere alla figlia: una straordinaria dissipazione di tenerezze e anche probabilmente un'incredibile «sequenza» di tutte le cose che non andrebbero dette né scritte a una ragazzina di ingegno ottuso e di limitato sentire. Cyril Connolly le paragona già agli *Advice to a Daughter* di Lord George Savile, marchese di Halifax, e addirittura fa l'impegnativo nome di Lord Chesterfield:

«... Dispensa saggezza mondana, soldini da spendere e consigli letterari, con l'amarezza accumulata che trabocca, come scrivendo a un figlio intelligente...».

«Carissima Scottie, non credo che ti potrò scrivere per molti anni ancora e vorrei che tu leggessi questa lettera due volte, anche se ti sembra amara. Puoi respingerla oggi, ma più tardi almeno qualche cosa ti tornerà in mente come una verità. Quando io ti parlo, tu pensi a me come a un vecchio, a un'"autorità", e quando parlo della mia gioventù quello che dico può sembrarti irreale, perché i giovani non possono credere alla gioventù dei loro padri. Ma forse queste cose diventeranno comprensibili se te le scrivo. Quando avevo la tua età vivevo in un grande sogno. Il sogno crebbe e io imparai a parlarne e a farmi ascoltare dalla gente. Poi il sogno si divise un giorno quando decisi di sposare la tua mamma nonostante tutto, anche se sapevo che era viziata e non mi avrebbe potuto fare alcun bene. Me ne dispiacque subito appena dopo sposati, ma siccome in quei giorni ero paziente ho cercato di tirare avanti il meglio possibile cercando di amarla in un altro modo. Poi sei venuta tu, e per tanto tempo le nostre vite sono state molto felici. Ma io ero un uomo diviso: lei voleva farmi lavorare troppo per *lei* e non abbastanza per il mio sogno. Si accorse troppo tardi che il lavoro era dignità, la sola dignità; e cercò di rimediare lavorando lei stessa, ma era troppo tardi, e si spezzò, si è spezzata per sempre. Era troppo tardi anche per me, per rimediare il danno. Avevo speso la maggior parte delle mie risorse, spirituali e materiali, per lei, ma continuai a lottare per cinque anni finché la mia salute franò, e tutto ciò di cui mi preoccupai fu di bere e dimenticare. Il grande sbaglio è stato di sposarla...».

Ed ecco un mazzetto di lettere a Zelda: tutte degli ultimi anni, 1939 e 1940, e quindi stranamente ovattate, reticenti, lontane. «Scusa se ti scrivo a macchina, ma sono costretto a stare a letto per una settimana, così guardo il soffitto»... «Tu sei stata la più bella, cara, tenera, splendida persona che ho mai conosciuto ma dir questo è ancora dir poco»... «Il modo di vedere che considera ogni lavoro inferiore ai rispettivi talenti non mi è molto simpatico negli altri, quantunque riconosco che qualche volta ci casco anch'io. Al momento sono in attesa di un lavoro ai Republic Studios, il più basso dei bassi, ma tra le altre cose aiuterebbe a pagarti il conto della clinica»... «Lasciami in pace qualche volta con le mie emorragie e le mie speranze»... E il 14 giugno 1940: «Vent'anni fa *This Side of Paradise* era un bestseller e noi stavamo a Westport. Dieci anni fa Parigi aveva la sua ulti-

697

ma grande stagione americana, ma noi avevamo dovuto lasciare la gaia parata e tu eri già in Svizzera. Cinque anni fa ebbi il mio primo grave colpo di malattia e andai ad Asheville, le carte hanno cominciato a cader male per noi fin troppo presto...».

Il gruppo più ampio è la corrispondenza dal 1919 alla morte con Maxwell Perkins suo *editor* presso Scribner's, e amico: attraverso questa si ricostruisce l'intera carriera letteraria di Fitzgerald, e i diversi problemi che lo preoccupavano nelle diverse epoche, creativi o economici. E le lettere all'agente letterario Harold Ober completano il «quadro» della situazione editoriale di Fitzgerald, dal boom iniziale alla lunga tragedia delle ristampe rifiutate e dei racconti mandati indietro. Turnbull sostiene che Ober e Perkins furono «due influenze veramente benigne» nella vita di Fitzgerald, due amici disinteressati e leali; e che le lettere di Fitzgerald sono più volte ingiuste nei loro confronti.
1919: «Ho cominciato il mese scorso un romanzo molto ambizioso che si chiama *The Demon Lover*, e ci metterò probabilmente un anno. Sto anche scrivendo dei racconti. Io credo che quello che mi diverto a scrivere sia sempre il meglio che faccio, ogni giovane scrittore dovrebbe leggere i *Notebooks* di Samuel Butler...». 1939: «Come si fa a spiegare che anche se un uomo una volta ne ha salvato un altro dall'annegare, quando si rifiuta d'allungare un braccio la seconda volta la vittima deve agire svelta e disperata per salvarsi da sé...».

Poi le lettere a Hemingway, dal primo incontro a Parigi, con i primi consigli di lui «arrivato» all'altro «esordiente» sul come guadagnare di più vendendo racconti fatti in fretta alle riviste, fino alle congratulazioni «con riserva» per *For Whom the Bell Tolls* pochi giorni prima di morire; e ne viene soprattutto fuori, all'inizio, una generosità d'impeto accettata e sfruttata dall'altro con riluttanza. Poi, per anni, il suo senso di reverenza malintesa davanti al «mito» di Hemingway consacrato dal successo; il colpo di dolore quando si scopre svillaneggiato o compatito in *Green Hills of Africa*; e la dignità che trova nella miseria per reagire con animo magnanimo. («Caro Ernest, lasciami stare quando scrivi. Se ho ritenuto di scrivermi per una volta il De Profundis, non significa che gradisco che gli amici vengano a pregare forte sul mio cadavere...»). Ma le lettere a Hemingway sono molto meno commoventi dei continui affettuosi accenni a Hemingway stesso nelle lettere a tutti gli altri, con un'ammirazione così smisurata che ha del bambinesco.

In parte già note erano le lettere a Edmund Wilson, che fin da quando avevano meno di vent'anni rappresentò per lui il Critico; e a John Peale Bishop, l'altro suo «mentore» a Princeton; e a Shane Leslie, cugino espatriato di Winston Churchill e autore di *The Oppidan* nel 1922; e al loro comune docente Christian Gauss, il famoso Decano a cui sono dedicati i maggiori libri di Wilson, *Axel's Castle* e *The Shores of Light*. C'è un'incredibile storia di Gauss che uscendo da un albergo si vede arrivare in testa Miriam Hopkins che si stava buttando da una finestra. E c'è la famosa osservazione a Leslie: «Hai notato che coincidenza? Shaw ha 61 anni, Wells 51, Chesterton 41, tu ne hai 31, e io 21, tutti i grandi autori del mondo in progressione aritmetica». Ma già nel 1922 un accenno di tragedia, a Wilson: «... In quanto alla faccenda dei liquori, è vera, però ti chiedo lo stesso di non scriverne. Taglia... Se non ci conoscessimo non l'avresti scritto... Avrà un valore critico, ma in realtà è un pettegolezzo personale...».

Le lettere degli ultimi gruppi sono indirizzate a una cugina, Mrs Richard Taylor; a un'amica degli anni desolati di Baltimore, Mrs Bayard Turnbull; e agli unici veri «amici ricchi», Gerald e Sarah Murphy (a cui è dedicato *Tender is the Night*, e lui era un eccellente pittore, post-cubista fra Braque e Léger), coi quali rimpiange con strazio senza fine le stagioni felici di Juan-les-Pins. Infine, una raccolta di lettere «miscellanee» che comincia con una scritta nel luglio 1907, all'età di dieci anni: «Cara mamma, ho ricevuto stamattina la tua lettera e mi piacerebbe molto se potessi venir qui anche tu, ma non credo che ti piacerebbe perché qui tu non conosci nessuno tranne Mrs Upton e lei ha da fare tutto il giorno...». E poco dopo, all'amica d'infanzia Alida Bigelow: «In a house below the average / of a street abow the average / in a room below the roof / ... I shall write Alida Bigelow / shall indite Alida Bigelow / as the world's most famous goof...». E alle ragazzine di St Paul, ai compagni d'università, ai parenti, scrivendo dal collegio o da campi militari in Alabama o nel Kansas: «I dolci erano buonissimi, ma la prossima volta è meglio non mandarli in una scatola lunga perché si schiacciano...». «Se quei due veramente si sposano, non si sarà mai vista una coppia più ridicola in giro per St Louis...». «Sto scrivendo un romanzo autobiografico come punto di vista, però prendendo degli episodi dall'esperienza di tutti i miei amici...». «Cara Ruth, non posso dirlo che a te perché sei l'unica al mondo a conoscere l'altra persona: ho fatto di tutto, e m'è andata male!...». «Scribner's ha accettato finalmente il mio libro!... Non è splendido?...».

Dopo il 1920 cominciano i nomi noti: James Branch Cabell, Sinclair Lewis, Sherwood Anderson, Carl Van Vechten, Roger Burlingame, H.L. Mencken, Gertrude Stein, Alexander Woollcott, Marya Mannes. E si parla di romanzi appena usciti (oggi dimenticati) e di errori di stampa e di influenze di Compton Mackenzie, di fascette, di titoli (voleva chiamare «Trimalchio» *The Great Gatsby*), di problemi di forma e di viaggi. Da Roma, nel gennaio 1925: «Siamo stufi di camicie nere e di denti sporchi e di processioni papali: meglio Parigi in primavera!». Da Parigi: «Però l'Italia è piena di ottima birra tedesca. In Francia, niente!». «Il mio nuovo libro è meraviglioso, sto scrivendo il primo capitolo...». «Provate a nominarmi un solo autore americano che non sia morto alcolizzato, tranne James e Whistler (che però vivevano in Inghilterra...)». «Il mio successore sarà Michael Arlen!». «*The Great Gatsby* è stato scritto in polemica contro i romanzi "senza struttura" come i miei primi, e quelli di Lewis e di Dos Passos, di Conrad... La vera influenza è stata più quella maschile dei *Fratelli Karamazov*, una cosa di forma incomparabile, che non quella femminile di *Portrait of a Lady*...».

Non si sono mai ritrovate le lettere a Ring Lardner (sono anche escluse quelle a Sheilah Graham); né quelle a Monsignor Fay, l'incredibile rettore della Newman Academy che lo amò sfrenatamente e morì di spagnola nel '19 dopo aver cercato di portarselo dietro prima in Russia e poi in Vaticano. L'intera vicenda, rigorosamente ricostruita sulle testimonianze degli amici preti di Fitzgerald, l'ho già raccontata nel capitolo quarto di *Fratelli d'Italia*; ma sui particolari Fitzgerald è molto reticente nelle lettere a Wilson, mentre si lascia andare con Leslie: «Padre Fay diceva sempre che se uno di noi due fosse morto anche l'altro sarebbe morto subito, e adesso spero proprio che sia così».

Agli inizi degli anni Trenta appaiono nuovi nomi: Malcolm Cowley, Matthew Josephson, John O'Hara («Se fossi eletto domani re di Scozia, sarei pur sempre un parvenu, ho passato la mia giovinezza strisciando davanti alle cuoche e insultando i grandi»), Thomas Wolfe («come diventa difficile credere che nel 1930 si andava ancora in montagna insieme...»), Glenway Wescott («cosa diavolo hai fatto alla Stein, che è furibonda con te?»); e il direttore di «Esquire» Arnold Gingrich, e quello della «Modern Library» Bennett Cerf; e un personaggio che sembra uscito da un estremo Hemingway...

«Caro Dick, mi spiace molto di averti chiamato "fata" e che tu ti sia offeso. Mai neanche nelle più sfrenate immaginazioni avrei potuto pensare che tu fossi davvero fata, e ammetto che se lo dicessero a me litigherei subito ... Ti offro le mie scuse più sincere e ti prego di tener conto che quando sei entrato ero mezzo addormentato e quindi un po' "andato" ... Però, ci dev'essere stato un certo desiderio di offendere se ho usato un'espressione così villana. Mi hai molto seccato, specialmente continuando a insistere su un mondo che manderei volentieri in malora, in cui Zelda non può più vivere, che ci ha rovinati quasi del tutto, e dove né tu né i nostri amici che valgono più di te sarebbero certi di sopravvivere; tu insistevi sul suo valore, come se combattessi da una trincea e ci sfidassi a raggiungerti. Ma se avessi mai visto Zelda come il più tipico risultato di quella battaglia, qualunque giorno dalla primavera del 1931 alla primavera del 1932, avresti provato tanto entusiasmo per la battaglia come un medico alla fine del giorno in un'infermeria appena dietro un campo insanguinato ... Così, al posto di quella espressione offensiva e inapplicabile leggi "neurotico", prendere o lasciare, ma fa' un po' come vuoi...».

In ciascun gruppo di lettere il «giro di vite» si ripete ogni volta che si arriva alle date sinistre: 1932, 1934... L'agonia ricomincia. A Mencken, quando la fama se n'era andata e nessuna libreria teneva più i suoi libri, scriveva ancora: «Nessun critico ha capito che il motivo della "caduta rallentata" in *Tender is the Night* è assolutamente deliberato e non deriva da diminuzione di vitalità ma da un piano preciso. È un espediente che Hemingway e io abbiamo elaborato probabilmente dalla prefazione del *Nigger of the «Narcissus»* di Conrad, ed è stato il più grande credo della mia vita da quando decisi d'essere un artista e non un carrierista. Preferirei molto imprimere la mia immagine (magari anche delle dimensioni di un soldino) nell'animo delle persone piuttosto che essere conosciuto, tranne che purtroppo ho degli obblighi naturali verso la mia famiglia, e devo provvedere a tutti loro. Vorrei presto essere anonimo, come Rimbaud, se potessi sentire di aver raggiunto il mio fine, e questo non è un guaito sentimentale sul come è bello essere disinteressati. È semplicemente che avendo provato una volta l'intensità dell'arte, nient'altro di ciò che può succedere ancora nella vita può sembrare importante come il processo creativo». Ma nello stesso tempo, l'orrore delle «stupide giornate» con Shirley Temple e la sua famiglia «che vuol fare il film, e poi non lo vuol più fare, e chissà quando Mrs Temple si mette-

rà d'accordo con il produttore ... E viene l'autunno, e ho quarantaquattro anni, e non cambia niente...».

E al regista Joseph Mankiewicz, dopo mesi e mesi di correzioni su una sceneggiatura: «... Mi sento come chissà quanti
bravi scrittori si saranno già sentiti in passato. Ti ho dato un disegno, e tu semplicemente hai preso una scatola di gessetti e
l'hai ritoccato. Pat adesso è diventata una ragazzina sentimentale di Brooklyn, e allora immagino che per tutti questi anni mi
sono ingannato pensando d'essere un bravo scrittore ... Dire
che sono deluso è ancora dir poco. Da diciannove anni, tranne due anni di malattia, ho sempre scritto "best-selling entertainment", e si credeva che il mio dialogo funzionasse bene.
Ma dallo script apprendo che tu hai improvvisamente deciso
che non si tratta di un buon dialogo e che in poche ore tu puoi
fare molto meglio ... Penso che adesso ti rimane lì un disastro
del tutto imperdonabile perché stavolta qualche cosa l'avevi
pure per le mani, e l'hai arbitrariamente e disordinatamente
fatta a pezzi. La mia sola speranza è che tu abbia un momento
di riflessione ragionevole. Che tu domandi a qualche persona
intelligente e disinteressata di guardare le due sceneggiature.
Oh, Joe, è mai possibile che i produttori non si sbaglino mai?
Io sono un bravo scrittore – sul serio...».

E intanto, a una donna di cui non si fa il nome, amata nel
1935: «Questa sarà una lettera altrettanto dura da leggere come lo è stata da scrivere ... In tempi d'infelicità e di tensione
emotiva che pareva oltre ogni sopportazione, usavo questa struttura, su cui costruire una gerarchia di valori comparati: questo
viene primo, questo viene secondo. *È quello che tu non fai!* Il tuo
fascino e la tua femminilità innalzata che ti rendono attraente
agli uomini dipendono da ciò che Ernest Hemingway chiamò
una volta (ma in tutt'altre applicazioni) "grazia sotto pressione". La ricchezza delle tue emozioni sotto la stretta disciplina
che tu t'imponi abitualmente crea in te quell'intensità che è il
segreto del tuo fascino: ma quando lasci che questo equilibrio
si turbi, non diventi forse un'altra vittima della presunzione? ...
spezzando le cose più solide intorno a te, e per di più renden-
doti terribilmente vulnerabile? ... Certo, a Zelda ho dato tutta
la gioventù e la freschezza che avevo. Ed è un tipo d'investi-
mento che è tangibile come il mio talento, mia figlia, il mio denaro. Che tu avessi lo stesso tipo di fascino per me, già fino in
fondo, questo non cambia l'altro...».

Naturalmente è un caso bizzarro che la pubblicazione contemporanea di queste lettere e di *A Moveable Feast* di Heming-

way riconduca obbligatoriamente al «classico» paragone fra i due scrittori: non tanto sui «meriti» letterari rispettivi, una volta tanto – siamo tutti persuasi che il vero poeta fra i due è Fitzgerald, no? –, ma proprio per quanto riguarda le qualità umane.

Apriamo *A Moveable Feast* alle ultime pagine, dopo «quello fu l'anno che tante persone furono uccise dalle valanghe». Ecco, «Schruns era un buon posto per lavorare». E lì infatti Hemingway lavora e scia con la moglie; e fanno delle buone colazioni di pane, burro e marmellata; e di sera, qualche innocente divertimento all'osteria del villaggio: come due bravi animaletti della foresta di Walt Disney che incontrano solo cornacchie garrule e tassi simpatici e vecchi gufi sapienti. Finché «arrivano i ricchi, e niente sarebbe mai più stato come prima». Preceduti dal loro solito «pesce-pilota» questi ricchi tenderebbero solo a rovinare «due persone che si amano, sono felici e allegre e una o due di loro fanno dell'ottimo lavoro»: e si capisce che quarant'anni dopo è molto facile, è comodo, dare tutta la colpa dei propri cedimenti ai ricchi che catturano i due poveri innocenti passivi animaletti della foresta, e li «rovinano». Qui viene fuori il lato infantile e miserabile di Hemingway. A che cosa serve sbraitare di coraggio fisico e di coraggio morale per tutta la vita e innalzare monumenti al mito dei «cojones», quando questi «cojones» servono in pratica tutt'al più per ammirare Ordóñez alla corrida o a sparare (male) alle anatre in padule, ospite di aristocratici snob. E invece alle prime prove serie dell'esistenza «adulta» la spina dorsale non si vede e la fibra morale è come se non ci fosse mai stata? Bella forza, fare il Dottor Schweitzer dell'Harry's Bar e dispensare saggezze da rotocalchi con i baristi e intimare «call me Mister Papa, please» alle ragazzine snob che scuriosano intorno ai suoi Martini a Venezia o a Cuba e lo chiamano «Mister Hemingway» come fanno i loro papà e le loro mamme nobili e come sarebbe anche logico...

La grandezza morale di Fitzgerald si rivela invece evidente, subito appena le sciagure cominciano: Zelda impazzisce, la figlia fa la noiosa, lui stesso ha un breakdown terribile, non ci sono più soldi, solo debiti, gli amici voltano le spalle, il barman del Ritz «non si ricordava la sua faccia» (ce ne informa Hemingway, molto soddisfatto: ma rinnegando Fitzgerald non sta forse rinnegando – e involontariamente lamentando – la parte di se stesso che aveva perduto?). A Hollywood lo tormentano e mortificano in tutti i modi: e lui involontariamente diventa un Pascal. È quasi ridicolo dover ricordare ancora che «la grandezza dell'uomo si manifesta nelle avversità». Ma le lettere sono qui a dimostrare quanto – dopo tutto – sia riuscito a salvare nella rovina. Hemingway, proprio lui, lo prendeva in giro perché lo trovava «affascinato dai ricchi». «La ricchezza non mi ha mai affascinato» rispose Fitzgerald «a meno che non fosse accompagnata dal più grande fascino e distinzione». Allora una domanda che la storia letteraria non potrà più «escamoter» è chi dei due sia stato, dopo tutto, il vero stoico.

Richard Ellmann, il biografo di Joyce, propone di paragonare Fitzgerald alla cicala e Hemingway alla formica. La cicala spendeva tutto, non teneva nulla per sé, si dissipava cantando con una generosità da far rabbrividire. La formica invece non faceva altro che raccogliere, assorbire, tesaurizzare, amministrarsi. Lo si vede bene in *A Moveable Feast*: non mangiare per risparmiare i soldi, però indulgere a qualche capriccio di gola ogni tanto, e comunque tenere i marenghi nella calza (e i manoscritti nella cassetta di sicurezza, che è la stessa cosa: però dicendo che si conservavano nelle cantine del Ritz). «Anche il suo metodo di comporre frasi in circolo intorno a parole-chiave suggerisce un tipo di movimento peristaltico» aggiunge Ellmann. Questa enorme stitichezza morale si riflette naturalmente nell'egoismo osservato da Morley Callaghan, nella tirchieria al momento di riconoscere il talento altrui: è addirittura sfacciato che proprio Hemingway si lamenti che la Stein fosse così avara di lodi... Negli ultimi anni, aridità e megalomania combinate logicamente lo spingeranno verso la tragedia – naufragando fastosamente tra un Hilton e un Gritti – così come la povera cicala oppressa dai rovesci era venuta distruggendosi sul Sunset Boulevard ma tutt'altro che mitizzandosi, senza lamenti e senza dare spettacolo, senza farsi chiamare «Mister Papa» né altro: tutto un understatement, semmai, un complesso d'inferiorità travestito da *melanconia,* un seminare in giro amaramente short stories (chiamandosi «povera vecchia puttana» mentre Hemingway si reclamava sdegnosamente «vergine») e dedicando invece soltanto ai romanzi la rapinosa applicazione disperatamente flaubertiana del «lavoro ben fatto».

Ho qui davanti delle lettere (inedite) di Hemingway, indirizzate ad alcune ragazze chic verso la fine degli anni Quaranta: «Cortina è sempre quieta e gaia. Il Posta è l'Harry's locale. Ho un po' superato la mia timidezza per l'Harry's e ormai sono un vecchio habitué o abitante. Qui andiamo tante volte al

Posta o al Cristallino. Il Cristallino è un po' troppo pieno di Brusadelli dilettanti e di occasionali Contesse dell'International Sporting House Set che non hanno ancora sparato ai loro amanti, e i camerieri ci vendono Gordon's gin a Lire 3000 (ma penso che al padrone costi Lire 3200) perché io sono un Notorio Rosso. Qui però parlo tedesco tutto il tempo e c'è anche una cameriera che è Deutche (sic) tutta convinta che io faccia parte dell'organizzazione nazista clandestina. Le sussurro in cucina Alles fur (sic) Deutschland e lei risponde Alles, Herr Hemingway, Alles. Poi sono venuto a sapere un mucchio di chiacchiere piuttosto divertenti, ma diventeranno anche meno vere una volta che vi arriveranno. Così non ve le mando. C'è anche Marlene Dietrich al St. Regis con voi? Se c'è, andatela a trovare e salutatela da parte mia e di Mary. Non è una noiosa, e io le voglio molto bene perché è una brava ragazza...». Cioè, il medesimo tono di *A Moveable Feast*: che quantunque chissà come ritagliato dalla moglie e dagli «editors» suona nella parte pubblicata indubbiamente autentico di mano di un vecchio disilluso e disperato al punto di trovar tutto a ogni costo buono e bello e «pretty» e «cosy», per ingannare non si capisce poi chi. Alla vigilia di ammazzarsi? Si vorrebbe solo vedere come tutte queste civetterie e graziosaggini reggeranno, quando l'epistolario di Hemingway dovrà pur essere pubblicato, a un paragone con l'umanità delle lettere di Fitzgerald (e non sarà inutile, intanto, notare che il solo trasalimento di poesia in *A Moveable Feast* è ispirato direttamente dal rivale disprezzato: «Scott giaceva con gli occhi chiusi, respirando lentamente e con cura e con il suo colore di cera e i suoi lineamenti perfetti sembrava un piccolo crociato morto...»).

Morto disperato trent'anni fa, convinto del proprio fallimento come romanziere e perfino come sceneggiatore, l'autore del *Great Gatsby* non avrebbe immaginato davvero quale cospicua industria si sarebbe sviluppata presto intorno alle sue opere: dai film con Jennifer Jones e Joan Fontaine ed Elizabeth Taylor, a innumerevoli studi critici e tesi universitarie. Fra queste, la più recente e ragguardevole sembra l'indagine di un giovane Aaron Latham laureatosi a Princeton, e pubblicata dalla Viking Press. Si chiama *Crazy Sundays* («Folli domeniche») mettendo al plurale un titolo fitzgeraldiano fra i più celebri, ed è dedicato esclusivamente a un periodo fitzgeraldiano fra i meno conosciuti, la fase di Hollywood. Con pazienza addirittura intrepida, Latham ha frugato le cantine e i depositi delle grandi case produttrici per rintracciare copioni e appunti, ha interpellato praticamente tutti i testimoni sopravvissuti, e ha finito per comporre un avvincente e doloroso romanzo «post-romantico», dal quale però si comincia ad apprendere che anche durante le depressioni più lugubri Fitzgerald non guadagnava mai dai suoi orrendi produttori meno di 1000-1250 dollari la settimana. E indubbiamente, negli anni Trenta, circa due milioni e mezzo di lire al mese non erano poi così male.

Perché la contropartita sembrava così spaventosa? Latham ricostituisce con precisione il funzionamento di quel sistema. Produttori spesso furbi e talvolta maligni, convinti del proprio fiuto per il successo (continuamente riconfermato dal pubblico) e ricacciati verso la convenzionalità da una pressione moralistica crescente («il protagonista, se lo porti a letto a casa sua,» diceva Louis B. Mayer a Hedy Lamarr, toccandole pesantemente il sedere «nei miei film mai più!»), scritturavano una quantità di letterati, buoni, mediocri, e ottimi; imponevano l'orario d'ufficio, come una ditta qualunque; e assegnavano a due di loro per volta uno «spunto»: cioè un romanzo da condensare, un personaggio storico da romanzare, un'idea su misura per un'attrice determinata, magari soltanto un titolo suggestivo. E i due lavoravano per settimane, accapigliandosi: «E allora, cosa le dice lui?». «Insomma, cosa può rispondergli lei?». Poi questo loro lavoro veniva assegnato ad altri due, che lo rifacevano; quindi ad altri due, che lo correggevano; e successivamente a parecchie altre coppie – sempre l'una all'insaputa dell'altra – per tagli, aggiunte, varianti, con interventi sempre più pesanti di produttori a tutti i livelli, generalmente sceneggiatori anche loro, e abituati a riscrivere copioni interi in mezza giornata, con pretese precise: l'infedeltà coniugale deve sempre risultare punita; non si può mostrare una segretaria d'ufficio che vive agiatamente, sennò si suppone che ci sia del losco; mai due persone sullo stesso letto se non si vedono almeno due piedi appoggiati per terra; i finali tragici sono fatali per la cassetta, *Romeo e Giulietta* con un lieto fine guadagnerebbe molto di più; dovendo aggiungere qualche battuta a *Via col vento* si possono usare soltanto espressioni autentiche di Margaret Mitchell riscontrabili in qualche parte del romanzo; per tutto ciò che riguarda Shirley Temple l'ultima parola spetta alla sua mamma.

Così lavoravano, in uffici adiacenti e andando a mangiare alla mensa alla stessa ora tutti insieme, Scott Fitzgerald e Anita Loos, Dorothy Parker e Aldous Huxley, Ogden Nash e Frances Goodrich, Nunnally Johnson e Lillian Hellman, vivendo poi in desolazione e in solitudine nelle loro villette con o senza piscina ma sempre troppo costose, e portandosi dietro disillusioni e frustrazioni all'occasionale gran party del Produttore o della Diva, o ai piccoli pranzi molto più sinistri fra scrittori e sceneggiatori soltanto. E fu qui che Fitzgerald, lontano dalla moglie inferma e dalla figlia in collegio, e bevendo bicchieri di gin fingendo che fosse acqua, si legò alla giovane columnist mondana Sheilah Graham, e visse recluso con lei fino alla morte: tredici anni dopo il primo trionfale arrivo a Hollywood con Zelda, quando si erano tanto divertiti a un ballo cuocendo tutte le borsette delle signore in una pignatta di brodo al pomodoro, nove anni dopo il fiasco mortificante di un suo «numero» comico che non divertì nessuno a una festa di Irving Thalberg e Norma Shearer (il segnale dei fischi fu dato da John Gilbert).

Latham, con attenzione addirittura erudita, ricostruisce un panorama umano grandioso e squallido, parlando con la Graham, con George Cukor, con Helen Hayes, con Maureen O'Sullivan, col direttore di «Esquire», Arnold Gingrich, con agenti anziani e sceneggiatori dimenticati. Intervista perfino Mankiewicz, sul set di un *western* con Henry Fonda, nel 1969; e il produttore-regista gli spiega: «Io stimavo moltissimo Fitzgerald, ma lo facevo lavorare per il suo gusto europeo e il suo intuito psicologico, non già per la sua abilità nei dialoghi. C'è poco da fare. Hemingway, Fitzgerald, Steinbeck, Sinclair Lewis, tutti volevano scrivere commedie ma nessuno di loro ce l'ha fatta, perché in un romanzo il dialogo scritto entra nella mente, mentre qualunque dialogo parlato entra dalle orecchie, e deve avere un impatto emotivo immediato. Così il dialogo di Fitzgerald mancava di mordente, di colore, di ritmo». E George Cukor rievoca un tempo e un sistema dove lui stesso veniva rimpiazzato in *Via col vento* perché era antipatico a Clark Gable, e rimpiazzava a sua volta in *The Women* Ernst Lubitsch che veniva spostato a *Ninotchka*, e decine di scrittori lavoravano prima o poi a tutti questi film, però i registi non sapevano mai quali, adesso racconta perché mai Fitzgerald venne eliminato da *Via col vento*, quasi con le stesse parole di Fitzgerald. Cukor, alla vigilia di girare una scena, dichiara al produttore Selznick la sua preoccupazione per il personaggio della zia Pitty. Nel libro si dice che è bizzarra, la sceneggiatura asserisce che «deve attraversare bizzarramente la scena». E io come fotografo un'astrazione, si domanda nervosamente Cukor. Per tutta la notte gli sceneggiatori pensano a un'azione bizzarra e concreta per la zia Pitty, e non la trovano. La mattina vengono tutti licenziati e sostituiti.

Ora Latham connette tutto a passi e personaggi dei libri hollywoodiani di Fitzgerald, *The Last Tycoon* e *The Crack-Up*, nonché parecchi racconti e *Tender is the Night*, mostrando la sorprendente trasparenza delle tante allusioni alla catastrofica realtà. Ma soprattutto analizza le sceneggiature a cui Fitzgerald lavorò in quegli anni, una per una: *A Yank at Oxford*, con Robert Taylor; *Three Comrades*, dal romanzo di Remarque; *Infidelity*, mai realizzato, per Joan Crawford; *The Women*, da Clare Boothe Luce, a cui si dovevano sempre togliere i giochi di parole scurrili; e addirittura *Madame Curie*, e i pezzettini di *Gone with the Wind*... E ne cita passaggi; e ne sunteggia altri; e mostra che ci sarebbe lì o là più di una triste sorpresa editoriale...

«Il funerale del Maresciallo Foch è stato il più grande evento luttuoso tenutosi a Parigi dopo la nazionalizzazione della morte di Victor Hugo. Pasteur ricevette esequie ufficiali, però meno spettacolari del corteggio semigovernativo recentemente accordato al meno importante Anatole France...».

«La recente dipartita di Diaghilev ha fornito una nuova e più triste versione della *Morte a Venezia*. Il suo famoso Balletto Russo avrebbe avuto presto venticinque anni, un'età considerevole per una teoria e una pratica così dipendenti dalla giovinezza...».

«Il misterioso decesso alla Cayenna di tale Papà Galmot, un bianco del Périgord che era diventato un dio dei Neri, condusse non soltanto all'ammirevole romanzo *Rhum* di Blaise Cendrars, ma anche a massacri e saccheggi, e infine al processo dei suoi neri devoti, accusati di lapidazioni e di altre forme d'uccisione non più praticate dai giorni dei martiri cristiani. Fra i lapidati a morte figurarono medici, consiglieri, streghe, e bizzarre figure dell'amministrazione coloniale che sembrano Tories inglesi paragonati alle figure pagane degli accusati...».

«La defunta Jean de Koven fu una tipica turista americana a Parigi, ma con due eccezioni: non mise mai piede all'Opéra e fu assassinata...».

Non si finirebbe mai di citare. Anzi, non si farebbe altro, evitando di inserire una propria prosa; e si soffre continuamente

709

a dover tagliare, e comunque a scegliere, e perfino a tradurre, a questi livelli di giornalismo eccezionale, con la sua smaccata predilezione per l'eccelsa miniatura da esequie.

«L'assassinio del Presidente Doumer gettò il paese non solo in reale sbigottimento (il delitto, tranne che per ragioni serie tipo i soldi, essendo pressoché sconosciuto in Francia), ma anche in gite pentecostali eccezionalmente piacevoli e protratte. Con quel suo venir sepolto di giovedì fra gli Immortali del Panthéon, il weekend della Pentecoste (grande vacanza primaverile dei francesi) finì per allungarsi dal primo rintocco delle campane funebri a Notre-Dame all'ultimo clacson delle macchine che rientravano il lunedì notte, durando cioè il doppio di quanto avrebbe dovuto...».

«D.H. Lawrence era un conversatore brillante, però, malgrado i suoi numerosi anni di vita tra forestieri, tutt'altro che un eccezionale linguista. Malato per quasi tutta la sua esistenza, a poco a poco sviluppò l'erratica psicologia del simpatico invalido a cui, vivendo tra indigeni in angolini fuori mano, tutto era permesso. Aveva, tra altre eccentricità, il capriccio di togliersi gli abiti e scalare alberi di gelso...».

«La Contessa de Noailles amava i templi greci e suo figlio, viaggiava, leggeva i classici, dipingeva fiori, soffriva per la guerra come se fosse stata ferita al fronte, e ultimamente viveva così ritirata che si è detto che morì di languore. Non credendo alla sua crescente indisposizione, si è detto, i suoi nobili parenti e amici mancavano di andare a trovarla; ma la fedele domestica popolava la sua reclusione di visitatori immaginari, utilizzando vecchie carte da visita d'altri tempi, presentate a letto con espressioni di simpatia...».

Mai, si finirebbe, quando si ripercorrono queste inimitabili *Lettere da Parigi* della leggendaria Genêt, cioè Janet Flanner, da cinquant'anni corrispondente-principe del «New Yorker», e da quasi altrettanti già fermamente entrata nel Mito.

Non si commetta la svista di confonderla con Jean Genet, che non ha accenti sulle *e*, e appartiene a tutt'altre mitologie. Janet Flanner abita piuttosto una favola, una celebre fiaba già raccontata le mille volte a proposito di quella generazione bruciata di americani espatriati che arrivarono a Parigi agli inizi degli anni Venti, si installarono ai Deux Magots decisi a diventare grandi scrittori, e ci riuscirono quasi tutti – da Hemingway a Djuna Barnes, da Fitzgerald a Hart Crane – con più di una spinta da parte di Ezra Pound e di Gertrude Stein.

Janet Flanner fece parte fin dal debutto di quella geniale e sventata comunità sperimentale che ormai non appartiene più al giornalismo letterario ma alle tesi di laurea. Ne condivise giorno per giorno gli entusiasmi e i successi, i pâtés al timo e le insalate al formaggio di capra in qualche bistrot d'avanguardia dietro Place Saint-Germain, in compagnia di vivaci surrealisti minori e di vigorose vestali joyciane; e fu prestissimo incaricata dal prestigioso Harold Ross, direttore del giovane «New Yorker», di riferire ogni due settimane «cosa succede in Francia secondo i francesi, non secondo noi».

In quelle corrispondenze quindicinali, che vanno avanti da mezzo secolo, saltando solo l'ultima guerra, ove militò marzialmente, la Flanner ha subito inventato un meraviglioso giornalismo moderno assolutamente personale: informatissimo, attento a tutto – dalle trame politiche alle vicende artistiche, ma con queste premure smodate per gli obituari, gli anniversari, i grandi «affari» e la cronaca nera (dal caso Stavisky al processo delle sorelle Papin, e magari commemorando in uno stesso paragrafo Brillat-Savarin e Mme de Sévigné)... Sempre risolvendo un'immensa accuratezza fattuale in disinvoltura e sprezzatura incantevole, apparente capriccio, elegante colore, straordinario rigore ironico, stilisticamente «incomparabile» come i piccoli capolavori di Wilde e di Beerbohm. Dunque, tutto l'opposto della sterminata accumulazione-elaborazione di dati «oggettivi» da parte dei formichieri elettronici di «Time» e «Newsweek».

«Genêt» ha raccolto parecchie «lettere» fra il '44 e il '71 in due volumi di Diari Parigini. Esce a New York, presso The Viking Press, il meglio dei suoi anni spensierati, dal '25 al '39, col bel titolo di *Paris Was Yesterday,* e con un'introduzione che pare una *Moveable Feast* riscritta da un narratore molto più bravo di Hemingway, innamorato della Parigi vecchiotta dei *bals-musette* e delle stradette démodées della Rive Gauche, ma dotato di orecchie prontissime e di occhi infallibili per ogni soprassalto della cultura d'avanguardia, dall'indimenticabile pubblicazione dell' *Ulysses* di Joyce al sensazionale debutto di Joséphine Baker nella *Revue Nègre.*

Così, tra l'«ostinazione dittatoriale» del sarto Poiret «che ostinatamente disegnava abiti femminili come se dovesse indossarli soltanto lui», e la risposta del Maresciallo Joffre all'imbarazzo di Clemenceau che si era dimenticato di invitarlo alla commemorazione della Marna («Niente scuse, in certi momenti non si può pensare a tutto!»), ecco guizzare – un flash dopo l'altro – Hemingway debuttante («sempre d'una mascolinità spropositata, anche nelle cosette da nulla»); e Mauriac («influenzato da Anatole France quando era troppo giovane per

711

capire, e scoperto da Paul Bourget quando era ancora poeta»); e Pound («non amavo la sua storicità arbitraria, né la sua violenza condensata, né le sue citazioni cinesi flottanti, né la sua greve e antica linguistica mista...»); e Léon Blum («bizzarro uomo, ora capo del Partito Socialista e già legale delle automobili Hispano-Suiza, deputato della Narbonne vinicola e quasi del tutto astemio»); e il *Boléro* di Ravel (che diretto dall'autore «non è affatto una giacchettina corta e chiara indossata per fantasia, ma una lunga cappa di crespo nero, con strascico ampio come una moquette da salon, esclusivamente portata dietro funerali»)... Mentre la Principessa Violette Murat, «dalla strana mancanza di proporzioni visibili, non avendo collo» (e Proust diceva di lei: «Sembra un tartufo, non una violetta»), finisce col surrealista René Crevel a Tolone «dove abitava nel porto dentro un sottomarino abbandonato e lì si diede a fumare oppio senza moderazione, imitata da René. Per lui, fu fatale».

Sulle signore, è quasi sempre eccellente, combinando volentieri la concisione di Ronald Firbank e la perfidia di Tacito. Il ritiro di Cécile Sorel «provoca una meravigliosa notte di simulato cordoglio nella Casa di Molière», mentre la famosa gigiona «va in pensione con un ricco futuro e un passato ben misero». La visita di Marlene Dietrich a Parigi «comincia con la polizia che le intima di lasciare la città in calzoni, e finisce con tutti che la invitano dappertutto in gonna». L'*Autobiografia di Alice Toklas* è «un libro scritto a Parigi che sarà di grande interesse sulle due sponde dell'Atlantico, e anche su una del Pacifico, giacché le due signore vengono dalla California». La voce di Joséphine Baker «è tuttora un flauto magico che non ha ancora sentito parlare di Mozart, benché, si teme, anche a ciò si arriverà col tempo». E trionfano i mostri sacri, da Isadora Duncan a Loie Fuller a Sarah Bernhardt che «ai suoi ultimi pranzi, veniva portata dentro dopo gli ospiti, sollevata a capotavola come una mummia dipinta, simulando alternativamente terrore, timidezza, e perdita di memoria, ma non dimenticando mai niente, vedendo tutto, sorprendente vecchia attrice e femmina, ancora ricca di spirito, vendette, sorprese, pettegolezzi, disprezzi e ingordigie per la commedia umana...».

Già, che altre voci e altre stanze, franare da Janet Flanner a quelle nostre cronache intasate da seriosi turgori a proposito di falsi problemi e risapute metafore: ansimanti invettive tribunalizie a proposito di Film dello Scandalo, o addirittura colonne di motivazioni divaganti sul Non Voglio Vederlo! Come si vorrebbe qui la vecchia Genêt del commento a un'intervista della

Contessa de Lareinty-Tholozan, nata Princesse Demidoff, che spiegava «a un'incredula, deliziata cittadinanza» gli effetti della scopolamina che due valletti infedeli avevano versato per giorni e giorni nel tè comitale. «... Uno stato di totale stupidità che nessuno di quegli aristocratici trovò strano. La memoria svaniva, la conversazione languiva, i due bimbi divennero incapaci di addizionare due più due senza attirarsi commenti eccitati dagli orgogliosi genitori. Gli ospiti del *five o'clock* venivano ricondotti alle loro limousines in stato di completa imbecillità; e una zia, la Duchessa di Luynes ("nata d'Uzès" interpolò la Contessa a benefizio del pubblico democratico), precipitò a faccia avanti dopo aver sorseggiato un debole Orange Pekoe ("il che era anormale per Sua Grazia")». E «si ruppe un braccio a causa dell'improvvisa incapacità di reggersi su una sola gamba».

ALLEN GINSBERG

Le memorie lontane del caro e simpatico Allen Ginsberg riemergono commoventi e *live* dalle nebbie d'una Milano tenera e ormai remotissima. C'era in Piazza Diaz un elegante e scapestrato gay bar, lo Storkino (e ora quante lacrime elegiache, fra le volpine grigie superstiti...), con decorosi tavoli sotto i portici per i bulletti e i frocetti del Gratosoglio e del Giambellino, cantati da Gianni Testori e Umberto Simonetta e Giorgio Gaber, e dei «cinema d'azione» pomeridiani già allora epici e mitici: lo Smeraldo, il Dal Verme, il Diana... E magari, gli inconfessabili dai nomi famosi: il Dante, il Rosa...

Lì, allo Storkino, con dischi nostalgici di Frank Sinatra e drinks non indegni di Gershwin o Cole Porter, fra i reduci dalla Caballé e dalla Schwarzkopf alla Scala o dalla Teresa e dalla Mabilia (dei Legnanesi) all'Odeon, sedeva ogni sera decorativo e appartato l'austero e birbone vate di *Howl*, verso il tardi. (Anzi, «sur le tard», come dicevano gli innumerevoli recenti vedovi della Callas e dell'Osiris). Aveva, con sollievo, mollato le zelatrici e mandato a dormire le adepte. Aveva sollevato, nel pomeriggio, rapidi e celeri spostamenti d'ammirazione nei cinema di movimento, incedendo col candido manto e il ben ravviato crine fra gli «sbarbati» con l'abbonamento operaio o studentesco alle Ferrovie Nord e la famiglia a tavola entro le sette o sette e mezza a Saronno e a Busto. (Mentre le devote madrine dei *beats* lavora-

714

vano alle traduzioni e ai meetings secondo gli orari milanesi di casa e ufficio).

Con quel distacco interessato ma poco partecipante (anche perché giustamente preoccupato circa eventuali richieste di soldi), il poeta austeramente osservava i tavolini e gruppi e movimenti più succulenti, e occasionalmente sfrenati: in un atteggiamento da immagine da Prima Comunione e Cresima (bianca tunica, chioma nazarena, gesto benedicente) per cui sia i rispettosi che gli spregiudicati lo chiamavano «Padre Pio». E noi lettori e ammiratori avevamo tuttavia un conforto: dopo ore di immobilismo ieratico, negli ultimi cinque minuti prima della chiusura andava sempre via a sorpresa con qualcuno. A- veva però un devastante competitore, a pochi tavolini di distan- za: Rudolf Nureyev.

«Rudi» non era solo affascinantissimo: era anche molto sim- patico e divertente, in uno scatenamento erotico allo stato na- scente ma che avrebbe potuto insegnare parecchio ad autori sofisticati e decadenti come Apuleio e Petronio. Usciva dalle prove alla Scala bramoso di conquiste: ma non aveva la mac- china e non conosceva Milano. Si divertiva (un pochino) quan- do lo chiamavo «il Principe delle Pagode» (titolo di un allora famoso balletto di Benjamin Britten), a causa dei nostri giri in- saziabili per certe pagodine molto frequentate e sfrenate lun- go il perimetro della Fiera di Milano.

Il primo incontro era stato un dissapore. Appena arrivato in Italia, all'Opera di Roma, un'amica contessa veneziana, con sto- rici inviti già per Laurence Olivier & Friends sul Canal Grande, aveva dato un pranzo per Margot Fonteyn nel suo appartamen- to in Piazza di Spagna. E non era una novità: anche Maria Luisa Astaldi dava un pranzo per Margot Fonteyn, ogni volta che bal- lava a Roma. Ma quella volta, gli zompi di «Rudi» nel *Corsaire* al- l'Opera furono impressionanti e sensazionali come i debutti di Nijinskij a Parigi coi Balletti Russi. Si rivelò come *il* divo.

E come se non bastasse, al pranzo, «Rudi» girando ancora molto selvatico nei salotti di «Kiki», aggrediva con un «qui sie- te tutti comunisti!» un divanino ove sedevano un principe d'As- sia, un sarto di principesse, e altri incolpevoli.

Tutto rimediato, tuttavia, quando «Rudi» a Roma scappava furibondo dai pranzi politici dove lo portava Luchino Visconti, imponendogli serate di un «politicamente corretto» dogma- ticamente togliattiano, o addirittura pre-craxiano. Fuggiva di- sperato («all too local»), faceva l'autostop al Tritone con ri- schio d'investimenti sui preziosi piedi. Ed era contento quan-

715

do senza secondi fini lo si portava – semplicemente – nei locali. Come fanno i marinai.

Le rimembranze, qui, certo accrescono il tasso di lirismo e nostalgia. Quanta poesia. The age of Aquarius! That's ME! Ma non essendo né poeti né vati, come restituire l'aura di quel remoto Storkino dove a un tavolino qua c'è Allen Ginsberg seduto autorevole ed estatico in manto *écru* tessuto a mano con acconciature «alla Gesù» occhieggiando senza posa parrucchieri e commessi di calzoleria in corso Buenos Aires senza soldi per tornare a casa? Anche fra questi tavolini scoprirà magari dèi greci e sfingi egizie e personaggi alla Dostoevskij o alla William Carlos Williams, come frequentemente gli càpita fra i *beats* nei pressi d'ogni Little Italy? Riconoscerà *on the Piazza Diaz* come già *on the road* vari geni emergenti, tra i drinks di galleristi illustri (Alexandre Iolas, Dino Franzin) ed eleganti gossips su presenti e assenti, da Renzo Mongiardino magico arredatore fino agli antichi *suiveurs* della ex-regina d'Italia, che si riprometteva in strettissimo incognito una sera alla Scala per il Bolshoi, con pranzo poi da un grande gentiluomo milanese, e solo pochi conoscitori per commentare lo spettacolo... Ma poi tutto venne annullato per un'altra brutta ondata di notizie circa il figlio Vittorio Emanuele... E lì, commenti di anfitrioni celebri: «Non ho mai cancellato un pranzo da me, si vede che quello non aveva ancora comprato il mangiare»...
Erano d'attualità e di moda i reportages in presa diretta da Kabul: sostanze e tessitrici fantastiche e cheap, giovani afghani prestanti e dolcissimi... Ma intanto, il solito «Rudi» insiste: «Perché non andiamo al famoso canale di Varedo? Lì si dice che i giovani brianzoli fanno cose dell'altro mondo, che a Novosibirsk neanche si sognano». E dopo un po': «Let's not beat around the bush, andiamo a casa vostra». (Però in quei movimenti «Padre Pio» non faceva apparizioni).

Immaginiamo scioccamente Giacomo Leopardi a sessant'anni, fra Napoli e Recanati, nell'atto di illustrare ad uso dei futuri Momigliano e Flora i luoghi e le circostanze delle sue riuscite poetiche più alte e più serie: dunque, questa è la torre antica sotto la quale passavo due volte al giorno, e certi giorni anche tre; ecco il colle dell'*Infinito,* un po' meno ermo perché ci passa la nuova strada carrozzabile; qui abitava Silvia che si chiamava in realtà Teresina, e aveva un papà magro e una mamma grassa; eravamo tutti molto più giovani e molto più tristi, ci si annoiava molto e si soffriva e ci si lamentava e la domenica era il giorno più infelice della settimana. E se non basta, immaginiamo pure D'Annunzio diventato in tarda età l'Orio Vergani di se stesso; Rossini uscito da quarant'anni di silenzio per comporre non la *Petite messe solennelle* ma un rifacimento della *Cambiale di matrimonio*; magari Joséphine Baker che si ri-infila le banane del '25 per eseguire alla televisione «J'ai deux amours / mon pays et Paris...».

Sono immagini passabilmente macabre, però anche le prime che si associano alla lettura di *A Moveable Feast,* l'inedito di Hemingway che non è romanzo e in fondo non è libro di memorie e forse non è neanche festa e non è mobile, se non «qual piuma al vento»: ma dà la sensazione prima di tutto di una «visite guidée» attraverso fatti e luoghi resi già noti fino allo stordimento dalla pubblicistica e dalla divulgazione.

Siamo nella Parigi della celebre «generazione perduta», inventariata e canonizzata non meno della Grande Galleria del Louvre. Arriva un pullman carico di studentesse di high school, che hanno certo studiato Hemingway a scuola insieme agli altri classici, da Melville a Salinger, però forse in cuor loro si sentono indifferenti a tutte quelle corse dietro guerre e corride, leoni e pescispada, oggi tutto sommato datate e ridicole come i baffetti di Adolphe Menjou, rispetto ai problemi più gravi e più seri della vita di tutti i giorni. Le più sveglie avranno visto magari in volumi ormai ingialliti certi saggi intitolati *Hemingway in the Early 1950's* dove per esempio Philip Rahv constata i «danni irreversibili» sofferti dalla leggenda hemingwayana per i suoi eccessi di «clamorosa autocommiserazione e anche più clamorosa presunzione» che rivelano «gravi difetti di personalità, immaturità morale e intellettuale»: specialmente quando il narratore tende a confondersi emotivamente col suo protagonista, e allora perde ogni capacità autocritica e diventa «fatuo o sdolcinato» (Edmund Wilson). Una volta perduta la distinzione «fra uomo e artista», il fiducioso abbandono a miti e totem fondamentalmente infantili finisce per esporre crudamente la sostanziale incapacità di concepire «un amore adulto, un coraggio adulto, un impegno adulto, contro cui se è necessario ci si possa almeno rivoltare con dignità» (Leslie Fiedler).

Le più indietro saranno almeno al corrente della romantica leggenda per cui alcuni decenni fa c'erano diversi giovani americani che andavano all'estero non come turisti, o come funzionari governativi, o come borsisti di fondazioni, ma come Esuli: e tutte le volte che si ubriacavano a Parigi o facevano un bagno a Juan-les-Pins non lo vedevano come un atto concepibile anche a Detroit o a Palm Beach ma essenzialmente come un gesto di Rivolta, o almeno di Ricerca, o per male che andasse di Esperienza. *Ricerca* magari del senso ultimo della vita, del mondo, e in ultima analisi di se stessi. *Esperienza,* curiosamente, il più dissimile possibile dalla «comune esperienza»: perché i lettori della narrativa d'allora gradivano una finestra aperta su avventure esotiche – evasioni, sì – e non uno specchio omologante che riflettesse le proprie realtà quotidiane.

Una guida patentata si mette a disposizione del pullman di studentesse; e racconta. Rapido, facile, sentimentale, quasi affascinante. Racconta episodi in gran parte noti, aneddoti di cui si sono già sentite precedenti versioni, o addirittura già registrati nell'Encyclopaedia Britannica. Ma il «tono» è assai gradevole, autentico di quarant'anni fa, come le fotografie di Lady

Mendl pettinata à la garçonne e i dischi di Bricktop a 78 giri venduti da lei stessa nel suo localino di via Veneto.

Le studentesse sono molto contente. Ce n'è per tutte. Comincia: «Allora ci fu il brutto tempo»; ma ci si accorge subito che dice così per dire. È la normale clausola d'inizio di tutta la narrativa *d'azione*: «Allora cominciammo la salita», «Allora vedemmo il vecchio per la prima volta», «Fu allora che sentimmo i cani». Dopo, infatti, diventa subito tutto bello: «Non c'è mai una fine a Parigi», come dice il titolo dell'ultimo capitolo, pienamente d'accordo con le canzoni di Cole Porter e la copertina della Guida Michelin. «Era un piacevole caffè, tiepido e pulito e amichevole»... «Era chiaro e freddo e piacevole»... «Era meraviglioso camminare giù per le scale sapendo che mi era andata bene con il lavoro»... «Noi guardammo, e lì c'era tutto: il nostro fiume e la nostra città e l'isola della nostra città»... «Come siamo fortunati ad aver trovato questo bel posto!»...

Tutte contente, le ragazze. A partire da quelle che leggono di solito i giornaletti di «romance»: e li vogliono ottimisti, sentimentali, digestivi, «cosy».

«Una parte di noi moriva ogni anno quando le foglie cadevano dagli alberi e i loro rami erano nudi contro il vento e la fredda luce invernale. Ma si sapeva che sarebbe sempre venuta la primavera, come si sapeva che il fiume avrebbe ricominciato a scorrere dopo il gelo...

«Le stanze erano grandi e comode con grosse stufe, grosse finestre e grossi letti con buone lenzuola e trapunte di piuma. I pasti erano semplici ed eccellenti e la sala da pranzo e il bar foderato di legno erano ben riscaldati e amichevoli. La valle era larga e aperta, così c'era un bel sole...

«Ma Parigi era una città molto vecchia e noi eravamo molto giovani e niente era semplice là, neanche la povertà, né il denaro improvviso, né il chiaro di luna, né il giusto e lo sbagliato, né il respiro di qualcuno che giace al vostro fianco nel chiaro di luna»...

Contente anche le ragazze che non perdono neanche un film di Audrey Hepburn, e i loro sottoprodotti tipo *Il mio amore con Samantha* (*A New Kind of Love*): sempre con lui e lei a Parigi, fra tanti venditori di fiori e di croissants, e lui che scrive in una soffitta oppure al caffè, e ha sempre un amico grasso con la voce chioccia, e quando esce è amico di tutti, dei bouquinistes e dei camerieri, anche della vecchina con le violette e del pensionato con il basco e i baffetti e il filone lungo di pane; e quando

719

incontra una ragazza volgare le tiene testa disinvolto e magari rude, però tutta questa disinvoltura e rudezza sono impiegate per riuscire a *non* dormirle insieme, a tirarsi indietro «clean-cut» come prima, in omaggio ai princìpi monogamici della Mamma Americana. Qui le ragazze riconoscono perfino il dialogo:

«Camminiamo giù per la rue de Seine e guardiamo in tutte le vetrine e in tutte le gallerie».

«Sì, sì. Possiamo camminare dappertutto e fermarci in qualche nuovo caffè dove non si conosce nessuno e nessuno ci conosce e lì prendere un drink».

«Possiamo prendere due drinks».

(Stacco. Qui viene inquadrato un tipico caratterista «gallico» che ripete «oh-là-là»).

«Poi possiamo mangiare da qualche parte».

«No. Non dimenticare che dobbiamo pagare la biblioteca».

(Come sopra: «oh-là-là». Un paio di volte).

«Allora andremo a casa e mangeremo lì e faremo un buon pranzo e berremo del Beaune della cooperativa che puoi vedere appena fuori della finestra col prezzo del Beaune in vetrina. E poi leggeremo e poi andremo a letto e faremo l'amore».

«E non ameremo mai nessun altro».

«No, mai».

«E prenderemo tutti i libri del mondo da leggere e quando viaggeremo ce li porteremo dietro».

(C.s.: «oh-là-là», per un piccolo coro di avventori).

Contente anche le ragazze che amano leggere *Kristin figlia di Lavrans* e *Bibi una bimba del Nord*: «Nel freddo della mattina, appena si faceva giorno, la cameriera entrava nella camera e chiudeva la finestra e accendeva il fuoco nella grossa stufa di porcellana. Così la stanza si faceva calda, e poi c'era una colazione con pane fresco o tostato e squisite conserve di frutta e grossi bricchi di caffè, uova fresche, e per chi lo voleva anche del buon prosciutto»...

Quest'ultimo brano fa molto piacere anche a una ragazzina un po' regressiva, che ha dodici anni ma rimpiange quando ne aveva cinque e vorrebbe sempre tornare indietro. C'è poi un intero capitolo che è la gioia di un'altra ragazzina che pensa soltanto alla pesca, ed è convinta che nella vita sia molto importante: questo capitolo è dedicato solo all'importanza e alla poeticità della pesca. Ed è contentissima anche una saccente antipatica, che è ancora in ginnasio ma ha già in mente la tesi di laurea, la vuol fare sulla Generazione Perduta, ma siccome in America se ne sono già discusse cinquecentomila, lei cerca almeno qualche episodietto nuovo o seminuovo tra le sue «fonti».

Qui lei legge subito le pagine sulla Stein; e trova poco. Su Sylvia Beach: niente. Su Pound: niente. Su Madox Ford, Pascin, Ernest Walsh, Evan Shipman, Wyndham Lewis: qualche incontro al caffè. Ma quando si arriva a Scott Fitzgerald, l'antipatia vien fuori. Prima, il racconto del viaggio di loro due a Lione per recuperare un'automobile, nel giugno del '25. E da una lettera di Fitzgerald alla Stein, pubblicata adesso, si sa che lui trovava Hemingway «a peach of a fellow and absolutely first-rate». Dal resoconto di Hemingway viene fuori invece un Fitzgerald lamentoso e maniaco, pieno di vanità infantili e di terrori ridicoli. Sull'episodio seguente si accanirà invece la pedante in possesso di qualche metodo formalistico del «New Criticism»: battezzandolo magari la Storia delle Quattro Ingenuità. La prima è di Fitzgerald: invita Hemingway a colazione e gli racconta che la moglie sostiene che lui «non ne ha abbastanza» per soddisfare una donna. Hemingway propone di andar di là a guardare, e qui commette la sua prima ingenuità: per provare a Fitzgerald che «va benissimo», non trova di meglio che proporgli di andare al Louvre a controllare sull'organo maschile delle statue (senza riflettere che nelle statue è simbolico, mai realistico). Fitzgerald è ancora più ingenuo: ci va. Ma se non è malizia, il più ingenuo di tutti rimane Hemingway, che racconta ancora la storia e non spiega come «ce l'ha» lui.

Quando però le ragazze del pullman si accorgono che questa guida che le portava in giro per il set di *An American in Paris* altri non è se non Hemingway stesso, la loro sorpresa è pari almeno a quella del giovanotto di *Sunset Boulevard* quando si rende conto che lo chauffeur della diva franante è il celebre regista Erich von Stroheim. Ma la commozione dura poco, sono ragazze d'oggi esigenti e dure, senza cuore e invece sensibilissime a tutto quello che sa di «anacronistico» o di «immaturo». Se la guida è Hemingway, e ha aspettato tanto a impegnarsi in questo lavoro, ci si aspetta più da lui che da un altro. Fa un libro di ricordi? Benissimo, si pretende tanto come quando Churchill scrive i suoi. Così come non si va Chez Maxim's per mangiare una minestrina e basta. E si rimane delusi quando ci si rende conto che la minestrina è tutto, e ci sono in questo libro meno *cose* che in una lettera di Fitzgerald, in un capitolo della *Autobiografia di Alice Toklas*, in una vecchia recensione di Edmund Wilson; o addirittura nelle due paginette appena uscite di Kenneth Tynan su «Playboy» di maggio, per raccontare un bizzarro incontro all'Avana fra Hemingway e Tennessee Williams, nel 1959. Williams, non si sa bene se fa apposta o no (comunque rischia molto), non fa altro che parlargli delle sue gite al mare con il torero Ordóñez, l'unica persona cioè a cui Hemingway volesse bene negli ultimi anni: fino al punto di rimangiarsi i suoi vecchi giuramenti di non mettere più piede in Spagna finché ci fosse Franco, pur di stargli vicino. («Molto simpatico, molto accessibile,» dice Williams «mi ha fatto perfino vedere le sue *cogidas*». «Le sue *cosa*?» urla Hemingway. «Le ferite delle corna del toro,» va avanti Williams «ma naturalmente senza mai togliersi il costume da bagno»).

Lo stile, allora? È quello dei primi libri, certamente: un monumento alla congiunzione *e*, un accumulo di semplici frasi coordinate come in quella Bibbia tradotta in inglese trecentocinquant'anni fa che fornisce ai lettori anglosassoni di Hemingway un irripetibile «composto» di aggancio realistico *più* memoria ancestrale (e invece ribalta il lettore italiano in un piccolo mondo casalingo e anoressico e «traduttorese» dei nostri più stralunati e irreali anni Quaranta).

E si capisce che questo repêchage stilistico è la conseguenza di una reazione, lo spavento dopo il disastro critico di *Across the River and into the Trees*, il romanzo veneziano del 1950 che sparava sinistramente in tutte le direzioni dando un'immagine abbastanza spossante del taedium vitae. Però scegliendo l'*accidia* sbagliata: quella dei rotocalchi, di «Life»; neanche l'esasperata commedia di Beckett di fronte alle limitazioni di un mondo che è fatto tutto sommato soltanto di parole. Che senso hanno infatti, ci si può chiedere, le affermazioni e le negazioni della vita per uno che altro non fa se non abitare al Gritti e mangiare da Cipriani e bere dei Martini e cacciare le anatre e commettere galanterie con alcune damine veneziane che poi non sono quelle vere che si conoscono ma evanescenti astrazioni di un maturo narcisista che finge di essere un colonnello dell'esercito americano essendo invece realmente una «star» della café society...

Torna terribilmente fuori qui la confusione osservata tanti anni fa da Edmund Wilson fra autore e personaggio: frutto di mancato distacco critico; e tanto più pericolosa per lo scrittore intento a «costruire» *il personaggio di se stesso*. Il guaio degli scrittori, non solo di Hemingway, è che più mettono «se stessi» nei loro protagonisti, più li riducono (involontariamente, si capisce) a macchiette lamentevoli. Ora, se uno *si sente macchietta*, poco male: obiettivo raggiunto. Ma per uno che presume altamente di sé, che trasferisce al personaggio fittizio le qualità che ritiene ammirevoli nel personaggio che ha costruito di se stesso, quando vien fuori la macchietta ugualmente, può giungere un colpo di dolore smisurato: specialmente quando ci si rende conto che i miti a cui ci si è aggrappati e sostenuti finora sono tutto sommato marginali e pittoreschi, e allora mezzi miti, o pseudo-miti. Come la caccia e la pesca dopo la corrida, uffa.

Il primo rimedio dopo l'impasse veneziana già era stato abile: *The Old Man and the Sea* non rischia nulla perché sta attentissimo a nulla profferire nel campo delle emozioni *adulte,* di natura sessuale o sociale o psicologica. Aboliti i personaggi femminili, pietra d'inciampo abituale per Hemingway. Abolite anche le solite amicizie maschili che cadono sotto le Intimazioni di Omosessualità da parte di Leslie Fiedler contro la narrativa americana en bloc. Una trama che non si potrebbe immaginare più «sicura» e antisettica. E il tendone dell'allegoria che, volendo, arriva a ricoprire tutto. Stilisticamente? Bene. Quasi recuperata quella sublime secchezza che fu una «rivelazione» di tanto momento quarant'anni fa... E un «arnese» per gli *editors* del Minimalismo.

Ma qui le osservazioni sul *Vecchio e il mare* possono continuare trasferendosi sulla *Festa mobile*: in che misura l'imitazione di una trovata felice rasenta la maniera? Fino a che punto l'antica antiretorica diventa una nuova retorica? Cos'è che dà questo sapore di anacronismo e di riesumazione? Non sarà successo a Hemingway quello che càpita a più di una signora anziana, che verso i cinquant'anni si veste con broccati e velette, e tutti le dicono ma come stava bene a vent'anni con quei bei chemisiers semplici semplici, magari di rigatino... E lei arrivata ai sessanta ricomincia a mettersi gli stessi chemisiers di rigatino dei suoi vent'anni, ma chissà perché non le stanno più tanto bene come prima?...

L'eccesso di aggettivi come «buono», «carino», «grazioso», più frenetico che nelle «Piccole Poste» di «Grazia» e di «Amica» potrà poi atterrire o deprimere, magari. Cosa avrà avuto in mente quest'uomo? Non c'è più luogo o persona o oggetto in questo libro che non siano belli e buoni, carini e graziosi. La loro ripetizione martellante e ossessiva diventa invece tragica se si pensa che «carino» e «grazioso» sono le ultime parole di un uomo disperato. Così come le sequenze della piscina, nel film incompiuto di Marilyn Monroe, non sono niente: ma diventano improvvisamente strazianti se si riflette che sono gli ultimi strattoni di una creatura che sta per uccidersi.

HENRY JAMES

«Ora prendo possesso del Vecchio Mondo – lo inalo – me ne impossesso», scriveva Henry James giovanotto da Londra ai suoi genitori nel 1875, neanche tanti decenni prima che la ventata degli Auden e dei Nabokov e quella dei Gunn e degli Amis s'abbandonasse con trasporto a itinerari e ragionamenti del tutto opposti. Nel 1875 aveva già inalato parecchio: cavalcate fra i ruderi nella campagna romana, conversazioni con Flaubert a Parigi, pane burro e marmellata in vista del Matterhorn. E il giovin signore barbuto che non aveva ancora scritto *The Portrait of a Lady* era piuttosto diverso dall'autore delle *Wings of the Dove* e di *The Golden Bowl* come lo si ha in mente di solito: una immagine di dignità e di vecchiaia magnificamente spalleggiata da redditi cospicui e inscrutabili, in ginocchio davanti al simulacro dell'Arte per l'Arte in una costellazione di volumi rilegati in tela blu e pubblicati dal nonno Macmillan dell'attuale Premier britannico.

James giovane era tutt'altro. Vitalissimo, pieno di felici energie, testa-fredda, scaltro e ironico sempre un po' più degli altri, deciso a vivere del proprio mestiere e molto contento di farlo, quindi professionista scrupoloso, sicuro di una vocazione strepitosa, risoluto con editori e direttori di giornali, con una organizzazione interiore ferrea, e perciò prolificissimo «ad libitum», sapendo sempre in anticipo che cosa avrebbe fatto di lì a sei mesi; e per di più soddisfatto di sé. Il suo lato neurotico l'aveva, e anche pesante: altrimenti come si spiegherebbe la poesia? È piuttosto inquietante attraverso una rassegna dei suoi protagonisti controllare come dalle *Wings of the Dove* a *The Turn of the Screw* e da *Daisy Miller* all'*Awkward Age* tenda a identificarsi quasi esclusivamente con un medesimo tipo di damigella ricca, bella e sbattuta che sfiora le più deliziose seduzioni, freme, non cede, e ne esce vittoriosa e disfatta. Anche quando si lascia influenzare dalle eroine di altri autori, e le riprende da Dickens e da George Eliot con poche varianti o quando addirittura rifà quasi uguale *Eugénie Grandet* in *Washington Square*.

E non solo nei romanzi della maturità, quelli che lui stesso chiamava «la mia carne-e-patate». Basta scorrere le sue «focaccine», cioè i racconti giovanili (ripubblicati in quattro volumi da Rupert Hart-Davis di Londra), per incontrare sì un Benvolio che ha due amori, una Contessa tipo Franz Lehár che trilla e gorgheggia fra perle e champagne, e la pallida Scolastica chiusa a studiare filosofia trascendentale nel suo studiolo (Benvolio sposa Scolastica, e finisce malissimo); ma anche lì soprattutto facoltose signorine del New England fidanzate o sposate a gentiluomini italiani. Mai un signorino americano che scopra una tipica donna europea. In *The Last of the Valerii* una fanciulla bostoniana scava in giardino, e vien su una magnifica statua di Giunone, che ridesta gli istinti pagani di suo marito, il Conte, così lui trascura la moglie e adora la statua, finché bisogna riseppellirla, con un simbolismo abbastanza greve. (Statuaria malevola: v. pure *La Vénus d'Ille* di Merimée). Anche in *Adina* si batte sullo stesso chiodino: il fidanzato porta via a un contadinaccio un antico topazio che è stato nientemeno il sigillo dell'imperatore Tiberio; ma la fidanzata innocente, sapendo forse da Svetonio che cosa faceva nell'acqua a Capri, non vuole aver niente in comune con quel vecchio satiro; poi però spiritosamente ci ripensa, fugge col contadinaccio a Parigi, e al fidanzato abbandonato non rimane che buttare il topazio nel Tevere...

Non per niente il fratello, William James, rimasto a casa, gli raccomandava di stare attento alle sofisticherie troppo elaborate, «perché si ha sempre l'impressione che il tuo stile conceda all'arricciolatura un pochino di più di quello che piace alla persona normale». William non considerava l'arte della narrativa come «un modo di vita serio, sano, maschile», mentre Henry era convinto che fosse l'unica esistenza possibile, a costo di non sposarsi e vivere solo. Henry era dominato dalle emozioni estetiche, a cui William pur volendogli molto bene era cieco e sordo. William era «tutto intelletto, intiepidito dal sentimento», secondo la formula di Leon Edel; e Henry «era tutto un sentimento intellettualizzato». Naturalmente quindi William non riusciva a star bene lontano dal Massachusetts, mentre Henry preferiva l'Europa, i suoi antichi parapetti, e chissà.

Non per nulla il secondo volume della monumentale biografia di Edel (ora uscito presso lo stesso Hart-Davis) è dedicato a *The Siege of London* (1870-1883). A Parigi l'autore dei *Bostonians* si era fermato a lungo, ma senza molte soddisfazioni: «Più vivo in Francia, più amo la personalità francese,» scrive, ancora a William «più mi convinco della loro superficialità senza fondo». D'altra parte l'America non possiede «né sovrano, né corte, né lealtà personale, né aristocrazia, né chiesa, né clero, né esercito, né diplomazia, né gentiluomini di campagna, né palazzi, né castelli, né magioni, né ville, né vicariati, né cattedrali, né chiesine normanne, né grandi università, né buoni collegi, né letteratura, né lords, né musei, né quadri, né società politica, né società sportiva, né Epsom, né Ascot...». Forse un po' più di Francia gli avrebbe fatto bene? Chissà. Possiamo immaginare che una seratina fuori con Verlaine e Rimbaud, o qualche tè in casa Mallarmé, male non avrebbero fatto a un autore che secondo il Dr Leavis ha cercato sempre e solo «la più fine essenza». Ma è significativo che il suo solo amico a Parigi fosse Turgenev: «Qui mi sentirò sempre un eterno outsider». E l'Inghilterra lo affascina non solo per ragioni linguistiche: la società vittoriana gli pare la più ricca e più forte del mondo. «Il mio sogno è di arrivare all'abilità di esserne in qualche misura il ritrattista morale». E si stabilisce a Londra per sempre.

Qui James trova tutto quello che gli occorre: tradizione, teatri, clubs, camini, correnti d'aria, facchini e signore che parlano come in Dickens o in Thackeray, strade fumose per passeggiare di notte chiacchierando con gli ubriaconi, i numeri anche arretrati del «Punch», il Derby. La buona società sembrava facile da penetrare perché mancava di «intelletto analitico», però non desiderava altro che di essere divertita: gioco da bambini, per uno snob di Boston. La «base regolare per una esistenza mondana» era finalmente trovata. Felice perché a pochi passi da casa sua aveva abitato Becky Sharp, James esclama (stranamente, in francese): «Je suis absolument chez moi!». Dopo il successo, la prossima tappa sarebbe stata la conquista della Grandezza.

Non si è mai visto uno stratega letterario e mondano così abile nella preparazione di una campagna e nell'organizzazione di un calendario. Poche mosse rapide, un bigliettino di Henry Adams, l'ammissione ai clubs giusti, un po' di complimenti alle vecchie giuste: poche settimane dopo conosceva tutti, andava in tutte le case ciarlando; e William là nel Massachusetts si vedeva arrivar lettere che proclamavano orgogliosamente: «Questo inverno ho cenato fuori 140 volte!».

Si capisce che ci sono stati dei momenti noiosi, delle iniziative sbagliate, delle serate buttate via; e qualche crisi misteriosa come quella osservata da V.S. Pritchett: William a trentasei anni finalmente si sposa, perché è finalmente morta la Mamma «troppo sacra per poterla descrivere»; allora Henry, che in famiglia è sempre stato chiamato Angel, scrive il suo più brutto racconto, *Confidence*, la storia dell'amore di due giovanotti per una fanciulla che si chiama Angela; e da questo momento i personaggi maschili impallidiscono definitivamente in tutti i suoi libri, e anche quando si agitano nel loro secondo piano come Osmond in *The Portrait of a Lady*, lo snobismo prevale sopra la loro umanità, l'egoismo e l'arroganza sopra l'urbanità e l'indulgente ironia della social comedy.

La vita dedicata alla «più fine essenza» sarà un'esistenza senza avventure, senza passioni, senza ambizione se non quella di scrivere bene: un Balzac senza debiti, osserva Cyril Connolly, un Proust senza Albertine. Sempre deciso (come del resto Sainte-Beuve) a lavorare tutto il giorno e a uscire per veder gente tutte le sere; e sempre ostile al matrimonio e a ogni rapporto affettivo, per non sottrarre energie «smisuratamente attive» all'opera di creazione disperdendole in quella «forza distruttiva», che è l'amore: gattone che fa «fusa benigne» secondo T.S. Eliot, o morbidone che «gode a placar Meduse» come sostiene Harold Nicolson commentando l'ostinazione a frequentare anziane signore autoritarie, anzi «formidabili e talvolta terrificanti figure di potenza femminile», padrone di salotti dove sia possibile osservare dal vivo il contrasto fra l'energica spontaneità morale del carattere americano e le «bizzarre grazie selvagge» delle antiche civiltà... «Ecco l'osservatore che tenta di influenzare l'azione» come scriverà E.M. Forster del protagonista degli *Ambassadors* «e che attraverso il proprio scacco ricava però nuove occasioni di osservazione...».

Che tragedia (se non c'entrassero la poesia e il genio), e che ghiottoneria intanto per lo specialista freudiano... Il celibe di Bolton Street che vive solo, mangia e dorme solo, passeggia da solo, anche di notte (fra nebbie vittoriane... brrr!), si organizza per coazione neurotica una giornata fatta non di ore e minuti ma di parole e di frasi scritte, e ne taglia fuori ogni esperienza della realtà che non sia quella di andare in società (una società vista sempre immobile, statica, pietrificata, senza una forza che la smuova), cauto, paziente, osservatore, facendo le sue fusa, moderatamente spiritoso, quasi benigno, quasi senza ironia, guardando quietamente gli stupidi intorno fin quasi a confondersi con loro, o almeno coi propri personaggi che li rispecchiano...

JACK KEROUAC

Apriamo la porta della stanza d'albergo, e quest'uomo basso con gli occhi verdi sta ronfando e ringhiando strappandosi la camicia, mostra il ventre obeso alle due ragazze salite poco fa per fotografarlo durante l'intervista. La camicia a scacchi verdi vien via, la prima cosa che mi dice è di togliermi la giacca. M'afferra la cravatta: «Io non ne porto mai, si può anche essere strangolati, con una di queste». E fa il gesto. Vorrebbe che mi togliessi la camicia. Ma per far cosa, per lottare, se non ce la fa neanche a stare in piedi? Sui tavoli, i sandwiches non toccati, le birre che ciuccia fra un cognac e un fernet. Le ragazze fotografano. Lui fa delle corse intorno alla stanza. Non gliene importa niente se si apre la porta, non si accorge neanche se vengono dentro dei curiosi invadenti.

«... Comprare automobili, sfasciare automobili, rubare automobili, fracassare automobili, prender su ragazze, far l'amore, bevute per tutta la notte, posti di jazz, orge sfrenate, posti scottanti...». Questo dice la quarta di copertina di *On the Road*, paperback americano di qualche anno fa, epoca ancora di jazz, non ancora di rock. E subito sotto: «Questa è l'Odissea della Generazione Beat, i giovanotti frenetici e le loro donne che corrono furiosamente da New York a San Francisco, dal Messico a New Orleans, in una ricerca forsennata: di Godimenti e di Verità». E sulla copertina: «Questa è la Bibbia della Generazione Beat – l'esplosivo bestseller che dice tutto sulla gioventù selvaggia d'oggidì e la sua frenetica ricerca d'Esperienze e Sensazioni». Nella prima pagina: «I barbari dello Zen, ecco i rivoluzionari sfrenati, dissoluti, non violenti, assetati di Vita, Esperienza, Sensazione, Verità... *On the Road* è la loro Odissea, la cronaca esplosiva del rifiuto di due giovani d'inchinarsi all'autorità, di conformarsi a una società che non possono accettare. Ecco la saga della loro selvaggia, sregolata ribellione, raccontata dall'Omero hip della Generazione Beat: Jack Kerouac!».

Un po' ostile, un po' indifeso, si butta sul letto, si rintana negli angoli. Come un infermiere ottimista, o una tata soave, Domenico Porzio (che lo gestisce in Italia) gli mormora: «Caro Jack, guarda quante belle visite abbiamo qui!», gli domanda: «E allora, ieri sera, com'è andata a finire?», ma lui beve la sua birra allarmato, come le nonne di Albee quando sentono dire: «C'è qui sotto il furgone pronto». Fa due o tre smorfie. Scatti, scatti di fotografie.

Scrive il suo esegeta Seymour Krim, nella prefazione ai *Desolation Angels*: «Ricordo bene quando a New York, alla fine degli anni Quaranta, girava la voce che "un altro Thomas Wolfe, un roaring boy di nome Kerouac, mai sentito?" stava per scatenarsi sulla scena letteraria». Secondo Leslie Fiedler, «Allen Ginsberg ha addirittura inventato la leggenda di Jack Kerouac, con la collaborazione di certi fotografi di "Life" e delle riviste femminili, trasformando l'ex-atleta della Columbia University, autore di un noioso e convenzionale Bildungsroman da nessuno ricordato, in una figura della fantasia capace di colpire l'immaginazione dei bambini ribelli con pretese letterarie, così come le corrispondenti figure un po' più ordinarie, Elvis Presley, Marlon Brando e James Dean, emozionavano i loro coetanei meno letterati e ambiziosi». Per Alfred Kazin, «Jack Kerouac è uno scrittore molto meno dotato e intelligente di Mailer, ma nel suo recente bestseller, *On the Road,* si trova quella medesima solitudine d'emozioni senza oggetti di cui curarsi, quella stessa sfrenatezza di violenza verbale che, a guardare un po' da vicino, pare innaturalmente remota dall'oggetto o dall'occasione. Kerouac, invero, scrive non tanto intorno a "cose", ma piuttosto intorno alla ricerca di cose su cui scrivere...».

Sta cominciando una tirata contro gli ebrei. È una sua idea fissa. Ma subito dice: «Non sono affatto fascista». Aggiunge: «La politica falsa i valori veri della vita». Precisa: «Sono un gesuita». Un po' in inglese affannoso, un po' nel francese arcaico-cantilenante dei canadesi: «Sono il secondo Messia, un Gesù Bambino tutto d'oro, vado in Paradiso con la mia culla». Birra. Cognac. «Miller ha copiato tutto da Céline. Il vero genio tutto originale è Burroughs, che è mio amico. Ma lo sappiamo solo io e Anaïs Nin, che Henry Miller ha copiato tutto da Céline». Gli dico che se ne sono accorti in parecchi. Viene lì col pugno. Poi ride.

Si sa che la bohème americana degli anni Venti era una fuga dai villaggi provinciali e ipocriti del Middle West verso le corride e i cubismi della vecchia Europa latina e sdata, ma carica di miti chic. Negli anni Trenta? La bohème americana era radicale, combatteva in favore di tante Cause, faceva del marxismo passionale un po' trotzkista, con orgasmi di sinistra, e si lasciava fiaccare dai Complessi a causa di un salotto troppo elegante o di un matrimonio tutto sommato felice. «La bohème degli anni Cinquanta» secondo Norman Podhoretz «è tutta un'altra faccenda. È ostile alla civiltà: venera il primitivismo, l'istinto, l'energia, il "sangue". Nella misura in cui possiede interessi intellettuali, vanno tutti per dottrine mistiche, filosofie irrazionali, e un reichianesimo di sinistra. La sola arte frequentata dalla nuova bohème è il jazz, specialmente del tipo cool».

In quanto al reichianesimo, la sa lunga ancora Fiedler. «È Wilhelm Reich che muove i giovani col suo gusto per il magico, e la sua insistenza sulla piena genialità come scopo finale dell'uomo. Il culto dell'orgasmo sviluppato in suo nome ha fatto proseliti negli anni recenti, perfino tra i membri delle generazioni dei Quaranta e dei Cinquanta, vicini alla mezz'età e delusi dai marxismi e freudismi ortodossi. Isaac Rosenfeld, Saul Bellow, Paul Goodman, e specialmente Norman Mailer, cercano di vivere una seconda gioventù menopausale... Ma ci sono segni ovunque che la celebrazione della "piena genialità" (o "genitalità"?) ormai démodée continuerà a esistere solo a un livello middlebrow bambinesco, in romanzi e film sempre più ovvi, derivati, via Jack Kerouac, dall'ultima folle efflorescenza del sogno del sesso utopistico...».

Ieri sera aveva detto a Porzio: in Italia vorrei visitare soprattutto Pavia, Padova, Bologna. E anche: il miglior poeta italiano è Gregory Corso. Adesso gli guardiamo nel taccuino e troviamo scritto: «Se l'Italia deve diventare la custode della Chiesa, secondo la profezia, che cominci subito». «Garibaldi ha freddo, il cavallo è scoperto». «Raffaello, così languido». «Te la ricorderai, una ragazzina un po' maschile di Roma?». E dopo Milano, e un incontro di traduttori: «Dolci donne milanesi con amanti crudeli».

Parecchi anni fa, in un saggio molto citato, Philip Rahv ha stabilito quella differenza fra gli scrittori americani «Pellirosse» e quelli «Visi Pallidi», ormai insegnata nelle scuole come da noi quella fra classici e romantici. Il Viso Pallido è colto, patrizio, bostoniano, simbolista, religioso, irreale, pedante, snob: Henry James, Melville, Hawthorne, Edith Wharton, Emily Dickinson, Salinger. Il Pellerossa è ordinario, sanguigno, maleducato, realistico, emotivo, spontaneo, tutto-esperienza e anche come-viene-viene: Whitman, Twain, Dreiser, Anderson, Wolfe, Sandburg, Caldwell, Steinbeck.

Gli chiedo cos'è lui. Risponde: tutte cretinerie. Gli chiedo cos'è Burroughs. Per poco non mi picchia. Non riesco proprio a capire una cosa: la parola d'ordine beat era «cool», cioè freddo, immobile, distaccato. Però scrivevano (Kerouac) cose tipo: «Noi pazzi, pazzi di vivere, pazzi di parlare, pazzi di farci salvare, avidi di ogni cosa nello stesso tempo, noi che mai sbadigliamo o diciamo un luogo comune, ma bruciamo, bruciamo, bruciamo come favolose candele romane gialle che esplodono come ragnatele fra se stesse e in mezzo si vede esplodere la luce centrale blu, e tutti gridano "aaahhuuu!"». Questa prosa è calda bollente, chi l'ha scritta senza rileggerla aveva la temperatura alta, altro che «cool»! Bisognerebbe proprio farsi spiegare questa cosa. Ma lui corre intorno alla stanza e fa il cavallino, ha rimesso su la camicia ma spinge in fuori la grossa pancia, canta abbandonato e felice delle filastrocche arabe o indiane – o iraniane? lo dice, ma non si è capito – beve la sua birra, rifiuta il pezzo di pane, e non gli si può andar vicini non per i pugni ma per l'alito.

«Ancora un giorno a Roma!» fa, sinceramente angosciato, quando gli annunciano che la partenza per Napoli è domani e non oggi. E rifà subito un incontro di pugni, come una volta che è andato con Ginsberg a trovare Mailer, e Mailer li ha accolti coi pugni pronti tipo Hemingway, e allora Ginsberg si è tirato giù i calzoni, gli ha detto: «Guarda qui!». E aggiunge su Hemingway che non ha mai avuto voglia di leggerlo, perché «vuol far troppo il Grande & Semplice». E precisa su Ginsberg che certe volte gli piace e certe no, attualmente più no che sì, però è un grande poeta e detesta gli ebrei anche se è ebreo lui stesso.

Deve aver letto qualcuno di quei libri antisemitici che circolavano anche da noi tanti anni fa. Ci torna sopra continuamente: una ragazza ebrea ha sposato un suo amico «per prendergli il nome»; e subito gli ha detto: «Manda fuori di casa quei tuoi amici mascalzoni». E anche Kafka ha rubato tutto da Dostoevskij; ed Einstein da uno scienziato polacco: perché gli

732

ebrei vogliono solo portar via tutto a tutti. Aizzano anche i neri contro i bianchi, per poi approfittarsene.

Questi autori americani sono molto diversi dai nostri; e quelli alcolici, tutti uguali fra di loro. Cerco d'immaginare delle analogie, quando racconta: per esempio, io con Sanguineti oppure con Testori, che andiamo a trovare Ottieri oppure La Capria, e lì invece di parlare del Gruppo 63 ci tiriamo dei pugni per giocare, e a un tratto giù i calzoni, e poi fuori le bottiglie, e poi giocare a dadi fino all'alba con Parise...

Ma lui dagli ebrei sta facendo dei va-e-vieni continui con la filologia e l'onomastica: spiega le origini dei nomi della sua famiglia, Indiani e Cornovaglia, con un paradossale gusto etimologico. Sua madre si chiama L'Évêque, nome predestinato... ma ricade subito: nomi come Ferlinghetti o Alberghetti non possono essere che ebrei, perché finiscono in «ghetti».

Forse lui non è Kerouac. Forse si tratta di un allegro ubriacone della Bowery che ha sentito in un bar il vero Kerouac raccontare di questo viaggio offerto da un editore italiano, e si è offerto di venire al suo posto. Il vero Kerouac pare un tipo di parecchie letture. Può fare dei paragoni indecenti fra se stesso e Proust: «Scriviamo tutt'e due le nostre autobiografie, in parecchi volumi: la differenza è che lui rielaborava dopo, in un letto di malato, mentre io scrivo mentre vivo» (lasciandosi dunque sfuggire la parte fondamentale, «critica», del lavoro di un meraviglioso artificiere, nient'affatto naïf; e badando solo ai materiali deperibili, non già al Congegno ossia l'unica cosa che conta). Però fa diverse citazioni appropriate di classici moderni: perfino *Mario e il Mago*.

Ma non sa tante cose. Wilson, Kazin, Trilling, sì: i tre grandi critici gli vanno bene. Eppure non gli viene in mente una storia famosa: Ginsberg allievo di Trilling alla Columbia, salvato da lui dalla prigione, oggetto della compassione curiosa di sua moglie, e poi protagonista dell'unico buon racconto di Trilling stesso. Dice: conosco tutti! E fa tanti nomi. Tanta gente che conosciamo, del resto. E un motto di Auden potrebbe anche esser vero. Mangiava una mela su un sofà. E lui: «Buona col formaggio!». E Auden: «Col formaggio non è buono niente!». Possibile: Auden, vecchio topone, pur di non parlare di letteratura va incontro a qualunque leggerezza. Però poi lui imita Truman Capote, e qui fa una voce da basso, mentre Capote è tutto un falsetto. Forse non è il vero Kerouac. È un allegrone venuto al suo posto: uno scrittore sia pure degli anni Cinquanta non si conforma così ai modelli Bowery per la sua rappresentazione alcolica. Generalmente ha esempi migliori. Questo ripete troppo «sono un gesuita»; poi aggiunge che non accetta dogmi, crede solo alla sua verità interiore, si dà alcune azzeccate definizioni di luteranesimo; ma poi soggiunge che no, è gnosticismo (un quarto d'ora per trovare la parola).

Ma forse invece lo è. Ha comprato tanti rosari per la sua mamma; e si sa che quando il vero Kerouac scrive della mamma, De Amicis al confronto diventa Montaigne. Che imbarazzo, certe elegie sulla mamma patetica che rammenda le calze rotte del figlio tornato tardi, con aghi e ditali di tanti anni fa, e poi si alza per preparare sospirando delle minestrine che costano poco però tanto buone...

Forse lo è. Butta là, riattaccandosi alle questioni di prima, un «Henry James non è affatto cool, è cool William James», e se gli obietto che Henry è un pesce bollito, in fondo gli va bene. Non ha dormito, vorremmo andar via tutti, ma non ci lascia, s'inalbera. In francese, in inglese, con qualche parola di spagnolo: «Solo Burroughs è tutto originale!». Salutiamo. Non vuole. Gioca con un rosario. Cosa pensa dei nostri beats capelloni d'adesso? «Ho quarantaquattro anni, sono troppo vecchio perché m'importi di quello che può fare un branco di giovani stupidi bohemians».

Che sia davvero Kerouac? L'ostilità è cessata, pare ansioso. «Pellirosse e Visi Pallidi sono stupidaggini, "cool" significa "fermo", come quando sta per arrivare la polizia; la verità sta nella spontaneità. È la prova del fuoco: come per i gladiatori del circo. Il lettore o la lettrice "partecipano" solo se quello che scrivo è "sentito", con eccitazione. Dunque scrivo solo quello che sento profondamente». Se lo sentisse Flaubert!... Forse è Kerouac: i suoi libri sono scritti proprio così. Ma odia qualcuno? Tutto sommato no: è una furia inoffensiva. Ogni volta che gli si butta lì un nome, alla fine vengono fuori delle mitezze.

MARY McCARTHY

La Donna Saccente appare frequentemente, nelle società più seriose e ridicole: come istituzione culturale o come personaggio di commedia, macchietta da cocktail-party o calamità di costume. Non soltanto in Italia o in Francia: il più efficace profilo della «megera letteraria» contemporanea si deve ai professori Horkheimer e Adorno, in un capitolo della *Dialettica dell'illuminismo* più cannibalesco delle *Preziose ridicole*. In tutt'altre società – meno seriose, non già meno *serie* – alligna invece, per tradizione, la Donna Brillante. Anche lei «dice la sua». Sempre; generalmente su tutto. *Sa*, anche, tutto. Ma con malizia, mai con sussiego. Nei paesi anglosassoni, si tratta d'una professione *full time*: praticamente, un servizio pubblico.

Donna Brillante non sarà dunque la gran romanziera. Per Ivy Compton-Burnett o per Muriel Spark, l'ironia non è che uno strumento. Come la struttura perfidamente antiquata delle loro storie. Deve servire, prima di tutto, a un fine. Fornire una risposta non equivoca al dubbio fondamentale: «Perché mai, oggi, uno scrittore intelligente e moderno, se ha delle "tesi" non narrative da sostenere, dovrebbe scegliere proprio la narrativa come "mezzo" per comunicarle? Non esistono altri "canali" più adatti?». Così, le autrici di *Daughters and Sons* e di *Memento Mori* entrano di diritto nella «grande tradizione» di Jane Austen e di George Eliot, anche se nella loro indifferenza al nostro secolo finiscono per risultare molto più «nuove» della flebile Sarraute o della molesta Duras.

Nemmeno saranno Donne Brillanti, a ogni costo, le signore che praticano la Recensione. Nell'Italia di Pietrino Bianchi e Alberto Moravia questa professione non esiste ancora, tanto vero che manca perfino il vocabolo per definirla, quale sarebbe il femminile di *recensore?* Ma su quasi tutti i giornali inglesi molta critica (preferibilmente cinematografica) viene normalmente esercitata da signore, che si chiamano quasi sempre Penelope. Penelope Gilliatt, Penelope Mortimer, Penelope Houston... Però, anche se esercitano la professione con brio, la loro qualifica sul mercato rimane indiscutibilmente quella di «donna critica». Cioè, un'attività fondamentalmente burocratica, legata come risulta a una scadenza settimanale inevitabile: dunque affine al mestiere della *columnist,* la «spiritosa per forza» che deve sempre sorridere e far sorridere in data fissa – anche «con lo strazio nell'anima» – come nei *Pagliacci* di Leoncavallo.

Spesso la Donna Critica tende a trasformarsi in Donna Pensosa, come per rivelare una vocazione profonda alla saccenteria. Ma non di rado questa seriosità appare come un mero travestimento per la frivolezza. Nessuno riesce più volubile della Saccente. E non sempre la Seriosa resiste alla tentazione d'intervenire nelle più disparate questioni (purché «alla moda»), nei più lontani dibattiti (purché *à la page*), sugli argomenti di smodata attualità e diversissimo peso specifico: purché *scottanti.* Magari con scarsa competenza specifica, e confuse conoscenze dirette. Identificandosi con la (il?) *bas-bleu,* la Seriosa divora insieme la strategia nucleare e la scultura pop, la chirurgia cardiaca e la pubblicistica del dissenso, la scenografia d'opera, McNamara, e il Piper Club.

Si risentirebbe moltissimo, la *bas-bleu,* se Dean Rusk o Douglas Sirk o Godard, o i Rolling Stones, o il Dottor Barnard, emanassero dei giudizi letterari sulla *sua* opera, magari sulla base di qualche frettolosa informazione giornalistica. Però nessuno la tratterrà dall'emettere giudizi musicali o militari o diplomatici o medici, quando si tratta di saltare con entusiasmo o sarcasmo sul vagone della discussione «che fa notizia». Anche sulla sola base di qualche articolo di quotidiano. Anche quando la sua «posizione da chiarire», in fondo, rimane l'unica possibile per una persona decente: i «no» alla guerra o al razzismo, da cui solo un insensato potrebbe mai dissentire. Così riesce a trasformare in una boutique o in una villeggiatura anche le «cause» più gravi e più tragiche. Perfino il Vietnam...

... Né più né meno come nel Trenta, quando una famosa amica di Mary McCarthy partì per la Spagna in guerra dopo aver chiesto a tutta la New York radicale quale abito da sera portarsi dietro. Come anche oggi, del resto: quando il teatro più «avanzato» *rivela* a un pubblico di mezza età che i nazisti – trent'anni fa – erano malvagi. E magari introduce il nuovo termine di *Shoah*.

Mary McCarthy rimarrà invece per sempre il prototipo *top* della Donna Brillante. Anzi, ha esordito, una trentina d'anni fa, addirittura in qualità di «donna brillante per donne brillanti»: così come esistono rarissime specie, i «musicisti per musicisti» e i «poeti per poeti»... Sempre molto bella, molto elegante, molto *tranchante*: ma a questi tre requisiti indispensabili per qualunque Donna Brillante, sovrappone continuamente l'uso di un'intelligenza incantevole, inflessibile. Non ha soltanto scritto dei gran bei saggi che lasciavano il loro graffio chic su tutta un'epoca; e perfino un eccellente romanzo «ben confezionato» quando ha deciso d'arricchirsi in una volta sola e senza troppo dolore... Né sarà, giustamente, una «miglior cuoca», così come Ezra Pound poteva essere «il miglior fabbro». (Rammento ancora che il suo primo marito Edmund Wilson ricordava sbigottito il pentolone di *all purpose food* cucinato ogni due o tre giorni e servito a colazione e a cena... Come del resto, proverbialmente, *chez* Niccolò «Nica» Tucci, a New York). In realtà, attraverso i dilemmi culturali di alcuni decenni intricati, ha distribuito con vera generosità una quantità di giudizi certamente «brillanti», ma (alla distanza) *profondamente giusti*. La sua qualità, la sua *classe*, vengono fuori proprio «alla distanza»: ogni sua scelta è libera, e denota un animo nobile. Così Mary McCarthy ha finito per redimere addirittura un intero cognome, ormai imbarazzante e quasi compromesso, dopo quel tristo senatore.

Nuove «donne brillanti» appaiono poi frequentemente. La Whitehorn, la Brophy, la Freeman, sgallinano in Inghilterra su due terreni inesauribili: i dissennati pregiudizi borghesi, e i bizzarri incontri di viaggio. In America (e di rimbalzo, in Italia) la Sontag scavalla invece nel campo della Cultura Alta. Lavorano enormemente; e sembrano eccezioni considerevoli alla solita regola per cui l'importanza accordata a un'autrice dev'essere direttamente proporzionale al peso specifico del marito scrittore. Come dote primaria, hanno lo zelo: nella verve amarognola, nella ieneria spiritosa, nella svagata soperchieria. Si divertono molto, giocano continuamente. Trasformano *Mein Kampf*

737

in «Mein Camp», e *Homo Faber* in «Homo Fabergé». Ma una spina le tormenta aspramente: c'è sempre un annoso flirt con la Narrativa, che non va bene davvero.

Perciò vengono volentieri paragonate alla McCarthy, e la pubblicità dei loro volumi ricorre anche a fascette maligne e villane, che dicono «Mary, fatti in là». Però il paragone sta malissimo in piedi. Susan Sontag sembra una zanzarina eccitata da troppi pollini, mentre la grande Mary è una fortezza volante munita di giroscopi cospicui. A parte ciò, la McCarthy è stata una bellezza famosa, mentre la Sontag può a malapena definirsi «un tipo». E comunque, Mary si è formata quasi soltanto sui classici, mentre Susan frequenta esclusivamente i modernissimi.

Qui Susan ha avuto talento, abilità, fortuna: come Ardengo Soffici che va a Parigi e ritorna a Firenze parlando degli impressionisti per primo. Certamente, il primo viaggiatore che avrà «importato» il cubismo in Libia o il *nouveau roman* nel Libano avrà avuto notorietà e successo, nel Libano e in Libia. Gli Stati Uniti sono una cassa di risonanza indubbiamente più poderosa, per qualsiasi operazione; e anche, nel loro costante isolazionismo culturale, paiono inspiegabilmente in ritardo, sovente, per molte «specialità» europee. Soprattutto sul terreno della speculazione teorica. (A New York, ancora negli anni Sessanta, a cena col meglio della «New York Review of Books», le domande più frequenti ai visitatori stranieri erano: «È bravo, questo Lévi-Strauss?», «Dove pubblica, Bachelard?», «Vale la pena di tradurre un po' di Barthes?»). Ecco i moventi della fortuna di Susan Sontag: un'importazione massiccia e tempestiva di formule e tecniche messe a punto dalla «nuova critica» francese, in un vasto ambiente intellettuale che non le conosceva di prima mano, e le giudica attractive, engaging, fascinating, tantalizing, ed eventualmente refreshing. Ma ecco anche i limiti di un'assimilazione così supponente: mai una riflessione teorica e anche ironica sul *senso* dell'eclettismo intelligente dei «modelli» come Roland Barthes.

L'attività del «nuovo critico» nutrito di strutturalismo è *morfologica*. Tende a conoscere un organismo letterario «dall'interno», non a emanare un giudizio di valore. Esplora un'opera tralasciando tutte le vicende e le circostanze che si trovano «al di fuori». Strumento privilegiato di conoscenza, saggia temi, sistemi, costanti stilistiche: alla ricerca delle strutture formali che corrispondono alle strutture dell'immaginazione... Penetrare in un'opera! Ecco il sogno affascinante della nuova critica francese: «installarsi in una struttura per cogliervi insieme i moti dell'immaginazione e i disegni della composizione»... *Questo* è il senso delle operazioni delicate e ardite di G. Poulet e M. Raymond e Ch. Mauron e J.-P. Richard e J. Starobinski e J. Rousset e L. Goldmann e R. Barthes, del loro cauto possibilismo nel «tentare» su un'opera moderna questa o quella finissima *chiavetta* selezionata negli arsenali di Valéry e di Heidegger, di Husserl e di Focillon, di Spitzer e di Blanchot, di Auerbach e magari di Lukács (e messa a punto collaudandola «in profondità» sui testi di Mallarmé, di Racine, di Flaubert...). Col sospetto che tramite le ideologie vi si possa introdurre il *contesto*, di soppiatto... O magari *contaminazioni* fra Ovest ed Est, tipo *Divan* di Goethe...

Negli entusiasmi divulgativi di Susan Sontag, invece, strutturalismo e «nuova critica» appaiono come una cattedratica operazione culturale in tutto omologa al programma politico di De Gaulle: ristabilire oggi la supremazia francese del Seicento, coi medesimi strumenti oratori del Seicento. Cioè, irradiare alcune parole magiche e intimidatorie (grandeur, profondeur, rayonnement, foisonnement) in un mondo senza più *Salons* che ormai pronuncia compattamente Càravelle, Càmembert, Cìtroen, Càlvados con l'accento sulla prima sillaba... (Mentre il fascino savio e ostinato di Mary McCarthy «funziona» ancora, come trent'anni fa, sulla sua decisione di veder *tutto* coi propri occhi, e ragionar *solo* con la propria testa. «Pagando di persona», intrepidamente, come i reporter della «vecchia scuola». Analizzando sia *Madame Bovary*, sia la guerra del Vietnam, senza «effetti» e a tutti i livelli: dai trattati internazionali alle condizioni igieniche nei lebbrosari, al gergo burocratico degli ufficiali «indottrinati»).

Mary, la andai a trovare nel suo pianterreno a New York, nel '59. Poi ci si rivide per anni a Roma: abitava in un ammezzato sopra un autosalone in via Salaria; ma la sua amica di riferimento, Carmen Angleton, stava nel palazzo Gaetani Lovatelli. Ci si vedeva abbastanza spesso, mentre invano spingevo alcune avventurose amiche intellettuali a precederla in *The Group* scrivendo in gruppo le loro vivaci esperienze recenti e correnti. Ma più tardi, quando uscirono le sue lettere a Hannah Arendt, trovai che le descriveva i comuni conoscenti, come Chiaromonte e Moravia, aggrappati per prima cosa al telefono fisso in anticamera in ogni casa ov'erano invitati. Rilevava che almeno un giovane scrittore lombardo la aiutava con la pelliccia; ma, aggiungeva, è a Roma da poco e diventerà come gli altri.

A Parigi, Mary fu «la prigioniera del Huitième», perché in

739

quel costoso e scomodo arrondissement doveva restare legalmente domiciliata durante le pratiche del divorzio in vista dell'ulteriore marito Jim West. Dava il suo meglio ai Premi Formentor. A Salisburgo si stava con Gabriele Baldini, in un albergo movimentato dalle trame delle giornaliste inglesi coi protagonisti di *The Sound of Music.* Da St-Raphaël si andava a St-Tropez, dove lei si bagnava nel mare gelido proclamando: «I'm such a nordic woman!». (Ma ne seguirono artrosi). Negli ultimi anni, si era trasferita con Jim a Parigi, in fondo a Rue de Rennes; e aveva tappezzato l'appartamento di «carte di Francia», nonché imparato a cucinare piattini francesi.

Può sconcertare, in *The Group,* la struttura narrativa assolutamente convenzionale; e ne abbiamo discusso. Però nell'ambito di questo schema di «tutto riposo» tutte le attenzioni dell'autrice si rivolgono alla rappresentazione «critica» del Colore del Tempo degli anni Trenta, risolta attraverso il linguaggio. (Ma non riproducendolo documentaristicamente: il «ripensamento» è condotto con strumenti impalpabili, ma più espressionistici che non impressionistici, e questa si può considerare una «interpretazione autentica»).

Come critico teatrale, Mary divenne sempre più tranchante. Anche ad alta voce. «Those gangsters!», quando Valli e De Lullo misero in scena il *Sesso debole* di Bourdet in un Ritz pieno di ricchi americani «anni Trenta», quando ormai dopo il '29 non esistevano più. «Where are the monkeys? I want the monkeys!» a Parigi, dove Luchino Visconti aveva riempito di maschere e giocolieri *Dommage qu'elle soit une p...*

MARSHALL McLUHAN

Nel mondo culturale anglosassone oggi non pare che esista un nome più popolare e citato di Marshall McLuhan: traboccante nel giornalismo alla moda e nella conversazione à la page, in una vasta competizione fra «promotion» pubblicitaria ed «escalation» accademica. Ma un enciclopedismo così ilare e torrenziale e ingordo andrebbe ora avvicinato con cautela, può richiamare in mente Papini: tutta questa letizia non avrà per mira la santità?

Le sue idee sono ormai notissime, sulle ali di slogan fortunati come «il mezzo è il messaggio» (e anche «il massaggio»). I mezzi elettrici, prima di tutti la televisione, trasformano gli individui e il mondo e la cultura. Gli individui sviluppano una quantità di «sensi» nuovissimi: facoltà percettive simultanee che funzionano come prolungamenti degli organi fisiologici. Dunque il mondo ridiventa un villaggio forestale e tribale dove tutti gli abitanti partecipano a qualunque fenomeno mediante questo sensorio complesso. E di conseguenza, la cultura abbandona i suoi connotati tradizionalmente «tipografici» – lineari, frammentari, uniformi, ripetibili, tipicamente «successivi» – per assumere un aspetto organicamente istantaneo, simultaneo.

Infatti, a differenza di ogni tecnica «meccanica» precedente, i mezzi elettronici hanno «esteso» le possibilità del sistema nervoso centrale in un «abbraccio globale» di vastità sconosciute alla «cultura alfabetica» dell'èra Gutenberg. Ma questi mezzi non si limitano a funzionare come «prolungamenti» passivi e servizievoli del sistema nervoso o degli organi sensoriali. Se la tecnica diventa «fisiologica», la fisiologia e anche la psicologia verranno reciprocamente influenzate dalla tecnica; e i «media» non saranno più affatto «neutrali».

Ecco la tesi centrale di McLuhan: i «media» costituiscono un'industria che trasporta informazioni. Ma il «contenuto» di un mezzo di comunicazione è il mezzo stesso: «messaggio» e «massaggio» nello stesso momento. Olé.

Poi gli argomenti proliferano e si sdanno: a partire dalla celebre e inutile differenza fra mezzi caldi (come la radio e il cinema) e mezzi freddi (come il telefono e la televisione). I mezzi caldi dànno tante informazioni, e quindi richiedono uno scarso grado di «partecipazione e completamento» da parte del pubblico. I freddi, il contrario. (Per i più giovani, però *cool* significa *hot*). E in *Understanding Media* vengono in seguito capitoli e capitoli d'analisi dei mezzi più vari: dagli alloggi ai fumetti, dagli orologi alle biciclette, dalla pubblicità al grammofono. Però, neanche un paragrafino sul teatro: come si permette?

McLuhan mette le mani avanti. Avverte che queste «estensioni dell'uomo» non avvengono tanto al livello delle opinioni e dei concetti. Piuttosto, agiranno alternando senza parere le forme e i modi della percezione. Per esempio: avvolgendo in una maglia sensitiva foltissima gli spettatori della televisione, indipendentemente dal programma che guardano. (Però: qui non si capisce davvero la faccenda della radio che infiamma, come la fotografia, mentre la televisione raffredderebbe, come la conversazione. Forse c'è qualche svista: il «villaggio globale» non prevede le discussioni calcistiche davanti alla tv nei bar sport?). Ma poi, grandi lodi della tradizione «orale», di un modo di pensare e di esprimersi contestuale e concentrico.

«Il pensiero ebraico e orientale affronta problemi e soluzioni all'inizio di una discussione, nel modo tipico delle società orali. Dopo di che l'intero messaggio è più volte ripetuto sui cerchi di una spirale concentrica e con apparente ridondanza. Se si è preparati a "capirlo", subito dopo le primissime frasi ci si può fermare ovunque si voglia e ottenere ugualmente il messaggio nella sua totalità. Può essere stato questo metodo a ispirare F.L. Wright quando progettò il museo Guggenheim su una base a spirale e concentrica. È una forma inevitabile nell'èra elettrica, nella quale lo schema concentrico è imposto dalla qualità istantanea della velocità elettrica. Il concentrico, con la sua infinita intersezione di piani, è infatti necessario all'approfondimento della conoscenza». (Qui, semmai, andrebbe osservato che il museo Guggenheim è chiaramente costruito in base al principio del «minimo sforzo, massimo rendimento». Infatti, si sale in ascensore fino in cima: questo è l'unico intervento dell'elettricità. Dall'alto, si scende a piedi guardando i quadri lungo un dolce declivio. Ma se si fa solo una metà dei giri della spirale, si vede solo una metà dei quadri. Come se si appendono vari televisori. E nelle retrospettive affollate non si percepisce né approfondisce molto).

«Ogni invenzione o tecnologia» ripete McLuhan «è un'estensione o un'autoamputazione del nostro corpo, che impone nuovi rapporti o nuovi equilibri tra gli altri organi e le altre estensioni del corpo». Dunque, riassumendo: da un lato, una cultura «alfabetica» mutilata e frammentata, disintegrata in uno sfaldamento di «dissociazioni della sensibilità» (usando l'espressione di Eliot in un senso che a Eliot ripugnerebbe). Dall'altro, contrapposta, una cultura «elettronica» tutta unificazione dei sensi e sviluppo del cervello.

Però, queste sensazioni, McLuhan ce le «comunica» mediante un «mezzo» che è pur sempre alfabetico e frammentario, ancorché alla sua strana maniera. E se sia caldo o freddo, non si capisce: però si vede bene che non ha affatto una struttura «spirale e concentrica». Certamente il suo volume è «più volte ripetuto» in ogni sua parte: ma secondo uno svolgimento lineare che suggerisce talune pratiche dei tempi andati. La «confettura dello scapolo», per esempio: ottenuta versando la frutta successiva delle quattro stagioni in una medesima albanella di vetro piena d'alcol al sole. Oppure, il «patchwork»: cioè quei mosaici di brandelli di stoffe preziose o triviali cuciti insieme con tutti gli avanzi di casa dalle nubili sfaccendate fino a ottenere coperte e tende: e magari il tappeto «pezzotto» della Valtellina.

Si capisce, il paragone più degno e cortese ricondurrebbe al «centone da monaco medioevale»: la compilazione dotta ed eclettica – per definizione, «smisurata» – che accumula vanvere e ambagi da proporre alla degustazione dei Manganelli non ancora nati. Ma la smania da palinsesto può riuscire altrettanto frivola e vagamente «camp» che la debolezza per i paraventi a collages, vittoriani e «spiritosi». E alla fin fine, paravento per paravento, collage per collage, il super-collage di McLuhan più che un Trionfo dell'Elettricità potrebbe apparire come una réclame della Coccoina.

743

Understanding Media. The Extensions of Man (ovvero *Gli stru-menti del comunicare*), così farraginoso e tedioso come strumento di divulgazione scientifica, diventa piuttosto attraente come documento d'autobiografia abbandonata e vulnerabile. Così come gli arredamenti e le suppellettili nelle regge di Re Faruk non raccontano certo una Storia del Gusto, ma il carattere di un personaggio.

Da questo autoritratto, vien dunque fuori un professore scolastico e «spregiudicato», con il «complesso» dell'Eco della Stampa, e l'ideale inconfessato di fare un «Reader's Digest» tutto da solo. Con quale verve puntigliosa cita la fonte e la data dei più irrilevanti articoli di quotidiano, delle più banali interviste, dei dispacci Reuters, dei cataloghi di Sears Roebuck! (Neanche Mike Bongiorno mette i puntini sulle «i» con una cordialità così ferma, quando si tratta di correggere le risposte poco esatte a un indovinello)... Ma anche, con quale signorile nonchalance butta là i nomi mescolati di Joyce e Kennedy, Le Corbusier e Peter Sellers, Lumumba e Perry Como, Pio XII e Jack Paar, Hitler e Marilyn Monroe, Agatha Christie ed Elias Canetti, Bertrand Russell e il motto «panem et circenses», Stravinskij e Bartók e reporters o specialisti chiamati Tobias Dantzig, Edith Efron, Ted Szulc... Cita con uguale reverenza «Life» e Giulio Cesare, Bergson, Mumford, «TV Guide». Sa tutto sui fumetti. Non ignora nulla delle automobili. Non gli sfugge una tappezzeria o un volantino. Tesoreggia e accumula tutto con la stessa seriosità ponderosa. Nei momenti di «pausa che ristora», sfarfalla tra una disinvoltura Acli e un umorismo Fuci. Credo che non sussista più un dubbio: questo è finalmente il Libro sognato (e forse scritto) da Bouvard e Pécuchet.

ARTHUR MILLER

La conosciamo fin troppo. Dal Trentacinque in poi, la si è incontrata in un'infinità di circostanze pericolose: treni lì lì per deragliare, aeroplani lì lì per ammarare, ponti in procinto di crollare, navi sul punto d'affondare, scialuppe dopo l'affondamento, rifugi dopo il bombardamento, dichiarazione di guerra imminente, colpo di stato pendente. È la solita, vecchia (non cara), Insalata Mista di Passeggeri: anche più frequente del gruppo di ex-compagne di collegio o di pensionato che prendono strade così disuguali, finiscono in situazioni così accuratamente differenziate, e si ritrovano *dopo* – ahi, ahi, quanto mutate! Nessuno torna indietro!

Nell'Insalata Mista di tipi e «topoi» si trova sempre, come nei matrimoni di Hollywood, «*something old, something new, something borrowed, something blue*»... Ecco il burbero benefico, e balordi, canaglie, numerose spie, santarelline professionali, intriganti e seduttori internazionali, generalmente con false identità, passati burrascosi, inopinati sprezzi dei pericoli sotto pressioni e sciagure... La vecchia lady garrula che-non-perde-mai-il-suo-buonumore (e fruga nella borsetta), l'adultera in fuga già pentita che-desidera-solo-riabbracciare-i-suoi-bambini (e morsica il fazzolettino), e anche delle Mirandoline o dei Balanzoni, sempre utili... Bazzicano intensamente il molo, la stazione, l'air terminal. Prendono tantissimi treni, aeroplani, piroscafi. Ma frequentano specialmente l'orlo delle catastrofi; e anche dei cataclismi.

Fanno di tutto per trovarsi coinvolti in naufragi e rastrellamenti, in crolli e inondazioni. Dunque, facilmente prigionieri del cielo, o dell'oceano. Soprattutto con regìa di Hitchcock, e Tallulah Bankhead nel suo ruolo di intellettuale snob. Sempre tutti insieme, cuciti col filo bianco o rosso. Sempre senza benzina, o inseguiti, o in trappola. Spesso ostaggi di un evaso pazzo. E già intimamente predisposti alla trasformazione, finta-sorprendente ma rivelatrice!... L'apparente duro si rivelerà presto il più vile, o il più buono. La più debole o la più frivola si rivelerà capace di decisioni sagge e di audacie tempestive. Qualcuno, verso la fine, si redimerà: generalmente, l'alcolizzato. Oppure, si sacrificherà per gli altri: quasi sempre, la spia; anche perché non c'è più nessuno, ormai, che l'aspetta a casa. Tutti, alla fine, si ritroveranno in qualche modo mutati. Hanno imparato! L'esperienza ha insegnato!... Pretendendo, con unzione, che si debba ritrovar migliorato anche lo spettatore: come se il *Kitsch* rendesse più miti e altruisti, e non più scemi o più *camp*... Ma come regola fondamentale, mai dimenticare che l'Assassina o il Cuor d'Oro si celeranno laddove «nessuno l'avrebbe mai detto». (Si fa per dire: chi non prevede che lo sprezzante viveur si priverà del suo ultimo sorso d'acqua, e che la più cinica femmina-folle è sempre la prima ad accorrere con le bende?).

In uno show business che ha costantemente effettuato un vistosissimo consumo di terremoti, eruzioni, inondazioni, incendi e naufragi (nonché epidemie e lebbrosari) come veicolo e climax di folli e disperate passioni convenzionali, e sa sfruttare come feuilleton qualunque cataclisma o catastrofe da acqua e da fuoco e da guerra e da malattia contagiosa, *Incident at Vichy* è la risposta di Arthur Miller non tanto a *The Bridge of San Luis Rey* o alla *Ship of Fools*, ma piuttosto all'*Assedio dell'Alcazar* e a *Bengasi*. È fatto nello stesso modo: dovrebbe quindi venir subito interpretato almeno da Amedeo Nazzari, Andrea Checchi, Carlo Tamberlani, Silvio Bagolini, Guido Notari, Guglielmo Sinaz, nonché Maria Denis e Vivi Gioi e il piccolo Picci, intorno al capitano fisso Fosco Giachetti. Naturalmente diretti da Augusto Genina. Però ha qualche grosso difetto, rispetto ai suoi celebri antecedenti.

Il più vistoso è un esagerato sentimentalismo melodrammatico. Sembra di assistere a un incrocio tra *La primula rossa* e *Teresa Confalonieri*, quando si riprende una situazione archetipica ben familiare a Leslie Howard e a Umberto Giordano, nonché al Dickens di *A Tale of Two Cities*: la carretta dei condannati trainata alla ghigliottina fra le vessazioni delle tricoteuses. Ricordate? Sempre c'erano su l'eroe semitenebroso e il marchese col fazzolettino, il filosofo meditabondo e l'artista irresponsabile, il maggiordomo devoto e l'ugualitario frainteso... E duchesse, granduchesse, contesse, marchese... In un famoso sketch di Franca Valeri, lei faceva una Bovary infiltrata sulla carretta per finire almeno tra i nobili. Ma il boia la svergognava: «Non è neanche baronessa? Se ne vada!». E lei, tutta una mortificazione. Anche qui, tutto un tipo Andrea Chénier. Ma invece che «Les aristocrates, à la lanterne!», soprattutto ebrei, rastrellati dalle ss per mandarli ai forni.

Ecco dunque un ulteriore stratagemma. Quale grossolano espediente, pretendere applausi a un mediocre lavoro commerciale, per il mero fatto d'averlo collegato con nessi pretenziosi a un qualche Grande Tema à la page, a Nobili Cause da cui soltanto un pazzo o un nazista potrebbero dissentire. Servirsi a teatro delle tragedie degli ebrei o dei pericoli della bomba H è un'intimidazione strumentalmente analoga all'«Ha parlato male di Garibaldi» dei politici strappalacrime, al «Viva Trieste italiana» negli avanspettacoli del dopoguerra. Formalmente, equivale a incensare lo stalinismo per mezzo di un concerto per violino e orchestra, a fomentare il culto della Madonna servendosi degli occhioni di Jennifer Jones... Su questo punto, vanno d'accordo non soltanto Jane Austen e Flaubert: ma anche Duvivier o De Céspedes non hanno mai cercato di impressionare il pubblico più volgare e di influenzare il botteghino sovrapponendo un ricatto propagandistico di stragi e massacri a *Un carnet de bal* o a *Nessuno torna indietro*...

... «Cercate di procurarvi un chiodo, o un cacciavite. Dovete scavare il legno tutt'intorno»... «Perché non sanno stare a tavola, e per i gusti spaventosi che hanno in fatto d'arte»... «Non dobbiamo recitare la parte che loro ci hanno assegnato»... «Stavo andando al Monte di Pietà. È la fede di mia madre: tutto quello che ci è rimasto»... «Non riesce a pensare ad altro che a se stesso! Solo perché è un artista?»... «Prendete la Nazionale Nord per due chilometri. Seguite il fiume fino al piccolo mulino»... «Possiamo augurarci un mondo senza ideali?»...

Quante volte le abbiamo sentite, queste solfe da *sottisier* flaubertiano?... Quante volte le tragedie e gli ideali del nostro tempo sono stati discussi in due battute, con compunzione e in technicolor, magari da Sophia Loren cotonata da via Frattina in un kibbutz di Palestina?... Quante volte il poeta e il contadino, lo zingaro e il barone, il principe e lo studente, riuniti in un'unità para-aristotelica di spazio-tempo con Susan Hayward o con

Mireille Balin, ci hanno addormentato coi loro artificiosi contrasti psicologici, e col loro risaputo «fondo» comune d'Umanità, o peggio ancora funzionando come portavoce «da diverse angolazioni» per le ovvietà di un autore che a proposito d'argomenti universalissimi emulsiona Bertrand Russell e James Baldwin e una sinossi dei *Demoni* e una recensione della *Banalità del male*?... Non per nulla, gli ultimi dieci minuti della commedia, cioè quel solito duetto d'abnegazione che nella drammaturgia middlebrow corrisponde agli ultimi chilometri della Milano-Sanremo, vengono risolti da Miller in un dibattito superficiale e accademico fra Snobismo e Psicanalisi intorno a questioni di Responsabilità che in fondo non toccano né il Principe musicofilo né il Medico predicatore: dal momento che, non disponendo di alcun potere di decisione, non hanno troppe scelte, né l'uno né l'altro. E non per nulla, appena possono esercitare una Scelta – sia pure non illimitata –, subito abbracciano il Melodramma e il Kitsch.

Ricordate il finale del *Bandito della Casbah*, di *Ultimatum a Sarajevo*? Ecco, anche questo principe consegna il suo lasciapassare di ariano al dottore ebreo, e si avvia al supplizio facendolo molto pesare. Come Gilda nel *Rigoletto*. Come Liù nella *Turandot*. Come Bette Davis in *Jezebel, La figlia del vento*, che parte in canoa per l'Isola della Dissenteria in crinolina di satin scarlatto e breloque di diamanti per morire accanto a Henry Fonda appestato... Ma anche esattamente come il prete cattolico del *Vicario*, di Hochhuth, che parte (anche lui) per i campi di concentramento, con gran successo di box-office, mentre il Duodecimo rimane lì «con le mani in mano» come i perplessi monarchi del *Tristano* e del *Pelléas*... Senza che Miller magari s'avveda della gran brutta figura che fa fare a questo suo ebreo che accetta di salvarsi sapendo benissimo di sopravvivere solo a Prezzo del Sacrificio di un Innocente... Peggio quindi del Principe Ignoto, che non pugnala direttamente la piccola Liù, o del Duca di Mantova, che almeno non è stato lui a metter nel sacco la povera Gilda con le sue mani.

Certo, il dramma di Broadway è spesso una tragedia personale e sociale: tremenda, perché i casi sono due. O il dramma riesce ciò che le cronache e le pubblicità chiamano uno *Smash*, un *Hit*, o anche uno *Smash Hit*, cioè un grossissimo successo Kitsch. E allora, l'autore ha buone probabilità di veder rappresentati i suoi lavori seguenti, anche i più stupidi; e gli passano molte frustrazioni. Ma intanto cominciano le frustrazioni per gli aspiranti spettatori: arrivano dai suburbia, o dal Middle West, vengono obbligati dal conformismo sociale e dall'ingenuità culturale a vedere lo *Smash Hit*; e se non riescono a procurarsi i biglietti, è una prova tangibile di fallimento umano e professionale, come un *Flop* per il drammaturgo commerciale. Di qui, nuovi e orribili «complessi» americani da commedia.

Oppure, il dramma riesce un insuccesso: un *Flop*. Facilissimo trovare i biglietti: chiude fra una settimana. Qualche spiritoso trova perfino più *camp* assistere al *Flop* che allo *Smash Hit*. Però l'autore del *Flop* difficilmente viene ri-rappresentato, cade nelle frustrazioni, e dunque: *Smash Hit, Smash Hit*, quanti delitti si compiono in tuo nome...

Sembra allora necessario discriminare. La questione dei campi di concentramento è seria e grave: di per sé. Invece, la commedia sui campi di concentramento diventa una cazzata. Per così poco, tirando allo *Smash Hit*, sembrano molto più *serie* quelle commediole che hanno per tema il picnic in casa o il weekend in città. Senza troppi eccidi e stragi.

A proposito dello *Sguardo dal ponte* di Arthur Miller, diretto da Luchino Visconti a Roma, sarà forse utile qualche raffronto con la prima rappresentazione europea della commedia, la produzione, più severa e più chic, di Peter Brook, per il New Watergate Club, sul piccolo palco del Comedy Theatre londinese.

Su quel minuscolo palco Brook aveva sistemato un dispositivo costruito e tutto praticabile, che faceva vedere, sotto un pezzetto d'arcata del ponte di Brooklyn che dà il nome alla cosa, una apparecchiatura simile a quella immaginata da Christian Bérard per l'indimenticabile *École des femmes* nell'edizione di Louis Jouvet: le mura sono chiuse, è la via; le mura si aprono, ed è il salotto della casa di Eddie Carbone, i due luoghi nei quali il dramma si svolge e può ridursi. Questo Eddie è un grosso bestione scaricatore ex-peso massimo, rozzo, tardo, nel suo cervello entra un'idea per volta, e si sviluppa adagio: il contrario di un *raisonneur* di Pirandello. Muore dicendo «perché?», muore ma non ha capito niente. Come dramma dell'incomprensione e incomunicabilità fra gli umani si potrebbe semmai avvicinare a certe «anime murate» di Carson McCullers.

Dunque, benissimo Anthony Quayle, alto oltre un metro e ottantacinque, con spalle enormi e un modo di tirar pugni plausibile. Eccellente la moglie, rimasta bella di viso ma precocemente ingrassata per le pastasciutte, e di tipo casalinga sveglia, non già intellettual-tormentosa. Bene la ragazza, semplice ma non moderna. Irrisolto il ragazzo, già canterino a Taormina.

Brooks fa benissimo da sé i commenti musicali dei suoi spettacoli, è studioso di suoni e rumori, fa ricerche di musica concreta, e ha avuto ragione di abolire ogni musica; ed erano solo i rumori a sottolineare l'azione, più di tutti quelli dei treni
e delle vetture che passavano. Soluzione accorta, oggi che colonne sonore fin troppo eccellenti, come quelle del *Diario di
Anna Frank* o del *Dottor Živago*, ci hanno viziati abituandoci a
perfetti risultati orecchiabili, e fanno considerare fin troppo
déjà entendus i vecchi trucchi carichi di suggestioni e di «presa», come quelli di inserire jazz, romanze, canzoni e organetti,
nei momenti più intensi.

Visconti appunto ha immesso in questa occasione il disco di
Tenderly, l'«Ai nostri monti» del *Trovatore*, trombe laceranti, sirene di navi simili a stridi d'uccelli, cantilene di prefiche, ed altro ancora. E ha fatto costruire il dispositivo scenico su quel la-
bile tulle che a seconda dell'illuminazione si fa opaco o trasparente, chiudendo gli «interni» o spalancando orizzonti, come
spesso è prescritto dagli autori, per esempio da Tennessee Williams espressamente, nella realizzazione dei loro lavori con Elia
Kazan. Al di là degli *slums* italo-americani dove accade la storia,
appaiono talvolta lontani grattacieli, come se non si sapesse che
a New York ci sono i grattacieli, e come se in tutte le commedie
che hanno luogo a Milano si facesse apparire il Duomo al principio e poi ancora alla fine.

Qui il regista nostrano ha sostanzialmente ripetuto la messa
in scena – ben più rigorosa e austera, quella – del *Commesso viaggiatore* (la Morelli ha rifatto uguale quella sua interpretazione, e
se al posto dei giovani avessimo visto De Lullo o Mastroianni, a
fatica si sarebbe notata qualche differenza), sottolineando con
grossi effetti ed «effettacci», che avranno grande successo tra il
pubblico alla buona, marcano la differenza tra un dramma che
aveva basi sociologiche e psicologiche più salde e una sua poetica malinconia, e quest'altro dramma grossolanamente cucito
con filo napoletano o siciliano più o meno rosso.

Certamente lo spettacolo è abile e forte, e i suoi effetti possono impressionare suggerendo l'equivoco che il testo sia in realtà
assai migliore, va accennato soprattutto a due sopraffazioni da
parte della regìa. Nelle ultime scene, una specie di finalissimo
à sensation, la polizia dell'immigrazione arresta i clandestini e li
porta via, tra le grida e la commozione di una folla eccitata, che
si rinnovano all'uccisione di Eddie Carbone poco dopo, in un
quadro di luci radenti, rossicce, persone disposte immobili in
ombra, mura squallide, urla e lamenti, e scialli neri, tutto già visto uguale nella *Santa di Bleecker Street* con regìa di Menotti (il

«precedente» della quale era nulla di meno che il *Porgy and Bess*), e lo stesso espediente era stato usato da Visconti medesimo in un rapido passaggio verso la fine del balletto scaligero *Mario e il Mago*: dove si vede che la medesima «scena-a-effetto-passepartout» può indifferentemente essere usata a esprimere un drammatico arresto, o una manifestazione di fanatismo religioso, o altro ancora, esercitando una invariabile suggestione sul pubblico.

La furba scena di cui si chiacchiera è quella che assicura dovunque il premeditato successo di scandalo alla mediocre commedia. Facciamo anche qui il paragone. Nella versione di Brook succede esattamente questo: il ragazzo e la ragazza rimangono soli in casa, e si occupano di varie cose. Càpita che vadano per caso in una stanza (per prendere, poniamo, un oggetto, senza sottintesi lascivi o scollacciati); ed è lo zio che sospetta le porcherie, rientrando in quel momento e vedendoli venir fuori da una medesima porta, e prende per un braccio la ragazza. Questo gesto è sufficiente per scatenare la reazione dell'altro, che dice: «No, lasciala stare; questa è la mia donna, ci vogliamo sposare», eccetera; ed è allora che il ripugnante vegliardo Eddie Carbone, lasciando andare la ragazza, gli dà il sensazionale bacio frocio, aggiungendo, e questo è importante, una frase che mette in chiaro tutto (meglio che in Visconti), pressapoco una cosa come: «Ma no, tu è questo che vuoi, è di questo che hai bisogno». E se magari al giovanotto piacciono davvero le ragazze? Ecco uno degli espedienti più vistosi della commedia, perché questo episodio rimane esterno, appiccicato: la scena finisce subito dopo, e poteva finire anche cinque minuti prima, se non ci fosse stata la voglia di fare i grandi spregiudicati passional-popolari, molto etnici, non già *yankee*, e certo non *wasp*.

Nell'edizione di Visconti, l'intero episodio si svolge in un'atmosfera parossistica da *delirium tremens* e da morbo di Parkinson, già sottolineata dall'insensato arrivare di Stoppa barcollante e carico di bottiglie. Si capisce certo che lo si è fatto per dare a tutta la scena un colorito tanto improbabile, onde evitare i furori e le censure, ma che i due salgano le scale per andare a far l'amore può essere chiaro, e quindi si viene a dar ragione allo zio; però il doppio bacio, prima a lei e poi a lui, è veramente ridicolo, come se lo zio (Stoppa! *Così è se vi pare?*) arrivasse a casa così assatanato da volere impossessarsi di tutti quelli che trova. Capricci di vegliardo? Strapazzoso trip? Ma così i singhiozzi-a-tre-finali risultano esagerati, querimoniosi, e troppo lunghi.

Secondo una leggenda, poi, uno dei registi implicati perseguiva voglioso nel suo camerino l'attore giovanotto, che per salvarsi era costretto a rifugiarsi nel camerino della fanciulla. Analogo plot, ovvia.

DOROTHY PARKER

La leggendaria Dorothy Parker fu la donna più spiritosa e più celebre nella fase più spensierata e brillante dell'America nel Novecento; ma come sembra quasi inevitabile nei casi di spiritosaggine estrema, la sua carriera umana risulta una tragedia pressoché ininterrotta. Lei nasce Dorothy Rothschild (ma non parente dei miliardari) nel 1893, con un'infanzia ricca e felice, un'educazione scolastica impeccabile, e poi un lancio di *career girl* poverissima e sofisticatissima addirittura da manuale, quale «ragazza emancipata» che già durante la prima guerra mondiale si guadagna – e vive! – la propria vita, scrivendo didascalie per «Vogue» e «Vanity Fair». Diventa Dorothy Parker perché sposa nel '17 un bellone chiamato così, agente di cambio a Wall Street, abituato a una bottiglia di whisky al giorno, e ben presto volontario di guerra, *comme il faut*, sul fronte francese.

Quando ritorna, con calma, nel '19, *devono* inevitabilmente lasciarsi. Lei è diventata in pochi mesi estremamente famosa per il suo spirito, in un giro d'amici divertentissimi che stanno mettendo a punto il tono spregiudicato obbligatorio in tutti gli Stati Uniti per l'intera Età del Charleston, e intanto costruiscono su se stessi l'industriosa mitologia della Tavola Rotonda nell'Algonquin Hotel. Si tratta, come ogni storia letteraria pazientemente spiega, soprattutto di Alexander Woollcott, Harold Ross, Robert Benchley, Charles MacArthur, poi anche James Thurber e Lillian Hellman: giornalisti abili e geniali che «impostano» con successo il «New Yorker» e le sue rubriche, e si vedono tutti i giorni a colazione e dopo teatro nel cuore dello show business nell'èra trionfale di Broadway, fra scintillio di battute, commenti su spettacoli e articoli, e insomma un gran dentro-e-fuori giornalistico-teatrale in qualità di critici-personaggi e personaggi-critici.

Ma né Lardner né Fitzgerald né Faulkner né Hemingway passarono mai da quella tavola, rifletté più tardi la Parker, che era una donnina piccolissima con un gran boa sempre impigliato fra le posate e le sigarette altrui, sempre aggrappata alle braccia e ai gomiti sgranando grandi occhioni in faccia ai suoi compagni, sempre più coccolata e citata per i suoi motti di spirito: «Katharine Hepburn possiede tutta la gamma di espressioni fra l'A e la B». «È morto il presidente Coolidge? E come hanno fatto ad accorgersene?». «Ancora un bicchiere, e vado a finire sotto l'ospite». Frattanto, continue ubriachezze, alcuni aborti, qualche tentativo di suicidio.

Come vivesse allora la Parker, veramente non si sa. Scriveva poco, abitava in una trista camera ammobiliata con un canarino e un cane, fumava molto e spendeva tutto in abiti stravaganti e in profumi, non aveva mai spiccioli per un sandwich o un tassì. Ma la sua fama cresceva così importante da quella Tavola Rotonda che con poche poesie molto graziose e alcuni racconti pazientemente lavorati più un'infinità di bons mots divulgatissimi finì per inventare praticamente da sola un certo humour agrodolce e molto dry singolarmente appropriato per la difficile transizione del mood americano dagli anni Venti ai Trenta. Riuscì insomma a esprimere, secondo la definizione di Edmund Wilson, «una voce, uno stato d'animo, un'èra, alcuni momenti di esperienza umana quali nessuno è riuscito a comunicare».

Ora cominciano le paradossali fortune e le spropositate sventure. A trent'anni passati, Dorothy Parker rappresenta per il gran pubblico l'essenza stessa della Sofisticazione: è ormai un «personaggio nazionale» citato in centinaia di *columns* e sfruttato in commedie satiriche interpretate da Ruth Gordon; ma nell'attività professionale rimane un'irregolare freelance che scrive di tanto in tanto recensioni sul «New Yorker», e la sua vita si svolge interamente fra l'Algonquin Hotel e alcuni tetri appartamentini economici, l'ubriachezza sistematica e i continui flirts con piacevoli giovanotti più giovani di lei di parecchi anni, il solito scintillare della conversazione e le ricorrenti crisi d'angoscia. Finalmente, a quarant'anni, sposa un attore molto bisessuale e un po' asino, Alan Campbell, che ne ha ventinove, lo ama sfrenatamente fra gli insulti, e tenta di lavorare per due mentre lui pulisce la casa e fa da mangiare. Comunque, nel massimo della Depressione i due si trasferiscono a Hollywood, e lì fra il '33 e il '38 scrivono insieme le sceneggiature di quindici film cretini, pagati oltre cinquemila dollari la settimana, una somma indubbiamente cospicua.

Con la prima vera agiatezza della sua vita, la Parker diventa comunista sul serio, e si affaccenda generosamente intorno a tutte le «cause» più importanti della Sinistra americana: la guerra spagnola, il radicalismo anti-rooseveltiano, gli scioperi e i picchettaggi dei sindacati, l'antinazismo filosovietico. Di qui, perdita rapida di lavori e contatti, e persecuzioni graduali durate almeno vent'anni mentre scoppiava la seconda guerra mondiale e si ripetevano esattamente per lei le vicende della prima, come nei pessimi film: parte il marito in armi, aspetta per anni a tornare, la signora rimane sola con la bottiglia... E si prepara lo squallore degli ultimi anni (lei muore nel '67): divorzio da Campbell, ma poi si risposano, quindi si abbandonano di nuovo, e dopo tornano insieme e lui muore, attraverso stanze d'albergo sempre più macabre dove lei rimane distesa per settimane su un tappeto sporcato dai cani, perdendo gli assegni e la memoria e gli amici e preparando un testamento in favore di Martin Luther King conosciuto solo attraverso i giornali...

... Ah, perché non ha preso in giro Hollywood e non ha sbeffeggiato le smanie espiatorie epidemiche fra gli sceneggiatori «compagni di strada» della politica estera sovietica, lamentava Edmund Wilson nel '44, in *A Toast and a Tear for Dorothy Parker*; e osservava che tutti i suoi libri hanno titoli funerei, anche se l'occhio è sempre spalancato e la lingua sempre prontissima alla battuta, e anche se l'idea della morte d'una società non aveva neanche incominciato a paralizzare le reazioni all'esperienza... Ma aggiungeva: quando uno compra Dorothy Parker, si ha in mano un vero libro. Non sarà una Brontë o una Austen, ma si è impegnata con fatica a scriver bene (e lui lo diceva quasi soltanto di Fitzgerald). Ora *Il mio mondo è qui*, tradotto da Eugenio Montale alla vigilia della guerra, riappare intatto (coi suoi errori) e con una prefazione di Fernanda Pivano. Ma questo affascinante «ritratto di Dorothy» non è più come allora uno squisito o struggente period piece: oggi appare soprattutto un piccolo «delizioso» classico del Novecento.

KATHERINE ANNE PORTER

Nell'ultima pagina di *Ship of Fools*, romanzo di Katherine Anne Porter investito dal più strepitoso successo americano dopo Salinger, figurano due date che quasi fanno piangere: «Agosto 1941-Agosto 1961». Come se non si sapesse che i libri belli come *La Certosa di Parma* si possono scrivere in due mesi. I vent'anni di lavoro per questa *Nave dei folli* stringono il cuore, né più né meno che i dieci e più di romitaggio di Salinger per produrre *Franny and Zooey*, ma non impressionano tanto da un punto di vista di riuscita letteraria: piuttosto, come la fatica del mutilato che suona il violino coi piedi, come lo sforzo del reduce che costruisce il Duomo di Milano con la mollica di pane.

E non fa ridere neanche la prima pagina, con la sua «Avvertenza»: «Il titolo del libro è una traduzione dal tedesco *Das Narrenschiff*... pubblicato come *Stultifera navis* nel 1494... Cominciando a pensare a questo romanzo, ho assunto la semplice e quasi universale immagine della navicella di questo mondo nel suo viaggio verso l'eternità. Non è certamente nuova... Ma si adatta perfettamente al mio fine. Sono anch'io una passeggera su quella nave».

Ahi! Una nave di stolti... Come Parsifal, «puro stolto» (e non già «puro folle»)... E si potrebbe immaginare un T.S. Eliot che borbotta: «O O O O that Shakespearian Fool», addirittura...

Miss Porter appare quale una rispettabile autrice sui settant'anni che si è sempre amministrata con grande accortezza, e da mezzo secolo gode di una notevole fama «mandarina» presso i critici più reputati grazie ad alcune novelle pubblicate a intervalli giudiziosi sempre sulle riviste «giuste»: dalle accademiche come «The Sewanee Review» alle antologiche-conservatrici come «The Atlantic Monthly» alle highbrow di sinistra come «Partisan Review» alle middlebrow-commerciali come «Harper's» alle frivole-e-mondane come «Mademoiselle». Non ha mai cercato sfacciatamente il successo, e per questo primo romanzo è doveroso concederle il beneficio della buona fede, né più né meno come al furbo Nabokov per *Lolita*, che era un caso molto simile di bestseller congegnato in maniera da riscuotere contemporaneamente (e come per puro caso) i consensi dei critici più schifiltosi e i milioni delle abbonate al Club del Libro «Fagioli & Cotiche».

Certo, però, anche conoscendone molte, di navi simboliche e di passeggeri con e senza bagaglio, come caso è inquietante; e anche abbastanza esemplare. La storia è quella di un lungo viaggio di una nave tedesca dal Messico a Bremerhaven, nell'estate del 1931, con diverse soste in numerosi porti lungo la strada, con molti passeggeri di svariate nazionalità e svariatissimi temperamenti, nonché ombre di contrasti internazionali e già un po' di persecuzioni antisemitiche per aria.

Già Chaucer e Boccaccio erano stati del parere che la gente tirata fuori di casa e allontanata dalle normali occupazioni in circostanze insolite tende a dare – se non il meglio – almeno il più interessante di sé. Ma a questo punto vengono in mente piuttosto quei romanzi e quei film degli anni Trenta pieni di personaggi sufficientemente rappresentativi di qualche cosa (della Francia amorosa, della Cina misteriosa, per esempio, o della Gola o della Gelosia o della Distrazione, oppure del Liberalismo o dell'Intolleranza), messi insieme dal Caso su un *Ponte di San Luis Rey* di Thornton Wilder o in un *Grand Hotel* di Vicki Baum – gente che va, gente che viene – e sottoposti a scosse e cataclismi rivelatori di personalità, tipo bombardamento sopra rifugio antiaereo o valanga sopra rifugio sciistico. Non per nulla, appena prima della guerra, per intere stagioni si vedevano spesso film (generalmente con Pierre Blanchar e Pierre Fresnay e Louis Jouvet in guarnigioni e avamposti, se ricordo bene, ma ce ne sono stati certamente anche di Negulesco, LeRoy, Wellman, Duvivier, ecc.) su un Orient Express che si ferma improvvisamente alla fatal Sarajevo, carico di sposine trepide e di fanciulle indomite, false monache e inglesi eccentrici, e il prete che legge un po' il breviario e un po' il cifrario, e la solita marchesa che dice saggezze con accento russo, e il consueto commerciante grasso che non può perdere assolutamente l'appuntamento, e l'usuale adultera in fuga già mezza pentita, e l'abituale spia internazionale di buon cuore dunque prontissima al ravvedimento (tanto vero che alla fine si sacrifica), tutti quanti sottoposti alle angherie di un colonnello col monocolo. Ma attualmente, macché Sarajevo: *Incident at Vichy*. Altro che St-Tropez. Ove si verifica un Fritto Misto di Passeggeri, ivi continua a incombere *L'assedio dell'Alcazar*. E ivi, con la solita acutezza, Angus Wilson ha subito osservato che non dev'essere senza ragione se un libro basato su formule degli anni Trenta viene ambientato appunto negli anni della gran voga della *Grande pioggia*, accomunando personaggi e lettrici in un unico abbraccio, presto condiviso dalle spettatrici di un inevitabile supertechnicolor interpretato da tutte le stars di Hollywood.

Veramente non si può dire che l'autrice si tiri indietro: sulla sua nave, «elle ne se prive de rien». Ci mette dentro parecchi tedeschi (fra cui uno ebreo, e uno ariano ma sposato a un'ebrea, per non perdere neanche una sfumatura), spagnoli d'ogni classe sociale (ma piuttosto sul ballerino e lo zingaro), gli studenti cubani, i deportati nella stiva, il patetico tabaccaio aspirante violinista, la coppia bizzarra con il bulldog equivoco, la contessa pazza, la nubile triste, lo svedese truculento, i due giovanotti che non la contano giusta, la pittrice graziosa, la dama cosmopolita, i bambini bestiali, il buon medico di bordo, il moribondo sulla sua carrozzella. Cosa altro si potrebbe desiderare? I Fools appartengono alla tradizione migliore. La nave si chiama perfino *Vera*, uno non pretende di più.

Il libro è fatto molto bene, con presentazione dei personaggi, descrizione di ogni parte della nave e di tutti i porti pittoreschi; avvenimenti grandi e piccoli, i gesti, i tic, il tempo che fa, l'arredamento, e tutto. Non manca niente, come in un plumcake fatto senza economia. C'è la tensione che monta, più di un presagio di sventura, e lo scatenamento di passioni durante una fiesta iberica: che va benissimo, come sempre van bene in questi casi gli uragani e le deflagrazioni e i terremoti di San Francisco. Sentimenti, tutti decenti, dal principio alla fine: quindi bene. Gioie e dolori, benissimo. Brutalità e delicatezza, mortificazioni e trionfi, l'universale e il particolare, l'effimero e l'eterno, tutti ugualmente carini e di buona compagnia. È il trionfo del «bene gli altri». La persecuzione antisemitica è poi sempre un gran «tiremm innanz» per mettere tutti d'accordo, tipo gli abituali «ha parlato male di Garibaldi» o «abbasso il ta-

757

lidomide», con la commozione «giusta» in più. Lo prova più di un recente Premio Goncourt: come fa a salvarsi da un'accusa di filisteismo razzista e senza cuore ogni minima riserva sulla compiacenza attuale del bestseller nello sfruttare il martirio degli ebrei non con la modalità di Mann o anche di Feuchtwanger, ma per arrivare agli stessi effetti diuretici a suo tempo ottenuti in *Fabiola* e nel *Quo Vadis* mediante i cristiani in pasto ai leoni... Lo stesso calcolo cioè dei furbi commediografi proletari inglesi attuali, che sfruttano di preferenza il lato pittoresco, e pretendendo di star facendo del neorealismo dipingono naturalisticamente la comunità israelitica dell'East End londinese come un complesso di vocalisti uso *Filumena Marturano*: nell'ultimo spettacolo di Lionel Bart, tuttora all'Adelphi Theatre, una vecchia mamma ebrea vende sottaceti davanti a una trattoria kosher cantando strofette con tutte le rime cockney pensabili per la parola «goi», e parla tutte le notti col marito morto raccontandogli le tresche del figlio maggiore con una donna sposata, «e per di più protestante».

Il punto è questo, pare: una purée di «buoni sentimenti» eccessivamente «giusti» può riuscire non meno fastidiosa di un étalage di libidini insane, e altrettanto sconveniente (dal momento che volendo franare in un orribile gioco di parole il migliore amico del pregiudicato è diventato lo spregiudicato: chi oserebbe oggi mostrarsi così poco spiritoso da rifiutare il sonetto del ruffiano confesso o il bassorilievo del grassatore impunito?).

Ma la massaia può star tranquilla, comunque; e ben contenta dei soldi spesi. Di *Via col vento* e *Passaggio a nord-ovest* ormai diffida; non si sente soddisfatta se non crede di trovarsi di fronte a un testo «intellettuale» e «impegnato», con le carte a posto sia per la Cultura sia per l'Attualità. Come ha ragione ancora Angus Wilson quando riattaccandosi all'avvertenza iniziale della Porter sentenzia: «Passeggera? Forse: ma di una middle class...».

EZRA POUND

La bellezza tardiva di Ezra Pound appare così definitiva da scoraggiare qualsiasi paragone o metafora. Siede eretto per ore e ore, addirittura immobile, spostando quasi soltanto gli occhi attentissimi, vispissimi, di una straordinaria alacrità e ilarità. Una testa così magnificamente monumentale è stata disegnata solo rare volte da Rembrandt o Tintoretto; e Michelangelo vi si è approssimato nel *Mosè*. Ma l'abito è di un eccellente sportex «noisette»; e la cravatta è impeccabilmente annodata sulla camicia morbida e chiara, entro il pullover di cashmere beige. Le mani eleganti e robuste ora stringono il bastone ora si posano allargate sulle ginocchia.

Da molti anni, si sa, ha rinunciato quasi completamente a parlare; ma chi ha ascoltato le sue letture più recenti dei *Cantos* trova impressionanti, indimenticabili, le zone di silenzio che corrispondono accuratamente agli spazi bianchi sulla pagina-partitura. Come controllando ogni volta un certo «conto» di numeri e ritmi interiori. Come se ciascuna cancellatura venisse riscontrata e rivissuta, con approvazione, ogni volta.

La dignità già grandiosa di questo silenzio ormai eminente potrebbe facilmente apparire quale un'emblematica rappresentazione di saggezze orientali interiormente lavorate, se non si facessero i conti con l'ironia. Il grande vecchio subisce l'esame curioso e indiscreto degli sguardi *flâneurs* per ore e ore e ore, impassibile e sereno come un'ovvia stele ricoperta di segni del tempo e graffiti di generazioni successive. Però il suo sguardo ottantaseienne risulta il più curioso e vivace nel seguire con rapidità impercettibile ogni moto o cenno di tutti gli astanti e passanti, con un humour represso e tuttavia evidente che illumina il rosa delicato della carnagione attraverso i candidi peli della barba «patriarcale».

Calmo, eretto, savissimo, assiste presso l'Istituto Austriaco di cultura a un'assai lunga celebrazione di Wotruba, e forse anche un po' di Kokoschka, con mostra, disegni, conferenze, proiezioni, interventi romani.

E più tardi, rinchiuso in una saletta gremita con una gran folla che tumultuava oltre la porta chiusa, pareva trattenere a stento il divertimento e il sorriso, mentre tracciava con ideogrammi sempre più giapponesi e chic gli autografi sui brandelli di carta che gli venivano ansiosamente presentati.

Effervescente e spumeggiante, con un gin-and-tonic, gli chiacchierava incessantemente alle spalle un'affettuosa complice, la signora Olga, mentre lui, ridacchiando palesemente dentro di sé, non sembrava davvero stanco di scrutare le facce e i gesti, uno per uno. Domande e dichiarazioni d'ammirazione e d'amore gli si assiepavano intorno, macchinose o ingenue, anche se (un po' in italiano, un po' in inglese) si tentava di parlargli con riguardo. Morivo di reverenza e timidezza, raccontandogli qualche «mot» recente dei suoi contemporanei londinesi, che già aveva divertito Cecchi e Praz; e vedendolo sorridere non sono riuscito a trattenermi, e gli ho chiesto cosa fa tutto il giorno, cosa gli piace o gl'interessa.

Prontissimo, quasi sillabando, quasi scoppiando a ridere, risponde benignamente: «Nothing». E siccome sventatamente mi scappa di ribattere che in fondo Beckett impiega centinaia di pagine per ripetere la stessa cosa, fa dei piccoli allegri «oh, oh, oh». E poi: «No». Chiedo allora alla signora Olga: «Quando non si sente osservato, che cosa tende a fare, trovandosi davanti quelle pagine dei *Cantos* così piene di bianchi e di vuoti? Nuove cancellature, o magari qualche aggiunta?».

Impeccabile, la signora Olga: «Lui tenta sempre di sopprimere qualche cosa. Tranne che nel caso dei vecchi versi più melodici del 1907 o 1908, dove invece inserisce una parola o una sillaba, qui e là. *Proprio per distruggere il ritmo*».

FREDERIC PROKOSCH

Leggo Enzo Bettiza, oggi, dal paese dei Kazaki: «Una matrona nomade, impassibile e tutta vestita di nero, mi offre un cremoso formaggio di capra: con un gesto energico m'invita a mangiarlo mescolato a un miele granuloso...». Trovo poco dopo, per caso, Frederic Prokosch mezzo secolo fa, presso Damasco: «In casa trovammo un vecchio che mangiava una pietanza unta, e una vecchia incappucciata di nero, grassissima, che mangiava un pollo spalmato di miele e formaggio».

Che l'immensa Asia, vista dalla patria del prosciutto e melone, e della mozzarella col pomodoro, possa risultare alquanto monotona?

Gli Asiatici di Prokosch si erano letti con notevole gusto negli anni Quaranta, quando la competizione in materia di viaggi era con *Vecchie storie d'oltremare* di Guelfo Civinini o *Bella vita vagabonda* di Eugenio Barisoni (Premio Reale Accademia d'Italia 1934), mentre l'adolescenza si trascorreva parsimoniosa con nonni e zie e sorsi d'acqua fresca tra la *Via de' Magazzini* di Pratolini e il *Conservatorio di Santa Teresa* di Bilenchi. Nella bella scrittura (A. Baldini, G. Manzini, ecc.) non si incontravano indizi di sessualità sventata e sommaria, casual e a fior di pelle. «Il nostro battello arranca, si impenna e sterza a fatica, scricchiolando sotto il peso enorme delle ondate» non è un tifone in Malesia, bensì Bruno Barilli tra Procida e il capolinea della Ferrovia Cumana.

Né erano ancora usciti gli *Amori d'Oriente* di Comisso, libro più bello degli *Asiatici*, perché scritto con maggiore incanto, e con testimonianze autentiche (Cine e Indocine sparite, oppio e voluttà internazionali e post-imperiali, un Giappone rustico, un Port Said da Apuleio) più affascinanti e fantastiche della frugalità pre-hippie di Prokosch. E sulla Cina, a proposito, ecco il fasto voluttuoso e *live* del «mandarino» Harold Acton.

Il suo viaggio forse ipotetico di formazione giovanile senza libri e senza soldi, da una Beirut sfaccendata e sonnolenta a un laghetto vietnamita che emana calma saviezza, si svolge come la passeggiata di una formica sul corpo di una grossa vacca addormentata, con l'accompagnamento discreto di care musichette familiari: *In un mercato persiano* qui, *Stranger in Paradise* più avanti. L'antecedente sarebbe la *Carmen* di Mérimée, dove in un tratto d'Andalusia ci si poteva picarescamente imbattere in gitane maliose e in briganti gentiluomini, abiette vegliarde e frati con manoscritti, dolore ancestrale, seduzione, premesse del capolavoro di Bizet, e magari del *Manoscritto trovato a Saragozza* di Potocki, o de *La femme et le pantin* di Pierre Louÿs. Dal quale, non per nulla, ecco *The Devil is a Woman*, il sontuoso *Capriccio Spagnolo* di Sternberg, con Marlene. Però sembra che il grande continente, negli anni Trenta, sia già stato attraversato dall'omologazione post-televisiva lamentata da Pasolini per i borgatari consumisti. (E pare che Prokosch non sia mai stato in Asia).

Si percorrono chilometri, si superano pericoli, ma nelle steppe dell'Asia centrale si incontra solo un tipo serializzato di vissutaggine meditabonda e ambigua. È il modo asiatico di produzione standard? Oltre ad attrazioni di tipo sorgivo tra sorcini di pelli diverse, ecco soltanto questi anziani ospitali e laconici, afflitti dall'esperienza e da una quotidianità di sterco (in senso figurato, e materiale), ma in possesso della traduzione chirghisa o circassa dell'intero massimario di saggezza Baci Perugina, con fraseggio controllato ed emozioni «cool», come dei George Sanders o Herbert Marshall travestiti da armeni o da afghani, e in attesa del ciak.

Era un «topos» frequente nei film di romance in bianco e nero, ove spesso Irene Dunne e Charles Boyer si incontravano su un transatlantico, e anche Deborah Kerr e Cary Grant; e tra contrattempi e fraintendimenti anche dolorosi capitavano spesso alle Canarie dei successi romanzeschi di A.J. Cronin (ed. Bompiani), o a Madera nella casina di una vecchina saggissima (per lo più, la minuscola e atavica Maria Ouspenskaya) che da decenni teneva in ordine gli scialli e le fresie su poggi in salita non ancora coperti da condominii di anziani tedeschi, solo per enunciare una frase da Liala ai due intensi passanti, beneducati abbienti che non si rivedranno mai più. (Mentre invece, per i sorcini, l'Asia è come il Café de Flore: si rivedono gli stessi tutte le sere).

C'è il presupposto che i primordiali siano generalmente sereni, dispensino antica saggezza in frasi di poche parole, e la vita in campagna sia comunque più facile che in città. Nelle steppe, poi... Ma il giovane pre-hippie degli *Asiatici*, tipo frequentissimo negli scompartimenti ferroviari e sotto gli ombrelloni, è insaziabile di scambi sommari di vedute rapide su che cos'è la felicità, cos'è il destino, cosa sono le donne, cos'è l'essenziale nella vita, cos'è il bene, la giovinezza, la vecchiaia, la verità, la morte, la solitudine, l'odio, la creazione, la natura... Così come lo stesso Prokosch più maturo di *Voices* scambia svelti condensati sentenziosi su Arte, Classicismo, Romanticismo, Oriente, Occidente, Dante, Omero, Beethoven, Dostoevskij, Shakespeare, ecc., con Berenson e Santayana e Praz, la Stein e la Woolf, che talvolta parlano come pastori sotto la tenda o mercanti al bazaar, o magari sull'immenso litorale a lui già familiare tra Fiumicino e il Circeo.

C'è, forse, la sindrome del «Contessa, che è mai la vita?», ludibrio di vecchie parodie liceali. Si trova nel *Jaufré Rudel* di Carducci («Dal Libano trema e rosseggia / su 'l mare la fresca mattina»), e si completa, com'era noto agli studenti di un tempo, con: «È l'ombra d'un sogno fuggente. / La favola breve è finita, / il vero immortale è l'amor». La vita, l'ombra, il sogno, la favola, la verità, l'immortalità, l'amore, sono appunto i temi di conversazione più frequentati dagli *Asiatici*, in Siria e in Kashmir non si chiacchiera praticamente d'altro. Ma è interessante che sia proprio una Contessa (le Contesse non cambiano mai) a domandare al protagonista: «Mi dica, mio grazioso amico, che cosa pensa della vita». E per coincidenza stupenda, si tratta di una Contessa conosciuta proprio in Libano, nella tranquilla Baalbek.

Ottima dunque la raschiatura dei barili dell'altroieri, per consolare i post-hippies che sognano un'Asia senza conflitti e con tanti zainetti; e nelle lunghe file davanti agli Eventi scambiano pensieri sugli ostelli e gli oroscopi, vagheggiando camminate interminabili per monti e valli senza frontiere, fra alberi e animali sostenibili, mangiando ciò che si trova e dormendo ove si può, senza mazzette di giornali sotto il braccio né fermi-posta con lettere lì da mesi... Mentre le scritte scarabocchiate nei luoghi appartati si stendono dalla pagina finale di *Amori d'Oriente* ai carceri turchi di *The Asiatics* e del film *Midnight Express*...

763

JOHN RECHY

Arrivano in italiano le bozze di *Città della notte,* e già come titolo non è che prometta troppo: persa per persa l'implicazione
vagamente biblica-predicatoria di *City of Night,* forse valeva la
pena di andar giù grevi senza paura, essendo il libro che è, e
chiamarlo francamente *Città di notte,* così come ci sono al cinema i Mondi e i Sexy di Notte N. 1, 2 e 3... Subito, però, una
gran curiosità di vedere che effetto fa nella nostra lingua così
carina questa straordinaria baracconata commerciale-maudite
che nel suo sgargiante originale di effetto ne faceva certo, e
tanto... Ma bisogna avvertir subito che nonostante le vive attenzioni del traduttore chi lo leggerà in italiano non potrà rendersi conto del senso di questo incredibile libro più di chi (venia
per il paragone) avvicini Carlo Porta in una versione slovacca o
Giacomo Noventa per la prima volta in norvegese: proprio
perché sono opere tipicamente «nate intraducibili» in un im-
pasto irripetibile e rigoroso di suoni «naturali» e suoni inventati «più veri del vero» che trovano un significato e raggiungono il loro risultato poetico principalmente in seguito a una
scelta verbale e ad accostamenti d'una specie prima di tutto
fantasiosamente fonica.

«"Che? Du' piotte me dai?" disse disgustato e quasi incazza-
to, "e che ce fo co' du' piotte?"» (da *Una vita violenta*). Questo
si può tradurre bene in qualsiasi lingua, la struttura «mentale» del discorso sarà la medesima, anche in esperanto forse;

come del resto (da *City of Night*): «You still wanna make *the* ten bucks? he asked me abruptly»; e le maledizioni così ricche sia in italiano sia in inglese di «fff... ccc... lll...». E: «I knew this guy in L.A.-see-that I stayed with... See, when I got outta the service, I made this Main Street Scene. I met-lots of guys-you know-go with them-hang around here-Main Street-all the time... Thats when I met this guy-right here, too, right here at Harry's was where I met him», già forse più «complicato» di: «"Ce sei ito mai a Ostia?" domandò a Marcello tutt'a un botto. "Ammazzete," rispose Marcello, "che, nun ce lo sai che ce so' nato?" "Ma li mortè," fece il Riccetto con una smorfia squadrandolo, "mica me l'avevi mai detto sa'!" "Embè?" fece l'altro. "Ce sei mai stato co 'a nave in mezzo ar mare?" chiese curioso il Riccetto» (da *Ragazzi di vita*, dove peraltro c'è pieno di «c'ha» da menu cinese, difficilmente pronunciabili come in «cià»). Ma «certo che leggo *Guerra e pace* in russo, non è mica scritto in turco» rispose un celebre Professore.

Ma proviamo a hang-around nel libro: «Cummon, whattava wanna hang around the street for?»... «Hey, man!-how you makin it?... Cummon over-jine me»... «That cocksucker that gave me a ride, he laid some bread on me»... Come si fa a rendere un equivalente linguistico plausibile nell'idioma italico di questi richiami inarticolati di un'America oscura e vociante al di sotto della soglia della ragione, della percezione? Gli urli, «Woe-hu!!!...», «Gee-fizz!!!...». I vocaboli scritti come si pronunciano da un canale respiratorio ineducato: «akchoolly» per «actually», «tiguh» per «tiger», «hoomilating» per «humiliating»; e le domande retoriche così idiomatiche e fraseologicamente abituali da toccare ormai l'onomatopea del «social noise» («Whattaysay?», «Wottayalookinat?»), così l'articolazione fonologica della lingua si dissocia da qualsiasi «contenuto di significato», butta per aria i princìpi strutturalistici alla Jakobson, si dispone secondo ordinamenti sintattici d'una rozzeria tanto sofisticata da meritare la ghiotta attenzione di un Contini o di un Martinet.

Paradossalmente, le proliferazioni dei vocaboli che definiscono – a decine – le attitudini sessuali del giovanotto, da «stud» a «score» e da «hustler» a «fruit», offrono la più folle confutazione selvaggia della regola per cui la parola è un sintagma autonomo composto di monemi non separabili... E involontariamente, la semantica-come-relazione-fra-segni della scuola di Peirce perde per strada – perché *impazziscono* – gli elementi «interpretanti» che sono l'indispensabile intermediario tra «emittente» e «ricevente»; e così può magari aggirare il problema basico del bilinguismo-come-rivelatore-di-piani-di-significato-nella-struttura-linguistica, finendo per levitare invece verso una specie di *semantica informale*, irrazionale e delirante, tutta «uso» e niente «funzione». (Per es. attraverso la formazione di parole composte, la cui somma – una volta saldate coi trattini – non equivale affatto, come significato, al risultato di un semplice accostamento delle componenti originarie singole: anzi, può apparire sorprendentemente diversa...).

Così, in una piacevole confusione tra «significati» considerati come oggetti dell'attività intellettuale e «significanti» vissuti con gusto esistenziale totalmente «brado», queste elaborate costruzioni linguistiche, artificiose così come sono artificiosamente «faux-naïf» i fumetti e gli slogan pubblicitari o i versi delle canzonette pop, si allungano come serpenti sgangherati e snodati e non finiscono quasi mai, con lineette come giunture al posto d'ogni altro segno d'interpunzione, e ribollendo di questa gran trovata che sono le parole composte (anche le più elementari, come «youngman» o «sexmoney»), e la maiuscola inflazionata per enfatizzare con protervo arbitrio gli angoli e i nessi dove si rifugerebbe il significato...

Prendiamo pure l'inizio del libro: «Later I would think of America as one vast City of Night stretching gaudily from Times Square to Hollywood Boulevard-jukebox-winking, rock-n-roll-moaning: America at night fusing its darkcities into the unmistakable shape of loneliness». E la traduzione: «In seguito avrei pensato all'America come a un'unica enorme Città della Notte splendidamente estesa da Times Square all'Hollywood Boulevard... ammiccante di jukebox, gemente di rock-n-roll: l'America di notte che fonde le sue buie città nella forma inequivocabile della solitudine». (Ah, la Rivisitazione. Giustissimo: ma chi non sente come si perda inevitabilmente il sapore ribaldamente «corny» dell'originale, dissipando quelle follie fonologiche che sono le parole composte – perfino «darkcities» non è evidentemente la stessa cosa di «dark cities» – e ricorrendo agli inevitabili ridicoli «splendidamente», «ammiccante», «assolutamente», «fottuto»...).

Le prime notizie di *City of Night* risalgono ad alcuni anni fa, quando un brano fra i più incredibili, «The fabulous wedding of Miss Destiny», fu pubblicato da un little magazine di Chicago chiamato «Big Table» (ne uscirono cinque numeri in tutto, pieni di Burroughs e Kerouac e Dahlberg e Ginsberg e Mailer e Genet e Artaud), creando immediatamente una sensazione fortissima e un «caso». Non ho mai visto così agitati e sconvolti – se non forse per Nureyev o per El Cordobés – uno per uno quegli anziani giovanotti che formano tuttora la Pattuglia Sperduta della Generazione del Trenta: tutto un fremere di pâmoisons deliziose da Santa Monica a Heidelberg, da ville medicee a terrazze edoardiane di Chelsea, e negli uffici delle più importanti riviste londinesi tutto un cercar dati e fotografie dell'autore, John Rechy, mentre un ex-direttore del «Times Literary Supplement» si era procurato da Grove Press una copia dattiloscritta dell'intero libro e la usava come Baedeker nelle sue scorribande notturne «sotto i ponti di New York».

Questo Rechy poi è comparso, e anzi le sue più recenti apparizioni danneggiano la leggenda: corre da Isherwood in California per discutere di letteratura, telefona a Fellini mentre passa da New York per i festeggiamenti a *Otto e mezzo...* Ma insomma, pare proprio che sia veramente come affermano «blurbs» e risvolti un cowboy di El Paso, Texas, che un giorno lascia la sua casina da ragazzo e comincia a correre le pianure e le città «In Cerca Di Se Stesso» come in tutte le saghe americane giuste. Il lato divertente è che lui cerca se stesso facendo marchette in tutte le più sfrenate città degli Stati Uniti negli anni Cinquanta, da New York a Chicago e da Los Angeles a San Francisco, con un finale di gran selvaggeria naturalmente a New Orleans: descrivendo piazze e bar e orinatoi e bagni turchi e alberghi e ville con una precisione da guida maniaca e una ricerca di completezza nella documentazione antropologica che nulla ha da invidiare a Lévi-Strauss e ai costumi delle sue tribù.

Il romanzo pornografico è la tentazione più grossa per la maggior parte degli scrittori contemporanei, però poi invece di leggere dei Traveller's Companion scritti da Nabokov o magari Moravia o Pasternak o Bassani bellissimi e sfrenatissimi via l'uno l'altro ci troviamo sempre con le edicole piene di stanche e noiose applicazioni di tutte le «forme» narrative contemporanee buttate là senza fantasia da americani di terz'ordine che abitano chissà poi perché sempre a Parigi. Uno dei meriti di John Rechy è proprio che il suo entusiasmo per i «materiali» è talmente diretto e smodato che lo spinge a «metter dentro tutto»: cafeterias con salsicciotti e anditi della metropolitana, cinema di Times Square con le ultime file occupate da «sciami d'avvoltoi» e altissimi edifici dell'YMCA con tutte le porte aperte (per il caldo) e tutte le luci e radio accese, e su ogni letto un nudo che si alza solo per correre a far dei giochi sotto le docce.

È pieno di rituali sadomaso molto tipici della California d'oggi, con partenza da quei bar fantasiosi di cuoio nero e stivali e motociclette dove anche prima dei negozietti specializzati i clienti entrano in uniforme nazista o anche orecchini di perle. E dà più di uno sguardo malizioso dentro la villa di un celebre regista hollywoodiano molto incauto negli inviti serali (e che è esattamente così come lo descrive Rechy, lo si riconosce subito anche se non si raccontano le sue corse con i centrini ogni volta che un cowboy sta per posare un bicchiere umido sui tavolinetti, né i giocherelli con polaroid utili soprattutto per documentare le facce *just in case*).

Insomma, non si nega nulla, e tanto meno nelle attività secondarie intorno al Carnevale di New Orleans. Mai Walt Whitman avrebbe previsto nipotini così frenetici, né Leslie Fiedler o altri d'oggi potevano concepire una conferma così sfacciata delle loro interpretazioni della grande narrativa americana ottocentesca come una serie di varianti (Ishmael e Queequeg per Melville, Huck Finn e il nero Jim per Twain) intorno al tema dell'amore biblico «meraviglioso più dell'amore delle donne» fra Davide e Gionata in *Samuele,* 2, citato appunto da Melville a proposito del gioco degli affetti in *Moby Dick.* Nonché magari i cessi di Times Square con marinai celebrati da Mario Soldati in *America primo amore* («Qui conobbi *Jim,* qui *Oliver,* qui *Fred,* qui *Gene,* qui la prima volta vidi il biondissimo *Clyde...*»). Ovviamente *Gents* da batticuore o senza dove soldati e marinai fanno spensieratamente le pippe di gruppo, e casuali marchette, prima delle prese di coscienza ideologiche e dei disastri dell'Aids. Con editti che ammettono i gays più dichiarati sotto quelle gloriose divise delle pippe reciproche in qualunque cesso o doccia degli USA.

Sconvolgente in un primo tempo per la sua sfrontatezza documentaria, però questo libro affascina specialmente per la smisurata verve linguistica: non è esagerato affermare che le sue sgangherate trouvailles rappresentano nei confronti di Salinger lo stesso «colpo in avanti» che è stato *The Catcher in the Rye* rispetto all'Hemingway degli anni belli. E per esempio, quantunque scritto prima, e con un analogo programma di bestseller, pare più «avanzato» di *The Group* di Mary McCarthy, che si dimostra nel romanzo molto più conservatrice che nei saggi programmatici di *On the Contrary.*

Ora, siccome il libro di Rechy «restituisce» con un'immediatezza emozionante che si incontra forse per la prima volta in letteratura odori e sapori e aspetti di luoghi e persone che magari si conoscono abbastanza, e lo fa ricorrendo ai più lamentevoli espedienti sia del fumetto più volgare sia della «tranche de vie» trasformata in «tranche de langage» e trasferita di peso nel libro senza neanche un minimo di quelle operazioni di distacco critico indispensabili in ogni rappresentazione realistica, ho provato a chiedermi che senso ha il pazzesco «fascino» di questa «operazione Rechy» a cui hanno partecipato chissà quanti redattori espertissimi in linguistica della casa editrice Grove Press. (Non sarà per caso se a un certo punto un personaggio ammicca recitando: «Notre vie est un voyage / dans l'hiver et dans la Nuit, / nous cherchons notre passage / dans le Ciel où rien ne luit», senza citare Céline. Così come so che non fu certo un caso che anni fa in uno dei miei primi racconti citassi anch'io i medesimi quattro versi, cioè l'epigrafe di *Voyage au bout de la nuit*).

La risposta, credo di averla trovata: è il primo esempio che conosciamo di una pop-literature che si vale dei medesimi procedimenti della pittura pop di Rauschenberg o di Jasper Johns. Brandelli di fumetto o frasi fatte o canzoni di juke-box non c'entrano con la carica di «rappresentatività» o di affetti evocativi-sentimentali che avrebbero in ogni rappresentazione naturalistica o realistica, ma con lo stesso «peso» di una mela di Cézanne o di una bottiglia di Coca-Cola in una pittura pop. E ho trovato una convincente teorizzazione di questo «ordine di pensieri» in una conferenza di Cesare Brandi intitolata «Lo spettatore integrato», ancora inedita e di cui mi valgo per gentilissima concessione dell'Autore.

Anticrocianamente, Brandi avanza il sospetto che il processo della creazione artistica abbia finito per rivelarsi «assai più lungo e complicato di quella folgorazione» (identità di intuizione ed espressione = poesia). Invece: «Il processo creativo ha per tutte le arti due fasi ben distinte, quella in cui l'oggetto è scelto e isolato dal mondo, caricandosi di un significato particolare per il suo artista, e quella in cui l'oggetto, così isolato, sarà realizzato, formulato per l'eternità. E sarà l'opera d'arte. Allora il circuito si è chiuso, e nell'opera non si entra più: si contempla, e basta».

Ma si può fare una diversa ipotesi: l'artista potrà arrestarsi alla prima fase, oppure andare direttamente alla seconda. «... Che possa mancare una delle fasi del processo creativo, non inficia la struttura del processo creativo, ma inficierà, se mai, il risultato. Ossia, invece di avere un'opera d'arte chiusa come e più di un uovo, in cui, anche se si entra, come in un'architettura, in realtà non si entra se non nell'invaso d'aria del vano dell'architettura, si avrà allora un processo imperfetto o al principio o alla fine; e in questo processo potrà allora inserirsi qualcun altro che l'autore, ma proprio lo spettatore, o, come anche si dice, il fruitore. Costui ricostituirà in sé, intuitivamente, quella fase mancante, e prendendo questa attitudine, intenzionando in tal modo l'opera che ha davanti o che ascolta, interverrà, gli parrà d'intervenire, nel processo creativo. Non resterà immobile sulla riva a contemplare, ma entrerà nel flusso, e contrariamente a quanto vuole Eraclito, indefinitivamente potrà bagnarsi nella stessa acqua del fiume... e siete voi, spettatori, che l'avete voluto, da voi è scaturito l'oscuro stimolo che l'artista ha captato e a cui ha dato la sua risposta».

L'Astrattismo, sempre secondo Brandi, è stato «il primo sintomo dell'intenzione dell'artista a chiamare in causa lo spettatore». Gli offre una non-immagine come *segno*, e il segno esige sempre d'essere interpretato: ma nel segno era soppresso il punto di partenza, l'oggetto, così lo spettatore «era volto a sopperire quella prima fase, taciuta più che mancante». Seconda fase: l'Informale, e la sua caratteristica «di attirare lo spettatore nel frangente stesso, nel turbine, come si può ben dire di Pollock, della creazione, e, quindi, ingranarlo nel processo stesso di realizzazione del quadro, non più offrendogli soltanto dei segni da interpretare, come avveniva nell'Astrattismo». Con ciò la posizione dello spettatore evolveva definitivamente: «se non come addirittura un coautore, si configurava come in una specie di chiamata di correo...». Positiva o negativa, l'integrazione si produce dunque fin qui alla fine del processo creativo: per la prima fase, lo spettatore «mette del suo» (un po' come le spettatrici dei balletti di Paul Taylor che si domandano a Spoleto «ma cosa vorrà dire», senza sospettare che un certo gesto vuol dire non altre cose, ma proprio *quello stesso gesto, e basta*).

Dopo l'usura dell'Informale, il ricorso ovvio sembra quello all'immagine. Ecco la Nuova Figurazione: qui però l'immagine vale non per sé, ma ancora per la cosa che rappresenta. «Di qui a sostituirla con l'oggetto in se stesso, il passo fu breve». Neo-Dada, Nouveau Réalisme... «Fu un trapasso, in sé ineccepibile, perché, fermo restando lo stimolo all'integrazione, al circuito aperto dell'opera, si invertì la modalità della integrazione offerta. Invece dell'ultima fase del processo creativo, come si offriva nell'Informale, si esibì la prima: il momento stesso della costituzione di oggetto, il momento stesso in cui l'oggetto della vita pratica viene estratto dal mondo, e l'artista se lo pone davanti a sé, carico di tutte le sue oscure intenzioni. Senonché l'artista darà solo come un avvio alla formulazione di quell'oggetto: questo si esibirà nella sua nuda e squallida materialità. Ma poiché non deve valere in quanto oggetto in sé, ma perché estratto dal contesto esistenziale, e non già in una sua bellezza, non nella sua utensilità, ad un tratto negata, ecco perché gli oggetti del Neo-Dada e anche della Pop Art devono essere il più possibile comuni, anonimi, e, in questo stesso, ancor più inattesi nel contesto di un quadro». (Chi però decreterà che un artista è più o meno tale?).

Cosciente o no, allora il cowboy di El Paso lavorava fin da parecchi anni fa nello stesso senso dei Rauschenberg e degli Oldenburg – «Quel che interessa è stabilire un contatto, non esprimere un messaggio» – quando sceglieva i più banali oggetti della civiltà dei consumi e dei mass media e li trasferiva nell'opera impastandoli di materiali vischiosi e vagamente ripugnanti; certe volte apertamente ridicoli? Perciò, mentre altri in America o in Europa continuano a fare il loro Astrattismo o il loro Informale, la loro Nuova Figurazione o il loro Espressionismo Astratto, sembra giusto applicargli le definizioni che erano già lì pronte ad aspettare la pop-literature: sia la recentissima di Brandi («La situazione è cambiata solo perché invece di offrire l'integrazione per la prima parte del processo creativo, ora si propone la seconda. È evidente che la situazione di base non è cambiata affatto e che l'intenzionalità che rivela è esattamente la stessa»), sia l'antica dichiarazione di Duchamp nell'atto di presentare cinquant'anni fa alla Società degli Artisti Indipendenti di New York la celeberrima tazza di orinatoio di serie della ditta Mutt: «Che il signor Mutt abbia fabbricato o no la "fontana" con le sue stesse mani, non importa nulla. Quel che conta è chi l'ha scelta. Ha preso una componente ordinaria dell'esistenza e l'ha presentata in maniera che il suo significato utilitario sparisse sotto nuovi titoli e nuovi punti di vista: ha creato dei nuovi significati per questo oggetto». E i nostalgici: «Ah, quei mitici orinatoi di Times Square, Hollywood Boulevard, Embarcadero, New Orleans. E anche sui Lungosenna, sui Lungoteveri... Pieni di personaggi di Proust, alla Madeleine: addirittura con qualche "petit pan de mur jaune" di pantaloni intravvisti sotto un cappotto: nel centro del triumvirato circolare, ovviamente...». Come a St-Germain-des-Prés, dove un illustre musicista si faceva portare addirittura un tabouret da pianoforte, per la serata. E quando l'agente di sorveglianza bussava alla lattoniera con qualche discreto «C'est minuit, Maître», bofonchiava ribattendo «Encore un petit moment»...

Già, può ribattere subito il fruitore e utente che non intende pagare scontrini e biglietti se non c'è una bella coda fuori. Ma chi garantisce che si tratta di un artista vero, e non perde valore?

PHILIP ROTH

Immaginiamo, piuttosto paradossalmente, un'improvvisa
«nuova partenza» di Giorgio Bassani: un romanzo sfrenatamente comico e felicemente riuscito sui contrasti consumistici
fra i più *beat* nipotini dei Finzi-Contini, alle prese con le tentazioni balorde e «gentili» degli attuali mass media, e gli anziani
gelosamente abbarbicati alle tradizioni severe e immobili della Sinagoga... Oppure cerchiamo di vagheggiare una repenti-
na impennata di Eduardo De Filippo: una sconvenientissima
divertentissima commedia di imbarazzi orchitici e peripezie
sfinteriche in una convenzionale famigliuola napoletana grondante bacioni materni e numeri del Lotto e ragù festivi... Questi *persiflages* forse allucinanti però molto precisi possono suggerire a un lettore italiano – frastornato magari da una stagione reazionaria di sacrileghi «risvolti» che si permettono ormai
di citare con nonchalance Dostoevskij come autore *au pair* di...
Piovene o Soldati! – un qualche aggancio coi soprassalti di vitalità inaspettata che attraversano la letteratura americana recentissima, quando, improvvisamente, alcuni narratori di buona fama e di precedenti impeccabili hanno preso di petto con
gli sfacciati strumenti della farsa la madornale voga per l'erotismo che prospera spensieratamente negli Stati Uniti d'oggi...
    Con *Couples*, *Myra Breckinridge* e *Portnoy's Complaint*, una co-
lossale risata alla Rabelais stravolge insieme i due principali pilastri di tanta cultura americana contemporanea: la neurosi in-

tellettuale, e la pornografia commerciale. Ma intanto, per una singolare coincidenza d'irrisioni, tre eccellenti autori come John Updike e Gore Vidal e Philip Roth producono i loro romanzi migliori nei modi della parodia scatenata, e non più della riflessione pensosa, o della satira ironica. Così un inaspettato e felice tornado picaresco sbatte e scuote un'intera narrativa che indugiava ancora a rimestare i resti di Salinger... E le tre «operazioni» appaiono altrettanto *magistrali* per l'Avvenire del Romanzo che la riemersione di Graham Greene con *Travels with My Aunt*, subito film di qualità.

In *Couples*, Updike si congeda senza salutare dalle crisi sussurrate nelle esistenze consunte delle cittadine depresse; e ride, minuzioso e soffice, su un «giro» clamorosamente WASP di entusiastici e problematici adulteri suburbani collettivi in una di quelle comunità del New England proverbialmente puritane, ma improvvisamente senza mutande, e ora più *drolatiques* di Clochemerle o di Parma... E *Myra Breckinridge* risulta uno dei primi bei romanzi dell'epoca che ha ricominciato a far romanzi, dopo la fase dei romanzi sul modo di fare (o sull'impossibilità di fare, o di *non* fare) – appunto – romanzi.

Dietro l'operazione di Roth preme invece la straordinaria ricchezza vocale e verbale di New York in quanto casa-madre della miglior cultura ebrea del nostro tempo: la superiore ironia joyciana e sveviana e chapliniana di Saul Bellow; le desolate afflizioni di Bernard Malamud, sospese fra un inconclusivo presente e la vivida memoria ancestrale dei *pogrom* slavi e poi germanici; la proterva belligeranza di Norman Podhoretz, deciso a *farcela* ad ogni costo nella giungla dell'industria culturale e delle «pubbliche relazioni», e infatti trionfante (se non come scrittore) in veste di Mr Big editoriale riverito e temuto alle riunioni redazionali e ai parties delle Fondazioni, dopo aver superato «uno dei tragitti più faticosi al mondo, quello fra Brooklyn e Manhattan»...
... E inoltre una sofisticatissima critica letteraria e sociologica e artistica... Ma anche parecchi favolosi musicals di Broadway, nati dal medesimo folklore dei ghetti leggendari che nutriva già la narrativa *yiddish* di Sholem Aleykhem e Isaac Bashevis Singer, e la pittura di Chagall... E le strepitose commedie dialettali alla *Filumena Marturano*, dove l'indistruttibile Molly Picon interpreta da decenni l'esuberante mammona-chioccia di Brooklyn risoluta a dominare, nello stesso tinello, sia i nonni di Leopoli che si rifiutano di parlare «americano», sia i ni-

poti «moderni» golosi di delikatessen non kosher... E il recentissimo cabaret di Woody Allen, sulle catastrofiche frustrazioni sessuali del ragazzino sgobbone destinato alla carriera di rabbino-modello, ma travolto in grottesche pochades su una linea piuttosto Sordi-Tognazzi...

Tutti questi disparati filoni – da Harold Rosenberg a Barbra Streisand... – si riconducono in effetti a un «tema brooklyniano» unico: i traumi dell'adattamento a una società dura e pacchiana, sgargiante e competitiva e «senza radici», da parte di un gruppo etnico e culturale visceralmente affezionato allo spirito e alla lettera delle proprie tradizioni immutabili, provato duramente dalle persecuzioni europee, e ora insidiato più dal mediocre comfort del consumismo «affluente» che non da sostanziali pressioni ideologiche o politiche. In una situazione di «non assimilazione» affine, la risposta «etnica» della Little Italy è – ahimè – la Mafia: come prova il vistoso successo di *The Godfather* di Mario Puzo e dei vari film camorristici... I contrasti fra la comunità israelitica e il mondo *goi* – sventagliata vastissima di conflitti fra morbosità e volgarità... – spingono invece la cultura newyorchese più nuova in direzione della tragicommedia, o sul lettino dello psicanalista.

Qui la posizione di Roth, brooklyniano «di periferia», è sempre apparsa decisamente «singolare»; e già negli anni Cinquanta un critico acuto e congeniale come Alfred Kazin «ammirava il suo insolito successo» nel rappresentare «il tipico tema dell'integrità personale di fronte alle imposizioni della collettività» non già in termini di sofferenza razziale ineluttabile e atavica, bensì «mettendo a fuoco la personalità umiliata e offesa dell'ebreo come individuo, e non dell'individuo in quanto ebreo» (magari a dispetto degli «ebrei professionali», che si indignano per un tipico razzismo rovesciato). Ma ora in *Portnoy's Complaint* una terrificante sghignazzata, impressionante come il *Viaggio* di Céline, torrenziale come i *Tropici* di Miller, investe i due temi complementari, la tragedia del Figlio «complessato» e la commedia della Mammona strappalacrime, in un groviglio oscuramente prossimo alla gran rabbia gaddiana della *Cognizione del dolore*.

... Sul lettino dello psicanalista, il figlio confusamente rigurgita le collere accumulate per trent'anni contro gl'ininterrotti «non uscire», «non mangiar niente fuori casa», «ma chi credi di essere», «fallo per farmi un piacerino», «mi spezzerai il cuore», «sarai sempre il mio piccolino», «da solo, non sei capace di regolarti», «se non ci fossi qui io, chissà come finiresti», «in questa casa, solo rinunce e sacrifici», «bisogna imparare a star zitti», «non siete mai disinvolti», «bisogna imparare a far fatica, per formare il carattere», «si è qui, e si sta qui, è inutile ripeterlo», «non mi dai mai la minima consolazione», «guarda i tuoi compagni, quante soddisfazioni dànno ai loro genitori», «la vita di una mamma, è un sacrificio continuo», «bene come in casa nostra, non si mangia in nessun ristorante», «la mia sola colpa, è che sono sempre stata troppo affettuosa con voi»... Insomma, lo sfogo incessante e sfrenatamente auto-compiacente della tipica mamma anche nostrana inebriata dei propri «sacrifici» di famigliuola, ossessionata dai rammendi e dalle polpettine, che per tutta la vita parla e parla, rompendo le palle in maniere indescrivibili, però, in realtà, *non ha mai parlato davvero* col proprio figlio. Gli ha soltanto riempito la testa di «osservazioni» e «raccomandazioni», per lo più cretine, disinteressandosi totalmente di ogni sua aspirazione o riflessione o *idea*, giacché le sole «soddisfazioni» che contano per il suo cervello di gallinaccia imbecille sono quelle *materne*, al benessere del figlio crede di aver pensato sempre ma non ha pensato mai...

... Come risultato, il bambino diventerà un omino lindo nel vestire, cerimonioso a tavola, premuroso con le ziette, servizievole a scuola, perbenino con tutti. E una merda in tutto il resto. Non fuma, non beve, non dice brutte parole, non dimentica la canottiera, non lascia mai la luce accesa o i cassetti aperti. Però non sa dire una parola in compagnia, sul lavoro è uno straccio, con le donne un disastro, ahi, che pena, sarà un infelice per tutta la vita, chissà perché il primo della classe riesce sempre ultimo nella carriera...

E quando sarà un fallito infantile e neurotico, la famiglia addolorata esclamerà «perché si è ridotto così?» e non già «perché *lo abbiamo* ridotto così?»... Ma questa trama tutta da piangere viene sbattuta e montata da Roth sulle buffissime fantasie masturbatorie che redimono l'inesauribile protagonista, e sulle difficoltà intestinali del suo papà, epicizzate da una «mimica verbale» smaccatamente farsesca. Così il deprimente dramma delle frustrazioni domestiche si trasforma in uno smodato divertimento surreale alla Groucho Marx, intensamente *liberatorio*.

J.D. SALINGER

Il celebre romanzo di Salinger, *The Catcher in the Rye*, è uscito in America una dozzina di anni fa e andava benissimo. C'era dentro tutto. Un nipotino di Huck Finn come protagonista, ma senza navigare lungo un gran fiume, contro i vasti orizzonti di un gran mondo che sorge, un po' Cinemascope; meno innocente, alle prese con problemi più gravi, curvato su se stesso, perché dopo il Dottor Freud il coraggio e la gelosia, la carità e il compromesso, l'amore sessuale o l'orrore della morte sono irrimediabilmente più complicati che presso Mark Twain, e ormai ciascuno deve risolverseli da sé come se fosse la prima volta; non si sa mai fino a che punto funzionino i modelli offerti dalla società. Tanti totem e tabù, uno più indicativo dell'altro: il viaggio da Pencey College a New York e il grande albergo e le scritte oscene sui muri e lo spettacolo dei Lunt e la sala delle mummie al museo e l'uso della parola «vecchio» e il maestro bisessuale e la buona sorellina e il nascondiglio nel guardaroba, insistentemente suggeriti come simboli di esplorazione psicologica, società contemporanea comica e sinistra, odissea topografica e intanto sentimentale, immutabilità del passato, incomprensione fra generazioni, naturale bontà dell'infanzia, ovvia corruzione e stupidità del mondo adulto, cupidigia mortuaria, brusca frenata di fronte alla commozione con lacrima. Poi un efficacissimo «parlato» fra l'inventato e il mimetico, devota applicazione dei risultati migliori dell'Hemingway «classico», annettendo anche il suo simpatico trucco di dividere sempre tutti non tanto in buoni o cattivi ma in amici e nemici, in «dritti» e «stupidi». E poi, i «vecchi», comunque. Ne risulta sempre un gran bel giochino d'effetto, né più né meno che quando Nancy Mitford divide gli «in» dagli «out», e Norman Mailer lancia la suddivisione tra «hip» e «square».

Simili osservazioni andavo svolgendo parecchi anni fa nel primo saggio italiano sul romanzo, non ancora tradotto col titolo *Il giovane Holden*, concludendo con qualche dubbio su una «cifra» stilistica affascinante ma così indifesa che basta un azzeccato pastiche di John Wain perché non stia più in piedi o sembri diventata ridicola – e con una obiezione sulla «esagerata scaltrezza nell'offrire al consumatore d'oggi ingredienti e sapori talmente condizionati al suo gusto stagionale, da temere che domani potranno "datare" anche terribilmente (come certe carrozzerie d'automobili che ci sembrarono meravigliose soltanto l'anno della loro presentazione. E in seguito, vintage)».

Ma veramente per render giustizia a libri come questi bisognerebbe recensirli insieme al loro pubblico: come si fa con i film di Bergman, i romanzi di Moravia, e con ogni prodotto artistico indirizzato a destinatari specifici e tagliato sulla misura delle loro predilezioni. Non tutti gli autori condividono i propositi di Dickens che intendeva «esser letto a ogni piano della casa, dai saloni alle cucine» (come del resto Giuseppe Verdi e Guido Milanesi, solo che oggi non sembra più possibile, tra gli ombrelloni che hanno sorpassato in quantitativi e autorevolezze le portinerie d'una volta). Mozart invece scrive per una società elegante e Byron per adolescenti romantici, il padre Teilhard de Chardin per scienziati in crisi e Adriano Celentano per minorenni in disordine. E c'è poi chi nasce con la vocazione del bestseller. Quello però che sta succedendo dappertutto (e in America è cominciato da un pezzo) è che il bestseller ormai non può più assolutamente accontentare tutti; e i suoi lettori per tanti che siano tendono a configurarsi in un gruppo sociologico. La massa che decide i successi, per esempio, non è già più costituita dalle signore borghesi pronte negli anni Trenta a identificarsi con Scarlett O'Hara (siamo circondati da Rosselle coetanee), e aggiornatissime oggi da noi a commuoversi su Micòl Finzi-Contini, ma coincide piuttosto come composizione numerica con gli studenti universitari e liceali, gli stessi all'origine del trionfo dei «paperbacks culturali» che raggiungono tirature enormi smerciando Burckhardt e Mallarmé a 95 cents in stazioni e drogherie. E questi ragazzi entusiasti, avidi di buona cultura possibilmente anche agevole, sono prontissimi ad adottare chi si presenti usando i loro stessi gerghi e falsetti.

Naturalmente hanno adorato subito Salinger, e il suo mito facile e astuto dell'infanzia che non finisce mai. Niente sesso, quindi, sostituito da un narcisismo senza limiti (e con l'aria che tira fra la gioventù americana va benissimo, sono passati secoli da quando Temple Drake in *Sanctuary* poteva anche sembrare un tipo non troppo infrequente di studentessa-scappa-da-casa), e da una quantità di tormenti didattico-sentimentali del genere «se la mia girl friend non ama sinceramente Cervantes, come sarà possibile andare insieme al tè danzante della scuola?». E in mezzo a tante incertezze mai che capiti a questo Telemaco moderno di incontrare un signor Leopold Bloom: nelle storie di Salinger compaiono solo dei Votini e dei Franti eterni, e tutt'al più una piccolissima Ifigenia di tre o quattro anni, ma fa solo un paio di gesti misteriosi e ingenui, e non sa dare al suo povero Oreste indicazioni contro l'esaurimento nervoso, la tipica «tragedia del nostro tempo» che ha sostituito le Furie o il Puritanesimo o la Belle Dame Sans Merci come nemico numero uno del Protagonista alla Moda.

Poi c'è il fatto dell'isolamento. Salinger da molti anni è il più inaccessibile dei numerosi letterati-eremiti americani che industriosamente costruiscono la propria leggenda mondana abitando lontani dal mondo, in trappe nei boschi o in celle di cemento in cima a montagne, non lasciandosi avvicinare da nessuno, né tanto meno fotografare, e mai scendendo a valle o in città; coltivano religioni orientali con effetti pessimi, e a intervalli lunghissimi si compiacciono di vender caro un frammento di prosa all'«Harper's Bazaar» più chic del momento. Noi naturalmente possiamo immaginare come riderebbero Dickens e Stendhal, Balzac e Dostoevskij; ma il pubblico americano ama ancora molto l'idea del «guru» nascosto nella sua tanina, che si prepara delle minestrine Zen, e intanto non perde una notizia pubblicitaria o mondana; senza telefono ma aggiornatissimo con la televisione, sfogliando rotocalchi dalla mattina alla sera, senza che mai nessuno consigli «esca, si distragga, veda un po' di gente, le farà bene anche per la letteratura». Salinger fa in fretta a épater con poca spesa lasciando cadere i nomi di Lao Tze e Shankaracharya e Sri Ramakrishna; ma le citazioni parallele di Zsa Zsa Gabor e di Milton Berle, del senatore Dirksen e del dottor Hauser, della Magnani e del profumiere Charles of the Ritz, l'attenzione ai pettegolezzi e alle mode, tipica di chi si immagina i parties delle sarte in città abitando in campagna, sono un segno per lo meno bizzarro che qui un saggio eremita sta scrivendo specialmente per un pubblico filisteo che per apprezzarlo deve per forza essere al corrente di tutte le deplorevoli sciocchezze che rendono la società moderna così inabitabile, condannando lo scrittore alla Trappa e i suoi personaggi al breakdown. Non che i buoni critici non se ne siano accorti. Mary McCarthy, Leslie Fiedler, Frank Kermode lo scrivono da tanto. Però il fatto più curioso è la coincidenza fra la pubblicazione dell'ultimo libro di Salinger, *Franny and Zooey*, il suo fantastico successo di vendite, un disastro critico quasi totale (e contemporaneamente i ritardati entusiasmi italiani per *Il giovane Holden*...).

Questo volume di duecento pagine stampate larghissime si compone di due storie, una corta (*Franny*) e una lunga (*Zooey*), già pubblicate anni fa sul «New Yorker»; di una presentazione da parte dell'autore di «queste due prime puntate critiche di una serie narrativa in corso su una famiglia di abitanti della New York del ventesimo secolo, i Glass»; di una dedica al direttore del «New Yorker», fatta «in uno spirito il più possibile prossimo a quello di Matthew Salinger, di anni uno, quando insiste nell'offerta di un fagiolo freddo a un suo piccolo commensale»; e di una lunga nota intorno al «torto estetico delle note». I Glass sarebbero una famiglia mezza irlandese e mezza ebrea di ex-bambini prodigio, un tempo famosi a una popolarissima trasmissione radiofonica tipo *Botta e risposta*, e ora cresciuti e sposati o sistemati alla televisione o morti. Il maggiore, Seymour, si è suicidato nel bellissimo racconto *A Perfect Day for Bananafish*; anche un altro fratello è morto; un altro è gesuita; una sorella è sposata e fuori casa; poi c'è Buddy che è professore in un collegio ma inaccessibile in campagna. Dunque, praticamente, «quasi tutta la gamma» dei fruitori e utenti americani: non solo «dalla A alla B». Rimangono una ragazza e un ultimo fratello non ancora pietrificati dal matrimonio o dalla morte, appunto Franny e Zooey. Lei ha una crisi religiosa, e il libro è tutto qui, col suo contenuto esposto da Salinger stesso come se fosse riassunto da un presentatore radiofonico o chiosato da un esegeta post mortem.

Nel primo pezzo, uno sketch universitario, Franny va a trovare il suo boy friend a Yale per vedere insieme la partita dell'anno, ma lui chiacchiera scioccamente di letteratura francese e di football (secondo Salinger: secondo il lettore lui è molto gradevole e lei una rompiscatole detestabile); allora lei si sente poco bene al ristorante, e così gli rovina la giornata. Nel secondo, un bozzettone domestico, lei è a casa e cerca Dio e la Verità in un libretto verde che parla di un «semplice contadino russo» che ha scoperto «l'efficacia della preghiera ininterrotta» e perciò gira per le steppe con una espressione miracolata alla Maria Schell. Zooey sta in bagno, legge vecchie lettere, antiche cartoline, massime di Kafka e di Epitteto, delle Bhagavad Gita e di Ring Lardner; parla con la madre; passa nell'altra stanza; tenta di consolare Franny. Altro, in fede, non c'è.

La prima impressione è che l'Holden originale si sia scisso come un'ameba nei sette fratelli Glass, tutti uguali come se immaginassimo sette piccoli Hemingway insieme alla caccia grossa o sette piccoli Bassani tutti in giro per una sola Ferrara. Il padre bofonchia fuori campo. La madre quando arriva in vestaglia e bigodini è una Filumena Marturano da teatro dialettale irlandese, una distributrice di buon senso, e come tutti i caratteristi da commedia ha la sua frase d'entrata ogni volta: offre alla figlia un brodino di pollo, ma ripetutamente, con tali insistenze, da farlo diventare o un fastidioso ribobolo o un simbolo preoccupantemente eucaristico, alla ventesima volta ci si domanda chissà quali epifanie potrà rappresentare, per i credenti. Proprio questa supposizione di simboli abusivi è l'aspetto più irritante del libro, come ogni volta che un romanzo o un film sottintendono che la Poesia deve consistere nella interminabile contemplazione di un oggetto irrilevante e nella insistente ripetizione di gesti insignificanti. Ecco la trappola dove franano gli allocchi dell'alienazione: come dimostrano anche alcuni entusiasmi per il film più ridicolo di questi anni, il giapponese *L'isola nuda*, stilizzazione stupida e sadica del vecchio film di successo *The Yearling* (*Il cucciolo*) stupido ed edificante.

Esempi. Nella lunga scena in bagno (un sancta sanctorum?) che occupa più di metà di *Zooey*, nulla viene risparmiato dei particolari della toilette, né la rasatura, né la pulitura delle unghie, né la scarpa né la giarrettiera. Gli oggetti sulle mensole vengono elencati tutti, e i medicinali nel loro armadietto ricordati uno per uno. E se una tendina viene alzata, la si abbassa qualche pagina dopo, e il tubetto di dentifricio viene lasciato aperto solo per poterlo chiudere un po' più avanti. Di ciascuna radio si annuncia la data di fabbricazione, delle lampadine i watts, dei televisori i pollici, della vasca da bagno la capienza in galloni. Tutto questo chiaramente non conduce da nessuna parte, dal momento oltre tutto che il ritmo e il tempo della narrazione sono ancora naturalistici e non se ne vien fuori. Mancano sia i pregiudizi di scuola dei narratori «obiettivi» francesi, sia la delirante inventiva degli «elenchi» del Gadda, perfino la fenomenologia volgarizzata dell'ultimo Moravia. E per quanto vagamente allucinatoria per virtù d'insistenza, la piatta descrizione inutilmente ossessiva di un'arma o una porta o un «buongiorno» in un contesto naturalistico mi pare che manchi di senso e di ragion d'essere, a meno che l'arma non spari, come voleva Cechov, la porta non caschi in testa, e il «buongiorno» non sia come minimo la parola d'ordine di Mata Hari.

Naturalmente si sa anche troppo che ghiottoneria pseudo-intellettuale sia stato questo buddhismo finto-stoico da «Reader's Digest» negli anni fra il '55 e il '60, dappertutto. Basta prelevare un campioncino di *Zooey* per arrivare a una scoperta critica illuminante: «Zooey aprì lo sportello dell'armadietto, guardò dentro, poi prese una lima da unghie e chiuse lo sportello. Prese la sigaretta che aveva posato sulla mensolina di vetro opaco e tirò una boccata, ma era spenta. Sua madre disse "tieni", e gli tese il suo pacchetto di sigarette king-size e una bustina di fiammiferi. Zooey prese una sigaretta dal pacchetto e arrivò fino a mettersela fra le labbra e ad accendere un fiammifero, ma la pressione dei pensieri gli rese impossibile l'accensione anche della sigaretta; soffiò sul fiammifero e si tolse la sigaretta di bocca. Scosse leggermente, impercettibilmente, la testa. "Non so" disse ... Poi impiegò qualche tempo ad accendersi la sigaretta. Espirando il fumo, appoggiò la sigaretta sulla mensolina di vetro opaco dove stava l'altra sigaretta spenta, e prese una posa leggermente più rilassata. Cominciò a infilare la lima da unghie sotto le unghie, che erano già perfettamente pulite...».

Il tono si riconosce subito. Nessuno mi convincerà che questi brani non siano opera di Monica Vitti; non per nulla poche pagine dopo Zooey guarda giù dalla finestra, e come nell'*Eclisse* che cosa non ti vede? Mattoni storti e stormir di platani, puntualmente. Franny e il suo boy friend sono la stessa coppia del film di Antonioni, lo sportivo simpatico e la bas-bleu noiosa (soltanto che al confronto Antonioni diventa Monicelli). E l'ansia, l'incertezza, la ricerca vengono sempre rappresentate mediante un futile aggeggiare con oggettini pedantemente descritti, e privi di senso anche dopo un esame prolungato con lentezza artistica. Ad ogni portacenere che toccano c'è da chiedersi se sarà un altro pretesto per «tirarla in lungo» o una nuova metafora della condizione umana; mentre sostanzialmente è lo stesso giocherellare della damina del Settecento con il suo ventaglio, il baloccarsi dell'Amica di Nonna Speranza con scrigni fatti di valve e scatole senza confetti. Magari, altalenare sperimentale fra bianco-e-nero e colore?

In più, tutto un repertorio di pretenziosità seccantissime: sillabe enfatizzate, una parola sì e una no, per indicare su quale vocale casca il manierismo o il falsetto; numeri capricciosi, maiuscole eccentriche, sottolineature arbitrarie, ripetizioni ritmiche, vezzeggiativi ricercati, accostamenti furbetti di concetti e di nomi: spesso san Francesco di Sales avvicinato a Damon Runyon e questo a un profeta cinese. Ostentazioni ridicole come le farfalle di Nabokov: meditazioni per dieci ore di fila, telefonate al Dio della Morte, la quartina in stile haiku lasciata dal suicida, la sfera di cristallo con la sua nevicata dentro; la macchia sul soffitto, però di un certo colore, però fatta con una pistola ad acqua, però diciannove anni prima; le «estasi masochistiche», i «palpeggiamenti dell'onniscienza»; e battute da Suzie Wong o Butterfly tipo: «Sai, come ridono gli orientalisti...»; e massime da cioccolatini tipo: «Una volta sposati, non si riesce più a sedersi vicini al finestrino in treno»...
Ancora qui le vecchie solfe dell'ossessione scolastica (professori e compagni compaiono anche in sogno, carichi di quaderni e matite), e i falsi problemi basati su compiti in classe e seminari di religione; talismani; amuleti; lettere semistracciate maneggiate stregonescamente; bambini piccoli che ammiccano emblematicamente e subito spariscono; e infine la Camera della Morte. Stavolta appartiene non alle mummie ma al fratello suicida, lasciata intatta con le sue carte e il telefono; e da questo apparecchio Zooey chiama Franny per consolarla fingendo d'essere l'altro fratello, quello inaccessibile. Questa è la gran scena madre; e monta, monta, preparata con retorica accuratezza di effetti. Quando però il telefono del morto finalmente parla, si rimpiange l'Oratore delle *Chaises* di Ionesco, che almeno non si sente. Qua invece nulla distingue il «messaggio» che ne vien fuori dall'omelia di Chaplin alla ballerina in fondo a *Limelight*: «Ricordo che verso la nostra quinta trasmissione ... Seymour mi disse di lucidarmi le scarpe, mentre stavo uscendo. Io ero furioso. Gli spettatori erano tutti cretini, l'annunciatore un cretino, i produttori dei cretini, e non me ne sognavo neanche di lucidarmi le scarpe per loro. Dissi a Seymour che oltre tutto non potevano neanche vederle. Ma lui mi disse di lucidarle lo stesso. Disse: le luciderai per la Signora Grassa. Non sapevo cosa diavolo stesse dicendo, ma faceva una faccia tipicamente da Seymour, e così me le lucidai. Non mi disse mai chi era la Signora Grassa, ma mi lucidai le scarpe per la Si-

gnora Grassa a ogni trasmissione ... Questa immagine terribilmente chiara della Signora Grassa mi si formò nella mente. La vedevo seduta nella sua veranda tutto il giorno, ammazzando le mosche, con la radio a tutto volume dalla mattina alla sera, e un caldo terribile...».

Ma anche Franny aveva una sua Signora Grassa, e subito la riconosce, infatti: «Non me la sono mai immaginata in una veranda, però con gambe molto, molto spesse, molto venose. La vedevo in una orrenda poltrona di vimini. E aveva anche il cancro, per di più, e la radio accesa tutto il giorno... Anche la mia!...».
Allora Zooey aumenta la dose terapeutica. Bisogna andare avanti, bene o male, bisogna recitare per la Signora Grassa comunque: «Non m'importa dove recita un attore. Può essere in una filodrammatica estiva, può essere alla radio, può essere alla televisione, può essere in un maledetto teatro di Broadway, completo del pubblico più snob, più abbronzato, meglio nutrito che si possa immaginare. Ma io ti dirò un terribile segreto. Mi stai a sentire? *Non c'è nessuno là fuori che non sia la Signora Grassa di Seymour.* Ivi compreso il tuo professor Tupper, cara mia. E tutti i suoi maledetti cugini. Non c'è nessuno da *nessuna* parte che non sia la Signora Grassa di Seymour. Non lo sai? Non lo sai ancora, quel maledetto segreto? E non lo sai – stammi bene a *sentire* – non lo sai *chi è realmente la Signora Grassa?*...». Signora mia, l'*audience* non sarà un dato statistico, mediatico?
Suspense, emozione. E poi un colpo di scena alla Ponson du Terrail: «La Signora Grassa è Gesù Cristo!». Altro che il classico «Remember that your grandma was a big fat woman», come cantano e ricantano i travestiti corpulenti nei locali sgangherati.
Così tutto è chiaro. Chaplin si trasforma nel popolare vescovo mediatico Fulton Sheen, lo Zen abbraccia la «Domenica del Corriere», e la morale della storia diventa «lo spettacolo deve andare avanti a ogni costo!», cioè la stessa morale di *Annie Get Your Gun* e della canzone di Neil Sedaka che si sente in tutti gli intervalli al cinema anche da noi: «Ecco qui, / come ogni sera / i tuoi gesti fan la gente divertire, / questo re / dei pagliacci / ride e piange nel suo mondo senza amor». Cioè, alla fine dello Zen, il vecchio Leoncavallo.

SAUL STEINBERG

Saul Steinberg era «un vero classico» nel portamento alto e cortese, e nell'abbigliamento: uno «stile Caraceni» addirittura stilizzato, nei ricevimenti a Roma o a New York. E un «tratto» sempre eccellente. «Come mi piace Gadda. Come avrei voluto conoscerlo». Ma lo legge in italiano? (gli si domandava). E lui: «Ma certo, specialmente *L'Adalgisa*. Quando ero studente del Politecnico, a Milano negli anni Trenta, frequentavo soprattutto le sartine di Brera; e passavamo le sere di primavera passeggiando al Parco. Il dialetto milanese di Gadda è per me il linguaggio dell'amore». Eravamo davanti a un ascensore, uscendo da un party molto artistico sul West Side. Si avvicinò Jackie Kennedy, e lui le spiegò con grande entusiasmo chi fosse Gadda. (Lei si occupava di editoria, all'epoca).

A Roma veniva festeggiato, soprattutto come pittore (ci teneva moltissimo), da Luisa Spagnoli, deliziosa collezionista e amica, in compagnia di Paolo Milano e Toti Scialoja e Leo Castelli, sodali transatlantici. Ma sullo sfondo riapparivano ancora gli «anni di formazione» milanesi, con l'invenzione di un umorismo surreale e giovanile (fra Grosz, Novello e Klee) nelle vignette per il «Bertoldo» di Mosca e Guareschi e Carletto Manzoni. Fra mucche romantiche col fiore in bocca, vedovone mussoliniane con ombrelli come manganelli, gagà e gagarelle da Biffi Scala tipo «bagnino, sposta l'onda» e «barman, allungami un Davide», critiche cinematografiche di Pietrino Bianchi (con commenti di Bertolucci e Zavattini) e irresistibili elenchi di luoghi comuni giornalistici (tipo oggi con «aprire un tavolo» o «spezzare una lancia» o «il fil rouge»), per sputtanare con gli aggettivi e gli avverbi il conformismo più leccaculista di regime. Anni d'apprendistato decisivi: arrivando al «New Yorker», Steinberg era già pronto, con lo spirito e il design. Attrezzatissimo per quelle copertine (poi anche poster: la Galleria di Milano, la *skyline* di Manhattan...) dopo anni attentissimi tra l'Architettura e i Navigli e le gallerie e i cinema e i caffè. E il suo capolavoro, *The Passport*, del 1954, è anche un albo-campionario di architetture fantastiche: dalle Piazze San Marco smisurate e scervellate come aeroporti per ceffi gesticolanti alle Ville d'Este ristrutturate da Coppedè pasticceri per streghe di *Hänsel e Gretel* fino a certe Las Vegas come proliferazioni dementi di citazioni da Max Ernst, Richard Lindner, Picasso... L'imponente critico Harold Rosenberg, che gli dedicò i saggi di *The De-Definition of Art*, scrisse: «Personaggi come De Kooning e Steinberg hanno ridotto il *gap* che separa New York dalla Parigi del passato».

Tornava dalle nostre parti, ma per itinerari fra curiosità segrete. Si scherzava una volta sulle cartoline: dalle città d'arte, mandare sempre la stazione ferroviaria! Dall'Oriente (Medio o Estremo), naturalmente un distributore di benzina... L'ultima arrivò da Ascona: per annunciare di aver gustato finalmente il «musso». Squisito. Ma senza allusioni mussoliniane rétro: il musso è un asino prelibato, pare.

JOHN UPDIKE

Il punto di partenza sarebbe davvero il medesimo della *Morte a Venezia*: un romanziere di mezza età e di buon successo, niente affatto genericamente «dato», ma anzi qualificato molto minutamente (carriera, abitudini, perfino l'indirizzo di casa), in difficoltà con se stesso e con la propria opera (teme addirittura di non riuscire a compiere un lavoro in corso, forse l'ultimo...), parte in viaggio per sottrarsi a una crisi lungamente maturata. Invece, naturalmente, se la porta dietro. Però qui si scatena subito, irresistibile come un can-can di Offenbach, il divertimento intellettuale più buffo di questi tempi.

Nell'inaspettato capolavoro comico che è *Bech*, scintillante come *Myra Breckinridge* e *Portnoy's Complaint*, John Updike si dev'essere pazzamente divertito a congegnare i sette pannelli di questo non-immaginario (anzi: più vero del vero!) Declino & Trionfo del Grande Romanziere Ebreo Americano d'Oggi, picaresco «pastiche» di false citazioni mai dovute al caso, e di incessanti invenzioni cui soprattutto la perfidia conferisce un senso. Il suo Henry Bech, autore di un solo romanzo eccellente e di tre decorosi insuccessi, però ancora considerato «scrittore di successo» anche se il quinto libro probabilmente non viene, potrebbe quasi scappare da un'opera ignota di Saul Bellow, se non si confessasse presto quale creatura sfacciatamente composita: un po' di Herzog e di argentei ciuffi svolanti di Bellow stesso, ma anche un po' di riccioli radi e di narcisismo sensua-

786

le di Norman Mailer; parecchia infanzia con mamma «alla Port-noy» di Philip Roth, ma anche un po' di passato ancestrale nei ghetti alla Isaac Bashevis Singer; alcuni spifferi di Bernard Malamud; e anche quel certo «blocco» nel continuare a scrivere fin troppo analogo alle «rinunce più o meno nobili» di H. Roth, D. Fuchs, H. Brodkey...

La «trovata» di Updike parte dalla minuziosità della scheda segnaletica. In diverse appendici, accurate e pedanti come la bibliografia d'una tesi di laurea, ed esplosive per la gran carica di malizia che vi si accumula, sono elencati, oltre ai quattro libri di Henry Bech, all'antologia che ne fu tratta col titolo *Il meglio*, e al quinto romanzo sempre annunciato «in lavorazione», tutti gli articoli «di» e «su» questo romanziere ipotetico, con titoli «tipici» e «d'epoca», data di pubblicazione, riviste su cui sarebbero stati pubblicati, e perfino il numero della pagina, coinvolgendovi oltre tutto la maggior parte dei critici letterari operanti in America, dai più illustri ai ridicoli.

Bech ha un gran naso e diverse neurosi, detesta i giovani perché li trova «una generazione di farmacologi dilettanti», venera in segreto Flaubert e Joyce, ma teme che il suo «id», in collaborazione con le figure di «super-ego» di Alfred Kazin e Dwight MacDonald, riesca a ridurlo all'impotenza artistica. Ha un'attività intestinale eccessiva, continui affari con donne paradossali e sventate, e riceve in sogno solenni apparizioni di Paul Valéry, che nulla però distingue dal defunto Mischa Auer. Nel primo pannello si trova in Russia un po' inviato dal Dipartimento di Stato e un po' per spendere sul posto certi rubli di diritti d'autore. Nel penultimo, in una Londra fiorita d'asfodeli, eccolo intervistato noiosamente dall'«Observer», a pranzo con un editore molto riconoscibile, e a letto con una signora forse altrettanto identificabile.

In mezzo, due prolungamenti del viaggio oltrecortina, in una Romania e una Bulgaria tra il reportage semiserio e il cabaret pecoreccio. E due spedizioni animose e perplesse in due mondi estranei-domestici: l'esperienza della droga in una vacanza estiva su un'isola del Massachusetts popolata da relitti della «Partisan Review» negli anni Trenta; e una conferenza (compensata mille dollari) in un collegio femminile della Virginia dove trionfano la verginità pre-matrimoniale e i certami di lirica moderna. Nel finale, l'assunzione alla Fama Accademica tra un campionario dei più spaventevoli mostri immaginabili nella cultura americana d'oggi, attraverso un incessante rituale di premiazioni reciproche non dissimile formalmente da certi «aldilà » dove si raccoglievano nei vecchi film di propaganda i bombardieri caduti.

Sembra difficile, nell'universo romanzesco contemporaneo, trovare un libro più « scritto » di questo: lo stesso tipo di lavoro letterario quale divertissement mimetico che s'incontra nei *Pastiches et mélanges* di Proust. Inoltre, il tessuto verbale trabocca incessantemente di battute, così come le commedie di Bourdet brillavano di « mots d'auteur ». Però *Bech* non è soltanto questo, giacché Updike sembra soprattutto felice nell'« azzeccare le atmosfere »: i negozi e i musei di Mosca, i funzionari dell'Unione degli Scrittori, i numeri di varietà internazionali al night-club di Bucarest; i letti con una donna grassa e un bambino che strilla; i discorsi ufficiali alle cerimonie insignificanti; gli scambi di banalità scolastiche fin troppo seriose tra le studentesse bianche e le nere; i tipi inverosimili e le conversazioni cretine ai « parties » londinesi...

Alla fine di un'esercitazione tanto virtuosistica, forse è perfino vero che questo ritratto così accurato d'intellettuale ebreo diventi poi una forma di autobiografia « fatta propria » dall'anglosassone Updike di *Couples*...

GORE VIDAL

La rara felicità di questa trionfale riuscita di Gore Vidal si deve direttamente al geniale equilibrio-intreccio fra una secca trama di commedia *slapstick*, perentoriamente farsesca (le folli trame californiane del sensazionale travestito), e il *background* costantemente avvertito di una chiacchiera paradossalmente saggistica, camuffata da finto roman philosophique provvisto della seguente ideologia: i più scalcinati film hollywoodiani «di consumo» degli anni Trenta e Quaranta – attualmente oggetto di risate demenziali da parte degli adolescenti *camp* che li vedono per la prima volta nei *late shows* della televisione, nonché di seriose e pretestuose indagini da parte di una Kulturkritik da vaudeville – rappresentano in realtà il culmine dell'intera Cultura Occidentale. Non soltanto riassumendo definitivamente tutti i temi fondamentali di tutte le letterature europee, ma fissando una volta per tutte gli archetipi antropologici e i modelli di comportamento a cui si sarebbe attenuta per sempre l'intera società degli Stati Uniti. Tutto espresso e risolto in un'astuta parodia «*highbrow* per poveretti» dei radicalismi chic e degli entusiasmi professorali delle pensatrici tipo Susan Sontag.

Gli ambivalenti affetti del culto Camp per il gusto Kitsch di ieri ripescato dai *late shows* della TV di oggi e rivisitato dai Dorfles che rileggono Dwight MacDonald alla luce di Adorno corretto da Eco sulla base di un Lacan annusato da uno Snoopy che nulla più distingue da un Lévi-Strauss mordono quindi la coda a un Saussure godardiano sorpreso da Propp nell'atto di compiere i più virtuosistici 69 con l'aperta *hard-core pornography* dell'Olympia Press e della Grove Press in fitta parodia di se stessa per i buoni tramiti di *Lolita* e di *Candy*. Il testo originale trotta via brillantissimo attraverso rapide sprezzature fino a un'elaboratissima Scena Madre sado-giornalettistica, un po' sforbiciata nelle edizioni inglese e italiana. Si suggerisce quindi una lettura scolastica «col testo a fronte», e che sia il testo del paperback americano.

(In seguito, il «leggendario classico underground» *Magic and Myth of the Movies* di Parker Tyler, 1947, verrà indicato quale fonte di *Myra*, giacché opera pioniera di una trattazione psicanalitica e buffa e assai camp del cinema passional-commerciale negli anni Quaranta più smandrappati e cheap).

Eppure, anche il Corsaro Nero talvolta piange? Quando Ravello conferì la cittadinanza onoraria a Gore, davanti a parecchi illustri ospiti quali Italo Calvino e Marella Agnelli e Sandro d'Urso, il sindaco nel suo discorsino sottolineò che la cittadina era sempre stata avara di riconoscimenti simili. Però stavolta si sperava in una buona pubblicità per il turismo americano. Ebbene, sono certo di aver visto almeno una lacrima scendere lungo una gota della «belva» Vidal.

EDMUND WILSON

Quando Edmund Wilson morì, nel '72, aveva già pubblicato da tempo le sue memorie d'infanzia e le riflessioni della vecchiaia. Stava ora lavorando a preparare per la pubblicazione i taccuini degli anni Venti, cioè i materiali basici di uno straordinario debutto, in una stagione letteraria mirabolante. Ma quando fu chiaro che questo suo ventisettesimo libro sarebbe uscito ormai postumo, lo affidò a Leon Edel, biografo illustre di Henry James, con una sola consegna: presentarlo leggibile, più che fosse possibile.

Tanti anni prima, con la sua costante certezza in un'esistenza della Repubblica delle Lettere «non meno concreta e tangibile che la Repubblica francese», Wilson esordiente si era proposto d'inventare un genere letterario indispensabile per la buona salute di qualunque repubblica letteraria: la recensione di buona qualità, superando ogni fastidiosa contrapposizione fra critica recensoria o giornalistica o «militante» e critica specialistica «accademica» o *highbrow*. E subito la sua predilezione qualitativa per gli articoli che finiranno nei libri annetteva la sua produzione alla suprema categoria della Grande Critica fatta dai Grandi Scrittori – da James a Proust a Eliot a Broch... – benché questo «ultimo gentiluomo del New England» si sia sempre voluto soprattutto (come Sainte-Beuve) *giornalista*.

Come l'aforisma per Kraus, il frammento per Gramsci, il trattatello per Adorno, la recensione è sempre stata lo strumento preferito di Wilson, per far fronte a ogni esigenza letteraria sofisticata e/o engagée: dai vasti saggi sul post-simbolismo e sul marxismo che richiedono anni e anni di schedatura ai «pezzi di attualità» estemporanei e brillanti e apparentemente «buttati giù» per «The New Republic» e «The New Yorker», alle immersioni totali in età già avanzata entro argomenti quali i manoscritti del Mar Morto e l'etnologia degli Irochesi.

E naturalmente, le note e le cronache degli anni Venti che affrontavano con acutissima verve i nuovi romanzi appena usciti di Proust, Joyce, Hemingway, Fitzgerald, Anderson, Dos Passos, Wilder, Gertrude Stein... Ma senza afflizioni scolastiche né noiosità militanti né stizzose gerarchie di livelli bassi e livelli sublimi e compartimenti riservati, trattavano di Dante e Freud e Greta Garbo e Dickens e Lenin e Tzara e Catullo e Malraux e Nietzsche e Byron e Sacco e Vanzetti e Yeats e O'Neill e Petronio e Beardsley e i fratelli Marx e i fratelli Barrymore e i romanzi polizieschi e i comici a Broadway: con la disinvoltissima e modernissima spregiudicatezza di un gran periodico culturale interamente compilato da un incomparabile uomo-orchestra che è anche un grande scrittore di stampo «classico». (Occorrerebbe forse qui un rapido paragone con quel nostro «Politecnico» sovente rievocato fra nostalgie e polemiche, e che dopo l'enorme frattura del '45 oltre la dittatura e la guerra limitò la sua opera di sprovincializzazione e rifondazione della cultura italiana a indicare come «lista degli autori in programma» una decina di nomi ai quali due o tre generazioni si sarebbero attenute per una ventina d'anni senza ampliamenti, fino allo scossone successivo).

Così, anche per Wilson si potrebbe venir tentati da quella fondamentale epigrafe novecentesca dell'«only connect»: dopo tutto è stato un critico così grande e così creativo anche perché ha sospinto quel celebrato «connettere» di E.M. Forster assai al di là di ogni trama dei sentimenti e delle emozioni, bene a fondo in quel tessuto connettivo culturale dove tutto si tiene, dall'ideologia al cinema, dall'antropologia alla cucina, dalla psicanalisi al varietà, per una fondamentale esigenza interdisciplinare contro ogni narcisismo e feticismo della iperspecializzazione settoriale che specialmente dov'è questione di letteratura creativa finisce per ridurre il «discorso» a monologo in un cul-de-sac. E ancora, scorrendo adesso quei vecchi taccuini nelle seicento pagine di The Twenties (uscito a New York presso Farrar, Straus & Giroux), immediatamente si scorge come sarebbe inconcepibile per uno scrittore così classico e così moderno come Wilson quella formula della «presa di coscienza» per cui si implica che un autore o un giornalista siano campati per decenni, da adulti, come marmotte tappate nell'ufficio, nell'appartamento, nella routine settoriale, senza intendere il senso dei fatti e neanche quello del proprio mestiere, e non siano mai andati a un concerto pop o a un meeting politico, e magari neanche a vedere Totò oppure la Callas a suo tempo (e quando ne hanno sentito parlare da altri, si sono limitati a chiedere con finto interesse: «Ma quando è stato? ma davvero? e dove? e a che ora? ma voi, come avete fatto a saperlo?»)... finché lo Spirito del Tempo e la Forza delle Cose li pigliano proprio per il collo e così fanno cadere qualche fetta di salame dagli occhi...

Attraverso i taccuini wilsoniani scintilla invece con alacrità inesausta la «coscienza» culturale e civica di questo instancabile passeggiatore baudelairiano nelle mitiche stradette di un Greenwich Village abitato e visitato da Djuna Barnes, Dorothy Parker, Elinor Wylie, Edna St. Vincent Millay, e da decine di ragazze incantevoli fittamente tampinate in una densissima trama di letture voraci, colazioni simpatiche, incontri nelle redazioni, spettacoli addirittura gloriosi, viaggi frequenti, matrimoni più rapidi d'una villeggiatura, e conversazioni incessanti con Mencken, Lippmann, Dos Passos, E.E. Cummings, Robert Benchley, John Peale Bishop, e la coppia Fitzgerald-Zelda: «Amo solo gli uomini che baciano come mezzo per un fine, gli altri non so come trattarli». E Dorothy Parker, quando le offrono una rubrica teatrale: «Abraham Lincoln cosa risponderebbe al mio posto?». E Hemingway gira sempre con del salnitro in tasca contro le smanie sessuali improvvise, mentre Lippmann spiega l'attualità politica con «siamo in presenza della rottura di un qualcosa di internazionale», e Cummings continua a imitare Dos Passos con la sua «r» moscia, il suo gusto per le comodità, e le sue pretese di sinistra che diventano più tardi pretese di destra. E per noi, all'incirca: «Che cosa tvemenda, stave qui nel mio bel bagno caldo, mentve si spava agli sciopevanti in tutta l'Amevica!».

Tante notazioni intime: battute gergali di tassisti e intingoli a New Orleans, sabbia e conchiglie a Long Island e fischi melodiosi di navi ascoltati da Washington Square, una gonorrea con una certa Anna, e un salotto parigino dove gli espatriati chic dicono a Pound: «Più semplice, Ezra, più semplice». E un viaggio a Hollywood per convincere Chaplin a interpretare un «numero» – scritto da Wilson stesso! – con i Balletti Svedesi di Rolf de Maré. Chaplin lo accoglie gentilmente, dandosi però molte arie, lui si sente alla pari solo con Douglas Fairbanks e Mary Pickford (e anche loro, gli confida, «sono dei Babbitt»), poi si fa raccontare l'idea, e finalmente la usa nella più celebre sequenza di *Modern Times*.

Manca purtroppo ogni aggancio a un divertimento del 1927, incluso come «fiction» in *The Shores of Light* e che sarebbe un incunabolo involontario della Pop Art, giacché racconta così il programma improbabile d'una rivista che non esce mai: «Stiamo preparando un grande numero idraulico: tubi e pompe e rubinetti, quella roba lì. Abbiamo delle meravigliose fotografie di stanze da bagno, e sono la cosa più bella che si sia mai vista. C'è una serie di lavabi ad angoli differenti che paiono le tombe dei Medici. E quadri di stazioni di servizio in California: rosso vivo e arancione e blu brillante e giallo, che sembrano un qualcosa di cinese. E questo non è splendido? È una spugna da bagno e un sapone di cucina! Se si deve far qualcosa per fare apprezzare davvero l'arte al pubblico americano, perché si rendano conto della bellezza e della possibilità di bellezza di queste cose che si adoperano ogni giorno, bisognerà farlo a dispetto degli urli e dei fischi dei critici d'arte mantenuti dai giornali borghesi...».

... Ma la lunga, accurata, affezionata introduzione organizzata da Leon Edel sul mito così wilsoniano di Filottete fa ora qualche luce sulle particolari ferite mai sanate che (come al solito) governano da una zona remota dell'infanzia ogni vocazione artistica profonda: in un ambiente familiare da romanzo di Turgenev, il padre avvocato geniale e instabile; la madre attenta solo al denaro e al successo, e diventata completamente sorda quando il marito fu diagnosticato (falsamente) pazzo; la cugina prediletta che disegna soltanto mostri immaginari; il cugino preferito vittima della demenza precoce...

Gli anni Venti – e i taccuini degli anni Venti – finivano per Edmund Wilson con «scopate senza preservativo ma ancora su il vestito verde» con una ragazza che «abitava con un'altra ragazza che forse aveva mire lesbiche su di lei», ma «bevendo robaccia in uno speakeasy e mangiando formaggio le veniva un pessimo alito, così faceva l'amore senza baciare e voltando via la faccia». (E «aveva sempre creduto che i cazzi degli uomini fossero sempre duri perché li aveva sempre sentiti così quando le si avvicinavano e la facevano ballare o da bambina la prendevano sulle ginocchia»). Nei taccuini degli anni Trenta riprende abbastanza intensa e intatta questa stessa musica, ora volentieri sottolineata da lettori e recensori. Però (ammettiamo l'onestà) le scopate di Edmund Wilson risultano interessanti come eventuali saggi critici di Errol Flynn. Se invece tutto torna a posto (scopate di Errol, saggi di Edmund), allora l'interesse si risveglia e l'attenzione riemerge.

Wilson è stato l'ultimo dei Grandi Letterati perché invece di far della letteratura sulla letteratura uno strumento specializzato e meschino di arrivismo accademico o di protagonismo agonistico, o di minuziosità delle stupidaggini, ha applicato alla cultura del nostro secolo un suo «tutto connettere» conoscitivo e interpretativo grandiosamente trasversale, e senza secondi fini, se non culturali. Il suo ventaglio di interessi è stato monumentale: il simbolismo, il marxismo, i classici e i moderni americani e inglesi e di tutte le letterature, i commerciali e i sofisticati, il cinema, le ideologie, gli epistolari, la democrazia, i pellirosse, i latini, i bardi della Guerra di Secessione, la pubblicistica della Depressione, l'Età del Jazz. Fu tra i primi a spiegare Joyce e Proust ancora ignoti, a leggere Lenin e Dickens e Puškin con occhi contemporanei. E sempre senza secondi fini carrieristici, solo per un onere privatissimo di curiosità e di divulgazione, si sobbarcò negli ultimi anni a veri eccessi eccentrici quali imparare l'ebraico antico, studiare l'ungherese moderno per approfondire lo stile di Ferenc Molnár, leggere tutta la letteratura canadese per appurare se vi sia alcunché di salvabile.

Wilson era l'opposto dell'erudito che si rivolge per lo più ad altri eruditi su temi tanto specialistici da tagliar fuori tutto il pubblico colto, o tanto cattedratici da servir solo per le cabale dei concorsi e dei ruoli. Al contrario, ha sempre approfondito «enciclopedicamente» ogni tema estendendo letture e ricerche fino a tutti i materiali disponibili. E poi l'ha rielaborato connettendo e intrecciando (come Mario Praz) campi disparati e discipline difformi: la letteratura e la storia e la politica e l'arte e la filosofia e lo spettacolo e magari il cibo. Non è mai stato un recensore che si rivolge per lo più ad altri recensori, esperti, competenti, e basta. Ha collegato, congiunto, connesso: «Marx credeva ancora nella triade di Hegel: Tesi, Antitesi, Sintesi; e questa triade era semplicemente la vecchia Trinità, ripresa dalla teologia cristiana, così come i cristiani l'avevano ripresa da Platone. Era il triangolo magico e mitico che dai tempi di Pitagora e anche prima esisteva come simbolo di sicurezza e potere e che probabilmente derivava il suo significato dalla corrispondenza con gli organi maschili. "La filosofia" scriveva Marx "sta allo studio della realtà così come l'onanismo sta all'amore sessuale", ma nel suo studio della realtà insistette nell'usare la Dialettica. Certamente l'uno-in-tre e tre-in-uno della Tesi e Antitesi e Sintesi ha esercitato sui marxisti un magico effetto che è impossibile giustificare con la ragione. E c'è da stupirsi che Wagner non compose drammi musicali sulla Dialettica: infatti, nel ciclo dei Nibelunghi, sembra implicato un qualcosa di simile nei rapporti fra Wotan e Brunilde e Sigfrido».

In età avanzata, Wilson intimidiva abbastanza; perché era uno di quei piccoli larghi e autoritari ed eretti che suppliscono con una certa durezza maestosa alla scarsa statura e al non grande carisma; perché era di una cortesia umanistica antica (perdeva mezze giornate e lunghe lettere fornendo informazioni, però con altrettanta esigenza nel domandare a sua volta schiarimenti: nel nostro caso, come giocando alle figurine, Fitzgerald e Dos Passos contro Lampedusa e Praz), e perché dopo una cert'ora della sera si abbandonava con qualche confusione al bicchiere. E il suo metodo di lavoro (antichissimo, perché basato su un piccolo reddito indipendente, e su una colossale capacità lavorativa), in quella vecchia casa così solida e così libresca sul Cape Cod, comprendeva ancora diversi stadi: appunti, articoli, saggi, libri.

Adesso, nel volume *The Thirties*, si vedono per la prima volta, quegli appunti, nella loro versione originale di notazioni immediate e non ritoccate, per ausilio della memoria. Wilson morì infatti lasciando disposizioni al suo esecutore Edel di correggere soprattutto le sviste evidenti (mentre le lettere su temi letterari e politici sarebbero state curate dalla vedova, Elena, discendente delle illustri champagnerie Mumm). Ecco dunque, nude e crude, le sue impressioni «a caldo» su un decennio più triste e più grigio: all'età del charleston e delle Zelde è seguita infatti la Depressione, partecipata e studiata con indagini da vicino. Muore tragicamente la seconda moglie, Margaret Canby, molto amata, lasciandosi dietro incubi e fantasticherie. Il viaggio in Unione Sovietica, per scrivere *To the Finland Station*, si conclude con una delusione amara per troppi aspetti scoraggianti della vita russa. Rimangono sveglie e vispe due forze, un sesso indomito e una curiosità intellettuale inesausta. E come finisce il decennio? Sposando Mary McCarthy, la sua vis polemica, il suo pentolone di *all purpose food*.

ALTI LUOGHI

La natura stessa del luogo e la forza delle cose imporrebbero tuttora di raccontar tutto nel tono del più goloso decadentismo: irreale, fradicio di estenuazioni e dolcezze *faisandées* e *débauchées*. Ma il Vieux Carré sta venendo redento con una operazione immobiliare molto simile a quella della «Vecchia Roma». Cioè, lo slum «storico» ridiventa quartiere residenziale chic. Le stupende case del Settecento dilapidate e affittate fino a poco fa per pochi soldi ai «poveri bianchi» e ai neri con otto o nove persone per stanza vengono acquistate per mica tanto da scaltri speculatori dilettanti col gusto del restauro e del ripristino. Mandano via a uno a uno i vecchi inquilini, puliscono le facciate rimettendo a posto i ferri battuti delle balconate com'erano in origine e nei film, rifanno la scala e i servizi e i parquets, installano l'aria condizionata in tutte le stanze e affittano a carissimo prezzo gli appartamenti magari ammobiliati come scenografie.

Gran divertimento, ovvio, per chi passa volentieri la giornata a discutere con i muratori la forma di un arco e con i pittori la sfumatura di un soffitto; e a provare gli accostamenti di una tappezzeria con una tenda. Ma proprio così parecchi discendenti di vecchie famiglie di piantatori spossessati dalla Guerra Civile hanno rimesso insieme di recente una discreta fortuna dopo un secolo di impoverimenti continui. E camminando per Bourbon Street o Dauphine Street si ha l'impressione di passare per via dei Coronari o via Giulia. Negozi d'antiquariato eleganti accanto a bottegucce di alimentari o mercerie chic. La casa appena restaurata col suo nuovissimo intonaco finto-antico e i pomoli del portone lucidissimi, e dentro damaschi e trumeaux, addosso a edifici ancora cadenti con le linee architettoniche sfigurate dalle latte degli elettrauto e la biancheria appesa alle finestre e le nonne nere sedute sulla porta come quando l'area era tutta uno slum tremendo e nascevano qui il jazz e la sua leggenda.

Si può girare però anche per ore senza accorgersi né del jazz né di quei locali di burlesque che si vedono al cinema. Occupano solo una striscia di due o trecento metri. Il resto del Quartiere è pieno di antiquari deliziosi, ristoranti pressoché sublimi, night-clubs aperti anche di giorno per le merende: il «paradiso ad aria condizionata», detto senza ironia. Sono infatti parecchie, otto o nove in un senso e una quindicina nell'altro, tra la riva del Mississippi e il naviglio coperto di Canal Street, le strade di questo antico quadrilatero dove i francesi e gli spagnoli del Settecento hanno lasciato nomi come Calle San Pedro e Rue de Toulouse, patii andalusi con la fontanina moresca in mezzo, e case grigie dilavate nei paraggi di un'Académie Louis-le-Grand; una Madonna di Lourdes che alza le braccia bianca bianca in un cortile di priorato irlandese; una Estrapade; una Contrescarpe; un ortino di Orsoline con le loro erbe buone per far la frittata o guarire la tosse stizzosa. E le caserme della cavalleria spagnola trasformate in maisonnettes per forestieri, con i fanali da carrozza fuori e gli anelli di ferro per i cavalli: stanze da letto foderate di reps giallo nei quartieri degli ufficiali collegati per telefono a un bureau centrale e al bar, le scuderie dei cavalli adattate a garage, e in mezzo al maneggio una piscina riscaldata e illuminata da luci di magia.

Decine di antiquari. I più signorili e fini del mondo, forse: perché a Londra si possono esporre i residui ricchi e borghesi dell'Impero vittoriano; a Parigi, liquidare le illusioni sbagliate del Luigi XV e del Napoleone III; a New York caldeggiare o ripudiare gli affetti sentimentali per un Vecchio Mondo visto attraverso un cristallo o uno specchio anamorfico. Qui invece si trova squisitamente riunito il meglio coloniale delle civiltà inglese e francese e spagnola: hanno toccato per così poco tempo la vita della città che non hanno fatto in tempo a esprimere il peggio di sé. Qualche malvagia ironia turba naturalmente gli incanti; qualche bacheca espone statuette e bustini di Napoleone e Buddha e Papa Sarto insieme alle opalinacce più empie e a portapillole da quattro soldi. Però non credo di aver visto neanche in Olanda poltrone e tavole e scrivanie e librerie e boiseries e camini e letti così piacevoli e «abitabili» e biondi, tra la fine del Sette e i primi dell'Ottocento, circondati da vasi e tappeti e lampade e argenti e paraventi e porcellane così «giusti». Un reame da Beauharnais.

Bronzi, ottoni, imperatori romani di marmi colorati. Legno di rosa, lampade Tiffany, esili tavolini da giuoco, uova di pietra dura, papiers peints. Il secchiello da vino Regina Anna, il guéridon, la libreria girevole, le pezze di damasco autentico per le seggioline. E nelle vetrine vicine, i cesti da picnic pieni di mousses meravigliose, cioccolatini settecenteschi, brodini allo sherry, gelatine di tutti i colori. Negli altri negozi, il Regno del Coccodrillo (fra statue neoclassiche), ice-cream-parlors sul viola e sul lilla; gli abiti da nonno sportivo con foulards civettuoli da novantenne bon vivant esposti fra vecchie copertine di «Esquire» e «Playboy» e «Show». Le stamperie dove in tre minuti si ha un giornale coi titoli à sensation per fare uno scherzo a un amico, si mette il suo nome nelle solite situazioni-base: il farmer dello Iowa che fa danni con tutte le donne, la squadra del Buoncostume in stato di all'erta perché è arrivato in città il ragazzo dell'Alabama, le strip-teasers in fermento perché è partito il commesso viaggiatore dell'Arizona, il professionista del Minnesota che ammazza due tori in una corrida sotto gli occhi della sua signora ben contenta. Buste e sacche da viaggio piene di *pochettes* elegantemente etichettate per calze, mutande, eccetera.

E il trionfo della praline. Tutti i negozi di tutti i generi tengono anche la praline creola che è la specialità locale: rum e panna e zucchero, e poi cioccolato o ghériglio di sesamo o zenzero. Così un negozio vende cartoline e pralines, uno alari e parafuochi e pralines, o idolotti polinesiani e pralines, presse-papiers e pezzi da otto e pralines. Si mangiano in giro come i gelati al mare. E le suorine mulatte che questuano nei ristoranti per i loro educandati si mangiano pulitamente le loro pralines in mezzo alla strada sorridendo come in Walt Disney alle signore in ombrellino e guantini e ai poliziotti con la pistola dal calcio di legno.

I ristoranti leggendari sono quattro o cinque e tranne uno speciale non ammettono le prenotazioni, un po' perché i vecchi proprietari sono ricchi e lasciano correre e forse per l'aura di casualità esotica che dà in America l'andare in un posto senza premeditazione e non sapere se si entrerà o no. La coda è fuori in strada, al caldo. E alle nove chiudono. Cioè, chi è dentro ci sta se vuole e viene servito fino alle due o alle tre. Ma dopo le nove di sera non entra più nessuno. Dentro sono posti vecchi e non rinnovati, tutto sommato tetri. Possono sembrare un albergo diurno a Digione, una carbonaia a Nancy, forse un grande magazzino della Belle Époque a Clermont-Ferrand, con le sue colonne di ghisa. E magari si dimenticano le posate, se si vuole il tovagliolo bisogna insistere, piove nei piatti dai condizionatori d'aria anfananti sul cornicione. Maîtres confusionari e trillanti arrivano diretti da qualche *Monsieur de Pourceaugnac*.

Ma la cucina è stupenda. Travestimenti della cucina francese del Settecento che diventa creola in un contesto dove il burro ha un altro sapore, il prezzemolo e il pomodoro un profumo diverso, il limone sa di cedro o di bergamotto e si scoprono improvvise sorprese perfino nella trota o nel filetto di bue o magari nell'acqua. Minestre poi creole di molluschi nel loro sugo denso (il «gombo»); e pesci meravigliosi e insoliti, dal Golfo del Messico e dal lago Pontchartrain: il pompano, che è una sogliola obesa e viene farcito con una mousse di scampi dal guscio tenero; le ostriche fritte in una ventina di modi diversi e rimesse nella conchiglia con il loro brodino speziato. E si trovano buonissime in molti posti in città, chalets aperti solo per colazione tra i viali e le ville o buchi piastrellati come alle Halles di Parigi aperti tutta la notte per chi preferisce le ostriche verso mattina, con la loro birra scura sulla strada di casa mentre sta sorgendo il sole.

Insalate di crescioni con le loro salsine. E la sublime carne del Texas, dolce e tenera come in Europa non se ne ebbe mai un'idea: con una sola bistecca al sangue che pranzo meraviglioso, preceduto da cocktails e accompagnato da burro piccante, ma poi semplicemente whisky, fra le candele e le foglioline e le selle equine di un albergo a inferriate e lanterne che applica il Comfort degli anni Sessanta alla Retorica del Vecchio Sud. Ma gli aperitivi sarebbero centinaia, i più sciocchi vengono in un bicchiere a stelo cavo, gialappe di colori contrastanti che si alternano l'una sopra l'altra senza mescolarsi ma arrivano in bocca tutte insieme, basta piegare adagio. E coi vini, non facile: i californiani sembrano dividersi in cattivi e cattivissimi, gli europei in quelli che viaggiano oppure no, se cioè tollerano il trauma transatlantico o reagiscono ribellandosi nel sapore.

Ai tavoli vicini, è il trionfo della Comitiva Elegante, vestita anche più «su» di quel che la circostanza comporti; e felice con dei Borgogna imbottigliati a Pasadena, tra pesche e ciliegie affogate nell'ice cream. Ma alligna anche molto il reverendo goloso che prova le contraffazioni francesi («tenderloin marchand de vin» con funghi) della meravigliosa carne americana; e il gio-

802

vanotto impaziente che si fa fare al tavolo contemporaneamente tre cose flambées, ciliegie alla scorza d'arancia, crêpes al Cointreau, caffè al cinnamomo; e a questo punto vuole subito anche un parfait di banana candita con scorza d'arancia sciroppata e ananas; e un pousse-café via l'altro, sempre più balordi, e via.

Ma il rito sociale che fa godere di più in questa città è il «late breakfast» come ai tempi delle piantagioni. Lo amano molto e lo ripetono con lo stesso puntiglio Sud-contro-Nord dei romani che difendono il loro alzarsi tardi contro l'attivismo dei milanesi-yankee. La prima colazione nelle grandi plantation homes non cominciava mai prima di mezzogiorno. Dunque ci si dà appuntamento per le dodici e mezza in un luogo di delizie chiaro e subtropicale al pianterreno (pareti avana con rami lucidi, tendoni a righe, patio a begonie), e di sopra a stanzette damascate come Ranieri a Roma, ma a colori molto violenti, rosso fragola e blu pentola. Controbuffet neogotici neri, lampadari a gas, tendaggi vittoriani spessi contro la luce del sole. Cerimoniere in frac sulla porta, quasi come da Leland a Firenze una volta, per mandare indietro gli uomini senza giacca e le signore non chic. In casi estremi hanno però una collezione di giacche per gli sprovvisti: il «tono» è formale, tra New Orleans e il Texas confinante c'è lo stesso salto che fra via Tornabuoni e l'Ardenza livornese.

Dopo l'una cominciano ad arrivare i primi. Appena alzati, gli occhi ancora chiusi, hanno preso soltanto due o tre whisky, le signore hanno borbottato al telefono: «Vengo se riesco a vestirmi». Subito allora un «eye-opener», per aprire questi occhi: un punch al latte, gelato e fortemente alcolico; o l'assenzio frappé, fatto con Pernod a diverse gradazioni. Verso le due e mezza o le tre, a tavola, e come prima cosa il menu suggerisce «prendersela comoda». Gran chiacchierare quindi almeno come a Vicenza o a Padova circa vecchie storie familiari di molti decenni prima, fra una portata e l'altra che sono tutte leggerissime, trattandosi di breakfast: mousse di scampi, frittatine, marmellatine, rognoncini trifolati alla panna. Vino bianco anche molto leggero. Se una dama scivola giù dalla seggiola il medico che accorre è già pratico: «Conosco bene il disturbo di Miss Daisy Mae» (oppure Fanny Lou). E per finire una cosa quasi commovente. Sono le sei passate ma è pur sempre una prima colazione. Perciò come ultima cosa arriva il caffelatte.

I godimenti della serata, volendo, possono cominciare subito dopo. L'antica reputazione di peccato e l'insensatezza delle leggi sugli alcolici negli Stati vicini aiutano insieme a tenere allegro il Quartiere e a fare andar bene i commerci. Nel Texas, per esempio, si sa che i pubblici esercizi non possono servire niente di più alcolico della birra. E altri Stati confinanti sono ancora più «secchi». Addirittura niente birra. Oppure una licenza speciale per comprare il gin. Talmente personale che se una signora la possiede ma è malata in letto e manda un figlio con residenza in un'altra città, il droghiere pur conoscendolo bene non può vendergli niente per non andar contro la legge. Qui invece le leggi sono liberissime e «non è mai tardi per niente».

Locali aperti tutta la notte, e pieni di gente alle quattro della mattina come alle nove di sera. Più di cinquanta bar, fantasiosi e sfrenati. E processioncine dall'uno all'altro di gente ordinaria o chic con le lattine di birra in mano e vasti boccali di vetro pieni di schiume color ciliegia o pistacchio, giulebbi ad altissima gradazione alcolica e la loro cannuccia piantata dentro, a spirali rosse e blu come l'insegna dei barbieri. Bevono passeggiando e poi lasciano giù il bicchiere nel successivo bar oppure lo spaccano sul marciapiede.

Dixie-Doxie, Court of Two Sisters, Poodles Patio, My-o-My Club, Napoleon House, Old Absinthe House, Carmen's Rose Room, Dee's Lounge, Pat O'Brien's, Victor's, Wanda's, Laffitte in Exile... E dentro dappertutto aria condizionata che fa gran rumore e juke-box anche più forte e le foglie di menta pestate col ghiaccio nel mortaio per fare il mint julep, e le varie schiume dense che hanno come base la menta e la panna. Anche una galleria antropologica degli Stati Uniti contemporanei: il «roughneck» scavatore di petrolio a Baton Rouge e il cowboy di Houston tutto nero dal cappellone agli stivaletti, il camionista e il marinaio mercantile e l'aviatore di carriera e il tecnico atomico e il manovale missilistico, tutti bizzarramente somiglianti a Jerry Lewis chi già vecchio e chi più bambino, con tanti foruncoli d'acne o con la mèche bianca. Ma gridando con un'animazione molto più calda che nei cupi bar di New York e della costa atlantica – o magari della California.

Senza una via di mezzo, mai, fra lo smoking e i jeans bianchi, fra il blusone di cotone e il completo di lino bianco o nero. Rovesciandosi la birra addosso sia sulla camicia a fiori sia sul «fresco di lana» color latte. E la signorina allegra appoggiata a un pilastro di squisita fattura in Chartres Street col suo boa da teatro tipo *Irma la Douce* mangia tutta contenta il suo hot dog bollente comprato a un carrettino in forma di hot dog. E le comitive benvestite da un bar all'altro, con le ragazze in gioielli e tacco alto, le signore grigie e magre tutte uguali in nero-e-argento o nero-e-oro, la cloche a petali e la stola di visone identica per tutte. La giovane mamma spiritosa che ha portato a pranzo i bambini piccoli e non trova i soldi per pagare il conto, deve farsi aiutare da quello di sei anni. E le girl friends portate fuori il sabato sera, ma a mezzanotte tutto un alzarsi di scatto e tirarle via anche recalcitranti, Cenerentole perfino ridicole: per poi tornare indietro di corsa e ubriacarsi in maniere frenetiche.

Giù poi *slumming* per lo strip del peccato grossolano, le nude sotto il riflettore, la vecchia oscena che canta le canzoni ribalde al piano-bar, lo strip-tease del cosmonauta. E la strada marina-mediterranea, il barino greco, quello messicano, e il libanese, il portoghese, se ne scopre uno ogni settimana. Per qualche weekend di seguito tutto un bere ouzo e ballare con marinai cretesi baffuti al suono dei bouzouki. Poi tequila e affreschi alla maniera di Siqueiros, rozzamente apocalittici di provocazione e protesta. Ma il Quartiere è grande, molti sempre i bar da scoprire; e tanta gente dentro, e giù file di bicchieri versati addosso anche pieni. La ragazza educata a Venezia che quindici giorni fa ha rifatto il testamento, poi ha messo la testa sulle rotaie, l'hanno tirata via e adesso eccola qui allegra. Il giovanotto che beve, la piantagione casca a pezzi dalla Guerra Civile in poi, il padre si è trasferito a Santa Monica con un altro signore e lui ha speso tutti i suoi dollari di un anno in una Rolls-Royce verde sfasciandola contro un muro alla prima uscita; così gli hanno ritirato la patente perché era la terza volta e qualcuno deve sempre portarlo a casa, abita in fondo a un bosco, trenta chilometri su per il fiume. Il ragazzo che di ritorno da una festa entra in una casa di amici e dice «mettetemi a letto» e non si muove più, coperto di sangue perché hanno fatto dei giuochi pericolosi. E appena dietro il banco, tre marinai pettinano una grassa enorme, uno col pettine, uno ha la spazzola, l'altro una bombola di lacca, e la cotonano. In un altro bar, tre grasse cotonano invece il barista, gli gonfiano il ciuffo con lo spray, altissimo tipo '700, nulla già lo distingue dalla Princesse de Lamballe, fra poco sarà pronto per un melodramma di Apostolo Zeno, se non per la ghigliottina.

Forse è il posto dove si beve di più al mondo, per tutto il giorno, anche se per il clima tropicale dieci birre di seguito o dieci whisky si risentono molto meno che in Europa. In fondo all'ubriachezza, è incredibile come siano sensibili tutti a questioni di etichetta e di politesse, le presentazioni formali, il passare per secondi dalle porte, le questioni di precedenza nei saluti. Quelle cortesie démodées ma istintive dei signori che nei locali pubblici entrano prima delle signore, poi le accomodano sotto le specchiere sedendosi di fronte sulla banquette. Il non interrompere mentre si parla. E l'attenzione che il bicchiere dell'ospite sia sempre pieno, il ritornello insistente «have another drink». Improvvisamente si può anche ricevere di tutto, un bacio su una guancia, una bottiglia in testa, un pianto su una spalla, una birra dentro il colletto, un pugno nello stomaco, macchie che non vanno più via sui calzoni. Ecco perché è così facile per la scuola di Tennessee Williams e di Truman Capote descrivere questi locali di flirt come spossati dalle dolcezze, necessariamente ubriachi-euforici, disperatamente felici. Pieni di gente stimolata e tenuta frizzante dal filo continuo del whisky, come l'ipodermoclisi al morente, se si ferma è finita; e dalle luci, candele o gas sfiaccolanti; e dalla musica erotica che non cessa mai dal juke-box; e i canti e i rumori, tutto quello che si vede oltre la porta è mitomaniaco, maschere e bicchieri e carrozze e magliette e frac.

Le comitive escono dagli alberghi dopo mezzanotte, si saranno alzati nel pomeriggio, avranno fatto colazione sul Golfo alle cinque. Alle tre della mattina fa più caldo che a mezzogiorno, arrivano ventate di jazz attraverso l'afa e le sirene dei vapori. Si tiene in un municipio la celebrazione di un sesquicentennale massonico; all'American Legion un ballo di bianchi o altre trame; in una specie di magazzino un ballo di neri. Pare la piazza del Panthéon a Parigi quando ci sono i balli di Facoltà nella Mairie du Cinquième, con trombe che si sentono fino ai giardini del Luxembourg. Alle quattro della mattina macchine e macchine di ragazze diciassettenni a gruppi di sei o sette che veramente garriscono, a finestrini aperti, come le rondini, come le bandiere, come Joanne Woodward in parti di ninfomane ubriacona. Tre sedute davanti e tre dietro; e certe tanto piccole che non parlano ancora, saltano sui sedili di dietro col loro biberon fuori dal finestrino passando davanti ai neon peccaminosi.

Pieno di gente; tassì che si scontrano; macchine che chiedono strada; passeri che gridano come pipistrelli; mosche che mordono come zanzare, non stando attenti si può venire succhiati vivi. Il caffè più buono di New Orleans si trova al mercato coperto del pesce mentre la cicoria più buona del mondo al mercato francese della frutta.

«I so love Caterina!». «Oh, no no, I do adore Maria!». E stanno accapigliandosi come di consueto sulle due Medici regine di Francia, in dubbio se aprire o no ancora una bottiglia d'ap-

pellation contrôlée, i due squisiti assistenti della «sola autentica Mrs Stone di Tennessee Williams», potente agente immobiliare nel Garden District e frequente ospite a Roma nel villino
d'una ricchissima vecchissima e piccolissima americana orgogliosa d'essere apparsa un attimo nella *Dolce vita*, e con tavolo
fisso al Meo Patacca, fra butteri e torce. Anche torretta merla-
ta in via dei Gracchi. Spesso in compagnia di Eugene Walter,
segretario un po' pecione dell'insigne rivista «Botteghe Oscure» a Palazzo Caetani; e talvolta con John Francis Lane, più solenne corrispondente di giornali inglesi a Roma. Tutti prima o
poi adocchiati e riuniti dagli aiuti di Fellini, come Guidarino
Guidi. Sotto gli auspici della simpatica Mrs Montefiore, alber-
gatrice di successo nel Vieux Carré.

Per capire qualche senso della Louisiana basta rendersi conto che somiglia parecchio al Veneto. Ville palladiane frananti
in campagna e nobilucci in malora che coltivano le più leggiadre manie, improvvise fortune con un'industria elettrica o chimica in mezzo a una zona agricola depressa dove la mano d'o-
pera costa poco. Capelli biondi, colli grassi. Feudi politici dove
si vota al novanta per cento per gli eredi di una dinastia di destra. Automobili del Trenta e zie matte in solaio. Cucina cre-
mosa e decadente nei ristorantini sofisticati e bevitori «picchiatelli» all'osteria, fra operazioni di pronuncia uguali sul tessuto
della lingua inglese ai lenti squittii del Nord-Est italico. Analoghi del resto alle varianti locali della cucina francese che diventa creola perché le verdure hanno tutt'altri profumi... I lati affascinanti oltre il Vieux Carré sono due, il Garden District a
New Orleans e la via delle piantagioni su per il Mississippi.
Sono luoghi talmente devastati dalla letteratura e dalla fotografia che fa quasi paura vederli; per rendersi poi conto che al
cinema o a teatro si nota di solito un'immagine pallida e ad-
dolcita di una realtà capace con tutte le sue estenuazioni decadenti di prendere di petto con la stessa violenza del monte Rosa o di Pompei. Quando le piantagioni sono crollate dopo la
Guerra Civile e la liberazione degli schiavi, e l'economia della
regione è precipitata di colpo, i proprietari delle grandi tenute lungo il fiume sono venuti a stabilirsi ai bordi della città, co-
struendosi delle magnifiche ville ancora lì tutte in un'area riservata che ormai praticamente è in centro. Di una fantasiosità smisurata. Dal momento che le caratteristiche architettoniche di qui sono la facciata greca a colonne in campagna e l'eccesso di finissime balaustre di ferro battuto in città, in queste
ville del Garden District si applicano in diverse misure tutt'e

807

due ai vari capricci dei proprietari, sovrapponendosi al georgiano inglese o al Medio Evo dell'Île-de-France, al castello vittoriano o alla casina della fata, agli Adam, all'*Aida*, ai Fratelli Grimm. I palchi a bomboniera dell'Opéra di Parigi correntemente si affacciano fra le colonne del Partenone. E dietro cancellate in forma di boschi di meliga con le loro pannocchie di ferro affiorano accalcandosi guglie gotiche e colonne ioniche e pinnacoli di Borromini e chalets bavaresi e campanilini a pagoda, fra grandi alberi frondosi e cameriere nere in crestina e volants che sono nate nella casa e lì rimangono dopo aver sposato il maggiordomo.

Il viale St Charles lasciandosi alle spalle il Vieux Carré traversa questo favoloso quartiere a mezzaluna in un'ansa del fiume e dopo due chilometri di facciate bianche o cavernose soffocate dai rami finisce in un parco incantevole, tra vastissimi collegi religiosi che applicano a strutture tipo Caserta o Versailles i mattoni rossi del falso-Tudor, e le cattolicizzano con enormi Sacri Cuori sulla facciata in stile early Lourdes. Un negozietto leggendario d'abiti color crema o lavanda per studenti chic; provvisto di tutto quello che in fatto di cavaturaccioli e secchielli da ghiaccio e oggetti per scherzi e vassoi e vestaglie e valigie può servire allo studente chic per l'appartamento e il viaggio. Ora evidentemente l'appartamento dei «single» va molto con boiserie francese decolorata, moquette color sabbia, divani giapponesi bassi, fiori di giada su tavolini di lacca ancora più giù, e nient'altro in giro: abiti e bicchieri e grammofoni dissimulati dietro finte persiane da giardino. Mentre il viaggio è sempre più verso il Pacifico; mai verso l'Atlantico o tanto meno il Mediterraneo.

Ecco finalmente l'Università di Tulane. Con piscina; e la libreria universitaria oltre le dispense vende o affitta i costumi da bagno. E con apparecchi a gettone per fotocopiare o ciclostilare subito qualunque libro della biblioteca. Nelle sale dei periodici, cortesi e attenti vecchini in lino bianco e colletto rigido e onorificenze francesi e asiatiche. Ma si potrebbe continuare a girare per questi istituti con rammarico e rancore per «quello che sarebbe potuto essere e non fu»: giacché l'Università in Italia è quello che è.

Su invece nell'autobus chiamato Desiderio: con i buchi sulle spalliere dove fino a poco fa erano piantati i cartelli «Solo per bianchi» e «Solo per neri». Come del resto nel migliore albergo una delle entrate laterali è «Riservata alle signore». Il cartello c'è ancora ma il portiere non sbarra l'ingresso ai signori che vanno per esempio al bar polinesiano attiguo alla Sala Luigi XIV per prendere una «pozione amorosa al rum» prima di sedersi a tavola davanti a un'anatra all'arancia. E poi magari proseguire per un rum party o un rhapsody party (il rhapsody è fatto con rum e champagne e succo di arancia) su nella Faulknerlandia lungo le anse del fiume, dove i boschi e le rovine delle piantagioni nascondono ville e villette con la loro piscina illuminata di rosa e coperta con la zanzariera. Sempre scure e pesanti le notti, con l'afa e queste zanzare mostruose. Il vigile dirigendo il traffico si schiaffeggia la faccia. Uomini e donne per le strade anche. E i soldati, le suore. Le facce e le braccia morsicate si gonfiano. Tassisti e giornalai accendono i fuochi dentro le latte sui marciapiedi. Ma il sindaco assicura sui giornali che non c'è niente da fare per due settimane, le zanzare non andranno via prima.

La gente? Tutt'altro che per scherzo parlano come se la Guerra Civile fosse stata ieri. «Prima della guerra la mia famiglia...». «I Tali si sono impoveriti con la guerra...». «La costruzione della casa è rimasta in sospeso per la guerra, gli operai hanno lasciato lì anche i barattoli». Però quando dicono «la guerra» ci si accorge che non parlano dell'ultima, ma naturalmente di quella di *Via col vento*. Un secolo fa. Polemica contro il Nord anche più furibonda di ciò che si trova in Faulkner. Difesa del proprio stile di vita come se facendo colazione nel pomeriggio si combattesse per la Civiltà contro la Barbarie Yankee. E non sembra neanche macchiettistico tenere in tasca come fan tanti i dollari confederati del 1864 «pagabili al portatore sei mesi dopo la conclusione del trattato di pace tra la Confederazione e gli Stati Uniti, con l'interesse di tre cents al giorno». Il trattato non c'è mai stato. Però sono convinti che ci sarà un giorno. Il Sud umiliato e depresso per un secolo forse si risolleva. Si sta arricchendo perché le industrie si trasferiscono giù, qui le aree e la mano d'opera sono più a buon mercato. «Così una volta ricchi metteremo il Nord di fronte alle sue responsabilità, concluderemo il trattato di pace da pari a pari, la Confederazione si staccherà dagli Stati Uniti, e incasseremo gli interessi».

Ma l'immagine di questa regione è in complesso sinistra, ne dà un'idea il bambino nero che si butta stupidamente per strada come una gallina senza guardarsi intorno, il ragazzo bianco ubriaco e senza patente lo investe e lo ammazza, e la giuria lo assolve perché è minorenne. La società chic è fra le più eleganti al mondo, coltivano da molte generazioni l'arredamento e la buona cucina insieme alla letteratura e alle belle arti; e riescono in polemica contro gli yankees a vivere piuttosto bene alzandosi tardi e lavorando poco e dedicando molto tempo al «leisure». «A New York non sono mai stato, il mio papà e la mia mamma neanche, ma perché dovremmo andarci, che gusto c'è?». Ma conoscendo invece bene un oratorio di Mantova o un campanile di Urbino o un ristorantino in Bretagna. «Però mai in aeroplano: Cunard Line, chaise-longue, romanzi...». Case favolose. Tipo rue de Grenelle o Varenne a Parigi: boiseries, stoffe meravigliose, arazzi, statue, camini, specchi, scale rotonde, dischi di Verdi, colazione alle quattro, foie-gras, pollo all'uva, champagne. Ma venendo a parlare della questione razziale, «qui da noi esiste poco, discriminazioni vere non ce ne sono mai state, la Tulane University accoglie i neri da anni senza nessun incidente... E del resto è giusto, eticamente e politicamente, che i neri abbiano gli stessi diritti dei bianchi nelle scuole e negli ospedali e nei grandi magazzini e sui treni... Soltanto, ecco: abbiano tutti i diritti ma che non vengano dal mio barbiere e in quei due o tre ristorantini dove si va da tanti anni per stare fra noi... È chiedere troppo? Abbiano *tutto*, tranne il barbiere e quei due o tre posti, che in realtà sono sempre stati semi-privati in pratica... Ma non perché siano neri, beninteso: sarebbe lo stesso se si trattasse di bianchi villani o senza giacca che non sanno stare a tavola e magari parlano ad alta voce...». In questi casi la scappatoia giuridica è una legge per «preservare l'atmosfera sociale» di taluni locali dichiarati «storici».

E la Francia, una delle madri di questa regione? «Basta. Finito. Non si metterà mai più piede in Francia finché rimane De Gaulle. Così com'è non la vedremo. È un paese che abbiamo molto amato, si capisce: una cucina a cui dobbiamo molto, i vini più buoni del mondo, alcuni scrittori che adoriamo senza provar la voglia di rileggerli... Ma non ci piace quello che succede là politicamente... Senza contare che bisognerebbe non trovare i francesi, andando in Francia. Non si sopporta la loro villania senza scopo; l'arroganza come punto d'onore, sia pubblica sia privata...».

Sabato. Un party di giovanotti. Una Rolls bianca fa il giro dei bar, e guida una colonnina di varie cilindrate che raccatta qua e là. Già sull'ammiraglia si beve parecchio, buttando i bicchieri per non sciupare i tappetini, ma richiudendo subito i finestrini perché l'afa umida è feroce. Nel sotterraneo di una magione molto palladiana, la parete principale è un acquario, dove si esibiscono delle bravissime strip-teasers specialiste subacquee, con movenze sempre più audaci e sconce. Quando si è bevuto moltissimo, le ragazze vengono compensate e congedate, e si rimane in molti fra cuscini e materassi, coi pesci che guardano.

Più tardi, scambi di informazioni dirette circa non soltanto i leggendari classici – gli « Y » di San Francisco e Dallas (e lì quali piani migliori, le terrazze, le docce più animate) – ma parecchi siti di Houston. Un grande magazzino ove all'ultimo piano nei séparés durante la pausa del lunch si infilano due a due i young executives in camicia bianca e cravatta con fermacravatta. Le sere festive dopo la partita, invece, gli high school football players si radunano da un giovane industriale produttore di un fruitcake ad alto tasso liquoroso; e lì i ragazzi si sfogano tra loro, la casa è grande.

Una domenica, un party di ragazze. Di là da due o tre bayous coperti di ninfee. Una gran villa franante, forse disabitata. E dietro, un giardino alla francese, lasciato andare. In fondo, un enorme albero da Robinson svizzero, una quercia con tanti rami fino a terra che avvolgono una casina tutta foderata di legno. Tutta a rilegature dorate e a divani di chintz, dentro. Ma sempre dentro la quercia un ortino da parroco, petunie e sassifraghe. Poltroncine di vimini, e il barbecue in mezzo. Hamburgers che friggono, bottiglie di ketchup e cipolle. Un gran vaso di punch e continui brindisi per amiche lontane che navigano nell'Egeo. E whisky che girano, e anche una carta con delle firme...

È una lettera al sindaco. Pochi giorni fa la polizia ha sequestrato nella miglior libreria dei libri di James Baldwin e ha denunciato il direttore, che poi è un dipendente di una grossa casa editrice con librerie in ogni città. « Il romanzo è brutto, ma è stata commessa un'ingiustizia ». Perciò prima lettera di protesta al sindaco, a cui lui stesso ha risposto ieri: « Mi meraviglio che i figli di alcune fra le più vecchie famiglie della regione non condividano il mio giudizio, vedremo a chi darà ragione il Tempo ». Adesso gli si sta preparando una replica assai severa. Tutti firmano, facendo seguire un « III » o un « IV » a nomi già molto compositi.

Fra le alberature delle navi venezuelane e filippine, girando il porto in battello, affiorano dalla parte vecchia della città guglie normanne e timpani greci e mansarde da Invalides. Che eccitazioni semantiche alla Rimbaud davanti ai cargo danesi e olandesi o greci con nomi adattissimi per Conrad che risalgono il fiume tra ciuffi di erbe alte e palafitte nere e turbine che sollevano geysers fangosi dal fondo, e schermi da drive-in subito dietro. Banane e spezie di Giava, cotone e rottami di ferro e Volkswagen e caffè scaricati sui docks sotto un cielo d'alluminio e nubi di peltro. E i barconi sbucano dagli ultimi canali scavati dagli schiavi di piantatori con nomi come Bienville o Bellefontaine o Valcour Aimé o Bienvenu Roman; usati da Laffitte e dai pirati di Barataria per raggiungere i nascondigli. Poi se non servono per arrivare a un pozzo di petrolio sono stati quasi tutti ricoperti come i navigli a Milano, costruendo boulevards dove s'affacciano i grandi magazzini e passano i cortei del Carnevale, per cui già una settimana prima arrivano eruditi eliotiani da Harvard e stelline di Hollywood e quasi tutta la Marina degli Stati Uniti.

La città è stretta fra il lago sopra e il fiume sotto, il mare è a vari chilometri ancora più giù, frastagliato di isolette boscose e derricks di petrolio con il loro faro issato sulla boa. Tutto intorno, la terra dei bayous, le paludi coperte di foglie e di erbe, le querce con le bave bianche di muschio che pendono dai rami molto più folte e selvagge che in ogni film, spesse come le ragnatele della *Bella Addormentata* all'Opera. Basta piantare una quercia in giardino, non è ancora alta un metro ed eccola già carica di questo «moss» che sbrodola.

Uscendo a nord, un ponte di quaranta chilometri attraverso il lago Pontchartrain, quando si è in mezzo si vede acqua da ogni parte come in alto mare e non c'è che una piazzola a metà ponte per girare semmai la macchina. Di là i boschi più asciutti, con villette perdute e ristorantini rustici in paesini depressi costruiti di assi.

Ma per uscire dal tempo bisogna andare verso il mare, a Biloxi. Sono villaggi di pescatori dove abitano da duecento anni gli Acadiani deportati dalla Nuova Scozia, la storia raccontata da Longfellow in *Evangeline*. Vivono ancora pescando e si muovono in vecchie macchine di prima delle guerre mondiali, alti e chiari di pelle e coi capelli neri, riconoscibili subito come un ligure a Chioggia. Uscendo dalla città prima attraverso le querce della *Bella Addormentata* e le bave filamentose del «moss» si vedono le rampe per la Luna, gli impianti di missili qui sono tra i più forti della nazione. Poi si passa al 1910, poche macchine, villette modeste, e l'acqua biancastra del Golfo del Messico che arriva stanca e sporca sulla ghiaia, dopo i fondali e le penisole. Una vampata di 1930 si può averla volendo in un grande albergo isolato costato moltissimo e aperto nel '29 durante la crisi; perciò fallito immediatamente e sepolcrale. E da allora gli specchi si rompono e i damaschi si lacerano e si spaccano le gambe delle sedie e le tapparelle delle finestre, e il panno verde dei biliardi si strappa. Ma costerebbe talmente tanto demolirlo che viene gestito in economia per qualche raro nipote di E.A. Poe. Proprio con l'erba su per le scale e i funghi che crescono in sala da pranzo, e sempre la sua nottola nel baldacchino.

Le villette poi cominciano a ripetere i motivi palladiani delle plantation homes e delle grandi ville del Garden District, ma in tono arcaico e modesto; l'Ottocento provinciale di un nonnino alla Monsieur Hulot che legge Jules Verne sotto il berceau in una natura umanistica e intatta però marcia di tutti i decadentismi. Bambini sui prati, vecchie sotto il portico, zanzariere. Edifici pubblici piccoli e meravigliosi: la bibliotechina, il tribunalino. E osterie di pescatori sulle palafitte, con scampi affogati nei sughi creoli e birre locali con nomi campanilistici.

Le barbe bavose delle querce incanutite si affollano intorno alle due strade del fiume, tanto vale andar su per una riva e scendere lungo l'altra. Sono vie di campagna strette fra case di legno ridotte allo scheletro, palizzate bianche crollanti, cascine frananti, stalle incendiate, osterie dilapidate, distributori di benzina esplosi, automobili semiaffondate negli stagni, barche sommerse a marcire, canali marron scuri su cui si richiude la vegetazione. S'aprono prati vastissimi, e in fondo boschi neri, dietro gli orizzonti colorati di giallo e di rosso per i vapori delle industrie chimiche. Vecchissime automobili con morettini che saltano dentro controluce: silhouettes come i farmers a cavallo sull'argine. E vecchie Ford guidate da ragazze con capelli neri da zingara molto più belle e distrutte che in qualunque film sul Vecchio Sud. Fulgide e sporche, occhi folli, lineamenti devastati, in camicia da uomo e piedi nudi sopra le palizzate di legno.

Sulle autostrade, invece, Zodiac scoperte nere, perle e visoni e foulard al collo. Le automobili fondamentalmente di due specie. Ad aria condizionata col bar e lo champagne in ghiaccio e i bicchieri da pochi cents da spaccar fuori dal finestrino appena bevuto. Oppure con uomini e donne avvinghiati con la camicia aperta che buttano fuori le lattine di birra vuote. Le autostrade della Louisiana sono un collage di cocci e lattine schiacciati sull'asfalto, tutto uno sbandare e far serpentine con le nostre macchine a cambio automatico e servofreno.

Ma le grandi piantagioni sono anche peggio ridotte delle ville venete. Abitate, parrebbero pochissime. E alle altre ci si avvicina dentro l'ossessione delirante delle querce e del «moss», per i viali di eucalipti ormai visti con un occhio già preparato da decenni di fotografie tipo «Harper's Bazaar». Cosa si può fare – urlare, strillare – entrando in un paesaggio che non è più affatto Tennessee Williams ma piuttosto Foscolo o Keats, enigmatiche teste gotiche di pietra e urne greche abbandonate sul prato. Colonne d'ordine puro o composito di legno o pietra o mattoni che hanno perso l'intonaco. Torrioni esagonali con tetto di paglia fiammingo. Balconate e verande rococò con i serramenti verniciati di bianco e sfondati dai temporali. I tempietti romani, i frontoni neoclassici. Le cupole stuccate, i gazebi turcheschi. Gli orologi ad acqua, le scale ellissoidali di cedro e di cipresso. E le carrozze a pezzi, le persiane di cui resta il telaio.

Poi il traghetto, solenne. Arriva la chiatta, e noi su con la macchina. Un sacchetto di patate fritte. Ma per quanto sia piccola questa chiatta, quattro gabinetti: per i bianchi, le bianche, i neri, le nere. Se mi sbagliassi, a non leggere? Il Mississippi è mezzo vuoto, credevo più largo, qui pare il Po nel Polesine. Ma più indietro nel tempo. E giù dall'altra parte un'incredibile San Francisco, con ville in «gotico fluviale». Cioè il neogotico tutto-ghisa delle stazioni ferroviarie nell'Inghilterra dickensiana elaborato nel gusto ferro-battuto-a-riccioli dello show-boat a pale nei musicals di Betty Grable. (Lo sapevate che Betty Grable era l'attrice preferita di Wittgenstein?).

In un villino «esemplare», il pianterreno e il primo piano hanno la pianta identica. Cucine, sale, stanze da letto si corrispondono sopra e sotto nella stessa situazione; con lo stesso bric-à-brac di miniature e lucerne. La famiglia vive al primo piano d'inverno, e al pianterreno nella stagione calda. Un servo nero riscuote una piccola somma all'entrata e vende le cartoline.

Ma più giù, nel bayou, fumano le paludi e i passeri strillano maligni. La luna di Barataria deforma i profili dissennati delle querce, le strade sono strettissime, le zanzare mordono anche attraverso i calzoni. I nomi dei fossi e dei villaggi suonano come in una romanza per canto e pianoforte. Terrebonne, Thibodaux, Chevreuil, Lafourche, Lajeunesse, Verrette, Chacahoula, Amelia, Montegut, Boudreaux, Cocodrie. Questi canali dove passa una rara barca a motore e s'alza un ponte levatoio lasciando lì per mezz'ora una fila di tre macchine sono stati i nascondigli di generazioni di pirati, praticamente si chiama tutto Laffitte qui. E Barataria forse era soltanto un nome finora, ma eccola su un cartello stradale, ecco il paese. Un distributore di benzina, due o tre osterie, le casine basse nascoste nella nebbia. Forse siamo nel 1850. Ma entro in un bazaar a prendere della frutta. E pare subito chiaro che non è cambiato niente dalla fine del Settecento. Guardate un po' magari qua, monsieur.

COWBOYS IN CITTÀ

I soffi caldi e umidi sono quasi mortali, all'aeroporto di Houston, dopo l'aria condizionata dell'aeroplano e il fresco rarefatto e le piccole piogge pomeridiane dell'altopiano in Messico. È passata mezzanotte. Luci, calcinacci; e dall'altra parte delle dogane già qualche zaffata di Faulknerlandia, anche se quella vera è lontana centinaia di chilometri. Questo soldato stiratissimo, come fa a non sudare? Questi vecchi in giacche di lana, come faranno a non morire di caldo? Dentro l'aria condizionata del tassì enorme, seduti in sei; ma prima di noi si ferma a metter giù un autista, amico di quello che guida. Ha fatto una lunga deviazione apposta.

Diciannovesimo piano. Due enormi vetrate su due interi lati della stanza lasciano passare ogni luce. Due enormi condizionatori fanno gelare; corrono lungo le due pareti, con rumore di motori fortissimo, cera nelle orecchie subito perché è inarrestabile; ma invano tento di tapparli con tutte le lenzuola del bagno, e sono dieci, a due piazze, gonfie di ciniglie proterve, ma neanche in fila son lunghe abbastanza. Bisogna essere bestie resistenti per non morire. Vicino al letto un quadrante illuminato che non si può spegnere, con un orologio, due manopole per la radio, i diversi tasti per far tutto con la televisione in fondo alla stanza, il diagramma del tempo che fa fuori (più di 90° Fahrenheit alle tre di mattina), le previsioni per domani («no change»), la luce dell'anticamera, quella del vestibolo, le molte della stanza, il tasto dei messaggi, quello per far tacere la sveglia. Sul tavolo, l'autobiografia del padrone dell'albergo, ha cominciato con mille dollari in tre e adesso ha molti miliardi e tutti questi hotels. Dunque fa la morale. Le pareti, piene di minacce per chi fuma a letto. Chiuso nel bagno per non gelare, dentro fino al collo nella mia acqua caldissima, gli stessi pensieri dello stilita sulla colonna o di Mauriac nel suo salottino: quando me ne accorgo mi arrabbio.

Nel principale albergo di Dallas, invece, non si riusciva a diminuire il riscaldamento delle stanze. Chiamato il tecnico – l'*engineer*, carico di strumentini high-tech – spiega che certi clienti stranieri pretendono sempre più caldo. Non gli viene il nome, fa dei giri con le mani intorno alla testa. «Indians?». No, non Indians. E pensandoci su, fa: «A... A...». Non gli veniva il termine «Arabs», lo ha riconosciuto solo dopo averglielo detto. Si vede che non l'avrà mai sentito né letto? E dunque, sarà stato più o meno razzista degli informatissimi?

Tanti avvisi riguardano l'alcol, ovunque. Siccome nei locali pubblici si può vendere al massimo birra e a mezzanotte chiudono anche quelli, la direzione dell'albergo avverte il cliente che è ben contenta di mandar su in stanza a qualunque ora anche sconveniente tutto il whisky che vuole per lui e il suo party, volendo può portarsi di sopra anche una banda dei marines con tromboni e bandiere con le bibite?

Dall'alto, alberi, campi, grattacieli, mucchi di terra, casine basse, fossi, parcheggi. Un'architettura favolosa e disumana, nel downtown di Houston: sculture alte decine di metri di metalli chiari e vetri scurissimi. Appena fuori dalle poche strade del centro, villette meridionali di legno franante che fu bianco, da fotografie della Depressione e bozzetto di T. Williams: portico che si abbatte, vernice che si pela, abbaino triangolare, nero seduto sui gradini con la sua bottiglia.

Ogni tanto, giù una fila di casine e su un grattacielo tutto a finestre o tutto senza finestre. Il rumore dei jets, frequente come automobili che passano.

Donne altissime; neri enormi; bambini d'una grassezza mai vista, gonfi, obesi. Torte dolcissime, più dolci dello zucchero. La copertina dell'opuscolo turistico con la bistecca enorme, lo Stato dove «tutto è grosso», ed è vero. Sono proprio riusciti ad avere tutto. Texas-size.

Gli uomini più lenti e le donne più cordiali che nel resto degli Stati Uniti. Questa attività rallentata, e continua: che impressione. Camminano adagio, parlano lentamente, si spostano come con incertezza; tanta aria fra una sillaba e l'altra, fra domanda e risposta uno spazio quasi intollerabile.

Come contrasto con l'East e il West degli Stati Uniti, questa cordialità meridionale rumorosa, le donne aperte e ridenti, le persone che si guardano molto per la strada, la confidenzialità sistematica, una dote di simpatia umana quasi involontaria attigua anche per qualità a quella negli Stati più turpi del Deep South attiguo, dove invece gli individui appaiono uno per uno i più affascinanti del mondo, e dove ormai è deciso: ci si va con lo stesso identico tipo di curiosità di Norman Douglas nella Calabria fin-de-siècle.

Neri altissimi. Studenti vestiti da studenti (ridicolaggine obbligatoria). Poi, tanti abiti scuri a quadrettini, il trionfo dei poliesteri. Panne squisite. Nei bar cantano. Città adorabili: d'una bruttezza quasi comica, con della gente magnifica, ti parlano dappertutto. I cappelloni di paglia ai grandi magazzini costano un dollaro, anche meno; e nella réclame hanno una faccia sotto che sembra acquarellata da Dufy, e forse lo è. I rumori e gli odori artificiali dentro il grande magazzino. Tuono? Rose? Forse, si capisce poco.

Davanti all'Università, è appena piovuto. Cielo nero, tuono. Passano macchine con su scritto «Goldwater for President». Tassì e autobus semideserti con l'aria condizionata. Piante basse e spesse, case bianche a un piano, distributori di benzina con le bandierine di plastica che sbattono. Aria calda e vento freddo, mescolati insieme come l'acqua calda e la fredda dallo stesso rubinetto. Davanti, una MG rossa del modello più vecchio, senza capote né parabrezza né paraurti né parafanghi, ma con la striscia di «Goldwater '64».

A pranzo: agricoltori; ex-giocatori di baseball (si vede dalla forma); mercanti di bestiame (si sente da come parlano); il padrone di un bar (me l'ha detto lui); una checcona povera che è stata a Parigi e mette su il disco della *Dolce vita*; signore industriali, cioè grosse proprietarie d'industria. Di carta? Di torte. Pollo fritto squisito, lasagne per me, profumatissime (vicinanza nel piatto della salsa di scampi); e torte, tante torte, decine. Più di metà sono campioni, progetti, tentativi: siamo invitati qui come cavie, per dire le nostre impressioni sui modelli di torte per la stagione prossima: troppo grassa, troppo magra, pochi pecani, questa qui lascia come un raspino. Cioccolato, frutta, noci, burro, ananas, liquori (specialmente rum), schiuma di cocco. Più dolci del giusto; e se alcoliche, alcolicissime: in Texas, mi spiegano, per andar bene devono essere così.

I giovanotti, alti, belli, un po' attoniti, come perduti nel mito di Narciso. Più di metà, vestiti accuratamente da cowboys; e non è che non lo siano, non è che di giorno vendano nastri e madreperle, qui è il centro di una regione di grandi ranches e chi ci lavora ogni qualche mese o qualche settimana cala pure in città senza cambiarsi: stivaletti con il tacchetto e i ricami bianchi e sangue-di-bue; jeans di uno stretto e uno stinto inimmaginabili, il trionfo del dilavato; cinturone a borchie, camicia rossa, pistola, foulard, cappellone, non manca nulla. Ne traboccano tutti i negozi, di questi paraphernalia, potrei travestirmi in un quarto d'ora, ma al primo fazzolettone che compro c'è su il solito «Made in Italy»: da arrabbiarsi come a una vecchia barzelletta.

Mito narcissico e tradizionale orror puritano per la Femmina Abominabile bastano a spiegare chiaramente i «circuiti chiusi» affettivi che in fondo potevamo immaginarci anche tranquillamente a casa nostra, senza bisogno di venire nel Texas? Il cowboy ama «naturaliter» più di tutto un altro cowboy: ma al cinema lo s'intravvede specialmente nelle praterie. In città invece dieci cinema almeno sono caverne di poltronacce schiantate e di popcorn dove le gambe lunghe un metro gettate sulla spalliera davanti servono essenzialmente a fare avances di stivaletto in un collo o un orecchio coperti dal loro cappellone. Una cena di high school football players dopo la partita l'ho vista soprattutto come una cosa di bermudas contro bermudas, calzettoni e scarpe da pallacanestro contro calzettoni e scarpe da pallacanestro, after-shave contro after-shave. Intorno alle due stazioni degli autobus, decine di Paul Newman in camicia bianca e l'occhio texano celeste chiaro rotondo e vuoto girano dichiarando onestamente da good clean American boys «cinque dollari in macchina, dieci a letto, per venticinque *I'll do anything*».

Una cave da Rive Gauche dissennata che si chiama la Popote o la Petite Marmite o qualche cosa di simile prospera all'ombra del Municipio soprattutto di pomeriggio e su un giro di commessi viaggiatori che arrivano lì con la loro valigia pesante a scambiarsi campionari e bacini, promesse e giuramenti. Ma alla dissacrazione più provocante di un ultimo mito americano, quello del Young Executive in Flanella Grigia, si può assistere volendo al lunch-time in un grande magazzino di Houston nel cuore della zona degli affari, con un celebre cesso diviso a stabbi o stabbielli come una stalla, ma tutto-plastica. Qui

818

le descrizioni anche leggendarie si verificano obiettivamente: altro che mitomanie. Arriva un young executive da una parte, uno *identico* dall'altra, di quelli proprio con la casa giusta, l'automobile giusta, la moglie giusta, due bambini uno più giusto dell'altro, stipendio e assicurazioni giustissimi per la loro età. Si levano le giacche di flanella grigia, insieme; entrano due a due (sono parecchi) già sbuffando pesantemente (sono alti due metri, pesano tutti più di un quintale, han fatto tanto sport fino a due o tre anni prima); e dopo un attimo le pareti e la porta di ogni stabbio si scuotono selvaggiamente sotto le gomitate e i calci, urli e nitriti da rodeo, escono facendo ancora dei «geeee!» e dei «whew!» di testa e di gola, poi su subito la loro giacchetta di flanella grigia, e via al lavoro. Come in prima serata a Valle Giulia, fra i giovani mariti che rientrano alla cena domestica ai Parioli.

Sera meravigliosa, colori incerti, edifici vaporosi, è ancora chiaro. Marciapiede deserto sotto un grattacielo marrone, strade vuote, campi gialli e grigi appena lì in fondo. Cielo grigio scuro, strade buie, vetrine illuminate: passanti bui e manichini pieni di luce.

Vedere Dallas, e perdere Houston, insomma, è come andare a Firenze e trascurare Bologna. (Ma la Menil Collection a Houston, come il Kimbell Art Museum a Fort Worth, e ancora Norton Simon e Huntington a Pasadena, saranno per le volte prossime e gli allestimenti futuri, suscitando sempre più l'*ekphrasis*).

Passare dall'una all'altra è un volo di meno di un'ora su una delle linee locali frequentissime, Braniff, Delta, festoso come una gita della scuola. Appena l'aereo si stacca da terra si sospendono le disposizioni sugli alcolici, gli uomini si tolgono la giacca, le hostesses corrono con i manhattan e old-fashioned e martini e sidecar, le donne gridano tutte insieme allegrissime, tutti si conoscono, pare un pullman aziendale.

Dall'alto, Dallas sembra finita appena adesso. Qualche grattacielo; e poi subito i prati. Distese piatte di tetti con l'elevatore che porta su le macchine. Tutto intorno, le insegne immense di Southland Life, Sheraton Dallas, Mercantile Security, White Plaza, Old Crow. Strilli continui d'uccelli per aria, ma è un canto acuto e come meccanico e gli uccelli non si vedono, saranno carillons o registrazioni? Forse solo pipistrelli.

Insomma, dal cielo, la città non esiste. Solo questo gruppo di grattacieli, poi osservato dal più alto di tutti; dopo, terreni vaghi, macchie d'alberi, gli squarci delle autostrade e delle ferrovie; una zona industriale; lontano all'orizzonte ricominciano le macchie di case. «Chili con carne» al quarantesimo piano, con quella caricatura di *Sansone e Dalila* che è il tema di *Lawrence of Arabia.* Vento caldo dalle praterie, violento, con gocce di pioggia. Vento freddo dagli ascensori che arrivano. Sull'ascensore panoramico, la bambinaccia grossolanamente incinta col marito grand-e-ciula; bambinine a nastri; ragazzacci di diciotto anni alti un metro e novanta e pesanti cento chili che giocano su e giù per le scale mobili e vengono sgridati dalla guardia. Proibiti i liquori; ma i fattorini in bicicletta sfoggiano enormi sigari, anche se non avranno ancora quattordici anni.

Grattacieli di assicurazioni illuminati in fila, colline buie, fossi, prati oscuri, casacce frananti, grilli aggressivi nei prati a pochi metri dai grattacieli.

Impresa funebre rosa, illuminata gioiosamente: una sola, ma divisa a metà, per i due gusti. Una parte vecchia in stile New Orleans, balconata di ferri battuti; la nuova a chiesina svizzera con vetrata da Le Corbusier-Mondrian e guglia (unite da portico).

Ristorante: legno e mattoni. Rusticità molto voluta. Enormi ritratti di buoi celebri dell'Ottocento con pelo fino alle caviglie come soprani freddolosi in petit-gris. Come appetizer, la costina al barbecue favolosa. Decine di modi di cuocere la bistecca: cold raw, warm raw, cool raw... Si segna sulla mappa della bistecca dove la si vuol molto o poco cotta, dal centro alla periferia. Alla fine, distribuzione delle pagelle. Il cliente la compila con tutti i voti; per la freschezza dei cocktails, la bontà della carne, l'«a punto» della cottura, la premurosità nel servizio... Le cameriere, sceriffe in pelle bianca con stivaletti al ginocchio e cappellone da John Wayne e pistola-biro per prendere le ordinazioni. Oppure, bambinone vaporose a volants salmone. La ragione della differenza non si sa.

Il grattacielo giovanile, dodici piani di stanzette da due dollari senz'aria condizionata. Tutte le porte aperte, tutte le luci accese, tutti che dormono nudi con tutte le radio che suonano. Militari insonni. Giuochi di sapone sotto ogni doccia. Materassi tirati sul tetto piatto per fumare nei 90° delle due del mattino.

Villa periferica con tante stanze, solo pianterreno, coppie flirtanti su divani bassi, vetrate aperte su un patio bagnato, sofà di finta pelle da sedili d'automobile su cui è appena piovuto e sta ancora per piovere, si spegnerà il fuoco? È un bar specializzato, color sabbia, vecchio legno sbiadito, argento stagnola, candele. Un condizionatore demenziale, vortica fortissimo ogni abat-jour nel risucchio, sbattono le perline sugli alberi dello scorso Natale; e fuori si agitano i salici piangenti illuminati di rosso o celeste dalle lampadine nascoste. Oltre che cowboys e

820

giocatori di football – tutto un aprire con i denti la lattina di birra –, aviatori in borghese che fanno anche duecento miglia in Corvette o in Sprite per il bicchiere del sabato sera. Cerotto sul dorso della mano, ha un suo significato: vuol dire docilità e obbedienza. Giacca di cuoio, due tasconi davanti, sotto c'è pelle nuda: la forza della strizzata è un «se tanto mi dà tanto». Troppo gridare? Calza da tennis come tampone in bocca.

Ricordare i sabati. Quale più tradizionale e maschile? Un ranch-osteria in una pianura deserta, pieno di centinaia di militari, niente donne da *saloon* al cinema, e frotte di giovani proletari arrivati in *van*. Bevendo parecchio per tutta la sera, col pretesto di pisciare in compagnia si ammucchiano e maneggiano in gruppo nel cortilone buio fra gli steccati. E dopo ore e ore i sottufficiali *in charge* passano familiarmente per avviarli a una fila di camion, e portarli ubriachi e rincoglioniti negli accampamenti. Intorno, non c'è niente.

Invece a Houston, sotto un enorme tendone da circo, con le sue gradinate di legno intorno a una pista di sabbia, ecco centinaia di giovanotti delle industrie spaziali, spesso arrivati da pochi giorni in città. E dunque, per fare amicizie, in lista presso la tipica checcona vecchia e grassa e sfrontata con oltraggiose parrucche e porcate che li presenta uno dopo l'altro invitandoli a uno strip-tease d'invenzione «per mostrare cosa c'è sotto». Tutti molto maschili, sportivi e ridenti. Il «camp» è lontanissimo. È sabato. La musica è fortissima. Quando sono spogliati, i gruppi di fans con birre in mano gli infilano fior di dollari su dollari nei calzettoni: il solo indumento che non si tolgono per fare i «numeri». Alla fine, essendo weekend, i furgoncini e i *vans* ripartono allegri e stracarichi.

Quel celebre *department store* di Dallas fa molto «luxury» con bellissime cose tipo cristalli e antiquariato; e in genere gli oggetti da American bar ai livelli più «top», quelli che fan sembrare la casa un raffinato pubblico esercizio, e dànno al night-club la sua aria di appartamentino sofisticato. Rose di cera fragola dappertutto, specialmente su rosai di ferro battuto neri, da patio; e le stesse fragole rosse sulle tovaglie e lenzuola e federe e vestaglie e carta da lettere e stracci da scarpe, dev'essere la Settimana della Fragola. Anche fragole finte, su quella tovaglia color fragola. Fuori della porta, un nero maomettano immobile, malevolo, carico di giornalini con titoli come «Vendetta!» e «Riscossa!». Non li offre a nessuno. Nessuno glieli compra.

Il teatro scolastico dev'essere l'unico costruito da F.L. Wright. Una rampa a spirale sale dentro una coclea di rocce e d'alberi, l'entrata è curva, moquette e pareti dello stesso color terra delle pareti fuori: questa forma a spirale fa tutta una continuità fino all'entrata bassa. Si spalanca la porta, ecco la sala. La scena si prolunga fra il pubblico: le vecchie eleganti, la signora di Dallas che porta le tre amiche dell'Alabama in visita, sono venute in macchina da Birmingham, guida la più vecchia, coi loro cappellini di petali e i tailleurs freschi di broccato lucido. È quasi mezzogiorno. Vengono accolte da altre vecchie del teatro. Uguali: seta, collane, capello bianco, cappellino, occhiali. Cerimonie di presentazioni con la didascalia compresa nella cortesia: il teatro, sapete, come tappa fra la scuola e il salotto. Funzione pratica, educativa. Tutto condotto da drama graduates. Prove in pubblico, teatro per bambini, corsi serali d'arte drammatica per adulti, spettacoli su commissione per feste, conventions, congressi, chiese.

All'interno, la scena è semicentrale, col pubblico da tre lati, e solchi semicircolari in tutto il soffitto per le luci. C'è un interno stilizzato, vagamente americano-piccolo-borghese degli inizi del secolo: dev'essere un Inge o qualche cosa di simile. Una stufa strana, però; e delle battute vagamente familiari... Giusto Cielo! stanno provando *Le Tre Sorelle di Dallas*! Esperimenti con le luci e i suoni, dicono le vecchie. Prove pubbliche, giusto: in un paese dove le finestre non hanno persiane, i gabinetti sono senza porte, si dorme negli alberghi tenendole spalancate con tutto acceso...

Passa una ragazza con un modellino di scenografia, perde tre sedie di carta alte 5 cm. La più vecchia ratta le raccoglie. Ce la fa? ride la ragazza facendo del garbo: sono pesanti? La vecchia fa il gesto del sollevatore di pesi.

Alla stazione, fra due vecchi, un dialogo da cattivo romanzo pessimamente tradotto; ma già pessimo nell'originale. «Ho proprio detto a mia moglie... a mia moglie non piace prendere l'aeroplano, sapete... le ho proprio detto... lei vuol sempre prendere il treno, sapete... ma stavolta gliel'ho proprio detto... d'ora in avanti se si deve prendere il treno di domenica, allora ci si muove un giorno prima...». Che silenzio lungo. Poi, l'altro: «Allora, di sabato!». «Proprio!» fa il primo tutto contento, sembra perfino grato.

Ogni vecchia Plaza coloniale o western, a Phoenix come a Denver o ad Albuquerque o a Santa Fe, appare oggi interamente ninnolizzata, come il Covent Garden londinese: regalini, ricordini, dolcini, tipicità, e coppiette turistiche, fra gli enormi tubi di condizionatori regolamentari nei muretti rosa e giallini dove il cattolicesimo salito dal Messico ha lasciato orme e sigle, nomi come san Francisco de Asis, san Felipe de Neri. In ogni nuova Plaza affaristica e iper-realistica, invece, le banche e i grandi magazzini rivestiti di vetri specchianti riflettono paesaggi urbani dorati dal riverbero ed equivalenti all'illustre illusione ottica dell'Anamorfosi.

Guidando lungo un Apache Boulevard, o un Superstition Highway, «laggiù nell'Arizona», le città appaiono così disseminate e spampanate che al confronto Los Angeles può sembrar verticale, e Torvaianica una selva di guglie più o meno gotiche. Il cuore, l'anima culturale di Phoenix, dove sarà?... Scarse risposte nei depositi museali che conservano una Tradizione e celebrano un Moderno ugualmente fortunati: «meglio investire in Arte che in Banca», valori ventuplicati in dieci anni. Ma ecco lì soprattutto oleografie dei cowboys al corral e degli Apaches e Navajos nei pueblos, le vecchie al pozzo e i vecchi con la pipa, le cariche storiche di cavalleria, gli acquarelli di tramonti cangianti, gli acrilici di stazioni di servizio, gli spruzzi e le spatolate dei post-astratti. E le collezioni? Vasi e cestini, braccialetti e bamboline locali, quindici boccali da birra del nonno bavarese, ventiquattro visioni in Cibachrome del deserto domestico.

Accanto, insieme, un pochino di Oriente, di Judaica, di Luigi XV; un lancio di Aviation Art ispirata all'èra spaziale; una sezione per bambini dove si è incoraggiati a toccare e palpare l'Arte. E una sbalordita Madonna tutta soavità e movimento di Girolamo Genga: qualità e provenienza, Samuel Kress. (C'è anche un antico emporio Kress, cadente e in vendita, in una piazza abbandonata). Ma nulla di paragonabile ai tronconi di collezioni Kress e Guggenheim che rendono così rilevante il museo di Denver (Colorado), illustre castello medioevale e un po' trentino di Gio Ponti, a sale e finestre studiosamente asimmetriche, con rivestimento di mattonelle marrone scintillanti. E pareti di Vivarini e Orcagna, Ghirlandaio e Pinturicchio, Crivelli e Cranach e Bonifacio Bembo, sopra una meravigliosa raccolta d'arte pellerossa, ordinata tribù per tribù.

Ma dov'è, in realtà, Phoenix? Ecco uffici acquattati nel paesaggio spoglio, abitazioni sparpagliate e sminuzzate fra montagne brulle dai curiosi profili, ove prevale il dorso di cammello. Solo sassi, grandi e piccoli, e quei cactus spinosi anche ribaldi nella forma, spesso due sfere gonfie accanto a un fusto slanciato o robusto. E una luce sublime, suprema, costante, perpetua.

La luce, il deserto. Stabilirsi fra il sole e i sassi e i cactus, e far nascere un mito originale in un suolo senza cultura né radici. L'Architettura Moderna... E neanche dalle praterie, o dalle foreste; ma dalla sabbia, dalla ghiaia, sotto un cielo senza nuvole. Forse era già una risposta storica e culturale precisa di Frank Lloyd Wright, nato nel 1867 (contemporaneo di Vittorio Emanuele III e di Isadora Duncan, dei ginnosofisti di Ascona, dei miti di Marrakech e Hammamet...), alla poetica della *Terra Desolata,* di T.S. Eliot. Così come D.H. Lawrence si installava nel deserto ruvido e primitivo del New Mexico, remoto da ogni turismo, ignoto ai Mass Media.

... Mentre quella Terra Desolata era poi, tutto sommato, la Londra di Bloomsbury. O delle sorelle Mitford? E quando la visitammo nel dopoguerra, usando il testo di Eliot come guida, appariva come una meraviglia di vecchi ponti impressionisti e anziane chiese fuligginose nella City senza grattacieli, nebbia tuttora cronica, negozi di cashmere e di preraffaelliti che costavano poco, Laurence Olivier e Vivien Leigh a teatro ogni sera, ed Eliot stesso cortese e disponibile nel suo ufficietto a Bloomsbury, con stufetta elettrica accesa e vecchio gatto sui libri di Faber & Faber... («Persona informata sui gatti»...). Ma di lì a poco sarebbero arrivate le minigonne e i Beatles – grosso calo nel tasso di desolazione – ed Eliot stesso avrebbe incominciato a svernare proprio nel deserto marocchino, che gli faceva benissimo alle bronchitine; e tornava ch'era un fringuello, e andava a ballare al Savoy...

Avvicinandosi, adesso, alla leggendaria istituzione-atelier di Wright, Taliesin West, si attraversano quartieri di motel della bambola nel deserto ai margini di Phoenix; campi sterminati di «case modello» tristissime con davanti l'equivalente desertico del giardinetto suburbano inglese: un cimiterino di quattro metri per quattro di sabbia e sassolini, con un cactus che nei casi propizi si biforca «a candelabro», e un ciuffo annaffiato all'ombra di «code di cavallo». C'è un comprensorio Casabella tremendo, un po' villette berlinesi del Trenta con tutte le sporgenze asimmetriche, e un po' spaghetti-western a Tor San Lorenzo. (La cultura visuale, quando la si trasporta, trapianta, ibrida, rimescola, spreme...). Ma la sezione Casa Buena è ancora più preoccupante; e la Casa Brava sembra addirittura terribile.

Ironicamente, dopo radure e parcheggi di «mobile homes», roulottes che hanno sostituito le ruote arrugginite con allacciamenti ai servizi municipali, appaiono i segnali stradali per Taliesin: come Pinocchi di ferro battuto disegnati sul «Corriere dei Piccoli» della nonna. E come arrivando al Vittoriale, sbigottisce per prima cosa la piccolezza.

Nel caso di D'Annunzio, il visitatore entra a disagio per la ristrettezza degli ambienti minuscoli; e si domanda come mai, in anni ancora facilissimi per il collezionismo eccelso a buon prezzo, un precettore di arredamenti chic come l'Imaginifico, acquistando migliaia di ninnoli, neanche per caso sia riuscito a ghermire un solo oggetto di qualità.

Qui, oltre alla botta iniziatica di Gardone, il turista mitomane percepisce qualche analogia con le forme organiche e simboliche del Goetheanum di Rudolf Steiner presso Basilea. Cioè, un orologio a cucù in marzapane, una Sachertorte secondo la ricetta della Strega di *Hänsel e Gretel*, la Bayreuth di Wagner rifatta dagli esoterici del Monte Verità asconese per danzare in peplo vegetariano durante gli equinozi magnetici.

Alle spalle, montagne analoghe agli Appennini dell'autostrada fra Bologna e Firenze: la vista che si gode dal grill di Roncobilaccio. Davanti, un panorama di consuetudine pontina, come si può assaporare da Minturno: però secco, senza eucalipti, tutto parcheggi e sfasciacarrozze e cimiteri, nonché ora attraversato da una immensa linea ad alta tensione, con piloni e cavi lì in primo piano sotto il naso, e in secondo piano una versione gigante dell'aeroporto di Ciampino.

Teatrini cinesi di terraglia verniciata negli angoli «suggestivi» del giardinetto, là dove i nostri bisnonni fin-di-secolo collocavano infallibili gnomi e funghi di cemento con cappella a pois come guarnizione di pergolati detti «bersò», in compagnia di vecchini del Cacao Talmone, sempre di cemento resistentissimo, evocativi di caramelle Baratti & Milano scartocciate da Nonna Speranza e succhiate dalla Signorina Felicita. Ma la piscina triangolare, specialmente se piccola come questa, è assai bruttina da vedere, e poi impossibile da nuotarci: forse anche la carpa impazzisce. E le fontanelle tutte triangolari, e le aiuole triangolari anch'esse, stringono un pochino il cuore crepuscolare come davanti a quei vecchi passaggi a livello: lo sforzo patetico della figlia brutta e romantica del cantoniere per «ricavarsi» un angolino di viole del pensiero fra la scarpata e il pollaio.

Dentro, soffitti bassi, da appartamento dei nani (Palazzo Ducale di Mantova?), curiosità un po' opprimente anche per chi non è altissimo: tanto più in un pianterreno sul deserto, dove sarebbe gradevole e non costoso permettersi casine in forma di scarpa o di fungo o di hamburger come nei vecchi film di fiaba con Stanlio e Ollio, oppure anche in forma di televisore o condizionatore high-tech, a vetrate, come a Fire Island. Finizioni e serramenti artigianali, da Robinson volonterosi e studenteschi, in base al principio che gli apprendisti architetti (come i Maestri Cantori di Norimberga) debbano apprendere la manualità d'ogni singolo aspetto del mestiere. Però, risultati modesti, giacché in certe arti, come anche la cucina, invece di apprezzare il «non finito» e il «mal cotto» degli allievi, si finisce per preferire un prodotto collaudato e pressoché definitivo.

Scoraggianti – dal punto di vista del fruitore e del committente – appaiono soprattutto i montanti sbilenchi e le chiusure approssimative: gli «scuri», tavole o persiane, da smontare e trasportare uno per uno ogni volta, con la stessa gestualità faticosa da ostricaro che apparecchia la tavola degli antipasti esterni due volte al giorno. E il tetto di plastica color zabaglione dà luce diffusa, uniforme per tutto l'anno, come le vetrate di alabastro o di vetro marmorizzato delle vecchie abbazie incutono raccoglimento e pentimento non disgiunti da sopore. Ma questo sole abbagliante che entra nell'ufficio senza schermi né tende, se già stordisce a Roma i funzionari della Rai, colpiti nella pennica, tanto più non annienterà le reazioni umane di chi progetta per gli utenti? (Torna alla mente lo studio fiorentino di Roberto Longhi al Tasso, con le vaste aule scaffalate «a pettine» e le ampie tavole per consultazioni senza rifrazioni, fra quadri insigni).

Nella visita compunta e grave ai locali (al confronto, qualunque famedio o sacello parrà uno spensierato piano-bar), ecco le sale per riunioni, dove nell'èra pre-televisiva si recitava e cantava e danzava ogni sera con testi e musiche e costumi fatti in casa. L'equivalente delle sciarade in villa, però per tutta l'annata. Non come quando, limitatamente ai weekends piovosi, e solo coi contenuti dei bauli in soffitta, si era soliti scendere a pranzo camuffati da bibite riconoscibili: la Menta Sacco, l'Amaro Savoia, il cocktail Americano. O si mimava con gesticolii da indovinello il titolo di commedie o film famosi. E a quali acrobazie si fu costretti, nel maltempo scozzese, per rappresentare di fronte ai bambini un successo d'altri tempi, *No Sex Please, We're British.*
Un anziano architetto giapponese, lugubre e compunto, spiega che gli ex-discepoli tuttora danzano e recitano ogni sera, lui compreso, in questi locali bassi due metri, e coi serramenti che si devono rimuovere e rimettere come al mercato di piazza Vittorio. E a questa «mistica» da «cenacolo» casalingo si stringe il cuore come davanti alla rivelazione che in un certo ufficio si celebra il party natalizio o di compleanno ogni sera.
Si proiettano nella sala da pranzo con teatrino le diapositive delle massime realizzazioni di Wright. Ecco tutti gli aspetti del grande ufficio rotondo come una gran biblioteca ottocentesca a pilastri gotici da cattedrale, con centinaia di impiegate nello stesso ambiente solenne, tipo «sorvegliare e punire», dove se una si mette le dita nel naso innumerevoli occhi la vedono, e se fa una telefonata personale centinaia di orecchie si protendono. Bisognerebbe appurare con Michel Foucault se tale struttura deriva da quei carceri circolari dove la guardia centrale controllava ogni movimento; oppure si ispira a quei soli con raggi della simbologia massonica, densa di valenze significative, che fornirono ad Antonio Panizzi, carbonaro modenese, la pianta (simile a un diploma delle logge) della sala da lettura celeberrima da lui organizzata al British Museum.

In queste visite fra alcuni Miti ormai storici del Novecento, uscendo dal leggendario e triste atelier di Frank Lloyd Wright a Taliesin West, le opere del Maestro che si trovano qui accanto sono soprattutto «ispirazioni» o «collaborazioni», straordinariamente opulente.

Uno squisito grande albergo e golf club degli anni Venti, l'Arizona Biltmore, in una vasta oasi di viali d'aranci e piscine improvvisamente nel deserto, come a Marrakech. Edifici larghi e bassi come i fianchi della Stazione di Firenze, ma snelliti da modanature, filettature, fasce di bassorilievi che ripetono un motivo decorativo piuttosto azteco in una cornice quadrata; e questo tema che sfiora l'ocra terrosa degli esterni ritorna nei ferri battuti dei candelabri e delle balaustre, nei colori vivaci delle opulente moquettes e dei mosaici, nelle appliques di vetro opaco alle pareti, nelle cascate di cristalli dai lampadari.

Sono intrecci di forme Art Nouveau in composizioni geometriche seriali, di un lusso sfrenato nei materiali e negli effetti: Gaudí con Mackintosh, Fortuny con Klee, sotto soffitti dorati da *Boris Godunov* qua, da *Aida* là. E se ne ha un barlume – il Fasto concepito soprattutto largo e basso – in una Sala Wright appena collocata nel Metropolitan Museum di New York. Soggiorno grandioso e vasto, come schiacciando e appiattendo, estendendolo, un nostro villino medioevale del 1890 con finestrelle rettangolari strettissime specialmente nella torretta. Vuoto, un po' piatto, fra vetrate seriali a quadretti piombati sopra le linee orizzontali dei sedili a panchina e mensola. Mobili a motivi rettangolari o quadrati: l'impressione di gran lusso data con griglia severa ed eccesso d'angoli retti. Medio Evo in sala da pranzo, con schienali altissimi. Ma poltrone e divani con amplissimi braccioli come piani d'appoggio. Paralumi esagonali, stampe giapponesi, vasi di terraglia, camino di mattoni tristi; e una *Vittoria di Samotracia* in gesso su un tavolone pieno di enciclopedie nel ripiano a gambone massicce.

Tutto Mae West pare invece il recentissimo teatro dell'Università, realizzato ai margini di Phoenix dallo Studio di Taliesin. Gli eredi si sfrenano; ma forse è un modello precursore di stile neo-musulmano, sarebbe stupendo a Baghdad. Tutto a curve segmentate e tonde, come un Colosseo o Augusteo ad archetti con tette color cipria accesa, violenta, rampe dentro e fuori grandiose e vistosissime, arcate da rotonde sul molo slanciate con tanti lampioncini sopra i parcheggi. Interno molto largo e piatto, file di posti estesissime contro un boccascena colossale, come a Reno e a Las Vegas dove si pranza con le ballerine sul naso. Archi rigonfi di panneggi capitonnés su colonnine esili. Spirali praticabili da Museo Guggenheim.

Ma qui, sulle pareti a chiocciola, per lo più figurano il vecchino con la bandiera, la squaw davanti alla tenda, la *mesa* Hopi nel tramonto cangiante. E il teatro sarà dell'Università, ma vi si fanno soprattutto musicals storici come *Hello, Dolly!* e *Kismet*, programmi folk per tutta la famiglia, serate western-rétro con i vecchi divi televisivi nei loro più cari successi.

Un'aura quasi intatta di questi passati un po' cenciosi e polverosi, magari, si può ricercare in fondo alle periferie sterminate. Fra migliaia di casette «mobili» e provvisorie, giardinetti suburbani, vendite domestiche nel garage, l'Emporio dell'architetto torinese Paolo Soleri si presenta quale vetrina di un'altra Utopia nel Deserto. Molte statuette e soprammobili in vendita. Anche un primitivismo da tappetino sul marciapiede: collanine, braccialettini, campanellini, terracottine, per regalini ex-giovani. E accanto, i progetti in perspex di colossali edifici alla *Blade Runner*, cioè come ammucchiare migliaia e migliaia di mutanti e replicanti e meticci gli uni sopra gli altri in cataste piramidali altissime che sembrano già secolari prima ancora d'essere terminate, e quindi non è chiaro chi e come e perché mai le incomincerà.

Il cantiere del progetto Soleri – detto Arcosanti, un'altra struttura a curve e archetti, ma non teatro bensì Cosmogonia Edilizia – si raggiunge a un centinaio di chilometri più a nord. Dopo una strada fangosa a buche, nella buca più profonda, sull'orlo di una voragine dove si accumulano gli stracci portati dal vento, e le lattine cadute sul fondo.

La scelta del sito pare sinistra. Poco più a nord, infatti, è tutto un Peloponneso d'alberi grigi visti come un mare mosso dall'alto di rocce teatralissime, dove tribù antiche vivevano pendule e pensili in grotte simpatiche, e dove passa anche la strada. A sud, quelle montagne arancione che diventano viola nel tramonto rosa e verde, e viceversa, in successioni violente e struggenti di colori-spettacolo che durano oltre un'ora all'alba e al crepuscolo. Qui, invece, la vista è il fondo del crepaccio, la parete opposta del cretto; un orlo di pianura stepposa e piatta, tutta sassi.

Ecco un paio d'arconi incompleti, tipo un portico lavamacchine ispirato alla Basilica di Massenzio, con fornetti e caldaie per produrre ninnoli di argilla e metallo secondo tecniche più o meno etrusche. Due o tre stanzoni quadrati sovrapposti, con finestre tonde che non si puliscono dall'esterno, scalette frananti, muffe sul cemento come nelle gettate su scogli, tinteggiature scrostate come nelle bonifiche pontine, assi di transito su terrapieni imbottiti di massi, passaggini, pianerottoli, arnesi da vasaio, panni stesi, parecchi rifiuti abbandonati in giro, spazio assai risicato e addossato. I romitaggi garantivano più distan-

za reciproca. Sembra forse una pensione di riviera ligure, un po'
megalomane e lasciata incompiuta.

Sarà revival premoderno, o rétro post-moderno? Cioè, le cose che appartengono a una vecchia epoca, e non furono realizzate allora – e se fossero compiute più tardi sarebbero anacronistiche –, sono progetti antichi, oppure sono rovine moderne?
Richiedono, o respingono, le domande almeno di quanta psicologia, quanta sociologia, quanta ideologia vi fosse dietro? E
nel caso di manufatti destinati all'uso, se l'uso è concreto, sarà
abusivo un rapido assaggio da parte di un utente pubblico o
«personal»? (Anche alle migliori Biennali di Architettura, dopo tutto, sono rari gli schizzi che invogliano un committente
miliardario per un edificio o un arredo).

Questi progetti così giganteschi e sovrapposti pongono infatti problemi soprattutto di lunghezza di percorsi dalla soglia
di strada alla tana privata; e poi, di tubature, fra le più ingenti
e malandate nella storia dell'abitabilità umana, ove non si adot-
ti l'arcaico sistema del «chi la fa la getti».

Ecologia? Ma ecco il legno usato genericamente, come supplemento e riempitivo; e ringhiere, maniglie, serramenti di
un'economia fragilissima, e col negozio di ricambi in un villaggio a oltre due ore. È così che l'Utopia diventa presto «curiosità», «attrazione» per cui si paga il biglietto d'ingresso; e dove
l'istituzione portante è il Souvenir Shop che vende posters e
cartoline e magliette «caratteristiche» come a Venezia. Abitanti anche più caratteristici, da comparsate per un documentario.
Campanelle orientali gentili e tintinnanti alla brezza. Quelle
piastrelle di terracotta con su due colpi di pennello e via, che ci
regalavano le compagne di scuola più artiste, invece di un disco
o una torta, per i compleanni ginnasiali. Cucina con due tavolini dove antiche Joan Baez servono «quiche» e «chili». È domenica pomeriggio, ah com'era più vivace la Recanati di Leopardi.

... E allora, sarà post-moderno, adesso, o addirittura post-No-
vissimo, il falso medioevale sontuoso e smaccato e di enorme
successo, come quel Borgo Medioevale torinese che coniugava
Giacosa e Sem Benelli al Valentino? E con ferri battuti e liuti e
calzabraghe e mandole e uno spruzzo di Gozzano mandava in
brodo di giuggiole o di Ratafià di Andorno perfino il celebre
regista russo Stanislavskij? Sarà al di qui o al di là di Paolo Portoghesi e di Charles Jencks, teorici del Passato nel Futuro, o
del padre di Luchino Visconti, il duca Zizì, inventore e organizzatore del villaggio in costume di Grazzano?

Nel sobborgo più ricco di Phoenix, ecco infatti un iper-Grazzano Visconti che si presenta come un rifacimento fantasmagorico e facoltosissimo di San Gimignano, con varie torri merlate e no, portici d'ogni tipologia, piazze e piazzette contigue con svariati nomi illustri, Giotto e Vivaldi, Montenapoleone e Da Vinci. Fontanelle chioccolanti, stendardi sventolanti. *L'amore dei tre re* di Montemezzi nella ricchissima libreria-discheria; musica rinascimentale dappertutto, fanfare di Corte e antiche arie e danze da altoparlanti dissimulati fra cinquanta negozi e ristoranti di spropositato lusso, tutto «firmato». Si chiama La Borgata, è un inno all'Italia e alla merce. Come alberi di piazza e piazzetta ha soltanto olivi: però bellissimi, sanissimi, carichi di lampadine.

NEW MEXICO

Tra gli alti luoghi «magici» di una cultura «densa» per molti fitti intrecci fra le idee e i miti – e gli influssi forti di un Genius Loci esoterico su uno Spirito del Tempo che si mantiene incorrotto attraverso i decenni – subito Santa Fe si potrebbe paragonare all'impareggiabile Ascona: con i suoi «pueblos» indiani al posto del Monte Verità, sopra e attorno le comunità successive di artisti erranti e intellettuali eccentrici e patronesse folli, in un «Moderno» sempre al di là delle mode nonché delle avanguardie...

L'aura lucida e secca nel deserto oltre i duemila metri – dunque eccitante per i tradizionali malati di petto e cagionevoli di spirito – rammenterà ovviamente sia le magiche montagne di Thomas Mann a Davos, nonché di Ernst Křenek in *Jonny Spielt Auf,* e sia gli inverni espatriati e coloniali fra Marrakech e Assuan e Tangeri... Ma questa comunità ispano-indiano-anglosassone così eterogenea nelle fonti e stilisticamente unitaria, precisissima, rimane forse il più notevole esempio, insieme a Bali e a Sils-Maria, di un rifiuto molto precoce e deciso di ogni design specialmente edilizio non rispondente alla tipologia locale. Che qui è l'«adobe» in terracotta rossastra e calda, con grandi travi e arredi artigianali (stoffe indiane spesso stupende), fra poggi lavici con gli stessi volumi e colori della Provenza di Cézanne; e fantasmagoriche luminarie di torce messicane sulle nevi e i ghiaccioli invernali; e percorsi di sci fra i boschi appe-

832

na sopra un western alla Sergio Leone... Dunque al di là del problema eventuale se il Nuovo costruito «in stile» sia poi un «falso» là dove gli Stili non sono parecchi in successione storica, ma uno solo invariabile e fermo attraverso i secoli...

Soltanto forse Weimar può ricordare una concentrazione altrettanto intricata in poche case e strade adiacenti: là Goethe e Gropius, Cranach e Liszt, Wieland e Van de Velde e Schiller e Klee... Qui, ecco la piccola cattedrale della *Morte viene per l'arcivescovo* di Willa Cather, fra il palazzetto primordiale ove il governatore Lewis Wallace scrisse *Ben Hur* e il campaniletto francescano donde si butta Kim Novak in *Vertigo* di Hitchcock; e là dietro i cammini per le dimore della clamorosa mecenatessa Mabel Dodge Luhan che incominciò con Gordon Craig e Gertrude Stein ad Arcetri, e finì a Taos in trionfi e litigi con D.H. Lawrence di qua e Georgia O'Keeffe di là; e Robinson Jeffers, e i pittori della Depressione e i grandi fotografi come Weston e Adams e Strand...

E tante picaresche trame intorno all'impotenza prima e alle ceneri poi del povero autore di *Lady Chatterley*, che sarebbero potute diventare belle opere americane di Marc Blitzstein o Sam Barber, più gustose di *Regina* o *Vanessa*: il ritorno delle famose ceneri dalla Provenza al New Mexico nel '35, con un comitato d'artisti in attesa alla stazione di Santa Fe, e l'urna dimenticata sul treno dalla vedova Frieda von Richthofen (congiunta del Barone Rosso della Grande Guerra) e dal suo nuovo marito, l'ex-bersagliere Angiolino Ravagli. E la cerimonia funebre, progettata da Frieda con un rituale di tamburi indiani al tramonto, ma sabotata da Mabel che spaventa gli indiani con favole di maledizioni legate alle ceneri di D.H. E poi complotta per impossessarsi dell'urna, e spargerle nella natura animistica. E allora Frieda contraria ai panteismi ordina ad Angiolino di cementare le ceneri mescolate alla calce in un grosso mattone impossibile da spargere...

... Ecco, ecco le opere che ci si augurerebbe di trovare a un Festival di Santa Fe, tra le memorie delle grandi patronesse leggendarie localmente per straordinarie imprese femminili oltre che per il collezionismo folk lasciato in impressionanti musei nelle loro ex-case: meravigliose ceramiche nere eseguite fra gli anni Venti e Trenta da artiste tribali squisite che nelle loro capanne erano i Kandinskij e i Miró del vasellame e della piatteria... Eppure, malgrado l'abbondanza d'acqua e una religione amica e complice della Natura, gli indiani abitanti degli antichissimi pueblos non hanno mai piantato fiori e alberi intorno alle loro spianate di polvere e fango, trasferendo nella sie-

833

pe e nell'aiuola il loro genio nel design della ceramica e dei tessuti... E forse anche per questo la già favolosa Taos del primo Novecento appare oggi piuttosto triste nella sua pianura piatta, coi resti del turismo hippie-bigiottiero al posto delle famose mecenatesse e scopatrici tremende...

Soltanto qui, fra sterminate raccolte d'oggetti popolari d'ogni paese, ho visto degli affreschi etiopici sulla battaglia di Adua: un san Giorgio etiope che incita contro gli italiani in bianco i ras di Menelik, con occhioni come tazzine di caffè preoccupate fra tende identiche a quelle allestite da Alberto Savinio per la celebre *Armida* al Maggio Fiorentino; o un'installazione con la cattedrale ottagonale di Addis Abeba per l'incoronazione di Hailé Selassié nel 1930... E in giro, fra le memorie degli Hopis e dei Navajos, dei governatori spagnoli e di Kit Carson, dei frati missionari con le buone o le cattive, e della ferrovia Atchison-Topeka-Santa Fe, una quantità di musica: dalla Corale del Deserto a danze d'ogni specie al Festival di Musica da Camera con opere praticamente sconosciute di Verdi e Rossini, oltre che di Fauré e Weill, di Spohr e Rameau. E nella vastità degli spazi, che incoraggiano una sconfinata cortesia reciproca, né motorini, né stereo, né venditori accattoni, né teppisti, né vandali, né macchine arroganti su più file, né concerti di antifurti, né altoparlanti per manifestazioni di cazzate, né famigliacce in mutande e ciabatte con piccini villani incoraggiati da parenti pecorecci... Anche prezzi molto più bassi che per le vacanze in Italia.

Santa Fe è tuttavia celebrata per il più illustre festival d'Opera negli Stati Uniti, dal 1957: con programmi più attraenti dei nostri, perché accanto ai Puccini e Rossini e Mozart e Strauss prevalenti in ogni stagione si sono presentate qui molte prime esecuzioni pregevoli (per l'America) di Berg e Schoenberg e Stravinskij e Janáček e Šostakovič e Penderecki e Henze e Berio e Rota e Weill; parecchia opera barocca (e proprio qui, anni fa, ricordo un ottimo *Orione* di Francesco Cavalli, sotto cieli trascoloranti, mirabili). E viennesi misconosciuti come Zemlinsky e Korngold; e tedeschi recenti ancora ignoti da noi come Aribert Reimann (*Melusine*), Siegfried Matthus (*Judith*), Wolfgang Rihm (*Oedipus*). E il teatro, aperto sul deserto, ha una struttura decisamente forte in un paesaggio drammatico.

Il loro attuale *Flauto magico* – a parte qualche fisima sul «politicamente corretto» nei personaggi femminili – mette un dubbio grossissimo: che veramente Mozart e Schikaneder intendessero comporre un'opera per bambini; e dunque tutti gli ammassi di sottili interpretazioni variamente misteriche siano da buttare?

L'astuto regista svizzero Reto Nickler (Ginevra e Zurigo) non mostra incertezze, benché Bob Wilson già tanto abbia fatto per spogliare il *Flauto* dei suoi molteplici esoterismi, riducendolo a una geometria di astrazioni ottiche per bambini e turisti all'Opéra Bastille. Qui infatti la children's opera viene proposta con gli archetipi più familiari all'animo infantile di un pubblico americano di mezza età, approfittando fino in fondo delle risorse di «avventura-come-relax» del migliore «home video». (Ma gli ingredienti del «poncif», sotto sotto, saranno stati tutti lì fin dai tempi di Schikaneder?).

Ecco infatti i «problems» bambineschi di un college boy buonissimo ma imbranato in un pomeriggio di guerre stellari; e i massimi applausi (mentre l'orchestra suona) spettano dunque al dinosauro di *Jurassic Park* ogni volta che manda scintillone dagli occhi, e agli uccelletti meccanici quando sfuggono furbetti alla reticella di Papageno. Ma per fortuna ci sono gli interventi delle tre matriarche tipicamente americane, e dunque sicurissime di sé nel dare direttive perentorie ai ragazzi e agli uomini impacciati e perplessi che senza di loro non saprebbero cavarsela né nei telefilm né nella vita. E soprattutto, nei cosiddetti «riti di passaggio», arrivano con le loro danzine i simpaticissimi Muppets che risolvono tutti i «problems» dei bambini scuotendo la testa e scrollando la coda.

Certamente le arie di Mozart intralciano l'azione: come se una maestra di canto interrompesse una pubblicità interessantissima e ottimista con la sua lezioncina da ascoltare fino alla fine. Però Papageno canterella «I'll stay single» e ripete «There's nothing spiritual about me» nella più cara tradizione di Mickey Rooney; e sono tutti contenti quando ridice «Che la Forza sia con te». Piace forse meno quando fa «Dacci oggi il nostro pane quotidiano» su una pagnottella. Però ci si ritrova subito nelle puntate più familiari, coi dialoghetti fra bambocci che non escono dalle battute basiche tipo «get up», «come on», «what's this?», «tell me!».

Dietro, abbastanza ovviamente, ci sono i soliti conflitti fra genitori estraniati; e i figli naturalmente ne soffrono, con i complessi statisticamente più frequenti, finché in un finale forse insperato da Mozart vanno a prendere Sarastro e la Regina della Notte per fargli far la pace davanti al pubblico e mandarlo a casa contento. Ma certo, quando nella sua prima apparizione la Regina zompa in cima a una luminaria natalizia e lancia di là una gragnuola di «you! you! you! » non essendo una Gruberova e non essendo più tempi o luoghi da Ethel Merman può magari fare un'impressione scolastica, anche perché i suoi «picchiettati» sono da esimia docente. Più tardi però scende dalla Luna e va a piedi come tutti noi, perché basta conoscerla da vicino, e anche la Presidentessa è una brava donna che non si dà arie, come tutte le signore del pubblico, come tutte le mogli dei politici degli Stati Uniti, come quei Presidenti che non fanno tanti sfoggi di politica estera o strategia militare, e piacciono alla gente soprattutto perché fanno le corsette in mutande e berrettino insieme ai ragazzini.

Questo è il punto fondamentale: sono tutti «regular people», persone assolutamente normalissime come te e me e tutti noi; certamente con i loro pregi e i loro problemi, come ne abbiamo tutti, però con gli stessi doveri e diritti di ognuno di noi, e «honesty» e «sympathy» e senso civico specialmente di fronte alle grandi Cause – dal pericolo nucleare al degrado ambientale – che non si possono affrontare con donchisciottismi solitari, ma soprattutto in coppia fissa: il ragazzo con la sua ragazza (più tardi marito e moglie regolarissimi), in tutte le prove della vita. Inclusa l'Opera.

Per riguardo alla normalità della coppietta standard, dunque, le iniziazioni saranno merendine coi Muppets, in attesa che il «politicamente corretto» affianchi la ragazza al ragazzo anche durante i processi alle matricole tipo *Animal House*, e nelle caserme dove i «nonni» fanno quelle brutte cose alle reclute, e nelle docce delle palestre dove sarebbe scorretto fare discriminazioni fra il nero e il gay. E i giovani cantanti, tutti americani sotto la direzione di George Manahan, sono infatti bravissimi anche come acchiappafantasmi.

Pamina, forse, potrebbe sembrare più civetta di Musetta, o addirittura una Debra Winger o Goldie Hawn nei ruoli di barista o tassista intraprendente: ragazza d'oggi! Anche perché, non appena liberata dalla gabbia ov'era tenuta prigioniera da una squadra di baseball in braghe turche da harem, incomincia a flirtare con tutti: da Papageno che le fa l'identikit sugli occhi e sui denti, al nero Monostatos spiritoso capitano del team, all'assemblea dei massoni in manti rossi e viola, e copricapi da eunuchi di Cleopatra. (E qui, un'intermittenza: c'erano delle ragazze nella loggia P-2, o venivano ingiustamente discriminate? E cosa ne direbbero i massoni di rito scozzese di Santa Fe, nel loro bel tempio rosa proprio sulla strada per arrivare all'Opera?).

Ma benché lei sia una principessina interplanetaria, e dunque una cameriera di Beverly Hills, si mette con Tamino proprio perché lui è un ragazzo uguale a mille altri; e infatti canta per lo più disteso a terra, non per fare metafore ma perché appartiene alla generazione di cantanti giovani ormai incapaci di tenere la stazione eretta, anche per la difficoltà di dove mettere le mani durante l'interpretazione.

L'allestimento è fatto con pannelli metallici a sbalzo, laterali e girevoli contro il cielo buio di fondo; e parrebbero delle buone applicazioni di Jackson Pollock agli ascensori degli alberghi. Il programma informa che trattasi di simboli e metafore di varia conoscenza scientifica, non roba espressionistica o astratta. (Che sia in agguato uno stile «Cybergothic»? E la Morale: che la Forza sia coi Muppets?). I costumi coloratissimi contro il nero del cielo ricordano invece – incongruamente – quelli di Léon Gischia per i fondali ugualmente neri di Jean Vilar...

Simbolicissimi saranno certamente gli anelli concentrici della piattaforma rotonda, che si sollevano indipendenti, come negli strumenti giroscopici e navigatori. E poi c'è quella cosa che piace tanto ai pubblici primitivi: il fumo in scena, come ai concerti rock. Eppure, in altre epoche, il fumo in cucina e in casa veniva considerato una quotidianità poco gradevole. Sono i Misteri del Pubblico, uguale ovunque: gli applausi all'acqua in scena, come se a casa non avessero dei rubinetti che funzionano con lo stesso principio. Gli applausi a cani e gatti in scena, magari presi a calci per strada. Gli applausi agli alberi veri sul palcoscenico, e non sulla porta del teatro, quando i vivaisti li scaricano dal camioncino, senza gli strilli dei piccoli fans.

La struttura di questo teatro d'Opera aperto sul deserto è molto energica in un paesaggio drammatico: cieli poetici e forti, alture e cespugli da importante film western, contrasti di colori violenti fra le nubi e il suolo, spazi sconfinati e primordiali. Lampi da uragano estivo, verso le montagne rocciose; o la luna di una famosa fotografia di Ansel Adams, presa proprio qui dietro.

Sul palcoscenico, l'angolino della scioretta.

Una casetta suburbana, naturalistica e in serie, con finestrelle da cui si scorgono tappezzerie da famigliuola «signorile». Un albero vero con una scaletta per arrampicarsi; e delle aiuoline da periferia di Londra.

Escono i cantanti in fila, in abiti di Settecento semplificato, e si spiegano in prosa come recitando le note del programma: siamo Romilda, Arsamene, Atalanta, Elviro, Amastre, Serse... Io sono la sorella intrigante, e io sono un servo briccone...

Si tratta infatti del *Xerxes* di Händel, grande opera spettacolare della maturità ma uno di quei plots impossibili di innamoramenti e disguidi fra travestiti e controtenori con affetti non ricambiati, lettere mal recapitate, armeggi e maneggi di cameriere e parenti, incroci di equivoci incessanti per tre fitti atti e quattro dense ore, e più!

Non appena attacca l'ouverture, inizia una sfilata di macchiette, mossette, bambiiini: acquaioli e fiorai pittoreschi, la piccina per intenerire le signore, i cagnolini per strappare lo squittio compiaciuto e previsto del pubblico benevolo, il servo birichino che se la dà a gambe senza giacca e abbottonandosi come se l'avesse appena fatta grossa...

Insomma, una regìa tipo Menotti, con scarsa fiducia nella musica, per il presupposto che sia tutta come la sua, e dunque il pubblico non riesca a reggerla neanche per un minuto se non viene puntellata da continue macchiette e gags visivi già visti le mille volte in palcoscenico e quindi «beniamini del déjà vu». Come quando il Rossini buffo veniva considerato buffonesco, e quindi recitato con incessanti sciocchezze: vecchietti, smorfiette.

Sono quei registi (qui si tratta di Stephen Wadsworth) che metterebbero la caldarrostaia e l'orfanello e le arance rotolanti da una cesta anche nel *Fidelio* di Beethoven per aiutare in buona fede sia l'autore e sia il pubblico. E corrispondono a quei docenti faceti che spiegano Hegel in strofette, l'*Eneide* a fumetti, e Napoleone con barzellette ricavate da Woody Allen, per far contenti i più piccini, quindi pronti per vincere una cattedra.

E allora si possono confrontare a quei registi tedeschi che mettono qualunque classico non fra i Muppets ma fra le SS: da Elettra a Semiramide, giù in un pozzo di cemento, fra molti giri di filo spinato, forni crematori convertiti in reattori nucleari o macellerie, Despine e Zerline in cuoio nero con borchie, pastrani lunghi, tubi e marsine da capitalisti sfruttatori, parrucche punk gialle e verdi con occhialini tondi alla Gramsci, qualche sedere fuori, e naturalmente una kamikaze che impersona Amneris... O tutto preferibilmente in un vecchio manicomio, con pazzi molto tipici e immancabilmente sfrontati, tra infermiere cattivissime... Mentre la regìa francese di gala non si allontana dal Re Sole e cerca di non uscire da Versailles; e quella inglese preferisce rintanarsi in un collegio vittoriano, con mille buffi scherzi in pigiamino, per Händel, anche se una sua opera si ambienta alla Corte longobarda...

Qui a Santa Fe risulta che per il pubblico americano – e va tenuto continuamente «happy» anche se si suona e si canta per quasi cinque ore – l'opera barocca è bonaria e benevola, cameratesca e goliardica, sportiva e casual, rassicurante come i vicini di casa nei telefilm e nella vita: sempre cordiali in ogni situazione buona o cattiva, e privi di armonia anche se hanno successo. Dopo ogni «aria» difficile nel *Xerxes*, i bravi cantanti (Dawn Upshaw, Brian Asawa, Erie Mills) si stringono calorosamente la mano come tennisti dopo la partita. E Frederica von Stade (Mélisande eccelsa, Cherubino indimenticabile) nel ruolo di Serse giovanotto innamorato si rotola per terra come un monello per far sorridere il pubblico, che applaude ogni mossa e lazzo mentre l'orchestra suona. Serse sarà un Cherubinaccio cresciuto?

La traduzione (del medesimo Wadsworth regista) del libretto italiano è corriva e burlesca, modernizzando tipo Broadway l'ironia tardo-vittoriana di Gilbert & Sullivan: rime tra «crises» e «devices», cioè crisi ed espedienti... E l'aria di maggior successo ripete decine di volte una scarica di «stop it! stop it!», con ornamentazioni anche estemporanee mirate a quel tipo di zombie laureato al corrente con l'umorismo intelligente di massa: qui «da capo» significa ripetere calcando la mano con gesti esagerati per sottolineare gli effetti, «abbellimenti» come se fossero stravaganze di picchiatelli eccentrici.

Dunque, un certo contrasto fra l'orchestra che suona piccola e fiacca, moderna ma con qualche strumento d'epoca (direttore Kenneth Montgomery), e i cantanti che strafanno con l'espressività e la modernizzazione, le trovatine e le risatine. Innumerevoli! Una portantina-lettiga attrezzata con mobile-bar e servizio di bibite... Un ritorno dalla caccia con lepri appese e cani ammaestrati... Le finestrine della casetta si aprono e chiudono tutte insieme a tempo... E i servi indaffarati continuano a scorrazzare come nelle *Cenerentole* di tanti anni fa... fra «carrettelle» e «caccole» come nelle riviste d'una volta...

Un invaso blu-Klein, cioè di quel blu molto elettrico prediletto da Yves Klein nelle sue pitture-sculture, ospita invece – secondo la «visione» di due artisti-teatranti renani: Willy Decker e Wolfgang Gussmann – il *Capriccio* di Richard Strauss. Quell'opera straordinaria e paragonabile come «testamento» solo al *Falstaff*, perché anche lì un grande musicista che ne ha composte quindici – la produzione professionale più importante del Novecento – si congeda in età gravissima con un eccelso e sommesso «addio» che è un'opera sull'opera, anche più moderna del romanzo sul romanzo e del film sul film come riflessione suprema di un artista sul proprio mestiere, e su un «genere» che sta toccando la fine. (L'allestimento è il medesimo del Maggio Fiorentino alla Pergola).

Grandissima conversazione di idee: la Contessa, epitome-emblema di tutte le Contesse e Marescialle dalle *Nozze di Figaro* al *Rosenkavalier*, viene corteggiata intellettualmente e galantemente dal Poeta e dal Musicista in una polemica elegantissima che risale almeno ad Antonio Salieri: prima la musica o prima le parole, nell'economia della composizione?... Ma intanto un regista visionario alla Max Reinhardt sostiene che il palcoscenico è un luogo di magie e fantasie, dove il Meraviglioso parla al cuore e all'intelletto degli spettatori coi prodigi dell'illusione teatrale.

E nel corso del pomeriggio una ballerinetta rammenterà l'apporto della danza, anche sensuale; e una coppia di cantanti italiani molto tipici e dunque guitti si esibirà in una serie di «Addio mio bene! Addio mia vita!» strappacuore all'aperto, finché non viene rifocillata e congedata entro un discorso culturale molto più ampio, più alto, più ricco... E alla fine della giornata il fratello della Contessa, uno di quei dilettanti geniali che insegnavano le idee dell'arte agli artisti fino in fondo all'Illuminismo, butta là con nonchalance che se solo si fossero trascritte le chiacchiere appena fatte sull'opera, ecco che l'opera sarebbe lì bell'e fatta: cioè la stessa trovata che rende così affascinante l'*Otto e mezzo* di Fellini e Flaiano.

E non finisce qui, perché subentrano i camerieri a riassettare, rifacendo il verso ai padroni con l'arguzia dei Leporelli e dei Figari. E finalmente si apre il giardino, entra la luna, e la Contessa seduta all'arpa con un canto sublime chiude davvero la grande epoca dell'opera lirica. Come quei concerti d'addio dove il più affascinante Lied finale trionfa e scompare tra i gladioli... A Salisburgo, parecchie quinte di specchi laterali e minimali qui si muovono e spostano riflettendo sobriamente il lume lunare...

Ma questo invaso blu-Klein come un cul-de-sac sul palco di Santa Fe circondato da lampi di temporale d'agosto ha tante porte chiuse come un corridoio di cabine di prova in un grande magazzino. Poltroncine bianche rococò in serie, come negli alberghi «in stile», ma ricoperte da fodere bianche, come se la Contessa fosse fuori e lì restassero i camerieri. E un grosso cubo bianco simile a un cesso portatile in salotto, poi voltato, diventerà un teatrino nel teatro molto simile a quello di Gae Aulenti dentro il *Viaggio a Reims*.

Tutti in costumi bianchi identici, e parrucche bianche da Settecento in rivista: imprudenti! Sotto le parrucche bianche uguali sparisce ogni personalità, non avendone molta; e i cantanti finiscono per confondersi come i cinesi di Mao in casacchina e berretto blu.

Siccome poi cantano in inglese (necessariamente, qui: sennò, chi seguirebbe la raffinatezza degli argomenti?), entrano subito in competizione perdente col grande Settecento di Congreve e Sheridan, e con la tradizione suprema da John Gielgud a Maggie Smith, anche nella gestualità incomparabile... Volonterosi e accurati, tentano dunque di risolvere tutto col portamento «distinto» – colli rigidi e riverenze da cotillon – ma senza un'abitudine dietro: attitudini, semmai, da acchiappafantasmi. La Contessa (Sheri Greenawald, ha fatto la Marescialla anche a Napoli) pare una Locandiera premurosa, ma i camerieri dànno le tazze di cioccolata direttamente in mano, una per volta e senza piattino sotto, come nelle mense coi bicchieri di carta. E nella versione inglese volonterosa e indispensabile, nei momenti più importanti, quando la composizione di una romanza diventa «strutturale» come nei *Maestri cantori*, le rime decisive si riducono a quelle già derise da Lord Byron nel *Don Giovanni*: treasure-measure, sorrow-tomorrow... E se già è difficile tradurre Frank Sinatra in italiano, perché con «estranei nella notte» va via l'aura, figurarsi qui...

Ma accantonando i disagi per la traduzione, la riuscita è accurata e corretta, grazie soprattutto al direttore John Crosby, fondatore del festival e straussiano emerito. E i registi hanno organizzato una felicissima concertazione degli ensemble: conversazione molto animata, e quasi agitata, da commedia brillante, con grandi gesti americani e vivaci, anche da *I Love Lucy*, che proseguono vistosi perfino quando i personaggi rimangono soli; e suppliscono alla mancanza di personalità. Col limite che il «comico televisivo d'azione» ad ogni costo, quando la scena è stilizzata nel Nulla, rischia di presentare ogni gesto come una dichiarazione di metafisica. Va meglio quando il tenore italiano grasso in verde, e il soprano in rosso, fra tutto quel bianco, sputtanano con efficacia virtuosistica il nostro Kitsch più emotivo e ruffiano al quadrato e al cubo e allo stadio, finché le scariche di «addio addio!» fanno scappare i più vicini, e provocano un congedo con una bottiglia di vino e un ciao ciao.

Due grandi fantasmi incombono su ogni Contessa di *Capriccio* per chi abbia visto le due splendide interpretazioni di Anna Tomowa-Sintow a Salisburgo e di Raina Kabaivanska a Bologna. E anche Felicity Lott a Firenze, nello stesso blu-Klein geometrico dei medesimi Decker e Gussmann, geometrico e passepartout sia per il New Mexico e sia per la Pergola. Qui la Greenawald offre una buonissima interpretazione tipo brava donna, simile piuttosto a Lucia Popp, altra cantante eccellente, che fa le Marescialle e le Contesse come massaie cuor d'oro desiderose solo di sistemare i nipoti e far contenti gli ospiti. Non per niente, il «servite la cioccolata di là», uno di quegli ammicchi-svolazzi per chiudere con un understatement una grande scena straussiana, diventa qui la spossatezza d'una casalinga che vorrebbe mettersi in ciabatte perché «uffa, quanto parlano questi»; e viene condivisa con un muggito da una platea di brave diavole che non vedono l'ora di arrivare a casa e stendersi.

Però la Grande Magia opera tuttora intangibile quando lo strepitoso Eric Halfvarson (un epigono dei leggendari Salvatore Baccaloni e Mariano Stabile, che si riuscì ad ascoltare solo tardissimo?) nel ruolo del Regista indica il piccolo palco vuoto come sede del Meraviglioso. E dunque facendo teatro sul teatro trattando di teatro, ma evocandolo col corpo e additandolo con niente. Come Strehler, quando si contorce e sbatte visceralmente con la zazzera argentea da mago lunare. Forse può riuscire affascinante un paragone col mirabile *Capriccio* di Ronconi a Bologna, coi personaggi fiabeschi e barocchi del Meraviglioso, evocati dal Regista, che lo venivano a confortare, superati e commoventi. Una vuota pompa...

Qualche delusione sul finale: via il giardino, via la luna, via l'arpa, la povera Contessa siede a terra come una serva con una maschera d'argento inutile in mano, e senza più mobili. Macché trionfo. Povera donna. Già, qui, l'orchestra non rende al meglio. Fuori, il cielo del New Mexico è una meraviglia. La luna di Ansel Adams splende appena sopra. Ma questa disgraziata, l'hanno chiusa in un guardaroba. Riappaiono tutti i personaggi, immobili come una galleria di belle statuine in maschera; e lei esce, tra le federe e fodere. Ma forse non era la Contessa, era una sua cameriera. La Contessa non abita qui.

Che la Tebaide e la Terra Desolata fossero villeggiature stupende, lo si subodorava da gran tempo, e il cinema tutto rocce e deserti di John Ford continuamente lo confermava. Lo ripetono anche le targhe delle automobili. Ogni Stato, negli Stati Uniti, ha un suo slogan accattivante che accompagna il numero; e quello del New Mexico è proprio «Land of Enchantment», traduzione giusta di quel «terra di sogni e di chimere» attribuito da vecchie canzoni all'Arizona, che però è confinante qui.

Le albe di Albuquerque... Partendo da questi cieli più fantasmagorici e technicolorati «de luxe» d'ogni cartolina da tabaccaio e d'ogni «mélo» al cinema, la strada verso la spagnoleria western di Santa Fe e poi verso l'indianeria illustre dei «pueblos» è da decenni un cammino maestro di primitivismi novecenteschi rampanti, selvaggissimi e anche mondanissimi rispetto all'innocente Natura ottocentesca, edenica e silvana, di Emerson e di Thoreau.

In questo smisurato deserto luminoso e roccioso, con aria di montagna finissima, i miti moderni si aggrovigliano fitti e densi, poi, invece di distendersi: il conventino francescano e il saloon dei cowboys, la distilleria dei pionieri e la Madonna dei miracoli, la via della mescalina e il palazzotto dei governatori castigliani con tanti cognomi, tanti cortili, e il generale Lewis Wallace di *Ben Hur*... E a pochi passi, la cattedralina, apparentemente un Don Orione padano, però scenario per *Death Comes for the*

Archbishop, grande successo pio nella vecchia Medusa Mondadori. E un raro caso di ricco duomo intitolato a san Francesco, con Stella di Davide sul portale maggiore, perché i denari vennero dai mercanti ebrei. Ma il Tempio di Rito Scozzese, fra le locande barocche-rurali, è in moresco-tangerino, rosa aggressivo.

Sull'autostrada, i cartelli avvertono «Opera traffic»: l'opera estiva di Santa Fe è sempre il più famoso festival americano. Ma il segnale successivo indica «Los Alamos»: ecco infatti quel famoso centro atomico a lungo «città segreta» non segnata sulle mappe; e oggi vi lavorano parecchi indiani dei pueblos. Ecco appunto una Porsche davanti a un villaggio di capanne in «adobe», il fango disseccato tradizionale ove non devono entrare tubi o fili d'acqua o elettricità per rispetto alle divinità naturali ancestrali venerate nell'apposita piattaforma solare. L'acqua si preleva dal ruscello. Ma arrivano qua e là metalli anodizzati nei serramenti dell'adobe, cassette per posta e giornali, segnali di antifurto, e anche qualche segno discreto di impianti di riscaldamento.
Si è molto su, già l'altopiano parte elevato, si sta per lo più oltre i duemila-duemilacinquecento metri, e i fondali western sono coperti di neve, con simboli natalizi e invernali come le corone di peperoni rosso scuri quasi tutti di plastica. Molti sciatori, molte candeline accese dentro sacchetti da pane in fila sui tetti delle casette e dei porticati. I cartelloni stradali offrono in vendita «paesaggi trattati» per affari immobiliari. Nei pueblos centenari e millenari, non si distingue il vecchio dal nuovo, perché il fango viene impastato con tecniche immutabili, e le forme dei vasi e i disegni dei tessuti rimangono invariati come in Asia. Ma nei mercatini artigianali, i gioiellini di argenti e turchesi su tappetini e coperte a motivi geometrici sembrano identici a quelli in vendita nelle isole greche; e così le sciarpine, i vasetti, le cinture. Vengono da una Centrale degli Archetipi?

Questo fu territorio di D.H. Lawrence, fra pronunciamenti culturali celeberrimi che potrebbero anche suscitar confronti bizzarri – come ogni recupero di origini, radici, culti, usi, miti, e magari razza e terra e buona salute – tipo il lodato ritorno di Pasolini alla civiltà contadina padano-veneta o romano-periferica. Decadentismi poco paragonabili, però: il vagheggiamento dell'antica civiltà del Serpente Piumato con liberazione dei sensi e rituali mistici e danze scollacciate; la nostalgia della perduta gentilezza agreste fra i cascinali, citando Gramsci e il Pascoli e magari Aby Warburg e amando la mamma e dandosi del

Lei. Inoltre, il nostro consumismo giovanile di borgata così deplorato da P.P.P. veniva tutto influenzato dai modelli della campagna americana – jeans, stivaletti, giubbotti, camicie a scacchi, cinture a borchie, gomma da masticare, country music... – non già dalla metropoli statunitense che veste «executive» all'inglese o all'italiana. E invece l'infanzia nostrana povera e defunta vagheggiava abiti scuri della domenica stirati dalla mamma, camicie bianche, scarpine a punta, nodi Scappino, orchestra Barzizza, con un orrore atavico per qualunque segnale di «rustico» o «casual».

Lawrence arrivò qui con la moglie Frieda agli inizi degli anni Venti, invitato dalla famosa Mabel Dodge Luhan, di Buffalo, ma che aveva già avuto una villa «brunelleschiana» ad Arcetri, amicizie con Berenson, relazioni col figlio di Robert Browning, con un marchese Peruzzi, col rivoluzionario John Reed (*Reds*), e parecchi matrimoni, l'ultimo con un indiano appunto di Taos.

Epoche succulente, fra la Riviera francese e i colli fiorentini e Parigi e Capri e New York: D'Annunzio a colazione, picnic con la famiglia Churchill, litigi con Gurdjieff, acquisti di Cézanne e Matisse per pochissimo, pranzi piccanti con gli anarchici di Emma Goldman, colazioni intellettuali e sentimentali con Walter Lippmann, discussioni con Marcel Duchamp alle mostre, Alfred Stieglitz che fotografa i gruppi, Aldous Huxley che consiglia i funghi messicani giusti, Isherwood che giungerà in visita...

Taos fu lungamente un piccolissimo villaggio primitivo e remoto da tutto e mondanissimo e assillato dall'Artisticità, spessissima ove accoppiata al Primitivo: ogni artigiano di stoffe e piatti, infatti, assume in lingua inglese la definizione di «artist» che noi solitamente esitiamo a conferire anche a maestri illustri («in codesta mostra egli appare meno artista»...). Arte e artigianato e originalità e datazione così facilmente si confondono, soprattutto quando gli «indigeni» continuano a produrre forme tradizionali fuori dal tempo, e la «colonia» dei visitatori ne imita con trasporto i procedimenti; oppure invariabilmente dipinge il vasaio al suo lavoro e la tessitrice all'opera, contro gli sfondi colorati e accesi forniti dal paesaggio naturale uso «trip».

Questa è Taos anche oggi, un po' ampliata ma non tanto; e da quegli anni Venti e Trenta rimangono varie testimonianze: i vecchi e le vecchie di quell'epoca fiammante hanno lasciato le loro case con tutti i contenuti e le opere come santuari culturali-turistici. Graziose stanze semplici dove si accumulavano le collezioni d'arte popolare, e si dipingevano in circostanze interamente artistiche e abiti ad hoc sia le vedute accademiche e sia l'Indiano naïf. (Paiono spesso più sublimi le fotografie di quelle signore e di quei signori, con le loro perle, le loro barbe, i loro cappelli, i loro fidanzati). Attualmente, vista sul parcheggio del supermarket, entrata a scivolo per carrozzella d'infermi, macchina automatica per ritorno di libri in prestito, esperienze spirituali praticabili solo a orari fissi, e inserendosi in gruppi.

Ma dalle biografie che sono ormai parecchie, dalle testimonianze dei sopravvissuti che si annoiano, e dalle distanze fra casa e casa veramente minime, si ricostruisce che questo luogo di fiaba, così lontano dalla società cittadina e dalle traversate in transatlantico, doveva soprattutto essere un cespo di pettegolezzi incessanti, di malignità infernali. I racconti traboccano di gelosie, dispetti, ripicchi d'ogni dimensione. Ma specialmente un gran spiarsi reciproco. Con binocoli, alle rispettive finestre; in agguato, sui passaggi obbligati; dando mance a domestiche native; e frequentemente arrampicandosi sui tetti bassi, per origliare dal camino, con accidenti.

Invitarsi, disinvitarsi. Gran togliersi il saluto, in pubblico; e poi ridarselo in circostanze d'eccezione. Ogni ospite nuovo, catalogato e controllato. Ogni gita nella natura, sospettata di attività riprovevoli. Molte denunce, anonime e firmate, durante le due guerre, per immaginari complotti armati in favore della Germania. Perquisizioni in seguito ad accuse di contrabbando. Esposti e querele per indiscrezioni del medico, favoritismi della maestra, ficcanaseria del postino. «Peyote parties»? Magari pochissimi, fra molestie e disturbi: gossip sui congiunti dei dipendenti, sui parenti dei fornitori. Ingratitudini che divennero famose.

Ecco però, intatto, l'antico pueblo più grande di tutti, forse il più importante d'America: due condominii di parecchi piani, già antichissimi quando furono «scoperti» con i paletti strutturali che sporgono presso le finestre, e scalette difensive a pioli per raggiungere i piani superiori. Il campo fra i due edifici è rigorosamente fangoso, attraversato dal ruscello perenne, secondo le prescrizioni religiose. Arriva il pulmino della scuola, riparte il camioncino delle bombole, un cartello dice: «Parcheggio solo per affari tribali». Su una finestra: «Proprietà e personale interamente indiani dal 1950», con gli adesivi delle carte di credito. Tre dollari per entrare, quindici per fotografare o disegnare, ma non ci sono turisti, sono tutti agli ski-lift più su.

Più giù, accanto alla roulotte della chiromante che è il primo posto illuminato in paese, ecco un interessante Cantu Plaza, emporio gestito da cinesi. Merci di Canton, fin qui? Non pare:

gambette ricurve dorate, un controbuffet familiare, una inconfondibile «psiche» da stanza da letto: è proprio Cantù.

Ed ecco l'antica locanda, latina e grandiosa, tappeti e camini e scaloni, e anche parecchi quadri lasciati da Lawrence: gruppi di figure umane con braccia e gambe leggermente piatte, come sogliole, orate, spigole. Ecco il suo ranch, dove scrisse *St. Mawr*, romanzo su uno stallone. Lasciato all'Università, lo occupano i docenti. Muretti slavati, celestini e rosa. Vasetti di fiorellini. Ed ecco il santuarietto sepolto fra neve e ghiaccioli ed abeti, molto rustico e bavarese o austriaco. Certo, morire in Costa Azzurra e venir sepolto in New Mexico dopo che l'urna fu dimenticata sui trenini locali... Sono leggende ormai irripetibili: come Caravaggio che muore tutto solo in quel deserto disabitato che è Porto Ercole.

KEY WEST

Il mito della vecchia Key West perdura da gran tempo nella cultura americana, forse per quel nucleo crepuscolare segreto che si appiatta in fondo ad autori così diversi come Hemingway e Tennessee Williams, abitanti affezionati di quel nidino di memorie; e colpisce tuttora vari disinvolti facoltosi e spregiudicati che fanno l'avanti e indietro dalle discoteche di New York, oggidì.

Ultima fra le «keys», le isolette in fila che si protendono dalla punta della Florida verso Cuba e il Tropico: dunque finti Caraibi, finto Messico, finto esotismo, finto estero, finte avventure, finti rischi e pericoli e «romance»... Le palme sbattute dal vento, la costa battuta dalle onde, l'umidità che rende attaccaticcia la camicia e bagnato il giornale... Un surplus di pittoresco, di gusto della desolazione, di povertà smorfiosa, di decadenza cenciosa, di Nonna Speranza con forfora e birignao e ninnoli. Palme, frange, frappe, pizzi, pendole, ventilatori a pale sul soffitto, mobiletti a vetrine e ribaltine, tovagliette sotto zoo di vetro e di tarme, tipitipitì, carillon, bric-à-brac.

Ma sarà sempre stata così? Paccottiglia e bigiotteria in clima sudaticcio uso *Tristes Tropiques*? Gusto della degradazione con i centrini? Chincaglieria e oleografia della zia?

Oppure, quando la regione era ancora più misera di adesso, bastonata dalla Depressione, ci saranno stati in giro «grossi personaggi» di varia umanità? Delle Claire Trevor strapazzate? Dei contrabbandieri di bibite col sigaro caraibico? O ce n'erano un tempo, e adesso non ce n'è più? O sarà stata più o meno la stessa solfa?

Sembra, comunque, proprio il contrario di quei posti pittoreschi e caratteristici che si ritrovano modernizzati e deplorevoli, ricostruiti. Qui nessuno ha rimosso una ragnatela.

Villette frananti, casine della bambola dilapidate, roulottes accasciate, automobili sfasciate e senza ruote, parcheggi di «mobile homes» per pensionati, ospizi di vecchietti, pensioni per nidiate di checchine. Molti «Papas» in giro, con la stessa barba bianca e pensosa di Hemingway e di Burl Ives. Trenini elettrici da giostra o da bagagli in stazione, con famiglie di turisti impettiti, fra mucchi di rifiuti.

Ogni motel, ogni pompa di benzina, ogni farmacia, ogni pizzeria, proclama d'essere «la più meridionale negli USA»; e questo si può anche prendere nel significato poco favorevole; giacché ecco scarpe vecchie e bottiglie rotte nelle aiuole, intonaci fradici, serramenti penduli, vetrine squallide che paiono uscite dal Centro-America tragico di Orson Welles trucido e delle guerriglie represse.

Luoghi ove, dovunque, comunque, l'Ornamento è Delitto cheap. Negozi con mutande antiche e barattoli polverosi, fra sassolini e nastrini di cellophane accartocciato, stufette usate, poltrone sfondate, camicette da maricón sulle Ramblas.

Sul mare, la strada. Sulla punta, la piazzetta dove ogni sera si raduna una piccola folla per applaudire tradizionalmente il tramonto. Bambagioso e filaccioso: strisce bianche fredde sotto, filamenti rosa confetto sopra, che non si mescolano; tutti gli zombies battono le mani quando va giù il sole, e via in calzoncini e zoccoli. All'interno, nella scacchiera delle strade erbose, quadratini di casette e giardinetti e muretti in dimensioni uniformi. Piscinette di tre metri per quattro. Ibiscus, sbadigli, spossatezze, mucchi e mucchietti di immondizie, lanciate fuori, in giro. Mare spesso spaventoso, vento soprattutto malevolo.

Poveri bianchi, poveri neri, vecchietti pensionati, vecchietti malvissuti, vecchietti musicali nei programmi televisivi. Sui canali locali, soprattutto zarzuelas spagnole del primo Novecento, con tenori e soprani grassissimi, carichi di boccoli e riccioli, unti di brillantine e ceroni, tutti occhiate assassine e tirabaci. Oppure, prediche bibliche non-stop per 24 ore. Numerosi emaciati, macilenti. Brutte barbe, brutte panze, capelli in disordine. Vecchini zoppicanti in tinte pastello. Donnoni, donnini, donnette.

Giro dei bar preferiti, locali frequentati, ristoranti prediletti. Quadri di barche deplorevoli, ritratti di Hemingway canaglieschi, illuminazione passabilmente sinistra. Ubriaconi, zozzoni, zozzette, marchette d'ambo i sessi ugualmente sgangherate e litigiose a incroci di palme ventose e piovose. Esclamazioni fra le più volgari. Tipi da «paraggi della stazione», incrociando la passeggiatina di giovani papà che fanno la mammy a piccini attoniti appesi sulla schiena. Mammine sgobbone, con occhialini rotondi su pallore grigio. Mammine losche, con amicacce alticce e vocianti. Paradosso di questa piccola malavita imbottigliata in un minuscolo cul-de-sac. Già, siamo in fondo a una strada di centinaia di chilometri senza deviazioni laterali.

Come un interminabile ponte Mestre-Venezia, percorrendola di giorno: ore e ore su lunghe arcate e fondali paludosi e melmosi, e barene, vegetazione bassa e monotona, spiazzi polverosi e ghiaiosi, odori fetidi.

Due grandi alberghi eccellenti, molto separati e rinchiusi in sé e autosufficienti, con servizio cerimonioso e grandi sollievi chic nelle stanze e nel ristorante, però.

Fuori, per lo più, le taverne del teppismo suburbano, forse anche ravvivato con l'arrivo dei «boat people» cubani, con pessima réclame per la loro ex-patria, entusiasta di averli «sbolognati», benché allevati sotto la Rivoluzione. Oppure, il frou-frou dei ristorantini gay, casine della bambola cubana decadente «non grata» in patria. Ivi la ninnolaggine trionfa minutissima, però il cibo risulta – non si sa perché – sempre tremendo. (L'incompatibilità fra gay restaurant e buona cucina si fa regola universale?).

Eppure lì si rivede per l'ultima volta Tennessee Williams, a colazione, un Santo Stefano, in un apparato di tovagliette tutte rosa, svolanti intorno a una piscinetta, dimagrito, ringiovanito, non iroso come un tempo, sobrio, modesto, salutava, forse riconosceva, poi sorrideva cortesemente al piatto e parlava a bassa voce con le posate e col tovagliolo, tranquillo. Tutto solo.

La casa più ricca nel quartiere più povero apparteneva invece a Hemingway, davanti a uno scalcinato Museo della Marina da «banana republic», con piccoli motoscafi, piccoli sottomarini che arrugginiscono sotto gli eucalipti, minuscoli siluri, mitragliatrici fatte dall'elettrauto.

Ecco un giardinetto tropicale pieno di gatti, discendenti dei cinquanta che teneva; gatti-soprammobili d'ogni dimensione

e materiale, in vendita; e cartoline di gatti al banchetto dei ricordini, con dépliants che reclamizzano un gay restaurant «na-
zionalmente acclamato». Dopo il salotto ora emporio, la sala
da pranzo in finto-Quattrocento con savonarole a zampe, due
moretti veneziani col vassoietto, un lampadarietto di Murano
fantasia; e un candeliere di ferro battuto, una zuppiera inglese, delle piastrelline di ceramica messicana, mostrate come cimeli. Un piccolo mondo da Zia Pina?

Di sopra, un letto da negozio di mobilio spagnolo, con coperta da Casa Pupo a Londra. Ancora quadri di gatti. Segno dei
tempi, un distributore di bibite sotto il portichetto, anche con
un errore di scrittura: «specal» invece di «special». Negli scaf-
faletti, fa impressione che i libri siano tutti di autori ormai completamente dimenticati.

MAGIONI

Ai pensatori austro-germanici, il Kitsch o il Camp non strappano mai una risata o un sorriso. Viennesi o francofortesi ugualmente vi ravvisano una calamità, una disgrazia moderna, un turpe sperpero: a partire da Adolf Loos e da Hermann Broch. E lo stesso Ludwig II di Baviera, che viveva di Grand Mauvais Goût ovviamente adorandolo, non l'avrà davvero trovato «divertente»: al pari di Luchino Visconti, che lo recepisce così intensamente sul serio.

Ma Theodor Adorno ha recuperato un'osservazione di Frank Wedekind, «il Kitsch è il gotico o il barocco del nostro tempo», e la paragona a un giudizio di Thorstein Veblen (*La teoria della classe agiata*), per cui un castello falso non è nient'altro che anacronistico, e basta. Troppo facile! Commenta Adorno: «Veblen non sa nulla dello spirito moderno che c'è in una simile regressione. Le ingannevoli immagini dell'unicità nell'èra della produzione di massa sono per lui meri residui, e non invece reazioni alla meccanizzazione industriale avanzata, le quali dicono qualcosa anche su questa...». E nel suo groviglio di nostalgie per il Feudale e di ripugnanze per l'Industriale: «Gli uomini preferiscono farsi illusioni intorno all'unicità, piuttosto che rinunciare alla speranza che vi è legata». Può divampare di qui un rimpianto irreparabile per un «incontro immaginario» mancato: fra Theodor W. Adorno, appunto, e William Randolph Hearst, nella straordinaria magione californiana di quest'ultimo, possibilmente davanti alle cineprese di Orson Welles, o addirittura di Erich von Stroheim.

Fastoso e fatiscente come i Neuschwanstein e Herrenchiemsee di re Ludwig e altrettanto casa-madre del più sfrenato Kitsch industrial-feudale con illusioni di unicità e anche speranze, questo San Simeon fu edificato negli anni Venti per Hearst con la sua leggendaria fortuna editoriale e giornalistica, da allora è celeberrimo, e ora viene anche spalancato ai turisti sulle più belle colline tra Los Angeles e San Francisco, alte e verdissime e arretrate dal mare.

Gli interni risultano molto più allucinanti di qualunque invenzione cinematografica di Welles o Stroheim, sopra il tempio greco-romano della Piscina di Nettuno sommersa nel parco sub-tropicale, oltre le torri messicane e barocche della facciata basilicale gesuitica. Ma lo stupore sempre più strabiliato di fronte ai soffitti del Cinquecento e agli archi claustrali importati dall'Europa pezzo su pezzo, ed evidentemente autentici, si accompagna a una commiserazione costante e crescente davanti ai «pezzi d'arte» orgogliosamente presentati in simili contesti e cornici illustri. Si tratta continuamente di copie di statue classiche – non solo dell'antichità, perfino di Canova – eseguite da ignoti artisti europei del primo Novecento, tutti importati e citati con nome e cognome sulla targhetta. Come ai cimiteri di Hollywood.

Lasciando quindi perdere il finto ci si lascia però trasportare dal connubio camp fra il Visionario e l'Autentico: la straordinaria smania per i più monumentali camini dei castelli francesi, circondati da stalli di coro e fiancheggiati da portentosi arazzi, con un'enfasi ossessiva per il monastico, il gotico, l'intagliato o intarsiato, e volentieri «flamboyant», che perseguita il visitatore anche nella sala da breakfast, nel salone da pranzo attraversato da una gran cancellata come un altare a Granada, e perfino tra i biliardi, in un'infilata di portali superdecorati e raggelanti da Certosa di Pavia. Gli appartamenti privati sono ancora più nettamente claustrofobici: scuri, bassi, foderati, con volte a botte da cappelletta medioevale o da congiura di boiardi, e una marcata predilezione per broccati dogali, retabli dorati, crocifissi arcaici, letti appartenuti a Richelieu.

Così, paradossalmente, gli ambienti meglio riusciti non parranno tanto le ricostruzioni d'epoca affastellate e macabre, ma certi locali molto più inventati giacché forzatamente moderni: la piscina coperta e il cinema. La prima, quantunque definita romana, è rivestita di splendide maioliche turchesche da Moscheina Bluette, con lampade d'alabastro e una graziosissima luce turchina da fisioterapia a riflessi dorati. Il secondo è una decorosa saletta damascata e filettata, con una fila di cariatidi baraccone che fra lo spettatore e lo schermo ammiccano (com'è anche giusto) un po' al rococò e un po' al music-hall.

Altra aria, oltre che tutt'altre stanze, sul lato opposto del continente, dove ronza il rapporto fra progresso («modernità») e regressione («arcaicità»), e il feticismo della merce si inchina al recupero del Rinascimento, nel palazzo-museo edificato da Isabella Stewart Gardner nel cuore oggi più slabbrato della vecchia Boston, con quasi una generazione di vantaggio sui grandi collezionisti come Frick e Mellon, e il colpo di fortuna o di genio di scoprire Berenson giovanissimo, e mandarlo subito in Europa a fare acquisti. Questo palazzo di Fenway Court è assai singolare perché fuori non sembra nulla, mentre all'interno è una vera facciata veneziana sul Canal Grande ripiegata in forma quadrangolare a formar giardino pompeiano, sotto un gran tetto curvo di vetro a capriate di metallo. Qui le opere d'arte sono mirabolanti, e accostate con la più spettacolare spensieratezza. Così il gusto all'italiana dell'epoca di Henry James impazza come la *dépense* di Lévi-Strauss e Bataille «in una società dove lo sviluppo e l'arresto delle energie ineluttabilmente scaturiscono dal medesimo principio», e dove «qualsiasi progresso tecnico significa contemporaneamente una regressione», ma anche un gran divertimento.

Anfore buttate là, sarcofaghi aperti con dentro i gerani, cani e delfini di marmi diversi, statue senza testa su colonnine tortili... E poi, nella sala di Tiziano, il sensazionale *Ratto d'Europa* fra cieli tempestosi e angioloni da sipario d'Opera. Pavimenti di mosaico romano, lampade votive perpetue, bassorilievi gotici, colonne da chiostro rosa, con leoni veneti; Madonnine del Dugento fra le ortensie; stalli da coro (come piacevano sempre!) ricolmi di palme e di kentie... Però, ecco la sala di Raffaello, con un gran ritratto dell'Inghirami su velluto rosso incorniciato di fregi a stucco bianco, nonché una Pietà-Deposizione molto simmetrica con predellina appoggiata su una scrivanietta di legno di rosa. E un Crivelli mirabile, un san Giorgio con drago più dorato e laccato e prezioso di un Fabergé.

Il palazzo non è grande, ma la visita diventa minuziosa e complicata, fra urne di terracotta, cassoni dorati, pezzi d'altare di Simone Martini, miniature turchesche di Gentile Bellini; e il Beato Angelico, e il Pesellino, e il Pinturicchio, e il Pollaiuolo, e Giovanni di Paolo, e Paolo Uccello. E un Masaccio in berretta su cui batte un po' troppo il sole. E perfino Piero della Francesca con un affresco, un Ercole nudo e corpulento con bastone in mano. Però anche una sala olandese di damasco verdino, col suo Rembrandt, il suo Rubens, il suo Vermeer, il suo Sustermans, e fra parecchi altri minori anche un piccolo Dürer secondario.

Non è affatto un museo, si tratta d'una casa che fu abitata e che sarebbe gradevolmente abitabile, con questa densità di capolavori invece di un bric-à-brac di cosine. Nella biblioteca, rilegature, manoscritti, cineserie, schizzi, ritratti, giade, piastrelle, bandiere di Napoleone, carta intestata di remoti alberghi italiani e austriaci. In giro per le stanze, elmetti indiani, tondini dei Della Robbia, incensieri, stampi di rame per dolci antichi, Botticelli veri e falsi, suonatori burleschi, candelieri giapponesi, una Dama in Nero probabilmente del Tintoretto, fiori dorati su sterminati paraventi di Coromandel, arazzi fiamminghi di soggetti stagionali e leggeri, balaustre fatte con ringhiere d'antichi letti italiani di ferro battuto, un papa del Tiepolo in trono e quattro donne nude di Whistler appena più in là.

Inoltre, poi, gallerie a mattonelline esagonali e a vetrate di Chartres, ascensori dissimulati da rilievi d'uccelli d'oro lucido, cancelletti di ferro battuto con campanule rampicanti; una cappella Île-de-France con coro, stalli, pulpiti, candelabri, inginocchiatoi ricamati e imbottiti, e una grossa testa veronese del Seicento, datata. E una cappella spagnola con statue giacenti di cavalieri galanti, e gran fiori rossi perennemente sotto uno Zurbarán, per disposizione testamentaria di Isabella. E una danza andalusa da cabaret di Sargent dentro un'alcova moresca costruita su misura, col suo arco lobato riflesso da specchi dentro una cappella castigliana a pietre tombali; e pale d'altare catalane con Adamo ed Eva carichi di dorature; e icone bizantine e russe con le loro incrostazioni d'argento.

La Gardner era spiritosa e imperiosa, con tanti soldi e un marito insignificante; proteggeva Paderewski e Busoni, amava le barzellette, adorava il Kitsch purché fatto con «pezzi» straordinari, e morì ottantaquattrenne nel '24. Sono molto toccanti i due ritratti che le fece Sargent, a decenni di distanza: un cigno nero con molte perle alla cintola nel 1888, un'invalida incappucciata e denutrita come una mendicante beduina nel 1922. Non lontani da questi ritratti, in certe sale gotiche di legno scuro, con finestre veneziane e seggioloni e rosoni, e angioloni con ali fiammeggianti, un Giotto piccolo e splendido, un cavallo di legno, un nécessaire per scrivere completo di penna calamaio e Madonna (con un Velázquez sul rovescio), e immensi camini sepolcrali sovente accesi per escludere qualunque forma di riscaldamento moderno. Può venire in mente una analoga gran dama parigina, che fra tesori affini colleziona libri già appartenuti a sovrani. Da un'altra dama donatrice di boiseries importanti ai grandi musei, riceve una rarità assoluta, giacché il volume appartenne all'Imperatrice Eugenia, poco amante della lettura. La dedica sul biglietto era piuttosto slanciata. E lei: «Un peu lèche-cul, peut-être?».

Attorno al gran salone da musica, così basso, così lungo, buio, di legno così cupo, con arazzi delle Fiandre fra i più severi, una sorpresa che qui sa di eccentrico: diversi salottini fra Boucher e Versailles, con mobilini intarsiati e panciuti, boiserie a fiori e porcellana a fiori, colonnini verdi e gialli fioriti d'angioletti, Gobelins di bambine col gatto...

E la morale di tutto questo? (Si domanderebbe Alice, in pieno Paese delle Meraviglie). Una bizzarra coincidenza o anticipazione: nel suo remoto collezionismo rinascimentale-eclettico, la vecchia signora bostoniana che girava l'Europa della fin-di-secolo come una Regina Vittoria colonialista non di territori ma di Antichi Maestri, stava in realtà precedendo con involontaria decisione almeno due tendenze precise dell'*habitat* facoltoso contemporaneo: la casa come museo esclusivo, organizzata in funzione d'una contemplazione *full time* delle strepitose opere d'arte acquistate (a cui tutto si subordina); e la casa come tana, deposito, accumulo viscerale, dove non si capisce bene dove finisce il prezioso, dove comincia il cencioso, dove si sfiora il curioso, e fin dove possibilmente si estendono gli auspici tutelari del «collezionismo» più o meno maniaco secondo Walter Benjamin.

Cartolina da Aspen, tanti anni fa.

In un bel giugno lontano, lungi anche dai luoghi comuni successivi, ancora si dedicava a «The Italian Idea», quale protagonista, un'apposita International Design Conference, con Sartogo, Bellini, Lionni, Sottsass, Giugiaro, Pininfarina, Pesce, Quilici e tanti altri... Dopo aver tenuto il «keynote speech», le colazioni e i pranzi più gradevoli sono con F.M. Ricci, Bernardo Bertolucci, Suni Agnelli, e naturalmente gli architetti, fra le cassette di sicurezza di una ex-banca, quando Aspen non era ancora un centro culturale e sciatorio, bensì minerario, con eccellenti scavi d'argento. Ci si ricorda di un analogo buon ristorante milanese, nei sotterranei di una vecchia cassa di risparmio, accanto alla Scala, sull'inizio della via Clerici. Ahimè, fu effimero, dietro la facciata bombée.

Finita la conference, con Franco Maria passiamo a Denver, dove nel mirabile museo-fortezza medioevale e multilaterale di Gio Ponti, sopra magnifiche sezioni d'arte Seminole e Sioux e Cheyenne e Omaha e Navajo ammiriamo splendidi lasciti Guggenheim e Kress. (Dunque, Contini Bonacossi). Taddeo di Bartolo, Giuliano da Rimini, Jacopo del Casentino, Jacobello del Fiore. Meravigliosi Crivelli, rarissimi Bonifacio Bembo.

Senza poter prevedere che in seguito a Brera si sarebbero aperte polemiche sull'attribuzione dei suoi Tarocchi Brambilla. (La contessa Brambilla, ancora attiva nel secondo Novecen-

to, possedeva sia il Brusuglio manzoniano sia il palazzo palermitano degli eredi Lampedusa. Ma si lamentava perché i suoi
cagnolini, uscendo dagli aerei o dalle borse in Sicilia, non la
riconoscevano più).

Cartolina da Washington, decenni addietro.

Grandioso congresso letterario mondiale alla Library of Con-
gress, organizzato da George Weidenfeld e sponsorizzato da
Ann Getty. Con ammicchi: dopo lo stile Queen Anne ci sarà
un trend post-Ann?

Vasti argomenti. Uguaglianza populista o élites qualitative?
Ideologia e impegno, o inconscio e sommerso? Intellighenzia,
intelligence, o i «ma sono bambiiini!» delle mammine risenti-
te quando ai tavoli vicini i non-intimisti protestano per il casino? Un *lowbrow* omologato, o lussi di ristoranti e abbigliamenti esclusivi caldeggiati dai medesimi media? Testi bruttissimi
però da non perdere giacché trasgressivi, così come certe scarpe orrende sono un must irriverente? E quelle ore di code e
file con indagini-campione. «Che cosa siete venuti a vedere?».
«L'evento di cui si parla». «E che cos'è?». «Mi chiedete troppo. Volete mettermi nell'imbarazzo?».

Ottima conversazione: Bianciotti, Brodskij, Drabble, Enzens-
berger, Gross, Hardwick, Holroyd, Le Roy Ladurie, Vargas Llosa,
Paz, Raddatz, Rowohlt, Sinjavskij, Updike... Nulla si crea né distrugge; accanto a noi, Rosemary Clooney esegue intatte le sue
antiche canzoni, e commenta: «Mi piace questo Ritz-Carlton
con le mie iniziali dappertutto». (Solo Oskar Kokoschka, infatti,
ebbe il privilegio di firmare le proprie opere con un «OK»).

Leggere la letteratura... Già, ma «un'ampia varietà di interessi» sarà un encomio o una deplorazione, oggidì? Dopo tanti giri e rigiri nella National Gallery e alla Phillips Collection –
dove ogni *ekphrasis* diverrebbe ingombrante, anche su un Courbet cielo-e-mare orizzontali – e dopo un pranzo in casa ove Mrs
Phillips ha riunito parecchi capolavori, sul congedo lei chiede,
scrollando un tantino il collo: «How did you like our Roman
painting?». Infatti, si è ammirata una mirabile davvero Piazza
del Popolo di Pierre Bonnard, ove dietro le venditrici d'arance in primo piano si scorge sullo sfondo un «petit pan de mur
jaune» che è la sporgenza assolata di via dell'Oca contro una
via Ripetta in ombra.

DISNEYLAND

Anni addietro, la prima Disneyland californiana presso Los Angeles poteva sembrare una nuova Villa Adriana (presso Tivoli), ispirata ai medesimi princìpi ideali e imperiali: riunire in un giovane parco i luoghi e gli emblemi delle storie e dei miti più desideranti sparsi nella Geografia e nella Fantasia dell'Umanità. E se la scelta disneyana privilegiava la Fiaba primaria – forse per quel po' di Freud e Jung già serpeggianti nelle analisi di mercato di Hollywood – i risultati non erano poi affatto infantili. Biancaneve e Pinocchio, Cenerentola e il Capitano Nemo, il Principe Azzurro e Topolino e la Strega Matrigna e Minnie, infatti, annunciavano già le scoperte delle scuole illustri di Lévi-Strauss e di Propp, e cioè che gli archetipi sono pochissimi.

Che grazia non priva d'invenzione, rimescolare Perrault e i Fratelli Grimm, Jules Verne e Lewis Carroll, Collodi e Mark Twain, Raymond Roussel e le fatine e il Kitsch.

Care memorie... Ritrovate intatte in Florida... Tutto identico, in quest'altra Disneyland più importante... Capanne di Robinson Crusoe e Svizzeri e Tarzan su biforcazioni di baobab. Fanfare di confederati, richiami di alpigiani e pellirosse, Tom Sawyer e Huck Finn che fanno un po' di *Show Boat* con Davy Crockett, trilli di Biancaneve e Cenerentola... «Basta un poco di zucchero, e la pillola... va giù»... «Lo farò morire di sete»... «Un dì per me verrà»... «Impara a fischiettar»... «I sogni son desideri, chiusi in fondo al cuor»...

... Era tutto così grazioso perché si era – fra popcorn e ice creams – più giovani in California? O perché «qualcosa» è intanto cambiato? (Lo stesso tema di quando si osserva: com'era bella questa spiaggia. E più d'uno commenta: la solita nostalgia dei tempi andati, in ogni età. E tu noti: ma c'erano la sabbia e la pineta, non il parcheggio e il condominio, ecco le foto. Risposta: che differenza c'è fra condominio e pineta, chi è cambiato sei tu).

Ora, nella più imponente e arcigna e recente Disneyland in Florida, presso Orlando, chi arriva da un Vecchio Mondo ancora un po' affannato dai dilemmi binari negli anni recenti (violenza e terrorismo e sangue-sangue-sangue?... oppure ironia e carnevale uso Bachtin?...) si trova piattamente e concretamente davanti ai prolungamenti già immaginari di quei temi nostrani tanto agitati e appassiti: irrisione o rivoluzione, per i nostri ragazzi? Ecco le proiezioni avverate degli ingenui entusiasmi «metropolitani» per l'elettronica e i videogames e i computers che sono «personal» però vengono coniugati con uno Stare Insieme non in dieci e ventimila, bensì in numeri molte volte più voluminosi, funzionanti come greggi di pecore o replicanti. E bastano pochi cani da pastore per farli alzare, spostare, filare. Eccolo, il risultato nel futuro su scala grandissima per folle enormi e docili e disposte a tutto, e convinte di partecipare a una festa, e completamente rincoglionite come i «citrulli» di paese nelle fiabe tradizionali.

Eccoci dunque nel Magic Kingdom che è il punto d'arrivo degli entusiasmi comunitari e delle euforie trasversali, e forse anche delle giuste lotte e delle sacrosante rivendicazioni. Ecco la collettività unificata senza più contestazioni differenziali, in visita reverente e omogenea alle creature già leggiadre di *Fantasia* e dell'Utopia, ridotte oggi a prodigiosi pupazzi automatici, operati da tecnici analoghi neanche a portantini da ospedale, ma a robot di fabbrica e macchinisti del métro. E accanto al Magico Reame di Topolino e di Mary Poppins, ecco il nuovissimo, appena aperto, mirabolante Epcot Center.

L'ingrata sigla sta per Experimental Prototype Community of Tomorrow; e questo Prototipo Sperimentale per una Comunità di Domani (sembra un titolo sottratto alle elaborazioni teoriche dell'antica Nuova Sinistra europea...) si propone e promulga come città-futura-modello soprattutto ai nuovi adulti vedovi di Paperino e nostalgici di Minnie, o di Marx, ma ansiosi di nuovi archetipi e prototipi dall'incantato mondo dell'Elettronica. Ecco dunque una colossale vetrina deferente e praticabile degli aspetti propizi nelle tecnologie emergenti, dei sistemi multinazionali, dei gadgets metropolitani (la «comunità» è abbondante...), però mai disgiunti dai valori tradizionali e un po' rurali della Comunità come Piccola Città, Radici e Ricette e Antichi Aromi e Sapori (con video, computer, e mitizzazione), Torta della Nonna guarnita dei più confortanti luoghi comuni del turismo cosmopolita di massa e melassa.

Non si capisce forse benissimo quale sarà il Futuro programmato, nel riflettere la fascinazione americana per i computers, molto più intensa che una volta per le automobili o la televisione? Computers usati soprattutto per fare giochetti in solitudine, o scherzi domestici in seratine accattivanti?... Come quando, anni fa, si sosteneva volentieri che le spese colossali sostenute per andar sulla Luna (e non per eseguire programmi urbanistici o sanitari o scolastici sulla Terra) avevano la conseguenza benefica di saggiar nuovi materiali utilissimi per conservare i legumi sottovuoto e non fare attaccare l'uovo fritto al fondo del tegamino?...

Si rimane forse influenzati, allora, dai piccoli accidenti che allontanano, proprio qui, la quotidianità dai Futuribili: i bagagli che perdono le coincidenze all'aeroporto di Miami; il motel pretenzioso ma senz'acqua perché non si trova il tubo di sezione adatta per riparare il guasto nella conduttura; informazioni faticose e comunicazioni difficilissime, perché gli apparecchi iper-sofisticati vengono maneggiati anche per un sì o un no da persone umane ad alto tasso di fallibilità psicologica, e tasso di alfabetizzazione scarsissimo.

Però, il Futuro della Comunità Elettronica viene realizzato, oltre che descritto, abbastanza efficacemente nell'accesso e nel giro di Epcot.

Code smisurate già arrivando in macchina sulla superstrada. E nelle macchine attigue e replicanti si vedono arrivare solo personaggi da cartoon, e zombies, a decine di migliaia, evidentemente richiamati alla matrice, attratti dall'habitat.

Code ai parcheggi, si attendono i trenini elettrici che conducono alle biglietterie. E lì, agli ingressi, dopo code di gran lunghezza, la «comunicazione» reciproca del nostro Domani si rivela un interminabile «dialogo fra sordi», per farsi spiegare – ciascuno, ogni volta – le tariffe già chiarissime sulle tabelle: tot per i grandi, tot per i piccini, tot per un giorno solo, tot per gli abbonamenti. Risposte con narrazioni personali sulla salute e sul viaggio e sul tempo, all'impersonale formula «come va» detta agli sportelli con la super-cortesia che è «lo stile dell'azienda». E laboriosi traffici di assegni e carte di credito che vanno verificate per computer, invece di preparare la sommetta per il biglietto.

Code, pazzesche, davanti alla monorotaia che conduce dalla biglietteria alle «attrazioni». E nuove code davanti a ciascuna attrazione. Sono, queste, dopo una grande sfera metallica di tinte rosa e azzurre mutanti nel crepuscolo, padiglioni di progetti e prodotti delle ditte che vogliono farsi venerare l'immagine pubblicitaria e televisiva: multinazionali di benzine, automobili, cibi conservati, prodotti fotografici, apparecchi per ufficio. E intorno a un laghetto, riproduzioni in miniatura dei luoghi turistici basici da cartolina.

Ecco dunque un Palazzo Ducale veneziano in plastica, con tre finestroni in tutto, il Campanile al posto del Ponte dei Sospiri, e un Alfredo Fettuccine al posto del Campanile. Una Torre Eiffel col Quartiere Latino della *Bohème* che le passa sotto; un Tempio del Cielo pechinese e una taverna elisabettiana; una piramide Maya, una pagoda di Kyoto, un Oktoberfest a Monaco... E le code spropositate dei visitatori, ad ogni singola «attrazione», non già distese intorno all'isolato, come ai cinema di New York, ma attorcigliate su se stesse in spazi minimi, segnati da corde e paletti, come le piante dei labirinti sui giornaletti enigmistici.

Non appena superata, dopo ore d'attesa, la coda esterna, ogni padiglione ha poi un'anticamera per la coda interna. (Sennò, Epcot si percorrerebbe e vedrebbe tutto in mezza giornata, come Villa Borghese: non è molto più grande).

Il Futuro – dunque?
Lentezze ineliminabili. Intasi pazienti, per forza. Impossibile tornare indietro. Difficoltà per esprimere e intendere «uno più uno fa due». Piccineria e tirchieria diffuse e condivise. Conteggi coi *cents* che cascano dalle dita.

Percorsi stretti e tortuosi, in recinti minuscoli e claustrofobici: lo «star bene tutti insieme» animale risolto semplicemente riducendo la struttura del «corral».

La modernità: feticismo dei prodotti e procedimenti industriali di massa. Reverenza e deferenza in fila, e pagando per riverire. Tutti in autobus e vagoni per la manifestazione alzandosi a ore bestiali, indossando berretti identici.

Insufficienti il mangiare, il bere, il riposarsi, i trasporti. Pochi ristoranti con nomi «classici», poche tavole e cibi analoghi, per centinaia di migliaia di visitatori. Niente spazi per picnic, onde evitare gli orrori del porcaio di massa. Dunque solo mense in piedi e confezioni di maialate che grondano salse e cipolle.

Conseguenze già gravi sul fisico giovanile: obesità sempre più

diffuse, ma proprio enormi, specialmente fra le ragazze ventenni (quegli enormi mastelli di cereali divorati al cinema...); de-
formità imbarazzanti; pelli con disturbi terribili.

Cultura, cioè Antichità & Folklore? Ammirare i falsi in miniatura, affollare le esposizioni di riproduzioni, acquistare prodotti commerciali in confezioni vecchiotte – mentre i legionari stranieri in képi coloniale spazzano il tea-room shakespeariano, e sul molo davanti alla magione di Benjamin Franklin i
gondolieri cantano in coro *Ohi Marì*.

VACANZE HAWAIANE

Ogni pochi minuti scende all'aeroporto di Honolulu un grandissimo jumbo con centinaia di turisti ansiosi di comprarsi subito la camicetta hawaiana e la collanina di conchigliette hawaiane, e che siano piccole piccole, bianche, tutte uguali, e unisex. Le smanie della villeggiatura di massa in questo aeroporto gigantesco paiono fra le più modeste, giacché ogni spostamento deve avvenire in pulmini, e prima di ogni pulmino e anche prima dei bagagli e dei cessi c'è questa consegna della tradizionale collana di fiori, per la fotografia, che va prenotata alla partenza, acquistando il biglietto, insieme al pasto opzionale a bordo. Dalla California sono quasi sei ore; e qualunque agenzia, dopo aver chiarito se prima classe o turistica, appura e prenota anche pasto e collana.

Dunque gran bei trambusti, perché gli utenti di queste vacanze omologate sono molto rigidamente autoselezionati da un punto di vista sociologico – famiglie numerose del più rustico Middle West, coppiette esemplari in viaggio di nozze, coppiette equivoche che simulano parentele improbabili, pensionati freddolosi, campeggiatori con la chitarra – però svariano fisiognomicamente dall'allibito allo stranito e dall'imbranato all'attonito: quindi la chitarra cade e il cagnino scappa e la bicicletta crolla e le pinne si perdono e la spazzolina rimane per aria e i bambini fanno i cretini, come nei più vieti cartoons del primo Novecento, mentre una hostess carica di collane rosa e viola urla i nomi dei ritardatari e degli smarriti, gli mette la collana, li avvia al pulmino, e li scarica al nastro dei bagagli, dove nelle more della consegna si faranno finalmente le prime foto reciproche, con sfondo di valigie e facchini, e di partenti che stanno facendosi anche loro le foto, ma con ben altri problemi, giacché quelle stesse collane devono anche servire per le foto di arrivo a Los Angeles o a San Francisco, quindi per non perdere totalmente la freschezza hanno bisogno di involucri di plastica molto ingombranti e molto umidi.

Subito dopo, finalmente i due acquisti: le collanine sono «chokers» a livello di pomo d'Adamo, e solo in parte soddisfano questa ingordigia americana attuale per la bigiotteria maschile che impone, in media in estate, uno o due bracciali, tre o quattro anelli, un'abbondante serie di catene e catenine di varia lunghezza e vari materiali al collo, e perfino l'orecchino o boccola che dal mondo gay deborda ormai anche fra le eterosessualità più intransigenti. Circa la camicetta, gran delusione invece per chi ricorda e ricerca quei palmizi e quegli ananas sulle camicie nell'epoca di Harry Truman e di Carmen Miranda. Sono scomparsi. Ora questi sciagurati hanno visto Emilio Pucci e Andy Warhol, li hanno rimescolati con l'espressionismo astratto e perfino con l'impressionismo di Monet; e in sostituzione dell'estinto cotone, il tessuto è una cosa lucida e isterica di provenienza certamente giapponese o cinese.

Dopo, niente, basta. La villeggiatura del futuro di massa si svolge soltanto come passeggiatina fra migliaia di negozi tutti uguali di camicette, di collanine, e di ricordini – e la gente riparte assai smorta, per mancanza di sole e di mare – perché in quest'isola principale, Oahu, la sola spiaggia graziosa e grandina sarà stata, a suo tempo, paragonabile a Cannes. Ma è stata interamente, e da parecchio, costruita. Metà, con gli alberghi direttamente sulla spiaggia; e metà, con una Croisette a pochi metri dall'acqua, e gli alberghi subito dietro. Come risultato, la spiaggia ha una profondità minima, una decina di metri di sabbia; subito dietro i grattacieli; e l'acqua, davanti, è un vero cesso.

Alle spalle, una quadrettatura di strade e isolati come a Viareggio. Una metà, però, di grattacieli, altissimi, per lo più di condominii; e l'altra metà, invece, ancora casette arcaiche di legno franante, bassissime, irte di condizionatori. Con un valore certamente enorme, il pregio del suolo, ma chiaramente inabitabili, per la mancanza di luce solare e il traffico orrendo.

Accanto a Waikiki, da una parte Honolulu, che è una città americana qualunque, ma con questo traffico spropositato, molto più intasato che a New York, e qualche goffo tentativo di architettura moderna che sovrappone a un edificio cubico generico lo schema grigliato dell'ananas nazionale, in cemento. Dall'altra parte, una riviera di ville con giardini annaffiati. Ma intorno, decine di chilometri di siccità e di deserto.

E le spiagge? E le palme?
Le palme non si trovano. Ce ne sono di più sul Sunset Boulevard, e sulla Promenade des Anglais. E le spiagge sono piccole, scarse, numerate, in effetti non più di una decina nell'intera isola, il resto è un perimetro di strapiombi rocciosi. Tipo Dalmazia. Mai più lunghe di un mezzo chilometro; non più profonde di una ventina di metri; talvolta con scogli corallini taglienti subito sotto; tenute come parchi nazionali, con un loro inizio, una fine, un gran rispetto, permessi, divieti, parcheggi per le macchine delimitati con righe bianche per terra, mancanza ecologica di cabine, ma insistenti cartelli di avviso contro la ladreria. Inoltre, come minimo, a due ore di macchina dagli alberghi di Waikiki. Pochissimi quindi le raggiungono, anche perché gli affitti delle macchine sono abbastanza esosi: e comunque, una volta lì, non c'è un solo sfondo per fotografie che possa connotare Hawaii, solo colline generiche, si arrendono perfino i giapponesi.
Con un piccolo aereo da turismo si possono invece vedere e capire le otto isole, e atterrare almeno in quattro: le vere bellezze sono straordinarie, ma inaccessibili, e di tipo nettamente svizzero e Biedermeier. Altipiani selvosi, verdissimi, pieni di foreste e orridi e innumerevoli cascate imponenti, fra il regno di Ossian e quello di King Kong. Però non solo irraggiungibili: anche inutili da raggiungere. Qualunque strada, mostruosa da costruire, offrirebbe come massimo risultato visivo la traversata di un bosco e un belvedere sul torrente. I vulcani famosi, invece, sono noiosi dentro e fuori come ogni loro fotografia. Ma soprattutto le coste lasciano sorpresi e delusi vuoi dall'aereo vuoi scendendo giù: vanno dentro e fuori senza carattere. Sublimi invece le piantagioni in un'isola posseduta interamente da una compagnia di ananas e proibita al piede straniero come in una vera tragedia d'antico stampo. È il più bell'esempio di Land Art mai vista, invece, perché al contrario di quelle sciocchezze che sono già tediose concettualmente e poi moleste quando realizzate (come incappucciare scogli e tirar righe nelle pianure), qui le private leggi di una coltivazione agricola che oscilla tra la geometria e l'Op Art producono una elegantissima tappezzeria minimalista, molto bizzarra e molto attraente.

Sull'elenco dei servizi pubblici di Waikiki, oltre alla voce «Consigli per Crisi» e a quella «Consigli per Suicidio» (indipendente dalle altre Crisi), non par male che figuri un «Centro di Soccorso per l'Identità Sessuale» con un numero per i civili, e uno diverso per i militari. Ma alle spalle di questi problemi, accanto a locali perduti dove si danza *The Hustle* con gli stessi fischi e gli stessi baffi che a New York e a Los Angeles, qualche pezzetto di passato cinematografico si ha pure il privilegio di trovarlo, anche se delusi dalle spiagge, dalle palme, dalle camicie. In un cavernoso seminterrato attiguo a una lavanderia cinese, ausiliarie che nulla distingue da Ann Sheridan e da Ida Lupino giocano a biliardo con spalle molto quadre e molto del Quaranta, sotto lampade molto fumose, ventilatori a pale, avventori con la visierina di celluloide. Con pettinature ancora più anacronistiche, dal crew cut alla doppia banana, ballano perdutamente insieme dei Van Johnson e dei Tim Holt; e neanche un blue jeans, solo quei vecchi «chinos» chiari, quasi bianchi, larghi sul culone e strettissimi sulla scarpa da tennis. Scappiamo, scappiamo, prima che la musica s'interrompa improvvisamente, e una voce colonnellesca dall'altoparlante ci metta tutti sull'attenti perché stanno succedendo delle cose nell'attigua Pearl Harbor.

GLI ADELPHI

FINITO DI STAMPARE NEL MARZO 2011
DA L.E.G.O. S.P.A. STABILIMENTO DI LAVIS

Printed in Italy

GLI ADELPHI
Periodico mensile: N. 385/2011
Registr. Trib. di Milano N. 284 del 17.4.1989
Direttore responsabile: Roberto Calasso